개념풀 중학 과학 2

그림으로 쉽고 가볍게 익히는 **용어** •
빈틈없이 단단하게 정리된 **내용 정리** •
어렵고 중요한 내용은 한 번 더 **집중 공략** •
차근차근 실력을 쌓을 수 있는 **단계별 문제** •

개념을 쉽게 풀어 이해가 잘 되는 진도용 교재

Book ❶ 진도책

이 책을 집필하신 선생님

최은정 과학교육연구소 소장

박보경 전남중학교 교사

장은경 용인정평중학교 교사

개념풀 특강

중학 과학 2

Book ❶ 진도책

교재 구성과 사용법

교재 구성

- Book ① 진도책
- Book ② 복습책
- Book ③ 정답과 해설

기초 공사를 탄탄히!!
중등 개념은 고등까지 연결되기 때문에 중요한 건 다들 알고 있지?
지금 배우는 개념들은 나중에 고등학교 통합과학에서도
유용하게 쓸 수 있는 탄탄한 기초가 되어 줄 거야!

Book ① 진도책

1 핵심 용어로 워밍업!

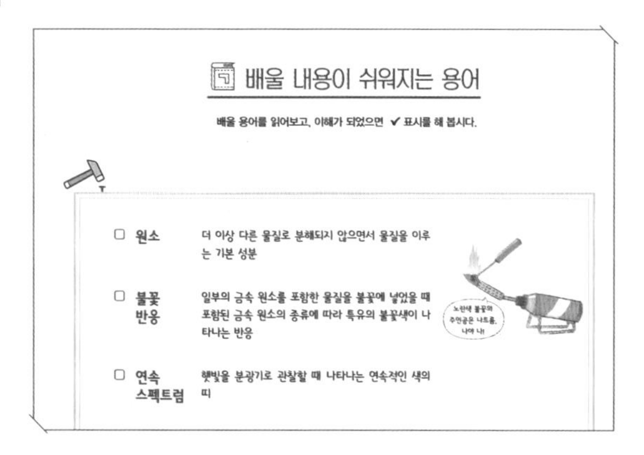

배울 내용이 쉬워지는 용어

공부를 시작하기에 앞서 대단원의 핵심 용어를 가볍게 훑어보자. 배울 내용의 이해가 훨씬 빨라질 거야.

2 잘 정리된 내용 정리로 탄탄하게 개념 학습!

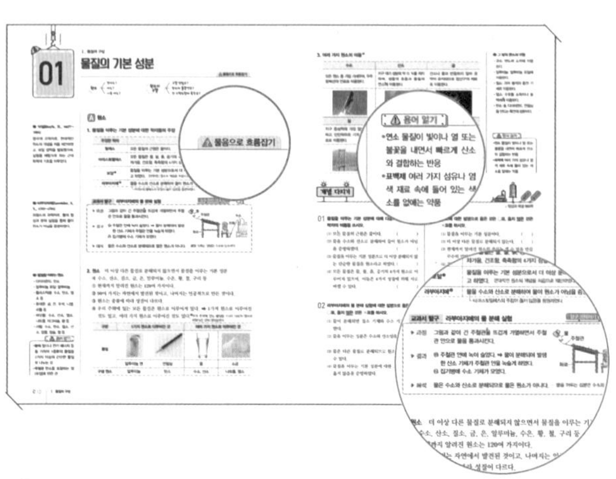

물음으로 흐름잡기

질문으로 먼저 핵심을 점검하자. 이 단원에서 무엇을 공부해야 하는지 방향을 알려 줄 거야.

개념 정리 & 용어 알기 & 교과서 탐구

교과서의 내용과 용어를 차근차근 공부하자. 이때 교과서에 나온 중요한 탐구는 꼭 보고 가자. 이해하기 쉽게 잘 정리된 교과서 내용을 술술 읽어 나가다 보면 개념이 차오르는 게 느껴질 거야.

Book ② 복습책

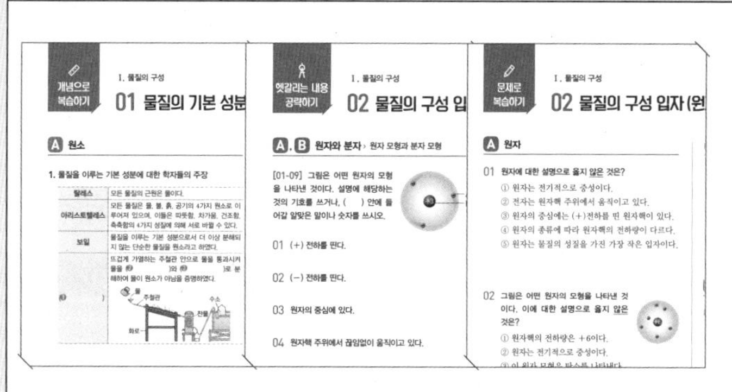

개념으로 복습하기

오랫동안 기억하려면 반복이 중요해! 배운 내용을 눈으로 정리하고 필수 개념들은 스스로 채우면서 개념을 되새겨 보자.

헷갈리는 내용 공략하기

어려운 내용은 아니지만, 암기가 필요하거나 반복적인 학습이 필요한 내용을 집중적으로 연습해 보자.

문제로 복습하기

문제로 한 번 더 복습하면서 새는 개념 없이 꽉 묶어 두자.

Book ③ 정답과 해설

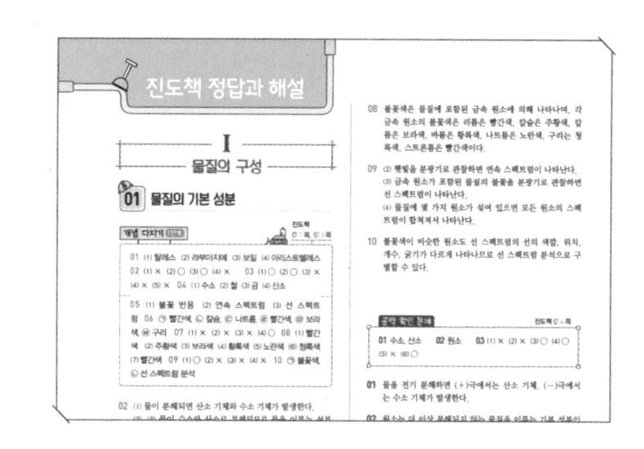

의구심이 남지 않는 친절한 풀이

한 번 틀린 문제를 다시 틀리지 않으려면 왜 틀렸는지 아는 게 중요해. 오답 분석으로 잘못 이해하고 있는 내용은 없는지 확인할 수 있도록 도와줄게. 자료 분석으로 더 자세한 해설도 제공할 거야! 서술형 문제는 모범 답안, 해설, 채점 기준표까지 친절하게 알려줄게!

3 까다로운 내용, 어려운 내용은 집중적으로 공략!

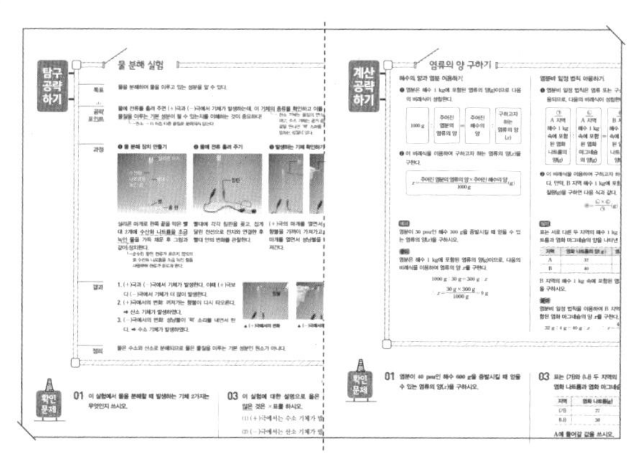

공략하기

중요한 탐구와 자료, 계산 문제는 꼭 나오기 마련! 언제 마주쳐도 당황하지 않게 집중적으로 공부하자. 내용을 익힌 후 문제까지 풀어보고 나면 두려울 것이 없겠지?

4 계단을 오르듯이 차근차근, 단계별 문제 풀기

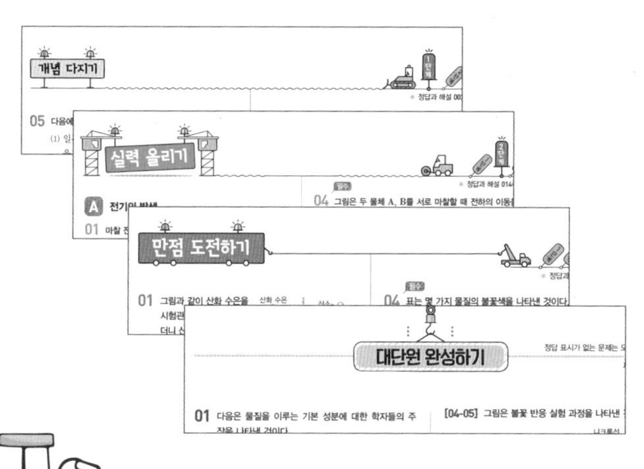

개념 다지기 (1단계)

OX 문제, 줄긋기, 빈칸 채우기, 단답형 등 기본 문제로 핵심 개념을 다져볼까? 기초가 제일 중요해!

실력 올리기 (2단계)

시험에 자주 출제되는 문제들로 실전 연습 좀 해 볼까?
꼼꼼하게 실력을 쌓자!

만점 도전하기 (3단계)

고난도 문제로 나의 실력을 더 향상시켜 볼까? 어려운 문제를 풀면서 자신감을 키워봐!

대단원 완성하기

대단원 학습을 마쳤으니 실전처럼 점검해 볼 거야. 점차 중요해지는 서술형 문제까지 꽉 잡아 확실하게 성적을 올려보자!

차례와 학습 진행표

학습 진행률(%)

I 물질의 구성

0 25 50 75 100

II 전기와 자기

0 25 50 75 100

III 태양계

0 25 50 75 100

IV 식물과 에너지

0 25 50 75 100

V 동물과 에너지

0 25 50 75 100

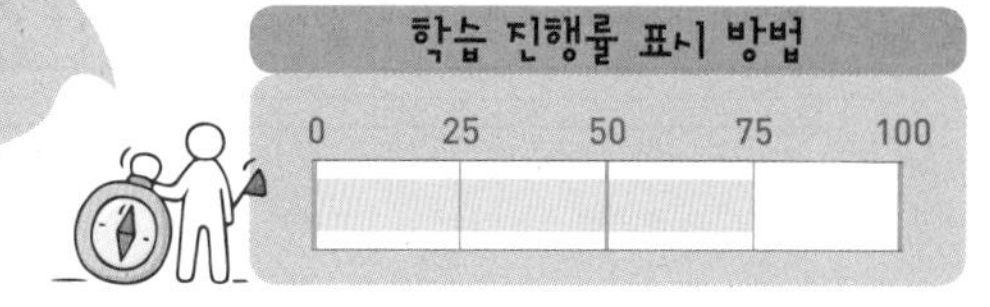

Ⅵ 물질의 특성

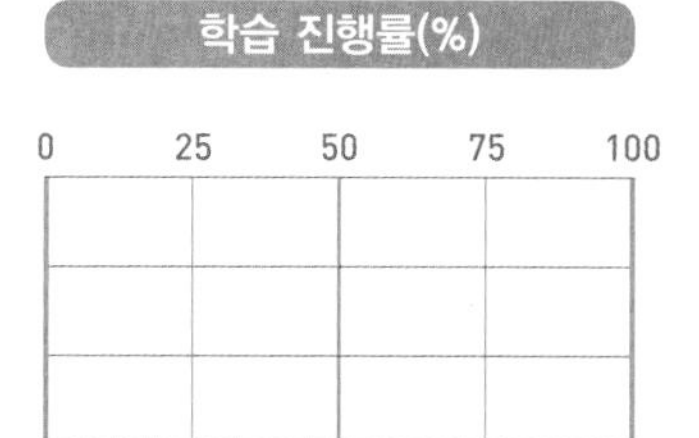

Ⅶ 수권과 해수의 순환

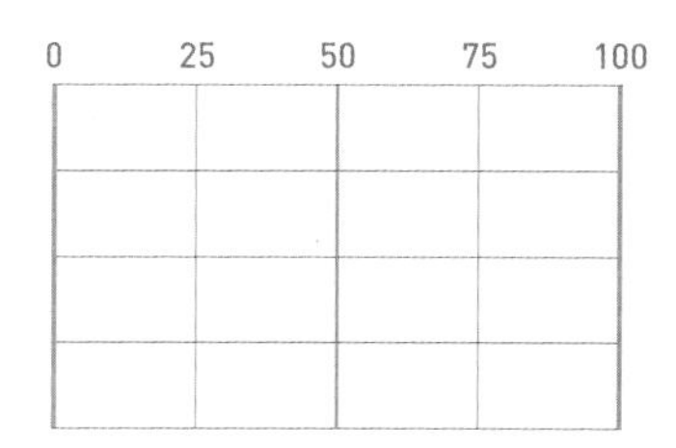

Ⅷ 열과 우리 생활

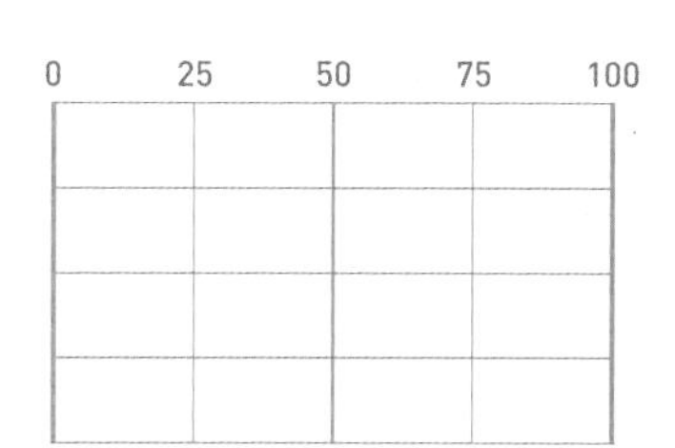

Ⅸ 재해 · 재난과 안전

0 25 50 75 100

내 교과서와 비교하기

대단원	중단원	개념플 특강	동아	미래엔	비상	와이비엠	천재
Ⅰ 물질의 구성	01. 물질의 기본 성분	10~19	12~19	14~19	12~19	14~17	13~17
	02. 물질의 구성 입자(원자와 분자)	20~27	20~29	20~29	22~33	18~28	18~29
	03. 전하를 띠는 입자(이온)	28~37	30~39	30~38	36~45	30~36	31~39
Ⅱ 전기와 자기	01. 전기	44~53	48~65	50~65	52~73	48~64	47~63
	02. 자기	54~63	66~75	66~75	76~83	66~74	65~73
Ⅲ 태양계	01. 지구와 달의 크기와 운동	70~79	85~97	86~99	90~101	86~97	81~95
	02. 태양과 태양계 행성	80~89	101~109	100~113	106~115	100~113	99~112
Ⅳ 식물과 에너지	01. 광합성	96~105	121~130	124~138	124~135	126~139	123~135
	02. 식물의 호흡	106~111	133~137	140~147	140~143	142~145	139~145
Ⅴ 동물과 에너지	01. 소화	118~127	149~157	158~167	152~161	158~168	155~167
	02. 순환	128~133	158~163	168~172	166~171	170~175	168~173
	03. 호흡	134~139	167~171	174~177	176~179	178~181	177~181
	04. 배설	140~145	172~177	178~185	180~191	182~189	182~188

대단원	중단원	개념풀 특강	동아	미래엔	비상	와이비엠	천재
Ⅵ 물질의 특성	01. 물질의 특성(1)	152~161	188~191 198~201	196~203	200~201 210~215	202~205	197~203
	02. 물질의 특성(2)	162~171	192~197	204~212	202~209	206~209	204~213
	03. 혼합물의 분리	172~181	202~213	214~227	218~231	210~212	215~227

대단원	중단원	개념풀 특강	동아	미래엔	비상	와이비엠	천재
Ⅶ 수권과 해수의 순환	01. 수권과 해수의 성질	188~197	223~229	238~249	238~253	238~249	235~248
	02. 해수의 순환	198~203	233~237	250~254	254~257	250~253	249~253

대단원	중단원	개념풀 특강	동아	미래엔	비상	와이비엠	천재
Ⅷ 열과 우리 생활	01. 온도와 열	210~219	248~259	266~275	266~277	266~278	263~273
	02. 비열과 열팽창	220~229	260~269	276~282	280~287	280~288	275~283

대단원	중단원	개념풀 특강	동아	미래엔	비상	와이비엠	천재
Ⅸ 재해 · 재난과 안전	01. 재해 · 재난의 원인과 대처	234~240	278~289	294~305	294~301	298~307	290~299

I

물질의 구성

배울 내용이 쉬워지는 용어

배울 용어를 읽어보고, 이해가 되었으면 ✔ 표시를 해 봅시다.

- ☐ **원소** 더 이상 다른 물질로 분해되지 않으면서 물질을 이루는 기본 성분

- ☐ **불꽃 반응** 일부의 금속 원소를 포함한 물질을 불꽃에 넣었을 때 포함된 금속 원소의 종류에 따라 특유의 불꽃색이 나타나는 반응
- ☐ **연속 스펙트럼** 햇빛을 분광기로 관찰할 때 나타나는 연속적인 색의 띠
- ☐ **선 스펙트럼** 특정 원소가 포함된 물질의 불꽃을 분광기로 관찰할 때 특정 부분만 밝은 선으로 나타나는 불연속적인 색의 띠
- ☐ **원자** 물질을 이루는 기본 입자
- ☐ **분자** 독립된 입자로 존재하여 물질의 성질을 나타내는 가장 작은 입자
- ☐ **원소 기호** 원소를 간단한 기호로 나타낸 것
- ☐ **분자식** 원소 기호를 사용하여 분자를 이루는 원자의 종류와 수를 나타낸 것
- ☐ **이온** 원자가 전자를 잃어 (+)전하를 띠거나 전자를 얻어 (-)전하를 띤 입자, (+)전하를 띤 입자는 양이온, (-)전하를 띤 입자는 음이온
- ☐ **앙금 생성 반응** 이온이 들어 있는 서로 다른 두 수용액을 섞었을 때 양이온과 음이온이 반응하여 물에 잘 녹지 않는 물질인 앙금이 생성되는 반응

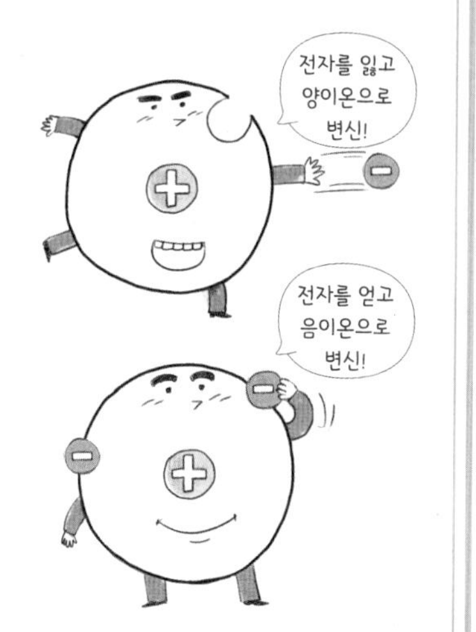

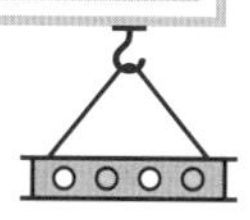

Ⅰ. 물질의 구성

물질의 기본 성분

물음으로 흐름잡기

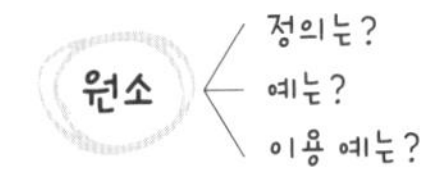

A 원소

1. 물질을 이루는 기본 성분에 대한 학자들의 주장

주장한 학자	주장한 내용
탈레스	모든 물질의 근원은 물이다.
아리스토텔레스	모든 물질은 물, 불, 흙, 공기의 4가지 원소로 이루어져 있으며, 이들은 따뜻함, 차가움, 건조함, 축축함의 4가지 성질에 의해 서로 바뀔 수 있다.
보일❶	물질을 이루는 기본 성분으로서 더 이상 분해[*]되지 않는 단순한 물질을 원소라고 하였다. 현대적인 원소의 개념을 처음으로 제안하였다.
라부아지에❷	물을 수소와 산소로 분해하여 물이 원소가 아님을 증명하였다.

└아리스토텔레스의 주장이 옳지 않음을 증명하였다.

교과서 탐구 라부아지에의 물 분해 실험

▶ 과정 그림과 같이 긴 주철관[*]을 뜨겁게 가열하면서 주철관 안으로 물을 통과시킨다.

물 / 주철관 / 수소 / 찬물 / 화로

▶ 결과 ① 주철관 안에 녹이 슬었다. ➡ 물이 분해되어 발생한 산소 기체가 주철관 안을 녹슬게 하였다.
② 집기병에 수소 기체가 모였다.

▶ 해석 물은 수소와 산소로 분해되므로 물은 원소가 아니다. ─ 물을 이루는 성분은 수소와 산소이다.

2. 원소 더 이상 다른 물질로 분해되지 않으면서 물질을 이루는 기본 성분

예 수소, 산소, 질소, 금, 은, 알루미늄, 수은, 황, 철, 구리 등

① 현재까지 알려진 원소는 120여 가지이다.

② 90여 가지는 자연에서 발견된 것이고, 나머지는 인공적으로 만든 것이다.

③ 원소는 종류에 따라 성질이 다르다.

④ 우리 주위에 있는 모든 물질은 원소로 이루어져 있다. ➡ 1가지 원소로 이루어진 것도 있고, 여러 가지 원소로 이루어진 것도 있다.❸ 우리 주위에 있는 물질은 2가지 이상의 원소로 이루어진 것이 대부분이다.

구분	1가지 원소로 이루어진 것		여러 가지 원소로 이루어진 것	
물질	알루미늄 캔	연필심	물	소금
구성 원소	알루미늄	탄소	수소, 산소	나트륨, 염소

❶ **보일(Boyle, R., 1627~1691)**
영국의 과학자로, 현대적인 원소의 개념을 처음 제안하였고, 보일 법칙을 발표했으며, 실험을 바탕으로 하는 근대 화학의 기초를 이루었다.

❷ **라부아지에(Lavoisier, A. L., 1743~1794)**
프랑스의 과학자로, 물의 합성과 분해 실험을 통해 물이 원소가 아님을 증명하였다.

❸ **물질을 이루는 원소**
- 다이아몬드: 탄소
- 알루미늄 포일: 알루미늄
- 플라스틱병: 수소, 탄소, 염소 등
- 휴대폰: 금, 은, 주석, 니켈, 리튬 등
- 바닷물: 수소, 산소, 염소, 나트륨, 마그네슘, 황 등
- 사람: 수소, 탄소, 질소, 산소, 칼륨, 칼슘, 철 등

용어 알기
- **분해** 열이나 전기 에너지 등을 가하여 1종류의 물질을 2가지 이상의 간단한 물질로 나누는 것
- **주철관** 탄소를 포함하는 철(주철)로 만든 관

3. 여러 가지 원소의 이용❹

수소	산소	금
모든 원소 중 가장 가벼우며, 우주 왕복선의 연료로 이용된다.	지구 대기 성분의 약 21 %를 차지하며, 생물의 호흡과 물질의 연소에 이용된다.	산소나 물과 반응하지 않아 광택이 유지되므로 장신구의 재료로 이용된다.
철	**구리**	**헬륨**
지구 중심핵에 가장 많이 존재하고, 단단하므로 기계, 건축 재료로 이용된다.	전류를 잘 흐르게 하는 성질이 있어 전선에 이용된다.	공기보다 가볍고 불에 타지 않으므로 비행선의 충전 기체로 이용된다.

❹ 그 밖의 원소의 이용
- 규소: 반도체 소자에 이용된다.
- 알루미늄: 알루미늄 포일에 이용된다.
- 질소: 과자 봉지의 충전 기체로 이용된다.
- 염소: 수돗물 소독이나 표백제에 이용된다.
- 탄소: 숯, 다이아몬드, 연필심을 만드는 흑연의 성분이다.

⚠ 용어 알기
- **연소** 물질이 빛이나 열 또는 불꽃을 내면서 빠르게 산소와 결합하는 반응
- **표백제** 여러 가지 섬유나 염색 재료 속에 들어 있는 색소를 없애는 약품

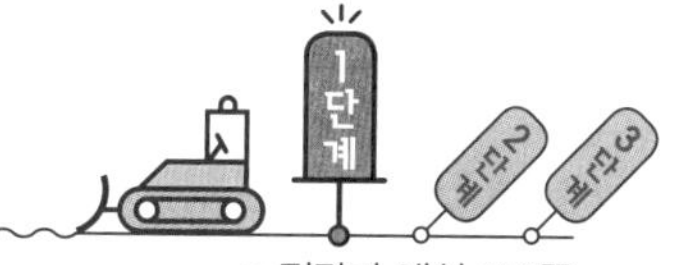

★ 정답과 해설 002쪽

01 물질을 이루는 기본 성분에 대해 다음과 같이 주장한 학자의 이름을 쓰시오.

(1) 모든 물질의 근원은 물이다. ( )

(2) 물을 수소와 산소로 분해하여 물이 원소가 아님을 증명하였다. ( )

(3) 물질을 이루는 기본 성분으로 더 이상 분해되지 않는 단순한 물질을 원소라고 하였다. ( )

(4) 모든 물질은 물, 불, 흙, 공기의 4가지 원소로 이루어져 있으며, 이들은 4가지 성질에 의해 서로 바뀔 수 있다. ( )

02 라부아지에의 물 분해 실험에 대한 설명으로 옳은 것은 ○표, 옳지 않은 것은 ×표를 하시오.

(1) 물이 분해되면 질소 기체와 수소 기체가 발생한다. ( )

(2) 물을 이루는 성분은 수소와 산소임을 알 수 있다. ( )

(3) 물은 다른 물질로 분해되므로 원소가 아님을 알 수 있다. ( )

(4) 물질을 이루는 기본 성분에 대한 보일의 주장이 옳지 않음을 증명하였다. ( )

03 원소에 대한 설명으로 옳은 것은 ○표, 옳지 않은 것은 ×표를 하시오.

(1) 물질을 이루는 기본 성분이다. ( )

(2) 더 이상 다른 물질로 분해되지 않는다. ( )

(3) 현재까지 알려진 원소의 종류는 셀 수 없을 만큼 무수히 많다. ( )

(4) 현재까지 알려진 원소는 모두 자연에서 발견된 것이다. ( )

(5) 우리 주위에 있는 물질은 원소로 이루어진 것도 있고, 원소로 이루어지지 않은 것도 있다. ( )

04 다음과 같이 이용되는 원소의 이름을 쓰시오.

(1) 가장 가벼운 원소로, 우주 왕복선의 연료로 이용된다. ( )

(2) 단단하므로 건물이나 다리의 철근, 철도 레일 등에 이용된다. ( )

(3) 산소나 물과 반응하지 않아 광택이 유지되므로 장신구의 재료로 이용된다. ( )

(4) 지구 대기 성분의 약 21 %를 차지하며, 생물의 호흡과 물질의 연소에 이용된다. ( )

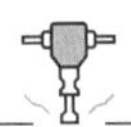

B 원소의 구별 방법

1. 불꽃 반응 일부의 금속 원소를 포함한 물질을 불꽃에 넣었을 때 포함된 금속 원소의 종류에 따라 특유의 불꽃색이 나타나는 반응❺ 탐구 공략하기 015쪽

① 여러 가지 원소의 불꽃색❻

원소	리튬	나트륨	칼륨	칼슘	스트론튬	구리	바륨
불꽃색	빨간색	노란색	보라색	주황색	빨간색	청록색	황록색

② 불꽃 반응의 특징

- 실험 방법이 간단하다.
- 물질의 양이 적어도 그 속에 포함된 원소의 종류를 알아낼 수 있다.
- 물질의 종류가 달라도 같은 금속 원소를 포함하면 같은 불꽃색을 나타낸다.
  예 염화 나트륨과 질산 나트륨: 불꽃색은 모두 노란색이다. ➡ 모두 나트륨을 포함하기 때문 불꽃색을 관찰하면 물질에 포함된 특정 원소의 종류를 알 수 있다.

원소의 불꽃 반응 실험

❶ 묽은 염산과 증류수로 깨끗이 씻은 니크롬선을 토치의 겉불꽃에 넣고 다른 색깔이 나타나지 않는지 확인한다.
➡ 니크롬선을 묽은 염산과 증류수로 씻는 까닭: 니크롬선에 묻은 불순물을 제거하기 위해

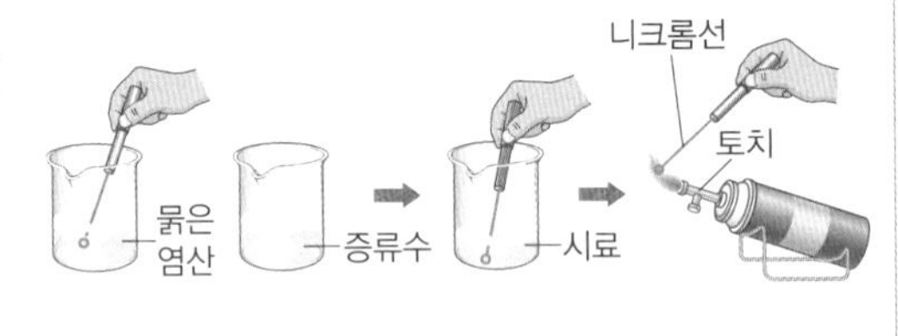

❷ 시료의 수용액을 니크롬선에 묻혀 토치의 겉불꽃에 넣고 불꽃색을 관찰한다.
➡ 니크롬선을 겉불꽃에 넣는 까닭: 겉불꽃은 속불꽃보다 온도가 높고 무색이어서 불꽃색을 관찰하기 좋기 때문

2. 스펙트럼 빛을 분광기로 관찰할 때 색이 나누어져 나타나는 여러 가지 색의 띠

① 스펙트럼의 종류

연속 스펙트럼	선 스펙트럼
햇빛을 분광기로 관찰할 때 나타나는 연속적인 색의 띠	특정 원소가 포함된 물질의 불꽃을 분광기로 관찰할 때 특정 부분만 밝은 선으로 나타나는 불연속적인 색의 띠
▲ 햇빛의 연속 스펙트럼	▲ 나트륨의 선 스펙트럼

② 선 스펙트럼의 특징

- 물질에 포함된 원소의 종류에 따라 선의 색깔, 위치, 개수, 굵기가 다르게 나타난다. (선 스펙트럼을 비교하면 원소의 종류를 구별할 수 있다.)
- 불꽃색이 비슷한 원소를 구별할 수 있다.
  예 리튬과 스트론튬: 불꽃색이 빨간색으로 비슷하지만 선 스펙트럼이 다르게 나타난다.❼
- 물질에 몇 가지 원소가 섞여 있어도 각 원소의 고유한 선 스펙트럼이 모두 나타난다.
  ➡ 물질에 포함된 원소의 종류를 알아낼 수 있다.

---

❺ 금속 원소
특유의 광택이 있고, 열과 전기가 잘 통하며, 외부에서 힘을 가할 때 얇게 펴지거나 가늘고 길게 늘어나는 성질이 있다. 철, 구리, 알루미늄, 금 등이 있으며, 수은을 제외하고는 모두 실온에서 고체로 존재한다.

불꽃색
친구가 빨리(빨간색 리튬) 놀아볼까(노란색 나트륨, 보라색 칼륨)라고 해서 필요한 돈을 엄마께 청구(청록색 구리)했더니 확~바!(황록색 바륨) 라고 하셨다.

❻ 불꽃놀이
축제나 행사에서 볼 수 있는 불꽃놀이도 다양한 원소의 불꽃색을 우리 눈으로 보는 것이다.

❼ 리튬과 스트론튬의 선 스펙트럼

리튬

스트론튬

용어 알기
- **광택** 빛의 반사로 물체의 표면에서 반짝거리는 빛
- **분광기** 빛을 파장에 따라 나누어 스펙트럼을 관찰하는 기구

③ 선 스펙트럼 분석: 물질의 선 스펙트럼에는 각 성분 원소의 선 스펙트럼이 모두 나타나므로 선 스펙트럼 분석을 통해 미지의 물질에 포함된 원소의 종류를 알 수 있다.❽

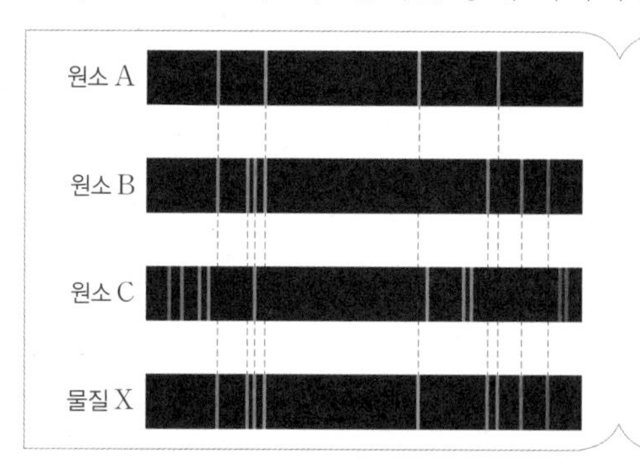

- 물질 X의 선 스펙트럼에 나타난 선에서 위로 점선을 그었을 때 선의 위치가 모두 같은 원소는 물질 X에 포함된 원소이다.
- 원소 A와 원소 B의 선은 모두 물질 X의 선 스펙트럼에 포함되어 있으므로 물질 X에 들어 있는 원소는 원소 A와 원소 B이다.

❽ 선 스펙트럼 분석
선 스펙트럼 분석을 통해 물질 속에 포함된 원소를 알 수 있다. 이는 물질의 선 스펙트럼에는 각 성분 원소의 선 스펙트럼이 모두 나타나기 때문이다.

정답과 해설 002쪽

05 다음에서 설명하는 것은 무엇인지 쓰시오.

(1) 일부의 금속 원소를 포함한 물질을 불꽃에 넣었을 때 포함된 금속 원소의 종류에 따라 특유의 불꽃색이 나타나는 반응 (　　　)

(2) 햇빛을 분광기로 관찰할 때 나타나는 연속적인 색의 띠 (　　　)

(3) 특정 원소가 포함된 물질의 불꽃을 분광기로 관찰할 때 특정 부분만 밝은 선으로 나타나는 불연속적인 색의 띠 (　　　)

06 표의 ㉠~㉥에 들어갈 원소의 이름이나 불꽃색을 쓰시오.

원소 이름	불꽃색	원소 이름	불꽃색
리튬	(㉠)	(㉡)	주황색
(㉢)	노란색	스트론튬	(㉣)
칼륨	(㉤)	(㉥)	청록색

07 불꽃 반응에 대한 설명으로 옳은 것은 ○표, 옳지 않은 것은 ×표를 하시오.

(1) 모든 원소를 확인할 수 있다. (　)

(2) 물질의 양이 많아야 포함된 원소를 확인할 수 있다. (　)

(3) 염화 칼슘의 불꽃색은 염소 원소에 의해 나타난다. (　)

(4) 물질의 종류가 달라도 같은 금속 원소를 포함하면 같은 불꽃색을 나타낸다. (　)

08 다음 물질의 불꽃색을 쓰시오.

(1) 질산 리튬 (　　　)

(2) 질산 칼슘 (　　　)

(3) 탄산 칼륨 (　　　)

(4) 염화 바륨 (　　　)

(5) 염화 나트륨 (　　　)

(6) 질산 구리(Ⅱ) (　　　)

(7) 염화 스트론튬 (　　　)

09 스펙트럼에 대한 설명으로 옳은 것은 ○표, 옳지 않은 것은 ×표를 하시오.

(1) 빛을 분광기로 관찰할 때 색이 나누어져 나타나는 여러 가지 색의 띠이다. (　)

(2) 햇빛을 분광기로 관찰하면 선 스펙트럼이 나타난다. (　)

(3) 금속 원소가 포함된 물질의 불꽃을 분광기로 관찰하면 연속 스펙트럼이 나타난다. (　)

(4) 물질에 몇 가지 원소가 섞여 있으면 양이 가장 많은 원소의 선 스펙트럼만 나타난다. (　)

10 (　　) 안에 들어갈 알맞은 말을 고르시오.

> 리튬, 스트론튬과 같이 ㉠(불꽃색, 선 스펙트럼)이 비슷한 원소는 ㉡(불꽃 반응, 선 스펙트럼 분석)을 통해 구별할 수 있다.

탐구 공략 하기

물 분해 실험

목표 물을 분해하여 물을 이루고 있는 성분을 알 수 있다.

공략 포인트 물에 전류를 흘려 주면 (+)극과 (−)극에서 기체가 발생하는데, 이 기체의 종류를 확인하고 이를 통해 물이 물질을 이루는 기본 성분이 될 수 있는지를 이해하는 것이 중요하다!

원소 → 더 이상 다른 물질로 분해되지 않는다.

산소 기체는 물질의 연소에 필요하고, 수소 기체는 공기 중에서 불꽃을 만나면 '퍽' 소리를 내며 폭발하는 성질이 있다.

과정

❶ 물 분해 장치 만들기

실리콘 마개로 한쪽 끝을 막은 빨대 2개에 수산화 나트륨을 조금 녹인 물을 가득 채운 후 그림과 같이 장치한다.

순수한 물은 전류가 흐르지 않으므로 수산화 나트륨을 조금 녹인 물을 사용하여 전류가 흐르게 한다.

❷ 물에 전류 흘려 주기

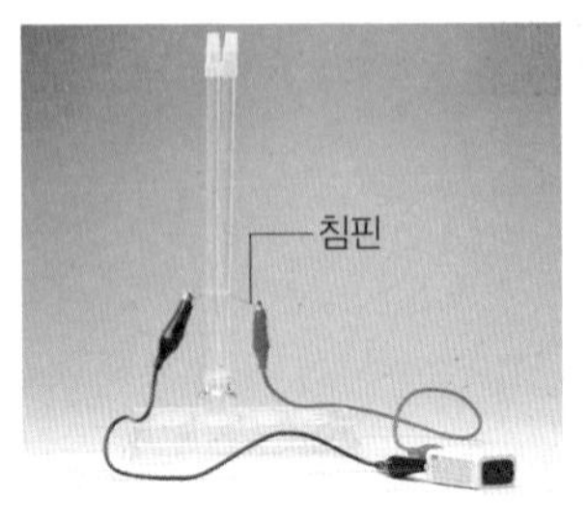

빨대에 각각 침핀을 꽂고, 집게 달린 전선으로 전지와 연결한 후 빨대 안의 변화를 관찰한다.

❸ 발생하는 기체 확인하기

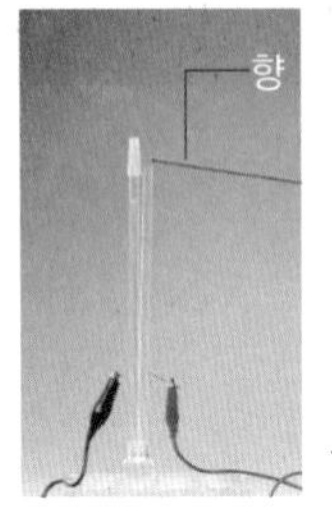

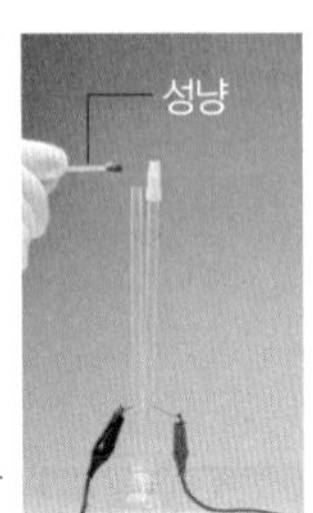

(+)극의 마개를 열면서 꺼져가는 향불을 가까이 가져가고, (−)극의 마개를 열면서 성냥불을 가까이 가져간다.

결과

1. (+)극과 (−)극에서 기체가 발생한다. 이때 (+)극보다 (−)극에서 기체가 더 많이 발생한다.
2. (+)극에서의 변화: 꺼져가는 향불이 다시 타오른다. ➡ 산소 기체가 발생하였다.
3. (−)극에서의 변화: 성냥불이 '퍽' 소리를 내면서 탄다. ➡ 수소 기체가 발생하였다.

▲ (+)극에서의 변화

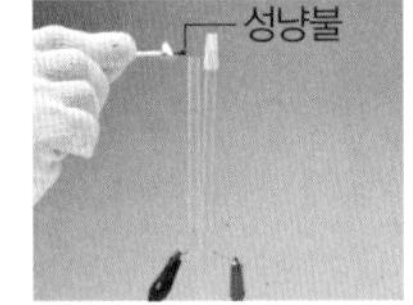

▲ (−)극에서의 변화

정리 물은 수소와 산소로 분해되므로 물은 물질을 이루는 기본 성분인 원소가 아니다.

확인 문제

정답과 해설 002쪽

01 이 실험에서 물을 분해할 때 발생하는 기체 2가지는 무엇인지 쓰시오.

02 다음은 이 실험으로 알 수 있는 사실이다. (　　) 안에 들어갈 알맞은 말을 쓰시오.

> 물은 분해되므로 물질을 이루는 기본 성분인 (　　)가 아니다.

03 이 실험에 대한 설명으로 옳은 것은 ○표, 옳지 않은 것은 ×표를 하시오.

(1) (+)극에서는 수소 기체가 발생한다. (　　)

(2) (−)극에서는 산소 기체가 발생한다. (　　)

(3) 물을 이루는 성분은 수소와 산소이다. (　　)

(4) (−)극에서 발생하는 기체가 (+)극에서 발생하는 기체보다 더 많다. (　　)

(5) 산소 기체는 석회수에 통과시켰을 때 석회수가 뿌옇게 흐려지는 것으로 확인한다. (　　)

(6) 수소 기체는 성냥불을 가까이 했을 때 '퍽' 소리를 내면서 타는 것으로 확인한다. (　　)

탐구 공략 하기

원소의 불꽃 반응

목표 불꽃 반응 실험을 통해 물질에 포함된 원소의 종류를 알 수 있다.

공략 포인트 여러 가지 금속 원소의 불꽃색을 이용하여 물질의 종류가 달라도 같은 불꽃색이 나타나는 물질의 공통점을 찾아내는 것이 중요하다!

리튬: 빨간색, 나트륨: 노란색, 칼슘: 주황색, 칼륨: 보라색, 스트론튬: 빨간색, 구리: 청록색, 바륨: 황록색

과정

❶ 준비물로 불꽃 반응 실험 장치 준비하기

에탄올
염화 나트륨
도가니

도가니에 적당한 크기의 솜을 넣고 염화 나트륨을 올려놓은 후 에탄올로 충분히 적신다.

❷ 염화 나트륨의 불꽃색 관찰하기

점화기를 사용하여 염화 나트륨이 있는 부분에 불을 붙인 후 불꽃색을 관찰한다.

불꽃색을 관찰할 때 조명을 끄고 주위 환경을 어둡게 하면 실험 결과를 뚜렷하게 관찰할 수 있다.

❸ 여러 가지 물질의 불꽃색 관찰하기

과정 ❶과 ❷를 반복하여 여러 가지 물질의 불꽃색을 관찰 한다.

불꽃색의 관찰이 끝나면 면장갑을 끼고 도가니 뚜껑을 덮어 불을 끈다. 입으로 불어 끄지 않는다.

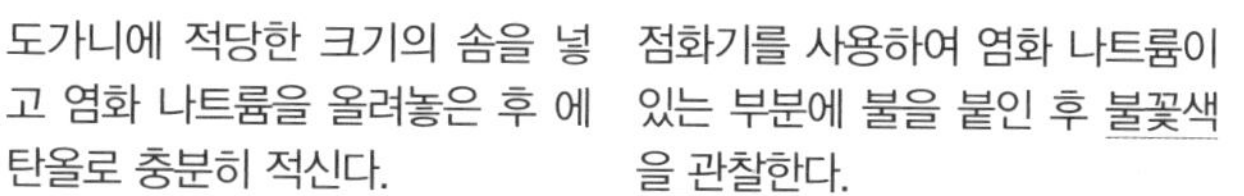

결과

1. 각 물질의 불꽃색

물질	염화 나트륨	질산 나트륨	염화 리튬	질산 리튬	염화 칼륨	질산 칼륨	염화 스트론튬	질산 스트론튬	염화 구리(Ⅱ)	질산 구리(Ⅱ)
불꽃색	노란색	노란색	빨간색	빨간색	보라색	보라색	빨간색	빨간색	청록색	청록색

2. 불꽃색이 같은 물질에 공통으로 들어 있는 원소와 불꽃색

물질	나트륨	리튬	칼륨	스트론튬	구리
불꽃색	노란색	빨간색	보라색	빨간색	청록색

정리 물질의 종류가 달라도 같은 금속 원소를 포함하면 같은 불꽃색을 나타낸다.

확인 문제

정답과 해설 002쪽

01 이 실험에서 다음 물질들의 불꽃색이 나타나게 하는 원소는 각각 무엇인지 쓰시오.

(가) 염화 나트륨　(나) 질산 리튬
(다) 염화 칼륨　(라) 질산 스트론튬

02 물질 X의 수용액으로 이 실험을 하였더니 청록색의 불꽃색이 나타났다. 물질 X에 포함된 금속 원소는 무엇인지 쓰시오.

03 이 실험에 대한 설명으로 옳은 것은 ○표, 옳지 않은 것은 ×표를 하시오.

(1) 실험 과정이 복잡하다. (　)
(2) 불꽃색이 보라색인 물질은 염소 원소를 포함하고 있다. (　)
(3) 이 실험으로 염화 리튬과 염화 스트론튬을 구별할 수 있다. (　)
(4) 염화 구리(Ⅱ)와 질산 구리(Ⅱ)의 불꽃색은 구리에 의해 나타난다. (　)
(5) 탄산 나트륨 수용액으로 이 실험을 하면 노란색의 불꽃이 나타난다. (　)
(6) 물질에 포함된 일부 금속 원소의 종류를 확인할 수 있다. (　)

A 원소

필수

01 물질을 이루는 기본 성분에 대한 학자들의 주장을 옳게 짝 지은 것은?

① 라부아지에—모든 물질의 근원은 물이다.
② 보일—물이 원소가 아님을 실험으로 증명하였다.
③ 아리스토텔레스—현대적인 원소 개념을 처음으로 제시하였다.
④ 보일—물질을 이루는 기본 성분으로서 더 이상 분해되지 않는 물질을 원소라고 하였다.
⑤ 탈레스—모든 물질은 물, 불, 흙, 공기의 4원소로 이루어져 있고, 이들은 서로 바뀔 수 있다.

[02-03] 그림은 라부아지에의 물 분해 실험 장치를 나타낸 것이다.

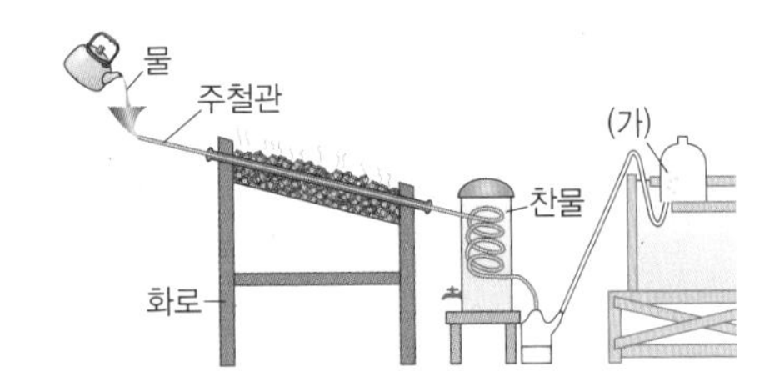

02 이에 대한 설명으로 옳지 않은 것은?

① 주철관 안에 녹이 슨다.
② 기체 (가)는 산소이다.
③ 기체 (가)는 물을 이루는 성분이다.
④ 기체 (가)는 물 분해로 생성된 것이다.
⑤ 물이 분해되면 2가지 물질이 생성된다.

필수

03 이 실험으로 알 수 있는 사실은?

① 모든 물질의 근원은 물이다.
② 수소와 산소는 물의 성질을 가지고 있다.
③ 모든 물질이 분해되면 수소와 산소가 생성된다.
④ 물은 물질을 이루는 기본 성분인 원소가 아니다.
⑤ 모든 물질을 이루는 기본 성분은 물, 불, 공기, 흙이다.

[04-05] 그림과 같이 장치하고 수산화 나트륨을 조금 녹인 물에 전류를 흘려 주었다.

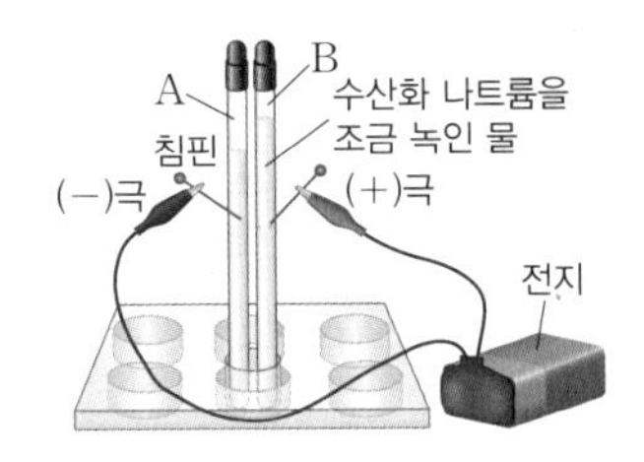

04 이에 대한 설명으로 옳은 것은?

① A에는 산소 기체, B에는 수소 기체가 모인다.
② (−)극보다 (+)극에서 발생하는 기체의 양이 더 많다.
③ 수산화 나트륨은 물에 전류가 잘 흐르게 하는 역할을 한다.
④ A에 모인 기체는 꺼져가는 향불을 가까이 하면 다시 타오르게 한다.
⑤ B에 모인 기체는 성냥불을 가까이 하면 '퍽' 소리가 나면서 타게 한다.

서술형

05 이 실험 결과를 토대로 물이 원소라고 할 수 있는지를 판단하고, 그 까닭을 원소의 정의를 이용하여 서술하시오.

필수

06 원소에 대한 설명으로 옳지 않은 것은?

① 물질을 이루는 기본 성분이다.
② 원소는 종류에 따라 성질이 다르다.
③ 더 이상 다른 물질로 분해되지 않는다.
④ 현재까지 알려진 원소는 모두 자연에서 발견되었다.
⑤ 우리 주위에 있는 모든 물질은 원소로 이루어져 있다.

07 원소인 물질을 모두 고르면?(정답 2개)

① 물 ② 공기 ③ 마그네슘
④ 산소 ⑤ 염화 나트륨

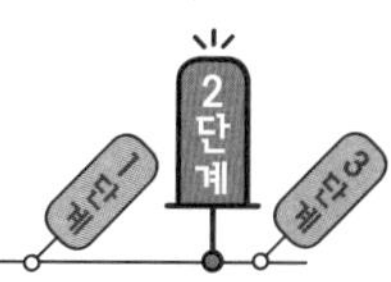

정답과 해설 003쪽

신유형

08 그림은 영희가 기차 여행을 하면서 간식을 먹기 위해 준비한 도시락을 차린 모습이다.

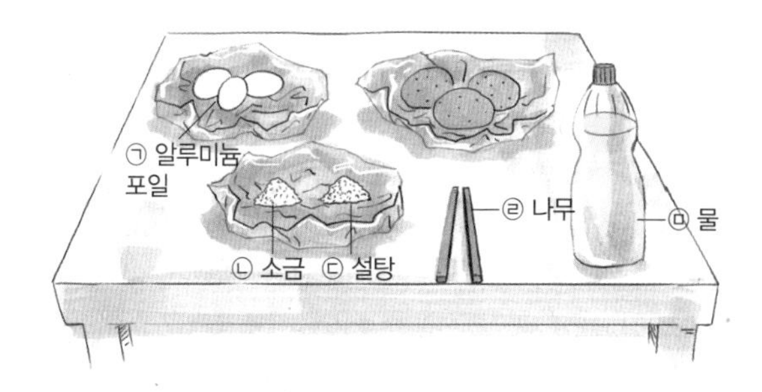

㉠~㉤ 중에서 1가지 원소로만 이루어진 물질을 모두 쓰시오.

09 다음과 같은 특징을 가진 원소는?

- 지구 대기 성분의 약 21 %를 차지한다.
- 생물의 호흡과 물질의 연소에 이용된다.

① 수소 ② 산소 ③ 질소
④ 헬륨 ⑤ 수은

필수

10 원소의 이용에 대한 설명으로 옳은 것만을 보기에서 모두 고른 것은?

보기
ㄱ. 금 – 산소나 물과 반응하지 않아 장신구의 재료로 이용된다.
ㄴ. 철 – 단단하므로 건물이나 다리의 철근, 철도 레일 등에 이용된다.
ㄷ. 헬륨 – 모든 원소 중 가장 가벼워서 우주 왕복선의 연료로 이용된다.
ㄹ. 규소 – 살균 작용을 하므로 수돗물의 소독이나 표백제, 살균제 등에 이용된다.
ㅁ. 질소 – 다른 물질과 잘 반응하지 않으므로 과자 봉지의 충전 기체로 이용된다.

① ㄱ, ㅁ ② ㄴ, ㄹ
③ ㄱ, ㄴ, ㅁ ④ ㄱ, ㄷ, ㄹ
⑤ ㄴ, ㄷ, ㄹ, ㅁ

B 원소의 구별 방법

필수

11 불꽃 반응에 대한 설명으로 옳은 것은?

① 불꽃색이 비슷한 물질도 구별할 수 있다.
② 물질의 양이 적으면 불꽃색이 나타나지 않는다.
③ 염화 리튬은 염소 원소에 의해 불꽃색이 나타난다.
④ 물질 속에 포함된 모든 성분 원소를 알아낼 수 있다.
⑤ 같은 금속 원소를 포함하면 같은 불꽃색이 나타난다.

[12-13] 다음은 불꽃 반응 실험 과정을 나타낸 것이다.

(가) 도가니에 솜을 넣고 시료를 올려놓은 후 에탄올로 충분히 적신다.
(나) 점화기를 사용하여 시료가 있는 부분에 불을 붙인 후 불꽃색을 관찰한다.

필수

12 이 실험에서 사용한 시료와 불꽃색을 짝 지은 것으로 옳은 것은?

① 질산 리튬 – 노란색 ② 염화 바륨 – 황록색
③ 탄산 칼슘 – 보라색 ④ 질산 칼륨 – 주황색
⑤ 염화 스트론튬 – 청록색

서술형

13 이 실험에서 염화 나트륨과 질산 나트륨의 불꽃색은 그림과 같이 모두 노란색이 나타났다. 그 까닭을 서술하시오.

[14-15] 그림은 불꽃 반응 실험 과정을 나타낸 것이다.

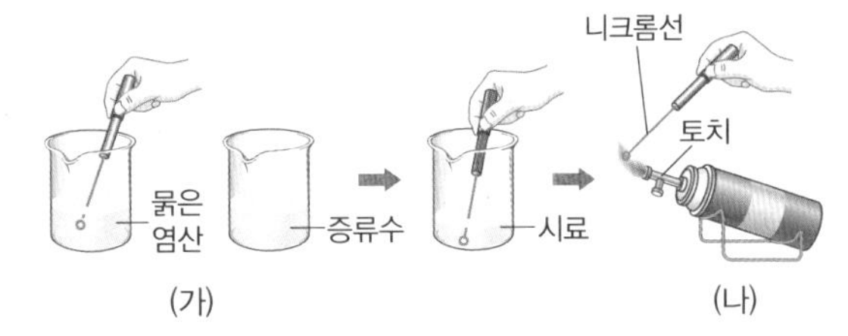

필수

14 이에 대한 설명으로 옳은 것을 모두 고르면?(정답 2개)

① 니크롬선 대신 구리선을 사용할 수 있다.
② (가)는 니크롬선에 묻은 불순물을 제거하는 과정이다.
③ 시료를 바꿀 때에는 (가) 과정을 거치지 않아도 된다.
④ (나) 과정에서 니크롬선을 토치의 겉불꽃에 넣는다.
⑤ 이 실험으로 염화 리튬과 질산 스트론튬을 구분할 수 있다.

15 이 실험에서 염화 바륨의 불꽃색이 황록색이었다. 이때 나타난 불꽃색이 어떤 원소에 의한 것인지 확인하기 위해 이용할 수 있는 물질을 짝 지은 것으로 옳은 것은?

① 염화 칼슘, 탄산 칼륨
② 염화 칼륨, 질산 바륨
③ 탄산 바륨, 질산 바륨
④ 질산 나트륨, 질산 칼슘
⑤ 염화 구리(Ⅱ), 염화 스트론튬

16 그림은 3가지 물질의 불꽃색을 나타낸 것이다.

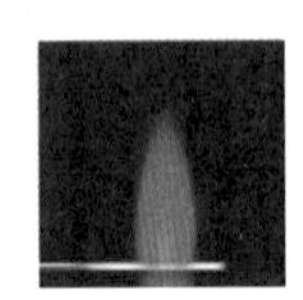
(가) 빨간색

(나) 노란색

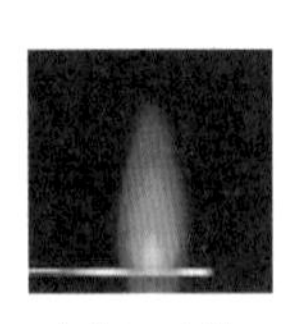
(다) 보라색

이에 대한 설명으로 옳은 것은?

① (가)는 칼륨에 의해 나타난다.
② (나)는 바륨에 의해 나타난다.
③ 염화 칼륨의 불꽃은 (다)와 같이 나타난다.
④ 질산 구리(Ⅱ)의 불꽃은 (가)와 같이 나타난다.
⑤ 염화 칼슘과 염화 나트륨의 불꽃은 모두 (나)와 같이 나타난다.

17 다음 물질들의 불꽃색을 관찰할 때 나타나는 불꽃색은 총 몇 가지인지 쓰시오.

염화 칼륨	탄산 리튬	탄산 칼륨
질산 칼슘	질산 리튬	질산 구리(Ⅱ)

18 스펙트럼에 대한 설명으로 옳은 것은?

① 햇빛을 분광기로 관찰하면 선 스펙트럼이 나타난다.
② 나트륨의 불꽃을 분광기로 관찰하면 연속 스펙트럼이 나타난다.
③ 불꽃색이 비슷한 원소는 선 스펙트럼도 비슷하여 구별할 수 없다.
④ 여러 가지 원소가 섞여 있는 물질은 선 스펙트럼이 나타나지 않는다.
⑤ 선 스펙트럼은 원소의 종류에 따라 선의 위치, 굵기, 색깔, 개수가 다르게 나타난다.

[19-20] 그림은 3가지 원소와 물질 A, B의 선 스펙트럼을 나타낸 것이다.

필수

19 물질 A, B에 포함되어 있는 원소의 종류를 모두 옳게 짝 지은 것은?

	A	B
①	칼슘	리튬
②	리튬	스트론튬
③	리튬, 칼슘	칼슘
④	리튬, 칼슘	리튬
⑤	스트론튬, 칼슘	칼슘

서술형

20 물질 A, B에 포함된 원소의 종류를 19번의 답과 같이 생각한 까닭을 각각 서술하시오.

정답과 해설 004쪽

01 그림과 같이 산화 수은을 시험관에 넣고 가열하였더니 산소가 발생하고, 시험관에는 액체 상태의 수은이 남았다. 이 실험으로 알 수 있는 사실로 옳은 것을 모두 고르면?(정답 2개)

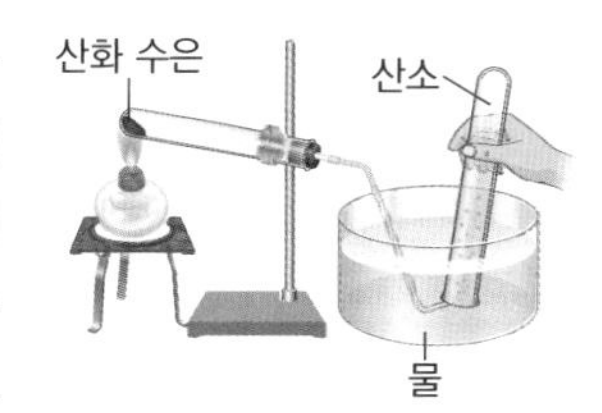

① 산화 수은은 원소이다.
② 산소와 수은은 계속 분해할 수 있다.
③ 산화 수은은 산소와 수은으로 분해된다.
④ 산화 수은은 산소와 수은이 섞여 있는 물질이다.
⑤ 산화 수은을 이루는 기본 성분은 산소와 수은이다.

[02-03] 다음은 탄산수소 나트륨에 대한 자료이다.

- 탄산수소 나트륨을 가열하면 탄산 나트륨, 물, 이산화 탄소로 분해된다.
- 탄산 나트륨을 분해하면 탄소, 산소, 나트륨으로 나누어진다.
- 이산화 탄소를 분해하면 탄소와 산소로 나누어진다.
- 물을 분해하면 수소와 산소로 나누어진다.
- 탄소, 수소, 나트륨, 산소는 더 이상 분해되지 않는다.

필수
02 이에 대한 설명으로 옳은 것은?

① 이산화 탄소를 구성하는 원소는 수소와 산소이다.
② 탄소, 수소, 나트륨, 산소는 물질을 구성하는 기본 성분이다.
③ 탄산 나트륨을 구성하는 원소는 탄소, 수소, 나트륨, 산소이다.
④ 탄산 나트륨, 이산화 탄소, 물을 구성하는 공통 원소는 수소이다.
⑤ 탄산수소 나트륨을 구성하는 원소는 탄산 나트륨, 물, 이산화 탄소이다.

03 이 자료에 제시된 물질 중 같은 불꽃색을 나타내는 것을 모두 쓰시오.

필수
04 표는 몇 가지 물질의 불꽃색을 나타낸 것이다.

물질	불꽃색	물질	불꽃색
염화 칼륨	보라색	질산 칼륨	보라색
염화 나트륨	(가)	질산 나트륨	노란색
염화 구리(Ⅱ)	청록색	질산 구리(Ⅱ)	청록색
염화 스트론튬	빨간색	(나)	빨간색

이에 대한 설명으로 옳은 것만을 보기에서 모두 고른 것은?

보기
ㄱ. 염소 원소의 불꽃색은 보라색이다.
ㄴ. 탄산 나트륨의 불꽃색은 (가)와 같다.
ㄷ. 탄산 구리(Ⅱ)의 불꽃색은 빨간색일 것이다.
ㄹ. 질산 스트론튬과 탄산 스트론튬은 (나)에 속할 수 있다.

① ㄱ, ㄴ　② ㄴ, ㄷ　③ ㄴ, ㄹ
④ ㄱ, ㄴ, ㄷ　⑤ ㄴ, ㄷ, ㄹ

필수 신유형
05 표는 원소 A~C와 물질 (가), (나)의 불꽃색과 선 스펙트럼을 나타낸 것이다.

구분	불꽃색	선 스펙트럼
A	빨간색	
B	빨간색	
C	주황색	
(가)	㉠	
(나)	㉡	

이에 대한 설명으로 옳은 것만을 보기에서 모두 고른 것은?

보기
ㄱ. A, B, C는 모두 다른 원소이다.
ㄴ. 물질 (가)의 불꽃색 ㉠은 주황색이다.
ㄷ. 물질 (나)의 불꽃색 ㉡은 빨간색이다.
ㄹ. 불꽃색이 같은 원소는 선 스펙트럼도 같다.

① ㄱ　② ㄴ　③ ㄱ, ㄷ
④ ㄴ, ㄹ　⑤ ㄱ, ㄷ, ㄹ

물질의 구성 입자(원자와 분자)

물음으로 흐름잡기

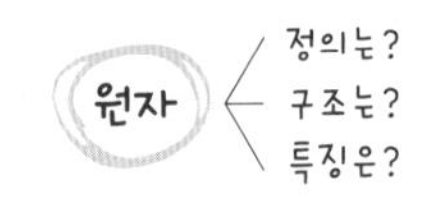

A 원자

1. 물질을 이루는 입자에 대한 학자들의 주장

주장한 학자	주장한 내용
아리스토텔레스	• 물질은 무한히 연속적으로 쪼갤 수 있다. • 물질 속에는 빈 공간이 없다.
데모크리토스	• 물질을 계속 쪼개면 더 이상 쪼갤 수 없는 입자가 남는다.❶ ➡ 돌턴의 원자설로 발전❷ • 물질의 입자 사이에는 빈 공간이 있다.

2. 원자 물질을 이루는 기본 입자❸

① 원자의 구조: (+)전하를 띠는 원자핵과 (−)전하를 띠는 전자로 이루어져 있다.

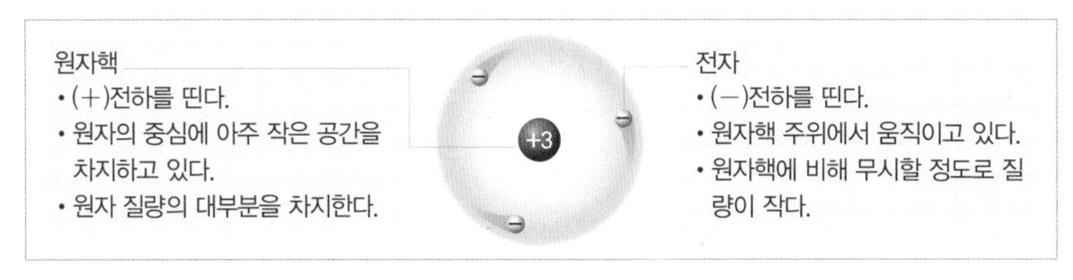

② 원자 내부는 대부분 빈 공간이다. 원자핵과 전자는 원자의 크기에 비해 매우 작기 때문

③ 원자의 종류에 따라 원자핵의 (+)전하량과 전자의 개수가 다르다.

④ 원자는 전기적으로 중성이다. ➡ 한 원자 안에서 원자핵의 (+)전하량과 전자의 총 (−)전하량이 같기 때문

⑤ 여러 가지 원자 모형 원자는 매우 작아서 눈으로 볼 수 없기 때문에 모형을 사용하여 나타낸다.

구분	수소	리튬	탄소	산소
원자 모형	+1	+3	+6	+8
원자핵의 전하량	+1	+3	+6	+8
전자의 총 전하량	−1	−3	−6	−8

B 분자

1. 분자 독립된 입자로 존재하여 물질의 성질을 나타내는 가장 작은 입자

① 원자가 결합하여 만들어진다. ➡ 대부분 2개 이상의 원자로 이루어져 있다.❹

② 결합하는 원자의 종류와 개수에 따라 분자의 종류가 달라진다.

③ 분자가 원자로 나누어지면 물질의 성질을 잃는다.

---

❶ 물질이 입자로 이루어진 증거가 될 수 있는 현상

물과 에탄올을 각각 50 mL씩 섞으면 전체 부피가 약 97 mL이다. ➡ 두 물질을 섞기 전의 부피의 합보다 섞은 후의 부피가 더 작은 것은 큰 입자 사이의 공간으로 작은 입자가 끼어들어가기 때문이다.

❷ 돌턴의 원자설

모든 물질은 더 이상 쪼갤 수 없는 입자인 원자로 이루어져 있다.

❸ 원소와 원자의 비유

- 원소는 물질을 구성하는 성분의 종류, 원자는 물질을 구성하는 각각의 입자를 뜻한다.
- 과일 바구니에 사과 2개, 배 3개가 있으면 과일은 2종류, 과일의 개수는 총 5개이다. 이때 과일의 종류는 원소, 과일 하나하나는 원자에 비유할 수 있다.

❹ 원자 1개로 이루어진 분자

헬륨, 아르곤 등은 원자 1개로 이루어져 있지만, 물질의 고유한 성질을 가지고 있으므로 분자이다.

용어 알기

- **전하** 전기 현상을 일으키는 원인으로, (+)전하와 (−)전하가 있다.
- **전하량** 전하의 양으로, 양의 전하량은 (+)부호를, 음의 전하량은 (−)부호를 붙인다.

2. 분자 모형

① 여러 가지 분자 모형 (◦: 수소, ●: 탄소, ●: 질소, ●: 산소)

구분	산소	질소	물
분자 모형			
분자를 이루는 원자의 종류와 개수	산소 원자 2개	질소 원자 2개	산소 원자 1개 수소 원자 2개
구분	암모니아	일산화 탄소	이산화 탄소
분자 모형			
분자를 이루는 원자의 종류와 개수	질소 원자 1개 수소 원자 3개	탄소 원자 1개 산소 원자 1개	탄소 원자 1개 산소 원자 2개

② 같은 종류의 원자로 이루어진 분자라도 그 분자를 이루는 원자의 개수나 배열이 다르면 서로 다른 분자이다. 예 일산화 탄소와 이산화 탄소[5], 산소와 오존[6]

❺ 일산화 탄소와 이산화 탄소

- 모두 탄소 원자와 산소 원자로 이루어져 있지만 성질이 다르다.
- 일산화 탄소: 공기보다 가볍고, 산소와 결합하려는 성질이 있다.
- 이산화 탄소: 공기보다 무겁고, 불에 타지 않는 성질이 있다.

❻ 오존 분자 모형

오존 분자는 산소 원자 3개로 이루어져 있으므로 산소 원자 2개로 이루어진 산소 분자와 다른 성질을 나타낸다.

★ 정답과 해설 005쪽

01 다음은 물질을 이루고 있는 것에 대해 주장한 학자들에 대한 설명이다. ( ) 안에 들어갈 알맞은 말을 고르시오.

(1) (아리스토텔레스, 데모크리토스)는 물질은 무한히 연속적으로 쪼갤 수 있으며, 물질 속에는 빈 공간이 없다고 주장하였다.

(2) (아리스토텔레스, 데모크리토스)는 물질을 계속 쪼개면 더 이상 쪼갤 수 없는 입자가 남으며, 물질의 입자 사이에는 빈 공간이 있다고 주장하였다.

[02-03] 그림은 원자의 구조를 나타낸 것이다.

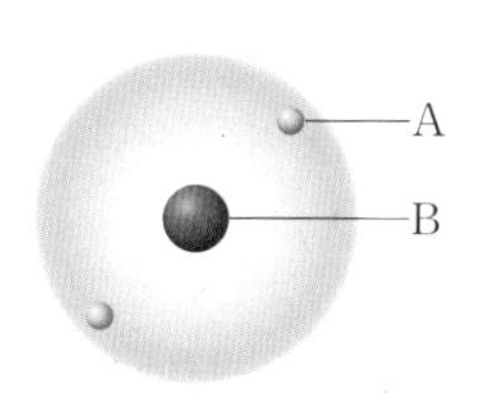

02 A와 B를 각각 무엇이라고 하는지 쓰시오.

03 다음 설명에 해당하는 것의 기호를 각각 쓰시오.

(1) (+)전하를 띤다. ( )

(2) (−)전하를 띤다. ( )

(3) 원자의 중심에 있다. ( )

(4) 원자핵 주위에서 움직이고 있다. ( )

(5) 원자 질량의 대부분을 차지한다. ( )

04 원자와 분자에 대한 설명으로 옳은 것은 ○표, 옳지 않은 것은 ×표를 하시오.

(1) 물질의 성질을 나타내는 가장 작은 입자를 원자라고 한다. ( )

(2) 수소 원자와 산소 원자의 원자핵의 (+)전하량은 다르다. ( )

(3) 탄소 원자의 원자핵의 (+)전하량은 전자의 총 (−)전하량보다 작다. ( )

(4) 물 분자가 원자로 나누어지면 물의 성질을 잃는다. ( )

(5) 같은 종류의 원자로 이루어진 분자는 모두 같은 분자이다. ( )

05 그림의 분자 모형에 대한 설명에서 ( ) 안에 들어갈 알맞은 말이나 숫자를 쓰시오.(단, ◦: 수소, ●: 산소 원자이다.)

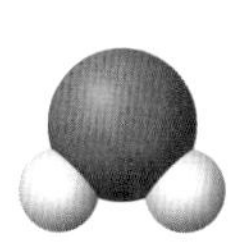

(1) ( ) 분자의 모형을 나타낸 것이다.

(2) 물 분자는 ( )종류의 원소로 이루어져 있다.

(3) 물 분자는 (㉠) 원자 (㉡)개와 수소 원자 (㉢)개로 이루어져 있다.

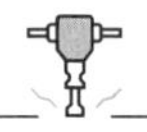

C 원소와 분자의 표현 방법

1. 원소 기호 원소를 간단한 기호로 나타낸 것

교과서 탐구 원소 기호의 변천 과정❼

▶ 과정 시대에 따라 원소 기호가 어떻게 변해 왔는지 조사해 본다. 이때 원소 표현 방법의 특징과 장단점을 조사한다.

▶ 결과

연금술사	→	돌턴	→	베르셀리우스
• 자신만이 알아볼 수 있는 복잡한 그림으로 나타내었다. • 하나의 원소를 표현하는 기호가 다양하였다.	→	• 원 안에 알파벳과 그림을 넣어 표현하였다. • 원소의 종류가 많아지면서 그림으로 나타내기 불편해졌다.	→	• 원소 이름의 알파벳을 이용하여 표현하였다. • 표현 방법이 간단하여 많은 원소들을 표현할 수 있다.

▶ 해석 원소 기호는 시대에 따라 변해 왔으며, 현재는 세계 공통으로 약속된 기호를 사용한다.

① 현재의 원소 기호를 나타내는 방법: 베르셀리우스가 제안한 것이다.❽

❶ 라틴어나 영어로 된 원소 이름의 첫 글자를 알파벳의 대문자로 나타낸다.
수소 Hydrogen → H
탄소 Carboneum → C

❷ 첫 글자가 같을 때는 중간 글자를 택하여 첫 글자 다음에 소문자로 나타낸다.
헬륨 Helium → He
염소 Chlorum → Cl

② 여러 가지 원소 기호 원소의 이름은 지명, 천체의 이름, 산이나 사람의 이름 등에서 유래한다.
예 유로퓸(Eu): 유럽, 우라늄(U): 천왕성(Uranus), 아인슈타이늄(Es): 아인슈타인 등

원소 이름	원소 기호	원소 이름	원소 기호	원소 이름	원소 기호
수소	H	나트륨(소듐)	Na	칼슘	Ca
헬륨	He	알루미늄	Al	철	Fe
탄소	C	황	S	구리	Cu
질소	N	염소	Cl	은	Ag
산소	O	칼륨(포타슘)	K	금	Au

2. 분자식 원소 기호를 사용하여 분자를 이루는 원자의 종류와 수를 나타낸 것❾

① 분자식 나타내는 방법

❶ 분자를 이루는 원자의 종류를 원소 기호로 나타낸다.
❷ 분자를 이루는 원자의 개수를 원소 기호의 오른쪽 아래에 작은 숫자로 표시한다.(단, 1은 생략한다.)
❸ 분자의 개수를 나타낼 때에는 분자식 앞에 숫자로 표시한다.

• 분자의 종류 : 물
• 분자의 개수: 3개
• 분자 1개를 이루는 원자의 종류: 수소(H), 산소(O)
• 분자 1개를 이루는 원자의 개수: 3개(수소 2개, 산소 1개)
• 분자를 이루는 원자의 총 개수: 9개

② 분자식으로 알 수 있는 것: 분자를 이루는 원자의 종류와 개수, 물질의 종류 등

❼ 시대에 따른 원소 기호의 변천

구분	은	구리	금
연금술사	☽	♀	☉
돌턴	Ⓢ	Ⓒ	Ⓖ
현대	Ag	Cu	Au

❽ **원소를 기호로 나타내면 좋은 점**
구별하기 쉽고, 다른 언어를 사용하는 사람끼리 정보를 쉽게 전달할 수 있다.

❾ **화학식**
원소 기호와 숫자를 이용하여 물질을 표현한 것으로, 분자식은 화학식의 한 종류이다.

용어 알기
• **변천** 세월의 흐름에 따라 바뀌고 변하는 것
• **연금술사** 고대 이집트에서 시작되어 중세 유럽에 전해진 화학 기술로, 구리, 납 등으로 금, 은 등의 귀금속을 만들려고 한 연금술에 대한 기술을 가진 사람

③ 여러 가지 분자의 분자식

분자	분자식	분자	분자식	분자	분자식
수소	H_2	물	H_2O	암모니아	NH_3
질소	N_2	일산화 탄소	CO	염화 수소	HCl
산소	O_2	이산화 탄소	CO_2	메테인	CH_4
염소	Cl_2	오존*	O_3	과산화 수소*	H_2O_2

④ 독립된 분자를 이루지 않는 물질을 나타내는 방법: 독립된 분자를 이루지 않고 입자들이 연속해서 규칙적으로 배열되어 있는 물질은 원자의 개수를 정해서 나타낼 수 없다.

물질의 예	구리	염화 나트륨⑩
원소 기호로 나타내는 방법	구리 원자 한 종류만으로 이루어져 있으므로 구리의 원소 기호로 나타낸다. ➡ Cu	나트륨과 염소의 개수비가 1 : 1이므로 나트륨과 염소의 원소 기호를 사용하여 나타낸다. ➡ NaCl

⑩ 염화 나트륨
염화 나트륨은 전하를 띤 입자가 교대로 연속해서 규칙적으로 배열하여 서로를 둘러싼 형태로 존재하는 물질이다.

⚠ 용어 알기
- **오존** 산소 원자 3개로 이루어진 기체로, 특유한 냄새가 나며, 표백제, 살균제로 이용되는 것
- **과산화 수소** 물 분자에 산소 원자 1개가 더 결합된 물질로, 색깔과 냄새가 없으며, 표백제, 살균제로 이용되는 것

★ 정답과 해설 005쪽

06 다음과 같이 원소를 표현한 학자를 쓰시오.

(1) 원 안에 알파벳과 그림을 넣어 표현하였다. (　　　　)

(2) 원소 이름의 알파벳을 이용하여 표현하였다. (　　　　)

(3) 자신만이 알아볼 수 있는 복잡한 그림으로 나타내었다. (　　　　)

07 다음은 원소 기호를 나타내는 방법이다. (　　) 안에 들어갈 알맞은 말을 고르시오.

(1) 라틴어나 영어로 된 원소 이름의 ㉠(첫, 중간, 마지막) 글자를 알파벳의 ㉡(대문자, 소문자)로 나타낸다.

(2) 첫 글자가 같을 때는 ㉠(중간, 마지막) 글자를 택하여 첫 글자 다음에 ㉡(대문자, 소문자)로 나타낸다.

08 표의 ㉠~㉧에 들어갈 원소 기호나 원소 이름을 쓰시오.

원소 이름	원소 기호	원소 이름	원소 기호
수소	(㉠)	알루미늄	(㉡)
(㉢)	N	(㉣)	Ca
산소	(㉤)	칼륨(포타슘)	(㉥)
(㉦)	Na	(㉧)	Cu

09 오른쪽 분자식에 대해 (　　) 안에 들어갈 알맞은 말이나 숫자를 쓰시오.

$3CO_2$

(1) 분자의 이름은 (　　　　)이다.

(2) 분자의 총 개수는 (　　)개이다.

(3) 분자 1개를 이루는 탄소 원자의 개수는 (　　)개이다.

(4) 분자 1개를 이루는 산소 원자의 개수는 (　　)개이다.

(5) 탄소 원자의 총 개수는 (　　)개이다.

(6) 산소 원자의 총 개수는 (　　)개이다.

(7) 분자를 이루는 원자의 총 개수는 (　　)개이다.

10 표의 ㉠~㉧에 들어갈 분자식이나 분자 이름을 쓰시오.

분자 이름	분자식	분자 이름	원소 기호
수소	(㉠)	염화 수소	(㉡)
(㉢)	N_2	(㉣)	NH_3
물	(㉤)	메테인	(㉥)
(㉦)	CO	(㉧)	O_3

A 원자

필수

01 물질을 이루는 입자에 대한 학자들의 생각으로 옳지 않은 것은?

① 아리스토텔레스의 주장은 돌턴의 원자설로 발전하였다.
② 아리스토텔레스는 물질 속에는 빈 공간이 없다고 주장하였다.
③ 데모크리토스는 물질의 입자 사이에는 빈 공간이 있다고 주장하였다.
④ 아리스토텔레스는 물질은 무한히 연속적으로 쪼갤 수 있다고 주장하였다.
⑤ 데모크리토스는 물질을 계속 쪼개면 더 이상 쪼갤 수 없는 입자가 남는다고 주장하였다.

필수

02 원자에 대한 설명으로 옳은 것은?

① 전자가 원자 질량의 대부분을 차지한다.
② 원자의 종류에 따라 전자의 개수가 다르다.
③ 원자의 크기는 눈으로 볼 수 있을 정도로 크다.
④ 원자의 내부는 대부분 원자핵으로 채워져 있다.
⑤ 원자의 중심에 전자가 있고, 그 주위를 원자핵이 움직이고 있다.

03 다음은 원자에 대한 설명이다.

> 원자는 원자핵과 전자로 구성되어 있다. 원자핵은 (㉠)전하를 띠고, 전자는 (㉡)전하를 띤다. 한 원자에서 원자핵의 전하량과 전자의 총 전하량이 같아 원자는 전기적으로 (㉢)을/를 띤다.

(   ) 안에 들어갈 말이나 기호를 옳게 짝 지은 것은?

	㉠	㉡	㉢
①	(+)	(−)	(+)전하
②	(+)	(−)	(−)전하
③	(+)	(−)	중성
④	(−)	(+)	(−)전하
⑤	(−)	(+)	중성

필수

04 그림은 어떤 원자의 모형을 나타낸 것이다. 이에 대한 설명으로 옳지 않은 것은?

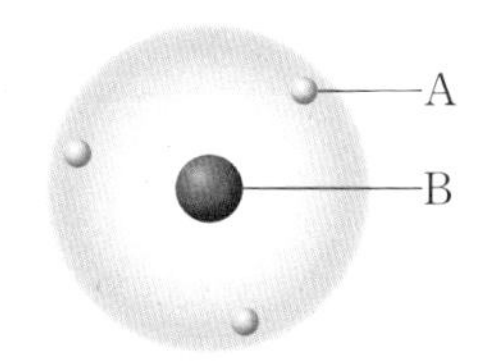

① A는 (−)전하를 띤다.
② B는 (+)전하를 띤다.
③ A의 총 전하량은 −1이다.
④ B의 전하량은 +3이다.
⑤ 이 원자는 전기적으로 중성이다.

05 표는 원자 (가)~(다)의 원자핵의 전하량과 전자의 개수를 나타낸 것이다.

원자	(가)	(나)	(다)
원자핵의 전하량	+(㉠)	+6	+12
전자의 개수(개)	3	(㉡)	(㉢)

㉠~㉢에 해당하는 숫자를 모두 합한 값은?

① 9 ② 12 ③ 15
④ 21 ⑤ 25

신유형

06 그림은 원자 (가)~(다)를 모형으로 나타내기 위해 자석 칠판에 원을 그리고, 빨간색 자석에 원자핵의 전하량을 적어 가운데에 붙인 모습이다.

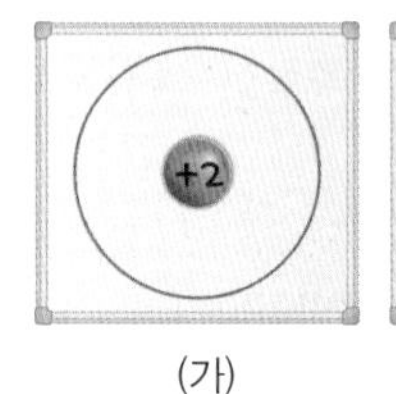

(가)

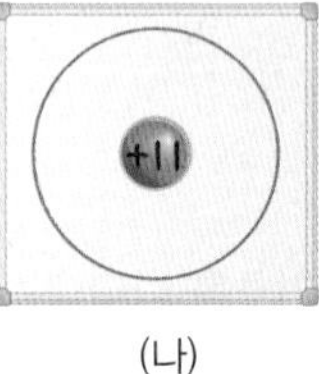

(나)

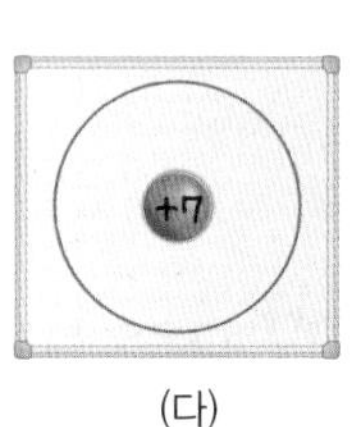

(다)

파란색 자석에 전자 1개의 전하량을 '−'로 적은 후 이 모형에 붙여 원자 모형을 완성하려고 한다. 필요한 파란색 자석의 개수를 등호나 부등호로 비교하시오.

서술형

07 그림은 3가지 원자를 모형으로 나타낸 것이다.

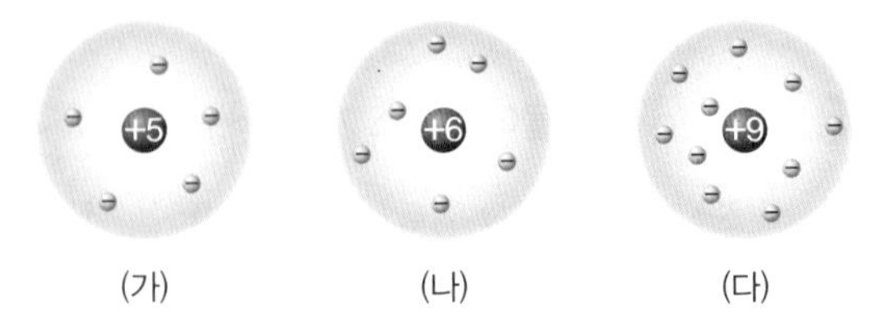

(가) (나) (다)

옳지 않은 모형을 고르고, 그 까닭을 서술하시오.

B 분자

필수

08 분자에 대한 설명으로 옳은 것은?

① 물질을 구성하는 기본 입자이다.
② 모든 분자는 2개 이상의 원자로 이루어져 있다.
③ 분자가 원자로 나누어져도 물질의 성질을 가진다.
④ 얼음, 물, 수증기를 이루는 분자의 종류는 모두 같다.
⑤ 수소 원자와 산소 원자로 이루어진 물질은 모두 같은 물질이다.

09 그림은 몇 가지 분자를 모형으로 나타낸 것이다.

(가)
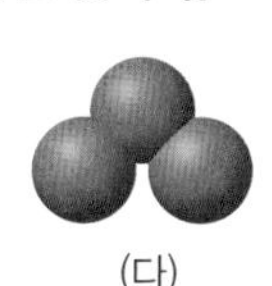
(나)
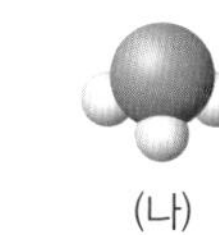
(다)

각 분자의 이름을 옳게 짝 지은 것은?(단, ○는 수소 원자, ●는 질소 원자, ●는 산소 원자이다.)

	(가)	(나)	(다)
①	수소	질소	산소
②	수소	암모니아	오존
③	수소	암모니아	산소
④	질소	수소	오존
⑤	산소	메테인	이산화 탄소

필수

10 그림은 밀폐된 용기에 수소 분자와 산소 분자가 들어 있는 모습을 나타낸 것이다. 이에 대한 설명으로 옳은 것은?(단, ●는 산소 원자, ○는 수소 원자이다.)

① 수소 분자의 개수는 8개이다.
② 산소 분자의 개수는 4개이다.
③ 수소 원자의 총 개수는 3개이다.
④ 산소 원자의 총 개수는 6개이다.
⑤ 분자의 전체 개수는 14개이다.

서술형

11 그림은 일산화 탄소와 이산화 탄소 분자를 모형으로 나타낸 것이다.

일산화 탄소

이산화 탄소

두 분자의 공통점과 차이점을, 분자를 이루는 원자와 연관지어 각각 쓰시오.

C 원소와 분자의 표현 방법

필수

12 원소 기호에 대한 설명으로 옳지 않은 것은?

① 돌턴은 원 안에 알파벳과 그림을 넣어 나타내었다.
② 연금술사는 자신만이 알아볼 수 있는 그림으로 나타내었다.
③ 현재 사용하는 원소 기호는 베르셀리우스가 제안한 것이다.
④ 원소 이름의 첫 글자를 알파벳의 대문자로 나타낸다.
⑤ 원소 이름의 첫 글자가 같을 때는 마지막 글자를 택하여 첫 글자 다음에 대문자로 나타낸다.

필수

13 원소 이름과 원소 기호를 옳게 짝 지은 것은?

① 수소 - He
② 칼륨 - Ca
③ 질소 - Ne
④ 규소 - Si
⑤ 알루미늄 - Ag

14 원소 기호와 그 원소에 대한 설명을 옳게 짝 지은 것은?

① C - 수돗물 소독이나 표백제에 이용된다.
② H - 생물의 호흡과 물질의 연소에 이용된다.
③ Cu - 전류를 잘 흐르게 하므로 전선에 이용된다.
④ O - 숯, 다이아몬드, 연필심을 만드는 데 이용된다.
⑤ Fe - 광택이 유지되므로 장신구의 재료로 이용된다.

15 분자식에 대한 설명으로 옳지 않은 것은?

① 분자의 개수는 분자식 앞에 숫자로 표시한다.
② 분자를 이루는 원자의 종류를 원소 기호로 나타낸다.
③ 분자를 이루는 원자의 개수는 원소 기호의 오른쪽 아래에 작은 숫자로 표시한다.
④ 분자를 이루는 원자의 개수가 1개일 때는 1을 생략한다.
⑤ 구리는 원소 기호와 구리를 이루는 원자의 개수를 이용하여 나타낸다.

필수

16 물질의 이름과 분자식을 옳게 짝 지은 것은?

① 질소 $-H_2$　② 염소 $-HCl$
③ 암모니아 $-NH_3$　④ 과산화 수소 $-H_2O$
⑤ 일산화 탄소 $-CO_2$

필수

17 오른쪽 분자식에 대한 설명으로 옳은 것은?

$$2CO_2$$

① 분자의 개수는 3개이다.
② 원자의 총 개수는 2개이다.
③ 분자를 이루는 원소의 종류는 3가지이다.
④ 분자 1개를 이루는 원자의 개수는 3개이다.
⑤ 분자를 이루는 산소 원자의 총 개수는 2개이다.

18 분자식과 분자 모형을 옳게 짝 지은 것은?

① O_2 − 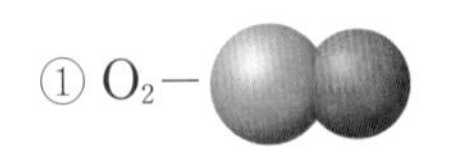
② HCl − 
③ H_2 −
④ H_2O − 
⑤ CH_4 −

19 그림은 어떤 물질을 모형으로 나타낸 것이다.

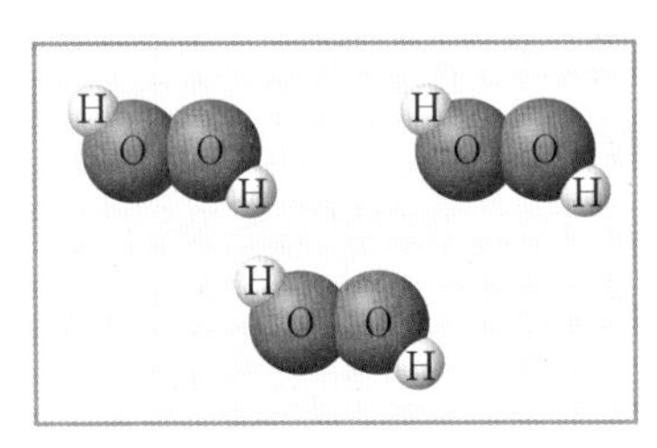

이 물질의 모형을 분자식으로 옳게 나타낸 것은?

① H_2O　② $3H_2O$　③ H_2O_2
④ $3H_2O_2$　⑤ H_6O_6

20 다음은 몇 가지 분자식을 나타낸 것이다.

$4H_2$	$3HCl$	NH_3
$2CH_4$	$2CO_2$	$3H_2O_2$

(가) 분자를 이루는 원자의 총 개수가 가장 많은 것과 (나) 분자의 개수가 가장 많은 것을 옳게 짝 지은 것은?

	(가)	(나)
①	$3HCl$	$3H_2O_2$
②	$4H_2$	NH_3
③	$2CH_4$	$4H_2$
④	$3H_2O_2$	$2CO_2$
⑤	$3H_2O_2$	$4H_2$

21 그림은 두 가지 물질을 모형으로 나타낸 것이다.

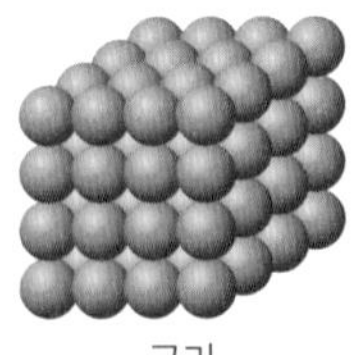
구리

염화 나트륨

이에 대한 설명으로 옳은 것을 모두 고르면?(정답 2개)

① 구리는 Cu_2로 나타낸다.
② 염화 나트륨은 $NaCl$로 나타낸다.
③ 모두 분자로 이루어진 물질이다.
④ 모두 2가지 원소로 이루어진 물질이다.
⑤ 모두 입자들이 연속해서 규칙적으로 배열되어 있다.

정답과 해설 008쪽

필수

01 그림과 같이 물 50 mL와 에탄올 50 mL를 섞었더니 부피가 약 97 mL였다.

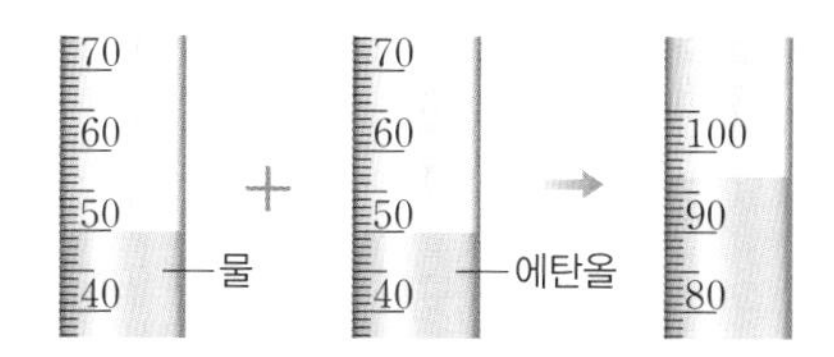

이 현상으로 알 수 있는 사실은?

① 물질에는 빈 공간이 없다.
② 물질은 무한히 쪼갤 수 있다.
③ 물질은 입자로 이루어져 있다.
④ 모든 물질을 이루는 입자의 크기는 같다.
⑤ 2가지 물질을 섞으면 입자의 크기가 작아진다.

필수

02 그림은 3가지 원자를 모형으로 나타낸 것이다.

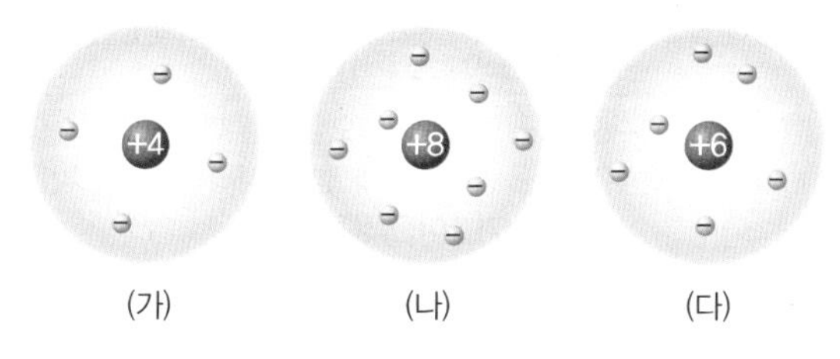

이에 대한 설명으로 옳은 것은?

① 전자의 개수는 (가)<(나)<(다)이다.
② (가)~(다)는 모두 같은 종류의 원자이다.
③ 원자핵의 전하량의 크기는 (가)<(나)<(다)이다.
④ 전자의 총 전하량의 크기는 (가)<(다)<(나)이다.
⑤ 원자핵의 전하량과 전자의 총 전하량의 합은 (가)<(다)<(나)이다.

필수

03 다음 설명에 해당하는 분자의 분자 모형으로 옳은 것은?

- 2종류의 원자로 이루어져 있으며, 원자의 개수비는 1 : 2이다.
- 이 분자로 이루어진 물질은 산소가 충분한 상태에서 물질이 탈 때 발생한다.

①  ②  ③ 
④  ⑤ 

필수 신유형

04 다음은 원소 (가)~(다)의 이름의 유래를 나타낸 것이다.

(가) 인듐(Indium): 라틴어로 청람색을 뜻하는 'Indigo blue'에서 유래하였다.
(나) 스칸듐(Scandium): 지역명 스칸디나비아인 'Scandinavia'에서 유래하였다.
(다) 크로뮴(Chromium): 그리스어로 색을 뜻하는 'Chroma'에서 유래하였다.

(가)~(다)의 원소 기호를 옳게 짝지은 것은?

① (가)−I ② (나)−S ③ (나)−Sc
④ (다)−C ⑤ (다)−Cu

필수

05 다음에서 설명하는 내용을 분자식으로 나타내시오.

- 분자의 개수는 2개이다.
- 분자를 구성하는 원소는 탄소, 수소이다.
- 분자 1개에 포함된 원자의 총 개수는 6개이다.
- 분자 1개를 구성하는 원자의 개수비는 탄소 : 수소=1 : 2이다.

06 그림은 몇 가지 물질을 기준 ㉠에 의해 분류한 것이다.

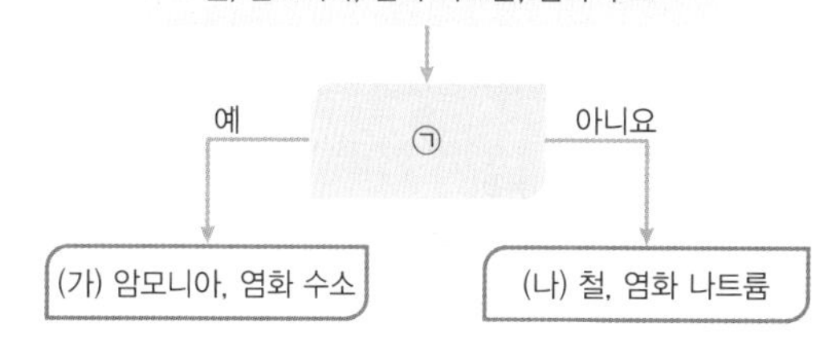

이에 대한 설명으로 옳은 것만을 보기에서 모두 고른 것은?

보기
ㄱ. 분류 기준 ㉠으로 '분자로 존재하는가?'가 적당하다.
ㄴ. (가)에는 구리가 분류되어 들어갈 수 있다.
ㄷ. (나)에는 헬륨이 분류되어 들어갈 수 있다.

① ㄱ ② ㄴ ③ ㄱ, ㄷ
④ ㄴ, ㄷ ⑤ ㄱ, ㄴ, ㄷ

Ⅰ. 물질의 구성

전하를 띠는 입자(이온)

물음으로 흐름잡기

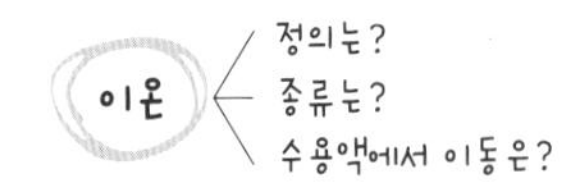

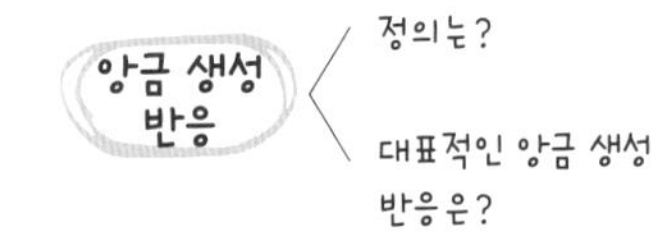

A 이온

1. 이온 원자가 전자를 잃거나 얻어 전하를 띠는 입자❶

구분	양이온	음이온
정의	원자가 전자를 잃어 (+)전하를 띠는 이온	원자가 전자를 얻어 (−)전하를 띠는 이온
형성 과정	원자 —전자를 잃음→ 양이온 원자핵의 전하량 > 전자의 총 전하량 원자가 전자를 잃으면 (+)전하의 양이 상대적으로 많아지므로 (+)전하를 띤다.	원자 —전자를 얻음→ 음이온 원자핵의 전하량 < 전자의 총 전하량 원자가 전자를 얻으면 (−)전하의 양이 상대적으로 많아지므로 (−)전하를 띤다.
표시	원소 기호의 오른쪽 위에 잃은 전자의 개수를 '+'기호와 함께 나타낸다.(단, 잃은 전자 수가 1이면 생략한다.)	원소 기호의 오른쪽 위에 얻은 전자의 개수를 '−'기호와 함께 나타낸다.(단, 얻은 전자 수가 1이면 생략한다.)
이온식	이온식: 원소 기호와 잃거나 얻은 전자 수를 함께 표시하여 이온을 나타낸 것	
	Na^{+} 나트륨 이온 (원소 기호, 잃은 전자의 개수(1은 생략함), 전하의 종류)	O^{2-} 산화 이온 (원소 기호, 얻은 전자의 개수, 전하의 종류)
이름	원소 이름 뒤에 '이온'을 붙인다.	원소 이름 뒤에 '화 이온'을 붙인다.(단, 원소 이름이 '소'로 끝나면 '소'를 생략한다.)
모형❷	나트륨 원자(+11) —전자를 잃음→ 나트륨 이온(+11)	산소 원자(+8) —전자를 얻음→ 산화 이온(+8)

2. 여러 가지 이온의 이름과 이온식❸

이온 중에는 1개의 원자로 이루어진 것도 있지만, 여러 개의 원자가 모여서 이루어진 것도 있다. 예 NH_4^{+}, NO_3^{-}, SO_4^{2-} 등

양이온				음이온			
이름	이온식	이름	이온식	이름	이온식	이름	이온식
수소 이온	H^{+}	마그네슘 이온	Mg^{2+}	염화 이온	Cl^{-}	황화 이온	S^{2-}
리튬 이온	Li^{+}	바륨 이온	Ba^{2+}	플루오린화 이온	F^{-}	질산 이온	NO_3^{-}
은 이온	Ag^{+}	납 이온	Pb^{2+}	아이오딘화 이온	I^{-}	황산 이온	SO_4^{2-}
칼륨 이온	K^{+}	알루미늄 이온	Al^{3+}	수산화 이온	OH^{-}	탄산 이온	CO_3^{2-}
칼슘 이온	Ca^{2+}	암모늄 이온	NH_4^{+}	산화 이온	O^{2-}	과망가니즈산 이온	MnO_4^{-}

❶ 이온의 형성 과정
원자에서 원자핵 주위에 있는 전자 중 일부는 다른 원자로 쉽게 이동할 수 있다. 따라서 원자는 다른 원자에게 전자를 주기도 하고, 다른 원자에게 전자를 받기도 하여 이온을 형성한다.

❷ 이온 형성 과정을 나타낸 식
잃은 전자는 화살표의 오른쪽에, 얻은 전자는 화살표의 왼쪽에 나타내며, 전자는 ⊖로 나타낸다.
- 양이온: $Na \longrightarrow Na^{+} + ⊖$
- 음이온: $O + 2⊖ \longrightarrow O^{2-}$

❸ 이온으로 이루어진 물질의 표현
물질 중 양이온과 음이온이 규칙적으로 배열되어 결정을 이루는 것도 있다. 이와 같은 물질도 원소 기호와 숫자를 이용하여 화학식으로 나타낼 수 있다.
예 $Na^{+} + Cl^{-} \longrightarrow NaCl$
$Ca^{2+} + 2Cl^{-} \longrightarrow CaCl_2$

용어 알기
- **결정** 원자, 이온, 분자 등이 규칙적으로 일정하게 배열하여 이루어진 고체 물질

3. 이온이 전하를 띠고 있음을 확인하기 이온이 들어 있는 수용액에 전류를 흘려 주면 양전하를 띠는 양이온은 (−)극으로, 음전하를 띠는 음이온은 (+)극으로 이동한다.
➡ 이온이 전하를 띠고 있기 때문
→ 색을 띤 이온이 이동하는 것을 통해 이온이 전하를 띠고 있음을 확인할 수 있다.

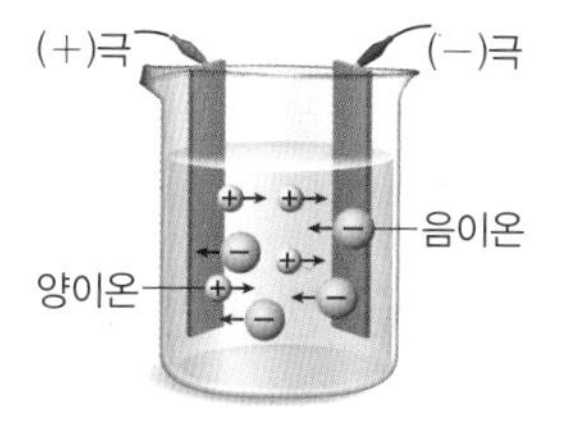

▲ 이온의 이동

탐구 공략하기 032쪽

교과서 탐구 이온이 전하를 띠고 있음을 확인하기

▶ **과정** 6홈 판에 증류수, 이온 음료, 염화 나트륨 수용액, 설탕 수용액을 각각 넣고, 간이 전기 전도계의 전극을 각각 담가 전기가 통하는지 확인한다.

▶ **결과**

전기가 통하는 물질	전기가 통하지 않는 물질
이온 음료, 염화 나트륨 수용액	증류수, 설탕 수용액

▶ **해석** ① 전기가 통하는 물질은 이온이 들어 있다.❹
② 이온이 들어 있는 수용액에 전류를 흘려 주면 양이온은 (−)극으로, 음이온은 (+)극으로 이동하므로 전기가 통한다. ➡ 이온이 전하를 띠고 있음을 알 수 있다.

❹ 염화 나트륨 수용액과 설탕 수용액의 모형

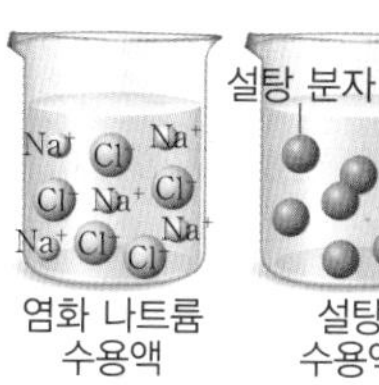

염화 나트륨은 물에 녹아 나트륨 이온(Na^+)과 염화 이온(Cl^-)으로 나누어지지만 설탕은 물에 녹아도 이온으로 나누어지지 않는다.

★ 정답과 해설 008쪽

01 ( ) 안에 들어갈 알맞은 말을 쓰거나 고르시오.

(1) 원자가 전자를 잃거나 얻어 전하를 띤 입자를 ( )(이)라고 한다.

(2) 원자가 전자를 ㉠(잃어, 얻어) (+)전하를 띠는 입자를 ㉡(양이온, 음이온)이라고 한다.

(3) 원자가 전자를 ㉠(잃어, 얻어) (−)전하를 띠는 입자를 ㉡(양이온, 음이온)이라고 한다.

(4) 이온의 이름을 부를 때 원소 이름 뒤에 '화 이온'을 붙여 부르는 것은 (양이온, 음이온)이다.

02 그림은 어떤 이온을 모형으로 나타낸 것이다. 이에 대한 설명에서 ( ) 안에 들어갈 알맞은 말이나 숫자를 쓰시오.

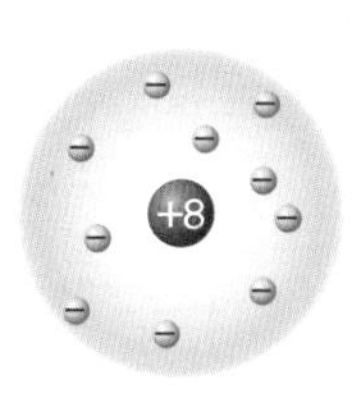

이 이온의 원자핵의 전하량은 ㉠( )이고, 전자의 총 전하량은 ㉡( )이다. 이 이온은 원자가 전자 ㉢( )개를 ㉣( )고 형성되었다.

03 (가) 원자핵의 (+)전하량과 (나) 전자의 총 (−)전하량의 크기 비교와 입자의 종류를 옳은 것끼리 연결하시오.

(1) (가) > (나) • • ㉠ 원자
(2) (가) = (나) • • ㉡ 양이온
(3) (가) < (나) • • ㉢ 음이온

04 표의 ㉠~㉥에 들어갈 이온식이나 이온 이름을 쓰시오.

이온 이름	이온식	이온 이름	이온식
수소 이온	(㉠)	염화 이온	(㉡)
(㉢)	Ca^{2+}	(㉣)	O^{2-}
암모늄 이온	(㉤)	질산 이온	(㉥)

05 그림은 이온이 들어 있는 수용액에 전류를 흘려 주었을 때 이온이 이동하는 모습이다.

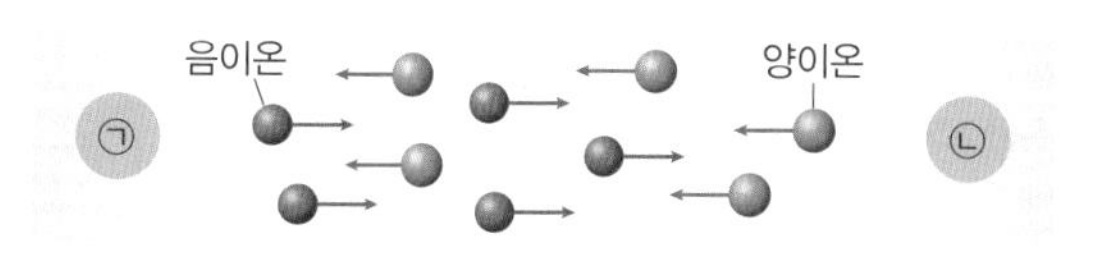

㉠과 ㉡은 무슨 극인지 각각 쓰시오.

B 앙금 생성 반응

1. 앙금[●] 생성 반응 이온이 들어 있는 서로 다른 두 수용액을 섞었을 때 양이온과 음이온이 반응하여 물에 잘 녹지 않는 물질인 앙금을 생성하는 반응[5]

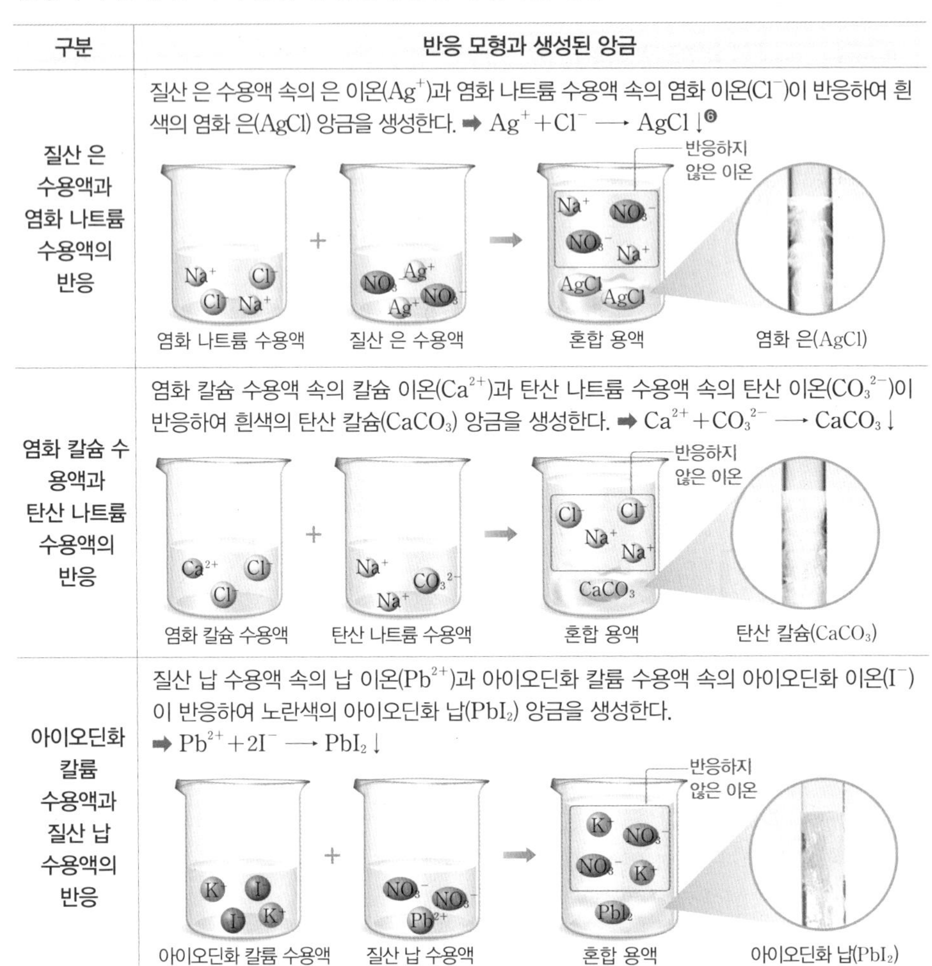

구분	반응 모형과 생성된 앙금
질산 은 수용액과 염화 나트륨 수용액의 반응	질산 은 수용액 속의 은 이온(Ag^+)과 염화 나트륨 수용액 속의 염화 이온(Cl^-)이 반응하여 흰색의 염화 은(AgCl) 앙금을 생성한다. ➡ $Ag^+ + Cl^- \longrightarrow AgCl\downarrow$[6]
염화 칼슘 수용액과 탄산 나트륨 수용액의 반응	염화 칼슘 수용액 속의 칼슘 이온(Ca^{2+})과 탄산 나트륨 수용액 속의 탄산 이온(CO_3^{2-})이 반응하여 흰색의 탄산 칼슘($CaCO_3$) 앙금을 생성한다. ➡ $Ca^{2+} + CO_3^{2-} \longrightarrow CaCO_3\downarrow$
아이오딘화 칼륨 수용액과 질산 납 수용액의 반응	질산 납 수용액 속의 납 이온(Pb^{2+})과 아이오딘화 칼륨 수용액 속의 아이오딘화 이온(I^-)이 반응하여 노란색의 아이오딘화 납(PbI_2) 앙금을 생성한다. ➡ $Pb^{2+} + 2I^- \longrightarrow PbI_2\downarrow$

2. 앙금 생성 반응을 이용한 이온의 확인 앙금 생성 여부와 생성된 앙금의 색깔을 이용하여 수용액 속 이온을 확인할 수 있다.[7][8] 탐구 공략하기 033쪽

양이온 +	음이온 ➡	앙금(색깔)
Ag^+(은 이온)	Cl^-(염화 이온)	AgCl(염화 은, 흰색)
	I^-(아이오딘화 이온)	AgI(아이오딘화 은, 노란색)
Ca^{2+}(칼슘 이온)	CO_3^{2-}(탄산 이온)	$CaCO_3$(탄산 칼슘, 흰색)
	SO_4^{2-}(황산 이온)	$CaSO_4$(황산 칼슘, 흰색)
Ba^{2+}(바륨 이온)	CO_3^{2-}(탄산 이온)	$BaCO_3$(탄산 바륨, 흰색)
	SO_4^{2-}(황산 이온)	$BaSO_4$(황산 바륨, 흰색)
Pb^{2+}(납 이온)	I^-(아이오딘화 이온)	PbI_2(아이오딘화 납, 노란색)
	S^{2-}(황화 이온)	PbS(황화 납, 검은색)
Cu^{2+}(구리 이온)	S^{2-}(황화 이온)	CuS(황화 구리, 검은색)

⑤ 앙금을 생성하지 않는 이온
일반적으로 나트륨 이온(Na^+), 칼륨 이온(K^+), 암모늄 이온(NH_4^+), 질산 이온(NO_3^-) 등은 다른 이온과 만났을 때 앙금을 생성하지 않는다.

⑥ 앙금의 표시
앙금은 물에 잘 녹지 않고 가라앉기 때문에 물질의 오른쪽에 '↓' 기호로 표시한다.

⑦ 앙금을 생성하지 않는 이온 확인 방법
앙금을 생성하지 않는 이온 중 일부의 금속 이온은 불꽃색으로 확인할 수 있다.

⑧ 앙금 생성 반응을 이용한 이온 확인의 예
- 수돗물 속의 염화 이온(Cl^-): 은 이온(Ag^+)을 포함한 물질의 수용액을 떨어뜨려 흰색 앙금이 생기는지 확인한다.
  ➡ $Ag^+ + Cl^- \longrightarrow AgCl\downarrow$
- 온천수[●] 속의 탄산 이온(CO_3^{2-}): 칼슘 이온(Ca^{2+})을 포함한 물질의 수용액을 떨어뜨려 흰색 앙금이 생기는지 확인한다.
  ➡ $Ca^{2+} + CO_3^{2-} \longrightarrow CaCO_3\downarrow$

용어 알기
- **앙금** 물에 잘 용해되지 않는 물질
- **온천수** 지구 내부의 열에 의해 지하수가 그 지역의 평균 기온 이상으로 데워져 솟아 나온 더운물

교과서 탐구 앙금 생성 반응으로 염화 이온 확인하기[9]

▶ 과정
1. 시험관 4개에 미지의 수용액 A~D를 각각 15 mL 정도 넣은 후 각 시험관에 질산 은 수용액을 2 mL 정도씩 떨어뜨리고 변화를 관찰한다.
2. 염화 이온이 있을 것으로 예상되는 수용액을 찾아본다.

질산 은 수용액

A B C D

▶ 결과

구분	A	B	C	D
앙금 생성 여부	앙금 생성	변화 없음	앙금 생성	변화 없음
앙금 색깔	흰색	−	흰색	−

▶ 해석 수용액 A와 수용액 C에 염화 이온이 들어 있을 것으로 예상할 수 있다. ➡ 염화 이온은 질산 은 수용액 속에 들어 있는 은 이온과 반응하여 염화 은의 흰색 앙금을 생성하기 때문이다.
$Ag^{+} + Cl^{-} \longrightarrow AgCl\downarrow$

❾ 염화 이온(Cl^{-}) 확인하기
질산 은($AgNO_3$) 수용액을 가할 때 염화 은($AgCl$)의 흰색 앙금이 생성되는 것으로 확인할 수 있다.

★ 정답과 해설 008쪽

06 (   ) 안에 공통으로 들어갈 알맞은 말을 쓰시오.

> 이온이 들어 있는 서로 다른 두 수용액을 섞었을 때 양이온과 음이온이 반응하여 물에 잘 녹지 않는 (   )을 생성하는 반응을 (   ) 생성 반응이라고 한다.

07 수용액에서 앙금으로 존재하는 물질을 모두 고르시오.

> $NaCl$ $AgCl$ $CaCO_3$
> $CaCl_2$ KNO_3 PbI_2

08 그림은 염화 나트륨 수용액과 질산 은 수용액을 나타낸 것이다. 이에 대한 설명에서 (   ) 안에 들어갈 알맞은 말을 쓰시오.

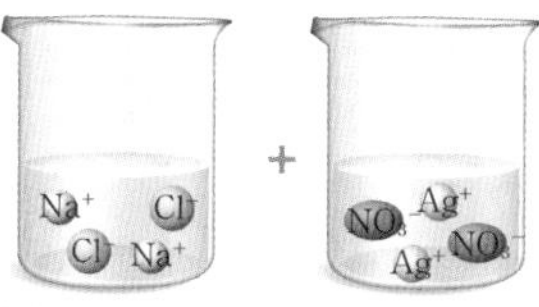

염화 나트륨 수용액 질산 은 수용액

> 두 수용액을 섞을 때 서로 반응하여 앙금을 만드는 이온은 염화 나트륨 수용액 속의 (㉠)과 질산 은 수용액 속의 (㉡)이며, 생성되는 앙금은 (㉢)이다.

09 그림은 염화 칼슘 수용액과 탄산 나트륨 수용액의 반응을 모형으로 나타낸 것이다.

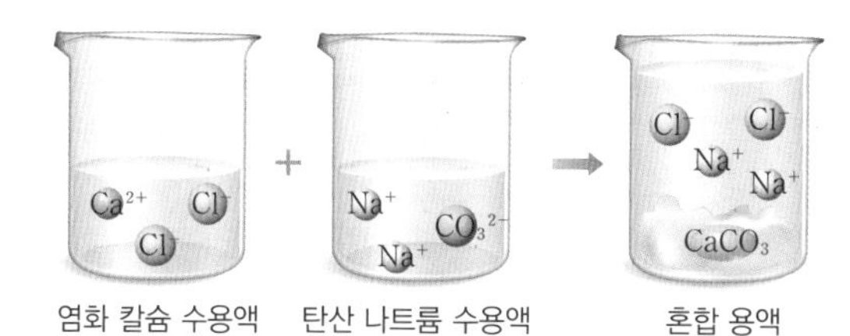

염화 칼슘 수용액 탄산 나트륨 수용액 혼합 용액

이에 대한 설명으로 옳은 것은 ○표, 옳지 않은 것은 ×표를 하시오.

(1) 염화 이온과 나트륨 이온이 반응하여 앙금을 생성한다. (   )
(2) 생성된 앙금의 이름은 탄산 칼슘이다. (   )
(3) 생성된 앙금의 색깔은 노란색이다. (   )

10 다음 두 수용액을 혼합했을 때 앙금을 생성하는 경우는 ○표, 앙금을 생성하지 않는 경우는 ×표를 하시오.

(1) 염화 칼륨 수용액+질산 은 수용액 (   )
(2) 염화 나트륨 수용액+질산 칼륨 수용액 (   )
(3) 질산 바륨 수용액+탄산 칼륨 수용액 (   )
(4) 질산 칼슘 수용액+염화 나트륨 수용액 (   )
(5) 황산 구리(Ⅱ) 수용액+황화 수소 수용액 (   )
(6) 아이오딘화 칼륨 수용액+질산 납 수용액 (   )

탐구 공략하기

이온이 전하를 띠고 있음을 확인하기

목표 수용액 속 이온의 이동을 관찰하여 이온이 전하를 띠고 있음을 알 수 있다.

공략 포인트 이온이 들어 있는 수용액에 전류를 흘려 줄 때 색을 띠는 이온이 이동하는 것을 통해 이온이 전하를 띠고 있음을 이해하는 것이 중요하다!
구리 이온(Cu^{2+}): 파란색, 과망가니즈산 이온(MnO_4^-): 보라색

과정

❶ **준비물을 이용하여 실험 장치 만들기**

페트리 접시 양쪽 끝에 클립으로 전극을 설치하고, 질산 칼륨 수용액을 페트리 접시에 넣은 후, 클립과 전원 장치를 집게 달린 전선으로 연결하여 전류를 흘려 준다.

❷ **황산 구리(Ⅱ) 수용액으로 관찰하기**

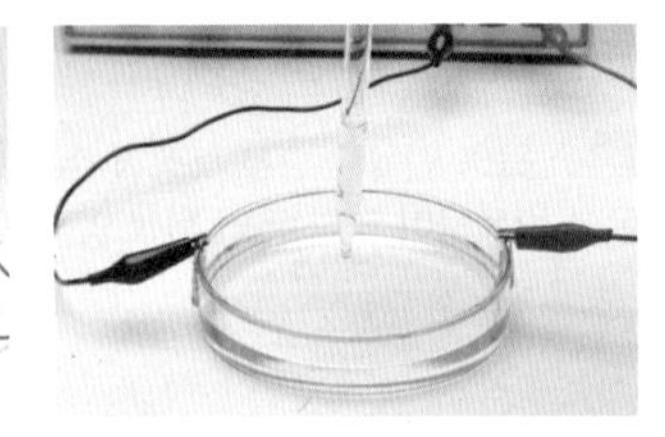

페트리 접시 가운데에 파란색을 띠는 황산 구리(Ⅱ) 수용액을 떨어뜨린다.
황산 구리(Ⅱ)가 물에 녹으면 파란색을 띠는 구리 이온과 색을 띠지 않는 황산 이온이 생성된다.

❸ **과망가니즈산 칼륨 수용액으로 관찰하기**

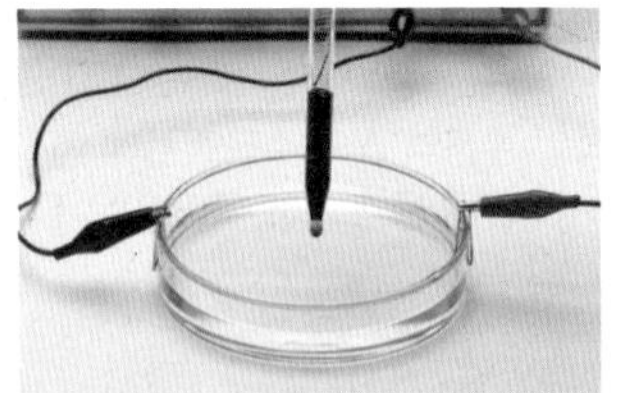

황산 구리(Ⅱ) 수용액 대신 보라색을 띠는 과망가니즈산 칼륨 수용액을 떨어뜨린다.
과망가니즈산 칼륨이 물에 녹으면 보라색을 띠는 과망가니즈산 이온과 색을 띠지 않는 칼륨 이온이 생성된다.

결과

황산 구리(Ⅱ) 수용액	과망가니즈산 칼륨 수용액
파란색이 (−)극 쪽으로 이동한다. ➡ (−)극 쪽으로 이동하는 이온은 양이온이므로 파란색을 띠는 성분은 구리 이온(Cu^{2+})이다. 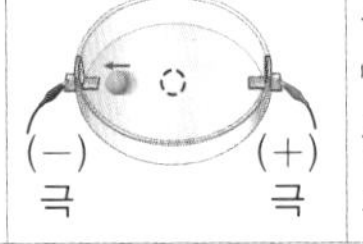	보라색이 (+)극 쪽으로 이동한다. ➡ (+)극 쪽으로 이동하는 이온은 음이온이므로 보라색을 띠는 성분은 과망가니즈산 이온(MnO_4^-)이다. 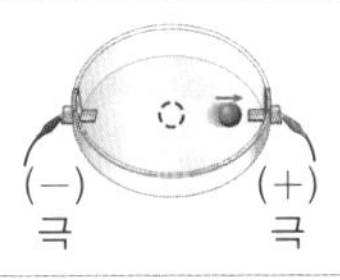

색을 띠지 않는 이온들은 눈으로 확인할 수는 없지만 (+)극과 (−)극 쪽으로 이동한다.
➡ 황산 이온(SO_4^{2-}), 질산 이온(NO_3^-)은 (+)극 쪽으로, 칼륨 이온(K^+)은 (−)극 쪽으로 이동한다.

정리 이온이 들어 있는 수용액에 전류를 흘려 주면 양이온은 (−)극 쪽으로, 음이온은 (+)극 쪽으로 이동하며, 이를 통해 이온이 전하를 띠고 있음을 알 수 있다.

★ 정답과 해설 009쪽

01 이 실험에서 (가) 황산 구리(Ⅱ) 수용액과 (나) 과망가니즈산 칼륨 수용액에 존재하는 이온의 이름을 모두 쓰시오.

02 다음은 이온의 이동에 대한 설명이다. (   ) 안에 들어갈 알맞은 기호를 쓰시오.

> 이온이 들어 있는 수용액에 전류를 흘려 주면 양전하를 띠는 양이온은 (㉠)극 쪽으로 이동하고, 음전하를 띠는 음이온은 (㉡)극 쪽으로 이동한다.

03 이 실험에 대한 설명으로 옳은 것은 ○표, 옳지 않은 것은 ×표를 하시오.

(1) 황산 구리(Ⅱ) 수용액이 파란색을 띠는 까닭은 황산 이온 때문이다. (   )
(2) 과망가니즈산 칼륨 수용액이 보라색을 띠는 까닭은 과망가니즈산 이온 때문이다. (   )
(3) 색을 띠지 않는 이온은 이동하지 않는다. (   )
(4) 질산 칼륨 수용액에 들어 있는 이온은 이동하지 않는다. (   )
(5) 이 실험으로 이온이 전하를 띠고 있음을 알 수 있다. (   )

탐구 공략 하기

앙금 생성 반응을 이용한 이온의 확인

목표 앙금 생성 반응을 이용하여 용액에 들어 있는 이온의 종류를 알 수 있다.

공략 포인트 서로 반응하여 앙금을 생성하는 양이온과 음이온의 짝을 알고, 이를 이용하여 2가지 수용액을 반응시켰을 때 앙금이 생성된 경우 앙금을 생성하는 이온을 찾아내는 것이 중요하다!

염화 이온－은 이온, 칼슘 이온－탄산 이온, 바륨 이온－황산 이온, 납 이온－아이오딘화 이온 등

과정

❶ 반응판 위에 투명 필름을 올려놓고, 첫째와 둘째 줄의 흰색과 검은색의 경계에 각각 염화 나트륨 수용액, 염화 칼슘 수용액, 질산 나트륨 수용액, 질산 칼슘 수용액을 떨어뜨린다.
❷ 첫째 줄의 각 수용액에 질산 은 수용액을 떨어뜨린다.
❸ 둘째 줄의 각 수용액에 탄산 나트륨 수용액을 떨어뜨린다.
❹ 반응판 위에 새로운 투명 필름을 올려놓고 첫째와 둘째 줄의 흰색과 검은색의 경계에 미지 수용액 A~C를 각각 떨어뜨린 후, 첫째 줄에는 질산 은 수용액을, 둘째 줄에는 탄산 나트륨 수용액을 떨어뜨린다.

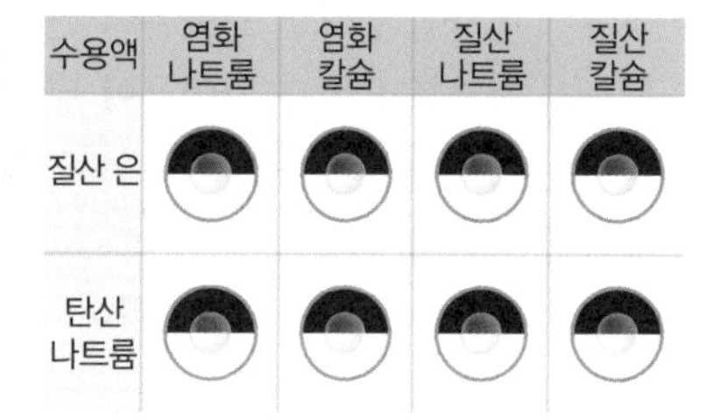

결과

1. 과정 ❷와 ❸의 결과

수용액 (포함된 이온)	염화 나트륨 (Na^+, Cl^-)	염화 칼슘 (Ca^{2+}, Cl^-)	질산 나트륨 (Na^+, NO_3^-)	질산 칼슘 (Ca^{2+}, NO_3^-)
질산 은 (Ag^+, NO_3^-)	흰색 앙금 생성 ➡ 염화 은($AgCl$)	흰색 앙금 생성 ➡ 염화 은($AgCl$)	변화 없음	변화 없음
탄산 나트륨 (Na^+, CO_3^{2-})	변화 없음	흰색 앙금 생성 ➡ 탄산 칼슘($CaCO_3$)	변화 없음	흰색 앙금 생성 ➡ 탄산 칼슘($CaCO_3$)

2. 과정 ❹의 결과

수용액(포함된 이온)	미지 수용액 A	미지 수용액 B	미지 수용액 C
질산 은(Ag^+, NO_3^-)	변화 없음	흰색 앙금 생성	흰색 앙금 생성
탄산 나트륨(Na^+, CO_3^{2-})	흰색 앙금 생성	변화 없음	흰색 앙금 생성

➡ 각 미지 수용액에 포함된 것으로 예상되는 이온은 수용액 A는 칼슘 이온(Ca^{2+}), 수용액 B는 염화 이온(Cl^-), 수용액 C는 칼슘 이온(Ca^{2+})과 염화 이온(Cl^-)이다.

정리 미지 수용액에 앙금을 생성할 수 있는 이온을 넣었을 때 앙금의 생성 여부와 앙금의 색을 통해 미지 수용액에 포함된 이온의 종류를 알 수 있다.

✱ 정답과 해설 009쪽

01 위 과정 ❷와 ❸에서 앙금을 생성하는 양이온과 음이온을 각각 순서대로 쓰시오.

02 과정 ❹의 결과로 보아 미지 수용액 A~C 중 염화 칼륨 수용액이라고 예상할 수 있는 것을 쓰시오.

03 이 실험에 대한 설명으로 옳은 것은 ○표, 옳지 않은 것은 ×표를 하시오.

(1) 과정 ❷와 ❸에서 생성된 앙금의 종류는 모두 같다. ( )
(2) 은 이온은 염화 이온과 반응하여 흰색 앙금을 생성한다. ( )
(3) 탄산 이온은 나트륨 이온과 반응하여 흰색 앙금을 생성한다. ( )
(4) 탄산 나트륨 수용액으로 미지 수용액 속의 음이온을 확인할 수 있다. ( )

A 이온

01 이온에 대한 설명으로 옳은 것은?

① 이온은 전기적으로 중성이다.
② 원자가 전자를 잃으면 음이온이 된다.
③ 원자가 전자를 얻으면 양이온이 된다.
④ 양이온은 원자핵의 (+)전하량과 전자의 총 (−) 전하량이 같다.
⑤ 음이온은 원자핵의 (+)전하량이 전자의 총 (−) 전하량보다 작다.

[02-03] 그림은 원자 A와 B가 이온으로 변하는 과정을 모형으로 나타낸 것이다.(단, A와 B는 임의의 원소 기호이다.)

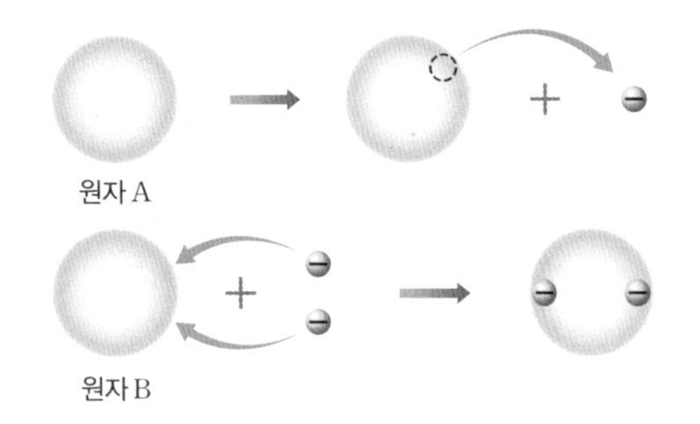

필수

02 이 모형에 대한 설명으로 옳은 것은?

① 원자 A는 전자 1개를 얻고 이온이 된다.
② 원자 B는 전자 2개를 잃고 이온이 된다.
③ 원자 A는 형성된 이온보다 전자가 1개 더 많다.
④ 원자 B는 형성된 이온보다 원자핵의 전하량이 더 크다.
⑤ 원자 B에서 형성된 이온은 원자핵의 (+)전하량이 전자의 총 (−)전하량보다 크다.

03 이와 같은 과정으로 형성된 이온을 옳게 짝 지은 것은?

	(가)	(나)		(가)	(나)
①	Na^{+}	Cl^{-}	②	Li^{+}	S^{2-}
③	F^{-}	Na^{+}	④	O^{2-}	Na^{+}
⑤	Mg^{2+}	S^{2-}			

04 이온이 형성되는 과정을 식으로 옳게 나타낸 것은?(단, 전자는 ⊖로 나타낸다.)

① $S + 2⊖ \longrightarrow S^{2-}$
② $Na + ⊖ \longrightarrow Na^{+}$
③ $Cl \longrightarrow Cl^{-} + ⊖$
④ $Ba \longrightarrow Ba^{2+} + ⊖$
⑤ $Cu + 2⊖ \longrightarrow Cu^{2+}$

필수

05 그림은 몇 가지 원자와 이온을 모형으로 나타낸 것이다.

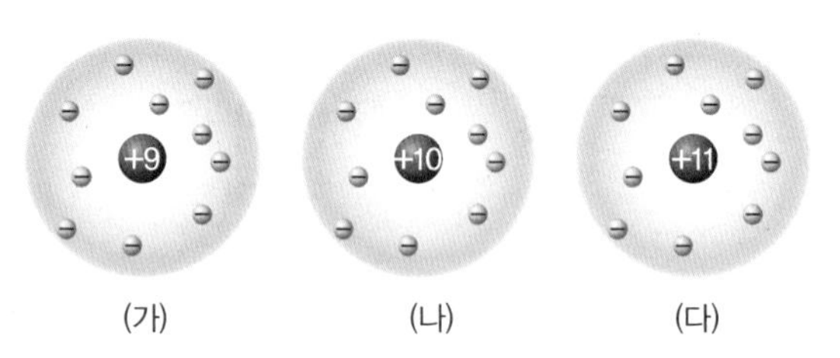

이에 대한 설명으로 옳은 것은?

① (가)는 양이온이다.
② (나)는 음이온이다.
③ (다)는 전기적으로 중성이다.
④ (가)~(다)는 같은 종류의 원자로 이루어져 있다.
⑤ (가)와 (다)는 원자가 같은 개수의 전자를 잃거나 얻어서 형성된다.

[06-07] 보기는 여러 가지 이온의 이온식을 나타낸 것이다.

보기
ㄱ. Li^{+} ㄴ. O^{2-} ㄷ. Al^{3+}
ㄹ. Mg^{2+} ㅁ. Cl^{-} ㅂ. Ba^{2+}

06 원자가 전자를 2개 잃고 형성된 이온만을 보기에서 모두 고른 것은?

① ㄱ, ㄴ ② ㄴ, ㄹ ③ ㄹ, ㅂ
④ ㄴ, ㄷ, ㅂ ⑤ ㄷ, ㄹ, ㅁ, ㅂ

07 원자가 전자를 가장 많이 얻고 형성된 이온을 보기에서 고르시오.

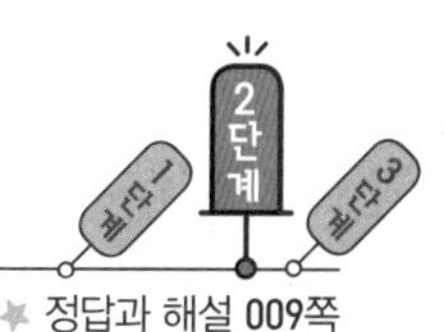

★ 정답과 해설 009쪽

서술형

08 표는 몇 가지 이온을 이루는 원자핵의 전하량과 전자의 개수를 나타낸 것이다.

이온	(가)	(나)	(다)	(라)
원자핵의 전하량	+4	+16	+13	+17
전자의 개수(개)	2	18	10	18

(가)~(라)를 양이온과 음이온으로 분류하고, 그 까닭을 서술하시오.

필수

09 오른쪽 이온식에 대한 설명으로 옳은 것은?

① 음이온이다.
② 이온의 이름은 칼륨 이온이다.
③ 원자가 전자 2개를 얻고 형성되었다.
④ 이온이 가지는 (+)전하량이 (−)전하량보다 크다.
⑤ 이온이 들어 있는 수용액에 전류를 흘려 주면 (+)극 쪽으로 이동한다.

필수

10 이온식과 이온의 이름을 옳게 짝 지은 것은?

① Cl^- − 염소 이온　② Pb^{2+} − 납 이온
③ Ag^+ − 수소 이온　④ NO_3^- − 질소 이온
⑤ SO_4^{2-} − 황화 이온

11 그림과 같이 홈판에 염화 나트륨 수용액을 넣고 간이 전기 전도계의 전극을 넣었더니 전기가 통했다. 그 까닭으로 옳은 것은?

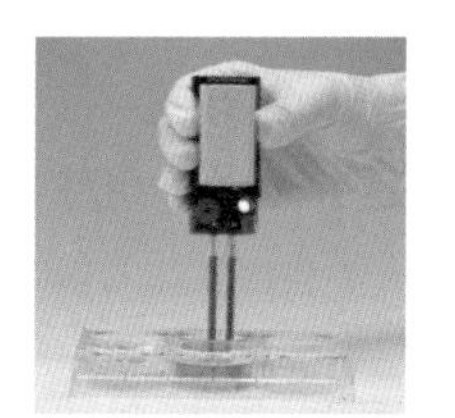

① 모든 수용액은 전기가 통하기 때문
② 염화 나트륨이 물에 녹아 분자로 존재하기 때문
③ 염화 나트륨이 물에 녹아 이온으로 나누어지기 때문
④ 염화 나트륨이 물에 녹을 때 새로운 분자가 생성되기 때문
⑤ 염화 나트륨은 고체 상태에서도 전기가 통하는 물질이기 때문

필수

12 질산 칼륨 수용액이 담긴 페트리 접시 가운데에 파란색의 황산 구리(Ⅱ) 수용액과 보라색의 과망가니즈산 칼륨 수용액을 각각 떨어뜨리고 전류를 흘려 주었더니 그림과 같이 색이 이동하였다. 이에 대한 설명으로 옳은 것을 모두 고르면?(정답 2개)

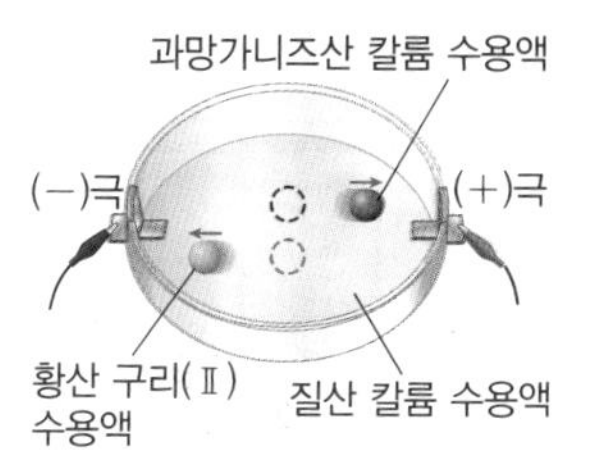

① 파란색 성분은 황산 이온이다.
② 보라색 성분은 과망가니즈산 이온이다.
③ 질산 이온과 칼륨 이온은 이동하지 않는다.
④ 이 실험으로 이온이 전하를 띠는 것을 알 수 있다.
⑤ 전극의 극을 반대로 바꾸어도 파란색과 보라색이 이동하는 방향은 변하지 않는다.

13 질산 칼륨 수용액을 적신 거름종이에 노란색의 크로뮴산 칼륨 수용액을 떨어뜨린 후 전류를 흘려 주었더니 그림과 같이 노란색이 이동하였다.

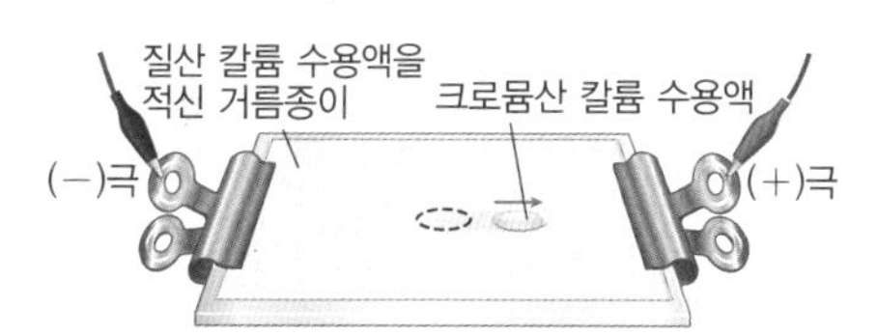

크로뮴산 칼륨 수용액의 노란색을 띠는 성분은 무엇인지 쓰시오.(단, 크로뮴산 칼륨은 수용액에서 크로뮴산 이온(CrO_4^{2-})과 칼륨 이온(K^+)으로 나누어진다.)

B 앙금 생성 반응

14 질산 칼슘($Ca(NO_3)_2$) 수용액과 탄산 나트륨(Na_2CO_3) 수용액을 혼합한 용액을 나타낸 모형으로 옳은 것은?

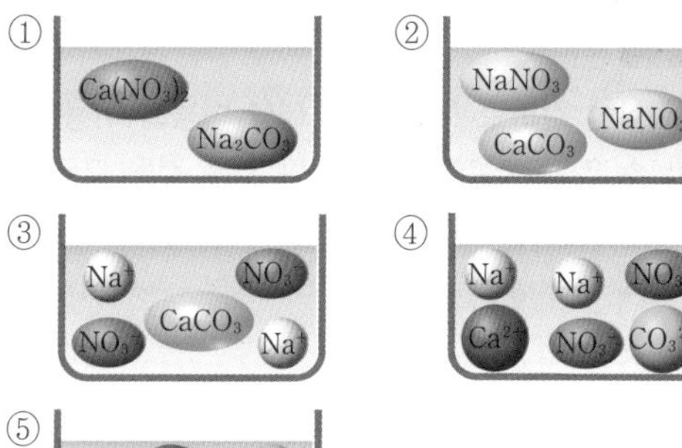

필수

15 그림은 염화 나트륨 수용액과 질산 은 수용액의 반응을 모형으로 나타낸 것이다.

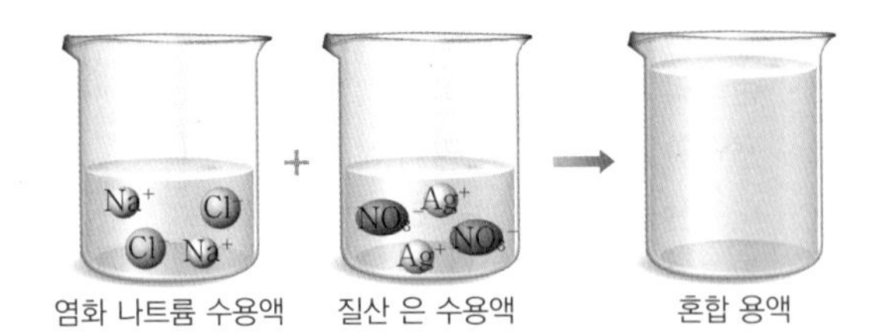

이에 대한 설명으로 옳은 것을 모두 고르면?(정답 2개)

① 노란색의 염화 은 앙금이 생성된다.
② 혼합 용액은 전류가 흐르지 않는다.
③ 나트륨 이온과 질산 이온은 이온 상태로 존재한다.
④ 질산 은 수용액 대신 질산 칼슘 수용액을 사용해도 같은 종류의 앙금이 생성된다.
⑤ 염화 나트륨 수용액 대신 염화 칼륨 수용액을 사용해도 같은 종류의 앙금이 생성된다.

[16-17] 그림과 같이 반응판 위에 투명 필름을 올려놓고, 표의 가로축의 수용액을 1~2방울씩 떨어뜨린 후, 세로축의 수용액을 1방울씩 떨어뜨릴 때 나타나는 변화를 관찰하였다.

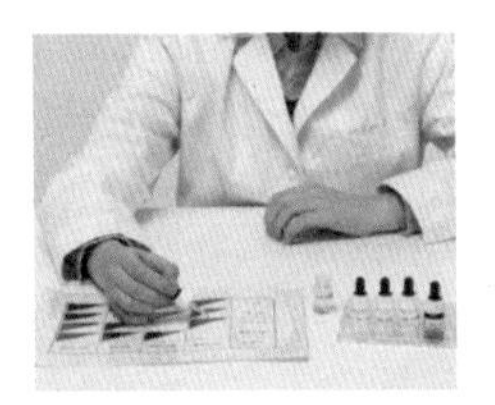

수용액	질산 나트륨	염화 칼슘	염화 나트륨
탄산 나트륨	A	B	C
황산 칼륨	D	E	F

16 표의 A~F 중 앙금이 생성되는 것을 모두 고른 것은?

① A, C　② B, E　③ D, F
④ A, C, E　⑤ B, D, E

필수

17 이 실험 결과로 보아 앙금 생성 반응을 이용하여 검출할 수 있는 이온들을 옳게 짝 지은 것을 모두 고르면?(정답 2개)

① 염화 이온－칼륨 이온
② 칼슘 이온－탄산 이온
③ 칼슘 이온－황산 이온
④ 질산 이온－나트륨 이온
⑤ 황산 이온－나트륨 이온

18 앙금의 이름과 색깔을 옳게 짝 지은 것은?

① 염화 은－노란색　② 황화 납－노란색
③ 황화 구리－흰색　④ 황산 칼슘－검은색
⑤ 아이오딘화 납－노란색

신유형

19 두 수용액을 혼합할 때 반응이 일어난 것을 눈으로 확인할 수 있는 경우만을 보기에서 모두 고른 것은?

보기
ㄱ. 질산 바륨 수용액＋염화 나트륨 수용액
ㄴ. 질산 구리(Ⅱ) 수용액＋황화 수소 수용액
ㄷ. 염화 납 수용액＋아이오딘화 칼륨 수용액
ㄹ. 질산 은 수용액＋아이오딘화 나트륨 수용액

① ㄱ, ㄴ　② ㄴ, ㄹ　③ ㄱ, ㄴ, ㄹ
④ ㄱ, ㄷ, ㄹ　⑤ ㄴ, ㄷ, ㄹ

서술형

20 공장 폐수 속에는 납 이온(Pb^{2+})이 들어 있다. 앙금 생성 반응을 이용하여 공장 폐수 속의 납 이온을 확인하는 방법을 서술하시오.(단, 사용할 수 있는 수용액과 생성되는 앙금의 종류, 색깔을 포함하시오.)

필수

21 다음은 미지 물질 A를 확인하기 위한 실험이다.

(가) 물질 A의 수용액으로 불꽃 반응 실험을 하였더니 보라색의 불꽃이 나타났다.
(나) 물질 A의 수용액에 질산 은 수용액을 떨어뜨렸더니 흰색 앙금이 생성되었다.
(다) 물질 A의 수용액에 질산 바륨 수용액을 떨어뜨렸더니 앙금이 생성되지 않았다.

미지 물질 A로 예상되는 것은?

① 염화 칼륨　② 염화 칼슘　③ 탄산 칼륨
④ 황산 바륨　⑤ 탄산 나트륨

01 표는 몇 가지 이온의 원자핵의 전하량과 전자의 개수를 나타낸 것이다.

구분	Li^{+}	Mg^{2+}	O^{2-}	F^{-}
원자핵의 전하량	+3	+12	+8	+9
전자의 개수(개)	㉠	㉡	㉢	㉣

㉠~㉣에 들어갈 숫자가 같은 것을 모두 고르고, 그 숫자를 쓰시오.

필수

02 다음은 두 종류의 철 이온을 나타낸 것이다.

(가) Fe^{2+}　　　　(나) Fe^{3+}

이에 대한 설명으로 옳은 것은?

① 전자의 개수는 (가)<(나)이다.
② 원자핵의 전하량은 (가)>(나)이다.
③ (가)는 원자핵의 (+)전하량<전자의 총 (−)전하량이다.
④ (나)는 원자핵의 (+)전하량=전자의 총 (−)전하량이다.
⑤ 원자에서 형성될 때 잃은 전자의 개수는 (가)<(나)이다.

필수

03 그림과 같이 질산 칼륨 수용액을 적신 거름종이에 X 수용액과 Y 수용액을 떨어뜨린 후 전류를 흘려 주었더니 가운데에서 노란색 앙금이 생성되었다.

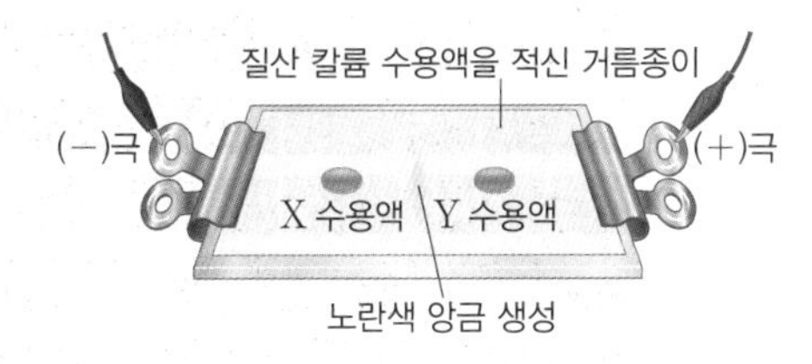

이와 같은 결과를 얻을 수 있는 수용액을 옳게 짝 지은 것은?

	X 수용액	Y 수용액
①	NaCl 수용액	$AgNO_3$ 수용액
②	$AgNO_3$ 수용액	NaCl 수용액
③	KI 수용액	$Pb(NO_3)_2$ 수용액
④	$Pb(NO_3)_2$ 수용액	KI 수용액
⑤	Na_2CO_3 수용액	$CaCl_2$ 수용액

필수 신유형

04 그림은 황산 나트륨 수용액에 염화 바륨 수용액을 떨어뜨릴 때의 반응을 나타낸 것이다. 이 반응이 일어나는 동안 시험관의 혼합 수용액에서 증가하는 이온과 감소하는 이온을 옳게 짝 지은 것은?

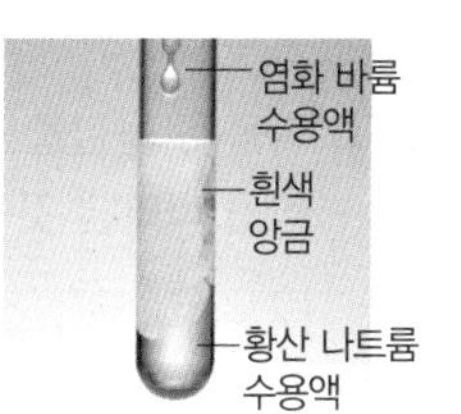

	증가	감소
①	염화 이온	황산 이온
②	염화 이온	나트륨 이온
③	바륨 이온	황산 이온
④	바륨 이온	염화 이온
⑤	황산 이온	나트륨 이온

필수

05 그림은 염화 나트륨(NaCl) 수용액, 염화 바륨($BaCl_2$) 수용액, 질산 칼슘($Ca(NO_3)_2$) 수용액을 앙금 생성 반응을 이용하여 구별하는 방법을 나타낸 것이다.

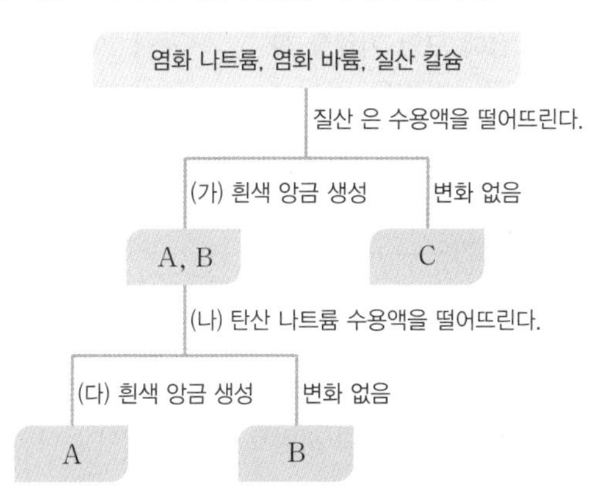

이에 대한 설명으로 옳은 것만을 보기에서 모두 고른 것은?

보기
ㄱ. (가)의 흰색 앙금은 모두 염화 은이다.
ㄴ. (나)에서 탄산 나트륨 수용액 대신 질산 나트륨 수용액을 사용할 수 있다.
ㄷ. (다)의 흰색 앙금은 탄산 칼슘이다.
ㄹ. A는 염화 바륨 수용액, B는 염화 나트륨 수용액, C는 질산 칼슘 수용액이다.

① ㄱ, ㄴ　② ㄱ, ㄹ　③ ㄴ, ㄷ
④ ㄱ, ㄴ, ㄹ　⑤ ㄱ, ㄷ, ㄹ

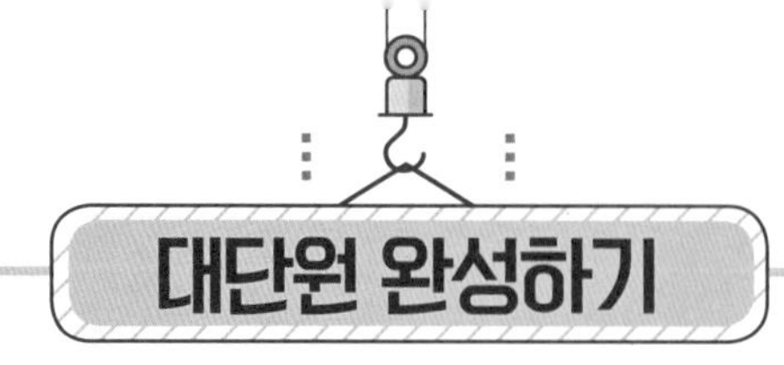

대단원 완성하기

정답 표시가 없는 문제는 모두 3점입니다.

제한시간: 45분

01 다음은 물질을 이루는 기본 성분에 대한 학자들의 주장을 나타낸 것이다.

(가) 모든 물질의 근원은 물이다.
(나) 물질을 이루는 기본 성분으로서 더 이상 분해되지 않는 단순한 물질을 원소라고 하였다.
(다) 물을 수소와 산소로 분해하여 물이 원소가 아님을 증명하였다.

이와 같은 주장을 한 학자를 옳게 짝 지은 것은?

	(가)	(나)	(다)
①	라부아지에	탈레스	보일
②	탈레스	아리스토텔레스	라부아지에
③	탈레스	보일	라부아지에
④	보일	라부아지에	아리스토텔레스
⑤	보일	탈레스	아리스토텔레스

02 그림과 같이 장치하고 전류를 흘려 주었다. A와 B에 모인 기체를 확인하는 방법을 보기에서 골라 옳게 짝 지은 것은?

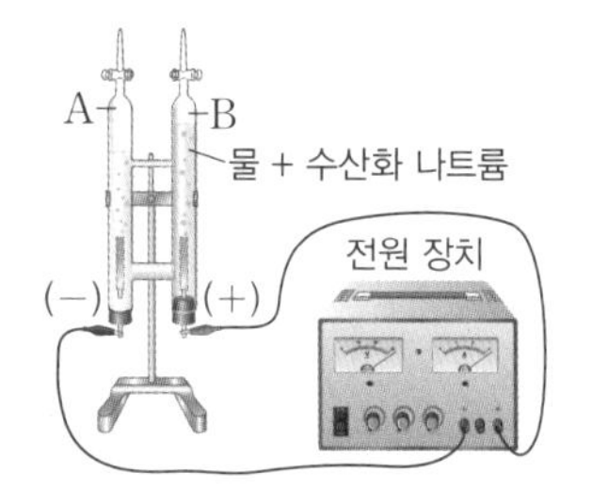

보기
ㄱ. 석회수에 통과시킨다.
ㄴ. 성냥불을 가까이 대어 본다.
ㄷ. 꺼져가는 향불을 가까이 대어 본다.
ㄹ. 푸른색 염화 코발트 종이를 대어 본다.

① A－ㄱ, B－ㄴ ② A－ㄱ, B－ㄷ
③ A－ㄴ, B－ㄷ ④ A－ㄴ, B－ㄹ
⑤ A－ㄷ, B－ㄹ

03 다음과 같은 특징을 가지는 물질들로 짝 지은 것은?

• 더 이상 다른 물질로 분해되지 않는다.
• 물질을 이루는 기본 성분이다.

① 물, 산소 ② 금, 수소 ③ 철, 암모니아
④ 설탕, 탄소 ⑤ 알루미늄, 염화 수소

[04-05] 그림은 불꽃 반응 실험 과정을 나타낸 것이다.

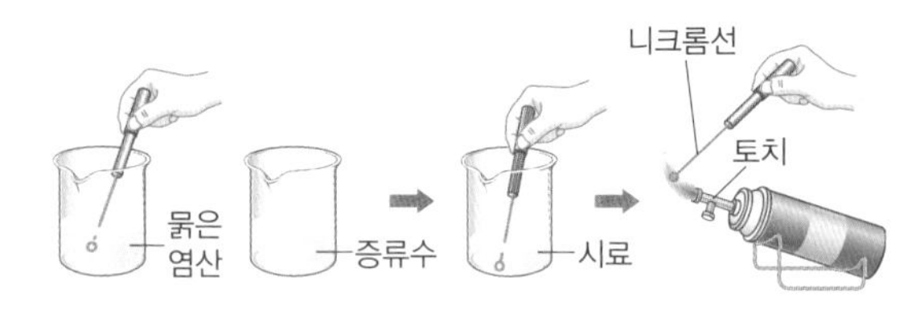

04 이 실험에서 니크롬선을 묽은 염산으로 씻는 까닭으로 옳은 것은?

① 니크롬선의 온도를 높이기 위해서
② 불꽃색이 빨리 나타나게 하기 위해서
③ 니크롬선에 시료를 많이 묻히기 위해서
④ 불꽃색이 선명하게 나타나게 하기 위해서
⑤ 니크롬선에 묻은 불순물을 제거하기 위해서

05 이 실험에서 같은 불꽃색이 나타나는 물질들을 보기에서 모두 고른 것은?

보기
ㄱ. 염화 바륨 ㄴ. 탄산 칼슘
ㄷ. 질산 칼륨 ㄹ. 탄산 나트륨
ㅁ. 질산 칼슘 ㅂ. 염화 스트론튬

① ㄱ, ㅂ ② ㄴ, ㄹ ③ ㄴ, ㅁ
④ ㄱ, ㄷ, ㅁ ⑤ ㄷ, ㄹ, ㅂ

06 그림은 원소 A, B와 물질 (가)~(라)의 스펙트럼을 나타낸 것이다.

이에 대한 설명으로 옳은 것은?(4점)

① 모두 연속 스펙트럼이다.
② 물질 (가)는 원소 A만 포함하고 있다.
③ 물질 (나)는 원소 A와 B를 모두 포함하지 않는다.
④ 물질 (다)는 원소 A와 B를 모두 포함하고 있다.
⑤ 물질 (라)는 원소 B만 포함하고 있다.

정답과 해설 011쪽

07 원자의 구조에 대한 설명으로 옳지 않은 것은?

① 원자핵과 전자로 이루어져 있다.
② 원자 내부는 대부분 빈 공간이다.
③ 원자 질량의 대부분은 원자핵이 차지하고 있다.
④ 원자핵은 (+)전하, 전자는 (−)전하를 띠고 있다.
⑤ 원자의 종류에 관계없이 원자핵의 전하량은 같다.

08 그림은 산소 원자의 모형이다. 이 원자의 (가) 원자핵의 전하량, (나) 전자의 총 전하량, (다) 원자의 총 전하량을 옳게 짝 지은 것은?

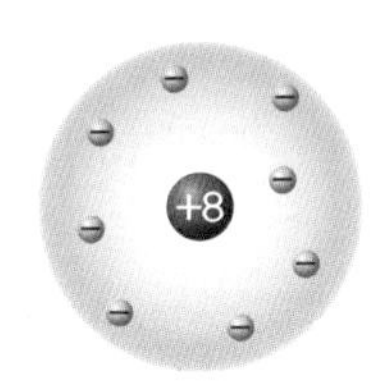

	(가)	(나)	(다)
①	−1	+8	+7
②	+1	−1	0
③	+8	−1	+7
④	+8	−8	0
⑤	−8	+8	+0

09 그림은 3가지 원자를 모형으로 나타낸 것이다.

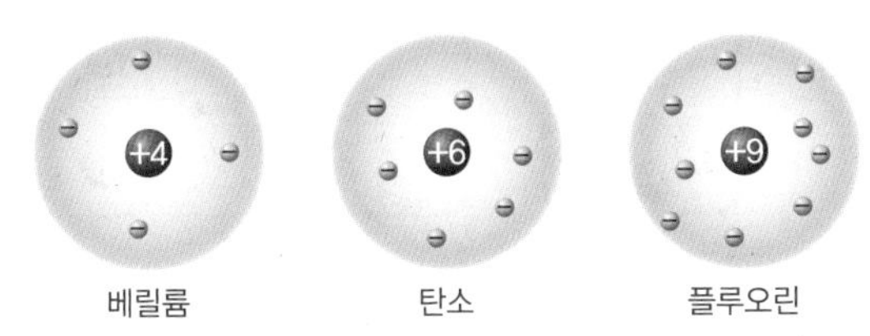

이를 통해 알 수 있는 사실로 옳지 않은 것은?(4점)

① 원자는 전기적으로 중성이다.
② 원자는 전자와 원자핵으로 이루어져 있다.
③ 원자의 종류에 따라 전자의 개수가 다르다.
④ 원자의 종류에 따라 원자핵의 전하량이 다르다.
⑤ 원자의 종류에 따라 원자핵의 (+)전하량과 전자의 총 (−)전하량의 합이 다르다.

10 원소, 원자, 분자에 대한 설명으로 옳은 것은?

① 분자는 더 이상 나눌 수 없다.
② 원소는 물질을 이루는 기본 입자이다.
③ 분자는 물질을 이루는 기본 성분이다.
④ 원소는 종류를 뜻하고, 원자는 개수를 셀 수 있다.
⑤ 원자는 물질의 성질을 나타내는 가장 작은 입자이다.

11 그림은 몇 가지 분자를 모형으로 나타낸 것이다.

수소 분자

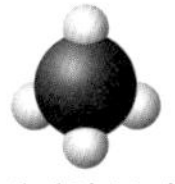
메테인 분자

일산화 탄소 분자

이산화 탄소 분자

이에 대한 설명으로 옳은 것은?(단, ○는 수소, ●는 산소, ●는 탄소 원자이다.) (4점)

① 모두 2가지 원소로 이루어져 있다.
② 일산화 탄소 분자는 탄소 원자와 질소 원자로 이루어져 있다.
③ 분자를 이루는 원자의 종류가 같은 것은 수소 분자와 메테인 분자이다.
④ 분자를 이루는 수소 원자의 개수는 메테인 분자가 수소 분자보다 많다.
⑤ 분자를 이루는 원자의 총 개수가 가장 많은 것은 이산화 탄소 분자이다.

12 다음에서 설명하는 원소의 이름과 원소 기호를 옳게 짝 지은 것은?

> (가) 지구 중심핵에 가장 많이 존재하고, 단단하므로 기계, 건축 재료로 이용된다.
> (나) 다른 물질과 잘 반응하지 않으므로 과자 봉지의 충전 기체로 이용된다.

① (가)−금−Ag
② (가)−알루미늄−Al
③ (가)−구리−Cu
④ (나)−질소−N
⑤ (나)−헬륨−He

13 그림은 암모니아 분자의 모형을 나타낸 것이다.

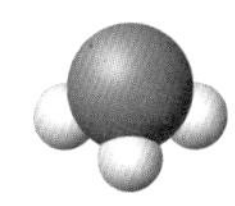
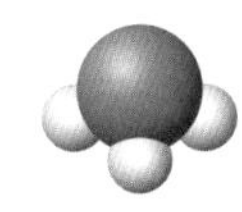
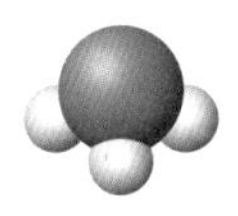

이에 대한 설명으로 옳지 않은 것은?(4점)

① 분자의 개수는 3개이다.
② 분자식은 $2NH_3$로 나타낸다.
③ 분자를 이루는 원자의 종류는 2가지이다.
④ 분자를 이루는 원자의 총 개수는 12개이다.
⑤ 분자를 이루는 수소 원자의 총 개수는 9개이다.

14 표는 입자 A~E의 원자핵의 전하량과 전자의 개수를 나타낸 것이다.

구분	원자핵의 전하량	전자의 개수(개)
A	+3	2
B	+8	10
C	+9	10
D	+10	10
E	+11	10

양이온을 모두 고른 것은?(단, A~E는 임의의 원소 기호이다.)

① A, B ② A, E ③ A, C, E
④ B, C, D ⑤ A, C, D, E

15 그림은 원자 X에서 이온 Y가 형성되는 과정을 모형으로 나타낸 것이다.

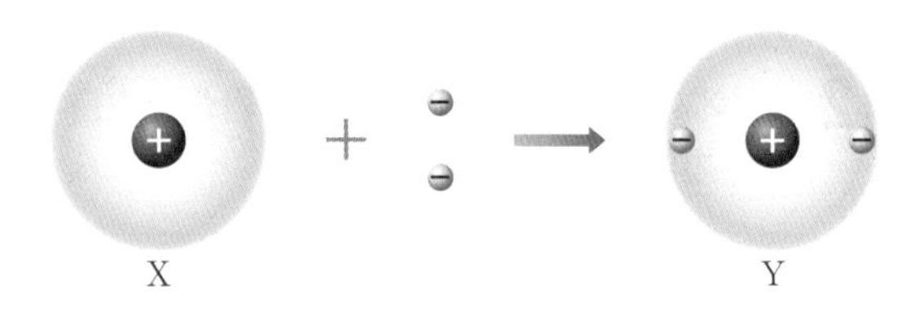

이에 대한 설명으로 옳은 것은?(4점)

① X가 전자를 잃고 Y가 된다.
② Y는 (+)전하를 띤 입자이다.
③ X는 Y보다 전자의 개수가 많다.
④ Y는 X보다 원자핵의 (+)전하량이 크다.
⑤ Y는 원자핵의 (+)전하량이 전자의 총 (−)전하량보다 작다.

16 이온의 이름과 이온식을 옳게 짝 지은 것만을 보기에서 모두 고른 것은?

보기
ㄱ. 바륨 이온−Ba^{2+} ㄴ. 칼륨 이온−Ca^{2+}
ㄷ. 탄산 이온−CO_3^{2-} ㄹ. 알루미늄 이온−Al^{3+}
ㅁ. 플루오린 이온−F^- ㅂ. 암모니아 이온−NH_4^+

① ㄱ, ㄴ ② ㄴ, ㅁ ③ ㄱ, ㄷ, ㄹ
④ ㄴ, ㄷ, ㅂ ⑤ ㄷ, ㄹ, ㅁ

17 질산 칼륨 수용액을 적신 거름종이에 파란색의 황산 구리(Ⅱ) 수용액과 보라색의 과망가니즈산 칼륨 수용액을 떨어뜨린 후 전류를 흘려 주었더니 그림과 같이 색이 이동하였다.

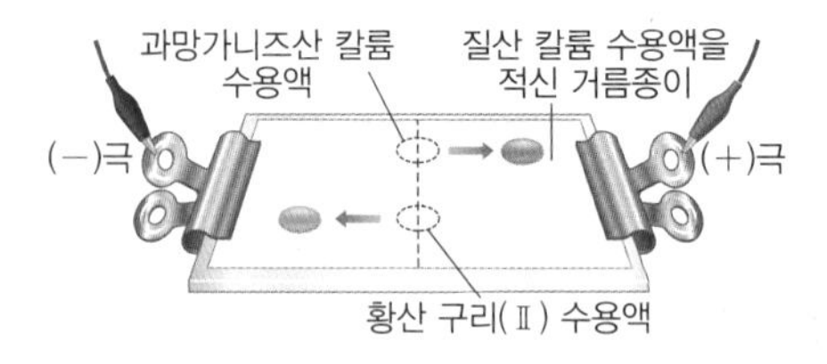

이때 (+)극 쪽으로 이동하는 이온을 모두 고른 것은?

① 구리 이온, 칼륨 이온
② 황산 이온, 구리 이온
③ 황산 이온, 과망가니즈산 이온
④ 칼륨 이온, 질산 이온, 구리 이온
⑤ 황산 이온, 과망가니즈산 이온, 질산 이온

18 그림은 염화 칼슘($CaCl_2$) 수용액 (가)와 미지의 수용액 (나)가 반응하여 혼합 용액 (다)가 생성되는 것을 모형으로 나타낸 것이다.

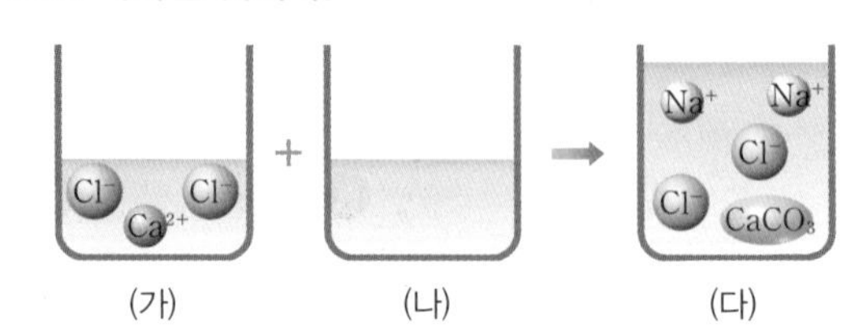

이에 대한 설명으로 옳은 것은? (4점)

① (가)와 (나)의 불꽃색은 같다.
② (나)에는 탄산 이온이 들어 있다.
③ (다)는 전류가 흐르지 않는다.
④ (다)에서 생성된 앙금은 노란색이다.
⑤ (나)와 (다)의 용액 속 탄산 이온의 개수는 같다.

19 앙금 생성 반응을 통해 검출하려는 이온과 사용할 수 있는 수용액을 잘못 짝 지은 것은?

	이온	수용액
①	Ag^+	NaCl 수용액
②	Ca^{2+}	K_2CO_3 수용액
③	Ba^{2+}	$CaCl_2$ 수용액
④	Pb^{2+}	NaI 수용액
⑤	Cu^{2+}	H_2S 수용액

정답과 해설 011쪽

서 / 술 / 형 / 문 / 제

20 다음은 라부아지에의 실험을 나타낸 것이다.

> 뜨겁게 가열한 주철관 안으로 물을 통과시켰더니 발생한 산소 기체가 주철관의 철과 반응하여 주철관 안이 녹슬었고, 수소 기체가 집기병에 모였다.
>
> 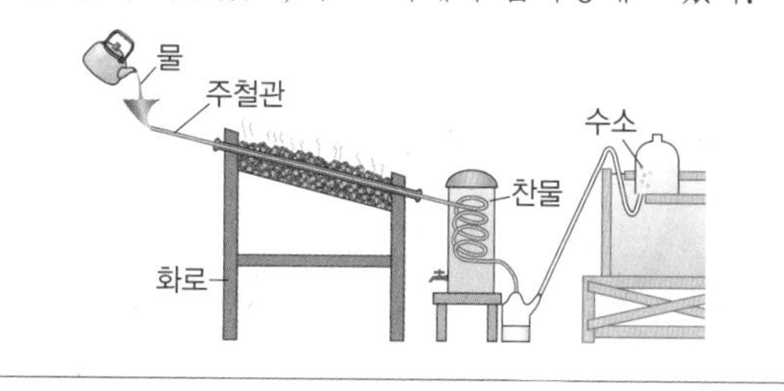
>

이 실험 결과를 이용하여 물이 원소가 아닌 까닭을 서술하시오. (4점)

21 다음 현상이 나타나는 까닭을 원소와 연관지어 서술하시오. (5점)

> 김치찌개를 끓이다가 국물이 넘치면 가스레인지의 불꽃이 노란색으로 변한다.
>
> 

22 그림은 탄소 원자의 모형에서 원자핵 부분만 나타낸 것이다. 이 모형에 전자를 나타내고, 그렇게 나타낸 까닭을 서술하시오. (8점)

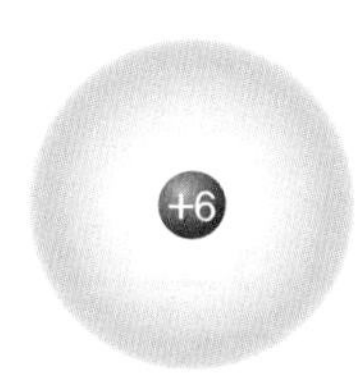

23 그림은 산소와 오존의 분자를 모형으로 나타낸 것이다.

산소

오존

이 분자들은 같은 종류의 원자로 이루어져 있지만 이 분자로 이루어진 물질의 성질은 다르다. 그 까닭을 서술하시오.(6점)

24 그림과 같이 질산 칼륨 수용액을 적신 거름종이에 아이오딘화 칼륨 수용액과 질산 납 수용액을 한 방울씩 떨어뜨리고 전류를 흘려 주었다.

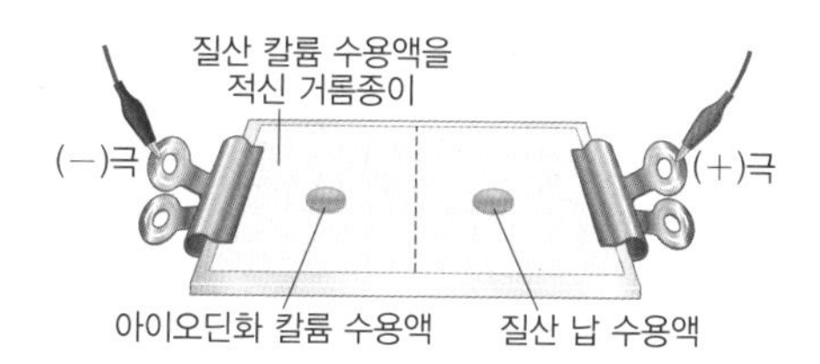

이때 거름종이의 가운데 부분에서 일어나는 현상을 쓰고, 그 까닭을 서술하시오. (8점)

25 그림과 같은 탄산 온천에는 다른 온천에 비해 탄산 이온이 많이 들어 있다. 다음 물질 중에서 앙금 생성 반응을 이용하여 탄산 온천에 탄산 이온이 들어 있는지를 확인할 수 있는 것을 모두 고르고, 이때 생성되는 앙금의 이름과 색깔을 이용하여 확인 방법을 서술하시오. (6점)

> 질산 나트륨 수용액, 염화 칼슘 수용액, 질산 바륨 수용액, 아이오딘화 칼륨 수용액

Ⅱ 전기와 자기

배울 내용이 쉬워지는 용어

배울 용어를 읽어보고, 이해가 되었으면 ✔ 표시를 해 봅시다.

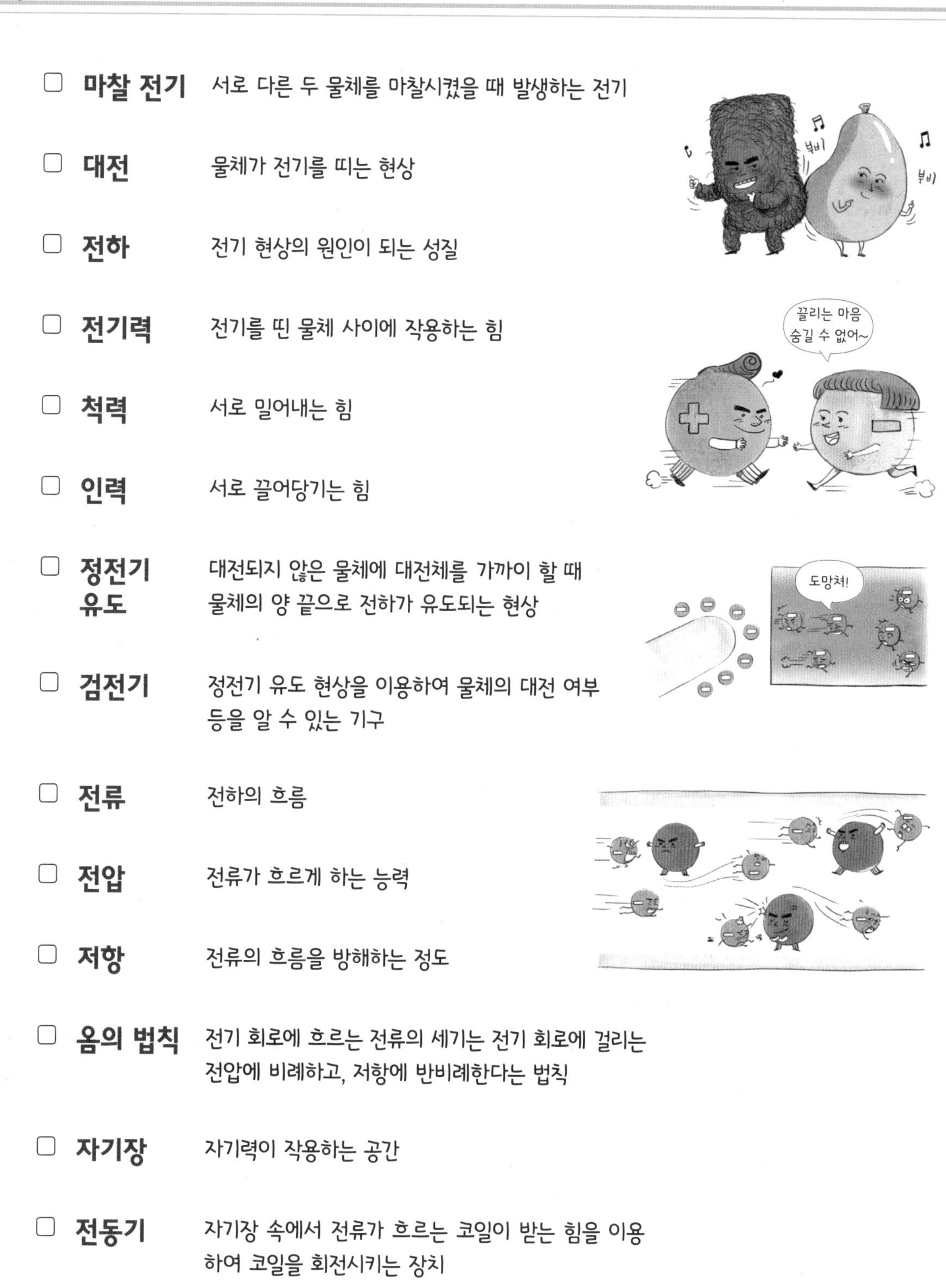

- ☐ **마찰 전기** 서로 다른 두 물체를 마찰시켰을 때 발생하는 전기
- ☐ **대전** 물체가 전기를 띠는 현상
- ☐ **전하** 전기 현상의 원인이 되는 성질
- ☐ **전기력** 전기를 띤 물체 사이에 작용하는 힘
- ☐ **척력** 서로 밀어내는 힘
- ☐ **인력** 서로 끌어당기는 힘
- ☐ **정전기 유도** 대전되지 않은 물체에 대전체를 가까이 할 때 물체의 양 끝으로 전하가 유도되는 현상
- ☐ **검전기** 정전기 유도 현상을 이용하여 물체의 대전 여부 등을 알 수 있는 기구
- ☐ **전류** 전하의 흐름
- ☐ **전압** 전류가 흐르게 하는 능력
- ☐ **저항** 전류의 흐름을 방해하는 정도
- ☐ **옴의 법칙** 전기 회로에 흐르는 전류의 세기는 전기 회로에 걸리는 전압에 비례하고, 저항에 반비례한다는 법칙
- ☐ **자기장** 자기력이 작용하는 공간
- ☐ **전동기** 자기장 속에서 전류가 흐르는 코일이 받는 힘을 이용하여 코일을 회전시키는 장치

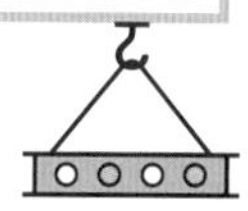

Ⅱ. 전기와 자기

전기

물음으로 흐름잡기

마찰 전기 — 어떻게 하면 생겨? / 어떤 원리로 생겨? / 전기를 띤 두 물체를 가까이 하면 어떤 힘이 작용해?

전류 — 전류는 왜 흐를까? / 전류가 흐르게 하는 능력은? / 회로에서 전류가 세지게 하려면?

A 전기의 발생

1. 마찰 전기

① 마찰 전기: 서로 다른 두 물체를 마찰시켰을 때 발생하는 전기❶

② 대전: 물체가 전기를 띠는 현상으로, 대전된 물체를 대전체라고 한다.

2. 마찰에 의한 대전

① 원자의 구조: 원자의 중심에는 (+)전하를 띤 원자핵이 있고, 그 주위에는 (−)전하를 띤 전자가 있다.

전자 / 원자핵

▲ 원자의 구조

- 원자는 원자핵의 (+)전하의 양과 전자의 (−)전하의 양이 같아서 전기를 띠지 않는다.

② 대전 과정: 서로 다른 두 물체를 마찰하면 한 물체에서 다른 물체로 전자가 이동하여 전기가 발생한다.❷

전자를 잃으면	(+)전하를 띤다.
전자를 얻으면	(−)전하를 띤다.

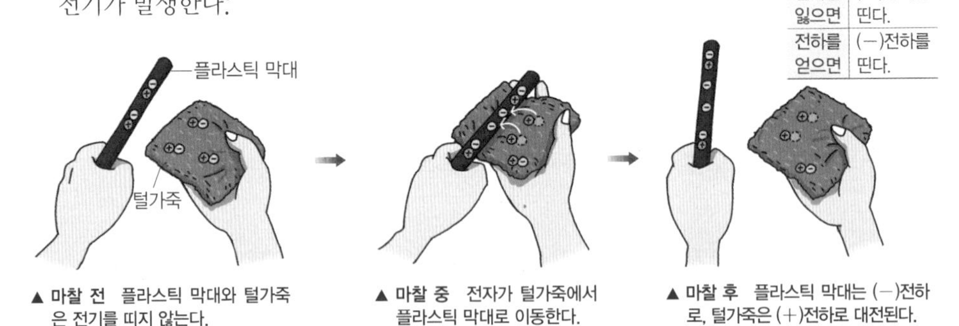

▲ 마찰 전 플라스틱 막대와 털가죽은 전기를 띠지 않는다.

▲ 마찰 중 전자가 털가죽에서 플라스틱 막대로 이동한다.

▲ 마찰 후 플라스틱 막대는 (−)전하로, 털가죽은 (+)전하로 대전된다.

3. 전기력 전기를 띤 물체 사이에 작용하는 힘

같은 종류의 전하를 띤 물체 사이	다른 종류의 전하를 띤 물체 사이
서로 밀어내는 힘(척력) 작용	서로 끌어당기는 힘(인력) 작용

교과서 탐구 마찰 전기를 띤 물체 사이에 작용하는 힘

▶ 과정

1. 빨대 A와 B를 각각 털가죽으로 문지른 다음 B를 A의 끝에 가까이 하여 A의 움직임을 관찰한다.
2. 과정 1의 털가죽을 A의 끝에 가까이 하여 A의 움직임을 관찰한다.

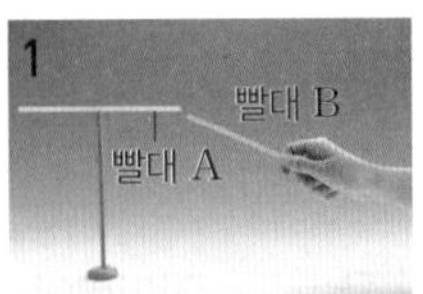

▲ B를 가까이 할 때

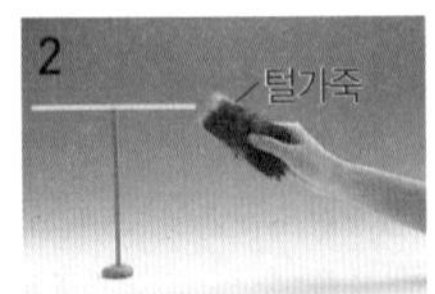

▲ 털가죽을 가까이 할 때

▶ 결과 B를 가까이 하면 A가 밀려나고, 털가죽을 가까이 하면 A가 끌려온다.

▶ 해석 같은 종류의 전하를 띤 물체 사이에는 서로 밀어내는 힘이 작용하고, 다른 종류의 전하를 띤 물체 사이에는 서로 끌어당기는 힘이 작용한다.

---

❶ 마찰 전기 현상의 예
- 걸을 때 치마가 다리에 달라붙는다.
- 털옷을 벗을 때 '따닥따닥' 하는 소리가 난다.
- 머리를 빗을 때 머리카락이 빗에 달라붙는다.
- 겨울철에 자동차의 손잡이를 잡는 순간 따끔한 느낌이 든다.

❷ 마찰 전기의 성질
- 같은 종류의 물체를 마찰하면 대전되지 않는다.
  예 털가죽과 털가죽을 마찰하면 마찰 전기가 발생하지 않는다.
- 대전된 물체를 공기 중에 오래 두면 전기를 잃는다.

암기!

전기력
"같은 척, 다른 인(사람人)"
같은 전하 사이에는 척력
다른 전하 사이에는 인력

용어 알기
- 원자 물질을 이루는 매우 작은 알갱이
- 전하 전기 현상의 원인이 되는 성질로, (+)전하와 (−)전하가 있다.

4. 정전기[●]유도

① 정전기[●]유도: 전하를 띠지 않은 물체에 대전체를 가까이 할 때 대전체와 가까운 곳에는 대전체와 다른 종류의 전하가 유도되고, 대전체의 먼 곳에는 대전체와 같은 종류의 전하가 유도되는 현상

(+)대전체를 가까이 할 때	(−)대전체를 가까이 할 때
금속 (+)대전체	금속 (−)대전체
• **대전체와 가까운 쪽:** (−)전하가 유도된다. • **대전체와 먼 쪽:** (+)전하가 유도된다.	• **대전체와 가까운 쪽:** (+)전하가 유도된다. • **대전체와 먼 쪽:** (−)전하가 유도된다.

• 원인: 전기력에 의해 물체 내의 전자가 이동하기 때문이다.

② 검전기: 정전기 유도 현상을 이용하여 물체의 대전 여부 등을 알 수 있는 기구[❹]

• 검전기로 알 수 있는 사실: 물체의 대전 여부

▲ 검전기

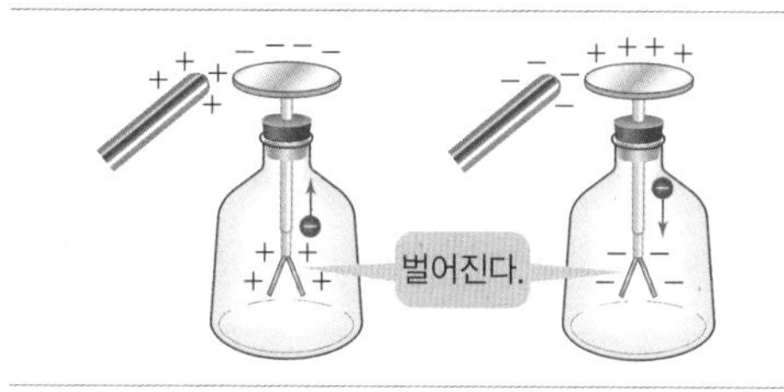

• 대전 여부를 모르는 물체를 검전기의 금속판에 가까이 했을 때 금속박이 벌어지면 물체는 대전된 상태이다.
• 금속박은 대전체와 같은 종류의 전하로 대전되므로 두 금속박 사이에 척력이 작용하여 금속박이 벌어진다.

❸ 정전기의 이용
• 정전 도장법: 자동차, 배, 비행기 등에 페인트를 칠할 때 이용한다.
• 복사기: 토너가 정전기에 의해 종이에 붙게 하여 복사할 수 있다.

❹ 검전기의 구조
• 금속 막대: 금속판과 금속박 사이의 전자가 이동하는 통로이다.
• 금속박: 두 개의 금속박에 같은 종류의 전하가 모이면 척력이 작용하여 벌어진다.

용어 알기
● **정전기** 전하가 정지 상태에 있어 흐르지 않고 머물러 있는 전기

★ 정답과 해설 014쪽

01 그림은 A와 B를 마찰하기 전과 후를 나타낸 것이다. 마찰 후 A와 B가 띠게 되는 전하의 종류를 쓰시오.

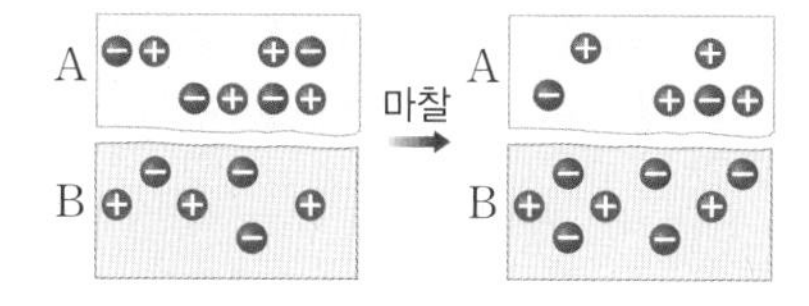

02 (　　) 안에 들어갈 알맞은 말을 쓰시오.

(1) 서로 다른 두 물체를 마찰하면 물체가 전기를 띠는 까닭은 두 물체 사이에서 (　　　)가 이동하기 때문이다.

(2) 전기를 띤 물체 사이에는 (㉠)이 작용하는데, 같은 전하를 띤 물체 사이에는 서로 (㉡) 방향으로, 다른 종류의 전하를 띤 물체 사이에는 서로 (㉢) 방향으로 힘이 작용한다.

03 원자를 구성하는 입자와 입자가 띠는 전하의 종류를 옳게 연결하시오.

(1) 원자 • 　　　• ㉠ (−)전하
(2) 원자핵 • 　　　• ㉡ (+)전하
(3) 전자 • 　　　• ㉢ 중성

04 그림과 같이 (+)전하로 대전된 유리 막대를 금속 막대에 가까이 하였을 때 금속 막대에서 전자의 이동 방향을 화살표로 표시하고, 금속 막대의 A와 B 부분이 띠는 전하의 종류를 쓰시오.

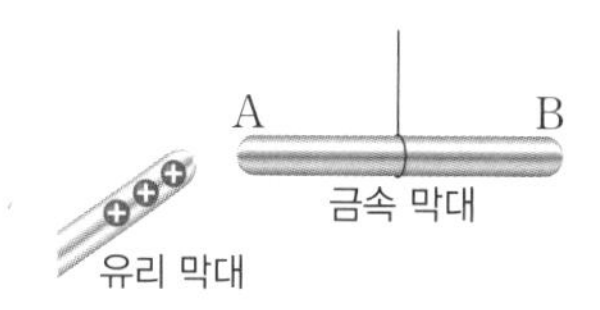

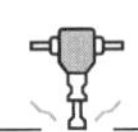

B 전류와 전압

1. 전류 전자가 도선을 따라 이동할 때 전하를 운반하는데, 이러한 전하의 흐름을 전류라고 한다.
└도선에서 전자가 (－)전하를 운반한다.

① 전류의 단위: A(암페어), mA(밀리암페어)
└1 A=1000 mA

② 전류의 방향: 전지의 (＋)극에서 (－)극 쪽으로 흐른다. 전자의 이동 방향과 반대이다.

③ 전류가 흐를 때 전자의 이동: 전자들은 전지의 (－)극에서 나와 (＋)극 쪽으로 이동한다.❺

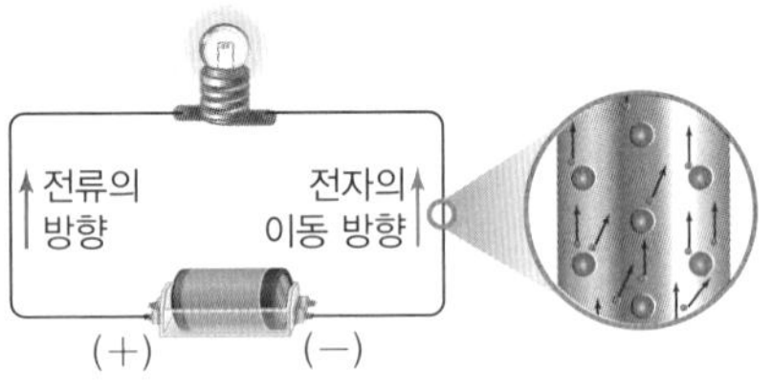

▲ 전류의 방향과 전자의 이동 방향

④ 전류의 세기: 1초 동안 도선의 한 단면을 통과하는 전하의 양

$$전류=\frac{전하량^{●}}{시간} \Rightarrow I=\frac{Q}{t}$$

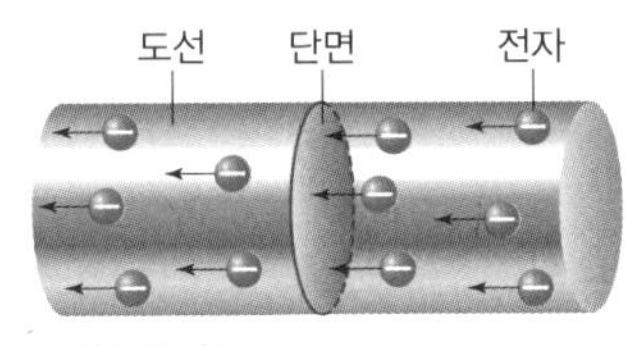

▲ 전류의 세기

❺ 전류가 흐르지 않을 때 도선 속의 전자의 이동

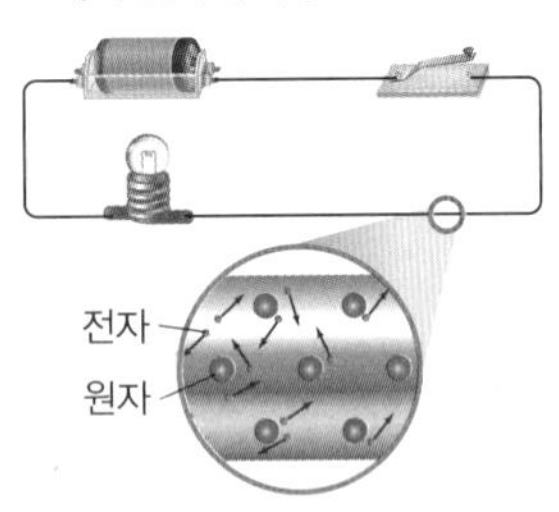

전자들은 도선 속에서 여러 방향으로 불규칙하게 움직인다.

교과서 탐구 마찰 전기로 전구에 불 켜기

▶ **과정**
1. 플라스틱 막대를 털가죽으로 여러 번 문지른다.
2. 네온전구의 한쪽 다리를 손으로 잡고 과정 1의 플라스틱 막대에 다른 쪽 다리를 댄다.

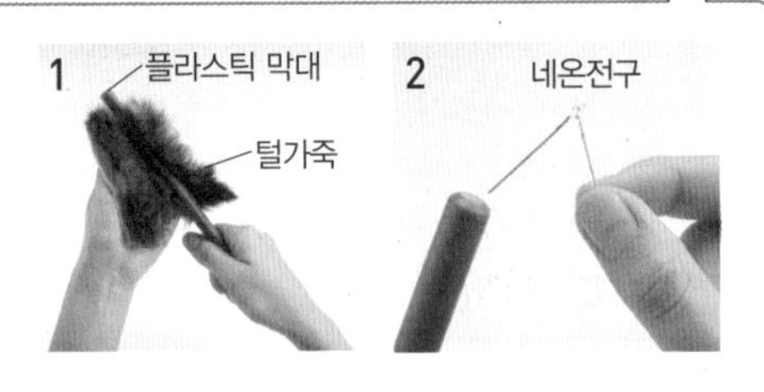

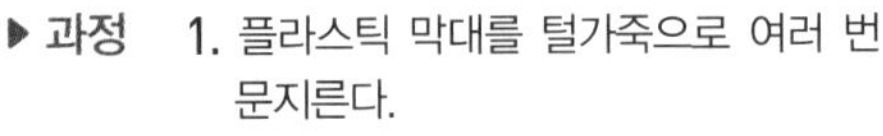
▶ **결과** 플라스틱 막대를 네온전구에 대는 순간 네온전구가 순간적으로 켜졌다가 꺼진다.

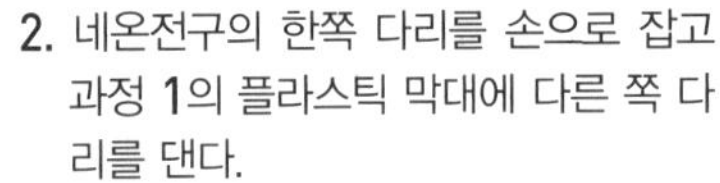
▶ **해석** (－)전하로 대전된 플라스틱 막대를 네온전구에 대면 플라스틱 막대에 모여 있던 전자가 네온전구를 통과해 이동하기 때문에 전구에 순간적으로 전류가 흐른다.

암기!

전류의 방향과 전자의 이동 방향은 반대!

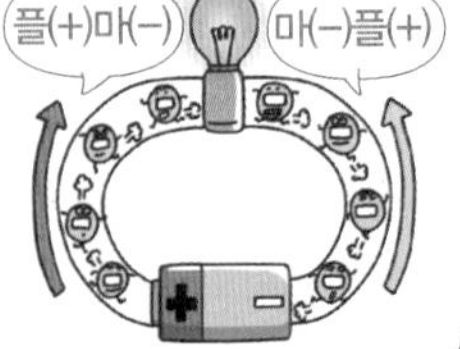

2. 전류를 흐르게 하는 전압

① 전압: 전류가 흐르게 하는 능력

② 전압의 단위: V(볼트)

③ 물의 흐름과 전류의 비교: 펌프를 연결하여 물의 높이 차이를 유지하면 물이 계속 흐르는 것처럼 전지가 전압을 유지하여 전류가 계속 흐른다.

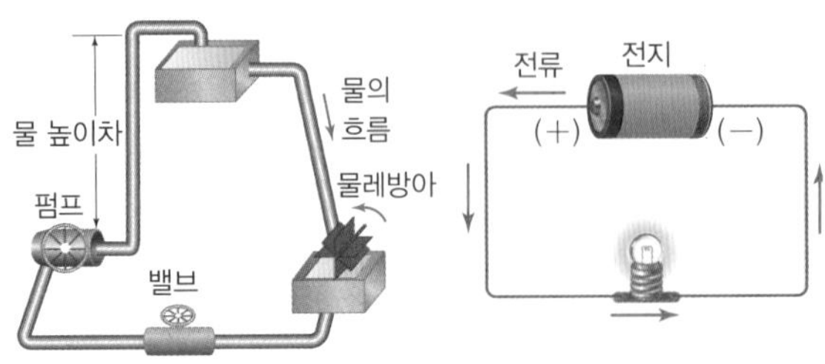

▲ 물의 흐름 모형과 전기 회로

물의 흐름	전기 회로
물의 흐름	전류
수압	전압
펌프	전지
물레방아	전구, 저항

⚠ 용어 알기

● **전하량** 어떤 물질이 갖고 있는 전하의 양

3. 전류, 전압, 저항 탐구 공략하기 048쪽

① 저항[⑥](전기 저항): 전류의 흐름을 방해하는 정도, 단위는 Ω(옴)

- 저항의 원인: 물질 속에서 움직이는 전자가 물질을 이루고 있는 원자와 충돌하기 때문이다. 도체를 구성하는 원자들의 배열 상태에 따라 전자들이 충돌하는 정도가 다르므로, 물질의 종류에 따라 전기 저항도 달라진다.

② 전류, 전압, 저항의 관계(옴의 법칙): 전기 회로에 흐르는 전류의 세기는 전기 회로에 걸리는 전압에 비례하고, 저항에 반비례한다.

$$\text{전류의 세기}(I)=\frac{\text{전압}(V)}{\text{저항}(R)} \Rightarrow V=IR$$

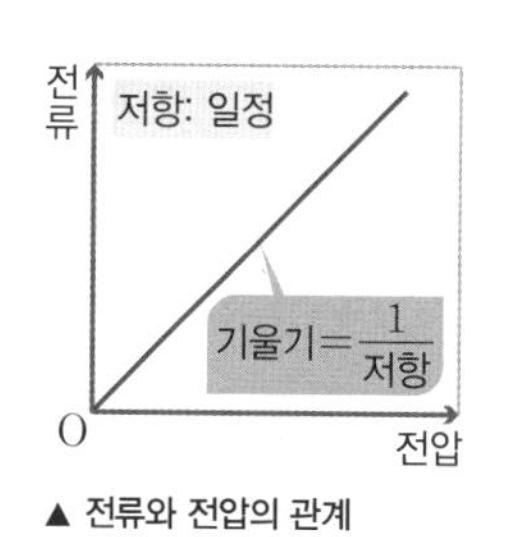

▲ 전류와 전압의 관계

- 1 Ω: 1 V의 전압을 걸었을 때 1 A의 전류가 흐르는 저항의 크기

③ 저항의 연결

구분	특징	쓰임새
직렬 연결	• 저항이 길어지는 것과 같으므로 전체 저항은 커지고, 전류의 세기는 작아진다. • 전원의 전압이 각 저항에 나뉘어 걸린다. 전류가 한 경로로 흐른다. • 저항 하나가 끊어지면 회로 전체가 끊어진다. (회로: V, V_1, V_2, R_1, R_2, I_1, I_2, I, ⑦)	• 퓨즈: 회로에 전류가 과도하게 흐르면 회로를 끊어 전원을 차단한다. • 크리스마스트리의 전구: 직렬연결된 전구가 동시에 켜지고 꺼진다.
병렬 연결	• 저항이 굵어지는 것과 같으므로 전체 저항은 작아지고, 전류의 세기는 커진다. 전기 기구를 동시에 많이 연결하여 사용하면 과전류가 흐를 수 있다. • 각 저항에 걸리는 전압이 전원의 전압과 같다. • 저항 하나가 끊어져도 다른 저항에는 전류가 흐른다. 전류가 흐르는 경로가 여러 개이다. (회로: V_1, R_1, I_1, R_2, I_2, V_2, I, V)	• 멀티탭, 전기 배선: 각 전기 기구에 220 V의 같은 전압을 걸 수 있고, 각각의 전기 기구를 독립적으로 켜고 끌 수 있다.

⑥ 도선의 길이, 단면적과 저항 사이의 관계

- **도선의 길이와 저항**: 저항의 길이가 길어지면 저항이 커진다.
- **도선의 단면적과 저항**: 단면적이 커지면 저항이 작아진다.

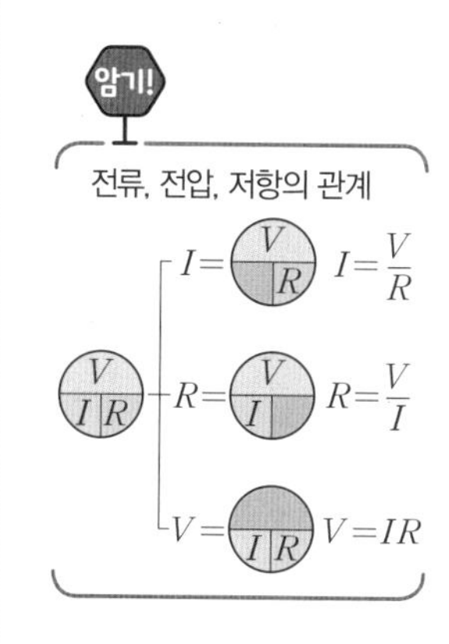

⑦ 전기 기구의 기호

전기 기구	전지	전구	스위치
기호	(−)(+)		
전기 기구	저항	전류계	전압계
기호		Ⓐ	Ⓥ

정답과 해설 014쪽

05 그림은 도선 내부의 모습을 나타낸 것이다.

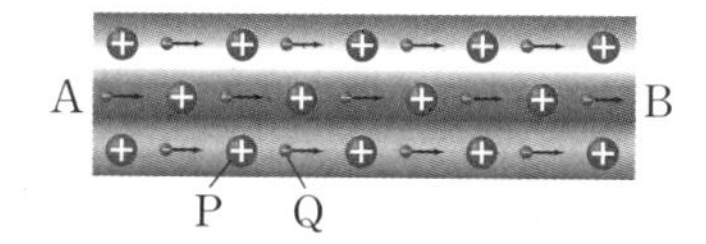

이에 대한 설명으로 옳은 것은 ○표, 옳지 않은 것은 ×표를 하시오.

(1) P는 원자, Q는 전자이다. ( )

(2) 전류는 A에서 B 쪽으로 흐른다. ( )

(3) A는 전지의 (−)극, B는 전지의 (+)극에 연결되어 있다. ( )

06 ㉠, ㉡에 들어갈 알맞은 말을 쓰시오.

(1) 전하의 흐름을 (㉠)라 하고, 단위는 (㉡)이다.

(2) 전기 회로에서 전류를 흐르게 하는 능력을 (㉠)이라 하고, 단위는 (㉡)이다.

(3) 저항이 발생하는 까닭은 움직이는 (㉠)가 (㉡)와 충돌하기 때문이다.

07 어떤 니크롬선에 3 V의 전압을 걸어 주었을 때 전류의 세기를 측정하였더니 0.3 A였다. 이 니크롬선의 저항은 몇 Ω인지 구하시오.

탐구 공략하기

전류, 전압, 저항 사이의 관계

목표

전압에 따른 전류의 세기를 측정하여 전압과 전류의 관계를 설명할 수 있다.

공략 포인트

전원 장치를 이용하여 전압을 증가시키면서 전류의 세기 변화로부터 전압과 전류의 관계를 이해하는 것과 저항의 크기에 따라 같은 전압에서 전류의 세기가 어떻게 다른지 이해하는 것이 중요하다!

과정

❶ 그림과 같이 짧은 니크롬선, 전류계, 전압계, 직류 전원 장치, 스위치를 연결한다.

- 전류계는 회로에 직렬로, 전압계는 회로에 병렬로 연결한다.
- 전류계와 전압계의 (+)단자는 전지의 (+)극 쪽에, (−)단자는 전지의 (−)극 쪽에 연결한다.
- (−)단자는 최대 전류 값이 큰 단자부터 연결하고, 바늘이 움직이지 않으면 작은 단자로 바꾸어가면서 측정한다.

※ 전지에 직접 전류계만 연결해서는 안 된다.

전류계 / 전압계 / 스위치 / 직류 전원 장치 / 짧은 니크롬선 / 긴 니크롬선

❷ 직류 전원 장치를 조절하여 니크롬선에 걸리는 전압을 1.5 V씩 높이면서 니크롬선에 흐르는 전류의 세기를 측정하고, 표에 기록한다.

전류계 눈금 읽기: 연결된 단자에 해당하는 눈금을 읽는다.

- 500 mA 단자에 연결된 경우: 150 mA
- 50 mA 단자에 연결된 경우: 15 mA

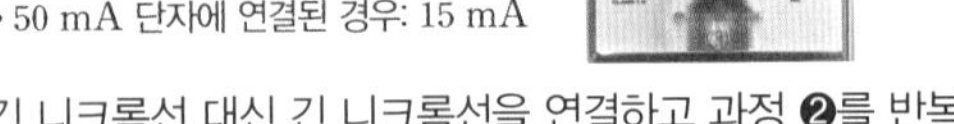

❸ 긴 니크롬선 대신 긴 니크롬선을 연결하고 과정 ❷를 반복한다.

❹ 과정 ❷~❸에서 측정한 전압과 전류의 세기를 한 그래프에 나타낸다.

결과

1. 짧은 니크롬선과 긴 니크롬선에서 측정한 전압에 따른 전류의 세기는 다음과 같다.

짧은 니크롬선		긴 니크롬선	
전압(V)	전류(A)	전압(V)	전류(A)
1.5	0.16	1.5	0.10
3.0	0.30	3.0	0.22
4.5	0.45	4.5	0.32
6.0	0.59	6.0	0.40

2. 전압에 따른 전류의 세기를 그래프로 나타내면 다음과 같다.

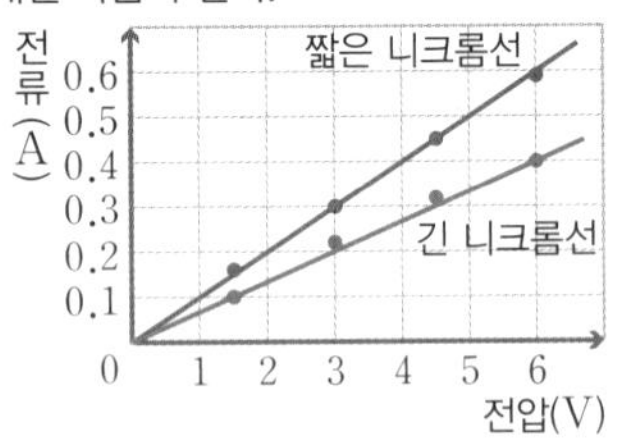

정리

1. 전류의 세기는 니크롬선에 걸리는 전압에 비례하여 증가한다.
2. 같은 전압을 걸었을 때 저항이 클수록 흐르는 전류의 세기가 작다.

✱ 정답과 해설 014쪽

확인 문제

01 이 실험에서 회로에 연결한 전류계와 전압계의 연결 방법을 각각 쓰시오.

02 그림은 어떤 니크롬선에 걸리는 전압과 흐르는 전류의 관계를 나타낸 것이다. 니크롬선에 흐르는 전류의 세기가 0.3 A일 때, 니크롬선에 걸어 준 전압은 몇 V인지 구하시오.

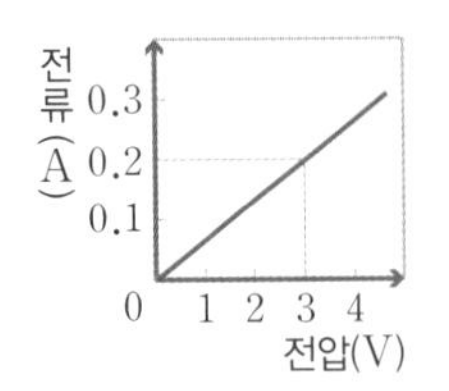

03 이 실험에 대한 설명으로 옳은 것은 ○표, 옳지 않은 것은 ×표를 하시오.

(1) 니크롬선에 흐르는 전류의 세기는 니크롬선에 걸린 전압에 비례한다. ( )

(2) 굵기가 같을 때 니크롬선의 길이가 다르면 니크롬선의 저항도 다르다. ( )

(3) 니크롬선의 길이에 관계없이 같은 전압을 걸면 같은 세기의 전류가 흐른다. ( )

(4) 니크롬선에 걸리는 전압이 2배, 3배가 되면, 전류의 세기는 4배, 9배가 된다. ( )

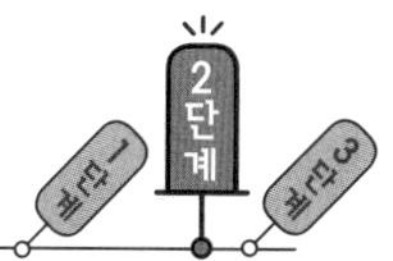

★ 정답과 해설 014쪽

A 전기의 발생

01 마찰 전기에 의한 현상이 아닌 것은?

① 손바닥을 비비면 열이 발생한다.
② 모직 헝겊으로 문지른 풍선이 벽에 붙는다.
③ 랩으로 음식물을 편리하게 포장할 수 있다.
④ 스웨터를 벗을 때 '따닥따닥'하는 소리가 난다.
⑤ 플라스틱 빗으로 머리를 빗으면 머리카락이 빗에 달라붙는다.

02 전기력에 대한 설명으로 옳은 것만을 보기에서 모두 고른 것은?

보기
ㄱ. 떨어져 있는 물체 사이에도 작용하는 힘이다.
ㄴ. 전기를 띤 모든 물체는 서로 끌어당긴다.
ㄷ. 서로 다른 종류의 전하를 띤 물체 사이에는 인력이 작용한다.
ㄹ. 나침반 바늘의 N극이 북쪽을 가리키는 것은 전기력에 의한 현상이다.

① ㄱ, ㄴ ② ㄱ, ㄷ ③ ㄴ, ㄹ
④ ㄱ, ㄴ, ㄷ ⑤ ㄴ, ㄷ, ㄹ

필수

03 그림은 마찰 전기를 띠는 A와 B를 가까이 할 때 서로 끌어당기는 모습을 나타낸 것이다. 이에 대한 설명으로 옳은 것만을 보기에서 모두 고른 것은?

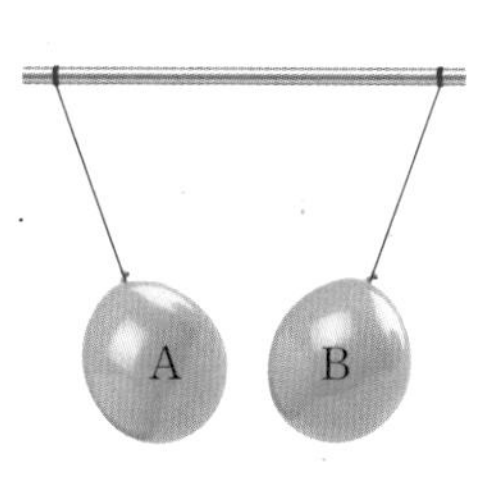

보기
ㄱ. A와 B는 서로 다른 전하를 띤다.
ㄴ. A와 B는 같은 물체로 마찰하였다.
ㄷ. 시간이 지날수록 A와 B 사이의 거리는 점점 멀어진다.

① ㄱ ② ㄴ ③ ㄱ, ㄷ
④ ㄴ, ㄷ ⑤ ㄱ, ㄴ, ㄷ

필수

04 그림은 두 물체 A, B를 서로 마찰할 때 전하의 이동을 나타낸 것이다.

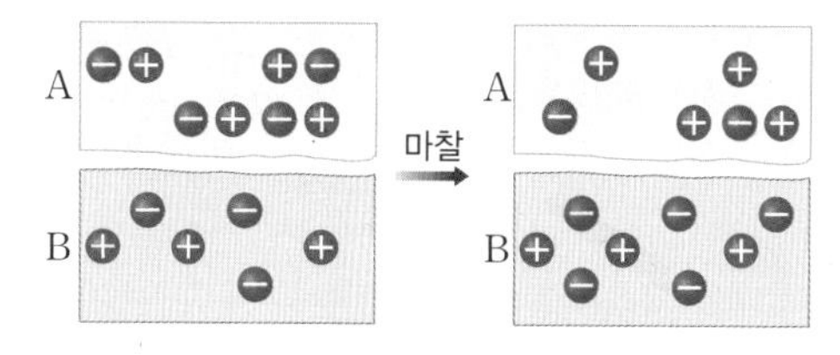

이에 대한 설명으로 옳지 않은 것은?

① 마찰 전 A, B 모두 전기를 띠지 않는다.
② 마찰 후 A와 B 사이에는 인력이 작용한다.
③ 마찰 후 A는 (+)전하를, B는 (−)전하를 띤다.
④ B는 A에 비하여 전자를 얻기 쉬운 물체이다.
⑤ 마찰 과정에서 A는 원자핵을 얻고, B는 전자를 얻었다.

[05-06] 그림은 털가죽으로 플라스틱 빨대를 문지르는 모습을 나타낸 것이다.

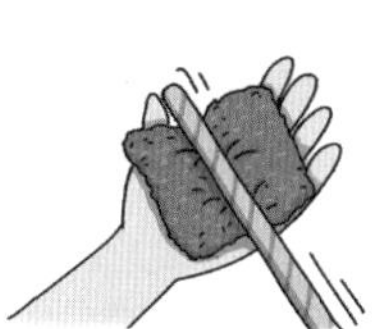

05 마찰한 후 털가죽과 플라스틱 빨대가 띠는 전하를 옳게 짝 지은 것은?

	털가죽	빨대		털가죽	빨대
①	(+)전하	(+)전하	②	(+)전하	(−)전하
③	(−)전하	(+)전하	④	(−)전하	(−)전하
⑤	중성	중성			

06 위의 마찰한 털가죽과 빨대에 대한 설명으로 옳은 것만을 보기에서 모두 고른 것은?

보기
ㄱ. 털가죽에서 빨대로 전자가 이동하였다.
ㄴ. 털가죽에서 빨대로 원자핵이 이동하였다.
ㄷ. 빨대에서 털가죽으로 원자핵이 이동하였다.
ㄹ. 빨대와 털가죽 사이에는 인력이 작용한다.
ㅁ. 빨대와 털가죽 사이에는 척력이 작용한다.

① ㄱ ② ㄱ, ㄹ ③ ㄷ, ㅁ
④ ㄱ, ㄷ, ㅁ ⑤ ㄴ, ㄷ, ㅁ

필수

07 그림과 같이 털가죽으로 마찰한 에보나이트 막대를 금속 막대에 가까이 했더니, 금속 막대의 오른쪽에 있던 고무 풍선이 금속 막대 쪽으로 끌려왔다.

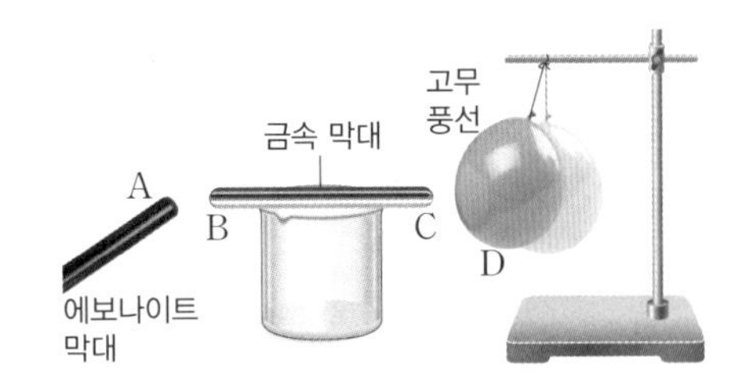

A, B, C, D 지점이 띠는 전하의 종류를 옳게 짝 지은 것은?

	A	B	C	D
①	(+)전하	(+)전하	(−)전하	(+)전하
②	(+)전하	(−)전하	(+)전하	(+)전하
③	(−)전하	(+)전하	(−)전하	(+)전하
④	(−)전하	(+)전하	(−)전하	(−)전하
⑤	(−)전하	(−)전하	(+)전하	(+)전하

필수

08 털가죽으로 문지른 고무풍선을 대전되지 않은 검전기의 금속판에 가까이 할 때, 검전기의 변화로 옳은 것은?

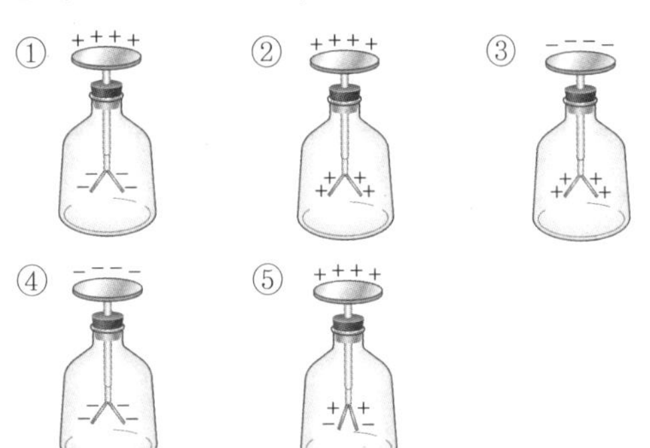

09 그림과 같이 실에 매달려 붙어 있는 두 금속구에 (−)대전체를 가까이 가져간 후 두 금속구를 떨어뜨려 놓았다. 이때 두 금속구가 띠는 전하의 종류와 모습으로 옳은 것은?

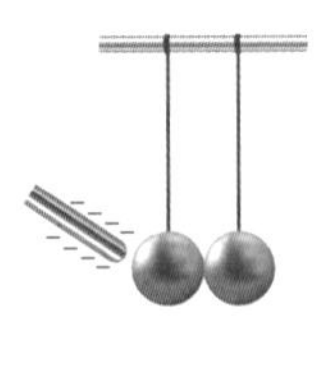

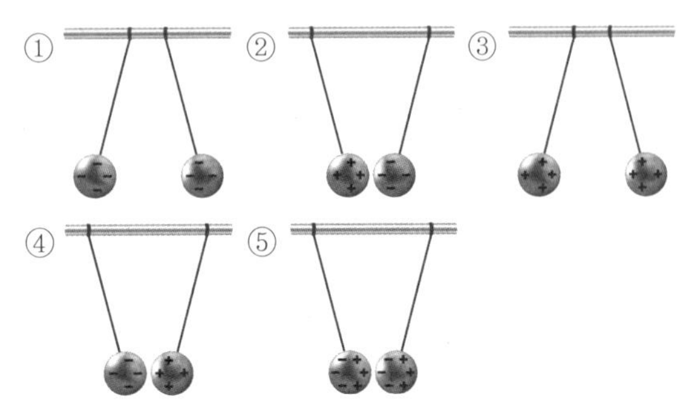

10 그림은 (+)전하로 대전된 유리 막대를 검전기의 금속판에 가까이 하는 것을 나타낸 것이다. 이에 대한 설명으로 옳은 것만을 보기에서 모두 고른 것은?

보기
ㄱ. 검전기의 금속판은 (+)전하를 띤다.
ㄴ. 검전기의 금속박은 (+)전하를 띤다.
ㄷ. 검전기의 금속박은 오므라든다.
ㄹ. 전자는 금속박에서 금속판으로 이동한다

① ㄱ, ㄷ ② ㄱ, ㄹ ③ ㄴ, ㄷ
④ ㄴ, ㄹ ⑤ ㄷ, ㄹ

신유형

11 (+)전하로 대전되어 금속박이 벌어져 있는 검전기의 금속판에 (−)전하로 대전된 유리 막대를 가까이 가져갈 때에 대한 설명으로 옳은 것은?

① 금속박은 아무런 변화가 없다.
② 전자가 금속박으로 이동하여 금속박이 오므라든다.
③ 전자가 금속박으로 이동하여 금속박이 더 벌어진다.
④ 전자가 금속판으로 이동하여 금속박이 오므라든다.
⑤ 전자가 금속판으로 이동하여 금속박이 더 벌어진다.

서술형

12 그림과 같이 (+)전하로 대전된 검전기를 금속 막대 B 부분에 가까이 놓고, 전하의 종류를 알 수 없는 대전체를 금속 막대의 A 부분에 가까이 하였더니 검전기의 금속박이 더 벌어졌다.

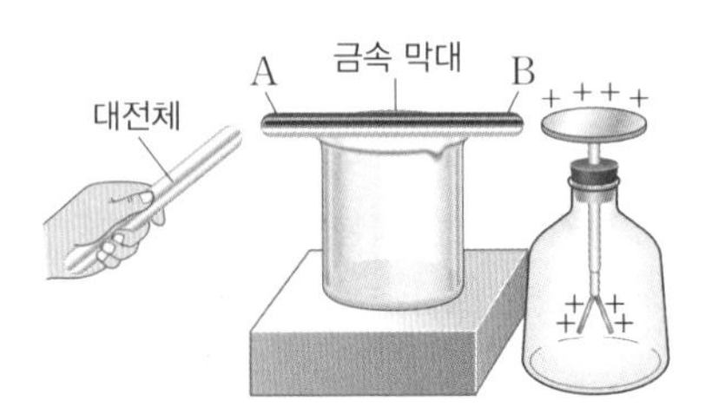

대전체가 띠는 전하의 종류를 쓰고, 그 까닭을 서술하시오.

정답과 해설 014쪽

B 전류와 전압

필수

13 그림 (가), (나)는 도선 속 전자의 운동 모습을 나타낸 것이다.

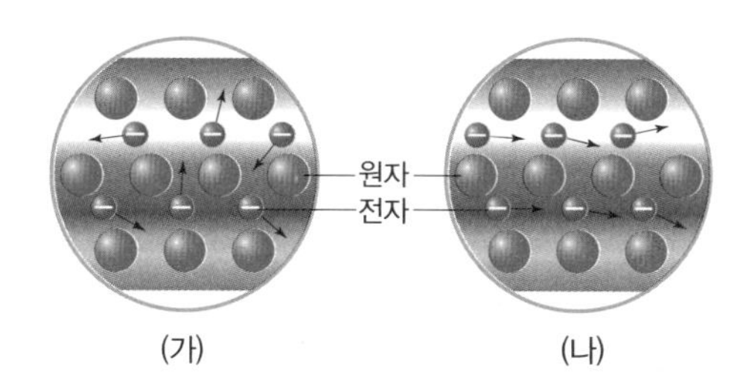

(가) (나)

이에 대한 설명으로 옳지 않은 것은?

① (가)는 전류가 흐르지 않는다.
② (가), (나) 모두 원자는 움직이지 않는다.
③ (나)에서 전류는 왼쪽에서 오른쪽으로 흐른다.
④ (나)에서 전지의 (−)극은 왼쪽에 연결되어 있다.
⑤ (나)는 전자가 한 방향으로 움직이므로 전지를 연결한 상태이다.

14 전류계의 사용법에 대한 설명으로 옳지 않은 것은?

① 회로에 항상 직렬로 연결한다.
② 전류계는 전원에 직접 연결하여 사용한다.
③ 전류계의 (+)단자는 전원 장치의 (+)극 쪽에 연결한다.
④ 측정하려는 전류가 전류계의 허용값을 넘지 않도록 해야 한다.
⑤ 측정하려는 전류의 값을 모를 때에는 (−)단자의 가장 큰 값에 연결한다.

15 전류계의 (−)단자를 500 mA 단자에 연결했을 때, 전류계의 눈금이 그림과 같았다.

이 회로에 흐르는 전류의 세기는?

① 15 A ② 1.5 A ③ 150 mA
④ 15 mA ⑤ 1.5 mA

필수

16 그림 (가), (나)는 각각 전기 회로와 물의 흐름을 모형으로 나타낸 것이다.

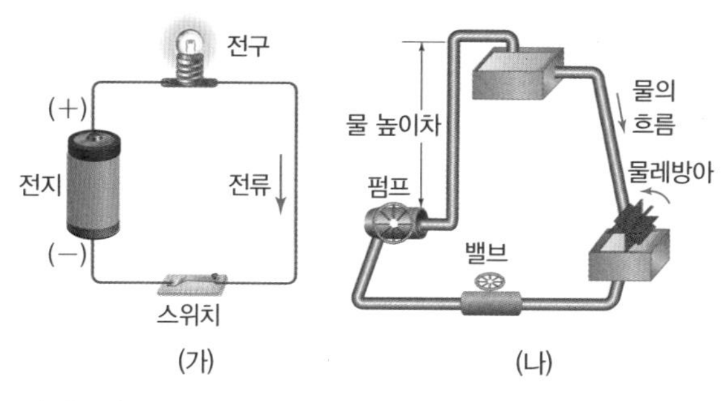

(가) (나)

(가)와 (나)를 비교할 때 역할이 비슷한 것끼리 짝 지은 것으로 옳지 않은 것은?

① 전류−물의 흐름 ② 전압−물
③ 전지−펌프 ④ 전구−물레방아
⑤ 스위치−밸브

17 전압과 전압계에 대한 설명으로 옳은 것은? (단, 회로의 저항은 일정하다.)

① 전압의 단위는 A이다.
② 전압이 커질수록 전류의 세기는 작아진다.
③ 물이 흐르는 장치에서 펌프가 전압을 의미한다.
④ 전압계는 전압을 측정하고자 하는 부분에 병렬로 연결한다.
⑤ 전압을 모를 때 전압계의 (−)단자를 작은 값의 단자부터 차례로 연결한다.

18 도선의 전기 저항에 영향을 주는 것만을 보기에서 모두 고른 것은?

보기	
ㄱ. 도선의 종류	ㄴ. 도선의 길이
ㄷ. 도선의 굵기	ㄹ. 도선에 걸어 주는 전압

① ㄴ, ㄷ ② ㄷ, ㄹ ③ ㄱ, ㄴ, ㄷ
④ ㄴ, ㄷ, ㄹ ⑤ ㄱ, ㄴ, ㄷ, ㄹ

19 전기 저항에 대한 설명으로 옳지 않은 것은?

① 전류의 흐름을 방해하는 성질이다.
② 전자와 원자의 충돌 때문에 생긴다.
③ 물질의 종류에 따라 저항이 다르다.
④ 전자가 원자와 자주 충돌할수록 저항이 작다.
⑤ 1 Ω은 1 V의 전압을 걸었을 때 1 A의 전류가 흐르는 저항의 크기이다

20 표는 어떤 니크롬선에 걸리는 전압에 따른 전류를 측정한 결과를 나타낸 것이다.

전압(V)	1	2	3	4
전류(A)	0.5	1	1.5	2

이 니크롬선의 저항은 몇 Ω인가?

① 1 Ω ② 2 Ω ③ 5 Ω
④ 10 Ω ⑤ 20 Ω

필수

21 그림은 재질과 길이가 같은 두 니크롬선 A, B에 걸리는 전압에 따른 전류의 세기를 나타낸 것이다. 이에 대한 설명으로 옳지 않은 것은?

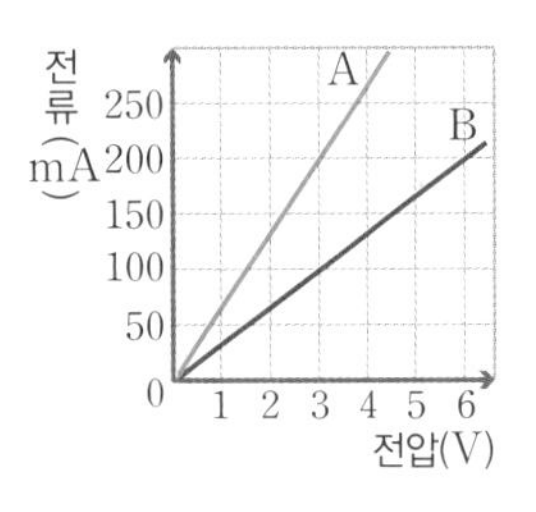

① A의 저항이 B의 2배이다.
② B의 저항은 30 Ω이다.
③ A의 단면적이 B보다 크다.
④ 같은 전압을 걸어 줄 때, A에 전류가 더 세게 흐른다.
⑤ A에 30 V의 전압을 걸어 주면 2 A의 전류가 흐른다.

22 저항이 다른 두 전기 기구를 직렬연결한 회로에 대한 설명으로 옳은 것만을 보기에서 모두 고른 것은?

보기
ㄱ. 두 전기 기구에 흐르는 전류의 세기는 같다.
ㄴ. 두 전기 기구에 걸리는 전압은 같다.
ㄷ. 전기 기구 한 개가 끊어지면 나머지 전기 기구에도 전류가 흐르지 않는다.

① ㄱ ② ㄴ ③ ㄱ, ㄷ
④ ㄴ, ㄷ ⑤ ㄱ, ㄴ, ㄷ

필수

23 그림은 여러 개의 전구를 병렬연결한 모습을 회로도로 나타낸 것이다.

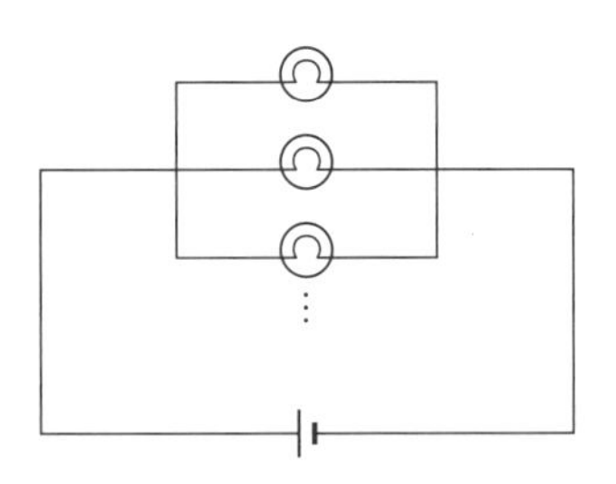

이에 대한 설명으로 옳지 않은 것은?

① 회로에 흐르는 전류가 각 전구에 나뉘어 흐른다.
② 각 전구에 걸리는 전압은 같다.
③ 전구를 많이 연결할수록 회로 전체에 흐르는 전류가 세진다.
④ 전구 한 개가 끊어져도 다른 전구는 켜져 있다.
⑤ 연결한 전구가 많아질수록 전체 저항은 커진다.

신유형

24 저항의 직렬연결의 쓰임새로 옳은 것만을 보기에서 모두 고른 것은?

보기
ㄱ. 퓨즈
ㄴ. 도로 옆에 늘어선 가로등
ㄷ. 멀티탭에 연결된 전기 기구
ㄹ. 함께 켜지고 꺼지는 장식용 전구

① ㄱ, ㄴ ② ㄱ, ㄷ ③ ㄱ, ㄹ
④ ㄴ, ㄷ ⑤ ㄷ, ㄹ

서술형

25 그림 (가), (나)는 전구 A와 B를 직렬과 병렬로 연결한 것이다.

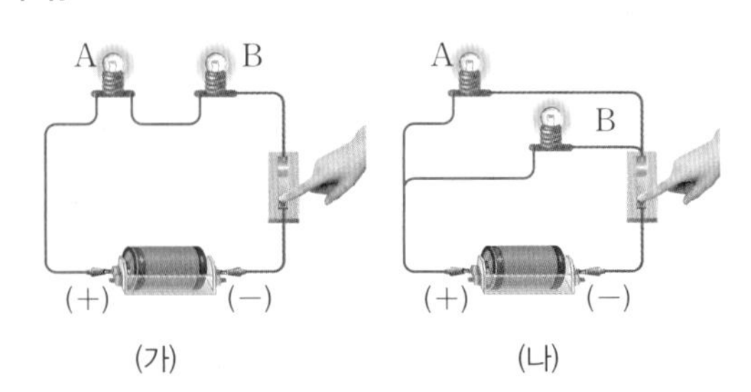

(가) (나)

(가)와 (나)에서 A의 필라멘트가 끊어졌을 때 B가 어떻게 되는지 그 까닭과 함께 서술하시오.

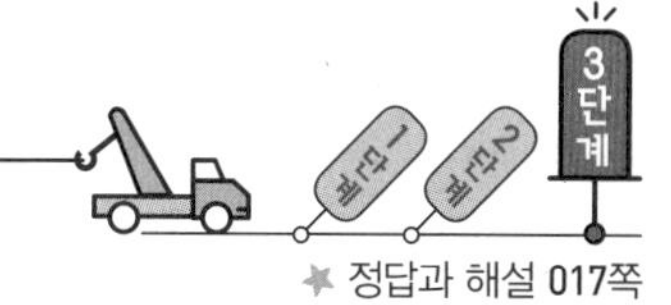

정답과 해설 017쪽

필수

01 그림은 고무풍선 2개를 각각 털가죽으로 문지른 다음 서로 가까이 했을 때의 모습을 나타낸 것이다. 이에 대한 설명으로 옳은 것만을 보기에서 모두 고르시오.

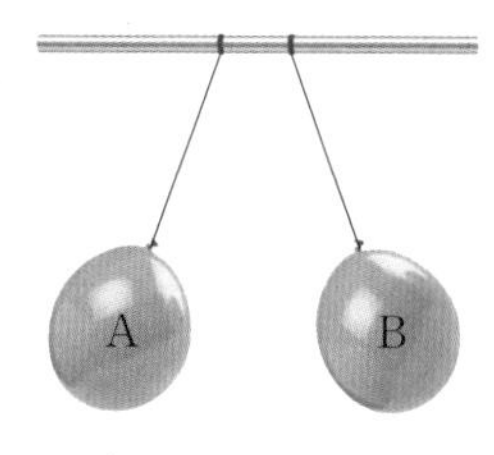

보기
ㄱ. A는 (+)전하를, B는 (−)전하를 띤다.
ㄴ. A와 B는 같은 종류의 전하를 띤다.
ㄷ. 털가죽을 A에 가까이 하면 A는 끌려온다.

02 그림과 같이 (+)전하를 띤 유리 막대를 대전되지 않은 금속 막대의 A 쪽에 가까이 한 다음, (+)전하를 띤 고무풍선을 B 쪽에 가까이 하였다.

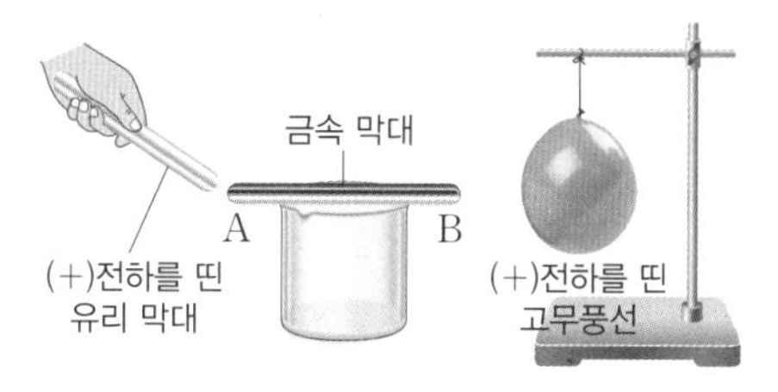

이에 대한 설명으로 옳지 않은 것은?

① 금속 막대의 A 부분은 (−)전하를 띤다.
② 금속 막대의 B 부분은 (+)전하를 띤다.
③ 고무풍선은 B 부분으로 끌려온다.
④ (−)전기를 띤 대전체를 A 쪽에 가까이 하면 고무풍선은 B 쪽으로 끌려온다.
⑤ (+)전기를 띤 유리 막대를 1개 더 A에 가까이 하면 고무풍선이 더 큰 힘을 받는다.

필수

03 그림과 같이 대전체 A를 (−)전하로 대전된 검전기의 금속판에 가까이 하였더니 금속박이 더 벌어졌다. 이에 대한 설명으로 옳지 않은 것은?

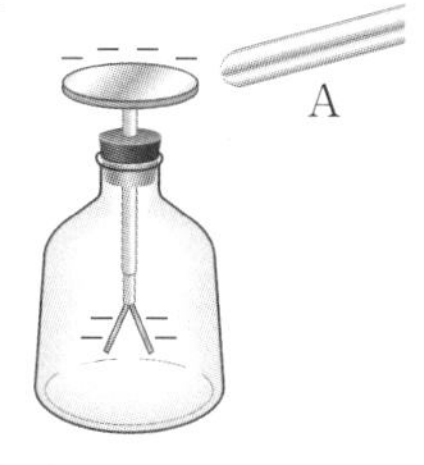

① A는 (−)전하를 띤다.
② 금속박이 띠는 (−)전하의 양이 증가하였다.
③ 검전기 내부의 (−)전하의 양은 변화가 없다.
④ 대전체와 금속박은 서로 다른 종류의 전하를 띤다.
⑤ 금속판에서 금속박으로 전자가 이동하였다.

필수

04 그림과 같이 전기 회로를 연결하여 니크롬선에 걸리는 전압과 흐르는 전류의 세기를 측정하였다.

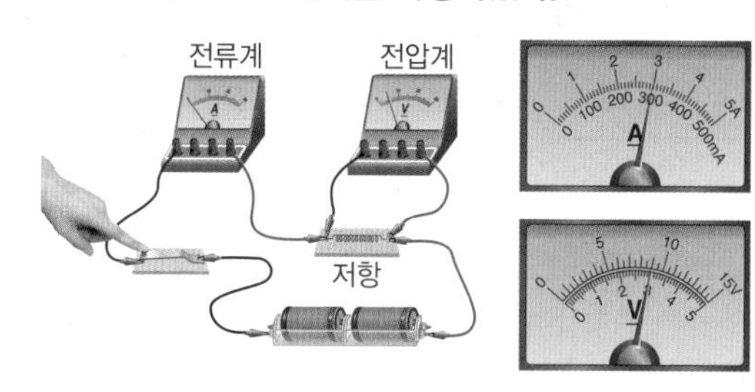

전류계의 (−)단자는 500 mA 단자에, 전압계의 (−)단자는 5 V 단자에 연결하였을 때 니크롬선의 저항은 몇 Ω인지 구하시오.

필수

05 그림은 재질과 굵기가 같은 니크롬선 ㉠과 ㉡을 각각 전기 회로에 연결하고 전압과 전류의 세기를 측정한 것을 나타낸 것이다. 이에 대한 설명으로 옳은 것은?

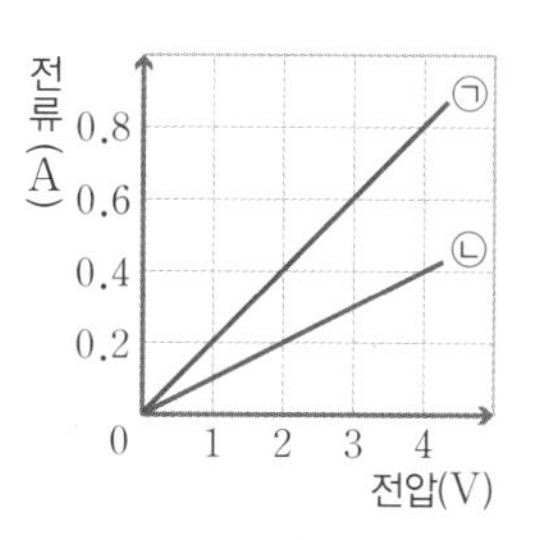

① 두 니크롬선은 저항이 같다.
② 니크롬선 ㉡의 저항은 5 Ω이다.
③ 니크롬선의 저항은 ㉠이 ㉡보다 크다.
④ ㉠에 1.5 V의 전압을 걸면 전류는 0.3 A이다.
⑤ 전압이 같으면 저항이 달라져도 회로에 흐르는 전류의 세기가 달라지지 않는다.

06 멀티탭에 여러 개의 전기 기구를 동시에 연결하면 화재의 위험이 있다. 그 까닭을 옳게 설명한 것은?

① 병렬연결되어 전류의 세기가 증가하므로
② 병렬연결되어 전체 전압의 크기가 증가하므로
③ 병렬연결되어 각 전기 기구를 따로 켜고 끌 수 있으므로
④ 직렬연결되어 각 전기 기구에 흐르는 전류의 세기가 같으므로
⑤ 직렬연결되어 전기 기구에 전원보다 낮은 전압이 걸리므로

Ⅱ. 전기와 자기

자기

물음으로 흐름잡기

자기장
- 어떤 공간에 생길까?
- 직선 전류 주위에 생기는 자기장의 모양은?
- 도선 주위에 생기는 자기장이 세려면?

전류가 흐르는 도선이 받는 힘
- 어떤 경우에 힘을 받을까?
- 받는 힘이 세지려면?
- 이 힘을 이용하여 코일을 돌리는 장치는?

A 전류에 의한 자기장

1. 자기력과 자기장

① **자기력**: 자성을 띠는 물체 사이에 작용하는 힘으로, 서로 다른 두 극 사이에서는 끌어당기는 힘(인력)이, 서로 같은 극 사이에서는 밀어내는 힘(척력)이 작용한다.

② **자기장**[1,2]: 자기력이 작용하는 공간
- **방향**: 나침반 바늘의 N극이 가리키는 방향
- **세기**: 자석의 양 끝에 가까울수록 세고, 자석에서 멀어질수록 약해진다.

③ **자기력선**: 자기장 내에서 자침의 N극이 가리키는 방향을 연속적으로 이은 선
- 자기력선은 N극에서 나와 S극으로 들어간다.

- 자기력선은 도중에 끊어지거나 자기력선끼리 서로 교차하지 않는다.

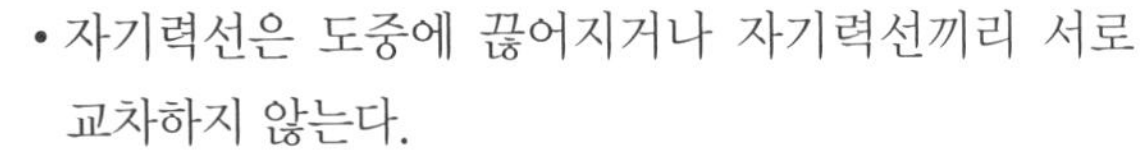

- 자기력선의 간격이 좁을수록 자기장이 세다.

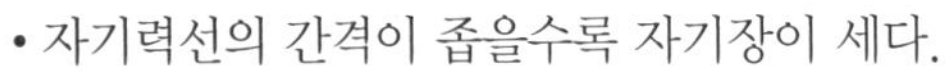

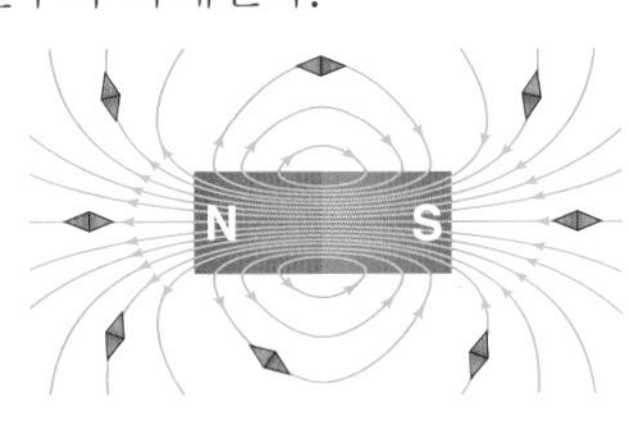

▲ 자기력선

2. 전류에 의한 자기장

① **직선 도선 주위의 자기장**: 도선을 중심으로 한 동심원 모양의 자기장이 생긴다.
- 자기장의 방향: 오른손 엄지손가락을 전류의 방향으로 하여 일치시킬 때 나머지 네 손가락이 감아쥐는 방향

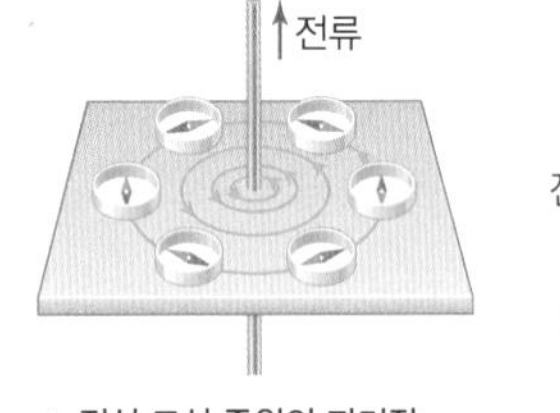

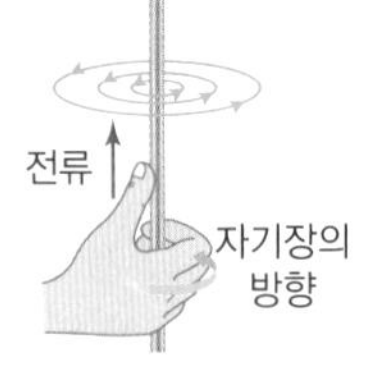

▲ 직선 도선 주위의 자기장

② **원형 도선 주위의 자기장**: 원형 도선의 각 부분을 작은 직선 도선으로 생각하였을 때, 각 직선 도선에서 생기는 자기력선이 합해진 모양의 자기장이 생긴다.

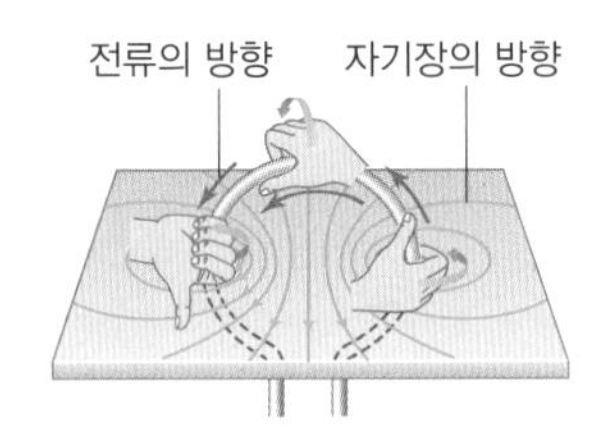

▶ 원형 도선 주위의 자기장

교과서 탐구 직선 도선 주위의 자기장

▶ **과정** 1. 직선 도선 실험 장치에 전원 장치와 스위치를 연결한다.
2. 스위치를 눌러 도선에 전류가 흐를 때 철 가루의 배열 모양을 관찰한다.

▶ **결과** 철가루는 직선 도선을 중심으로 동심원 모양으로 배열된다.

▶ **해석** 직선 도선 주위에 생기는 자기장은 도선을 중심으로 동심원 모양으로 생긴다.

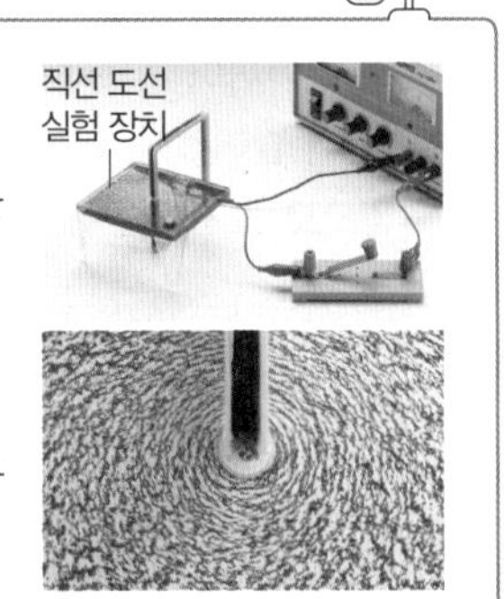

❶ 자기장의 확인

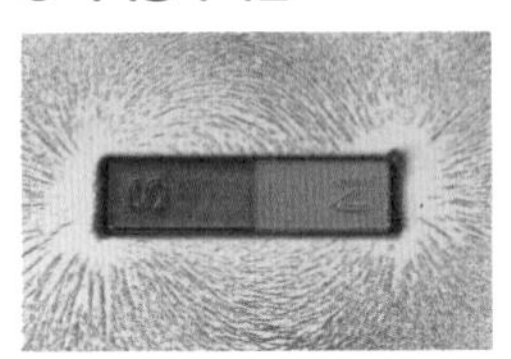

자석 주위에 철 가루를 뿌리면 철 가루가 늘어선 모양으로 자기장의 모양을 알 수 있다.

❷ 지구 자기장

지구는 북극 쪽이 S극, 남극 쪽이 N극인 하나의 거대한 자석과 같다. 따라서 지구 상에서 자침의 N극은 항상 북쪽을 가리킨다.

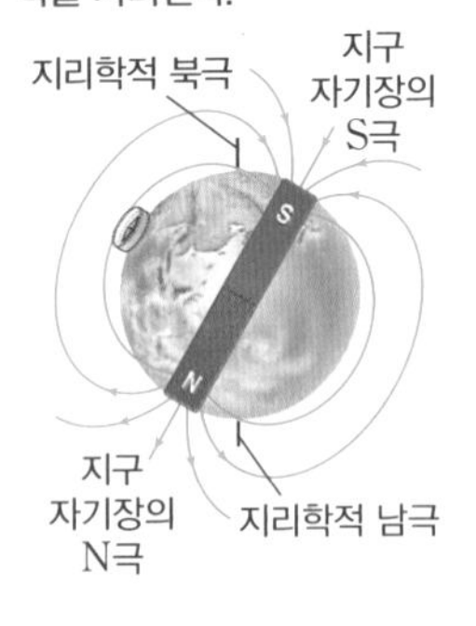

용어 알기
- **자성** 물체가 철과 같은 금속을 끌어당기는 성질

③ 코일❶주위의 자기장 탐구 공략하기 058쪽

- 코일의 안쪽: 오른손의 네 손가락을 코일에 흐르는 전류의 방향으로 감아쥘 때 엄지손가락이 가리키는 방향이 N극이 되고, 코일의 축에 나란한 직선 방향으로 균일한 자기장이 생긴다.❸
- 코일의 바깥쪽: 막대자석 주위에 생기는 자기장의 모양과 비슷하고, 코일의 N극에서 나와 S극으로 들어간다.

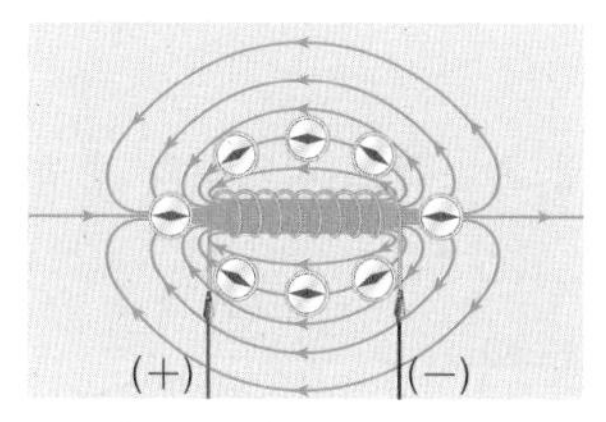

▲ 코일 주위의 자기장

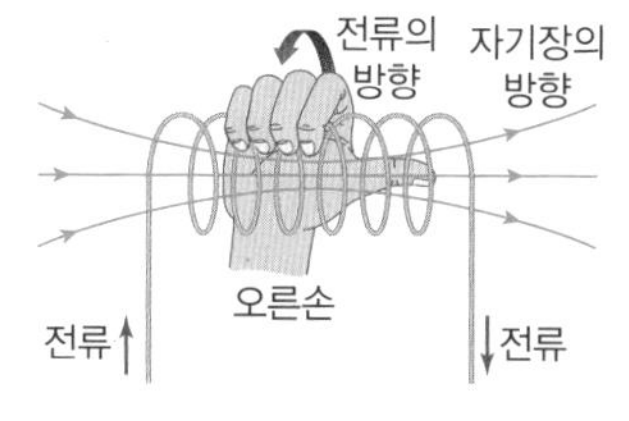

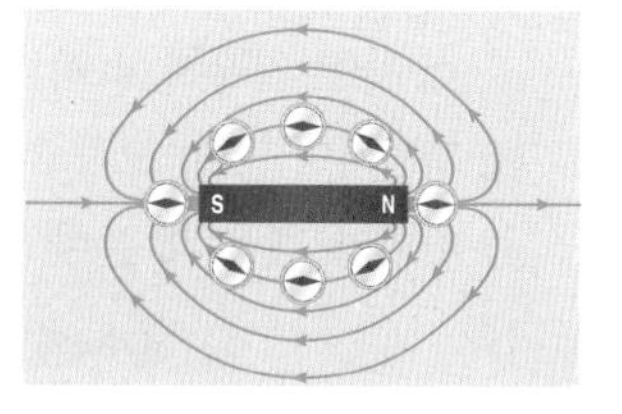

▲ 막대자석 주위의 자기장

3. 전자석 전류가 흐르는 코일 속에 철심을 넣은 것으로, 전류가 흐를 때 자석이 된다.

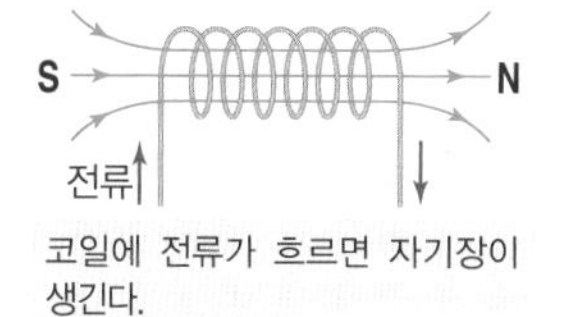

코일에 전류가 흐르면 자기장이 생긴다.

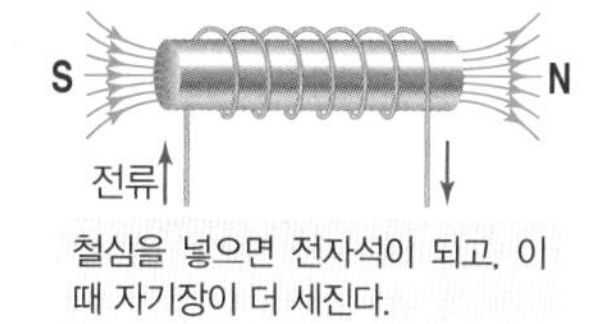

철심을 넣으면 전자석이 되고, 이 때 자기장이 더 세진다.

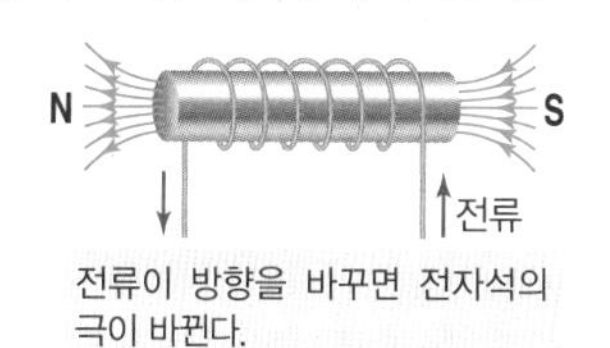

전류의 방향을 바꾸면 전자석의 극이 바뀐다.

① 전자석의 특징

- 전류가 흐르면 자석이 되고, 전류를 끊으면 자석의 성질을 잃는다.
- 전류의 방향이 바뀌면 자석의 극도 바뀐다.
- 전류의 세기를 조절하여 자석의 세기를 조절할 수 있다.❹

② 전자석의 이용: 전자석 기중기, 자기 부상 열차, 자기 공명 영상(MRI) 장치❶등

❸ 전류의 방향에 따른 전류에 의한 자기장의 방향

전류가 흐르는 직선 도선, 원형 도선, 코일 주위의 자기장의 방향은 모두 전류의 방향에 따라 달라진다. 이때 전류의 방향이 반대로 바뀌면 자기장의 방향도 반대로 바뀐다.

❹ 코일 주위의 자기장의 세기

- 코일에 흐르는 전류의 세기가 클수록, 코일의 감은 수가 많을수록 크다.
- 코일 안쪽의 자기장이 코일 바깥쪽의 자기장보다 세다.

용어 알기

- **코일** 원형 도선을 여러 번 감은 것
- **자기 공명 영상(MRI) 장치** 자기장을 이용하여 생체의 임의의 단층상을 얻을 수 있는 첨단 의학 기계

정답과 해설 018쪽

01 ( ) 안에 공통으로 들어갈 알맞은 말을 쓰시오.

> • ( )은 전류가 흐르는 도선 주위에 생기며, 도선에서 멀어질수록 약해진다.
> • 지구 ( )의 모양은 마치 지구 내부에 거대한 막대자석이 있는 것처럼 나타난다.

02 자기력선에 대한 설명으로 옳은 것은 ○표, 옳지 않은 것은 ×표를 하시오.

(1) 자석의 N극에서 나와 S극으로 들어간다. ( )

(2) 자기력선은 도중에 갈라지거나 만나지 않는다. ( )

(3) 자기력선의 간격이 넓을수록 자기장이 세다. ( )

03 그림과 같이 직선 도선 주위에 생기는 자기장의 방향을 오른손을 이용하여 알아낼 때 A, B가 가리키는 방향은 각각 무엇인지 쓰시오.

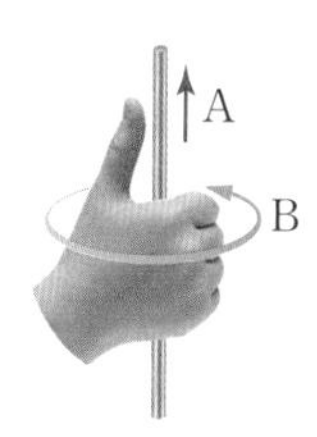

04 도선 주위의 자기장에 대한 설명으로 옳은 것은 ○표, 옳지 않은 것은 ×표를 하시오.

(1) 도선에 흐르는 전류의 방향이 바뀌면 자기장의 방향도 바뀐다. ( )

(2) 도선 주위에 생기는 자기장은 도선에 흐르는 전류의 세기와는 관계없다. ( )

(3) 코일의 바깥쪽에 생기는 자기장은 막대자석 주위에 생기는 자기장의 모양과 비슷하다. ( )

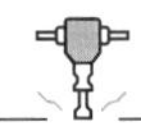

B 전류가 흐르는 도선이 받는 힘

1. 자기장 속에서 전류가 흐르는 도선이 받는 힘(자기력)

① 원리: 자석 주위에 전류가 흐르는 전선을 놓으면 전류에 의한 자기장과 자석의 자기장이 상호 작용하여 서로 자기력을 작용한다.

② 자기력의 방향: 오른손의 엄지손가락을 전류의 방향, 네 손가락을 자기장의 방향으로 향하게 했을 때 손바닥이 향하는 방향

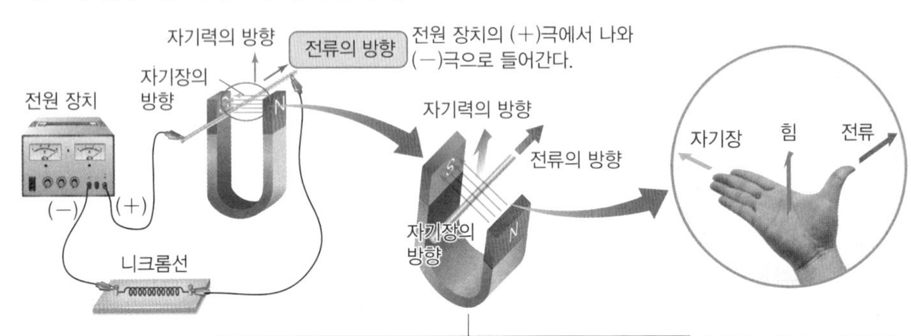

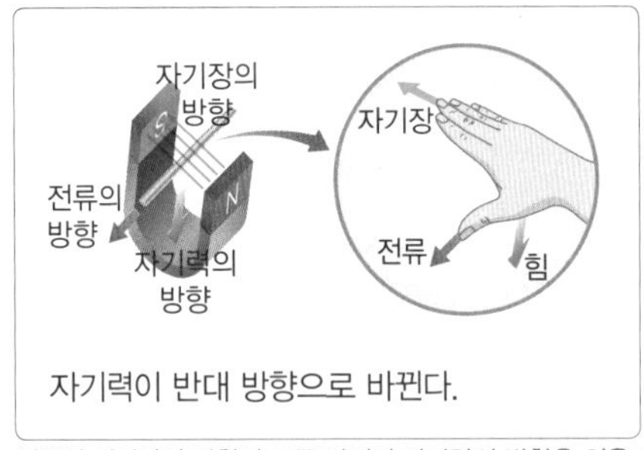

자기력이 반대 방향으로 바뀐다.

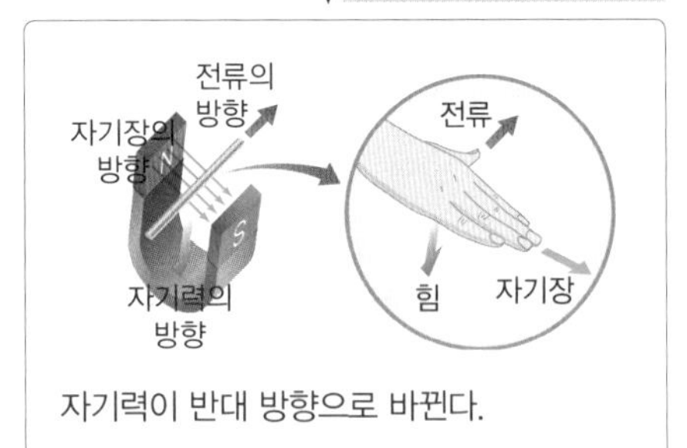

자기력이 반대 방향으로 바뀐다.

전류와 자기장의 방향이 모두 바뀌면 자기력의 방향은 처음과 같다.

② 자기력의 크기: 도선에 흐르는 전류가 셀수록, 자기장이 셀수록 크다.

교과서 탐구 자기장에서 전류가 받는 힘

▶ **과정**

1. 알루미늄 포일을 말굽자석 사이에 놓고, 알루미늄 포일에 전지와 스위치를 연결한 후 스위치를 닫았을 때 알루미늄 포일의 움직임을 관찰한다.
2. 전지의 (+)극과 (−)극의 방향을 바꾼 후 스위치를 닫고 알루미늄 포일의 움직임을 관찰한다.
3. 과정 1에서 말굽자석의 N극과 S극의 방향을 바꾼 후 스위치를 닫고 알루미늄 포일의 움직임을 관찰한다.

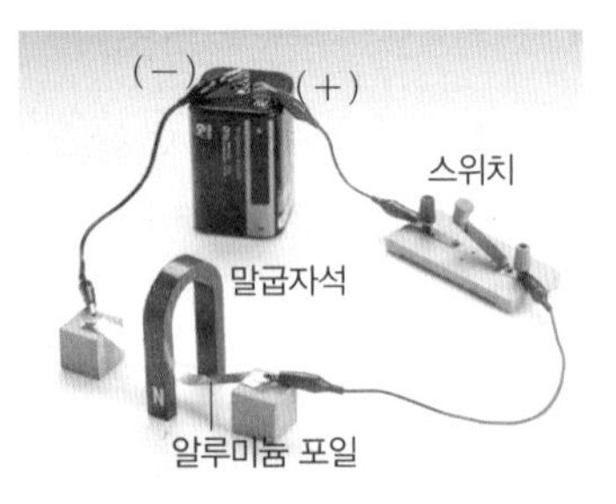

▶ **결과**

과정	1	2	3
알루미늄 포일이 움직이는 방향	아래쪽	위쪽	위쪽

▶ **해석** ① 자기장 속에서 전류가 흐르는 도선은 전류와 자기장의 방향에 각각 수직인 방향으로 힘을 받는다.
② 전류의 방향이 바뀌거나 자기장의 방향이 바뀌면 전류가 흐르는 도선이 받는 힘의 방향이 바뀐다.

암기! 자기력의 방향

자기장 힘 전류

- 자기장: 여러 갈래 선이므로 네 손가락이 향하는 방향
- 전류: 도선이 한 줄이므로 엄지손가락(손가락 한 개)이 향하는 방향
- 힘: 손바닥으로 힘을 가할 수 있으므로 손바닥이 향하는 방향

용어 알기

- **상호 작용** 둘 이상의 물체나 대상이 서로 영향을 주고받는 것

2. 전동기 자기장 속에서 전류가 흐르는 코일이 받는 힘(자기력)을 이용하여 코일을 회전시키는 장치
전기 에너지를 코일의 운동 에너지로 전환한다.

① **전동기의 구조:** 영구 자석, 코일, 정류자,❺ 브러시● 등으로 구성되어 있다.

영구 자석 브러시 정류자 코일

▲ 전동기의 구조

② **전동기의 회전 원리:** 자기장 안에서 전류가 흐르는 코일이 받는 힘을 이용하여 회전한다.

➡ 전류의 방향이나 자석의 극이 반대로 되면 전동기도 반대 방향으로 회전한다.

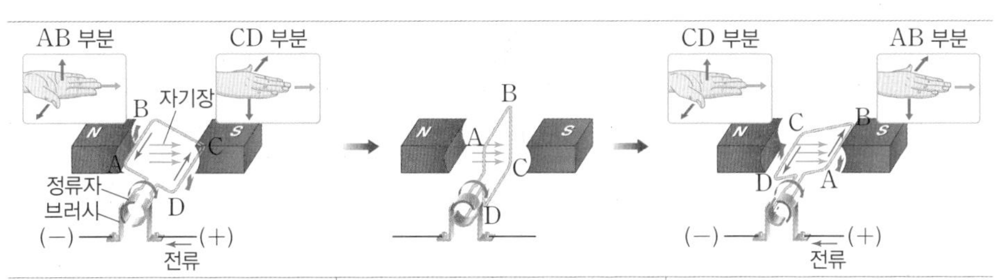

사각 코일의 AB 부분은 위쪽으로, CD 부분은 아래쪽으로 향하는 힘을 받는다. ➡ 코일은 시계 방향으로 회전한다.	사각 코일이 90° 회전하여 코일 쪽으로 전류가 흐르지 않더라도 코일은 회전하고 있었으므로 멈추지 않고 계속 회전한다.	사각 코일의 AB 부분은 아래쪽으로, CD 부분은 위쪽으로 향하는 힘을 받는다. ➡ 코일은 시계 방향으로 회전한다.

③ **전동기의 회전 속력:** 전류와 자기장의 세기에 따라 달라진다. ➡ 센 자석을 사용하거나 전압을 높여 전류의 세기를 크게 하면 전동기의 회전 속력이 빨라진다.

④ **전동기의 이용:** 선풍기, 세탁기, 전기 자동차, 엘리베이터, 스피커 등

❺ 정류자의 역할

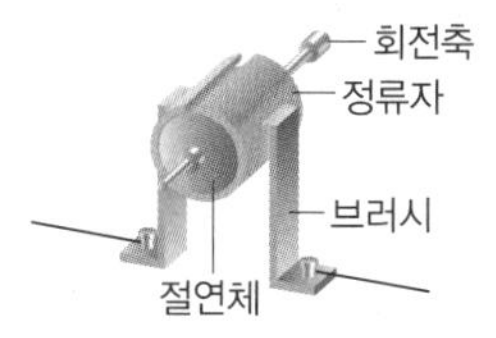

금속이 절연체의 양쪽에 붙어 있어 회전축이 반 바퀴 돌 때마다 코일에 흐르는 전류의 방향을 바꾸어 준다. 전류의 방향을 바꾸어 줌으로써 코일이 한 방향으로 회전할 수 있게 한다.

용어 알기

- **정류자** 전동기에서 일정한 방향으로 회전하도록 전류의 방향을 주기적으로 바꾸어주는 장치
- **브러시** 전동기의 정류자에 닿아서 밖에서 전류를 공급하는 장치

정답과 해설 018쪽

05 그림은 자기장 속에서 전류가 흐르는 도선이 받는 힘의 방향을 알아보기 위한 오른손 법칙을 나타낸 것이다. A, B, C가 가리키는 방향과 관련 있는 것끼리 옳게 연결하시오.

A B C

(1) A(네 손가락) •   • ㉠ 힘의 방향
(2) B(손바닥) •   • ㉡ 전류의 방향
(3) C(엄지손가락) •   • ㉢ 자기장의 방향

06 그림과 같이 자석 사이에 전류가 흐르는 도선이 놓여 있을 때 도선이 받는 힘의 방향을 A~D에서 고르시오.

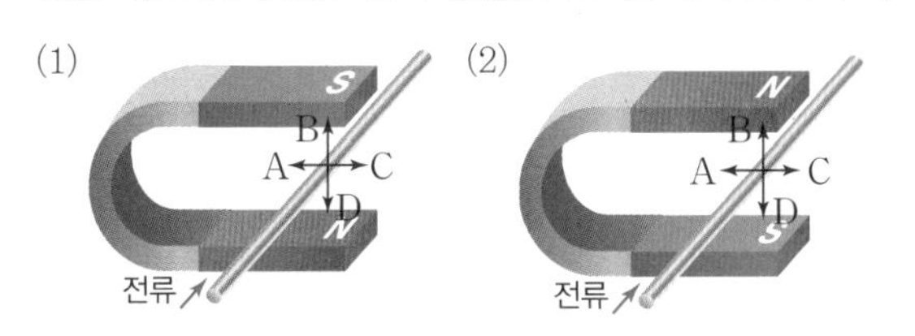

07 자기장 안에서 전류가 흐르는 도선이 받는 힘이 커지는 조건으로 옳은 것만을 보기에서 모두 고르시오.

보기
ㄱ. 도선에 흐르는 전류를 세게 할 때
ㄴ. 자기장을 세게 할 때
ㄷ. 도선과 자기장의 방향을 나란하게 할 때

08 전동기에 대한 설명으로 옳은 것은 ○표, 옳지 않은 것은 ×표를 하시오.

(1) 도선에 흐르는 전류의 방향이 바뀌면 코일의 회전 방향이 바뀐다. ( )
(2) 코일에 흐르는 전류가 셀수록 코일은 천천히 회전한다. ( )
(3) 코일 주위의 자석의 극을 바꾸면 코일은 같은 방향으로 빠르게 회전한다. ( )

탐구 공략 하기

전류가 흐르는 코일 주위에 생기는 자기장

목표

전류가 흐르는 코일 주위에 생기는 자기장의 모습을 설명할 수 있다.

공략 포인트

전류가 흐르는 도선 주위에는 자기장이 생김을 이해하고, 전류가 흐르는 코일 주위에 생기는 자기장의 모양과 방향을 이해하는 것이 중요하다!

과정

❶ 코일 실험 장치, 직류 전원 장치, 스위치를 집게 달린 전선으로 연결한다.

❷ 스위치를 닫아 코일에 전류가 흐르게 한 다음 코일 주위의 철 가루의 배열 모습을 관찰한다.

❸ 코일 주위에 나침반을 놓고 스위치를 닫아 전류가 흐르게 한 다음, 나침반 바늘이 가리키는 방향을 관찰하여 그린다.

나침반 바늘의 N극이 가리키는 방향이 자기장의 방향이므로 나침반 바늘의 모습을 그리면 자기장의 방향을 알 수 있다.

❹ 코일에 흐르는 전류의 방향을 반대로 바꾼 다음 과정 ❸을 반복한다.

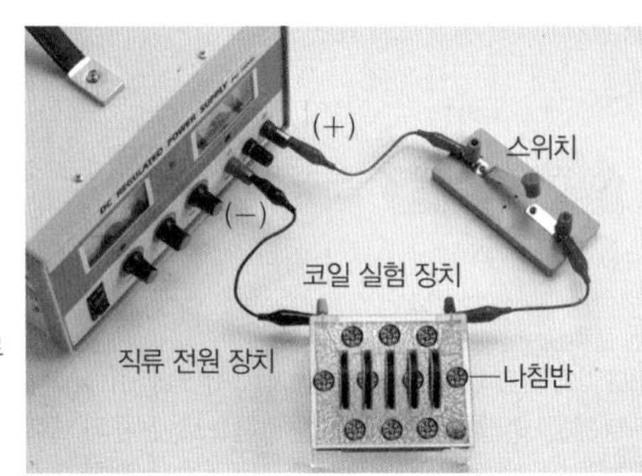

결과

1. 전류의 방향에 따른 코일 주위에 생기는 자기장의 방향은 다음 그림과 같다.

과정 ❸

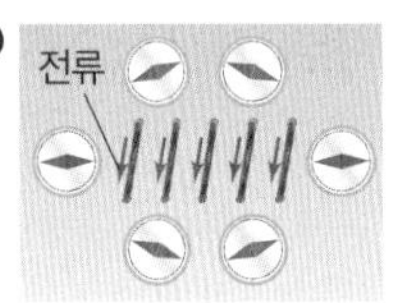

과정 ❹

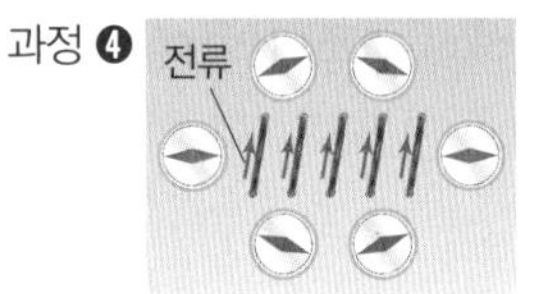

정리

1. 코일 내부에 생기는 자기장의 방향은 오른손의 네 손가락을 전류의 방향으로 감아 쥘 때 엄지손가락이 가리키는 방향이다.
2. 코일에 흐르는 전류의 방향을 반대로 바꾸면 자기장의 방향이 반대로 바뀐다.

확인 문제

정답과 해설 018쪽

[01-02] 그림과 같이 코일에 전류를 흐르게 하고 코일 양 끝에 나침반을 두었다.

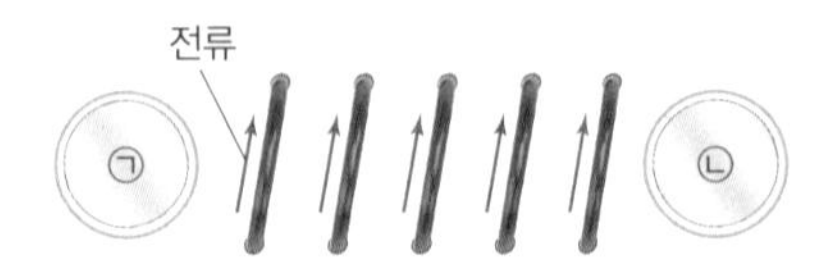

01 위 그림과 같이 코일에 화살표 방향으로 전류가 흐를 때 ㉠과 ㉡에서 나침반 바늘의 N극이 향하는 방향을 화살표로 나타내시오.

02 위 그림에서 코일에 흐르는 전류의 방향이 반대가 될 때 ㉠과 ㉡에서 나침반 바늘의 N극이 향하는 방향을 화살표로 나타내시오.

03 이 실험에 대한 설명으로 옳은 것은 ○표, 옳지 않은 것은 ×표를 하시오.

(1) 전류가 흐르는 코일 주위에는 자기장이 생긴다. ( )

(2) 코일 주위의 자기장은 막대자석 주위의 자기장과 비슷한 모양이다. ( )

(3) 코일에 흐르는 전류의 방향이 바뀌어도 자기장의 방향은 변하지 않는다. ( )

(4) 코일에 주위에 생기는 자기장의 방향은 나침반을 놓으면 확인할 수 있다. ( )

(5) 나침반 바늘의 S극이 향하는 방향이 자기장의 방향이다. ( )

(6) 전류가 흐르는 코일 내부에는 자기장이 생기지 않는다. ( )

정답과 해설 018쪽

A 전류에 의한 자기장

필수

01 자기장에 대한 설명으로 옳지 않은 것은?

① 자기장은 자석 주위에만 생긴다.
② 자기력선은 도중에 갈라지거나 서로 만나지 않는다.
③ 자기력선의 방향은 나침반 바늘의 N극이 가리키는 방향이다.
④ 자기력선은 자기장을 시각적으로 표현하여 나타낸 것이다.
⑤ 전류가 세게 흐를수록 도선 주위에 생기는 자기장의 세기는 커진다.

02 그림 (가), (나)는 두 막대자석 사이의 자기장의 모양을 나타낸 것이다.

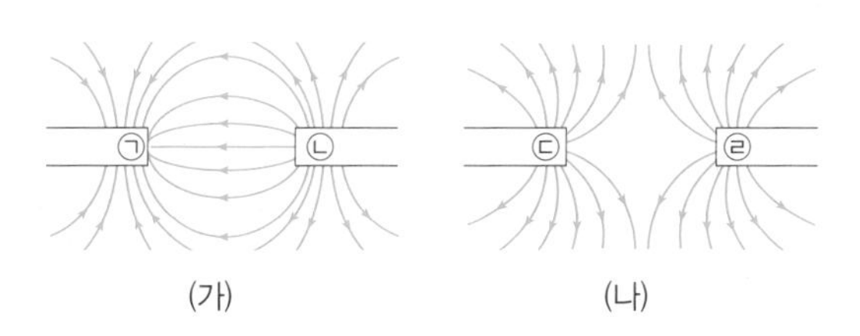

(가) (나)

㉠~㉣의 자극을 옳게 짝 지은 것은?

	㉠	㉡	㉢	㉣
①	N극	S극	N극	N극
②	N극	S극	S극	S극
③	S극	N극	S극	S극
④	S극	N극	N극	N극
⑤	S극	N극	N극	S극

03 그림은 지구 자기와 나침반의 바늘을 나타낸 것이다. A, B, C, D가 나타내는 자극의 이름을 쓰시오.

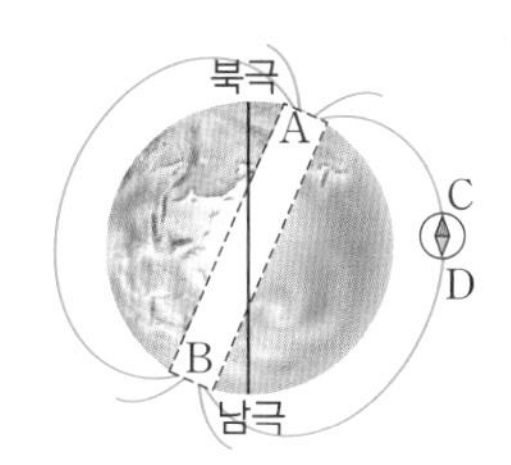

04 그림은 막대자석 주위에 놓인 나침반의 모습을 나타낸 것이다.

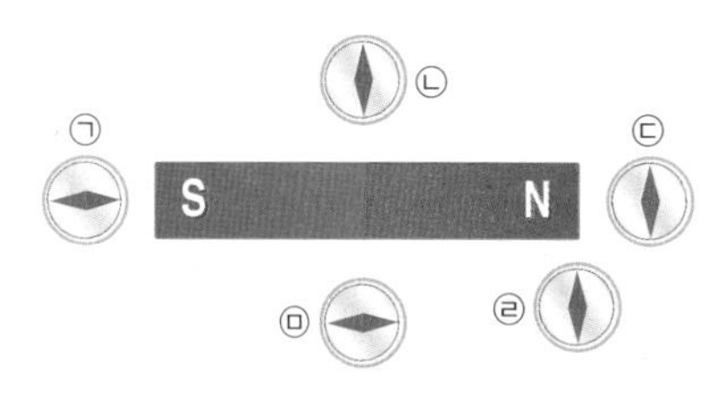

나침반이 가리키는 방향을 옳게 나타낸 것은? (단, 나침반 바늘의 빨간색 부분이 N극이다.)

① ㉠ ② ㉡ ③ ㉢
④ ㉣ ⑤ ㉤

필수

05 그림과 같이 전류가 B에서 A로 흐르는 직선 도선 주위에 나침반을 놓았다. 나침반의 바늘이 가리키는 방향으로 옳은 것은?

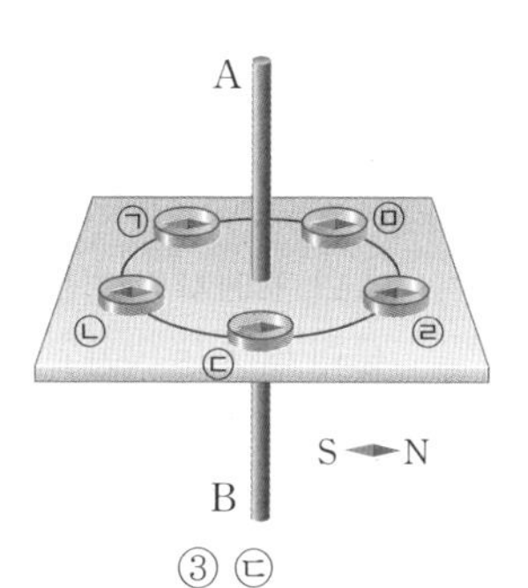

① ㉠ ② ㉡ ③ ㉢
④ ㉣ ⑤ ㉤

06 그림은 전류가 흐르는 직선 도선 주위에 뿌린 철 가루의 모양을 나타낸 것이다.

직선 도선 주위의 자기장에 대한 설명으로 옳은 것은?

① 자기력선은 서로 교차한다.
② 자기력선은 시계 방향으로 생긴다.
③ 자기장과 전류의 방향은 서로 나란하다.
④ 도선으로부터의 거리에 관계없이 자기장의 세기는 일정하다.
⑤ 직선 도선을 중심으로 하는 동심원 모양의 자기장이 생긴다.

신유형

07 자기장의 세기와 관계가 없는 것은?

① 자기력선의 간격
② 도선에 흐르는 전류의 방향
③ 도선에 흐르는 전류의 세기
④ 도선에 걸리는 전압의 크기
⑤ 전류가 흐르는 도선으로부터의 거리

08 그림과 같은 전기 회로의 직선 도선 주위의 A, B점에 나침반을 놓았다.

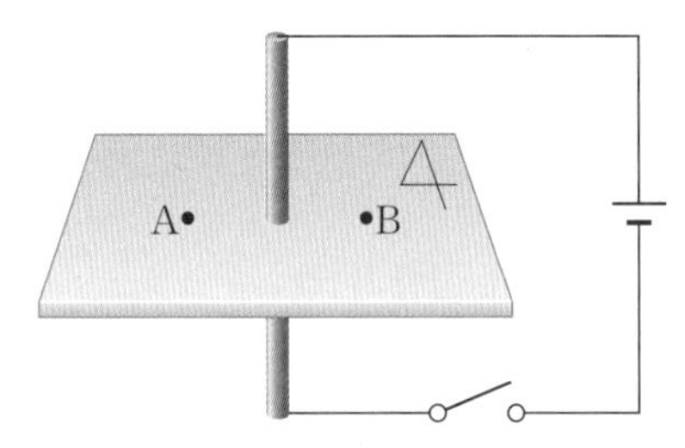

A와 B에서 나침반 바늘의 N극이 가리키는 방향을 옳게 짝 지은 것은?

	A	B		A	B
①	동쪽	서쪽	②	동쪽	남쪽
③	서쪽	동쪽	④	북쪽	남쪽
⑤	남쪽	북쪽			

필수

09 그림 (가)는 직선 도선 위에 나침반을 둔 모습이고, 그림 (나)는 직선 도선 아래에 나침반을 둔 모습이다.

(가)

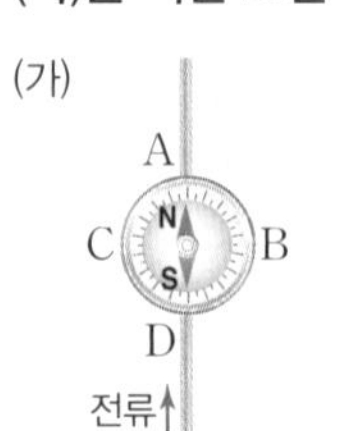

(나)

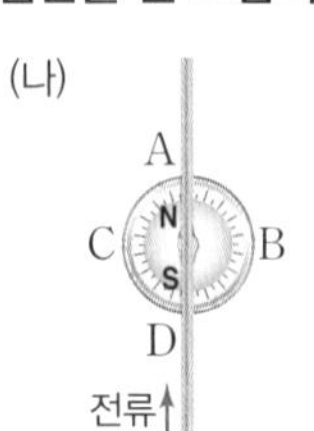

스위치를 닫았을 때 (가)와 (나)에서 나침반 바늘의 N극이 가리키는 방향을 옳게 짝 지은 것은?

	(가)	(나)		(가)	(나)
①	A	D	②	B	C
③	C	B	④	C	D
⑤	D	A			

10 전류가 흐르는 코일 주위에 생기는 자기장에 대한 설명으로 옳지 않은 것은?

① 막대자석 주위의 자기장과 모양이 비슷하다.
② 전류가 흐르지 않을 때에는 자기장이 없어진다.
③ 코일 속에 철심을 넣으면 전자석을 만들 수 있다.
④ 코일 내부에 생기는 자기장이 코일 주위의 자기장보다 약하다.
⑤ 코일 주위의 자기력선은 코일의 한쪽 끝에서 나와서 다른 쪽 끝으로 들어가는 모양이다.

필수

11 다음과 같이 코일에 전류가 흐를 때 코일의 극과 자기력선의 방향을 옳게 나타낸 것은?

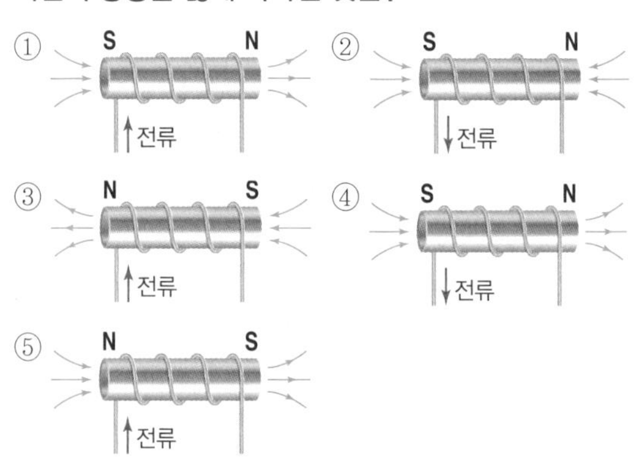

서술형

12 그림에서 자기장의 방향과 자기력선의 모양을 그리시오.

(1) (2)

(3) (4)

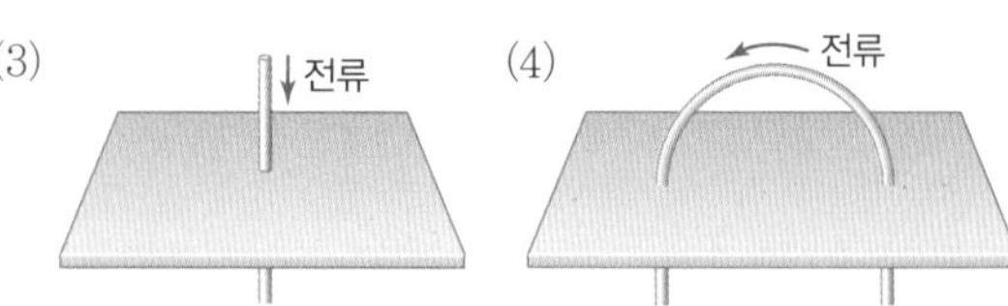

정답과 해설 018쪽

B 전류가 흐르는 도선이 받는 힘

13 자기장 속에서 전류가 흐르는 도선이 받는 힘의 방향은 오른손을 이용하여 알 수 있다. 그림에서 A, B, C가 가리키는 방향을 옳게 짝 지은 것은?

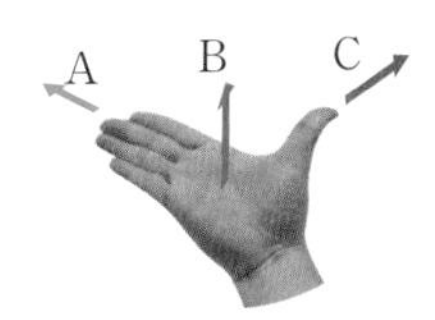

	A	B	C
①	자기장	힘	전류
②	자기장	전류	힘
③	전류	힘	자기장
④	전류	자기장	힘
⑤	힘	자기장	전류

필수

14 그림과 같이 막대자석의 두 극 사이에 도선을 놓고 A에서 B 방향으로 전류를 흘려 주었다.

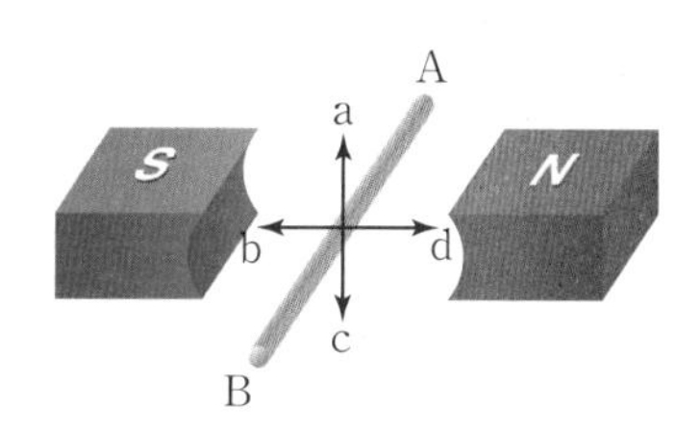

이에 대한 설명으로 옳은 것만을 보기에서 모두 고른 것은?

보기
ㄱ. 도선이 받는 힘의 방향은 c이다.
ㄴ. 자석의 N극과 S극의 위치를 바꾸면 도선은 a 방향으로 힘을 받는다.
ㄷ. 전류와 자기장의 방향을 모두 바꾸면 도선은 처음과 반대 방향으로 힘을 받는다.

① ㄱ ② ㄱ, ㄴ ③ ㄱ, ㄷ
④ ㄴ, ㄷ ⑤ ㄱ, ㄴ, ㄷ

필수

15 그림과 같이 전류가 흐르는 도선을 말굽자석 사이에 놓았다. 도선이 받는 힘의 방향은? (단, ⊗는 전류가 지면으로 들어가는 방향을 의미한다.)

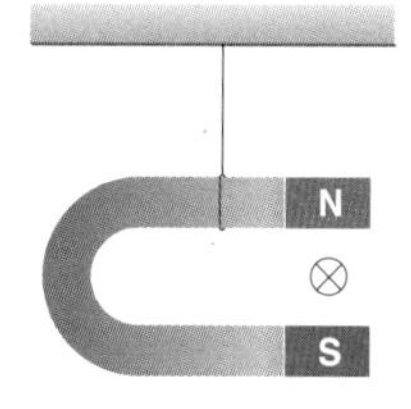

① 오른쪽 ② 왼쪽 ③ 위쪽
④ 아래쪽 ⑤ 지면으로 들어가는 방향

16 그림은 말굽자석과 코일에 흐르는 전류의 방향을 나타낸 것이다.

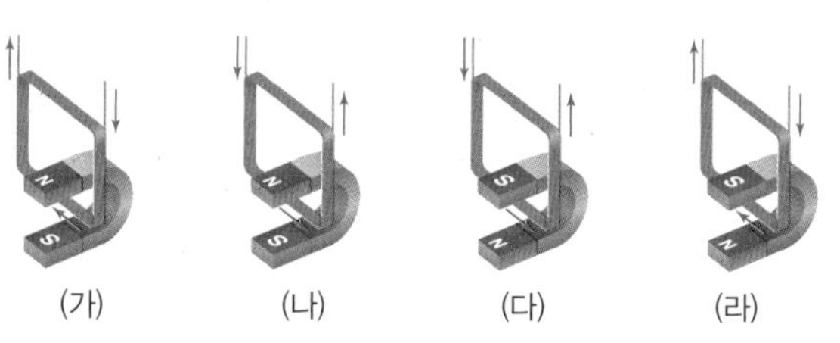

코일이 말굽자석의 안쪽으로 힘을 받는 경우를 모두 고른 것은?

① (가), (나) ② (가), (다)
③ (나), (라) ④ (가), (나), (다)
⑤ (가), (나), (다), (라)

[17-18] 그림과 같이 장치하고 알루미늄 막대의 움직임을 관찰하였다.

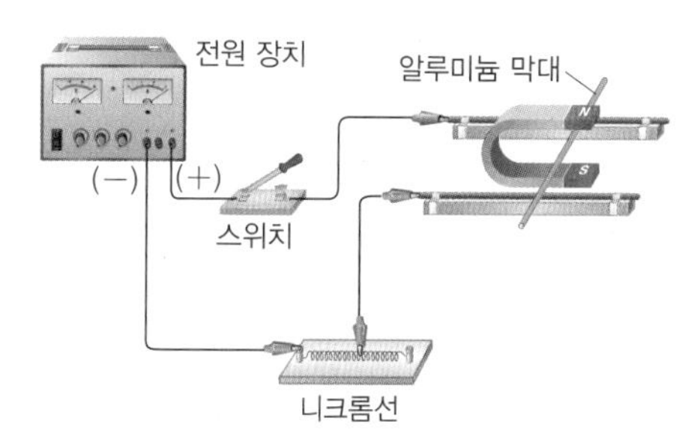

필수

17 이 실험에 대한 설명으로 옳은 것은?

① 저항이 클수록 알루미늄 막대의 움직임이 크다.
② 스위치를 닫으면 알루미늄 막대는 왼쪽으로 움직인다.
③ (+)극과 (−)극을 바꿔 스위치를 닫으면 알루미늄 막대는 오른쪽으로 움직인다.
④ 자석의 N극과 S극을 바꾸어도 알루미늄 막대가 움직이는 방향에는 변화가 없다.
⑤ 전류가 흐르는 자석 사이의 알루미늄 막대가 받는 힘의 방향에 대해 알 수 있다.

18 위 실험에서 알루미늄 막대가 더 빠르게 굴러가는 경우만을 보기에서 모두 고르시오.

보기
ㄱ. 니크롬선을 더 길게 한다.
ㄴ. 말굽자석을 더 센 것으로 바꾼다.
ㄷ. 전원 장치의 전압을 높여 준다.

19 자기장 속에서 전류가 흐르는 도선이 받는 힘의 세기에 영향을 주는 것만을 보기에서 모두 고른 것은?

보기
ㄱ. 자기장의 세기
ㄴ. 자기장의 방향
ㄷ. 도선에 흐르는 전류의 방향
ㄹ. 도선에 흐르는 전류의 세기
ㅁ. 도선과 자기장 사이의 각도

① ㄱ, ㄹ ② ㄴ, ㄷ ③ ㄱ, ㄴ, ㄹ
④ ㄱ, ㄹ, ㅁ ⑤ ㄴ, ㄷ, ㅁ

필수

20 그림은 전동기의 구조를 나타낸 것이다.

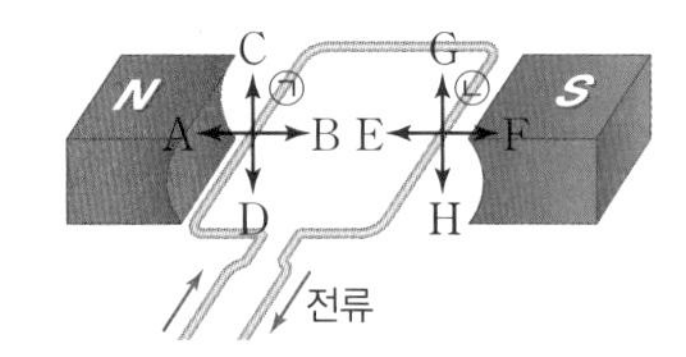

그림과 같이 전류가 흐를 때 도선의 ㉠, ㉡ 부분이 받는 힘의 방향을 순서대로 옳게 나타낸 것은?

① A, F ② B, E ③ B, F
④ C, H ⑤ D, G

필수

21 그림은 전동기의 구조를 나타낸 것이다.

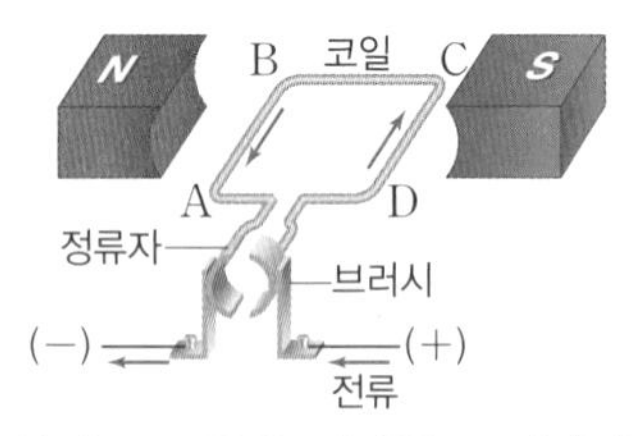

이에 대한 설명으로 옳은 것만을 보기에서 모두 고른 것은?

보기
ㄱ. AB는 위쪽으로 힘을 받는다.
ㄴ. BC는 아래쪽으로 힘을 받는다.
ㄷ. CD는 위쪽으로 힘을 받는다.
ㄹ. 코일은 시계 방향으로 회전한다.

① ㄱ, ㄷ ② ㄱ, ㄹ ③ ㄴ, ㄷ
④ ㄱ, ㄴ, ㄹ ⑤ ㄴ, ㄷ, ㄹ

22 전동기의 회전을 빠르게 하는 방법으로 옳은 것만을 보기에서 모두 고른 것은?

보기
ㄱ. 전류의 방향을 바꾼다.
ㄴ. 영구 자석의 극을 바꾼다.
ㄷ. 전원 장치의 전압을 높인다.
ㄹ. 영구 자석을 센 것으로 바꾼다.
ㅁ. 전류가 흐르는 코일의 감은 수를 늘린다.

① ㄱ, ㄴ, ㄹ ② ㄱ, ㄷ, ㅁ ③ ㄴ, ㄷ, ㄹ
④ ㄴ, ㄹ, ㅁ ⑤ ㄷ, ㄹ, ㅁ

신유형

23 다음 기구들 중 전동기를 이용한 기구가 아닌 것은?

① 선풍기 ② 전기 자동차 ③ 형광등
④ 세탁기 ⑤ 엘리베이터

서술형

24 자기장에서 전류가 흐르는 도선이 받는 힘의 방향을 알아보기 위하여 그림과 같이 도선 그네를 장치하였다.

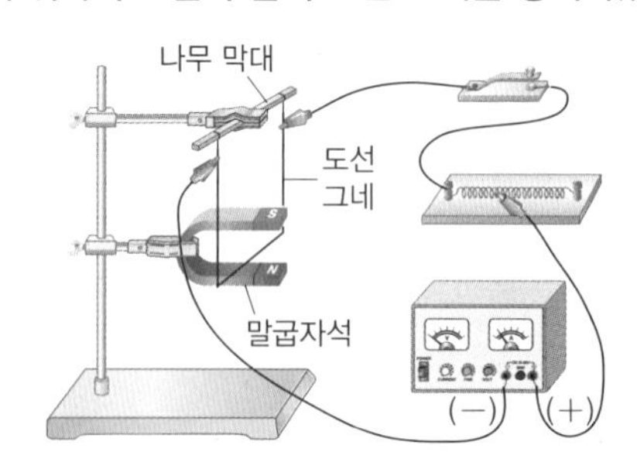

(1) 스위치를 닫았을 때 도선 그네가 받는 힘의 방향과 그 까닭을 서술하시오.(힘의 방향은 자석의 '안쪽', '바깥쪽'으로 표현하시오.)

(2) 말굽자석의 N극과 S극의 위치를 바꾸고, 전류의 방향도 반대로 바꾸었을 때, 도선 그네가 받는 힘의 방향과 그 까닭을 서술하시오.(힘의 방향은 자석의 '안쪽', '바깥쪽'으로 표현하시오.)

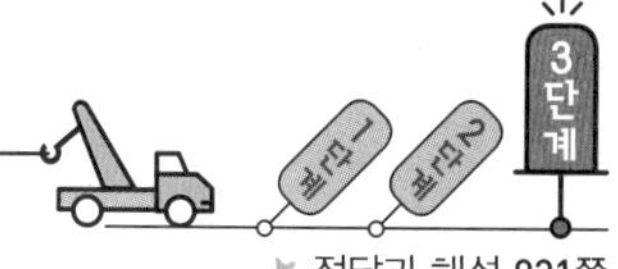

정답과 해설 021쪽

01 그림과 같이 직선 도선에 전류를 흐르게 한 다음 나침반을 도선 아래와 도선 위에 각각 놓고 스위치를 닫았다. 이때 나침반 바늘의 N극이 가리키는 방향을 옳게 짝 지은 것은?

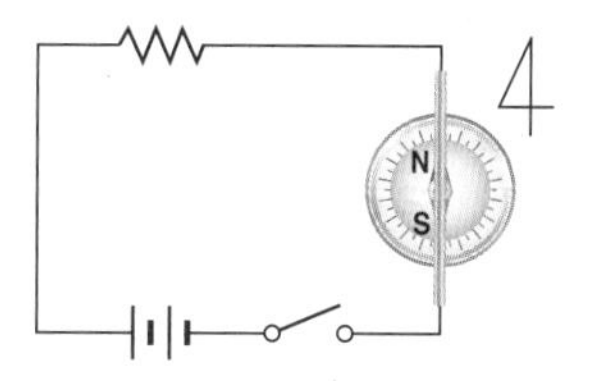

	도선 아래	도선 위		도선 아래	도선 위
①	서쪽	동쪽	②	서쪽	서쪽
③	동쪽	서쪽	④	동쪽	동쪽
⑤	북쪽	남쪽			

필수

02 그림과 같은 코일에 전류를 흐르게 한 다음 ㉠, ㉡, ㉢에 나침반을 놓았다. 이때 나침반 바늘의 방향에 대한 설명으로 옳지 않은 것은?

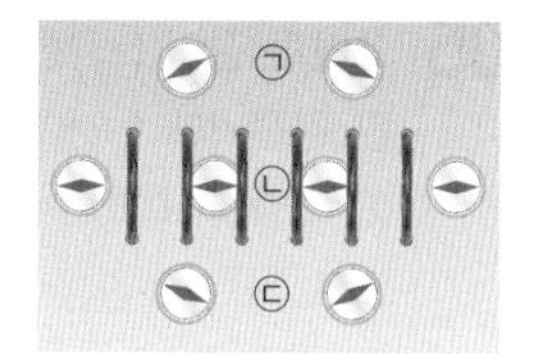

① ㉠과 ㉡에서 나침반 바늘의 방향은 반대이다.
② ㉠과 ㉢에서 나침반 바늘의 방향은 같다.
③ ㉡과 ㉢에서 나침반 바늘의 방향은 반대이다.
④ ㉠, ㉡, ㉢에서 나침반 바늘의 방향은 같다.
⑤ 전류의 방향이 바뀌면 나침반 바늘의 방향도 바뀐다.

필수

03 그림과 같이 철심에 코일을 감고 전원 장치에 연결한 후 스위치를 닫았더니 자침의 N극이 서쪽을 가리켰다.

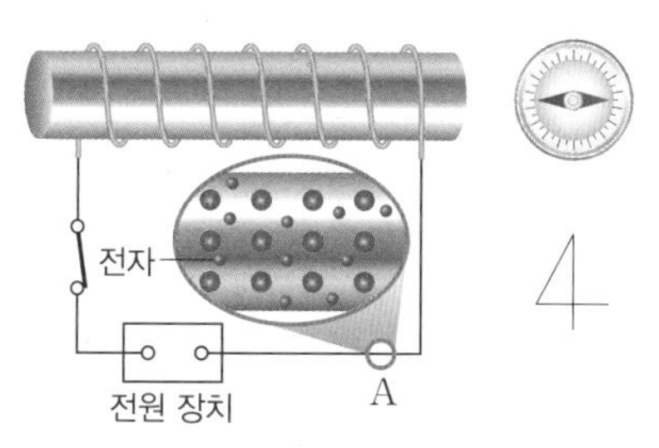

이때 도선의 A 지점에서 ㉠ 움직이는 것과 ㉡ 움직이는 방향을 화살표로 옳게 짝 지은 것은?

	㉠	㉡		㉠	㉡
①	전자	↑	②	전자	→
③	전자	←	④	원자핵	→
⑤	원자핵	←			

필수

04 그림과 같이 고무 자석에 구리 테이프를 붙이고 전지를 연결한 후, 구리선을 올려 놓았다.

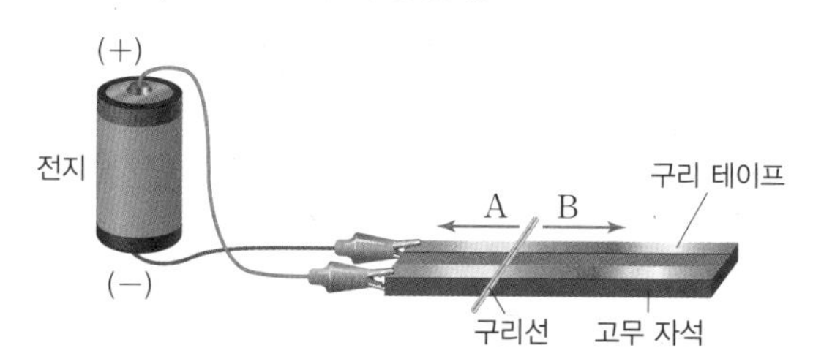

구리선이 움직이는 방향이 A 방향인 경우는?(정답 2개)

① 고무 자석의 위쪽 면이 N극일 때
② 고무 자석의 위쪽 면이 S극일 때
③ 전지의 전압이 높은 것으로 바꿀 때
④ 고무 자석의 위쪽 면이 N극이고 전지의 극을 바꿀 때
⑤ 고무 자석의 위쪽 면이 S극이고 전지의 극을 바꿀 때

05 그림은 자석의 두 극 사이에 놓인 전류가 흐르는 도선과 자석의 자기장이 이루는 각을 나타낸 것이다.

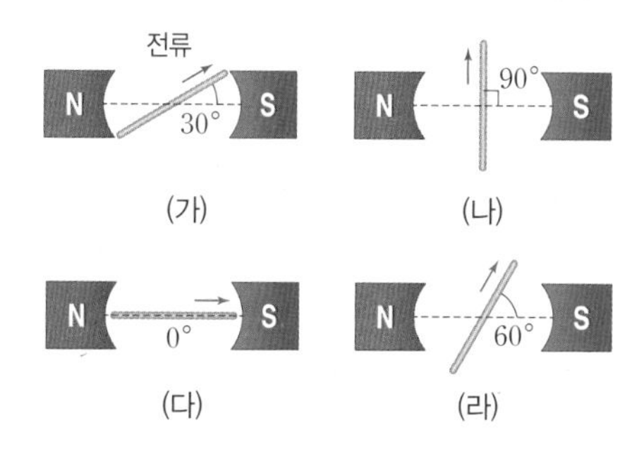

이에 대한 설명으로 옳은 것만을 보기에서 모두 고른 것은?

보기
ㄱ. 도선이 가장 큰 힘을 받는 경우는 (나)이다.
ㄴ. (다)의 경우 도선은 힘을 받지 않는다.
ㄷ. (가)의 경우 (라)보다 도선이 더 큰 힘을 받는다.

① ㄱ ② ㄴ ③ ㄱ, ㄴ
④ ㄱ, ㄷ ⑤ ㄴ, ㄷ

대단원 완성하기

정답 표시가 없는 문제는 모두 3점입니다.

제한시간: 45분

01 그림은 물체 A와 B를 마찰시켰을 때 전하의 분포를 나타낸 것이다.

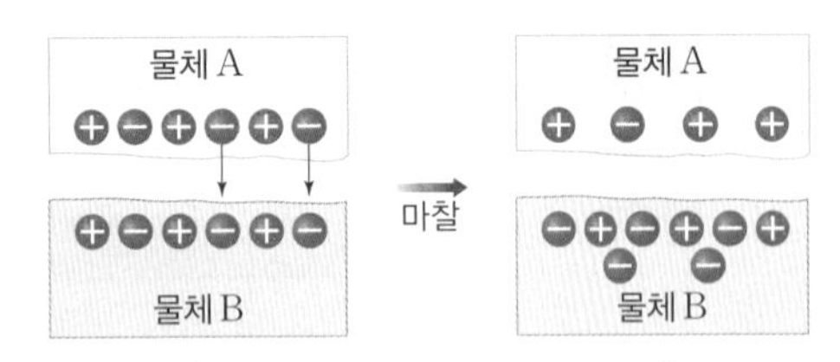

마찰한 후 물체 A, B가 대전되는 전기의 종류를 옳게 짝 지은 것은?

	A	B		A	B
①	(+)전하	(−)전하	②	(−)전하	(+)전하
③	(+)전하	(+)전하	④	(−)전하	(−)전하
⑤	중성	중성			

02 대전되지 않은 검전기의 금속판에 (+)대전체를 가까이 했을 때 검전기의 상태로 옳은 것은?

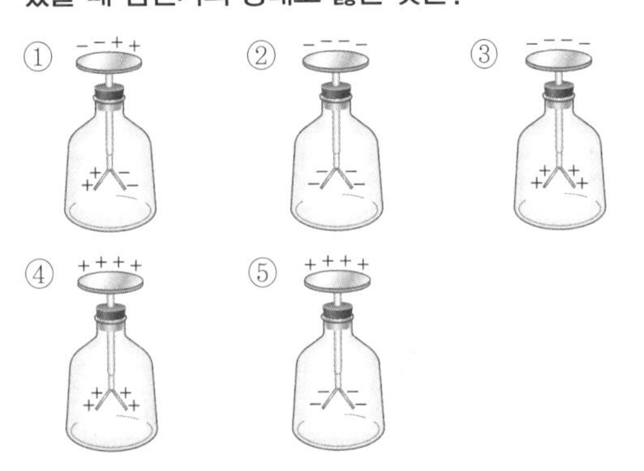

03 그림과 같이 두 개의 고무풍선을 매달고 각각 털가죽으로 문질렀다. 대전된 두 고무풍선을 가까이 할 때의 모습으로 옳은 것은? (5점)

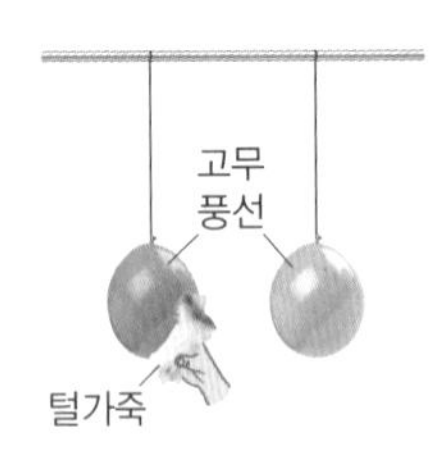

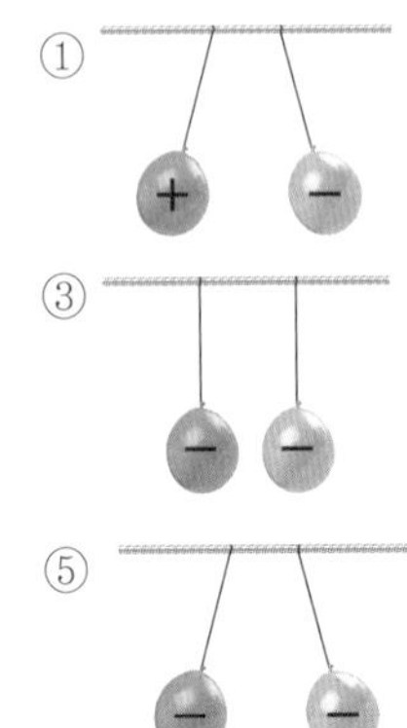

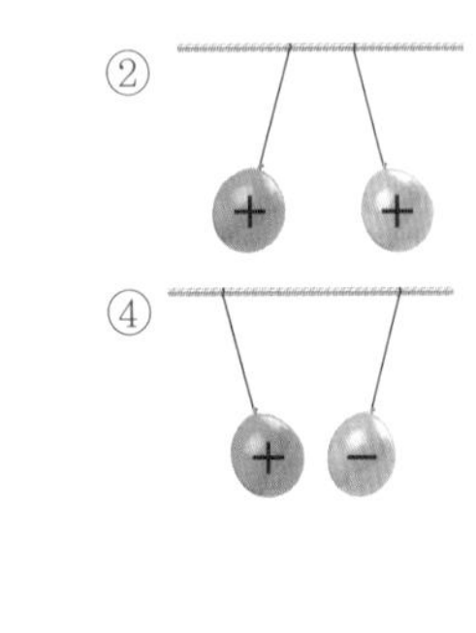

04 그림과 같이 실에 매어 놓은 대전되지 않은 금속 막대에 (+)대전체를 가까이 하였다. 이때 나타나는 현상으로 옳지 않은 것은?

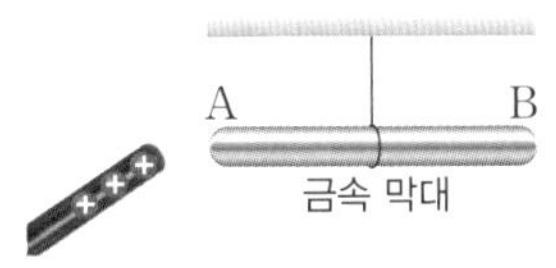

① 접촉하지 않아도 정전기가 유도된다.
② A는 (−)전하, B는 (+)전하로 대전된다.
③ 금속 막대의 전자들이 A 쪽으로 이동한다.
④ 금속 막대는 대전체 쪽으로 끌려오는 힘을 받는다.
⑤ 대전체를 치워도 대전 상태는 계속 유지된다.

05 그림과 같이 (−)전하로 대전시킨 검전기에 (−)대전체를 가까이 하였다. 이때 나타나는 현상으로 옳은 것만을 보기에서 모두 고른 것은? (5점)

보기
ㄱ. 금속박이 오므라든다.
ㄴ. 금속박이 더 벌어진다.
ㄷ. 금속박은 변화 없다.
ㄹ. 금속박에서 전자가 금속판으로 이동한다.
ㅁ. 금속판에서 전자가 금속박으로 이동한다.
ㅂ. 금속박에서 원자핵이 금속판으로 이동한다.
ㅅ. 금속판에서 원자핵이 금속박으로 이동한다.

① ㄱ, ㄹ ② ㄱ, ㅂ ③ ㄴ, ㅁ
④ ㄴ, ㅅ ⑤ ㄷ, ㅁ

06 (가)~(다)에 대한 설명으로 옳지 않은 것은?

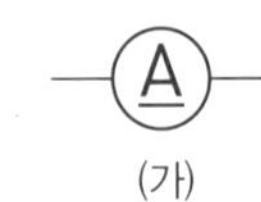

(가)

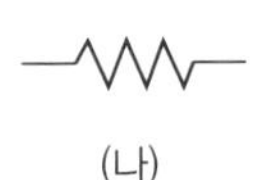
(나)

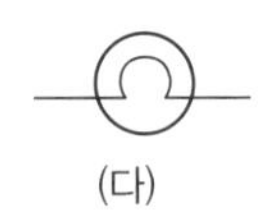
(다)

① (가)는 전류계로, 전기 회로에 병렬로 연결한다.
② (나)는 회로에 흐르는 전류의 세기에 영향을 준다.
③ (나)는 물질의 종류, 길이, 단면적에 따라 값이 달라진다.
④ (다)는 전기 에너지를 빛에너지로 전환한다.
⑤ (가), (나), (다)만으로 구성된 전기 회로에는 전류가 흐르지 않는다.

★ 정답과 해설 022쪽

07 그림 (가), (나)는 도선 속의 전자의 움직임을 나타낸 것이다.

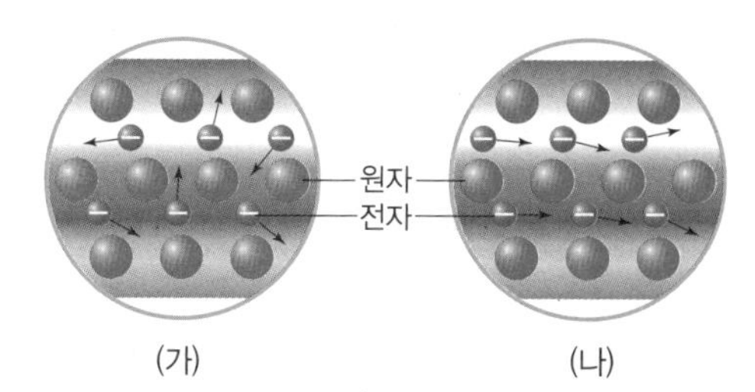

이에 대한 설명으로 옳은 것은?

① (가), (나)에서 원자는 움직이지 않는다.
② (가)는 회로의 스위치를 닫은 상태이다.
③ (나)에서 전류는 왼쪽에서 오른쪽으로 흐른다.
④ (나)에서 전지의 (+)극은 도선의 왼쪽에 연결되어 있다.
⑤ (나)는 (가)보다 저항 값이 작다.

08 전기 회로에 그림 (가)와 같은 전류계를 연결하였다. 이때 전류계의 눈금은 그림 (나)와 같았다.

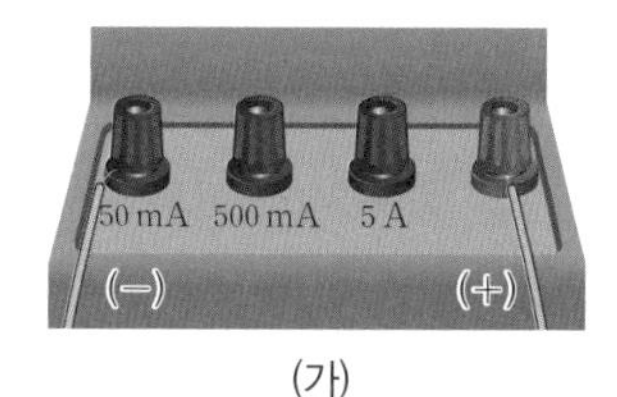

(가)

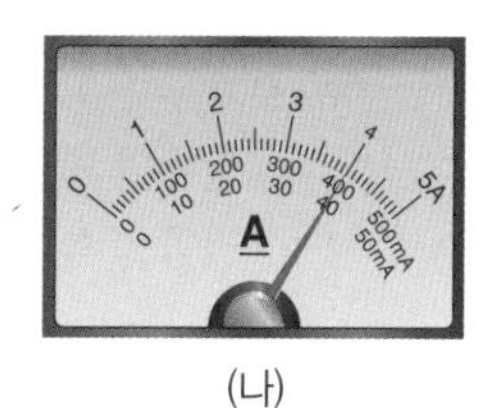

(나)

이 회로에 흐르는 전류의 세기는?

① 400 A ② 40 A ③ 4 A
④ 0.4 A ⑤ 0.04 A

09 110 V에 연결할 때 5 A의 전류가 흐르는 전기 기구가 있다. 이 전기 기구를 220 V의 전원에 연결할 때 흐르는 전류의 세기는?

① 5 A ② 10 A ③ 15 A
④ 50 A ⑤ 100 A

10 그림은 니크롬선 A, B, C에 걸리는 전압과 흐르는 전류의 관계를 나타낸 것이다. 각 니크롬선의 저항의 크기를 옳게 비교한 것은?

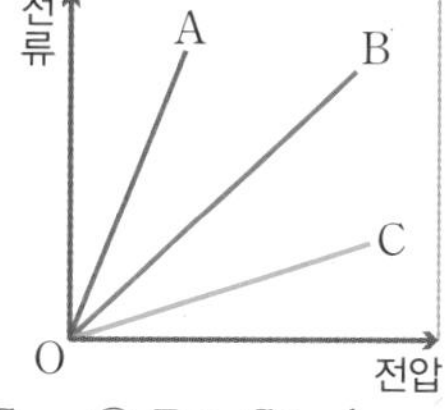

① A=B=C ② A>B>C ③ B>C>A
④ C>B>A ⑤ C>A>B

11 다음 중 전기 회로 중 전압계와 전류계의 연결이 옳은 것은?

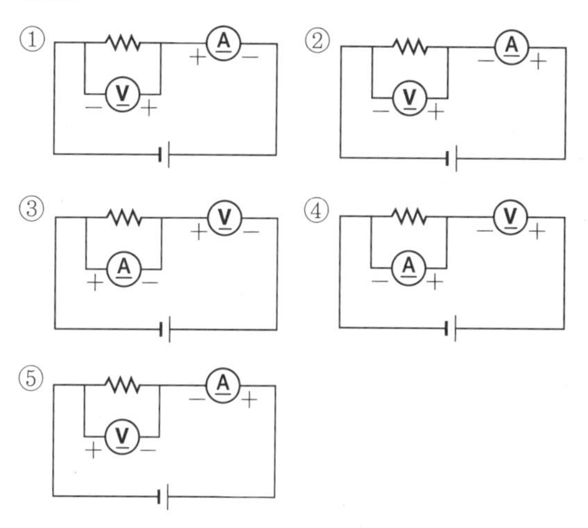

12 그림은 여러 개의 전기 기구를 연결한 멀티탭의 모습을 나타낸 것이다. 이에 대한 설명으로 옳은 것만을 보기에서 모두 고른 것은?

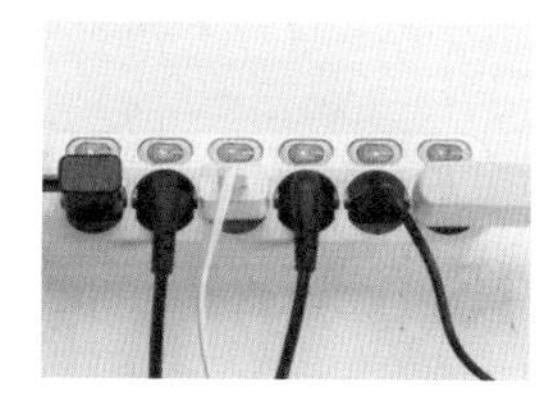

보기
ㄱ. 전기 기구는 서로 병렬연결되어 있다.
ㄴ. 전기 기구 한 개를 끄면 다른 것도 동시에 꺼진다.
ㄷ. 연결된 전기 기구에는 각각 같은 크기의 전압이 걸린다.
ㄹ. 전기 기구를 많이 연결할수록 전체 회로에 흐르는 전류의 세기가 작아진다.

① ㄱ, ㄴ ② ㄱ, ㄷ ③ ㄱ, ㄹ
④ ㄴ, ㄷ ⑤ ㄷ, ㄹ

13 그림과 같이 전류가 흐르지 않는 도선 주위에 나침반을 놓고, A에서 B 방향으로 전류를 흘려 보냈다. 이때 나침반 바늘의 변화가 거의 없는 것은?

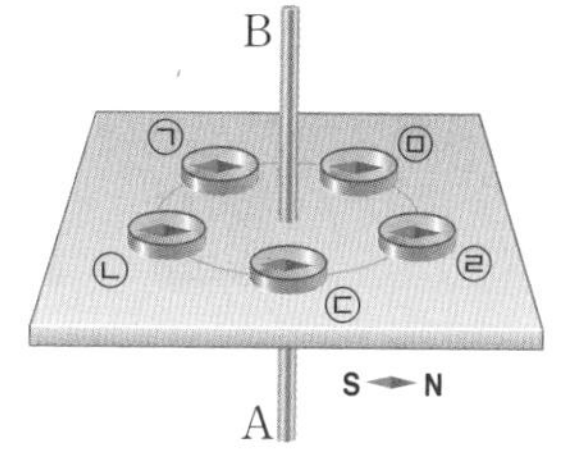

① ㉠ ② ㉡ ③ ㉢
④ ㉣ ⑤ ㉤

14 그림과 같이 자석의 두 극 사이에 전류가 흐르는 코일이 놓여 있다. 이때 자석과 코일 주변의 자기장의 모습으로 옳은 것은? (5점)

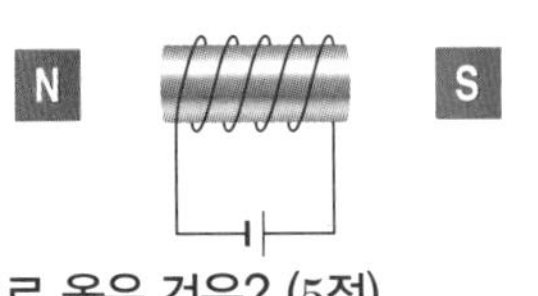

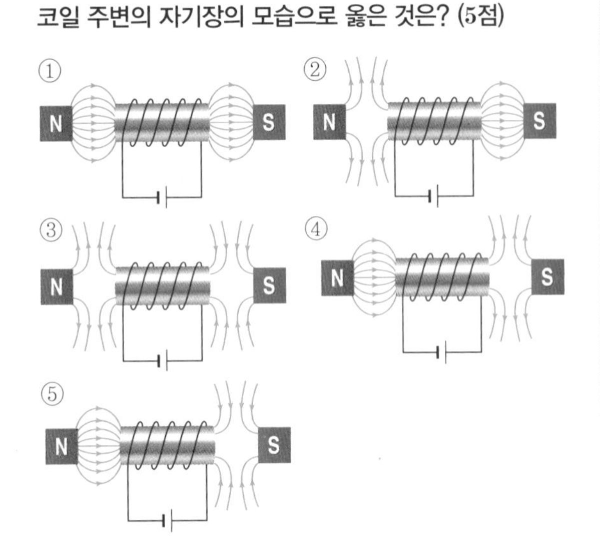

15 그림과 같이 장치한 후 코일에 전류를 흘려 주었다.

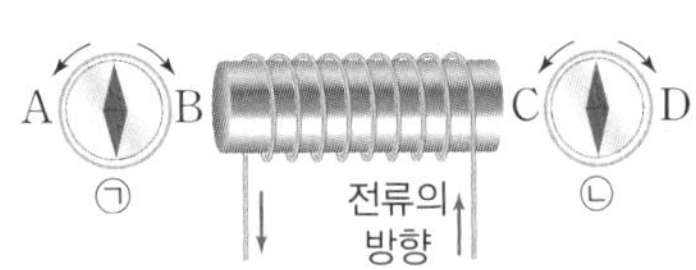

나침반 ㉠과 ㉡의 바늘의 N극이 움직이는 방향을 옳게 짝 지은 것은?

	㉠	㉡		㉠	㉡
①	A	C	②	A	D
③	B	C	④	B	D

⑤ 변화없다.

16 그림 (가)~(라)에서 자기장 속 도선이 받는 힘의 방향을 ←, →로 표시하시오.(단, ⊙는 전류가 지면에서 나오는 방향을, ⊗는 전류가 지면으로 들어가는 방향을 의미한다.)

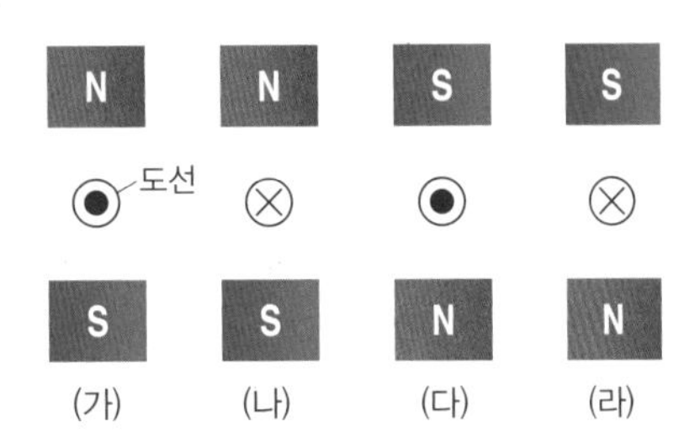

[17-19] 그림과 같이 장치한 후 스위치를 닫아 구리 도선에 전류가 흐를 때 구리 도선의 움직임을 관찰하였다.

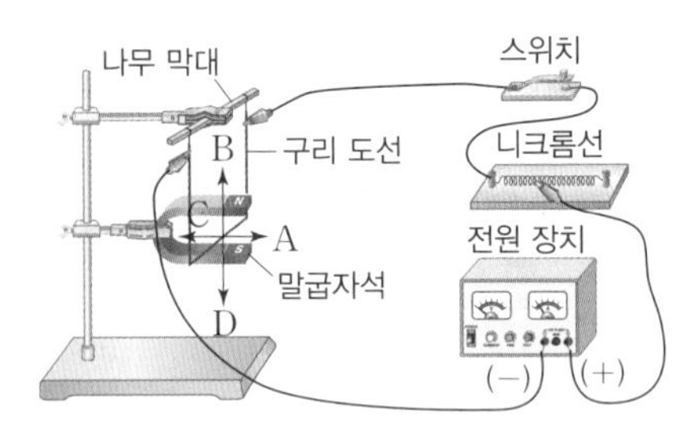

17 스위치를 닫았을 때 말굽자석 사이에 있는 구리 도선이 움직이는 방향은?

① A　② B　③ C
④ D　⑤ A와 C 반복

18 구리 도선이 움직이는 방향을 반대로 바꾸기 위한 방법으로 옳은 것만을 보기에서 모두 고른 것은?

보기
ㄱ. 전류의 방향을 바꿔 준다.
ㄴ. 전압을 높여 준다
ㄷ. 더 센 말굽자석으로 바꿔 준다.
ㄹ. 말굽자석의 N극과 S극의 위치를 바꿔 준다.

① ㄱ, ㄴ　② ㄱ, ㄷ　③ ㄱ, ㄹ
④ ㄴ, ㄷ　⑤ ㄴ, ㄹ

19 니크롬선을 집은 집게의 위치를 변화시켜 니크롬선의 길이를 다르게 할 때 변하는 것만을 보기에서 모두 고른 것은? (5점)

보기
ㄱ. 힘의 방향　ㄴ. 힘의 크기
ㄷ. 전류의 세기　ㄹ. 전류의 방향
ㅁ. 자기장의 방향　ㅂ. 저항의 크기
ㅅ. 도선이 움직인 거리　ㅇ. 도선이 움직인 방향

① ㄱ, ㄴ, ㄹ, ㅁ　② ㄴ, ㄷ, ㅂ, ㅅ
③ ㄷ, ㄹ, ㅂ, ㅅ　④ ㄹ, ㅁ, ㅂ, ㅇ
⑤ ㅁ, ㅂ, ㅅ, ㅇ

정답과 해설 022쪽

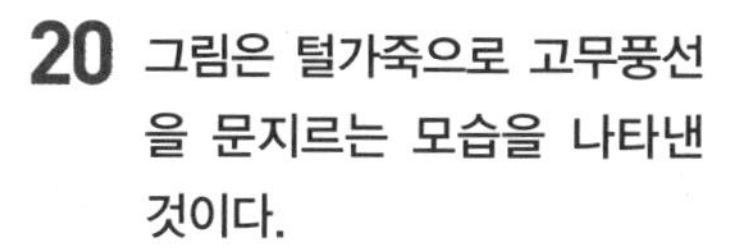

20 그림은 털가죽으로 고무풍선을 문지르는 모습을 나타낸 것이다.

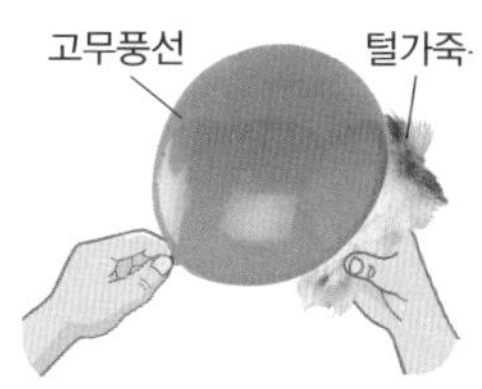

(1) 고무풍선과 털가죽이 띠는 전하의 종류를 각각 쓰시오. (3점)

(2) 고무풍선과 털가죽을 문지를 때 두 물체가 전기를 띠는 까닭을 서술하시오. (4점)

21 그림은 (−)전하로 대전된 플라스틱 막대를 대전되지 않은 알루미늄 깡통에 가까이 가져간 모습을 나타낸 것이다.

(1) 알루미늄 깡통은 어떻게 움직일지 쓰시오. (3점)

(2) (1)과 같이 움직이는 까닭을 서술하시오.(4점)

22 그림 (가), (나)는 도선 속에 전자의 이동 모습을 나타낸 것이다.

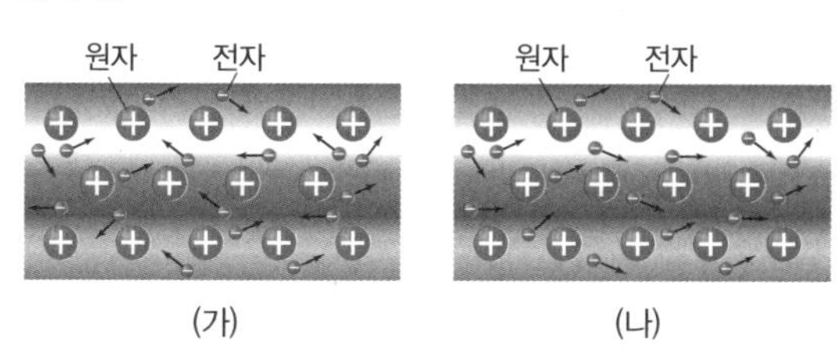

(가)와 (나) 중 전류가 흐르는 도선을 쓰고, 그 까닭을 서술하시오. (5점)

23 그림 (가), (나)는 V의 전압에 세 전구를 두 가지 방법으로 연결한 모습을 나타낸 것이다.

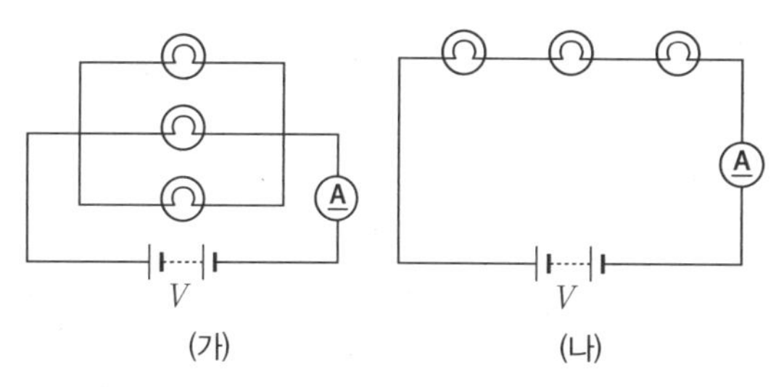

(1) (가)와 (나)에서 각 전구에 걸리는 전압을 비교하여 서술하시오.(4점)

(2) (가)와 (나)에서 전류계에 흐르는 전류의 세기를 비교하여 서술하시오. (4점)

24 그림은 전동기의 원리를 나타낸 것이다.

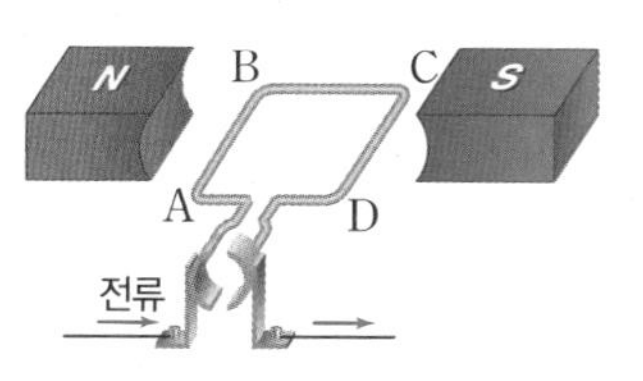

(1) AB, BC, CD 부분이 움직이는 방향을 쓰고, 사각 코일의 회전 방향에 대해 서술하시오. (4점)

(2) 전동기의 회전 방향을 반대로 바꾸는 방법 두 가지를 서술하시오. (4점)

III

태양계

01 지구와 달의 크기와 운동

02 태양과 태양계 행성

배울 내용이 쉬워지는 용어

배울 용어를 읽어보고, 이해가 되었으면 ✔ 표시를 해 봅시다.

- ☐ **일주 운동** 하늘의 모든 천체가 하루에 한 바퀴씩 돌면서 원을 그리며 움직이는 것처럼 보이는 현상
- ☐ **태양의 연주 운동** 태양이 하루에 약 1° 씩 서에서 동으로 별자리 사이를 이동하여 1년 후에 처음 위치로 되돌아오는 것처럼 보이는 겉보기 운동
- ☐ **일식** 달이 태양을 가려 태양의 전체 또는 일부가 보이지 않는 현상
- ☐ **월식** 달이 지구의 그림자 속에 들어가 달의 일부 또는 전체가 가려지는 현상
- ☐ **지구형 행성** 크기와 질량이 작고, 표면이 단단한 암석으로 되어 있으며, 위성이 없거나 적은 행성
- ☐ **목성형 행성** 크기와 질량이 크고, 가벼운 원소로 되어 있으며, 위성이 많고 고리가 있는 행성
- ☐ **코로나** 채층 위로 멀리까지 뻗어 있는 청백색의 대기층
- ☐ **플레어** 흑점 부근에서 강한 폭발이 일어나 엄청난 양의 물질과 에너지를 방출하는 현상
- ☐ **태양풍** 태양에서 전기를 띤 입자들이 우주 공간으로 끊임없이 방출되는 현상
- ☐ **오로라** 태양풍이 대기 중의 공기 분자와 충돌하면서 빛을 내는 현상

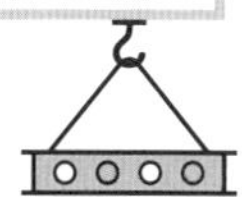

Ⅲ. 태양계

지구와 달의 크기와 운동

물음으로 흐름잡기

지구의 크기 측정 — 누가? / 어떤 원리로? / 어떤 가정을?

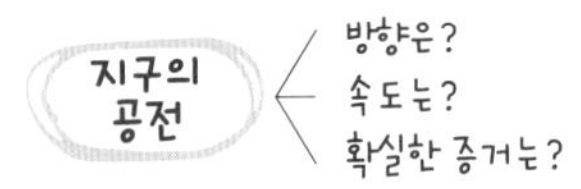

A 지구와 달의 크기 측정

❶ 지구의 크기 측정에 오차가 생긴 원인

- 지구는 완전한 구형이 아니라 적도 쪽이 약간 부푼 타원체이다.
- 시에네와 알렉산드리아는 정확하게 같은 경도 상에 있지 않다.
- 당시 시에네와 알렉산드리아 사이의 거리가 정확하게 측정되지 않았다.

1. 지구의 크기 측정 약 2200년 전 그리스의 에라토스테네스가 최초로 측정하였다.

원리	원에서 호의 길이는 중심각의 크기에 비례한다.
가정	• 지구는 완전한 구형이다. • 햇빛은 지구상의 어디에서나 평행하게 들어온다.
측정 방법	① 하짓날 정오에 햇빛이 시에네에 있는 우물의 밑바닥에 수직으로 비친다. 이때 시에네에서 약 925 km 떨어져 있는 알렉산드리아에서는 햇빛이 7.2° 기울어져서 들어온다. ② 알렉산드리아에서 막대와 햇빛 사이의 각도(7.2°)는 시에네와 알렉산드리아 사이의 지구 중심각(7.2°)의 크기와 엇각으로 같다. ③ 따라서 호의 길이 925 km에 해당하는 중심각은 7.2°이다.
계산	원에서 호의 길이는 중심각의 크기에 비례한다. ➡ 지구의 둘레($2\pi R$) : 360° = 두 지역 사이의 거리(925 km) : 두 지역 사이의 중심각(7.2°) ∴ 지구의 반지름(R) $= \frac{360°}{7.2°} \times \frac{925\text{ km}}{2\pi} \fallingdotseq$ 7365 km❶

실제 지구 반지름보다 15 % 정도 크다.

북극성의 고도 차를 이용한 지구 크기 측정

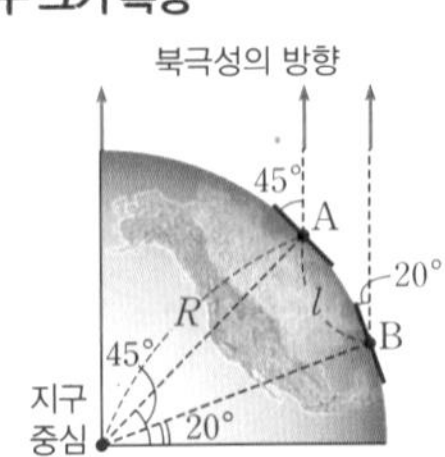

A, B 두 지점에서 북극성의 고도 차는 두 지점 사이의 중심각과 같다.

$2\pi R : 360° = l : (45° - 20°)$

$\therefore R = \frac{360°}{25°} \times \frac{l}{2\pi}$

교과서 탐구 지구 모형의 크기 측정

▶ 과정

1. 지구 모형에 두 개의 막대 AA′과 BB′을 동일 경도 상에 수직으로 세우고, 막대 AA′은 그림자가 생기지 않도록 조절한다.
2. 줄자를 이용하여 두 막대 사이의 거리 l을 측정한다.
3. 막대 BB′의 끝과 그림자의 끝(C)을 실로 연결했을 때 생기는 각 θ'을 각도기를 이용하여 측정한다.

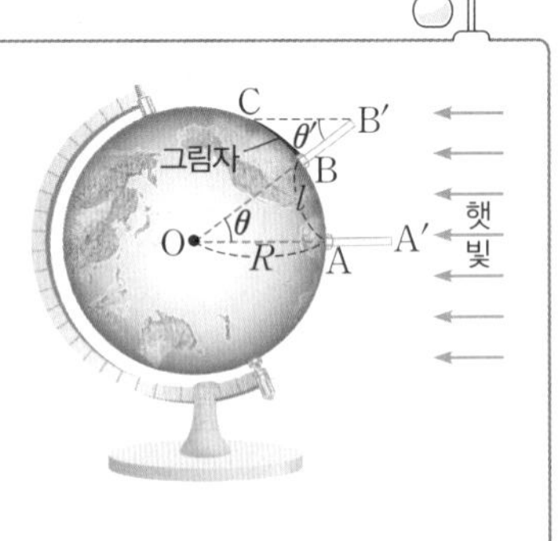

▶ 결과 및 해석

❶ 지구 모형의 크기 측정 원리는 에라토스테네스의 지구 크기 측정 원리와 같다.
❷ 이 실험에서 필요한 가정은 '지구는 완전한 구형이며, 햇빛은 평행하게 들어온다'는 것이다.
❸ 이 실험에서 측정해야 할 값은 두 막대 사이의 거리 l과 막대 BB′과 그림자 끝(C)이 이루는 각 θ'(∠BB′C)이다.
❹ 만약 $l = 6.28$ cm, $\theta' = 20°$라면, 지구 모형의 반지름(R)을 구하는 식은 다음과 같다. (단, $\pi = 3.14$로 계산한다.)

$$2\pi R : 360° = 6.28\text{ cm} : 20° \quad \therefore R = \frac{6.28\text{ cm}}{2 \times 3.14} \times \frac{360°}{20°} = 18\text{ cm}$$

2. 달의 크기 측정 지구와 달 사이의 거리는 약 38만 km이며, 달의 반지름은 약 1700 km로 지구 반지름의 약 $\frac{1}{4}$이다.

삼각형의 닮음비를 이용	달의 각지름을 이용
	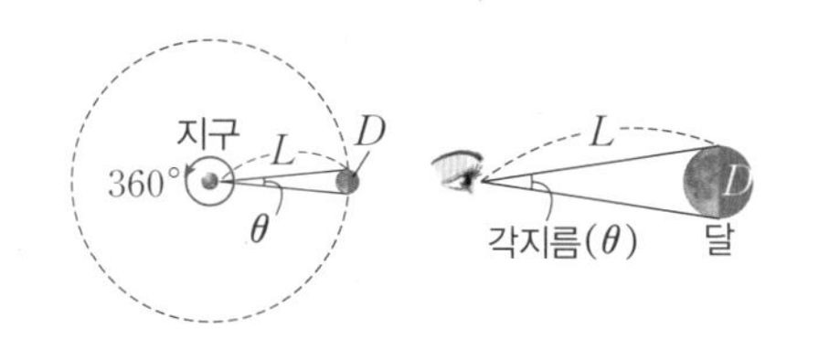
• 방법: 종이에 작은 구멍을 뚫고, 구멍에 보름달이 겹쳐지도록 한 다음, 눈에서 종이까지의 거리 l을 측정한다. 동전을 사용하기도 한다. • 계산: 달의 지름 D와 구멍의 지름 d를 밑변으로 하는 두 개의 삼각형은 닮은꼴이므로 다음과 같은 비례식이 성립한다. $D : L$(달까지의 거리)$= d : l$ $\therefore D$(달의 지름)$=\frac{d \times L}{l}$	• 원리: '달의 각지름(0.5°)을 중심각으로 하는 호의 길이는 달의 지름에 해당한다'는 원리를 이용한다. • 계산: 지구와 달 사이의 거리를 L, 달의 지름을 D라고 하면, 다음과 같은 비례식이 성립한다. $2\pi L : 360° = D : 0.5°$ $\therefore D$(달의 지름)$=\frac{0.5°}{360°} \times 2\pi L$

태양의 크기

태양이 달보다 훨씬 크지만, 각지름은 0.5°로 비슷하게 보인다. 이것은 태양이 달보다 지구로부터 훨씬 멀리 떨어져 있기 때문이다. 실제로 지구에서 태양까지의 거리는 달까지의 거리의 약 400배이므로, 태양의 반지름은 달의 반지름보다 약 400배 더 크다.

용어 알기

• **각지름** 지구에서 천체를 볼 때 눈과 천체 지름의 양끝이 이루는 각도

정답과 해설 025쪽

01 그림은 에라토스테네스의 지구 크기 측정 방법을 나타낸 것이다. 지구의 반지름(R)을 구하기 위해 세운 다음 비례식의 ㉠, ㉡에 들어갈 알맞은 값을 쓰시오.

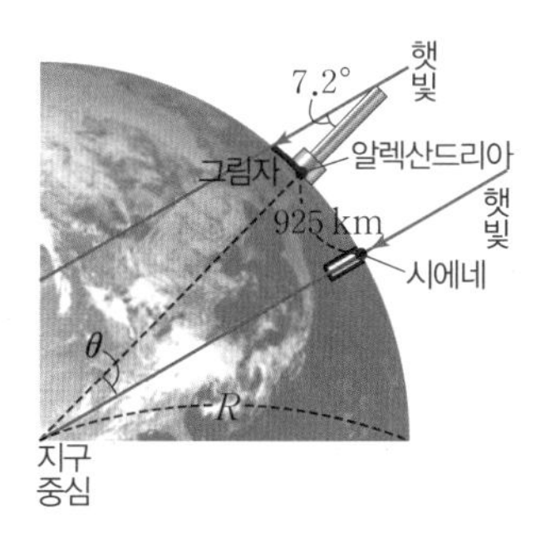

(㉠) : 360° = 925 km : (㉡)

02 에라토스테네스가 지구의 크기를 측정할 때 가정했던 내용으로 옳은 것은 ○표, 옳지 않은 것은 ×표를 하시오.

(1) 지구의 모양은 완전한 구형이다. ( )

(2) 지구는 적도 쪽이 더 긴 타원체이다. ( )

(3) 원에서 호의 길이는 중심각의 크기에 반비례한다. ( )

(4) 햇빛은 지구상의 어디에서나 평행하게 들어온다. ( )

[03-04] 그림은 삼각형의 닮음비를 이용하여 달의 크기를 측정하는 방법을 나타낸 것이다.

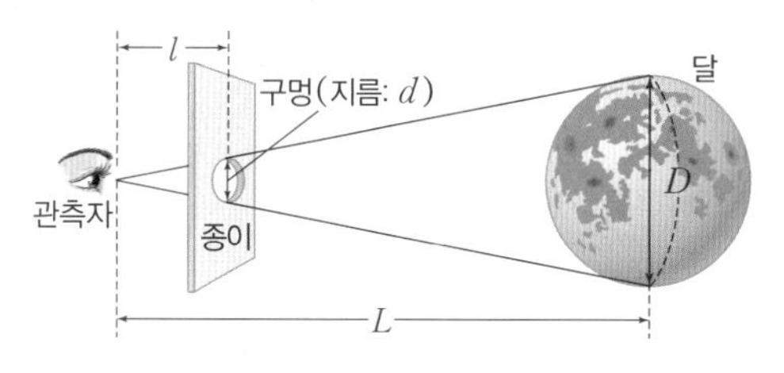

03 위 실험에서 알아야 할 값만을 보기에서 모두 고르시오.

보기
ㄱ. 구멍의 지름
ㄴ. 달의 밝기
ㄷ. 종이의 두께
ㄹ. 달까지의 거리
ㅁ. 관측자와 종이 사이의 거리

04 달의 지름(D)을 구하기 위한 비례식을 완성하기 위해 ( ) 안에 들어갈 알맞은 값을 쓰시오.

$d : D = (\quad) : L$

01 지구와 달의 크기와 운동

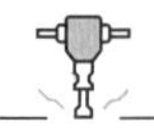

B 지구의 운동

1. 지구의 자전 지구가 자전축을 중심으로 서 → 동으로 하루에 한 바퀴씩 회전하는 운동 (1시간에 15°씩 회전한다.)

① 지구의 자전에 의한 현상: 별의 일주 운동, 낮과 밤의 반복, 밀물과 썰물의 반복, 인공위성 궤도의 서편 현상❷ 등 (지구 자전의 확실한 증거이다.)

② 별의 일주 운동(북쪽 하늘)

방향	동 → 서(시계 반대 방향) – 남쪽 하늘에서는 시계 방향이다.
속도	1시간에 15°씩 회전
모습	• 각 원호들은 별들이 지나간 자취이다. • 원호들의 공통 중심은 북극성이다. • 각 원호의 중심각은 모두 같다.

❷ 인공위성 궤도의 서편 현상

인공위성의 궤도도 별과 같이 1시간에 15°씩 동 → 서로 이동하는데, 이것은 지구가 자전한다는 확실한 증거이다.

2. 지구의 공전 지구가 태양 둘레를 서 → 동으로 1년에 한 바퀴씩 회전하는 운동 (하루에 약 1°씩 회전한다.)

① 지구의 공전에 의한 현상: 별의 연주 운동, 태양의 연주 운동, 계절의 변화, 별의 시차 현상 등

② 별의 연주 운동: 별이 하루에 약 1°씩 동 → 서로 이동하여 1년 후에 다시 원래의 위치로 되돌아오는 운동 – 계절에 따라 별자리가 바뀌는 원인이다.

③ 태양의 연주 운동: 태양이 황도를 따라 하루에 약 1°씩 서 → 동으로 이동하여 1년 후에 다시 원래의 위치로 되돌아오는 운동

- **황도**: 태양이 연주 운동을 하면서 별자리 사이를 지나가는 길 – 천구의 적도와 약 23.5° 기울어져 있다.
- **황도 12궁**: 황도 상에 있는 12개의 별자리 (태양은 한 달에 1궁씩 지난다.)

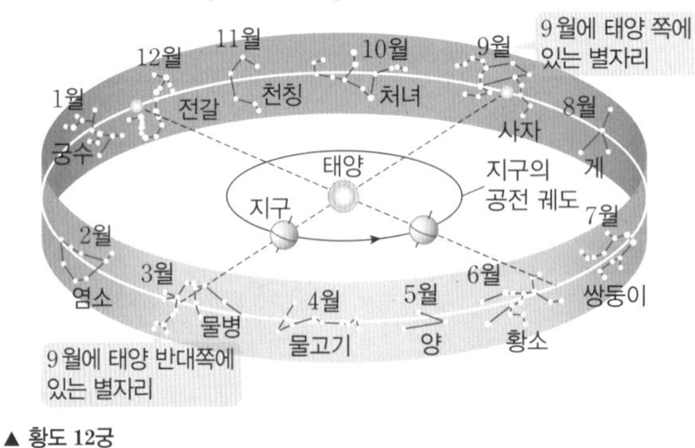

▲ 황도 12궁

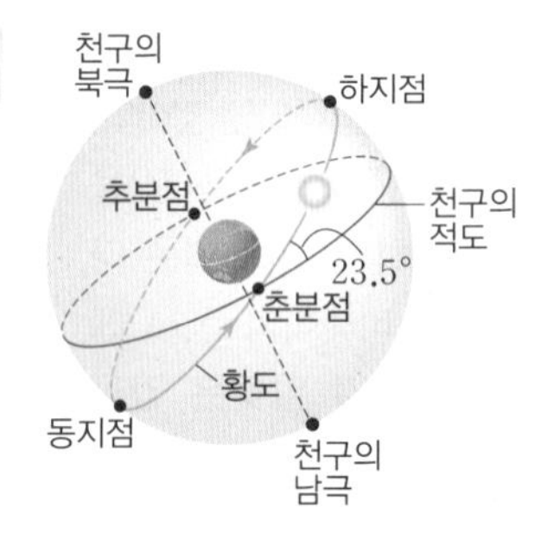

▲ 황도 상에서 태양의 위치
춘분점(3월 21일경) → 하지점(6월 22일경) → 추분점(9월 23일경) → 동지점(12월 22일경)

우리나라에서 태양의 일주 운동 경로

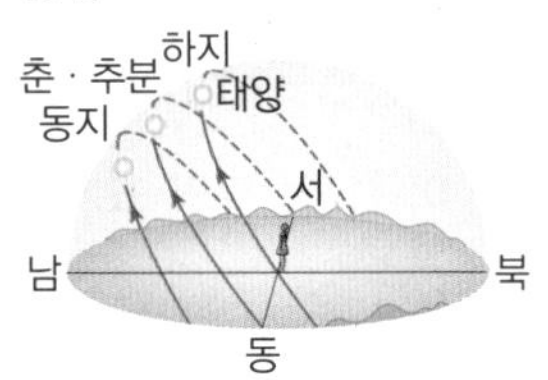

하지 때 태양의 고도가 가장 높고, 낮의 길이가 가장 길어 태양 복사 에너지를 가장 많이 받는다.

④ 계절의 변화

지구의 자전축이 공전 궤도면과 약 66.5° 기울어진 채 자전과 공전 → 태양의 고도 변화, 밤낮의 길이 변화 → 지표면이 받는 태양 복사 에너지양의 변화 → 계절의 변화

태양의 남중 고도❷ 구하기
- 춘 · 추분: 90° – 위도
- 하지: 90° – 위도 + 23.5°
- 동지: 90° – 위도 – 23.5°

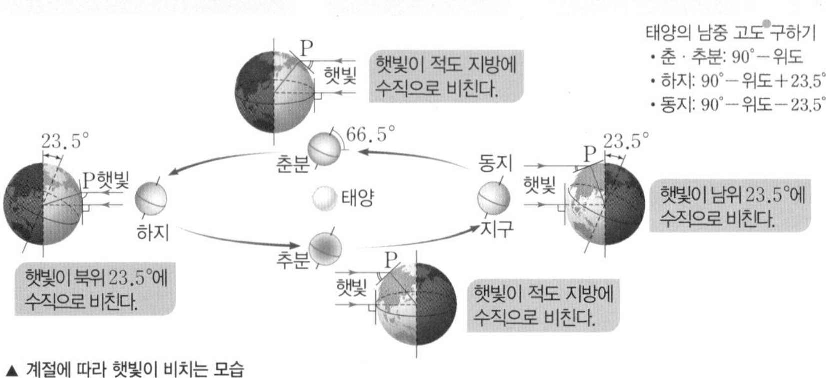

▲ 계절에 따라 햇빛이 비치는 모습

암기!
지구의 공전 방향과 태양의 연주 운동 방향은 서 → 동이고, 별의 일주 운동과 연주 운동 방향은 동 → 서이다.
"공연장은 서쪽, 별은 동쪽"

용어 알기
- **별의 시차** 지구가 공전함에 따라 지구에 가까이 있는 별의 방향이 달라져 보이는 각도
- **남중 고도** 별이나 태양이 남쪽 하늘의 가운데로 올 때의 고도

C 달의 운동

1. 달의 공전 달은 백도를 따라 하루에 약 13°씩 서 → 동으로 지구 둘레를 공전한다. 그 결과 달의 모양과 위치가 변한다.

(달의 공전 주기는 약 27.3일이다.)

위치	날짜(음력)	달의 이름
A	1일	보이지 않음(삭)
B	3~4일	초승달
C	7~8일	상현달 오른쪽이 둥근 반달
D	15일	보름달(망)
E	22~23일	하현달 왼쪽이 둥근 반달
F	27~28일	그믐달

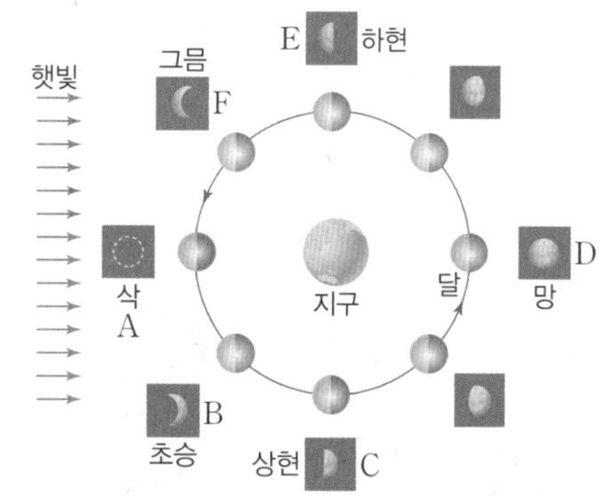

2. 일식과 월식

탐구 공략하기 074쪽

일식	월식
• 태양－달－지구의 순서로 위치할 때, 태양이 달에 의해 가려지는 현상 ➡ 달이 삭의 위치에 있을 때 관측 • 태양의 오른쪽부터 가려지기 시작하며, 관측 시간이 짧다.	• 태양－지구－달의 순서로 위치할 때, 달이 지구의 그림자에 의해 가려지는 현상 ➡ 달이 망의 위치에 있을 때 관측 • 달의 왼쪽부터 가려지기 시작하며, 관측 시간이 길다.
• 개기 일식: 달의 본그림자가 생기는 지역에서 태양 전체가 가려지는 현상 • 부분 일식: 달의 반그림자가 생기는 지역에서 태양의 일부가 가려지는 현상	• 개기 월식: 달 전체가 지구의 본그림자 속에 들어갈 때 달 전체가 가려지는 현상 • 부분 월식: 달의 일부만 지구의 본그림자 속에 들어갈 때 달의 일부가 가려지는 현상
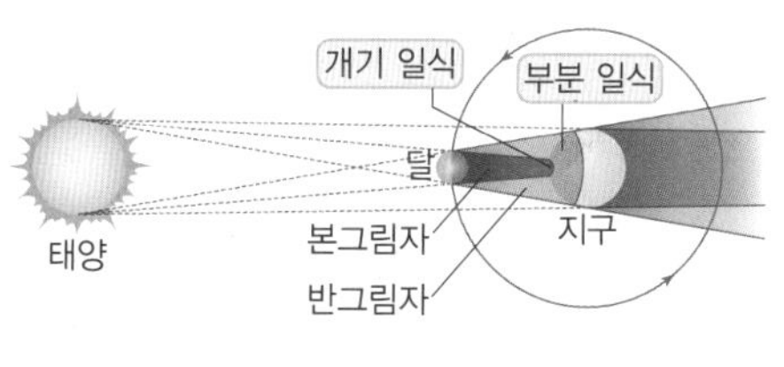	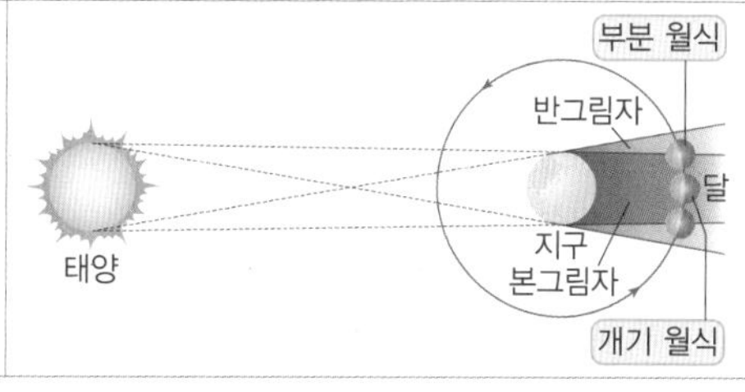

달 표면의 무늬

달을 관측해 보면 그 모양은 변하지만 표면 무늬는 항상 같게 나타나는데, 이는 달의 자전 주기와 공전 주기가 같기 때문이다.

해가 진 직후 달의 위치와 모양

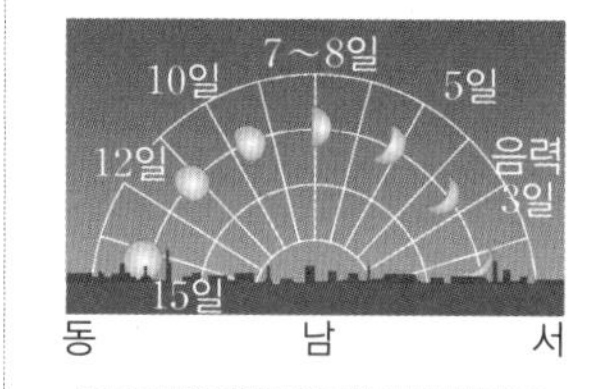

보름달	초저녁에 동쪽 지평선 부근에 나타나서 자정 무렵에 남중하며, 새벽에 서쪽 지평선 아래로 진다.
상현달	초저녁에 남쪽 하늘에 나타나서 자정에 서쪽 지평선 아래로 진다.
초승달	초저녁에 서쪽 하늘에 나타나 곧 서쪽 지평선 아래로 진다.

용어 알기

• **백도** 달이 지구 둘레를 공전하면서 천구 상을 지나는 길로, 황도와 5° 정도 기울어져 있음

정답과 해설 025쪽

05 지구의 자전과 공전에 대한 설명으로 옳은 것은 ○표, 옳지 않은 것은 ×표를 하시오.

(1) 지구는 서쪽에서 동쪽으로 자전하며, 1시간에 30°씩 회전한다. ( )

(2) 지구의 자전으로 인해 천체의 일주 운동이 나타난다. ( )

(3) 지구의 공전에 의해 봄, 여름, 가을, 겨울의 계절 변화가 생긴다. ( )

(4) 지구의 공전에 의해 별들이 지구의 자전축을 중심으로 1시간에 15°씩 회전한다. ( )

06 다음은 달의 운동에 대한 설명이다. ( ) 안에 들어갈 알맞은 말을 쓰시오.

(1) 달의 모양이 매일 조금씩 달라져서 한 달 후에 다시 같아지는 까닭은 달이 ( )하기 때문이다.

(2) 달은 ( ) 주기와 ( ) 주기가 같아서 지구에서는 항상 달의 한쪽 면만 볼 수 있다.

(3) 일식은 태양－달－지구의 순서로 위치할 때, 태양이 ( )에 의해 가려지는 현상이다.

(4) ( )은 달이 지구의 그림자에 의해 가려지는 현상으로, 달이 ( )의 위치에 있을 때 관측된다.

탐구 공략 하기

일식과 월식

목표 일식과 월식이 일어나는 원리를 설명할 수 있다.

공략 포인트 일식과 월식이 일어날 때 태양, 지구, 달의 상대적인 위치를 파악하고, 일식과 월식이 일어나는 원리를 이해하는 것이 중요하다!

과정

[일식]

❶ 전등을 세운 후, 막대에 꽂은 스타이로폼 공을 들고 전등 앞에 선다.
❷ 전등 앞에서 스타이로폼 공을 앞뒤로 움직여 전구가 공에 의해 완전히 가려지는 위치를 찾는다.
❸ 교실을 어둡게 한 후 전등을 켜고, 전등의 오른쪽에서 왼쪽으로 스타이로폼 공을 움직이면서 전구의 일부나 전체가 가려지는 모습을 관찰한다.

[월식]

❶ 큰 스타이로폼 공과 작은 스타이로폼 공을 각각 막대에 꽂아 받침대에 고정한다.
❷ 교실을 어둡게 하고 전등에 불을 켜서 스크린에 큰 스타이로폼 공의 그림자가 생기도록 한다.
❸ 큰 스타이로폼 공과 스크린 사이에서 작은 공을 오른쪽에서 왼쪽으로 천천히 움직인다.

결과

1. 일식 실험: 전등은 태양, 스타이로폼 공은 달, 사람의 눈은 지구에 해당한다. 전등 – 스타이로폼 공 – 사람의 눈 순서로 위치할 때, 전등이 스타이로폼 공에 의해 가려지는 현상이 나타난다.
2. 월식 실험: 전등은 태양, 큰 스타이로폼 공은 지구, 작은 스타이로폼 공은 달에 해당한다. 전등 – 큰 스타이로폼 공 – 작은 스타이로폼 공의 순서로 위치할 때, 작은 스타이로폼 공이 큰 스타이로폼 공의 그림자에 들어가 가려지는 현상이 나타난다.

정리

1. 태양 – 달 – 지구의 순서로 위치할 때, 즉 달이 삭의 위치에 있을 때 태양이 달에 의해 가려지는 일식이 일어날 수 있다.
2. 태양 – 지구 – 달의 순서로 위치할 때, 즉 달이 망의 위치에 있을 때 달이 지구의 그림자에 의해 가려지는 월식이 일어날 수 있다.

확인 문제

★ 정답과 해설 025쪽

01 그림은 일식이 일어나는 원리를 나타낸 것이다.

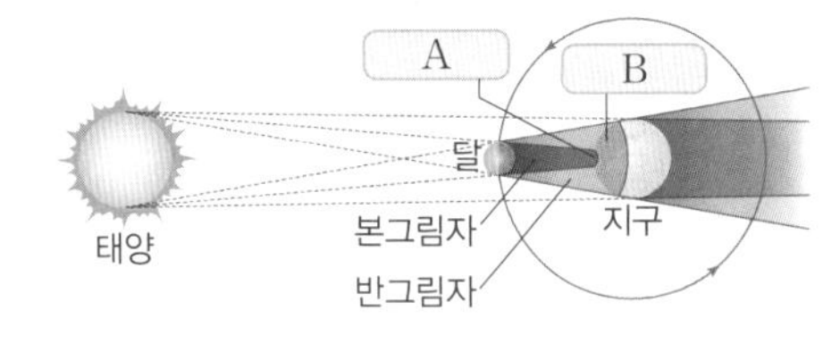

이에 대한 설명으로 옳은 것만을 보기에서 모두 고르시오.

보기
ㄱ. 일식은 달의 위상이 삭일 때 일어난다.
ㄴ. 일식은 태양의 왼쪽부터 가려진다.
ㄷ. A에서는 부분 일식, B에서는 개기 일식이 일어난다.

02 그림은 어느 날 개기 월식이 일어난 달의 모습을 나타낸 것이다. 이에 대한 설명으로 옳은 것은?

① 이날은 음력 1일경이다.
② 달의 위상이 삭일 때 일어난다.
③ 월식이 일어날 때는 달의 오른쪽부터 가려진다.
④ 지구의 반그림자가 생기는 지역에서 관측할 수 있다.
⑤ 달 전체가 지구의 본그림자 속에 들어갈 때 관측할 수 있다.

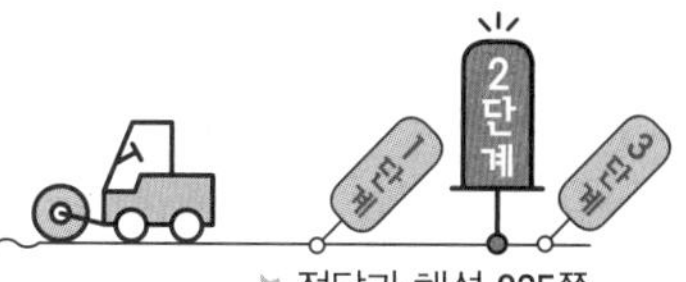

★ 정답과 해설 025쪽

A 지구와 달의 크기 측정

[01-02] 그림은 에라토스테네스가 지구의 크기를 측정한 방법을 나타낸 것이다.

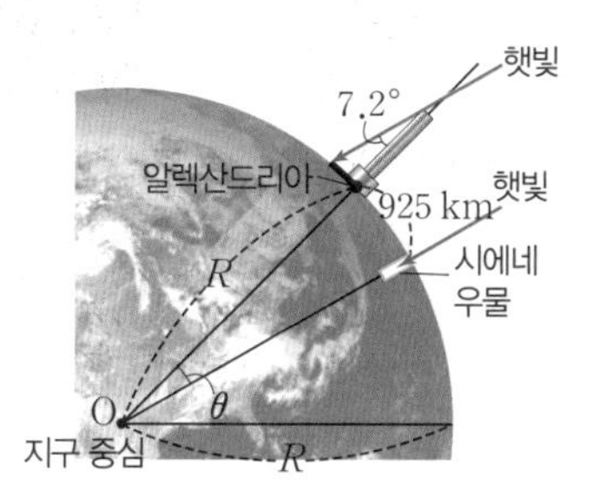

필수

01 알렉산드리아에 세운 막대와 막대 그림자 끝이 이루는 각도 7.2°와 같지 않은 것은?

① 중심각 θ
② 시에네와 알렉산드리아의 경도 차
③ 시에네와 알렉산드리아의 위도 차
④ 시에네와 알렉산드리아에서 북극성의 고도 차
⑤ 시에네와 알렉산드리아에서 태양의 남중 고도 차

02 위 그림에서 지구의 반지름(R)을 구하는 식을 옳게 나타낸 것은?

① $\dfrac{7.2°}{360°} \times \dfrac{925\text{ km}}{2\pi}$　② $\dfrac{360°}{7.2°} \times \dfrac{925\text{ km}}{2\pi}$
③ $\dfrac{7.2°}{360°} \times \dfrac{2\pi}{925\text{ km}}$　④ $\dfrac{360°}{7.2°} \times \dfrac{925\text{ km}}{\pi}$
⑤ $\dfrac{7.2°}{360°} \times 2\pi \times 625\text{ km}$

03 에라토스테네스가 측정한 지구의 크기는 오늘날 정확한 측정에 의한 값보다 약 15 % 크다. 이러한 오차가 생긴 까닭만을 보기에서 모두 고르시오.

보기
ㄱ. 지구가 자전하기 때문 ㄴ. 햇빛이 평행하지 않기 때문 ㄷ. 지구가 완전한 구형이 아니기 때문 ㄹ. 시에네와 알렉산드리아의 거리를 정확히 측정하지 못했기 때문 ㅁ. 시에네와 알렉산드리아가 동일한 경도 상에 위치하지 않기 때문

[04-05] 그림은 지구 모형의 크기를 측정하는 실험을 나타낸 것이다.

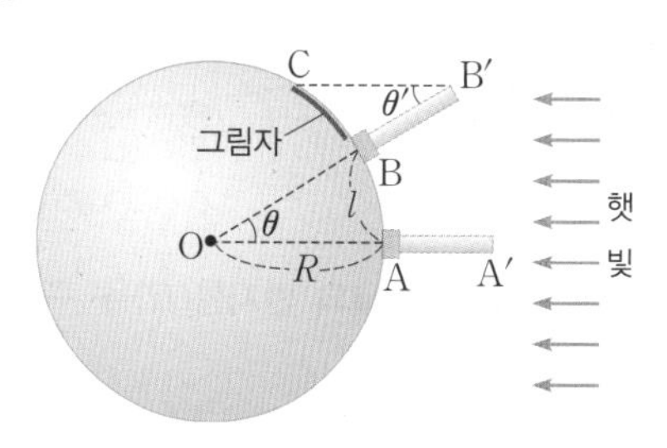

04 위 실험에서 막대를 세우는 두 지역으로 적당한 곳을 옳게 짝 지은 것은?

구분	(가)	(나)	(다)	(라)	(마)
위도	15°N	30°N	30°N	40°N	45°N
경도	110°E	125°E	130°E	130°E	135°E

① (가)－(라)　② (가)－(마)　③ (나)－(다)
④ (나)－(마)　⑤ (다)－(라)

필수

05 위 실험에서 $\theta'=30°$, $l=9.42$ cm라면 지구 모형의 반지름(R)은 몇 cm인지 구하시오. (단, $\pi=3.14$로 계산한다.)

06 그림과 같이 같은 경도 상에 있는 A, B 두 지역에서 북극성의 고도를 측정하였더니 각각 60°와 35°로 나타났다.

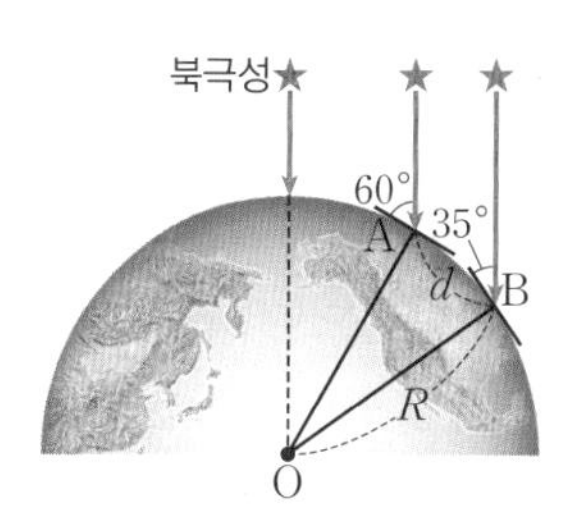

두 지역 사이의 거리(d)가 2800 km일 때 지구의 반지름(R)을 구하시오. (단, $\pi=3$으로 계산한다.)

필수

07 그림은 달의 크기를 측정하는 실험을 나타낸 것이다.

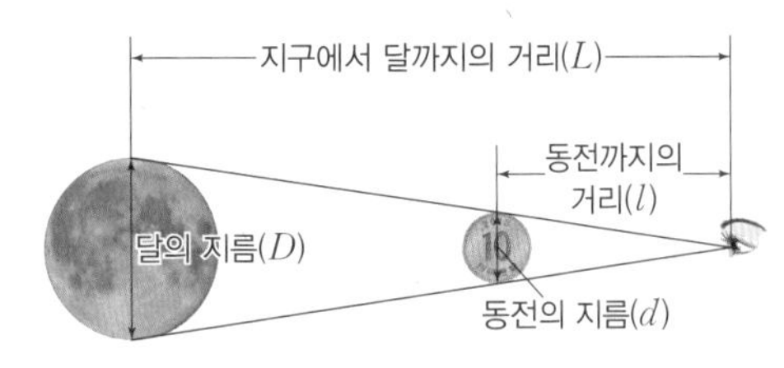

이와 같은 방법으로 달의 반지름(R)을 구하는 식으로 옳은 것은?

① $R=\dfrac{d\times l}{L}$　② $R=\dfrac{d\times 2l}{L}$　③ $R=\dfrac{d\times L}{2l}$

④ $R=\dfrac{d\times L}{l}$　⑤ $R=\dfrac{2d\times L}{2l}$

08 그림은 각지름을 이용하여 달의 크기를 측정하는 방법을 나타낸 것이다.

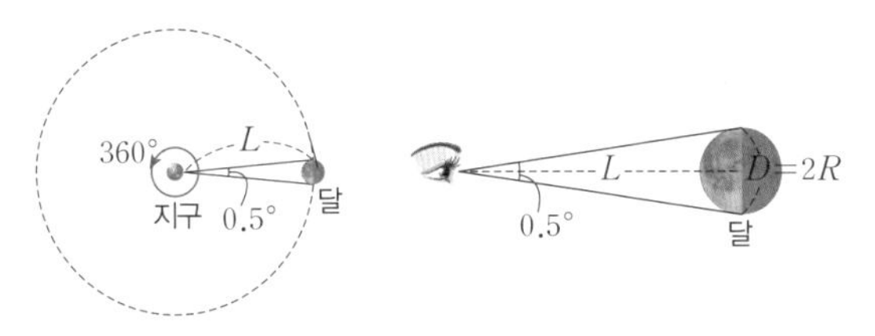

달의 반지름(R)을 구하기 위한 다음 비례식의 (　　) 안에 들어갈 알맞은 값은?

$$360°:0.5°=(\quad):2R$$

① $0.5\pi L$　② πL　③ $2\pi L$

④ $\dfrac{L}{\pi}$　⑤ $\dfrac{L}{2\pi}$

B 지구의 운동

필수

09 별의 일주 운동에 대한 설명으로 옳지 않은 것은?

① 북극성을 중심으로 회전한다.
② 지구의 자전 방향과 같은 방향이다.
③ 위도에 따라 이동 경로가 다르게 나타난다.
④ 관측 방향에 따라 이동 경로가 다르게 나타난다.
⑤ 지구의 자전 때문에 나타나는 상대적인 운동이다.

10 그림은 우리나라의 여러 방향의 하늘에서 나타나는 별의 일주 운동 모습을 나타낸 것이다.

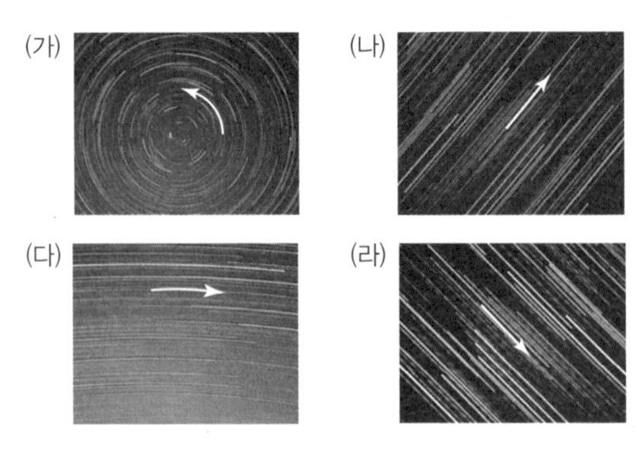

'동 – 서 – 남 – 북'의 방향에서 나타나는 별의 일주 운동 모습을 순서대로 쓰시오.

신유형

11 그림은 우리 조상들이 사용했던 해시계의 모습이다. 해시계는 시간이 지남에 따라 중앙에 세워진 막대의 그림자가 가리키는 방향이 달라지는 원리를 이용하여 시각을 측정하였다.

이와 같은 그림자의 움직임과 관련 있는 현상은?

① 별의 일주 운동　② 별의 연주 운동
③ 태양의 일주 운동　④ 태양의 연주 운동
⑤ 달의 공전과 자전

12 우리나라에서 관측할 수 있는 별의 일주 운동 모습으로 옳은 것은?

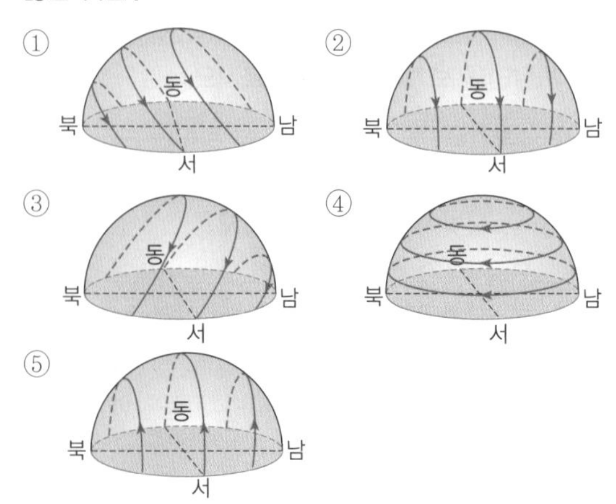

정답과 해설 025쪽

서술형

13 다음은 누나와 동생이 밤하늘의 별을 보면서 나눈 대화이다. 잘못된 부분 3곳을 찾아 옳게 고쳐 쓰시오.

"누나, 저쪽에 있는 밝은 별자리가 뭐야?"
"응, 저기 밝은 별이 견우성이니까, 독수리자리야!"
"그런데 저 별자리는 봄에 동쪽 하늘에서 본 것 같은데……"
"그래, 맞아. 별자리들은 한 달에 약 1°씩 동쪽에서 서쪽으로 이동한단다."
"별들이 실제로 그렇게 움직이는 거야?"
"아니, 지구가 태양 둘레를 1년에 한 바퀴씩 동쪽에서 서쪽으로 공전하니까 별들이 움직이는 것처럼 보이는 거야. 이런 현상을 별의 일주 운동이라고 하지."

필수

14 그림은 황도 12궁을 나타낸 것이다.

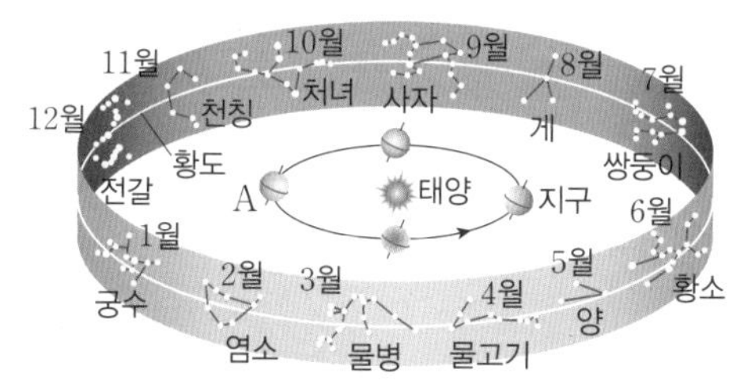

지구가 A 위치에 있을 때, (가) 태양이 지나는 별자리와 (나) 한밤중에 남쪽 하늘에서 보이는 별자리를 옳게 짝지은 것은?

	(가)	(나)		(가)	(나)
①	전갈자리	황소자리	②	황소자리	전갈자리
③	쌍둥이자리	궁수자리	④	사자자리	물고기자리
⑤	물고기자리	사자자리			

15 그림은 천구의 적도와 황도를 나타낸 것이다. 11월 15일경 천구 상에 태양의 위치를 옳게 나타낸 것은?

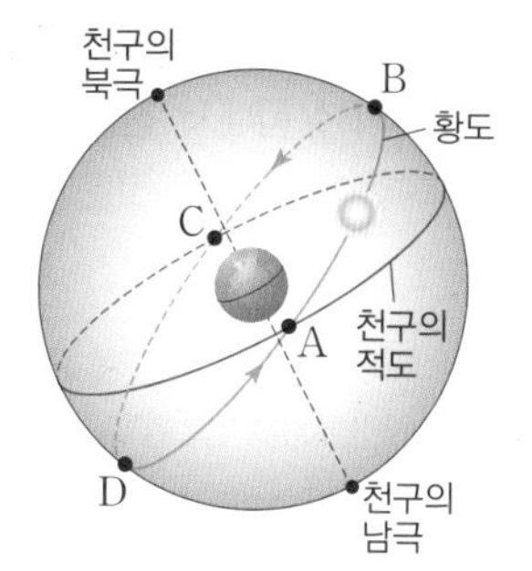

① A ~ B 사이
② B ~ C 사이
③ C ~ D 사이
④ D ~ A 사이
⑤ 일정하지 않다.

신유형

16 그림은 어느 지방에서 하짓날과 동짓날 태양이 지평선 위로 막 떠오르는 순간을 찍은 사진이다.

▲ 하짓날

▲ 동짓날

위 그림과 같이 날짜에 따라 태양이 떠오르는 시각과 위치가 달라지는 까닭을 옳게 설명한 것은?

① 지구의 모양이 둥글기 때문이다.
② 지구가 두꺼운 대기로 둘러싸여 있기 때문이다.
③ 계절에 따라 태양 복사 에너지의 양이 다르기 때문이다.
④ 지구의 공전 궤도면이 타원이기 때문이다.
⑤ 지구의 자전축이 공전 궤도면과 약 66.5° 기울어져 있기 때문이다.

17 그림 (가)는 공전 궤도 상의 지구의 위치를, (나)는 계절별 우리나라에서 태양의 일주 운동 경로를 나타낸 것이다.

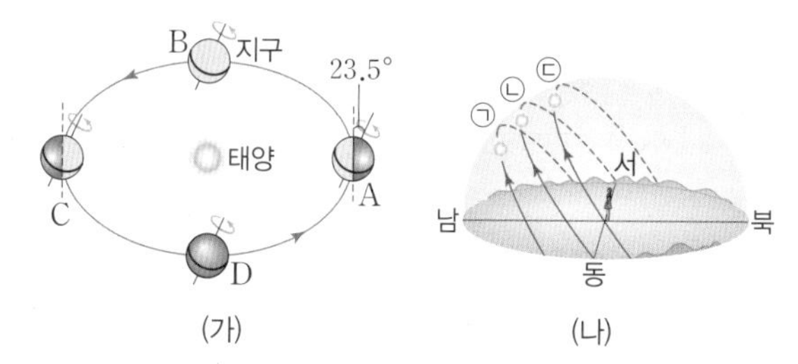

우리나라에서 낮의 길이가 가장 길 때, 지구의 위치와 태양의 일주 운동 경로를 그림 (가), (나)에서 골라 쓰시오.

C 달의 운동

[18-19] 그림은 지구 둘레를 공전하는 달의 위치를 나타낸 것이다.

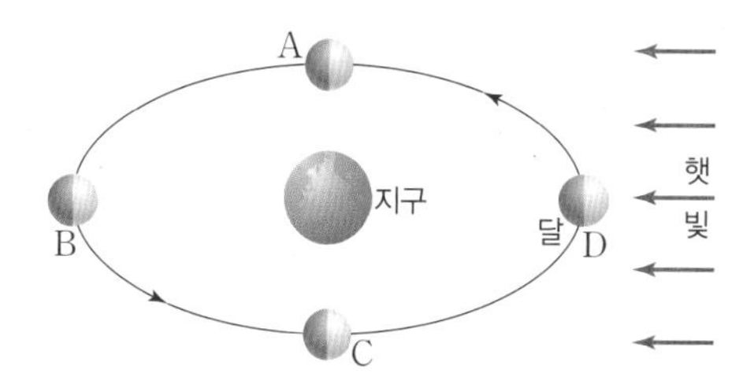

18 위의 그림으로 보아 매일 밤 달의 위치와 모양이 변하는 원인은 무엇인지 쓰시오.

필수

19 달이 A~D 위치에 있을 때의 위상을 각각 쓰시오.

서술형

20 그림은 달의 모습을 찍은 사진이다.

이 그림을 보면 달의 모양이 변하더라도 달 표면의 무늬는 변하지 않는다. 이와 같이 달의 같은 면이 항상 지구 쪽을 향하는 까닭을 서술하시오.

[21-22] 그림은 태양, 지구, 달의 위치 관계를 나타낸 것이다.

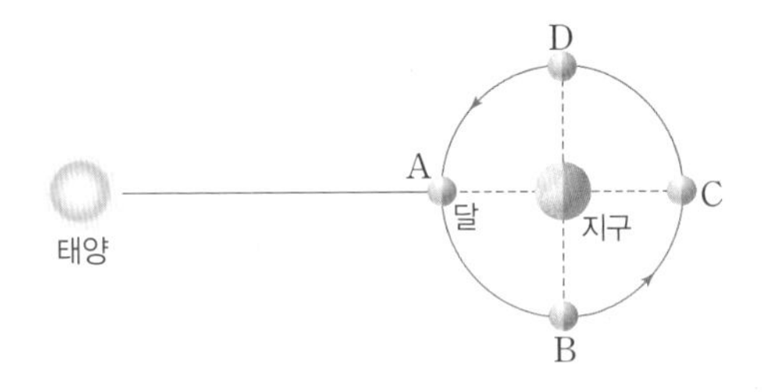

21 달이 B 위치에 있을 때 우리나라에서 볼 수 있는 달의 모양과 음력 날짜를 옳게 나타낸 것은?

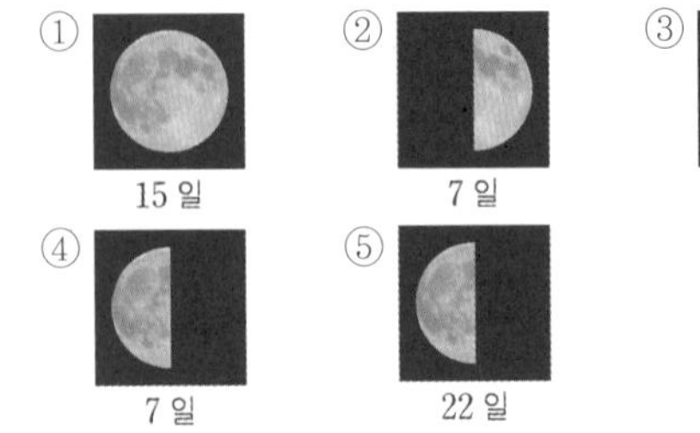

22 달이 C 위치에 있을 때 남중 시각은 대략 몇 시경인가?

① 6시 ② 12시 ③ 18시
④ 20시 ⑤ 24시

신유형

23 일식과 월식에 대한 설명으로 옳은 것만을 보기에서 모두 고른 것은?

보기
ㄱ. 일식이 일어날 때는 태양의 왼쪽부터 가려진다.
ㄴ. 일식은 달이 삭의 위치에 있을 때 관측할 수 있다.
ㄷ. 월식은 달이 지구의 그림자에 가려지는 현상이다.

① ㄱ ② ㄴ ③ ㄱ, ㄷ
④ ㄴ, ㄷ ⑤ ㄱ, ㄴ, ㄷ

신유형

24 그림은 일식과 월식이 일어나는 원리를 나타낸 것이다.

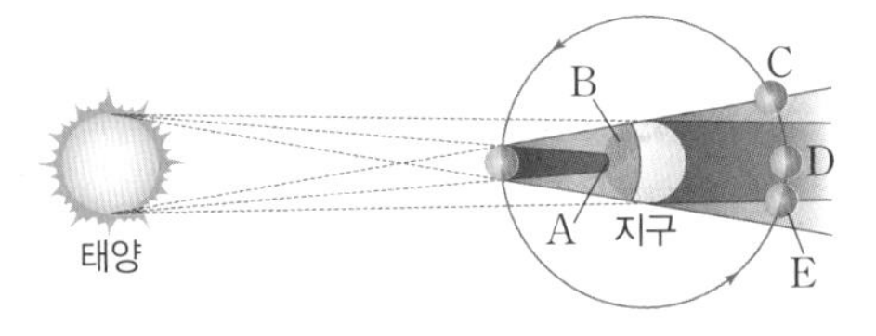

A~E 중 부분 일식을 볼 수 있는 지역과 부분 월식이 일어나는 달의 위치를 각각 쓰시오.

25 그림은 일식이 일어나는 원리를 알아보기 위한 실험을 나타낸 것이다.

이 실험에서 전등과 스타이로폼 공에 해당하는 천체를 옳게 짝 지은 것은?

	전등	스타이로폼 공
①	태양	지구
②	태양	달
③	지구	태양
④	지구	달
⑤	달	태양

정답과 해설 027쪽

필수

01 그림은 에라토스테네스가 지구의 크기를 측정한 방법을 나타낸 것이다. 이에 대한 설명으로 옳지 않은 것은?

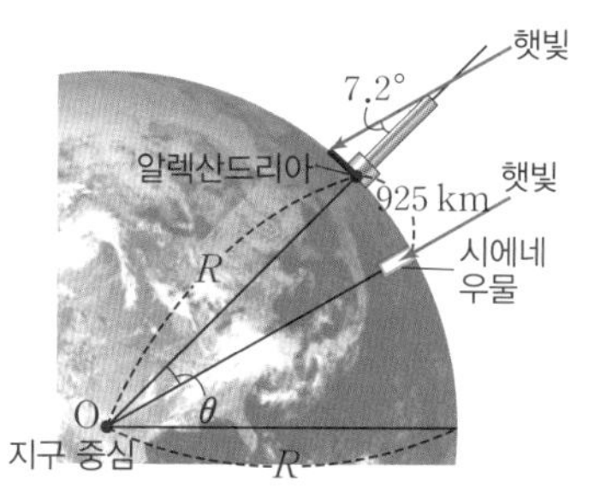

① 지구는 완전한 구형이라고 가정하였다.
② 알렉산드리아와 시에네의 경도 차이는 7.2°이다.
③ 두 도시와 지구 중심 사이의 각도를 간접적인 방법으로 측정하였다.
④ '원에서 호의 길이는 중심각의 크기에 비례한다'는 원리를 이용하여 지구의 반지름을 구하였다.
⑤ 지구의 반지름(R)을 구하는 비례식은 $2\pi R$: 360°=925 km : 7.2°로 세웠다.

02 속초와 대구는 거의 같은 경도 상에 있으며 두 지역 사이의 거리는 280 km이다. 속초와 대구의 위도가 각각 38° N와 35.5° N일 때 지구의 반지름을 구하는 식으로 옳은 것은?

① $\frac{280\text{ km}}{2\pi}\times\frac{360°}{2.5°}$ ② $\frac{280\text{ km}}{2\pi}\times\frac{360°}{35.5°}$
③ $\frac{280\text{ km}}{2\pi}\times\frac{360°}{38°}$ ④ $\frac{280\text{ km}}{2\pi}\times\frac{2.5°}{360°}$
⑤ $\frac{280\text{ km}}{\pi}\times\frac{360°}{2.5°}$

필수

03 그림은 달의 크기를 측정하는 실험을 나타낸 것이다.

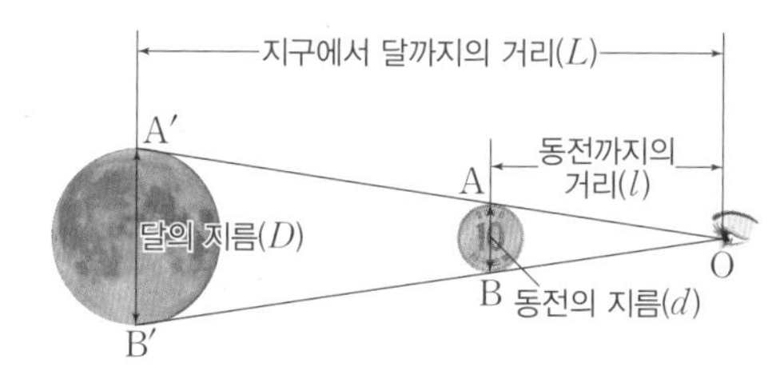

이 실험에 대한 설명으로 옳은 것은?

① 동전과 달의 시지름은 다르다.
② $\varDelta$AOB와 $\varDelta$A′OB′은 닮은 삼각형이다.
③ 동전의 모습이 달과 겹치지 않도록 주의한다.
④ 지구에서 달까지의 거리는 직접 측정해야 한다.
⑤ 크기가 더 작은 동전을 사용하면 관측자로부터 동전까지의 거리는 멀어진다.

필수

04 그림은 태양이 연주 운동을 하면서 지나는 별자리 사이에 있는 12개의 별자리를 나타낸 것이다.

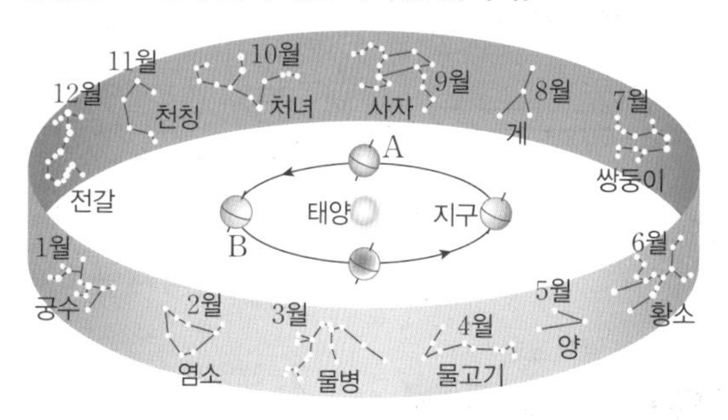

이 그림에 대한 설명으로 옳지 않은 것은?

① 그림과 같은 12개의 별자리를 황도 12궁이라고 한다.
② 태양은 별자리 사이를 이동하여 하루가 지나면 원래의 위치로 되돌아온다.
③ 지구가 A 위치에 있을 때 태양은 물병자리 부근을 지난다.
④ 지구가 B 위치에 있을 때 한밤중에 남쪽 하늘에서 전갈자리를 볼 수 있다.
⑤ 태양의 연주 운동 방향과 별의 연주 운동 방향은 서로 반대이다.

필수

05 그림은 음력 1일부터 15일까지 해가 진 직후 달의 위치와 모양을 관측하여 나타낸 것이다.

이 그림에 대한 설명으로 옳은 것은?

① 달은 하루에 약 1°씩 이동한다.
② 달의 이동 방향은 동 → 서이다.
③ 보름달은 밤새도록 관측할 수 있다.
④ 보름달 이후 달이 뜨는 시각은 매일 조금씩 빨라진다.
⑤ 달의 모양과 위치가 변하는 까닭은 달의 자전 때문이다.

태양과 태양계 행성

물음으로 흐름잡기

행성의 분류
- 분류 기준은?
- 분류 집단은?
- 질량과 크기가 큰 집단은?
- 평균 밀도가 큰 집단은?

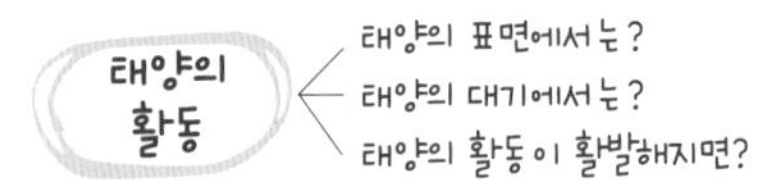

A 태양계를 이루는 행성

1. 태양계 태양을 중심으로 그 주위를 도는 행성과 왜소 행성, 소행성 및 위성, 혜성, 유성체 등으로 구성된 천체의 집단

(태양: 태양계에서 유일하게 스스로 빛을 내는 별(항성)이다.)

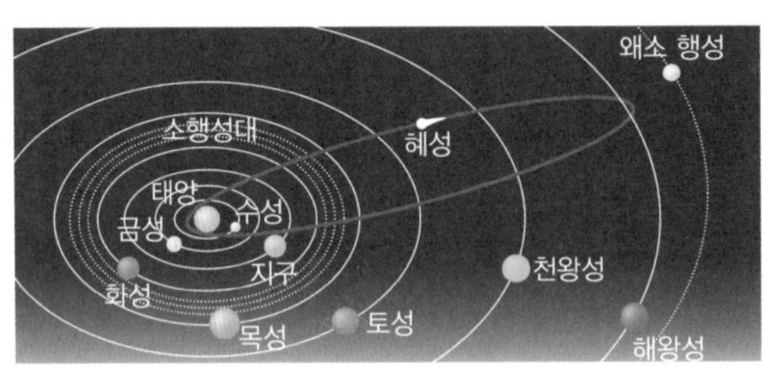

▲ 태양계의 구성원

2. 태양계 행성의 특징

행성	특징
수성	• 태양에서 가장 가깝고, 행성 중 크기가 가장 작다. • 대기와 물이 없어 밤낮의 온도 차가 매우 크다. • 운석 구덩이가 많아 달의 표면과 비슷하다.❶
금성	• 지구에서 가장 밝게 보이는 행성이다. → 샛별이라고도 한다. • 두꺼운 이산화 탄소 대기로 덮여 있어 기압이 매우 높다. (약 95기압) • 대기의 온실 효과°로 표면 온도가 매우 높다. → 약 470 ℃
지구	• 질소와 산소로 된 대기가 있다. • 물과 공기가 있어 생명체가 살고 있는 유일한 행성이다.
화성	• 표면은 주로 붉은색의 사막으로 이루어져 있다. • 과거에 물이 흐른 흔적이 있으며, 태양계 내에서 가장 높은 화산(올림포스 화산)이 있다. • 극지방에는 흰색의 극관이 있는데, 계절에 따라 크기가 변한다.❷
목성	• 태양계에서 크기가 가장 큰 행성이다. • 대기의 소용돌이에 의해 생긴 붉은 점(대적점)과 가로줄무늬가 있다. • 희미한 고리가 있으며, 위성이 많다.
토성	• 태양계에서 2번째로 크기가 큰 행성이다. • 행성 중 밀도가 가장 작으며, 가장 납작한 타원 모양이다. • 여러 겹으로 된 아름다운 고리❸와 많은 위성이 있다.
천왕성	• 메테인 성분에 의해 청록색을 띤다. • 자전축이 공전 궤도면과 거의 평행한 상태로 공전한다. • 희미한 고리가 있다.
해왕성	• 파란색으로 보이며 태양으로부터 멀리 떨어져 있어 표면 온도가 매우 낮다. • 대기의 소용돌이에 의해 생긴 검은 점(대흑점)이 있다. • 희미한 고리가 있다.

❶ 수성과 달의 표면

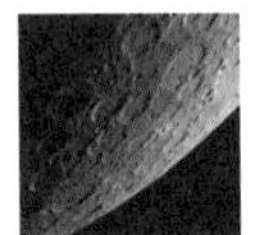
수성

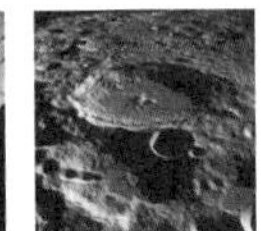
달

수성과 달에는 물과 대기가 없어 풍화·침식 작용이 일어나지 않으므로 운석 구덩이가 많이 남아 있다.

❷ 화성의 극관

여름

겨울

얼음과 드라이아이스로 되어 있으므로 여름에는 녹아서 작아지고, 겨울에는 얼어붙어 커진다.

❸ 토성의 고리

얼음 알갱이와 암석 조각으로 되어 있으며, 빠른 속도로 토성 둘레를 돌고 있다.

용어 알기

• **온실 효과** 행성의 대기가 온실의 유리와 같은 역할을 하여 행성의 표면 온도를 높이는 현상

3. 태양계의 작은 천체들

소행성	• 주로 화성과 목성 궤도 사이에서 태양 둘레를 돈다. • 지름이 보통 수십 km 이내이며, 모양이 불규칙하다. • 궤도를 벗어나 행성과 충돌하는 경우도 있다.
혜성	• 얼음과 먼지로 이루어진 작은 천체이다. • 주로 긴 타원 궤도를 따라 태양 주위를 공전한다. • 혜성의 꼬리는 항상 태양의 반대 방향을 향하며, 태양에 접근할수록 길어진다.❹
유성	• 작은 천체 조각들이 지구의 인력에 끌려와 떨어질 때 대기와 마찰로 빛을 내며 타는 것이다. • 운석: 유성이 전부 타지 않고 일부가 지표로 떨어진 것이다. (천체 조각들: 소행성과 혜성 등의 잔해)
왜소 행성	• 태양의 둘레를 공전하는 둥근 모양의 천체이다. • 공전 궤도 주변의 다른 천체를 끌어들이지 못한다. (지배적인 역할을 하지 못한다.) • 플루토(구 명왕성), 세레스, 에리스 등이 있다.

4. 태양계 행성의 분류 탐구 공략하기 084쪽

① 공전 궤도에 따른 행성의 분류

- 내행성: 지구보다 안쪽에서 태양 주위를 공전하고 있는 행성 ➡ 수성, 금성
- 외행성: 지구보다 바깥쪽에서 태양 주위를 공전하고 있는 행성 ➡ 화성, 목성, 토성, 천왕성, 해왕성

② 물리적 특성에 따른 행성의 분류: 크기와 질량, 평균 밀도, 구성 성분 등의 물리적 특성에 따라 지구형 행성(수성, 금성, 지구, 화성)과 목성형 행성(목성, 토성, 천왕성, 해왕성)으로 분류한다.❺

구분	크기(반지름)	질량	평균 밀도	표면 성분	고리	위성 수
지구형 행성	작다.	작다.	크다.	단단한 암석	없다.	없거나 적다.
목성형 행성	크다.	크다.	작다.	가벼운 기체	있다.	많다.

지구형 행성 — 자전 주기가 길다.
목성형 행성 — 자전 주기가 짧다.
위성 수 — 수성, 금성: 없다. 지구: 1개, 화성: 2개

❹ 혜성의 꼬리

혜성이 태양 가까이 오면 태양열에 의해 얼음이 녹아 꼬리가 생긴다. 이때 태양풍의 영향 때문에 꼬리는 항상 태양의 반대 방향으로 생기며, 태양에 가까워질수록 얼음이 많이 녹아 꼬리가 길어진다.

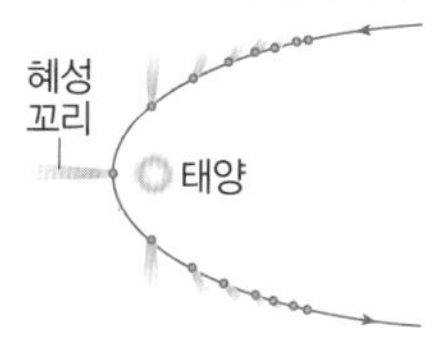

❺ 지구형 행성과 목성형 행성의 물리량

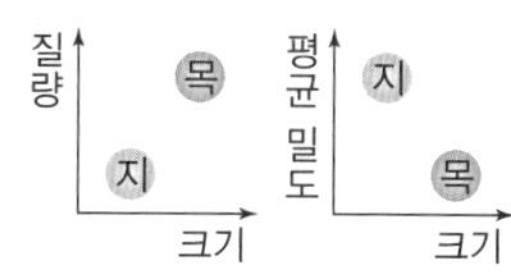

지구형 행성은 목성형 행성에 비해 크기와 질량은 작지만, 평균 밀도는 크다.

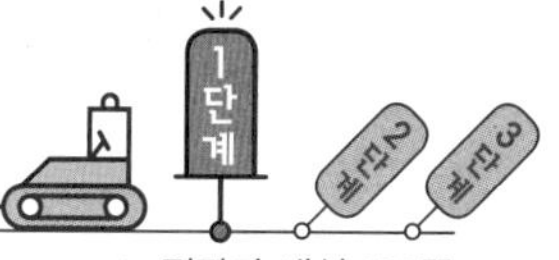

개념 다지기

1단계 2단계 3단계

정답과 해설 028쪽

01 태양계에 대한 설명으로 옳은 것은 ○표, 옳지 않은 것은 ×표를 하시오.

(1) 태양계는 태양, 행성, 왜소 행성, 소행성, 혜성, 위성 등의 천체로 이루어져 있다. ( )

(2) 태양계 전체 질량의 대부분을 차지하는 천체는 목성이다. ( )

02 다음은 태양계 행성에 대한 설명이다. 각 설명에 해당하는 행성의 이름을 쓰시오.

(1) 자전축이 공전 궤도면에 거의 평행하다. ( )

(2) 표면이 붉은색을 띠며 과거에 물이 흐른 흔적이 있다. ( )

(3) 크고 아름다운 고리를 가지고 있으며, 태양계 행성 중에서 크기가 2번째로 크다. ( )

03 지구보다 안쪽 궤도에서 태양 주위를 공전하는 행성을 모두 쓰시오.

04 다음 설명이 지구형 행성의 특징이면 '지', 목성형 행성의 특징이면 '목'이라고 쓰시오.

(1) 고리를 가지고 있다. ( )

(2) 반지름과 질량이 작다. ( )

(3) 많은 위성을 거느리고 있다. ( )

(4) 단단한 표면을 가지고 있으며 평균 밀도가 크다. ( )

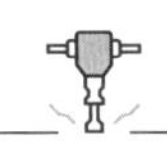

B 태양의 활동

1. 태양의 표면과 대기

① 태양: 스스로 빛을 내는 별(항성)로, 거대한 가스 덩어리이다.

지름	표면 온도	구성 물질	질량
지구의 약 109배	약 6000 ℃	주로 수소와 헬륨	태양계 전체의 약 99.8 %

└ 중심부는 약 1500만 ℃

② 태양의 표면: 우리 눈에 보이는 태양의 둥근 표면을 광구라고 하는데, 광구에서는 쌀알 무늬와 흑점이 관측된다.

쌀알무늬	• 광구에 나타나는 쌀알 모양의 무늬 • 광구 아래의 대류• 때문에 나타난다.
흑점	• 주위보다 온도가 2000 ℃ 정도 낮아 검게 보인다. • 약 11년을 주기로 흑점 수가 증감한다.❻ • 흑점의 크기와 모양은 다양하며, 새로 나타나기도 하고 없어지기도 한다.

흑점

쌀알무늬

교과서 탐구 흑점의 관측

▶ 과정 태양 표면에 나타나는 흑점을 4일 간격으로 관측하여 흑점의 수와 위치 변화를 기록한다.

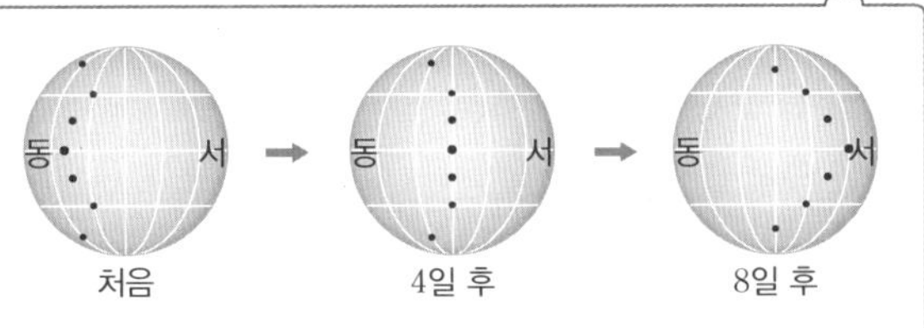

▶ 결과 및 정리
❶ 흑점은 계속해서 동 → 서로 이동한다.❼ ➡ 태양이 서 → 동으로 자전하기 때문이다.
❷ 흑점의 이동 속도는 적도 쪽이 극 쪽보다 빠르다.
➡ 태양 표면이 기체 상태임을 알 수 있다.

③ 태양의 대기: 개기 일식 때만 관측된다. → 평소에는 햇빛이 너무 밝아 보이지 않는다.

채층	코로나	홍염	플레어
광구 바로 위의 붉은색의 얇은 대기층	채층 위로 넓게 퍼져 있는 진주색의 가스층 → 온도가 100만 ℃ 이상이다.	채층 위로 수십만 km까지 솟아오르는 거대한 불기둥	흑점 주변에서 에너지가 일시에 방출되어 폭발하는 현상

2. 태양 활동이 지구에 미치는 영향

태양의 흑점 수가 증가할 때 태양 활동이 활발해져 플레어와 같은 폭발 현상이 자주 일어나고, 이때 방출되는 태양풍•에 의해 지구도 많은 영향을 받는다.

델린저 현상	태양풍에 의해 전리층이 교란되어 무선 통신에 장애가 일어나는 현상이다.
자기 폭풍	지구 자기장에 급격한 변화가 나타나는 현상으로, 인공위성이 고장 나거나 대규모 정전이 일어나기도 한다.
오로라❽	오로라가 자주 발생하며, 발생 지역이 넓어진다.

❻ 흑점 수의 변화
흑점 수는 약 11년을 주기로 변하며, 태양 활동이 활발할 때 흑점 수는 많아진다.

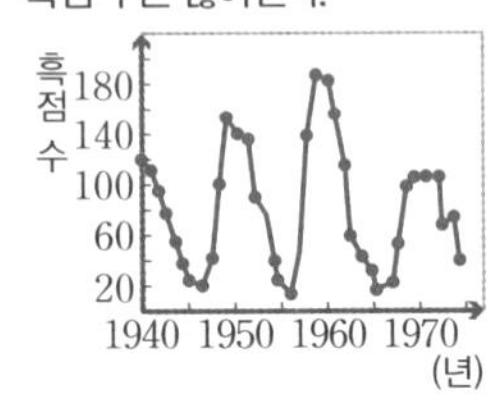

❼ 흑점의 이동 방향
태양의 자전 방향은 천구의 북극에서 내려다 본 방향으로 서 → 동이다. 그런데 우리가 남쪽 하늘을 보았을 때 왼쪽이 동쪽, 오른쪽이 서쪽이므로, 왼쪽에서 오른쪽으로 움직이는 태양 흑점의 이동 방향은 동 → 서로 보이게 된다. 즉, 흑점의 이동 방향은 태양의 자전 방향과 반대로 나타난다.

❽ 오로라
태양에서 방출된 전기를 띤 입자가 지구 대기에 부딪쳐 생기는 찬란한 빛의 띠로, 극지방에서 볼 수 있다.

⚠ 용어 알기
• **대류** 기체나 액체의 온도가 높아지면 가벼워져 상승하고, 온도가 낮아지면 무거워져 하강하는 현상
• **태양풍** 태양이 우주 공간에 방출하는 전기를 띤 입자의 흐름

C 천체의 관측

1. 천체 망원경의 종류

종류	굴절 망원경	반사 망원경
구조	접안렌즈(볼록 렌즈), 대물렌즈(볼록 렌즈), 별빛	대물렌즈(오목 거울), 접안렌즈(볼록 렌즈), 평면 거울, 별빛

2. 굴절 망원경의 구조

망원경으로 천체를 관측할 때는 저배율에서 고배율 순으로 관측해야 한다.

천체 망원경의 설치 장소

- 안개가 자주 생기지 않는 곳
- 별이 잘 보이도록 사방이 트인 곳
- 도시 불빛의 영향을 받지 않는 곳
- 망원경이 흔들리지 않도록 편평한 곳

천체 망원경의 사용법

① 편평한 곳에 망원경을 설치한다.
② 균형추를 움직여 망원경의 균형을 잡는다.
③ 경통을 관측 대상이 있는 방향으로 맞춘다.
④ 파인더로 보면서 십자선 중앙에 대상이 오도록 조절한다.
⑤ 접안렌즈로 대상을 보면서 초점을 조절한다.

개념 다지기

★ 정답과 해설 028쪽

05 다음 설명에 해당하는 태양의 대기 현상을 옳은 것끼리 연결하시오.

(1) 채층 •　　　• ㉠ 흑점 주변에서 일어나는 폭발 현상
(2) 홍염 •　　　• ㉡ 광구 바로 위의 붉은색의 얇은 대기층
(3) 코로나 •　　• ㉢ 채층 위로 수십만 km까지 솟아오르는 불기둥
(4) 플레어 •　　• ㉣ 채층 위로 넓게 퍼져 있는 진주색의 가스층

06 태양의 활동이 활발할 때 나타나는 현상으로 옳은 것은 ○표, 옳지 않은 것은 ×표를 하시오.

(1) 지구에서는 자기 폭풍이 일어난다. (　　)
(2) 플레어와 홍염이 드물게 발생한다. (　　)
(3) 지구에서는 오로라가 자주 관측된다. (　　)
(4) 지구에서는 장거리 무선 통신이 끊어지는 델린저 현상이 일어난다. (　　)

07 그림은 망원경의 구조를 나타낸 것이다.

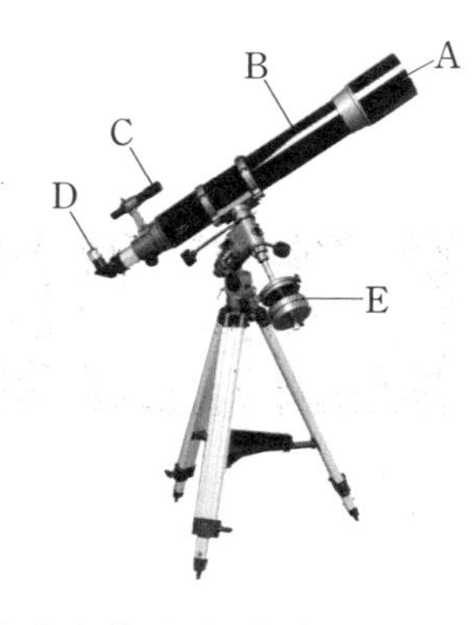

다음 설명에 해당하는 부분의 기호와 명칭을 쓰시오.

(1) 천체에서 나오는 희미한 빛을 모으는 역할을 한다. (　　　　)
(2) 관측하는 천체를 찾을 때 사용한다. (　　　　)
(3) 천체의 상을 확대하는 역할을 한다. (　　　　)

탐구 공략 하기

태양계 행성의 분류

목표 태양계 행성들을 물리적 특징에 따라 분류할 수 있다.

공략 포인트 지구형 행성과 목성형 행성에서 큰 차이를 나타내는 물리량을 파악하는 것이 중요하다!

과정 표는 태양계 탐사로 알아낸 행성들의 자료이다.

행성	수성	금성	지구	화성	목성	토성	천왕성	해왕성
질량(지구=1)	0.06	0.82	1.00	0.11	317.9	95.16	14.54	17.15
반지름(지구=1)	0.38	0.95	1.00	0.53	11.21	9.45	4.01	3.88
평균 밀도(g/cm^3)	5.43	5.24	5.51	3.93	1.33	0.69	1.27	1.64
위성 수(개)	0	0	1	2	67	62	27	14
고리	없음	없음	없음	없음	있음	있음	있음	있음

❶ 태양계 행성의 반지름과 평균 밀도를 그래프에 점으로 각각 표시하고, 두 집단으로 분류해 보자.
❷ 두 집단으로 분류한 행성의 특징을 각각 써 보자.

결과 반지름이 작고 평균 밀도가 큰 행성에는 수성, 금성, 지구, 화성(지구형 행성)이 있다. 반면 반지름이 크고 평균 밀도가 작은 행성에는 목성, 토성, 천왕성, 해왕성(목성형 행성)이 있다.

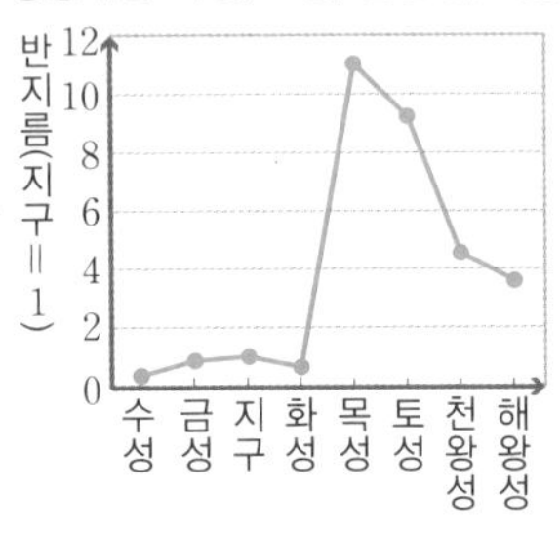

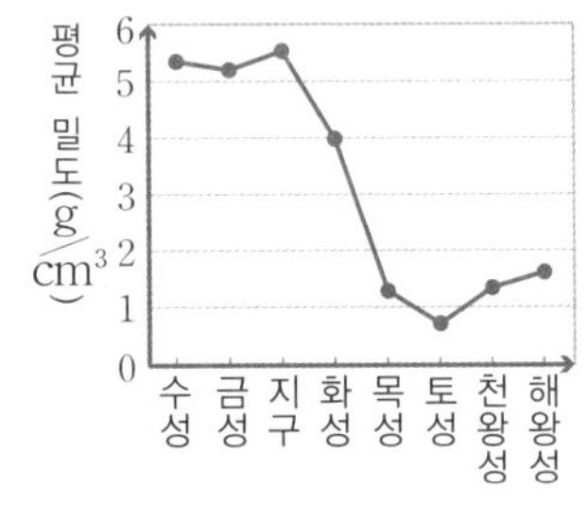

정리 지구형 행성은 질량이 작고, 위성이 없거나 적으며, 고리가 없다. 반면 목성형 행성은 질량이 크고, 위성이 많으며, 고리가 있다.

확인 문제

✶ 정답과 해설 028쪽

01 그림 (가)~(라)는 태양계 행성들을 나타낸 것이다.

 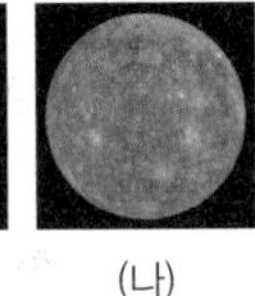  

(가) (나) (다) (라)

그림 (가)~(라) 중 다음과 같은 특징을 가진 행성을 모두 골라 쓰시오.

- 평균 밀도가 작다.
- 가벼운 원소로 이루어져 있으며, 위성이 많다.

02 그림은 태양계 행성을 질량과 크기에 따라 두 집단으로 분류하여 나타낸 것이다.

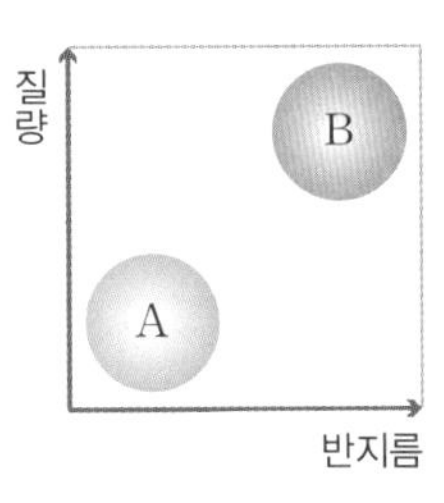

A에 속하는 행성에 대한 설명으로 옳은 것은?

① 고리가 있다.
② 평균 밀도가 크다.
③ 많은 위성을 가지고 있다.
④ 기체로 이루어진 행성이다.
⑤ 목성, 토성, 천왕성, 해왕성이 속한다.

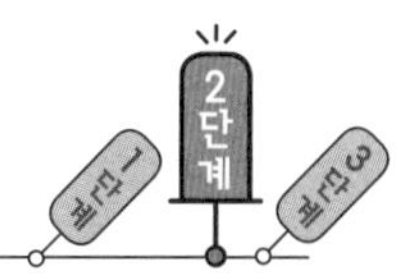

★ 정답과 해설 029쪽

A 태양계를 이루는 행성

01 태양계에 대한 설명으로 옳지 않은 것은?

① 태양계의 중심이 되는 천체는 태양이다.
② 밤하늘에서 빛나는 별들은 모두 태양계의 밖에 있다.
③ 태양 둘레를 공전하는 행성은 지구를 비롯하여 8개이다.
④ 태양계의 구성 천체 중 스스로 빛을 내는 것은 태양뿐이다.
⑤ 태양계의 행성들은 모두 지구의 달과 같은 위성을 가지고 있다.

[02-03] 그림은 태양 둘레를 돌고 있는 행성들을 나타낸 것이다.

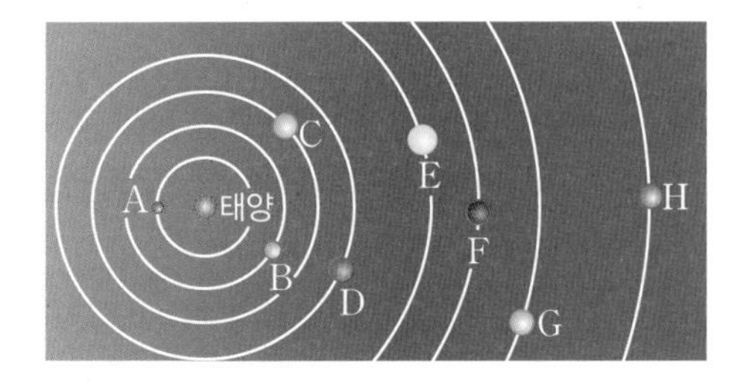

02 B 행성에 대한 설명으로 옳지 않은 것은?

① 샛별이라고 부르기도 한다.
② 표면에 많은 운석 구덩이가 있다.
③ 표면이 흙과 암석으로 되어 있다.
④ 표면 온도는 약 470 ℃로 매우 높다.
⑤ 달을 제외하고 밤하늘에서 가장 밝은 천체이다.

03 다음과 같은 특징을 가진 행성의 기호와 이름을 쓰시오.

- 메테인 성분에 의해 청록색을 띤다.
- 희미한 고리와 많은 위성이 있다.
- 자전축이 공전 궤도면과 거의 평행하다.

서술형

04 그림과 같이 목성의 적도 부근에서 볼 수 있는 대적점의 생성 원인을 서술하시오.

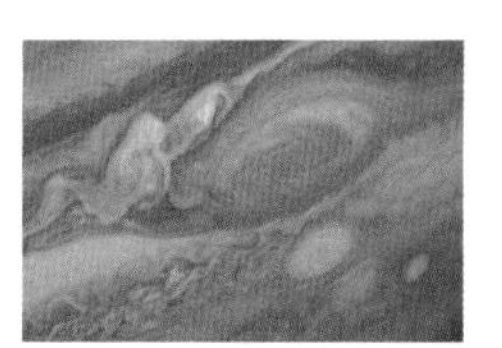

신유형

05 다음은 토성 탐사 우주선에 대한 가상의 글로, 밑줄 친 부분 중 옳지 않은 것을 2군데 고르시오.

나는 토성 탐사선 나로 12호의 선장이다. 한 달 전 대한민국의 나로 우주센터에서 발사된 우리 우주선은 지금 ㉠ 화성과 목성 사이의 소행성대를 지나고 있다. 이 소행성들은 대개 ㉡ 지름이 수십 km 이내이며, ㉢ 공처럼 둥근 모양을 하고 있다. 지금 우리는 ㉣ 주로 얼음과 먼지로 이루어진 핼리 혜성을 보고 있다. 이제 두 달 후면 우리는 ㉤ 태양계에서 크기가 가장 큰 행성인 토성에 도착하여 아름다운 고리의 정체를 밝혀낼 것이다.

06 왜소 행성에 대한 설명으로 옳은 것만을 보기에서 모두 고른 것은?

| 보기 |
ㄱ. 태양을 중심으로 공전한다.
ㄴ. 모양이 구형이 아니고 불규칙적이다.
ㄷ. 세레스, 에리스, 구 명왕성이 이에 해당한다.
ㄹ. 공전 궤도 주변의 천체에 지배적인 역할을 하지 못한다.

① ㄱ, ㄴ ② ㄱ, ㄹ ③ ㄴ, ㄷ
④ ㄱ, ㄷ, ㄹ ⑤ ㄴ, ㄷ, ㄹ

07 그림은 76년을 주기로 지구 가까이에 나타나는 어떤 천체이다. 이에 대한 설명으로 옳은 것은?

① 흙과 암석으로 되어 있다.
② 핵의 지름이 1000 km 이상인 큰 천체이다.
③ 꼬리는 태양에 가까워질수록 길어진다.
④ 꼬리는 항상 태양이 있는 방향을 향한다.
⑤ 행성과 같이 태양 둘레를 원을 그리며 돈다.

신유형

08 다음은 태양계의 천체를 특성에 따라 구분한 것이다.

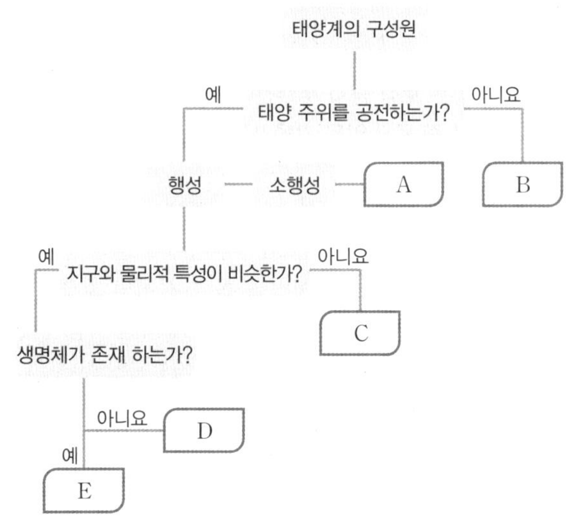

A~E에 해당하는 천체를 옳게 나타낸 것은?

① A – 위성　② B – 혜성
③ C – 토성　④ D – 목성
⑤ E – 화성

필수

09 행성의 특징에 따라 보기에서 골라 분류한 것 중 옳지 않은 것은?

보기
ㄱ. 수성　ㄴ. 금성　ㄷ. 지구　ㄹ. 화성 ㅁ. 목성　ㅂ. 토성　ㅅ. 천왕성　ㅇ. 해왕성

① 대기가 없는 행성 – ㄱ
② 위성이 없는 행성 – ㄱ, ㄴ
③ 액체 상태의 물이 있는 행성 – ㄷ
④ 고리가 있는 행성 – ㅁ, ㅂ, ㅅ, ㅇ
⑤ 표면이 암석으로 이루어진 행성 – ㄹ, ㅁ

필수

10 다음 행성들의 공통점을 옳게 설명한 것은?

• 목성　• 토성　• 천왕성　• 해왕성

① 고리를 가지고 있다.
② 위성이 없거나 그 수가 적다.
③ 지구보다 안쪽 궤도로 공전한다.
④ 질량과 반지름이 지구보다 작다.
⑤ 지구보다 무거운 물질로 이루어져 있다.

11 표는 태양의 둘레를 돌고 있는 행성(A~H)들의 자료를 나타낸 것이다.

구분	A	B	C	D	E	F	G	H
질량 (지구=1)	0.06	0.82	1.00	0.11	317.9	95.16	14.54	17.15
평균 밀도 (g/cm^3)	5.43	5.24	5.51	3.93	1.33	0.69	1.27	1.64
반지름 (지구=1)	0.38	0.95	1.00	0.53	11.21	9.45	4.01	3.88

이 자료를 이용하여 행성들을 두 집단으로 구분할 때 기준이 되는 곳은?

① A와 B 사이　② C와 D 사이
③ D와 E 사이　④ E와 F 사이
⑤ G와 H 사이

필수

12 그림은 태양계 행성을 질량과 밀도에 따라 A와 B 두 집단으로 분류한 것이다. A, B 두 집단에 속하는 행성의 특징을 옳게 비교한 것은?

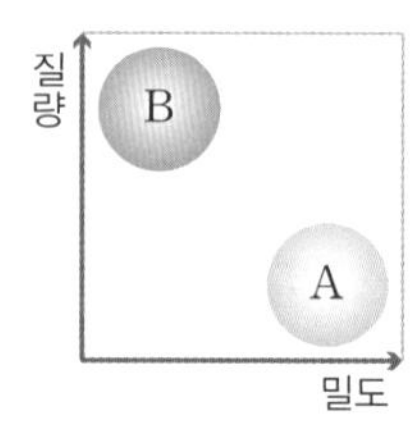

	구분	A	B
①	크기	크다	작다
②	고리	있다	없다
③	위성 수	많다	적다
④	표면 성분	수소, 헬륨	흙, 암석
⑤	자전 주기	길다	짧다

정답과 해설 029쪽

B 태양의 활동

13 태양에 대한 설명으로 옳지 않은 것은?

① 태양계 내에서 유일하게 스스로 빛을 내는 별이다.
② 우리 눈에 보이는 태양의 둥근 표면을 광구라고 한다.
③ 광구에서는 쌀알무늬와 흑점을 볼 수 있다.
④ 태양의 표면에는 달과 같이 많은 운석 구덩이가 있다.
⑤ 태양의 대기에서는 채층, 코로나, 홍염 등을 볼 수 있다.

14 그림과 같이 태양의 광구에서 관측되는 쌀알무늬의 생성 원인을 옳게 설명한 것은?

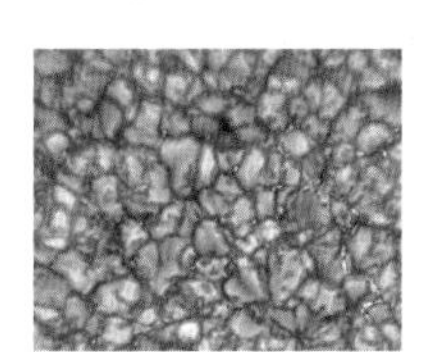

① 태양의 질량이 크기 때문이다.
② 태양 표면의 성분 차이 때문이다.
③ 태양의 표면 온도가 높기 때문이다.
④ 수많은 작은 흑점들이 무늬를 만들기 때문이다.
⑤ 태양의 표면 아래에서 일어나는 대류 현상 때문이다.

15 태양의 흑점에 대한 설명으로 옳지 않은 것은?

① 주위보다 온도가 낮은 곳이다.
② 약 11년을 주기로 개수가 증감한다.
③ 크기가 다양하며, 위치는 계속 변한다.
④ 새로 생겨나기도 하고 없어지기도 한다.
⑤ 태양 활동이 활발할 때 흑점 수가 적어진다.

16 그림은 태양의 대기 현상을 나타낸 것이다. 이에 대한 설명으로 옳은 것은?

① 홍염이라고 한다.
② 맑은 날 쉽게 볼 수 있다.
③ 기체의 밀도가 커서 밝게 보인다.
④ 온도가 100만 ℃ 이상의 고온이다.
⑤ 태양 활동이 활발할수록 크기가 줄어든다.

[17-18] 그림은 4일 간격으로 태양의 흑점을 관측하여 나타낸 것이다.

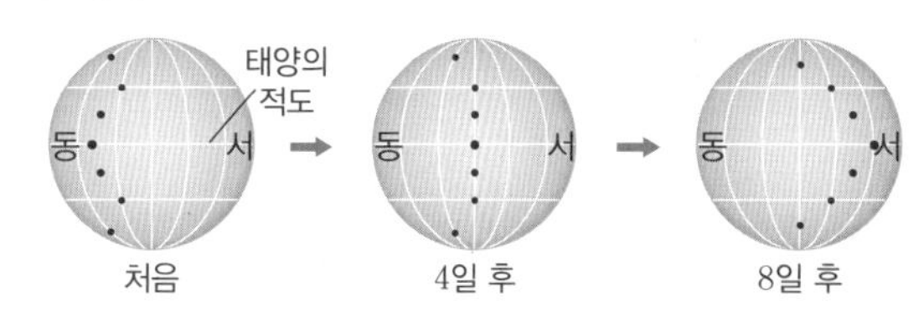

필수

17 지구에서 관측할 때 흑점의 이동 방향과 이동 원인을 옳게 나타낸 것은?

	이동 방향	이동 원인
①	동 → 서	태양의 자전
②	동 → 서	지구의 자전
③	서 → 동	태양의 자전
④	서 → 동	지구의 자전
⑤	서 → 동	지구의 공전

18 다음 글의 ㉠, ㉡에 들어갈 알맞은 말을 쓰시오.

> 위 그림을 보면 흑점의 이동 속도는 극 쪽보다 적도 쪽이 (㉠). 이것으로 보아 태양 표면은 (㉡) 상태임을 알 수 있다.

필수

19 태양의 표면과 대기에서 나타나는 여러 현상들에 대한 설명으로 옳지 않은 것은?

① 흑점 – 주변보다 온도가 낮아 검게 보이는 부분이다.
② 쌀알무늬 – 광구 아래의 대류 현상 때문에 나타나는 쌀알 모양의 무늬이다.
③ 채층 – 광구 바로 위에 나타나는 붉은색의 얇은 대기층이다.
④ 코로나 – 태양 주위로 넓게 퍼져 있는 진주빛의 희박한 가스층이다.
⑤ 홍염 – 흑점 주변에서 에너지가 일시에 방출되어 폭발하는 현상이다.

신유형

20 다음 글은 어느 날 신문 기사의 일부이다.

> 지난 3일에 이어 5일에도 태양에서 발생한 (　　)(으)로 인해 전파 장애가 발생할 우려가 있다고 국립전파연구원이 밝혔다. 국립전파연구원은 한국 시각으로 5일 오전 8시 20분에 발생한 이번 (　　)(으)로 인한 태양풍의 영향으로 무궁화 위성 등에 직접적인 피해는 발생하지 않지만 일시적으로 약간의 전파 감쇄 현상이 일어날 수 있다고 발표하였다.

(　　) 안에 공통으로 들어갈 알맞은 말은?

① 흑점　② 코로나　③ 플레어
④ 쌀알무늬　⑤ 개기 일식

필수

21 그림 (가)~(다)는 태양에서 볼 수 있는 여러 가지 현상이다.

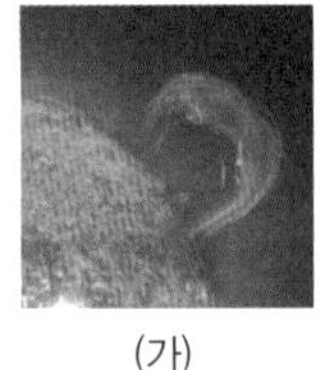
(가)

(나)

(다)

이에 대한 설명으로 옳은 것만을 보기에서 모두 고른 것은?

보기
ㄱ. 태양의 광구에서 관측할 수 있다.
ㄴ. 개기 일식 때 잘 관측된다.
ㄷ. 태양 활동이 활발해지면 (가)와 같은 현상이 자주 발생한다.

① ㄱ　② ㄷ　③ ㄱ, ㄴ
④ ㄴ, ㄷ　⑤ ㄱ, ㄴ, ㄷ

서술형

22 태양의 활동이 활발할 때 지구에서 일어날 수 있는 현상을 2가지 서술하시오.

C 천체의 관측

23 그림은 천체 망원경의 구조를 나타낸 것이다.

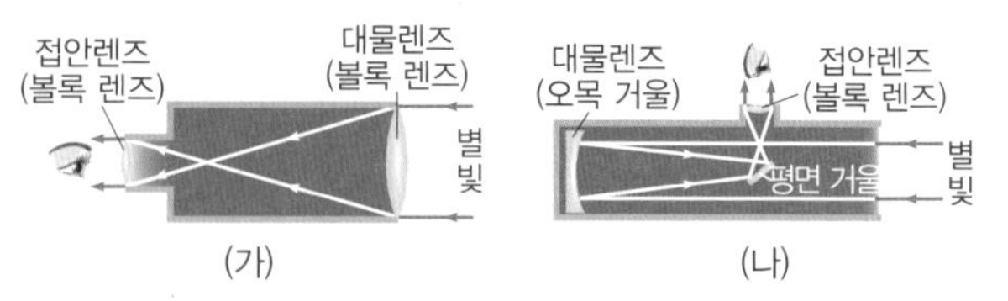

(가)　(나)

(가), (나)와 같은 구조를 가진 망원경을 각각 무엇이라고 하는지 쓰시오.

24 영호는 달을 관측하기 위해 다음과 같은 과정으로 천체 망원경을 조작하였다. 조작 과정 중 잘못된 것은?

① 균형추를 움직여 망원경의 균형을 잡는다.
② 경통을 달이 있는 방향으로 맞춘다.
③ 파인더로 보면서 십자선 중앙에 달이 오도록 조절한다.
④ 접안렌즈로 달을 보면서 초점을 조절한다.
⑤ 고배율에서 저배율 순으로 달을 관측한다.

필수

25 그림은 천체 망원경 중 굴절 망원경의 구조를 나타낸 것이다.

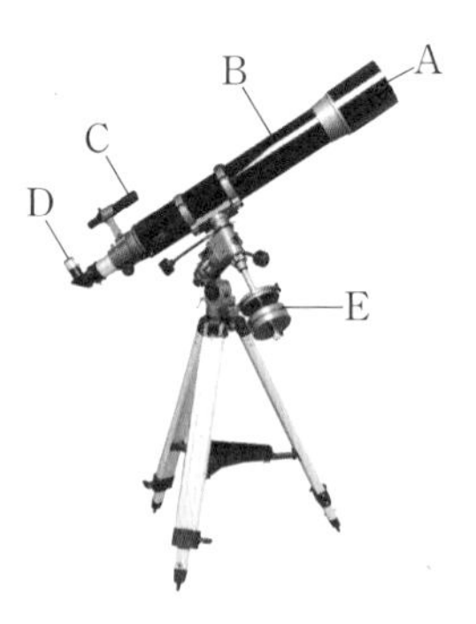

A~E 각 부분의 역할에 대한 설명으로 옳은 것은? (정답 2개)

① A는 희미한 빛을 모으는 역할을 한다.
② B는 접안렌즈를 움직여 초점을 맞추는 역할을 한다.
③ C는 초점에 모인 상을 확대하는 역할을 한다.
④ D는 관측 대상을 정확하게 추적할 때 사용한다.
⑤ E는 장치에 부착하여 망원경의 균형을 잡아준다.

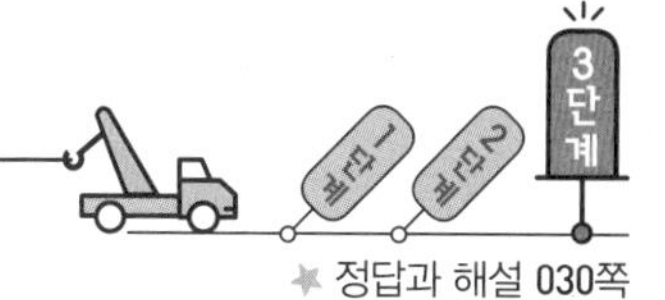

정답과 해설 030쪽

필수

01 그림 (가)는 태양계를 구성하고 있는 행성들을, (나)는 태양계 행성들을 질량과 반지름에 따라 두 집단으로 분류한 것이다.

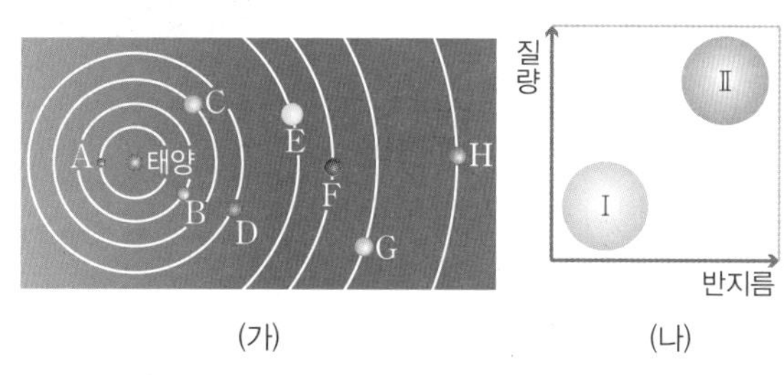

(가) (나)

이 그림에 대한 설명으로 옳은 것만을 보기에서 모두 고르시오.

보기
- ㄱ. A는 지구에서 볼 때 행성 중 가장 밝다.
- ㄴ. B는 희미한 고리가 있으며, 양극에 흰색의 극관이 있다.
- ㄷ. F는 행성 중 밀도가 가장 작고, 두꺼운 고리가 있다.
- ㄹ. G는 청록색의 행성으로, 자전축이 공전 궤도면과 거의 평행하다.
- ㅁ. Ⅰ 집단에 속하는 행성은 A, B이고, Ⅱ 집단에 속하는 행성은 D, E, F, G, H이다.
- ㅂ. Ⅰ 집단은 Ⅱ 집단보다 자전 속도가 느리다.

02 보기는 태양계를 구성하는 몇 가지 행성의 특징을 나타낸 것이다.

보기
- ㄱ. 태양계의 행성 중 크기가 가장 작다.
- ㄴ. 적도 부근에 아름다운 고리가 있으며, 태양계에서 2번째로 크기가 큰 행성이다.
- ㄷ. 파란색의 대기로 둘러싸여 있으며, 표면에서 커다란 대흑점이 관측된다.
- ㄹ. 표면이 붉은색의 사막으로 되어 있고, 과거에 물이 흘렀던 흔적이 남아 있다.

태양에서 가까운 행성부터 순서대로 배열하시오.

필수

03 그림 (가)~(다)는 태양의 표면과 대기에서 볼 수 있는 여러 가지 현상을 나타낸 것이다.

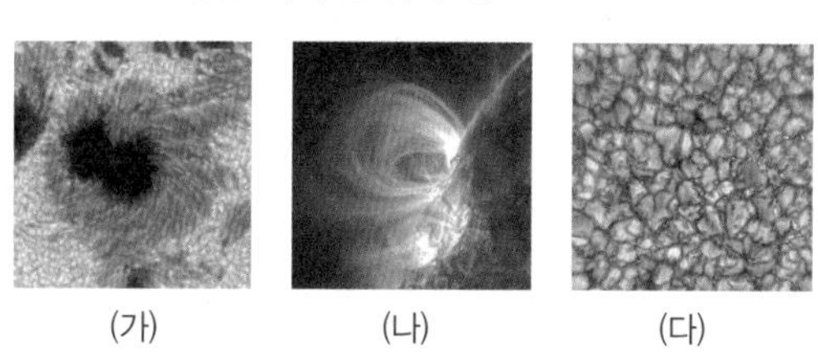

(가) (나) (다)

이에 대한 설명으로 옳은 것만을 보기에서 모두 고르시오.

보기
- ㄱ. (가)를 관측하여 태양의 표면 온도를 알 수 있다.
- ㄴ. (가)는 (다)보다 온도가 낮아 검게 보인다.
- ㄷ. 태양 활동이 활발해지면 (가)의 수가 많아진다.
- ㄹ. (나)가 발생하면 태양풍이 강해져 지구에 피해를 준다.

필수

04 천체 망원경에 대한 설명으로 옳지 <u>않은</u> 것은?

① 굴절 망원경은 두 개의 볼록 렌즈를 사용한다.
② 반사 망원경은 대물렌즈로 오목 거울을 사용한다.
③ 전파 망원경은 흐린 날에도 천체를 관측할 수 있다.
④ 대물렌즈의 지름이 클수록 물체를 더 크게 볼 수 있다.
⑤ 천체 망원경은 대기의 영향을 적게 받는 높은 산 위에 설치하는 것이 좋다.

신유형

05 천체 망원경의 설치와 사용법에 대해 <u>잘못</u> 이야기한 사람은?

① 수지: 편평하고 시야가 트인 곳에 설치해야지.
② 강식: 경통과 균형추의 균형을 잡아줘야 망원경이 안 쓰러져.
③ 소희: 파인더를 사용하기 전에 접안렌즈로 찾고자 하는 대상이 렌즈의 중앙에 오도록 맞춰야 해.
④ 희애: 처음에 가장 저배율의 접안렌즈로 보아야 잘 보여.
⑤ 철진: 초점 조절 손잡이로 접안렌즈를 움직이게 해서 초점을 맞추는 거야.

대단원 완성하기

정답 표시가 없는 문제는 모두 3점입니다.

제한시간: 45분

[01-02] 그림은 에라토스테네스가 지구의 크기를 측정한 방법을 나타낸 것이다.

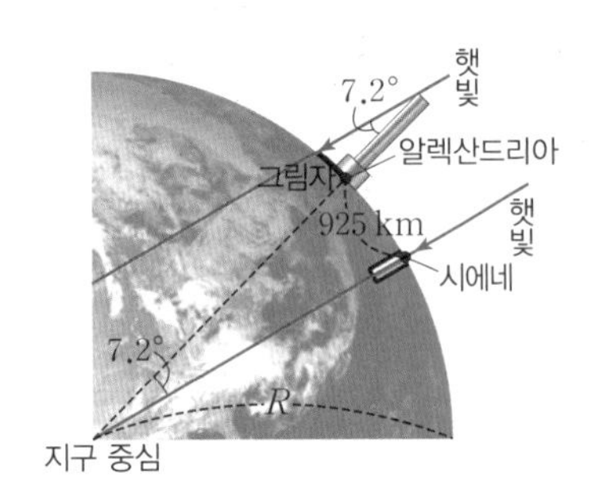

01 지구의 크기를 구할 때 에라토스테네스가 이용한 원리는?

① 지구는 완전한 구형이다.
② 햇빛은 지구상의 어디에서나 평행하게 비춘다.
③ 원에서 호의 길이는 중심각의 크기에 비례한다.
④ 모든 물체 사이에는 끌어당기는 힘이 작용한다.
⑤ 평행한 두 직선에 한 선분을 그었을 때 엇각의 크기는 같다.

02 지구의 반지름(R)을 구하기 위한 비례식에서 ㉠, ㉡에 들어갈 알맞은 값을 각각 쓰시오.

$2\pi R$: 360° = (㉠) : (㉡)

03 그림은 달의 크기를 측정하는 실험을 나타낸 것이다.

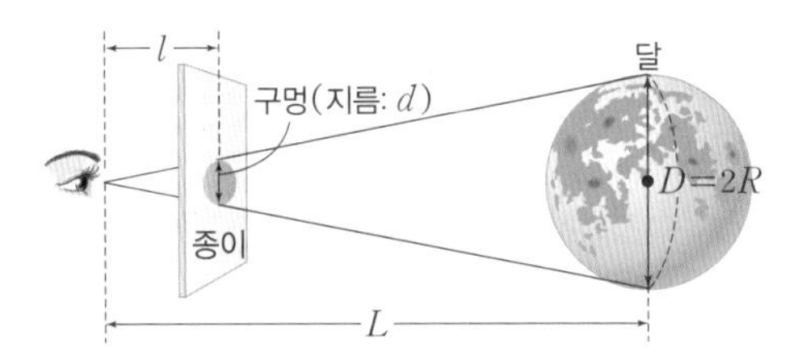

이 실험에서 직접 측정하거나 미리 알아야 할 값만을 보기에서 모두 고르시오.

보기
ㄱ. 구멍의 지름 ㄴ. 달의 밝기
ㄷ. 종이의 두께 ㄹ. 달까지의 거리
ㅁ. 눈에서 종이까지의 거리

04 그림은 북쪽 하늘의 별을 2시간 동안 노출시켜 찍은 사진이다. 이에 대한 설명으로 옳은 것은? (4점)

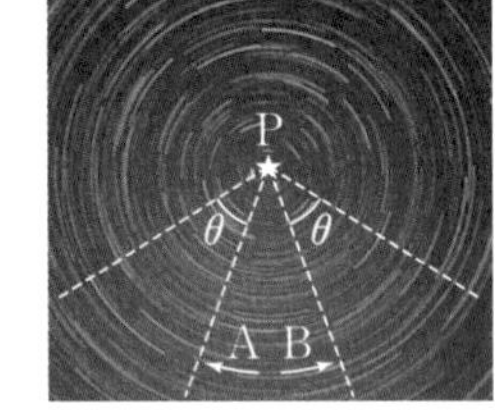

① 중심각 θ는 15°이다.
② 별의 회전 방향은 A이다.
③ 중심에 있는 별 P는 태양이다.
④ 각 원호는 별들이 지나간 자취이다.
⑤ 이 운동의 원인은 지구의 공전이다.

05 그림 (가)는 춘 · 추분, 하지, 동지 때 우리나라에서 태양의 일주 운동 경로를 나타낸 것이고, (나)는 황도와 천구의 적도를 나타낸 것이다.

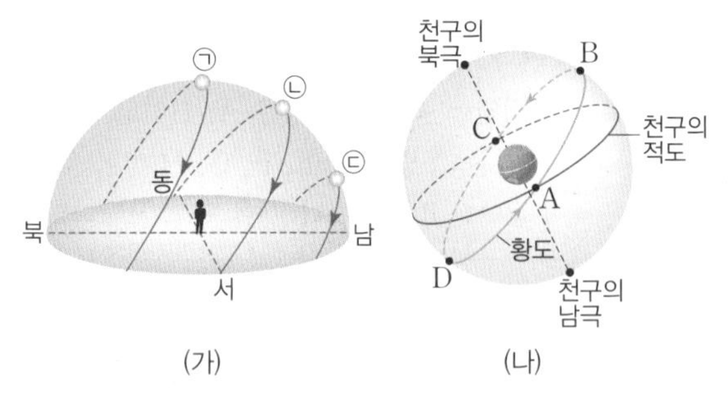

춘분날 태양의 일주 운동 경로와 천구 상에서 태양의 위치를 그림 (가), (나)에서 옳게 고른 것은?

① ㉠, A ② ㉠, D ③ ㉡, A
④ ㉢, A ⑤ ㉢, C

06 달의 공전에 대한 설명으로 옳은 것만을 보기에서 모두 고른 것은?

보기
ㄱ. 달의 공전 방향은 동 → 서이다.
ㄴ. 달의 실제 공전 주기는 약 29.5일이다.
ㄷ. 달의 공전으로 인하여 달의 모양이 변한다.

① ㄱ ② ㄷ ③ ㄱ, ㄴ
④ ㄱ, ㄷ ⑤ ㄴ, ㄷ

정답과 해설 031쪽

[07-08] 그림은 태양, 지구, 달의 상대적인 위치를 나타낸 것이다.

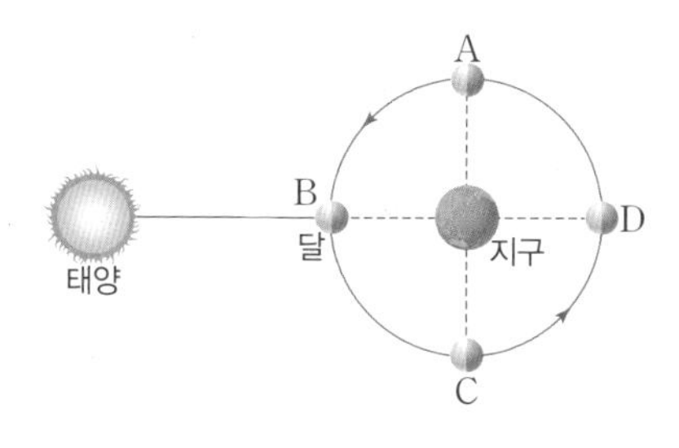

07 음력 1일경에 관측할 수 있는 달의 위치와 모양을 옳게 짝 지은 것은?

① A－상현달 ② B－삭 ③ C－하현달
④ C－보름달 ⑤ D－삭

08 달이 D의 위치에 있을 때 관측한 내용으로 옳지 않은 것은? (4점)

① 음력 15일경이다.
② 하현달 모양으로 관측된다.
③ 초저녁에 동쪽에서 떠오른다.
④ 관측할 수 있는 시간이 가장 길다.
⑤ 달이 남중하는 시각은 한밤중이다.

09 그림은 월식이 일어나는 원리를 알아보기 위한 실험을 나타낸 것이다.

이 실험에서 큰 스타이로폼 공과 작은 스타이로폼 공에 해당하는 천체를 각각 쓰시오.

10 그림과 같은 행성에 대한 설명으로 옳은 것은?

① 대기가 없어 표면이 달과 비슷하다.
② 태양계의 행성 중 크기가 가장 크다.
③ 태양계의 행성 중 평균 밀도가 가장 크다.
④ 과거에 강물이 흐른 흔적이 표면에 남아 있다.
⑤ 태양계의 행성 중 가장 납작한 형태를 지닌 행성이다.

11 행성과 그 특징을 설명한 것으로 옳지 않은 것은? (4점)

① 수성 － 대기가 없고 운석 구덩이가 많아 표면 모습이 달과 비슷하다.
② 금성 － 짙은 이산화 탄소 대기로 인해 표면 온도가 매우 높다.
③ 화성 － 청록색의 행성으로, 자전축이 공전 궤도면과 거의 평행하다.
④ 목성 － 표면에서 거대한 대적점이 관측되며, 고리가 있다.
⑤ 해왕성 － 파란색을 띤 행성으로, 표면에서 대흑점이 관측된다.

12 망원경으로 화성을 관측해 보면 그림의 A와 같이 흰색으로 보이는 부분이 나타난다. 이에 대한 설명으로 옳은 것은? (정답 2개)

① 극관이라고 한다.
② 화성 전체에서 발견된다.
③ 화성에 존재하는 호수이다.
④ 눈이 내려 굳어져서 생긴 빙하이다.
⑤ 겨울에는 커지고, 여름에는 작아진다.

13 다음 행성들의 공통적인 특징으로 옳은 것은? (정답 2개)

• 수성 • 금성 • 지구 • 화성

① 위성의 수가 많다.
② 목성보다 자전 속도가 느리다.
③ 목성보다 크기와 질량이 크다.
④ 밀도가 작아 물 위에 뜰 수 있다.
⑤ 표면이 흙과 암석 등으로 되어 있다.

14 태양에 대한 설명으로 옳지 않은 것은?

① 스스로 빛과 열을 내는 별이다.
② 태양계 전체 질량의 약 99.8 %를 차지한다.
③ 표면에서는 많은 운석 구덩이가 관측된다.
④ 수소와 헬륨 등으로 이루어진 거대한 기체 덩어리이다.
⑤ 반지름은 지구의 약 109배, 부피는 지구의 약 130만 배나 된다.

15 그림은 태양의 대기에서 관측되는 현상이다. 이에 대한 설명으로 옳지 않은 것은?

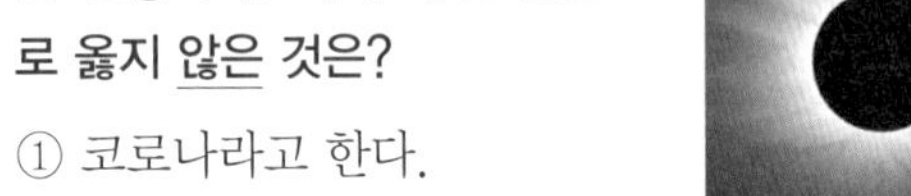

① 코로나라고 한다.
② 매우 희박한 가스층이다.
③ 온도는 100만 ℃ 이상이다.
④ 흑점 주변에서 일어나는 폭발 현상이다.
⑤ 채층 위로 수백만 km까지 넓게 퍼져 있다.

16 다음 설명에 해당하는 것을 무엇이라고 하는지 쓰시오.

• 태양 표면에서 방출되는 전기를 띤 입자의 흐름이다.
• 태양 활동이 활발한 시기에 더 강해진다.
• 정전이나 무선 통신 장애 등을 일으킨다.

17 태양 활동이 활발할 때 일어나는 현상이 아닌 것은?

① 일식이 자주 일어난다.
② 흑점의 수가 많아진다.
③ 홍염과 플레어가 자주 발생한다.
④ 오로라의 발생 지역이 넓어진다.
⑤ 무선 통신이 두절되는 델린저 현상이 나타난다.

18 천체 망원경에 대한 설명으로 옳은 것만을 보기에서 모두 고른 것은? (4점)

보기
ㄱ. 가시광선을 관측하는 것으로는 굴절 망원경과 반사 망원경이 있다.
ㄴ. 시야가 넓게 트이고 도시 불빛의 영향을 받지 않는 곳에 설치하는 것이 좋다.
ㄷ. 천체의 상이 희미하게 보일 때는 대물렌즈의 구경이 작은 것으로 보아야 한다.
ㄹ. 천체를 관측할 때 먼저 저배율로 관측한 후 점차 고배율로 바꾸어 가며 관측해야 한다.

① ㄱ, ㄴ ② ㄱ, ㄷ ③ ㄴ, ㄹ
④ ㄱ, ㄴ, ㄹ ⑤ ㄴ, ㄷ, ㄹ

19 그림은 천체 망원경 중 굴절 망원경의 구조를 나타낸 것이다. A~E 각 부분의 역할에 대한 설명으로 옳지 않은 것은? (4점)

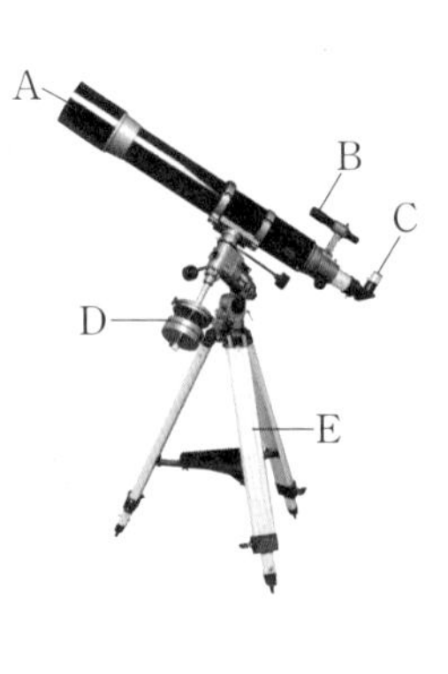

① A는 희미한 빛을 모으는 역할을 한다.
② B는 관측 대상을 찾을 때 사용한다.
③ C는 상을 확대하는 역할을 한다.
④ D는 초점을 맞추는 역할을 한다.
⑤ E는 천체 망원경을 세우고 고정한다.

정답과 해설 031쪽

서 술 형 문 제

20 그림과 같은 지구 모형의 크기 측정 실험에서 막대 AA′과 BB′ 사이의 거리는 너무 멀리하지 않는 것이 좋다. 그 까닭을 서술하시오. (6점)

21 그림은 별의 일주 운동 모습을 나타낸 것이다. 이때 모든 별들이 북극성을 중심으로 일주 운동을 하는 것은 북극성의 어떤 특성 때문인지 서술하시오. (6점)

22 해가 진 직후 달의 위치와 모양을 관측해 보면 그림과 같이 계속해서 변한다.

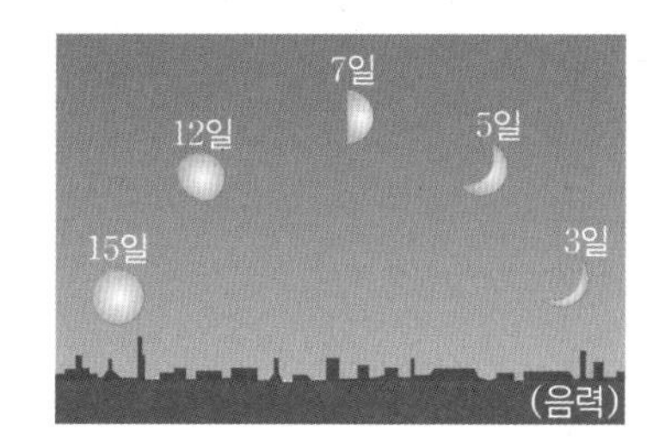

이와 같은 현상이 일어나는 원인을 서술하시오. (6점)

23 그림 (가)와 (나)는 수성과 달의 표면 모습을 나타낸 것이다.

(가) 수성

(나) 달

위 그림과 같이 표면에 운석 구덩이가 많은 행성이나 위성의 공통적인 특징을 구체적으로 서술하시오. (6점)

24 태양계의 행성을 표와 같이 A, B 두 집단으로 분류하였다.

집단	행성
A	수성, 금성, 지구, 화성
B	목성, 토성, 천왕성, 해왕성

행성의 물리량인 질량, 평균 밀도, 자전 속도를 이용하여 A와 B 두 집단의 특징을 비교하여 서술하시오. (7점)

25 다음 글에서 잘못된 부분을 2군데 골라 옳게 고쳐 쓰시오. (7점)

태양의 흑점을 며칠 간격으로 관측해 보니 그림과 같이 동에서 서로 이동하였다. 이것은 태양이 동에서 서로 자전하기 때문이다. 또 흑점의 이동 속도는 적도 쪽이 극 쪽보다 빠른데, 이로부터 태양 표면이 고체 상태임을 알 수 있다.

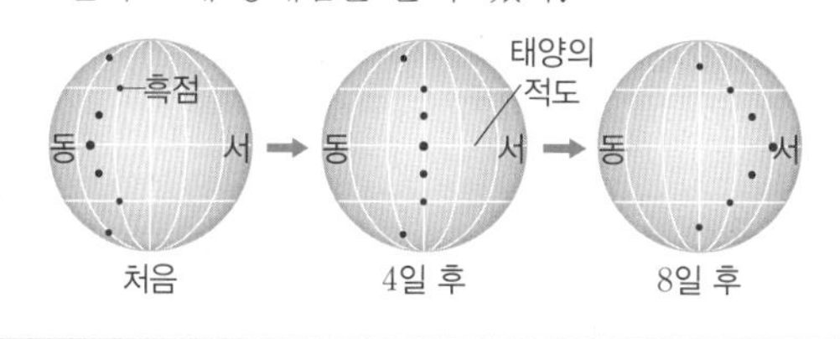

식물과 에너지

01 광합성

02 식물의 호흡

배울 내용이 쉬워지는 용어

배울 용어를 읽어보고, 이해가 되었으면 ✔ 표시를 해 봅시다.

- ☐ **광합성** 식물이 빛에너지를 이용하여 물과 이산화 탄소로 양분을 만드는 과정
- ☐ **엽록체** 광합성이 일어나는 장소로, 식물의 잎 세포에 있는 녹색 알갱이

- ☐ **포도당** 단맛이 있고 물에 잘 녹는 물질로, 생명 활동의 에너지원으로 소비
- ☐ **녹말** 많은 포도당이 연결된 물질로, 맛도 냄새도 없으며 찬물에는 녹지 않음

- ☐ **증산 작용** 식물체 내의 물을 잎의 기공을 통해 수증기 형태로 내보내는 현상
- ☐ **기공** 식물의 잎에 있는 작은 구멍
- ☐ **공변세포** 식물의 기공을 이루고 있는 세포로, 이산화 탄소 등의 기체 출입과 증산 작용을 조절

- ☐ **에너지** 사람이 활동하는 힘 또는 물체가 가지고 있는 일을 하는 능력을 통틀어 나타내는 말
- ☐ **호흡** 생물이 산소를 이용해서 양분을 분해하여 생명 활동에 필요한 에너지를 얻는 과정
- ☐ **호흡량** 호흡 작용의 상대적인 양을 나타내며, 하루 동안 거의 일정한 양을 나타냄

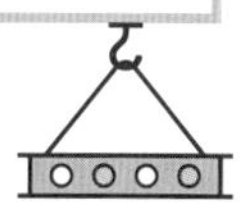

Ⅳ. 식물과 에너지

광합성

물음으로 흐름잡기

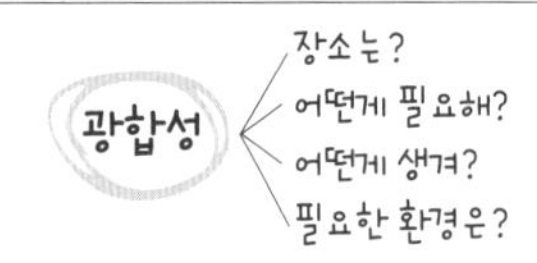

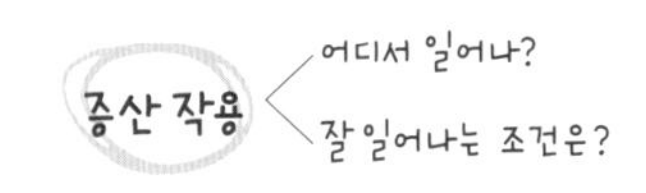

A 광합성

1. 광합성 식물이 빛에너지를 이용하여 물과 이산화 탄소로 양분(포도당)을 만드는 과정

물 + 이산화 탄소 —(빛에너지)→ 포도당 + 산소

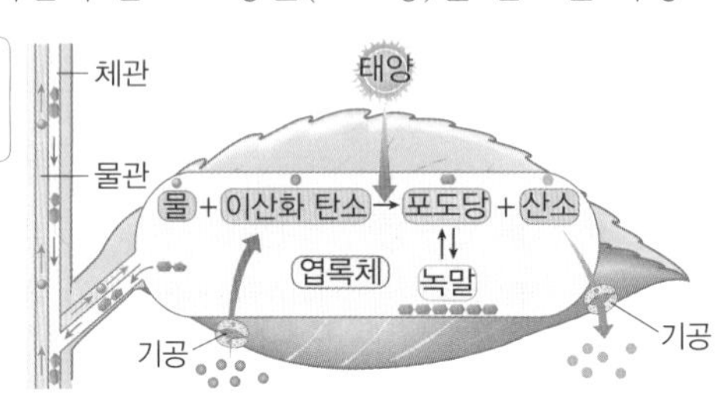

▲ 광합성 과정

① 일어나는 장소: 엽록체❶
- 엽록체: 광합성이 일어나는 장소로, 식물의 잎 세포에 있는 녹색의 알갱이를 말한다.
- 엽록소: 엽록체 속 녹색 색소로, 빛에너지를 흡수한다.

② 일어나는 시간: 빛이 있을 때(주로 낮)

③ 필요한 물질과 생성되는 물질

필요한 물질	생성되는 물질
• 물: 뿌리에서 흡수되어 물관을 통해 잎까지 이동 • 이산화 탄소: 잎의 기공을 통해 공기 중에서 흡수 • 빛에너지: 광합성의 에너지원으로 엽록소에서 흡수	• 포도당: 광합성의 결과로 생성되는 양분 ➡ 녹말로 전환하여 잎에 잠시 저장 • 산소❷: 일부는 호흡에 쓰이고, 나머지는 기공을 통해 공기 중으로 방출

교과서 탐구 광합성에 필요한 물질 알아보기

▶ 과정
1. 물이 담긴 비커에 청색 BTB 용액❸을 떨어뜨린 후, 용액의 색이 황색으로 변할 때까지 빨대로 입김을 불어 넣는다.
   입김을 불어 넣으면 날숨 속의 이산화 탄소에 의해 BTB 용액의 색이 녹색을 거쳐 황색으로 변한다.
2. 과정 1의 BTB 용액을 시험관 A~C에 각각 나누어 담은 후 시험관 B와 C에 비슷한 크기의 검정말을 넣고, 3개의 시험관을 모두 고무마개로 막는다.
3. 시험관 C는 알루미늄 포일로 시험관 전체를 감싼다.
4. 3개의 시험관을 모두 햇빛이 잘 비치는 곳에 두고 BTB 용액의 색 변화를 관찰한다.

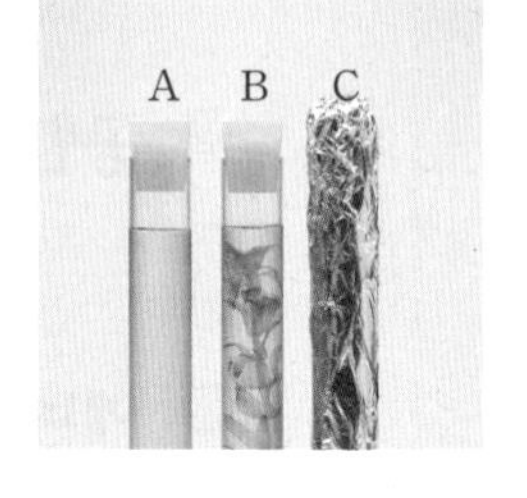

▶ 결과 ❶ A: 색깔 변화 없음 ❷ B: 황색 → 청색으로 변함 광합성이 일어나 이산화 탄소가 소모된다.
❸ C: 색깔 변화 없음 빛을 받지 못해 광합성이 일어나지 않는다.

▶ 해석 광합성 결과 빛과 이산화 탄소가 필요하다는 것을 알 수 있다.

2. 광합성의 의의

① 광합성은 물과 이산화 탄소로부터 양분을 생성한다.

② 생물의 호흡에 필요한 산소를 생성한다.

③ 태양의 빛에너지를 화학 에너지로 저장한다.

---

❶ 엽록체

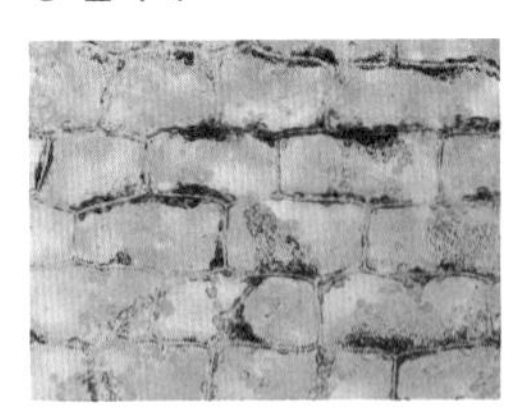

엽록체는 식물 세포에만 들어 있는 세포 소기관으로, 녹색의 알갱이 모양이다. 엽록체 안에는 엽록소라는 녹색 색소가 있어 빛을 흡수한다.

❷ 산소 발생 확인 실험

페트병 또는 표본병에 검정말을 넣어 빛을 비추면 기포가 발생한다.

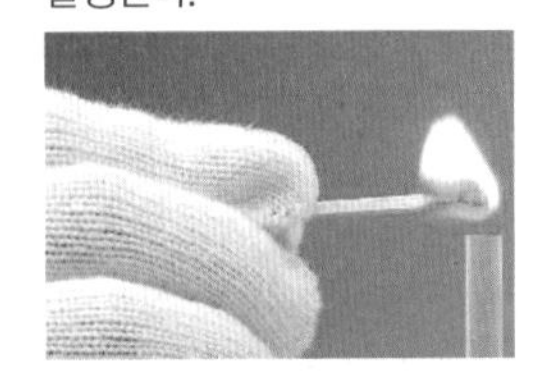

➡ 기포가 모아진 곳에 꺼져 가는 향이나 성냥 불씨를 가져다 대면 다시 잘 타오르는데, 이를 통해 광합성 결과 산소가 발생함을 알 수 있다.

❸ BTB 용액의 색 변화

산성	중성	염기성
황색	녹색	청색

많다 ← 이산화 탄소 → 적다

용어 알기
- **양분** 영양이 되는 성분
- **포도당** 단맛이 있고 물에 잘 녹으며, 생명 활동의 에너지원으로 소비된다.
- **녹말** 많은 포도당이 연결된 물질로, 맛도 냄새도 없으며 찬물에는 녹지 않는다.

★ 정답과 해설 033쪽

01 광합성에 대한 설명으로 옳은 것은 ○표, 옳지 않은 것은 ×표를 하시오.

(1) 광합성은 모든 세포에서 일어난다. ( )
(2) 식물은 빛이 없는 밤에도 광합성을 한다. ( )
(3) 광합성에는 빛이 필요하다. ( )
(4) 광합성에는 이산화 탄소와 물이 필요하다. ( )
(5) 광합성을 통해 생물의 호흡에 필요한 산소를 생성한다. ( )
(6) 광합성은 양분을 분해하여 에너지를 얻는 과정이다. ( )
(7) 광합성 결과 생성된 산소 중 일부는 호흡에 쓰이고, 나머지는 기공을 통해 공기 중으로 나간다. ( )

02 그림은 광합성 과정을 나타낸 것이다.

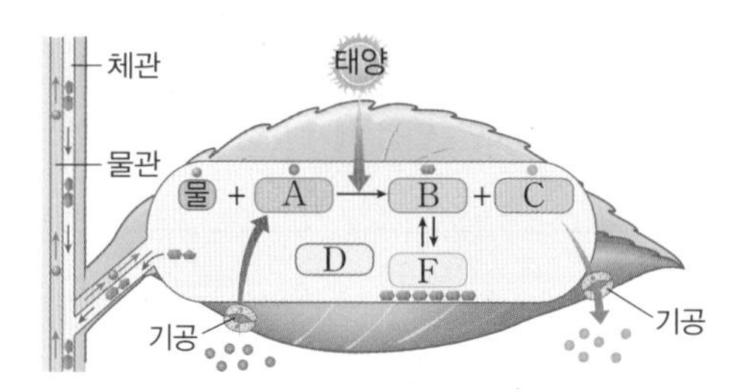

(1) A~C에 해당하는 물질의 이름을 쓰시오.
A: ( )
B: ( )
C: ( )
(2) 광합성이 일어나는 장소인 D의 이름을 쓰시오.

(3) 광합성 결과 생성된 양분인 B가 잎에 잠시 저장되는 형태인 F의 이름을 쓰시오.

03 다음은 식물의 잎에서 일어나는 광합성 과정을 나타낸 것이다. 이에 대한 설명으로 옳은 것은 ○표, 옳지 않은 것은 ×표를 하시오.

> 물 + 이산화 탄소 ⟶ (가) + 산소

(1) (가)는 포도당이다. ( )
(2) (가)는 녹말로 바뀌어 저장된다. ( )
(3) 빛이 없어도 일어나는 반응이다. ( )
(4) 물은 공기 중에서 수증기의 형태로 흡수한다. ( )
(5) 이산화 탄소는 잎의 기공을 통해 흡수한다. ( )
(6) 식물이 살아가는 데 필요한 양분을 만드는 과정이다. ( )

[04-05] 청색의 BTB 용액이 황색이 될 때까지 날숨을 불어 넣은 후 그림과 같이 장치하고 햇빛이 잘 비치는 창가에 두었다.

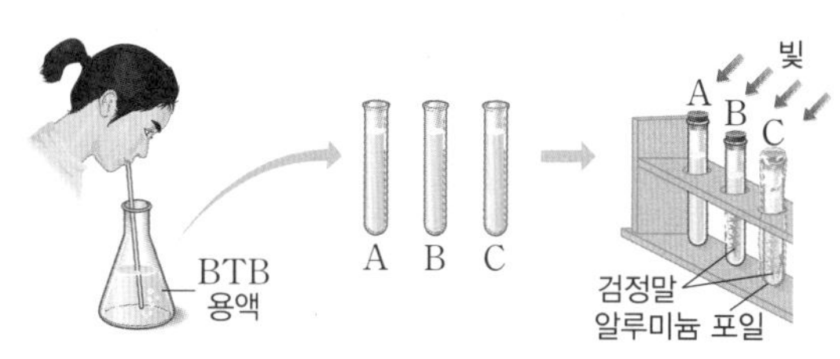

04 위 실험 결과 시험관 A~C에서 나타나는 BTB 용액의 색깔을 각각 쓰시오.

(1) A: ( ) (2) B: ( )
(3) C: ( )

05 위 실험에 대한 설명으로 옳은 것은 ○표, 옳지 않은 것은 ×표를 하시오.

(1) 날숨에는 산소가 포함되어 있다. ( )
(2) A의 BTB 용액은 염기성이다. ( )
(3) B는 이산화 탄소의 농도가 감소한다. ( )
(4) C의 BTB 용액은 산성을 나타낸다. ( )
(5) C에서는 광합성이 활발하게 일어난다. ( )

01 광합성

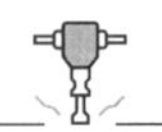

B 광합성에 영향을 미치는 요인

1. 광합성에 영향을 미치는 요인 빛의 세기, 이산화 탄소의 농도°, 온도

2. 빛의 세기, 이산화 탄소의 농도, 온도에 따른 광합성량의 변화

요인	빛의 세기	이산화 탄소의 농도	온도
광합성량 변화	(그래프) 광합성량 / 이산화 탄소 농도, 온도 일정 / 빛의 세기	(그래프) 광합성량 / 빛의 세기, 온도 일정 / 이산화 탄소의 농도	(그래프) 광합성량 / 이산화 탄소 농도 일정, 빛의 세기가 강할 때 / 35~40 ℃ / 온도
영향	빛의 세기가 강해질수록 광합성량이 증가하다가 일정 세기 이상이 되면 광합성량이 더 이상 증가하지 않고 일정해진다.	이산화 탄소의 농도가 높아질수록 광합성량이 증가하다가 일정 농도 이상이 되면 광합성량이 더 이상 증가하지 않고 일정해진다.	온도가 높아질수록 광합성량이 증가하다가 온도가 약 40 ℃ 이상이 되면 광합성량이 급격히 감소한다.❹ 35 ℃~40 ℃에서 광합성이 가장 활발하다.

교과서 탐구 빛의 세기에 따른 광합성량의 변화

▶ 과정
1. 표본병에 0.1 % 탄산수소 나트륨 수용액을 채우고, 검정말 줄기를 비스듬히 잘라 깔때기에 꽂은 후 거꾸로 세워 표본병에 넣는다.
2. 0.1 % 탄산수소 나트륨 수용액을 채운 시험관을 깔때기에 끼워 고정한다.
3. 전기스탠드를 표본병에서 50 cm 떨어진 곳에 설치하고 전기스탠드를 검정말 쪽으로 10 cm씩 옮기면서 1분 동안 발생하는 기포 수를 측정한다.

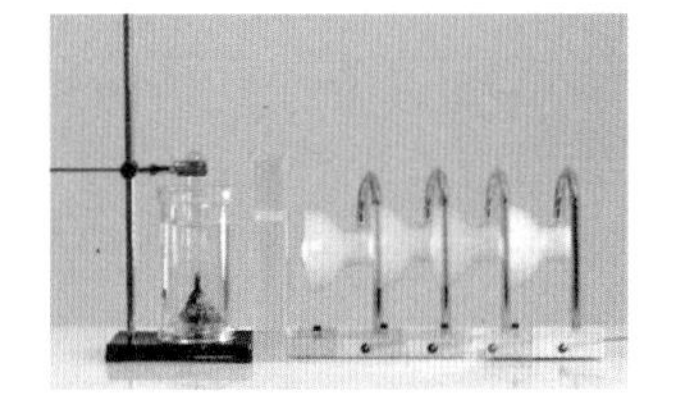

▶ 결과

검정말과 전기스탠드 사이의 거리(cm)	50	40	30	20	10
1분 동안 발생한 기포 수(개)	10	15	20	30	30

▶ 해석
① 검정말과 전기스탠드 사이의 거리 변화는 빛의 세기 변화를 의미한다.
➡ 거리가 가까워질수록 빛의 세기가 강해진다.
② 빛의 세기가 강해질수록 광합성량이 증가하지만, 일정 세기 이상이 되면 광합성량은 더 이상 증가하지 않고 일정해진다.

C 증산 작용

1. 증산 작용 식물체 내의 물이 잎의 기공°을 통해 수증기 형태로 빠져나가는 현상

2. 증산 작용의 의의

① 물 상승의 원동력❺: 뿌리에서 흡수한 물을 잎까지 끌어올리는 역할을 한다.

② 식물체 내의 수분량 조절: 식물체 내의 물을 밖으로 내보내어 수분량을 조절한다.

③ 식물의 체온 조절: 물이 증발할 때 주변의 열을 흡수하므로 식물체의 온도를 낮춘다.

3. 기공의 특징

① 2개의 공변세포로 이루어지며, 주로 잎 뒷면에 많이 분포한다.❻

② 공변세포가 팽창하면 기공이 열리고, 원상태로 돌아오면 기공이 닫힌다.

광합성에 영향을 미치는 환경 요인
"빛이 온다."
빛(빛의 세기)이(이산화 탄소의 농도) 온(온도)다.

❹ 온도가 약 40 ℃ 이상일 때 광합성량이 급격히 감소하는 까닭
광합성에는 여러 효소가 작용하는데, 효소는 대부분 단백질로 되어 있어 40 ℃ 이상의 고온에서는 단백질의 변형이 일어나 효소가 작용하지 못한다.

❺ 물 상승의 원동력
- 증산 작용: 증산 작용으로 빠져나간 물을 잎맥의 물관에서 보충하는 방식으로 물을 상승시킨다.
- 물의 응집력: 물관 속의 물이 서로 끊어지지 않는 힘으로 물을 상승시킨다.
- 뿌리압: 뿌리에서 흡수한 물을 위로 밀어 올리는 압력으로 물을 상승시킨다.
- 모세관 현상: 물이 물관과 같은 가는 관을 타고 올라가는 현상이다.

❻ 잎의 뒷면에 기공이 더 많은 까닭
햇빛을 직접 받지 않고, 비나 먼지 등이 기공을 막아 증산 작용을 방해하지 않도록 하기 위해서이다.

용어 알기
- 농도 용액이나 기체, 고체 혼합물에 들어 있는 구성 성분의 진한 정도
- 기공 식물의 잎에 있는 작은 구멍

4. 증산 작용의 조절 공변세포 내의 수분량에 따라 기공이 열리고 닫힘으로써 조절❼, ❽

구분	기공이 열릴 때(낮)	기공이 닫힐 때(밤)
기공의 모습	공변세포, 핵, 기공, 엽록체	공변세포, 핵, 기공, 엽록체

5. 증산 작용이 잘 일어나는 조건 증산 작용이 잘 일어나는 조건은 빨래가 잘 마르는 조건과 같다.

구분	햇빛	온도	바람	습도	체내 수분량
기공 열림	강할 때	높을 때	잘 불 때	낮을 때	많을 때

교과서 탐구 기공과 공변세포의 관찰

▶ 과정

1. 닭의장풀 잎 또는 사철나무 잎의 뒷면 표피를 벗겨 낸다.

2. 벗겨 낸 표피를 작은 크기로 자른다.

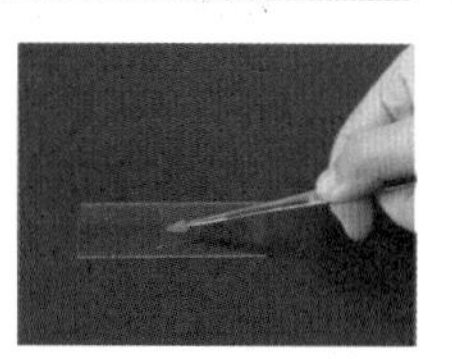

3. 작게 자른 표피로 현미경 표본을 만들어 관찰한다.

▶ 결과 ❶ 2개의 공변세포가 기공을 둘러싸고 있는 모습이다. 공변세포는 표피 세포가 변형된 것으로 표피 세포와 달리 엽록체가 존재한다.
❷ 공변세포는 엽록체가 있어 녹색을 띠지만, 표피 세포는 엽록체가 없어 투명하다.

▶ 해석 공변세포의 모양에 따라 기공이 열리고 닫힌다.

❼ 기공이 열리는 과정
공변세포의 광합성 ➡ 포도당 생성으로 세포 내 농도 높아짐 ➡ 주위 세포로부터 공변세포로 물 흡수 ➡ 공변세포가 팽창하여 활처럼 휘어짐 ➡ 기공 열림

❽ 공변세포의 구조에 따른 기공의 개폐
공변세포는 기공 쪽 세포벽보다 기공 반대쪽 세포벽이 얇아 잘 늘어난다. ➡ 공변세포가 팽창할 때 활처럼 휘어지면서 기공이 열린다.

용어 알기
- **공변세포** 식물의 기공을 이루고 있는 세포로, 증산 작용을 조절
- **팽창** 물체의 부피가 커지는 현상

★ 정답과 해설 033쪽

06 광합성에 직접 영향을 미치는 요인을 보기에서 모두 고르시오.

보기
ㄱ. 온도 ㄴ. 빛의 세기 ㄷ. 바람의 속도
ㄹ. 산소의 농도 ㅁ. 이산화 탄소의 농도

07 광합성에 영향을 미치는 요인에 대한 설명으로 옳은 것은 ○표, 옳지 않은 것은 ×표를 하시오.

(1) 이산화 탄소의 농도가 계속 증가하면 광합성량도 계속 증가한다. ( )

(2) 빛의 세기, 이산화 탄소의 농도, 온도 중 어느 1가지라도 부족하면 광합성이 활발하게 일어나지 못한다. ( )

08 그림은 식물 잎 뒷면의 일부를 관찰한 것이다. A~C의 이름을 쓰고, 엽록체가 있는 곳의 기호를 쓰시오.

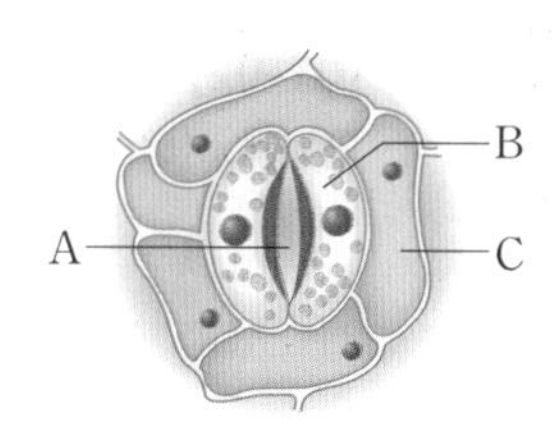

09 증산 작용의 의의에 대한 설명으로 옳은 것은 ○표, 옳지 않은 것은 ×표를 하시오.

(1) 식물체 내의 수분량을 조절한다. ( )

(2) 식물체 내에서 물 상승의 원동력이다. ( )

(3) 잎의 기공을 통해 물이 수증기로 증발하면서 열을 방출하므로 식물의 체온을 높인다. ( )

탐구 공략 하기

광합성이 일어나는 장소와 산물 알아보기

목표 검정말을 이용하여 광합성이 일어나는 장소와 광합성 결과 만들어지는 물질이 무엇인지 추론할 수 있다.

공략 포인트 아이오딘 반응을 이용하여 광합성 결과 생성되는 생성물을 찾는다.

아이오딘-아이오딘화 칼륨 용액
녹말을 검출하는 시약으로, 아이오딘-아이오딘화 칼륨 용액이 녹말과 반응하여 청람색으로 변하는 것을 아이오딘 반응이라고 한다.

과정

❶ 검정말 잎 관찰

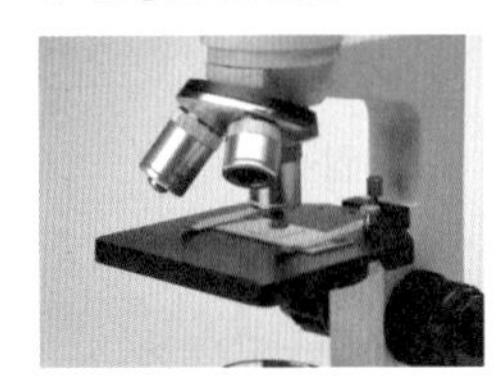

햇빛이 잘 비치는 곳에 놓아둔 검정말 잎을 1장 떼어 내어 현미경으로 관찰한다.

❷ 광합성

물이 든 비커 A와 B에 검정말을 넣은 다음, 비커 A는 반나절 이상 빛을 비추어 주고, 비커 B는 어둠 상자에 하루 동안 둔다.

❸ 색소 제거

비커 A, B에 있던 검정말 잎을 에탄올이 들어 있는 비커에 넣고 각각 물중탕을 한다.

에탄올은 엽록소를 녹이므로 잎을 탈색시켜 색깔 변화를 뚜렷하게 관찰할 수 있다.

❹ 아이오딘 반응

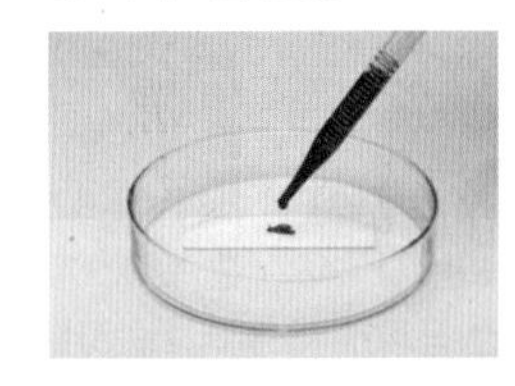

색소를 제거한 검정말 잎에 아이오딘-아이오딘화 칼륨 용액을 떨어뜨리고 현미경으로 관찰한다.

아이오딘 반응은 녹말 검출 반응이다.

결과

1. 과정 ❶에서 검정말 세포에는 녹색의 알갱이(엽록체)가 있다.
2. 과정 ❹에서 비커 A에서 얻은 잎의 엽록체만 아이오딘-아이오딘화 칼륨 용액과 반응하여 청람색으로 변한다.
3. 과정 ❹에서 비커 B에서 얻은 잎은 아이오딘 반응이 일어나지 않는다.
   ➡ 비커 B를 어둠 상자 속에 두었을 때 잎에 이미 만들어졌던 녹말이 다른 곳으로 이동했기 때문이다.

정리 광합성이 일어나는 장소는 엽록체이며, 광합성 결과 녹말이 생성된다.

확인 문제

정답과 해설 033쪽

[01-02] 그림은 어둠 상자에 하루 동안 넣어둔 식물을 이용한 아이오딘 반응 실험 과정을 나타낸 것이다.

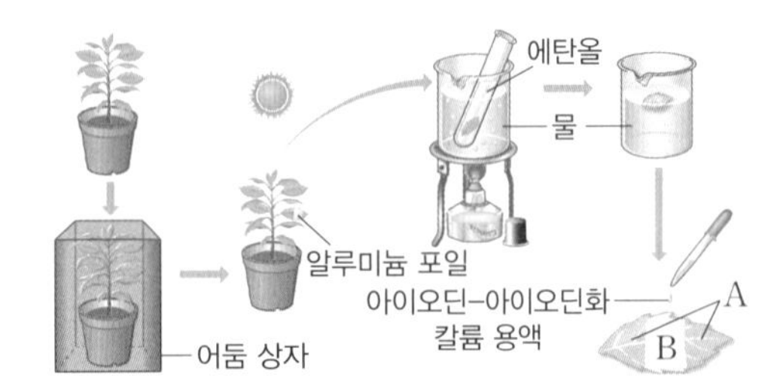

01 A와 B의 색깔 변화를 옳게 짝 지은 것은?

	A	B
①	청람색	청람색
②	청람색	보라색
③	보라색	청람색
④	청람색	변화 없음
⑤	변화 없음	청람색

02 이 실험에 대한 설명으로 옳은 것은?

① B 부분에는 엽록체가 없다.
② B는 광합성이 일어난 부분이다.
③ 광합성이 더 활발하게 일어나게 하기 위해 식물의 잎을 탈색시킨다.
④ 이 실험 결과를 통해 광합성 결과 녹말이 생성된다는 것을 알 수 있다.
⑤ A와 B의 색깔 변화를 비교하여 광합성은 물이 있을 때 일어난다는 것을 알 수 있다.

03 검정말의 잎 세포에서 광합성이 일어나는 세포 소기관은 어디인지 쓰시오.

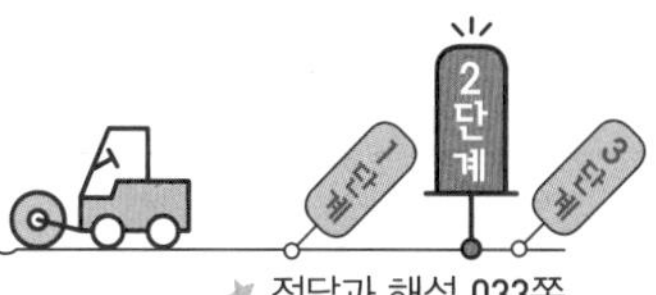

정답과 해설 033쪽

A 광합성

01 다음은 녹색 식물에서 포도당이 만들어지는 과정을 식으로 나타낸 것이다.

$$물 + A \xrightarrow{빛에너지} 포도당 + B$$

A와 B에 해당하는 물질을 옳게 짝 지은 것은?

	A	B
①	산소	물
②	산소	이산화 탄소
③	이산화 탄소	물
④	이산화 탄소	산소
⑤	이산화 탄소	녹말

필수

02 다음 중 광합성에 대한 설명으로 옳은 것을 모두 고르면? (정답 2개)

① 엽록체에서 일어난다.
② 물은 잎의 기공을 통해 흡수된다.
③ 광합성은 주로 낮에 활발하게 일어난다.
④ 광합성 결과 최초로 생성되는 양분은 녹말이다.
⑤ 광합성 결과 생성된 양분은 물관을 통해 이동한다.

신유형

03 그림은 검정말의 잎으로 현미경 표본을 만들어 관찰한 모습을 나타낸 것이다. 이때 관찰되는 녹색 알갱이에 대한 설명으로 옳은 것은?

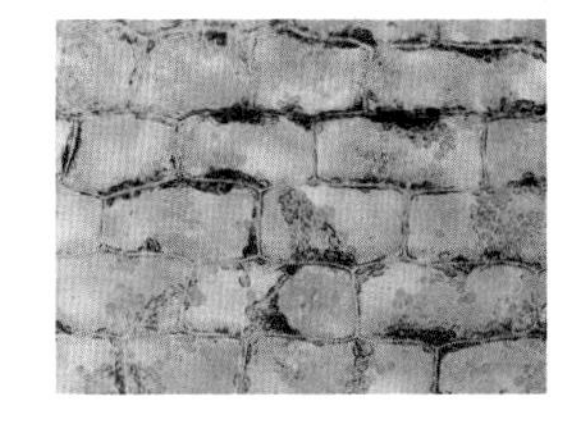

① 생명 활동의 중심이 된다.
② 빛을 흡수하여 광합성을 한다.
③ 호흡 작용으로 에너지를 생산한다.
④ 세포의 형태를 일정하게 유지한다.
⑤ 세포의 생명 활동으로 생긴 노폐물을 저장한다.

04 그림은 광합성 과정을 나타낸 것이다.

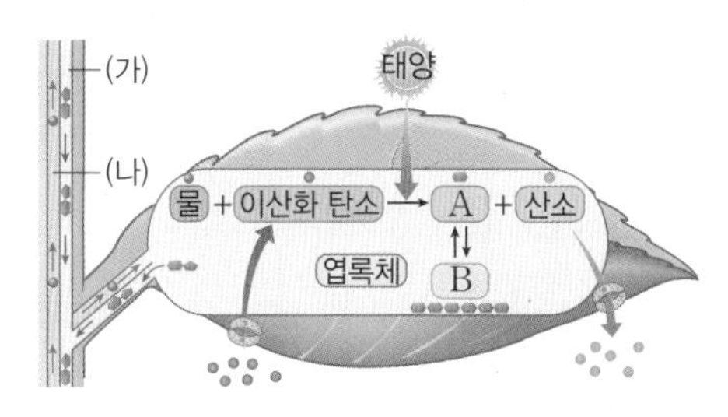

이에 대한 설명으로 옳지 않은 것은?

① A는 포도당, B는 녹말이다.
② 광합성의 최초 산물은 A이다.
③ (가)는 체관, (나)는 물관이다.
④ 물은 뿌리를 통해 흡수되어 잎까지 전달된다.
⑤ 광합성으로 생성된 산소는 (나)를 통해 방출된다.

05 그림은 광합성 결과 생성되는 물질을 알아보기 위한 실험을 나타낸 것이다.

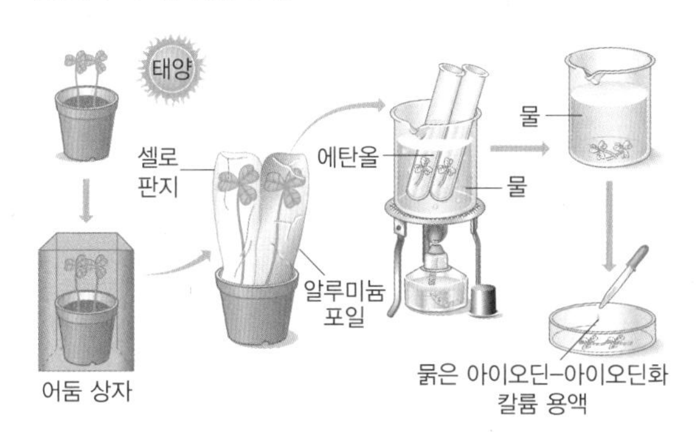

이 실험에 대한 설명으로 옳은 것은?

① 에탄올이 광합성을 촉진한다.
② 광합성은 미토콘드리아에서 일어난다.
③ 잎을 에탄올에 넣고 물중탕하는 까닭은 녹말을 녹이기 위해서이다.
④ 알루미늄 포일로 가린 부분만 아이오딘 반응에서 청람색으로 변한다.
⑤ 식물을 어둠 상자에 두는 까닭은 잎에 있던 양분을 다른 곳으로 이동시키기 위해서이다.

06 표본병에 35 ℃의 물을 넣고, 그림 (가)와 같이 빨대로 입김을 불어 넣은 후 (나)와 같이 장치하여 실험하였다.

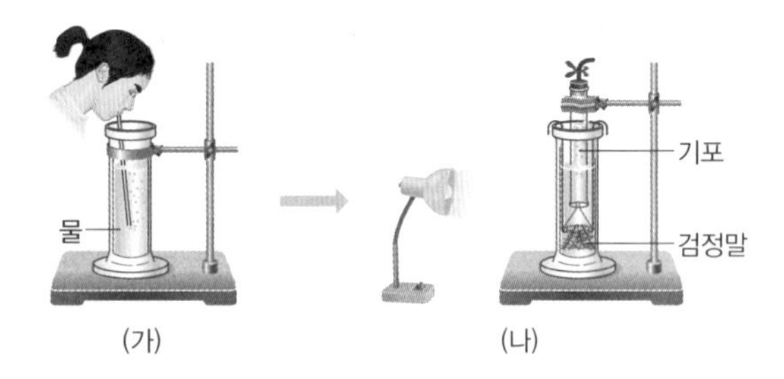

이 실험에 대한 설명으로 옳지 않은 것은?

① 시험관 윗부분에 모아진 기체는 산소이다.
② 광합성 결과 발생하는 기체를 확인하기 위한 실험이다.
③ 입김을 불어 넣은 까닭은 이산화 탄소를 공급하기 위해서이다.
④ 표본병에 탄산수소 나트륨 수용액을 넣으면 (가) 과정을 거치지 않아도 된다.
⑤ 시험관 윗부분에 모아진 기체를 석회수에 통과시키면 석회수가 뿌옇게 흐려진다.

서술형

07 다음은 광합성에 대해 알아보기 위한 실험을 나타낸 것이다.

(가) 시험관 A와 B에 탄산수소 나트륨 수용액을 같은 양씩 넣고, 그림과 같이 장치하여 햇빛이 잘 비치는 곳에 두었다.

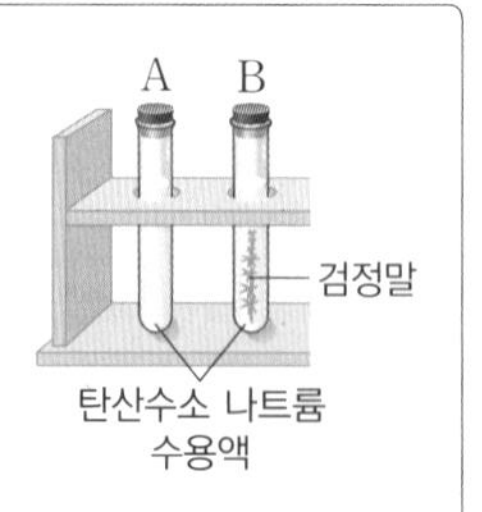

(나) 일정 시간이 지난 후, 시험관 A와 B에 각각 석회수를 넣었다.

이 실험 결과 석회수가 뿌옇게 흐려지지 않는 시험관의 기호를 쓰고, 그렇게 생각한 까닭을 서술하시오.

서술형

08 표본병에 탄산수소 나트륨 수용액을 넣은 후 그림과 같이 장치하였더니 기포가 발생하였다. 시험관 윗부분에 모아진 기체와 그 기체에 꺼져 가는 성냥 불씨를 갖다 대면 어떤 변화가 나타나는지 서술하시오.

B 광합성에 영향을 미치는 요인

09 다음 중 광합성에 영향을 미치는 환경 요인끼리 옳게 짝 지은 것은?

① 습도, 온도, 바람의 세기
② 온도, 물의 양, 바람의 세기
③ 물의 양, 빛의 세기, 산소의 농도
④ 온도, 빛의 세기, 이산화 탄소의 농도
⑤ 습도, 빛의 세기, 이산화 탄소의 농도

필수

10 그림과 같이 표본병과 전구 사이의 거리를 점점 가깝게 하면서 검정말에서 1분 동안 발생하는 기포 수를 조사하였다.

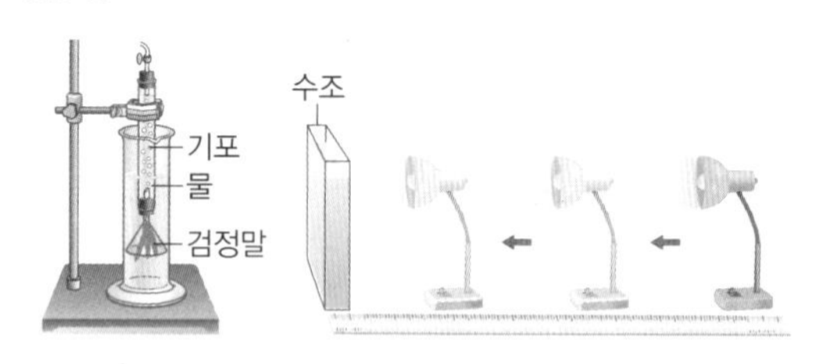

거리(cm)	55	45	35	25	15
기포 수(개)	1	3	7	16	16

이 실험 결과에 대한 설명으로 옳은 것은?

① 광합성량은 빛의 세기와 관계없다.
② 광합성량은 빛의 세기와 반비례한다.
③ 검정말에서 발생하는 기포는 이산화 탄소이다.
④ 검정말에서 발생하는 기포 수가 많을수록 광합성량은 적다.
⑤ 어느 정도까지는 빛의 세기가 강해질수록 광합성량이 증가한다.

정답과 해설 033쪽

11 그림은 광합성 작용을 알아보기 위한 실험 장치이다. 물속에 탄산수소 나트륨을 약간 첨가하면 어떤 현상이 생기는가?

빛 / 기포 / 물 / 검정말

① 거의 변화가 없다.
② 기포의 발생이 증가한다.
③ 기포의 발생이 중단된다.
④ 기포의 발생이 감소한다.
⑤ 물의 색깔이 청색으로 변한다.

12 광합성에 영향을 미치는 환경 요인과 광합성량의 관계를 나타낸 그래프로 옳은 것은?

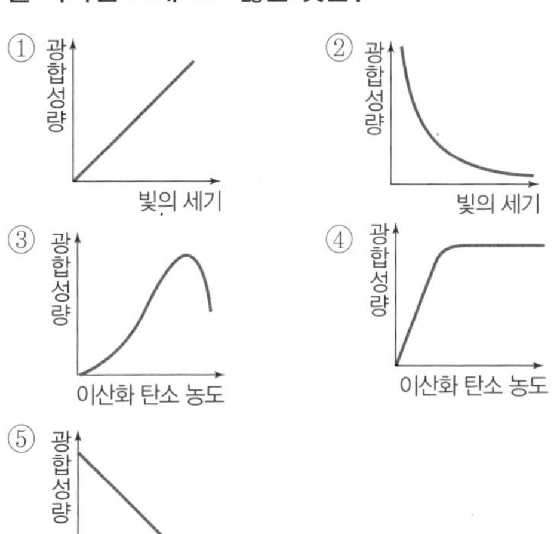

⑤ 광합성량 / 온도

13 표본병에 탄산수소 나트륨 수용액을 넣고, 그림과 같이 장치한 후 1분 동안 발생한 기포 수를 측정하였다.

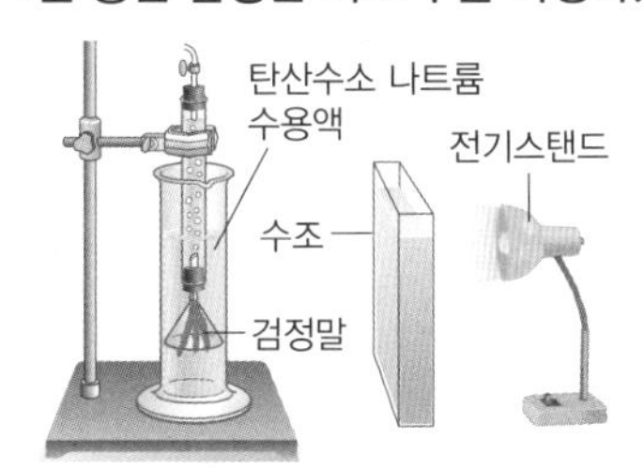

이 실험에서 발생하는 기포 수를 증가시킬 수 있는 방법으로 옳은 것은?

① 표본병에 얼음을 넣는다.
② 표본병에 물을 더 넣는다.
③ 표본병에 산소를 넣어준다.
④ 전기스탠드를 2개로 늘린다.
⑤ 전기스탠드를 더 멀리 떨어뜨린다.

서술형

14 그림 (가)와 같이 전기스탠드를 검정말에 점차 가까이하면서 발생하는 기포 수를 측정하여 그림 (나)와 같은 결과를 얻었다.

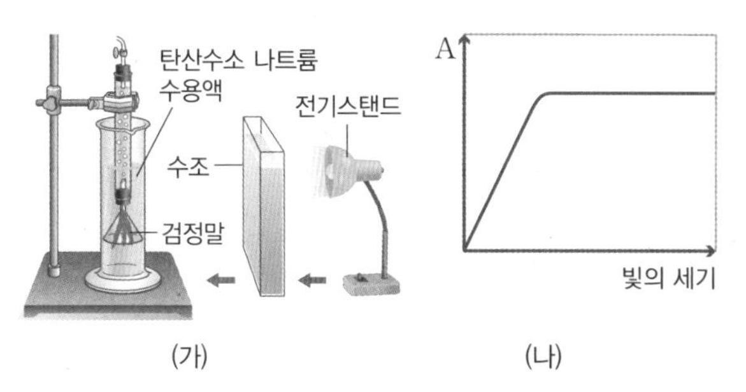

그림 (나)의 A에 들어갈 요인으로 옳은 것을 2가지 이상 쓰시오.

서술형

15 국립 생물 자원관의 연구 결과에 따르면 1941년부터 2000년 사이에 우리나라의 평균 기온이 약 1.3 ℃ 상승하였다고 한다. 이와 같은 한반도의 기후 변화가 식물의 광합성에 미치는 영향을 광합성에 영향을 미치는 환경 요인과 관련지어 서술하시오.

C 증산 작용

16 그림은 식물의 잎 구조 중 일부를 나타낸 것이다.
이에 대한 설명으로 옳지 않은 것은?

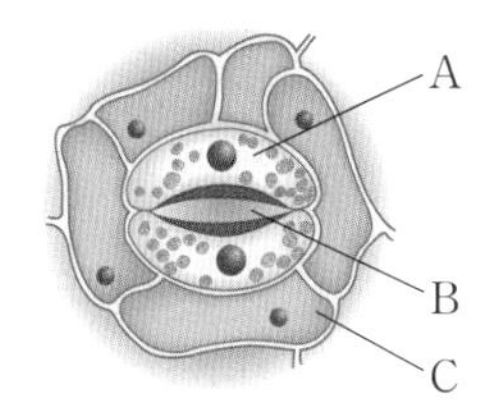

① A는 C가 변형된 것이다.
② A와 C에서는 광합성이 일어난다.
③ B는 A에 의해 열리고 닫힌다.
④ B는 잎의 뒷면에 많이 분포한다.
⑤ B를 통해 증산 작용과 기체 교환이 일어난다.

필수

17 그림은 환경에 따라 기공이 열리고 닫히는 모습을 나타낸 것이다.

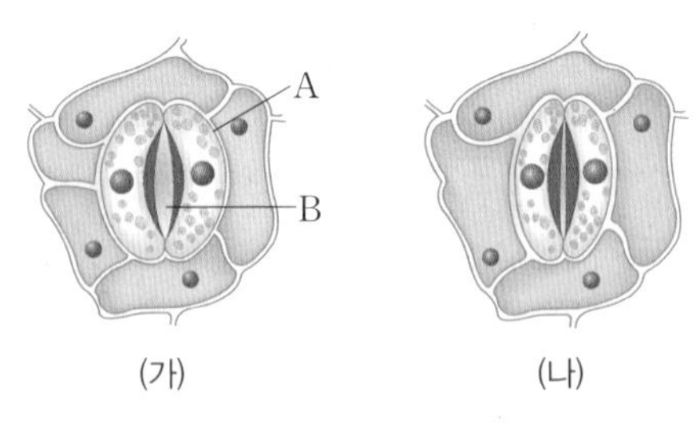

이에 대한 설명으로 옳은 것은?

① (가), (나)는 모두 증산 작용이 일어나는 상태이다.
② (가)는 주로 밤에, (나)는 주로 낮에 많이 관찰된다.
③ A에서 광합성이 활발하게 일어나면 B가 닫힌다.
④ A의 세포벽 두께는 B와 접하는 부분이 반대쪽보다 두껍다.
⑤ 낮 12시쯤에는 A의 내부 농도가 주위 세포보다 낮아진다.

18 증산 작용이 활발하게 일어날 수 있는 조건은?

① 바람이 불 때　② 온도가 낮을 때
③ 습도가 높을 때　④ 햇빛이 약하게 비칠 때
⑤ 구름이 많이 끼어 있을 때

필수

19 다음 중 잎에서 일어나는 증산 작용의 의의로 옳지 않은 것은?

① 식물체 내의 수분량을 조절한다.
② 기공에서의 기체 교환을 활발하게 한다.
③ 식물체의 온도가 상승하는 것을 막는다.
④ 식물체 내에 양분을 농축할 수 있게 해 준다.
⑤ 뿌리에서 흡수한 물이 높은 곳까지 올라가게 한다.

20 뿌리에서 흡수한 물이 잎까지 상승하는 원리로 옳지 않은 것은?

① 모세관 현상
② 수증기의 응결
③ 물 분자의 응집력
④ 증산 작용에 의한 흡수력
⑤ 뿌리에서 흡수한 물을 밀어올리는 힘

서술형

21 그림과 같이 같은 양의 물을 넣은 눈금실린더 A~C를 준비하여 A와 B에는 잎이 달린 봉선화 줄기를, C에는 잎을 모두 떼어 낸 봉선화 줄기를 각각 꽂은 다음, 햇빛이 잘 비치는 곳에 4~5시간 동안 놓아두었다가 물이 줄어든 양을 비교해 보았다. (단, B에는 비닐봉지를 씌웠다.)

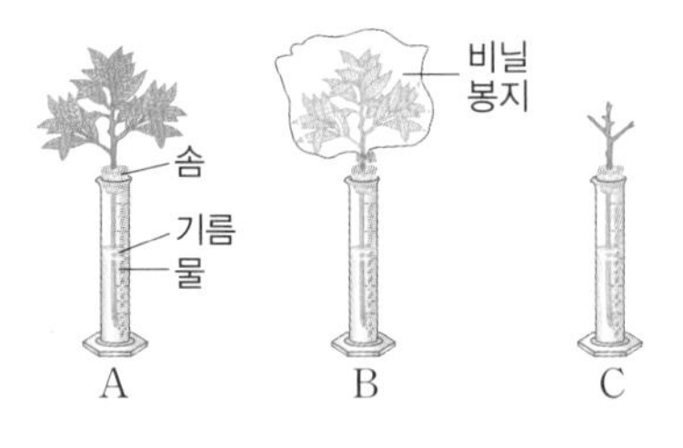

(1) 물이 가장 많이 줄어든 순서를 부등호로 나타내시오.

(2) 이 실험을 통해 알 수 있는 사실을 2가지만 서술하시오.

서술형

22 식물은 증산 작용을 통해 체온을 조절한다고 한다. 우리 몸에서 식물의 증산 작용과 같은 원리로 일어나는 일에는 어떤 것이 있는지 예를 들고, 그 원리를 서술하시오.

정답과 해설 035쪽

필수

01 그림은 프리스틀리와 잉엔하우스의 실험을 나타낸 것이다.

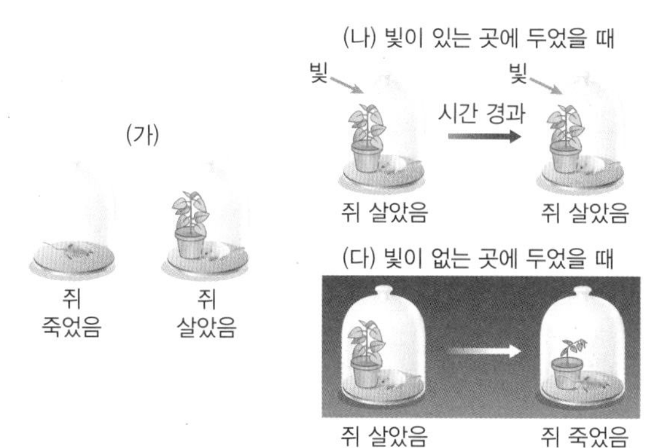

이 실험으로 알 수 있는 사실은?

① 광합성 결과 물이 생성된다.
② 광합성 결과 산소가 발생한다.
③ 광합성 결과 포도당이 생성된다.
④ 식물의 광합성에는 이산화 탄소가 필요하다.
⑤ 식물의 잎 속에는 엽록체가 있어 광합성이 일어난다.

신유형

02 그림과 같이 암실에 두었던 식물의 2개의 잎에 한쪽은 증류수, 다른 쪽은 수산화 칼륨 수용액이 든 삼각 플라스크를 설치한 후, 햇빛이 비치는 곳에 두었다가 A, B의 잎에 녹말 검출 반응을 실시하였다.

이에 대한 설명으로 옳지 않은 것은? (단, 수산화 칼륨은 이산화 탄소를 흡수한다.)

① B에는 이산화 탄소가 들어 있지 않다.
② 1시간 후 녹말 검출 반응이 일어난 곳은 A이다.
③ 시간이 지날수록 A의 이산화 탄소 농도는 증가한다.
④ 플라스크에 고무마개를 한 까닭은 외부 공기의 유입을 막기 위해서이다.
⑤ 이 실험은 광합성의 원료로 이산화 탄소가 필요한지 확인하기 위한 것이다.

필수

03 그래프는 온도와 광합성량과의 관계를 나타낸 것이다. 이와 같은 결과가 나타나는 원인과 가장 관련이 깊은 것은?

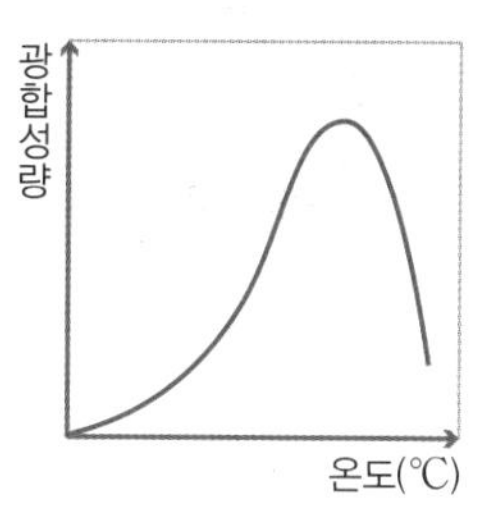

① 물 ② 효소 ③ 산소
④ 엽록체 ⑤ 이산화 탄소

04 그래프는 이산화 탄소가 충분히 공급될 때 온도와 광합성량의 관계를 나타낸 것이다. 이에 대한 설명으로 옳은 것은?

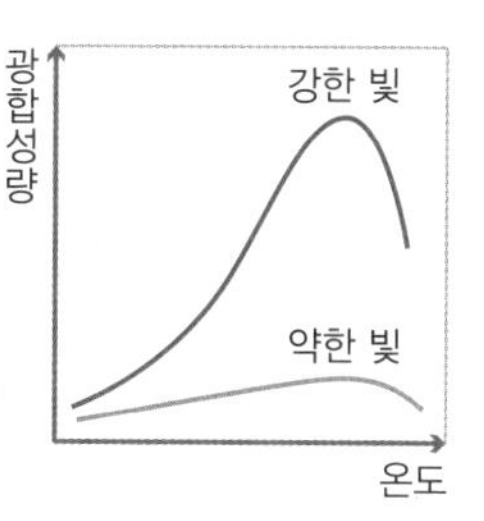

① 광합성량은 온도에 비례한다.
② 광합성량은 온도의 영향을 받지 않는다.
③ 광합성량은 빛이 약할 때 온도의 영향을 많이 받는다.
④ 광합성량은 빛이 강할 때 온도의 영향을 많이 받는다.
⑤ 광합성량은 빛의 세기와 관계없이 온도의 영향을 많이 받는다.

필수

05 그래프는 하루 동안 어떤 식물의 시간에 따른 증산량을 나타낸 것이다.

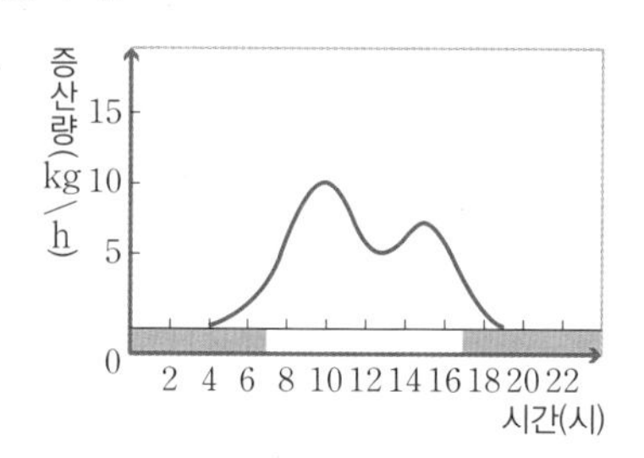

이에 대한 설명으로 옳지 않은 것은?

① 증산 작용은 주로 낮에 일어난다.
② 증산 작용은 저녁이 되면 감소한다.
③ 증산 작용은 햇빛의 영향을 받지 않는다.
④ 증산 작용이 가장 활발한 시각은 10시경이다.
⑤ 증산 작용은 밤 동안에는 거의 일어나지 않는다.

Ⅳ. 식물과 에너지

식물의 호흡

물음으로 흐름잡기

호흡
- 장소는?
- 빛의 영향을 받을까?
- 호흡은 광합성과는 무엇이 다를까?

A 호흡

1. 호흡 생물이 산소를 이용해서 양분(포도당)을 분해하여 생명 활동에 필요한 에너지• 를 얻는 과정

포도당 + 산소 ——→ 물 + 이산화 탄소 + 에너지

2. 식물의 호흡

일어나는 장소	• 기체 교환으로서의 호흡: 잎, 줄기, 뿌리에서 일어난다.❶ • 에너지를 얻는 작용으로서의 호흡: 모든 세포에서 일어난다.❷
일어나는 시간	낮과 밤의 구분 없이 항상 일어난다.
호흡이 활발한 시기	씨가 싹틀 때, 꽃이 필 때, 생장할 때 활발하게 일어난다.

❶ 식물의 기체 교환이 일어나는 장소
- 잎: 기공을 통해 일어난다.
- 줄기: 군데군데 있는 피목을 통해 일어난다.
- 뿌리: 표피 세포를 통해 일어난다.

❷ 호흡과 광합성의 에너지
광합성은 빛에너지를 이용하여 양분을 합성하는 과정이며, 호흡은 양분을 분해하여 생활에 필요한 에너지를 생성하는 과정이다.

교과서 탐구 식물의 호흡

▶ 과정 1. 2개의 비닐봉지 중 A에는 시금치를 넣고, B에는 공기만 채운 후 그림과 같이 장치하여 암실에 둔다.
2. 하루가 지난 후 비닐봉지에 들어 있는 공기를 시험관에 든 석회수에 통과시킨다.

A B

▶ 결과 A의 공기를 통과시킨 석회수만 뿌옇게 흐려진다.
└ 석회수는 이산화 탄소와 만나면 뿌옇게 흐려진다.

▶ 해석 식물의 호흡 결과 이산화 탄소가 발생하였다.

3. 식물의 기체 교환❸

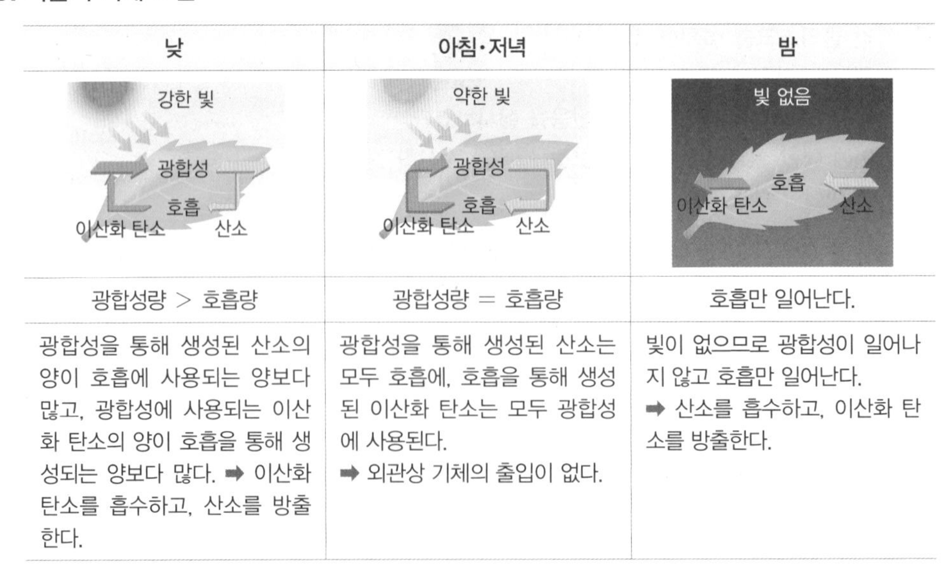

낮	아침·저녁	밤
강한 빛 / 광합성 / 호흡 / 이산화 탄소 / 산소	약한 빛 / 광합성 / 호흡 / 이산화 탄소 / 산소	빛 없음 / 호흡 / 이산화 탄소 / 산소
광합성량 > 호흡량	광합성량 = 호흡량	호흡만 일어난다.
광합성을 통해 생성된 산소의 양이 호흡에 사용되는 양보다 많고, 광합성에 사용되는 이산화 탄소의 양이 호흡을 통해 생성되는 양보다 많다. ➡ 이산화 탄소를 흡수하고, 산소를 방출한다.	광합성을 통해 생성된 산소는 모두 호흡에, 호흡을 통해 생성된 이산화 탄소는 모두 광합성에 사용된다. ➡ 외관상 기체의 출입이 없다.	빛이 없으므로 광합성이 일어나지 않고 호흡만 일어난다. ➡ 산소를 흡수하고, 이산화 탄소를 방출한다.

❸ 광합성량과 호흡량의 변화

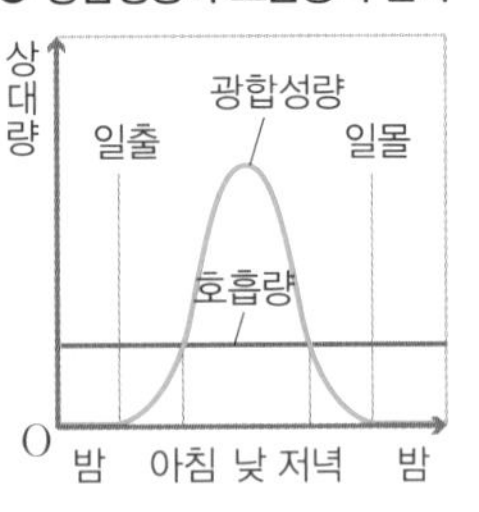

- 광합성량: 빛의 세기에 따라 달라진다.
- 호흡량: 하루 동안 거의 일정하다.

용어 알기
- 에너지 사람이 활동하는 힘 또는 물체가 가지고 있는 일을 하는 능력을 통틀어 이르는 말

B 광합성과 호흡

1. 광합성과 호흡의 관계 광합성은 빛에너지를 이용하여 양분 합성, 호흡은 양분을 분해하여 생활 에너지 방출

2. 광합성과 호흡의 비교

구분	광합성	호흡
반응 과정	물 + 이산화 탄소 ⇄ 포도당 + 산소 (→ 광합성(빛에너지 흡수), ← 호흡(에너지 발생))	
일어나는 장소	엽록체	살아 있는 모든 세포
일어나는 시간	낮(빛이 있을 때)	항상
기체의 출입	이산화 탄소 흡수, 산소 방출	이산화 탄소 방출, 산소 흡수
물질의 변화	양분 합성	양분 분해
에너지 관계	에너지 저장(흡수)	에너지 발생(방출)

3. 광합성 산물의 이용과 저장

① 생명 유지에 필요한 에너지원 및 식물체의 구성 성분으로 이용

② 남은 양분은 열매, 뿌리, 줄기 등에 녹말이나 지방 등의 형태로 저장❹

산물의 이동	광합성으로 생성된 포도당은 곧바로 물에 녹지 않는 녹말로 바뀌어 잎에 잠시 저장되었다가 밤이 되면 물에 잘 녹는 설탕으로 전환되어 체관을 통해 식물의 각 기관으로 이동한다.
산물의 저장	• 뿌리에 저장: 고구마, 무, 당근 등 • 줄기에 저장: 감자, 양파, 연 등 • 열매에 저장: 사과, 감, 배 등 • 씨(종자)에 저장: 벼, 보리, 콩, 완두 등

❹ **양분의 저장 형태와 식물의 예**
- 포도당: 붓꽃, 포도, 양파 등
- 녹말: 벼, 감자, 고구마 등
- 지방: 땅콩, 깨, 잣 등

⚠ 용어 알기
- **설탕** 단맛이 나는 이당류로 물에 잘 용해됨
- **체관** 잎에서 광합성에 의해 만들어진 양분의 이동 통로

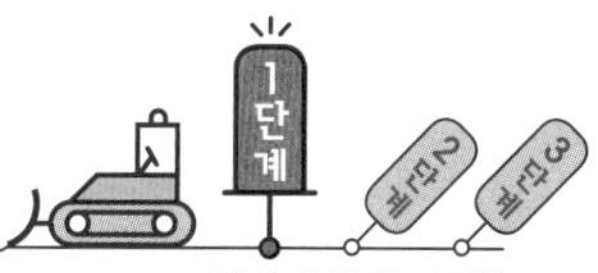

정답과 해설 035쪽

01 다음 중 식물의 호흡에 대한 설명으로 옳은 것은 ○표, 옳지 않은 것은 ×표를 하시오.

(1) 호흡은 엽록체에서 일어난다. ( )

(2) 호흡은 빛이 없을 때에만 일어난다. ( )

(3) 싹틀 때와 꽃이 필 때 활발히 일어난다. ( )

02 그림은 식물의 호흡에 관한 실험을 나타낸 것이다. ( ) 안에 들어갈 알맞은 말을 고르시오.

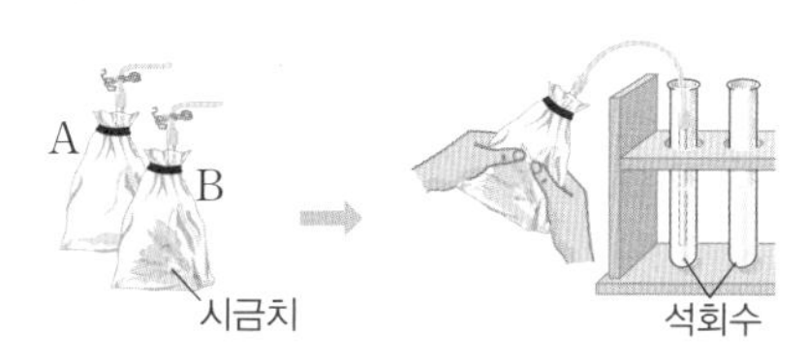

(1) 석회수가 뿌옇게 흐려지는 것은 (A , B)이다.

(2) 식물의 호흡 결과 발생하는 기체는 (산소 , 이산화 탄소)이다.

03 식물의 호흡과 광합성에 대한 설명으로 옳은 것은 ○표, 옳지 않은 것은 ×표를 하시오.

(1) 호흡은 에너지를 얻기 위한 과정이다. ( )

(2) 낮에는 광합성만, 밤에는 호흡만 한다. ( )

(3) 광합성의 결과 생성된 산소 중 일부는 호흡에 쓰인다. ( )

04 다음은 광합성 산물의 이동에 대한 설명이다. ㉠~㉢에 들어갈 알맞은 말을 쓰시오.

> 식물의 엽록체에서 광합성 결과 만들어진 (㉠)은 물에 잘 녹지 않는 (㉡)로 전환되어 잎에 잠시 저장된다. 밤이 되면 (㉡)은 물에 잘 녹는 (㉢)으로 전환되어 체관을 통해 식물의 각 기관으로 운반된다.

A 호흡

01 다음은 식물의 호흡이 일어나는 과정을 나타낸 것이다.

> 포도당 + (A) ⟶ 물 + (B) + 에너지

A와 B에 해당하는 물질을 각각 쓰시오.

필수

02 다음 중 식물이 호흡을 하는 근본적인 목적으로 옳은 것은?

① 광합성을 하기 위해서이다.
② 산소를 소비하기 위해서이다.
③ 양분을 합성하기 위해서이다.
④ 빛에너지를 저장하기 위해서이다.
⑤ 생활에 필요한 에너지를 얻기 위해서이다.

필수

03 빛이 없을 때 일어나는 식물의 기체 교환을 확인하기 위해 다음과 같이 실험하였다.

(가) 시금치를 넣은 비닐봉지와 공기만 넣은 비닐봉지를 어두운 곳에 하루 동안 놓아둔다.
(나) 비닐봉지 속의 공기를 석회수에 통과시킨다.
(다) 시금치를 넣은 비닐봉지 속의 공기를 통과시킨 석회수만 뿌옇게 흐려졌다.

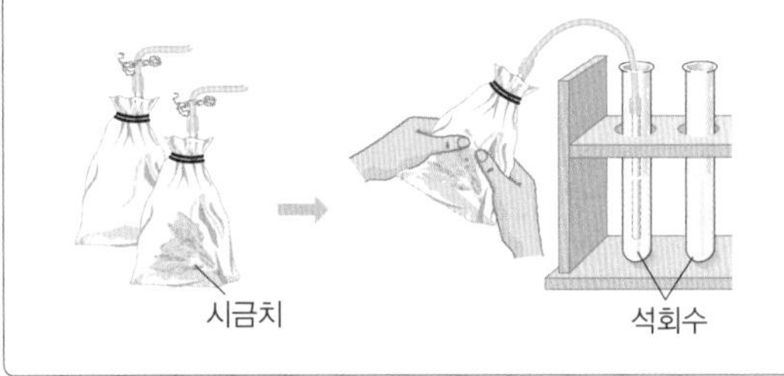

이와 같은 결과가 나타난 까닭으로 옳은 것은?

① 식물의 호흡 결과 물이 생성되기 때문에
② 식물의 호흡 결과 산소가 흡수되었기 때문에
③ 식물의 광합성 결과 산소가 방출되었기 때문에
④ 식물의 호흡 결과 이산화 탄소가 방출되었기 때문에
⑤ 식물의 광합성 결과 이산화 탄소가 흡수되었기 때문에

04 다음 중 식물의 호흡에 대한 설명으로 옳은 것은?

① 밤에만 일어난다.
② 엽록체에서 일어난다.
③ 산소를 흡수하고, 이산화 탄소를 방출한다.
④ 식물의 줄기에서는 호흡이 일어나지 않는다.
⑤ 빛이 강한 낮에는 호흡이 광합성보다 활발하게 일어난다.

05 싹튼 콩과 삶은 콩을 그림과 같이 장치한 후 온도 변화를 측정하였다.
실험 결과에 대한 설명으로 옳은 것은?

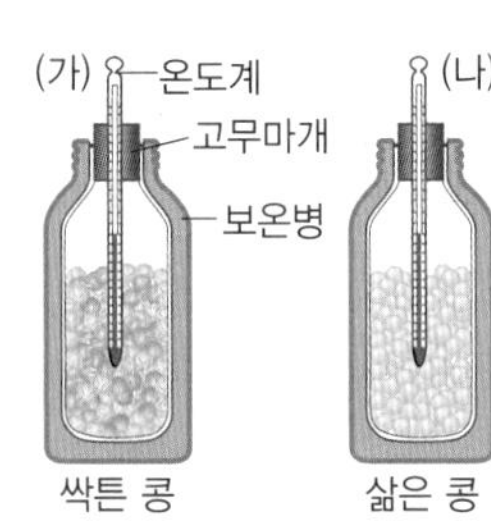

① (가)에서는 광합성 결과 온도가 상승한다.
② (가)에서는 호흡 결과 온도가 상승한다.
③ (나)에서는 광합성 결과 온도가 상승한다.
④ (나)에서는 호흡 결과 온도가 상승한다.
⑤ (가), (나) 모두 온도가 상승한다.

06 그림은 낮과 밤에 일어나는 식물의 기체 교환을 나타낸 것이다.

기체 A~D의 이름을 옳게 짝 지은 것은?

	A	B	C	D
①	이산화 탄소	산소	산소	이산화 탄소
②	이산화 탄소	산소	이산화 탄소	산소
③	이산화 탄소	산소	산소	산소
④	산소	산소	이산화 탄소	산소
⑤	산소	이산화 탄소	산소	이산화 탄소

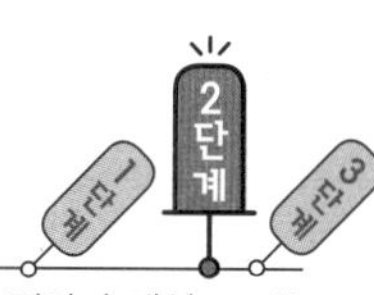

정답과 해설 035쪽

필수

07 그림은 맑은 날 하루 동안 식물에서 일어나는 기체 출입을 나타낸 것이다.

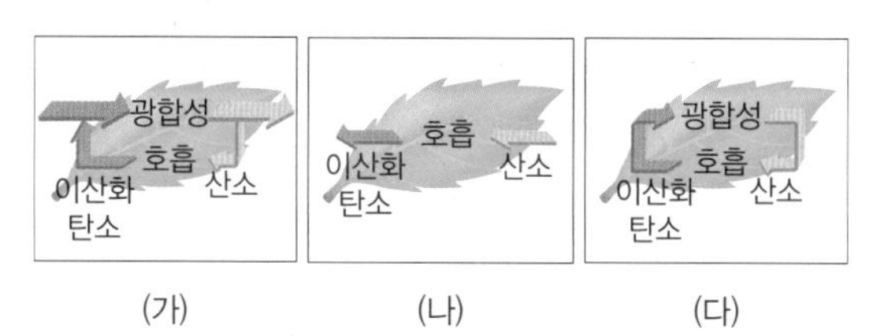

이에 대한 설명으로 옳지 않은 것은?

① (가)에서는 광합성량이 호흡량보다 적다.
② 광합성이 가장 활발하게 일어나는 시기는 (가)이다.
③ (나)와 같은 기체 교환은 빛이 없을 때 일어난다.
④ (다)는 빛이 약한 아침이나 저녁에 일어나는 기체 교환이다.
⑤ (다)에서는 광합성 결과 생성된 산소가 모두 호흡에 이용된다.

08 아침 · 저녁에 외관상 기체 출입이 없는 시기의 광합성량과 호흡량의 관계를 옳게 나타낸 것은?

① 광합성량 > 호흡량　② 광합성량 < 호흡량
③ 광합성량 = 호흡량　④ 광합성량 ≦ 호흡량
⑤ 광합성량 ≧ 호흡량

09 그래프는 하루 동안의 광합성량과 호흡량의 변화를 나타낸 것이다.
A 시점에서 (가) 흡수하는 기체와 (나) 방출하는 기체를 각각 쓰시오.

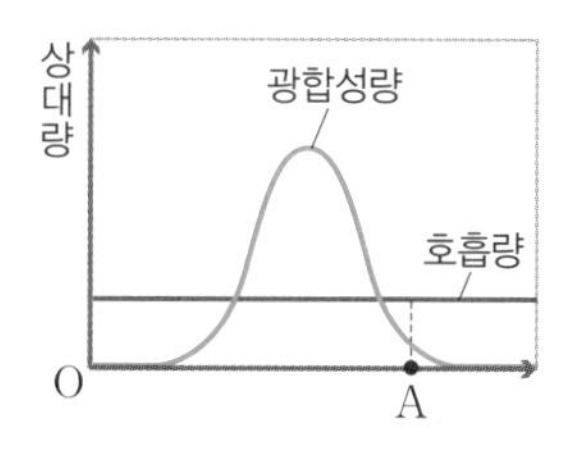

서술형

10 식물에서 일어나는 기체 출입을 보면 식물은 낮에 호흡은 하지 않고 광합성만 하는 것처럼 보인다. 그 까닭을 서술하시오.

B 광합성과 호흡

필수

11 다음 중 광합성과 호흡의 특징을 옳게 짝 지은 것은?

		광합성	호흡
①	시기	낮	밤
②	장소	모든 세포	엽록체
③	재료	물, 이산화 탄소	포도당, 산소
④	양분	분해	합성
⑤	에너지	에너지 방출	에너지 저장

12 다음 중 식물의 광합성과 호흡에 대한 설명으로 옳지 않은 것은?

① 식물은 호흡을 통해 양분을 분해한다.
② 호흡은 잎, 줄기, 뿌리에서 모두 일어난다.
③ 호흡의 결과 물과 이산화 탄소가 생성된다.
④ 식물은 광합성을 통해 화학 에너지를 얻는다.
⑤ 낮에는 광합성과 호흡, 밤에는 호흡만 일어난다.

13 다음은 식물체에서 일어나는 어떤 작용을 나타낸 것이다.

$$\text{물} + \text{이산화 탄소} \underset{(\text{나})}{\overset{(\text{가})}{\rightleftarrows}} \text{포도당} + \text{산소}$$

(가)와 (나)에 해당하는 것을 보기에서 골라 옳게 짝 지은 것은?

보기
ㄱ. 식물의 엽록체에서 일어난다.
ㄴ. 밤과 낮의 구분 없이 항상 일어난다.
ㄷ. 양분을 분해하여 에너지를 방출한다.
ㄹ. 싹이 트거나 꽃이 필 때 왕성하게 일어난다.
ㅁ. 빛에너지를 화학 에너지로 바꾸는 작용이다.

① (가) — ㄴ　② (가) — ㄷ　③ (나) — ㄱ
④ (나) — ㄹ　⑤ (나) — ㅁ

[14-15] 다음은 식물의 호흡과 광합성을 알아보기 위한 실험이다.

[과정] 녹색 BTB 용액을 시험관 A~E에 넣고 그림과 같이 장치한 후 BTB 용액의 색깔 변화를 관찰하였다.

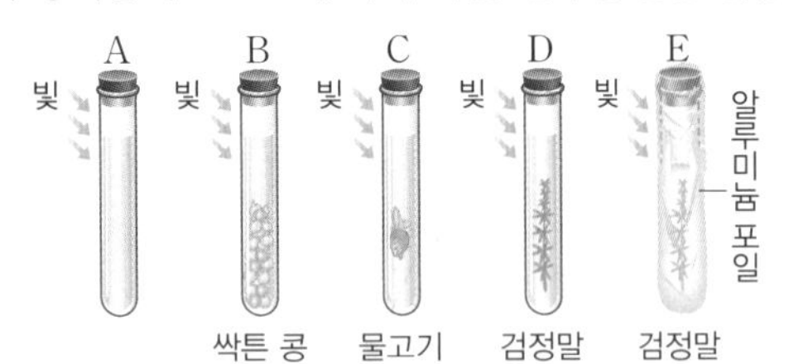

[결과]

시험관	A	B	C	D	E
색깔 변화	녹색	황색	황색	청색	황색

14 시험관 A~E 중 호흡만 일어나는 것을 옳게 짝 지은 것은?

① D ② B, C ③ C, E
④ A, B, D ⑤ B, C, E

필수

15 이 실험에 대한 설명으로 옳지 않은 것은?

① 검정말은 빛이 없을 때 호흡만 한다.
② 시험관 B에서 싹튼 콩은 광합성과 호흡을 모두 한다.
③ 시험관 C에서는 이산화 탄소의 양이 증가한다.
④ 시험관 D에서는 광합성량이 호흡량보다 많다.
⑤ 물고기와 검정말의 호흡 결과 방출되는 기체는 같다.

필수

16 다음 중 광합성 결과 생성된 양분의 이동과 저장에 대한 설명으로 옳지 않은 것은?

① 체관을 통해 저장 기관으로 이동한다.
② 주로 밤에 식물체의 각 부분으로 이동한다.
③ 녹말, 지방 등의 형태로 저장 기관에 저장된다.
④ 녹말은 크기가 커서 체관을 통해 이동하지 못한다.
⑤ 생성된 포도당은 바로 설탕으로 전환되어 이동한다.

17 다음은 감자와 양파를 나타낸 것이다.

이 식물들의 공통적인 특징으로 옳은 것은?

① 뿌리에서 광합성을 한다.
② 줄기에 양분을 저장한다.
③ 뿌리에 양분을 저장한다.
④ 녹말의 형태로 양분을 저장한다.
⑤ 지방의 형태로 양분을 저장한다.

18 다음 중 광합성 결과 생성된 양분을 지방 형태로 저장하는 식물로 옳은 것은?

① 벼 ② 땅콩 ③ 양파
④ 붓꽃 ⑤ 보리

서술형

19 녹색 BTB 용액이 들어 있는 4개의 시험관을 그림과 같이 장치한 후 햇빛이 잘 비치는 곳에 두었다.

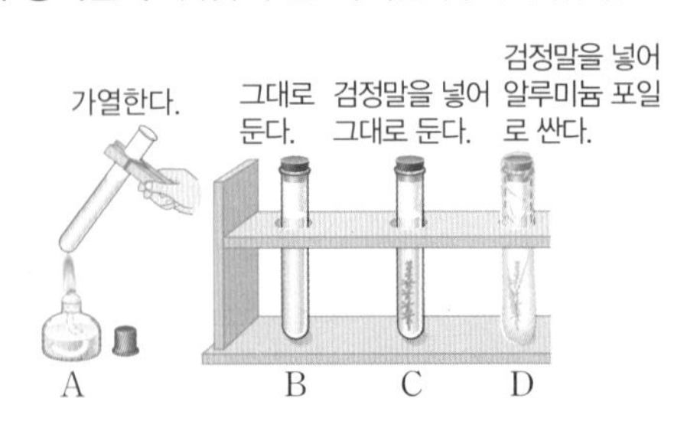

BTB 용액의 색깔이 황색으로 변하는 시험관을 있는 대로 쓰고, 그 까닭을 서술하시오.

★ 정답과 해설 036쪽

필수

01 그림과 같은 실험에 대한 설명으로 옳지 않은 것은?

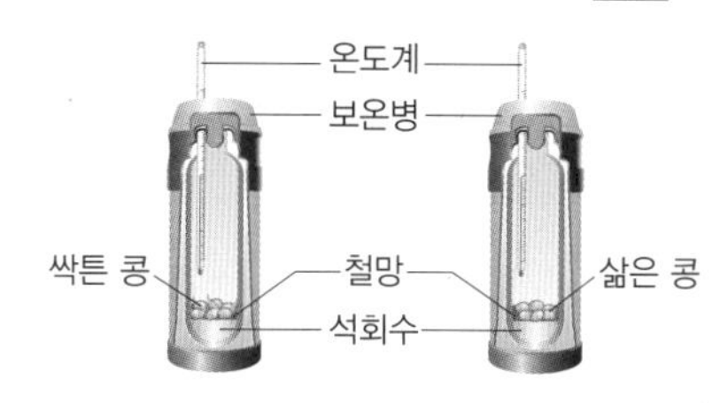

① 두 보온병의 온도가 모두 상승한다.
② 싹튼 콩이 있는 쪽의 석회수가 뿌옇게 변한다.
③ 보온병을 사용하는 까닭은 빛을 차단하기 위해서이다.
④ 이 실험은 콩의 호흡으로 인한 변화를 알아보기 위한 것이다.
⑤ 삶은 콩을 사용하는 까닭은 싹튼 콩의 실험 결과와 비교하기 위해서이다.

신유형

02 녹색 식물을 심어 놓은 세 화분을 그림과 같이 각각 다르게 처리한 후, 5시간 동안 햇빛을 비추어 주었다. (단, 수산화 나트륨은 이산화 탄소를 흡수하는 성질이 있다.)

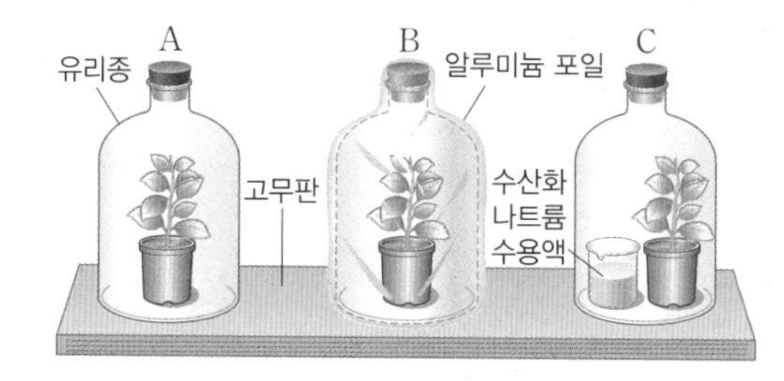

유리종 속에서 일어나는 기체 변화를 옳게 짝 지은 것은?

	A	B	C
①	산소 증가	산소 증가	이산화 탄소 감소
②	산소 증가	이산화 탄소 증가	산소 감소
③	이산화 탄소 감소	산소 감소	산소 증가
④	이산화 탄소 감소	산소 증가	산소 증가
⑤	이산화 탄소 증가	산소 증가	이산화 탄소 감소

03 다음은 광합성과 호흡의 관계를 알아보는 실험이다.

(가) 물을 넣은 4개의 시험관 A~D에 같은 크기의 송사리를 1마리씩 넣고, 시험관 C와 D에는 같은 양의 물풀을 넣은 후, 각 시험관의 마개를 꼭 막았다.
(나) 시험관 A와 C는 햇빛이 잘 비치는 곳에 두었다.
(다) 시험관 B와 D는 햇빛이 비치지 않는 암실에 두었다.

송사리의 생존에는 산소가 필요하다. 다음 중 송사리의 생존 기간을 옳게 비교한 것은? (단, 송사리의 먹이는 충분하다.)

① A>C, B>D ② A>C, B<D
③ A<C, B<D ④ A<C, B>D
⑤ A<C, B=D

필수

04 표는 봉숭아 잎에 있는 녹말의 양과 줄기에 있는 설탕의 양을 시간대 별로 조사한 결과이다.

구분	오전 6시	오후 3시	오후 9시
잎(녹말)	−	++	+
줄기(설탕)	−	+	++

(−: 없음, +: 적음, ++: 많음)

이 자료로부터 알 수 있는 사실로 옳은 것은?

① 줄기의 설탕은 잎으로 이동되어 녹말로 변한다.
② 광합성 결과 만들어진 녹말은 잎에서 소비된다.
③ 식물은 광합성으로 생성된 양분을 바로 소비한다.
④ 양분은 잎에서는 녹말로, 줄기에서는 설탕으로 저장된다.
⑤ 잎에서 만든 녹말은 설탕으로 전환되어 줄기를 통해 이동한다.

점수 표시가 없는 문제는 모두 3점입니다.
제한시간: 45분

01 그림은 잎에서 일어나는 광합성 과정을 나타낸 것이다.

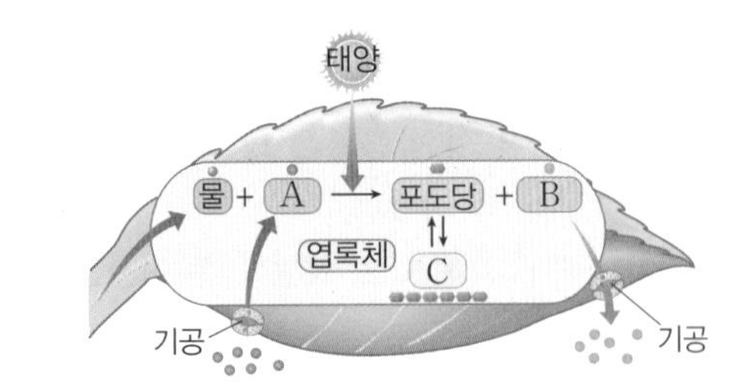

A~C에 들어갈 물질을 옳게 짝 지은 것은?

	A	B	C
①	산소	이산화 탄소	설탕
②	산소	이산화 탄소	녹말
③	이산화 탄소	산소	설탕
④	이산화 탄소	녹말	산소
⑤	이산화 탄소	산소	녹말

02 그림은 광합성 결과 생성되는 물질을 알아보기 위한 실험을 나타낸 것이다.

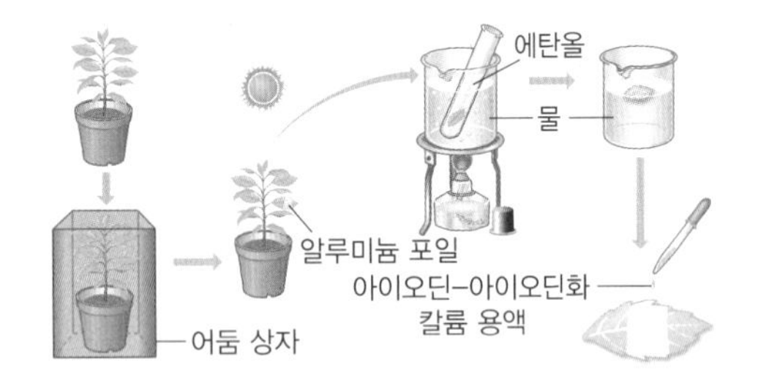

이 실험 결과 (가) 알루미늄 포일로 싸지 않은 부분에서 관찰되는 색깔 변화와 이를 통해 (나) 확인할 수 있는 광합성의 산물을 옳게 짝 지은 것은?

	(가)	(나)
①	청람색	녹말
②	청람색	포도당
③	옅은 갈색	녹말
④	옅은 갈색	포도당
⑤	옅은 갈색	지방

03 녹색 BTB 용액에 입김을 불어 넣어 황색 BTB 용액을 만든 후 그림과 같이 장치하고 햇빛이 잘 비치는 창가에 놓아두었다.

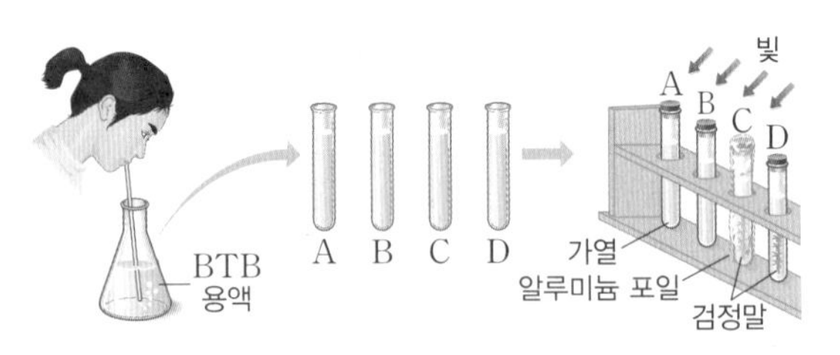

이 실험에 대한 설명으로 옳은 것은? (4점)

① 시험관 A의 BTB 용액 색깔은 변하지 않는다.
② 시험관 B의 BTB 용액 색깔은 녹색으로 변한다.
③ 시험관 C의 BTB 용액은 염기성으로 변한다.
④ 시험관 D에서는 이산화 탄소의 농도가 감소한다.
⑤ 시험관 D의 BTB 용액의 색깔은 광합성을 통해 생성된 포도당의 농도에 의해 결정된다.

04 표본병에 입김을 불어 넣고 그림과 같이 장치한 후 검정말에서 발생하는 기체를 시험관에 모았다.

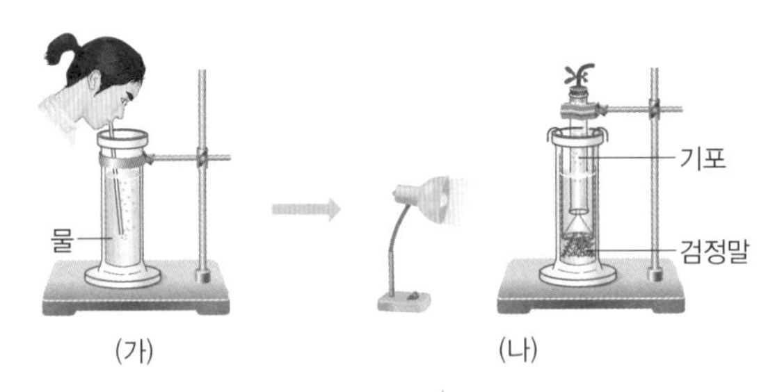

이에 대한 설명으로 옳은 것은? (4점)

① 시험관 윗부분에 모아진 기체는 산소이다.
② 광합성이 활발하면 기포 발생량이 감소한다.
③ 물에 산소가 녹아 들어가게 하기 위해서 입김을 불어 넣는다.
④ 시험관 윗부분에 모아진 기체를 석회수에 통과시키면 석회수가 뿌옇게 흐려진다.
⑤ 입김을 불어 넣은 물 대신 녹색 BTB 용액을 사용하면 시간이 흐른 후 용액의 색깔이 황색으로 변한다.

정답과 해설 037쪽

05 다음 중 광합성에 영향을 미치는 요인과 광합성량의 관계를 옳게 나타낸 것은? (4점)

①
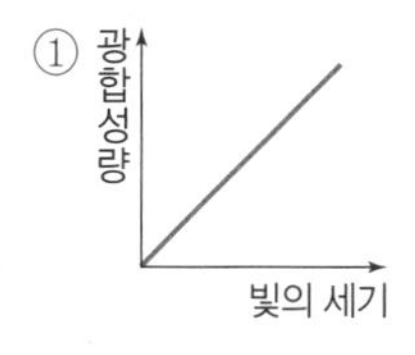

②
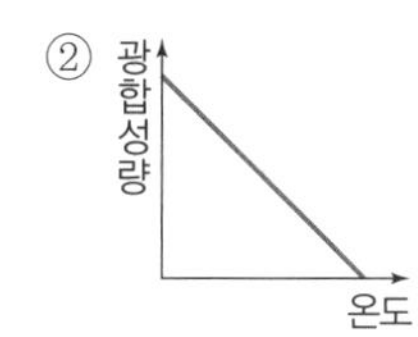

③
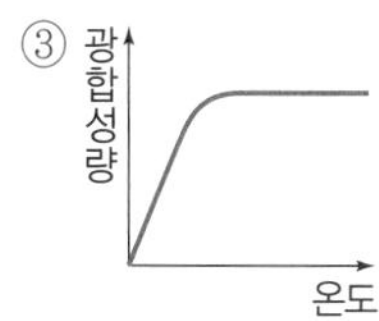

④
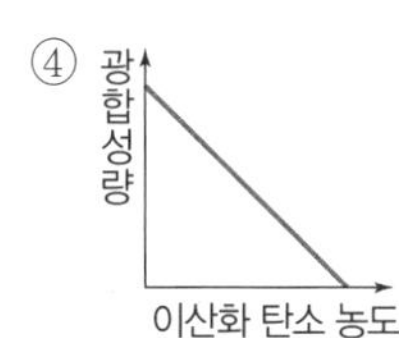

⑤
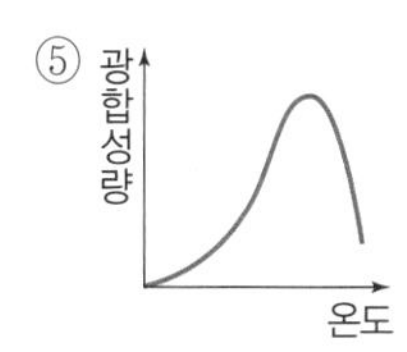

06 표는 환경 요인에 따른 광합성량의 변화를 알아보기 위해 설계한 5가지 실험을 나타낸 것이다.

실험	빛의 세기(lx)	이산화 탄소의 농도(%)	온도(℃)
(가)	3000	0.02	20
(나)	3000	0.03	20
(다)	3000	0.02	30
(라)	4000	0.03	30
(마)	4000	0.02	30

빛의 세기가 광합성에 미치는 영향을 알아보기 위해 비교해야 할 실험 2가지를 옳게 짝 지은 것은?

① (가), (나) ② (가), (다) ③ (다), (라)
④ (다), (마) ⑤ (라), (마)

07 다음 중 광합성에 영향을 미치는 요인에 대한 설명으로 옳은 것은?

① 온도가 높아질수록 광합성량은 계속 증가한다.
② 산소의 농도가 증가할수록 광합성량이 증가한다.
③ 여러 요인 중 1가지만 적당하면 광합성량은 최대가 된다.
④ 이산화 탄소의 농도가 증가할수록 광합성량이 계속 증가한다.
⑤ 빛의 세기가 강해질수록 광합성량이 증가하지만 어느 세기부터는 더 이상 증가하지 않는다.

08 기공의 기능에 대한 설명으로 옳은 것은?

① 수분의 증발을 막아 준다.
② 기체가 출입하는 통로이다.
③ 꽃가루가 들어오는 곳이다.
④ 포도당이 지나가는 통로이다.
⑤ 광합성에 필요한 물과 이산화 탄소를 흡수한다.

09 그림은 공변세포의 2가지 모습을 나타낸 것이다.

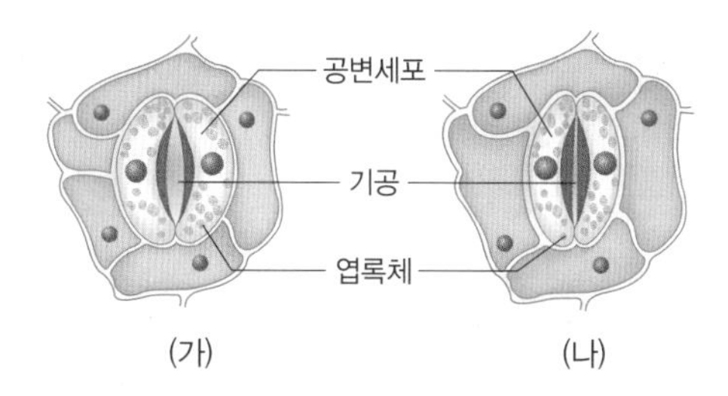

이에 대한 설명으로 옳지 않은 것은? (4점)

① 증산 작용은 공변세포에 의해서 조절된다.
② 공변세포는 표피 세포에 없는 엽록체가 있다.
③ 기공을 통해서 호흡과 광합성에 관여하는 기체가 출입한다.
④ 기공을 통해서 식물체 내의 물이 수증기로 되어 나가는 증산 작용이 일어난다.
⑤ 빛이 강할 때, 온도가 높을 때, 습도가 낮을 때 공변세포의 모양이 (가)에서 (나)로 된다.

10 증산 작용에 대한 설명으로 옳지 않은 것은?

① 온도와 습도가 높을 때 활발하다.
② 식물체의 온도가 상승하는 것을 막는다.
③ 잎의 기공을 통하여 수증기가 공기 중으로 빠져나가는 현상이다.
④ 뿌리에서 흡수한 물을 잎까지 상승시키는 원동력이 된다.
⑤ 집 안이 건조할 때 식물을 두면 덜 건조해지는 것은 증산 작용 덕분이다.

11 다음 중 식물에서 일어나는 호흡의 특징으로 옳은 것은?

① 필요한 물질: 포도당
② 일어나는 시기: 밤
③ 일어나는 장소: 엽록체
④ 흡수하는 기체: 이산화 탄소
⑤ 활발한 시기: 광합성이 활발할 때

[12-13] 그림은 하루 동안 식물에서 일어나는 기체 교환을 순서 없이 나타낸 것이다.

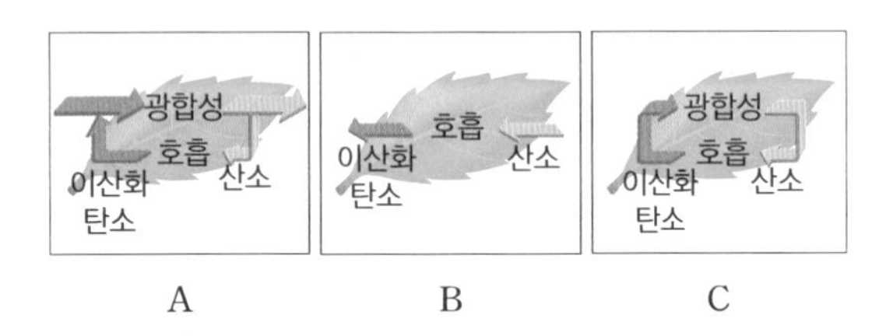

12 (가) A와 같은 기체 교환이 일어나는 시기와 (나) 이때 일어나는 광합성량과 호흡량을 옳게 짝 지은 것은?

	(가)	(나)
①	밤	호흡만 일어난다.
②	밤	광합성량 < 호흡량
③	낮	광합성만 일어난다.
④	낮	광합성량 > 호흡량
⑤	아침	광합성량 = 호흡량

13 이에 대한 설명으로 옳지 않은 것은? (4점)

① A: 이산화 탄소를 흡수하고, 산소를 방출한다.
② B: 빛의 세기가 강할 때 일어나는 기체 교환이다.
③ B: 광합성은 일어나지 않고, 호흡만 일어난다.
④ C: 광합성량과 호흡량이 같다.
⑤ C: 아침이나 저녁에 관찰된다.

14 다음 중 광합성과 호흡의 차이점을 옳게 설명한 것은? (4점)

① 광합성 결과 에너지가 방출되고, 호흡 결과 에너지가 흡수된다.
② 광합성 결과 이산화 탄소가 방출되지만, 호흡 결과 산소가 방출된다.
③ 광합성 결과 양분이 분해되고, 호흡 결과 양분이 합성된다.
④ 광합성은 잎에서만 일어나지만, 호흡은 잎을 제외한 다른 부분에서 일어난다.
⑤ 광합성은 낮에만 일어나지만, 호흡은 하루 동안 거의 일정하게 일어난다.

15 녹색 BTB 용액을 시험관에 넣고, 용액의 색깔이 황색이 될 때까지 입김을 불어 넣은 후 그림과 같이 장치하여 빛이 잘 드는 곳에 일정 시간 놓아두었다.

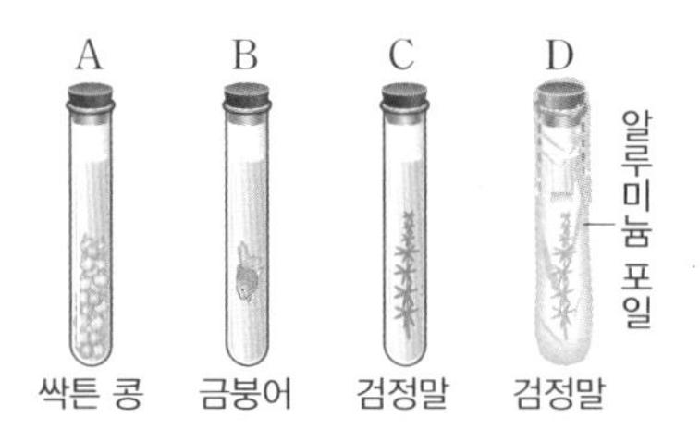

이에 대한 설명으로 옳은 것은?

① 시험관 A의 BTB 용액은 청색으로 변한다.
② 시험관 A에서 이산화 탄소의 양이 감소한다.
③ 시험관 B의 BTB 용액은 청색으로 변한다.
④ 시험관 C의 이산화 탄소의 양이 증가한다.
⑤ 시험관 C와 D의 색깔 변화를 통해 검정말이 빛이 없을 때는 호흡만 한다는 것을 알 수 있다.

16 광합성 산물의 이동과 저장에 대한 설명으로 옳은 것은? (4점)

① 광합성 산물은 주로 물관을 통해 이동한다.
② 무, 당근 등은 광합성 산물을 열매에 저장한다.
③ 양파는 광합성 산물을 포도당 상태로 저장한다.
④ 광합성 산물은 주로 낮에 식물체 각 부분으로 이동한다.
⑤ 잎에서 포도당으로 저장되었던 양분은 저장 기관으로 이동할 때 녹말의 형태가 된다.

★ 정답과 해설 037쪽

서 / 술 / 형 / 문 / 제

17 식물의 광합성 과정을 식으로 나타내고, 광합성의 중요한 의미를 서술하시오. (8점)

18 입김을 불어 넣은 물이 들어 있는 표본병에 검정말을 넣고 그림과 같이 장치한 후 빛을 비추어 주었더니 얼마 후 기포가 조금씩 발생하였다.

(1) 실험 결과 발생하는 기포는 무엇인지 쓰고, 그 물질의 성질과 확인 방법을 서술하시오. (4점)

(2) 기포의 발생이 더욱 활발하게 일어나도록 하는 방법을 2가지 이상 서술하시오. (8점)

19 사철나무는 겨울철보다 여름철에 광합성량이 더 많다. 그 까닭을 광합성에 영향을 미치는 환경 요인과 관련지어 서술하시오. (5점)

20 봉선화를 그림과 같이 장치하여 햇빛이 잘 비치는 곳에 한 시간 정도 둔 후 관찰하였다. (단, 실험을 시작할 때 시험관 A~C의 물의 높이를 같게 한다.)

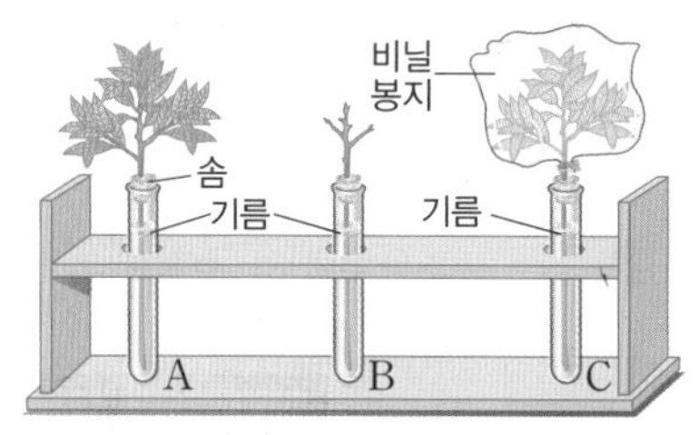

(1) A~C에 남아 있는 물의 양을 비교하시오. (4점)

(2) 각 시험관에 기름을 떨어뜨리는 까닭은 무엇인지 서술하시오. (5점)

21 그림과 같이 장치하여 어두운 곳에 하루 동안 놓아둔 후 비닐봉지 속의 공기를 시험관에 든 석회수에 통과시켰더니 시금치를 넣은 비닐봉지 속의 공기를 통과시킨 석회수만 뿌옇게 흐려졌다.

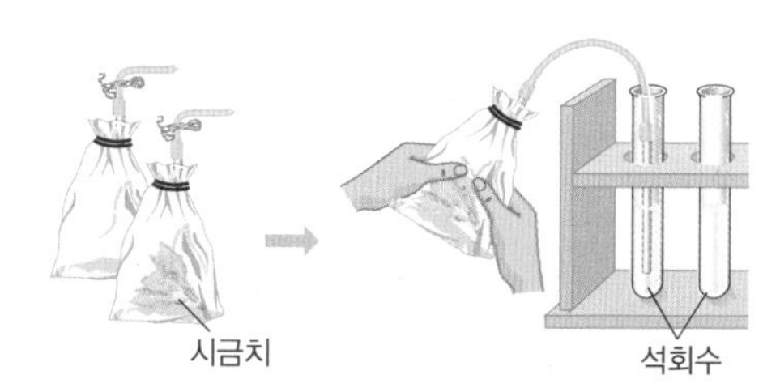

(가) 위와 같은 변화의 원인이 되는 식물의 작용과 (나) 작용 결과 발생한 기체를 쓰시오. (5점)

22 중성의 BTB 용액이 들어 있는 5개의 시험관을 그림과 같이 장치하여 햇빛이 잘 비치는 창가에 놓아두었다. 시간이 흐른 후 A~E 중 청색으로 변한 시험관은 어느 것인지 쓰고, 청색으로 변한 까닭은 무엇인지 서술하시오. (6점)

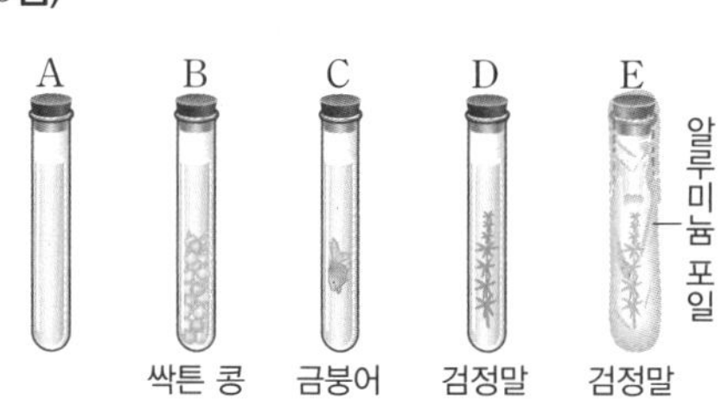

V

동물과 에너지

배울 내용이 쉬워지는 용어

배울 용어를 읽어보고, 이해가 되었으면 ✔ 표시를 해 봅시다.

- ☐ **영양소** 우리 몸을 구성하거나 에너지원으로 사용되는 물질
- ☐ **소화** 음식물에 들어 있는 영양소를 세포로 흡수하기 위해 작게 분해하는 과정
- ☐ **동맥** 심장에서 나간 혈액이 흐르는 혈관
- ☐ **모세 혈관** 동맥과 정맥을 연결하는 혈관
- ☐ **정맥** 심장으로 들어오는 혈액이 흐르는 혈관
- ☐ **온몸 순환** 심장에서 나간 혈액이 온몸의 조직 세포에 산소와 영양소를 공급하고, 이산화 탄소와 노폐물을 받아 심장으로 돌아오는 순환 과정
- ☐ **폐순환** 심장에서 나간 혈액이 폐에서 이산화 탄소를 버리고 산소를 받아 심장으로 돌아오는 순환 과정
- ☐ **동맥혈** 산소를 많이 포함한 선홍색의 혈액
- ☐ **정맥혈** 산소를 적게 포함한 암적색의 혈액
- ☐ **폐** 갈비뼈와 횡격막(가로막)으로 둘러싸여 가슴 양쪽에 1개씩 존재하는 기관
- ☐ **배설** 영양소가 호흡을 통해 분해되는 과정에서 생성된 노폐물을 몸 밖으로 내보내는 과정

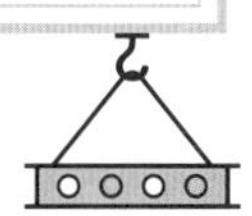

V. 동물과 에너지

소화

물음으로 흐름잡기

영양소 — 3대 영양소의 종류는? / 부영양소의 종류는?

소화 — 입에서 가장 먼저 소화되는 영양소는? / 3대 영양소의 소화 효소를 모두 가지는 소화액은?

A 동물의 구성 단계

세포	➡	조직	➡	기관	➡	기관계	➡	개체
동물을 구성하는 기본 단위 예) 상피 세포, 적혈구, 백혈구		모양과 기능이 비슷한 세포들의 모임 예) 결합 조직, 근육 조직, 신경 조직, 상피 조직		조직들이 모여 특정한 기능을 담당하는 단계 예) 소장, 대장, 심장, 폐, 콩팥		기관들이 모여 하나의 통일된 기능을 담당하는 단계 예) 소화계, 순환계, 호흡계, 배설계		기관계가 체계적으로 연결된 독립적인 생물체

B 영양소

1. 영양소 우리 몸을 구성하거나 에너지원으로 사용되는 물질 음식물 속에 들어 있다.

2. 3대 영양소 에너지원으로 사용되는 영양소

구분	탄수화물	단백질	지방
구성 원소	탄소, 수소, 산소	탄소, 수소, 산소, 질소	탄소, 수소, 산소
기본 단위	포도당	아미노산	지방산과 글리세롤
특징	• 주로 에너지원으로 사용된다. ➡ 1 g당 4 kcal • 몸을 구성한다. ➡ 섭취량에 비해 몸을 구성하는 비율이 낮다.❶ • 사용하고 남은 탄수화물은 글리코젠이나 지방으로 전환되어 저장된다. • 종류: 단당류(포도당), 이당류(엿당, 설탕), 다당류(녹말) 등	• 에너지원으로 사용된다. ➡ 1 g당 4 kcal • 주로 몸을 구성한다. ➡ 세포, 근육 등을 구성하는 주성분 • 효소, 호르몬, 항체의 주성분으로 생리 작용을 조절한다.	• 에너지원으로 사용된다. ➡ 1 g당 9 kcal • 몸을 구성한다. • 피부 아래에 저장되어 체온 유지에 중요한 역할을 한다. • 몸속에 지나치게 많이 저장되면 비만이 될 수 있다.
함유 식품	밥, 빵, 감자, 고구마 등	살코기, 생선, 달걀, 콩 등	땅콩, 참기름, 버터 등

3. 부영양소 에너지원으로 사용되지 않지만, 몸을 구성하거나 생리 작용을 조절하는 영양소

물	무기염류	바이타민
• 몸을 구성하는 주성분으로, 우리 몸의 약 66 %를 차지한다. • 영양소와 노폐물 등을 운반한다. • 체온을 조절한다. (비열이 커서 온도가 쉽게 변하지 않는다.) • 물질을 녹여 생리 작용이 잘 일어나게 돕는다.	• 몸을 구성하며, 적은 양으로 생리 작용을 조절한다. • 체내에서 합성되지 않으므로 반드시 음식물로 섭취해야 한다. • 종류: 철, 칼슘(부족 시 골다공증), 인, 나트륨 등	• 몸을 구성하지 않지만, 적은 양으로 생리 작용을 조절한다. • 대부분 체내에서 합성되지 않으므로 반드시 음식물로 섭취해야 한다. ➡ 부족하면 결핍증❷이 나타난다. • 종류: 바이타민 A, B_1, C, D 등

• 수용성 바이타민: 바이타민 B군, C
• 지용성 바이타민: 바이타민 A, D, E, K

❶ 우리 몸의 구성 성분

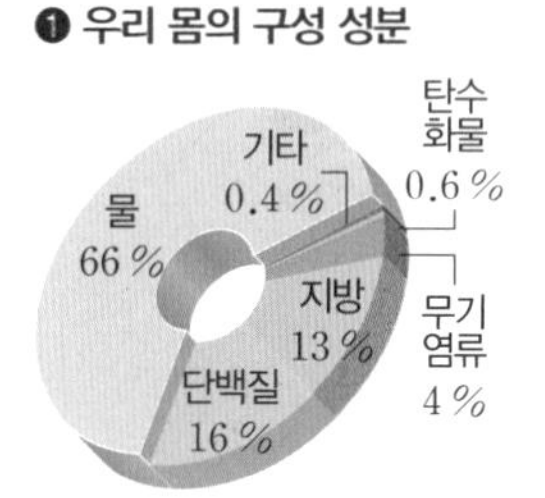

물 > 단백질 > 지방 > 무기염류 ➡ 탄수화물은 주식이지만 몸을 구성하는 비율은 매우 낮다. 그 까닭은 탄수화물은 대부분 에너지원으로 사용되기 때문이다.

❷ 바이타민 결핍증

종류	결핍증
바이타민 A	야맹증
바이타민 B_1	각기병
바이타민 C	괴혈병
바이타민 D	구루병
바이타민 E	불임증

야맹증: 어두운 곳에서 시력 저하

탄수화물, 지방의 공통적인 원소는 탄소, 수소, 산소(원소 기호는 각각 C, H, O)이므로 원소 기호로 '초'라고 외우자. 단백질은 질소(N)가 포함되어 있으므로 '단백질은 촌(C, H, O, N)스러워~'라고 외우면 쉽게 기억할 수 있다.

용어 알기

• **생리 작용** 소화, 순환, 호흡, 배설 등 생물이 살아가면서 일어나는 모든 작용

4. 영양소 검출[●] 반응

녹말 검출 ➡ 아이오딘 반응	단백질 검출 ➡ 뷰렛 반응	지방 검출 ➡ 수단 Ⅲ 반응	당분(포도당) 검출 ➡ 베네딕트 반응 (엿당을 검출할 때도 이용된다.)
• 방법: 녹말에 아이오딘–아이오딘화 칼륨 용액을 넣는다. • 반응 결과: 청람색으로 변한다.	• 방법: 단백질에 뷰렛 용액(5 % 수산화 나트륨 용액+1 % 황산 구리 용액)을 넣는다. • 반응 결과: 보라색으로 변한다.	• 방법: 지방에 수단 Ⅲ 용액을 넣는다. • 반응 결과: 선홍색으로 변한다.	• 방법: 포도당에 베네딕트 용액을 넣고 가열[❸]한다. • 반응 결과: 황적색으로 변한다.

❸ 베네딕트 반응에서 가열하는 까닭
베네딕트 반응은 반응 속도가 매우 느리기 때문에 반응 속도를 빠르게 하여 색 변화를 볼 수 있도록 가열한다.

다른 영양소 검출 방법
- 단백질 검출: 진한 질산 용액을 넣고 가열하면 진한 황색을 나타내는 크산토프로테인 반응을 이용하여 단백질을 검출한다.
- 지방 검출: 에탄올에 넣으면 뿌옇게 되거나 종이에 문지르면 투명해지는 것을 이용하여 지방을 검출한다.

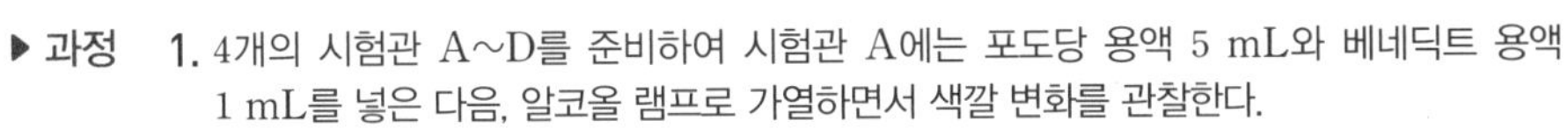

교과서 탐구 음식물 속의 영양소 확인

▶ 과정
1. 4개의 시험관 A~D를 준비하여 시험관 A에는 포도당 용액 5 mL와 베네딕트 용액 1 mL를 넣은 다음, 알코올 램프로 가열하면서 색깔 변화를 관찰한다.
2. 시험관 B에는 녹말 용액 5 mL를 넣은 다음, 아이오딘–아이오딘화 칼륨 용액을 2~3 방울 떨어뜨려 색깔 변화를 관찰한다.
3. 시험관 C에는 달걀흰자 용액 5 mL와 5 % 수산화 나트륨 용액 1 mL를 넣은 다음, 1 % 황산 구리 용액을 2~3 방울 떨어뜨려 색깔 변화를 관찰한다.
4. 시험관 D에는 에탄올로 희석한 식용유 5 mL를 넣은 다음, 수단 Ⅲ 용액을 2~3 방울 떨어뜨려 색깔 변화를 관찰한다.

▶ 결과

시험관	반응 결과
A	황적색
B	청람색
C	보라색
D	선홍색

▲ 포도당 검출

▲ 녹말 검출

▲ 단백질 검출

▲ 지방 검출

⚠ 용어 알기
• **검출** 어떤 물질 속에 포함된 성분을 알아내는 일

★ 정답과 해설 039쪽

01 다음은 동물의 구성 단계를 나타낸 것이다.

> 세포 → (㉠) → (㉡) → (㉢) → 개체

㉠~㉢에 들어갈 알맞은 말을 쓰시오.

02 다음 설명에 알맞는 3대 영양소를 각각 쓰시오.

(1) 1 g당 9 kcal의 열량을 낸다. (　　)
(2) 호르몬, 항체, 효소, 근육 등을 구성한다. (　　)
(3) 사용하고 남은 것은 글리코젠이나 지방으로 전환되어 저장된다. (　　)

03 다음 설명 중 옳은 것은 ○표, 옳지 않은 것은 ×표를 하시오.

(1) 탄수화물이 몸을 구성하는 비율이 매우 낮은 까닭은 주로 에너지원으로 사용되기 때문이다. (　　)
(2) 단백질의 종류에는 단당류, 이당류, 다당류가 있다. (　　)
(3) 바이타민은 종류에 따라 몸을 구성하는 것이 있다. (　　)

04 다음 바이타민의 섭취량이 부족할 때 생기는 결핍증을 쓰시오.

(1) 바이타민 A (　　)
(2) 바이타민 B_1 (　　)
(3) 바이타민 C (　　)
(4) 바이타민 D (　　)

01 소화

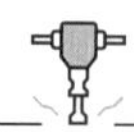

C 소화 과정

1. 소화 음식물에 들어 있는 영양소를 세포로 흡수하기 위해 작게 분해하는 과정(소화가 필요한 까닭) ➡ 물리적인 힘을 가하는 기계적 소화와 화학적으로 다른 물질이 되게 하는 화학적 소화❹가 있다.

2. 소화계 소화 기능을 담당하는 기관계로, 여러 가지 소화 기관으로 이루어져 있다.

① 소화관: 음식물이 이동하는 통로로, 입, 식도, 위, 소장, 대장, 항문의 순서로 연결된다.

② 소화샘: 소화관에서 소화액을 분비하는 곳으로, 침샘, 위샘, 이자 등이 있다.

3. 소화 과정 포도당, 무기염류, 바이타민 등은 크기가 작아 소화 과정 없이 체내로 바로 흡수된다.

① 입에서의 소화 침샘(귀밑샘, 혀밑샘, 턱밑샘)에서 녹말을 분해하는 아밀레이스를 분비한다.❺

녹말 —침(아밀레이스)→ 엿당

② 위에서의 소화: 위샘에서 펩신과 염산(위산)이 들어 있는 위액을 분비한다.

• 위산(염산) : 살균 작용과 펩신의 작용을 돕는다.

단백질 —위액(펩신)→ 중간 산물

③ 소장에서의 소화

• 이자액 : 3대 영양소의 소화 효소가 들어 있다.

녹말 —아밀레이스→ 엿당

단백질: 중간 산물 —트립신→ 중간 산물

지방 —라이페이스→ 지방산, 모노글리세리드

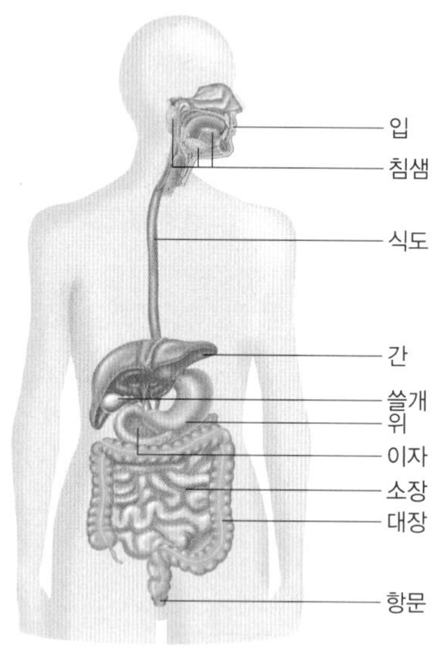

▲ 사람의 소화 기관

• 소장의 소화 효소: 소장의 안쪽 벽을 구성하는 상피 세포에는 탄수화물과 단백질을 분해하는 효소가 들어 있다.

엿당 —소장의 탄수화물 분해 효소→ 포도당

중간 산물 —소장의 단백질 분해 효소→ 아미노산

• 쓸개즙❻: 소화 효소는 없으나 지방의 소화를 돕는다.

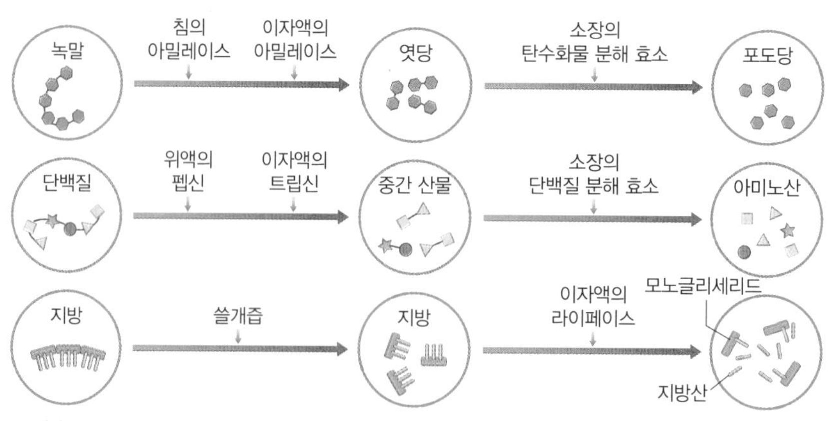

▲ 영양소의 소화 과정

---

❹ 기계적 소화와 화학적 소화

• 기계적 소화: 물리적인 힘을 가해서 음식물을 작은 덩어리로 쪼개거나 소화 효소와 섞이게 하는 역할을 한다.
 예 입에서 음식물을 씹는 운동(저작 운동), 소화관의 분절 운동과 꿈틀 운동

기계적 소화 / 이, 소화관

• 화학적 소화: 소화 효소의 작용에 의해 큰 영양소가 작은 영양소로 나누어지게 돕는 과정이다.

화학적 소화 / 소화 효소

❺ 밥을 오래 씹으면 단맛이 나는 까닭

밥을 구성하는 주성분인 녹말은 물에 녹지 않고 단맛이 없는데, 녹말은 입에서 아밀레이스에 의해 물에 잘 녹고 단맛이 나는 엿당으로 분해된다.

❻ 쓸개즙의 작용

간에서 생성되어 쓸개에 저장되고 십이지장으로 분비되는 물질로, 소화 효소가 포함되어 있지 않지만 지방을 작은 알갱이로 만들어 지방의 소화를 도와주는 역할을 한다.

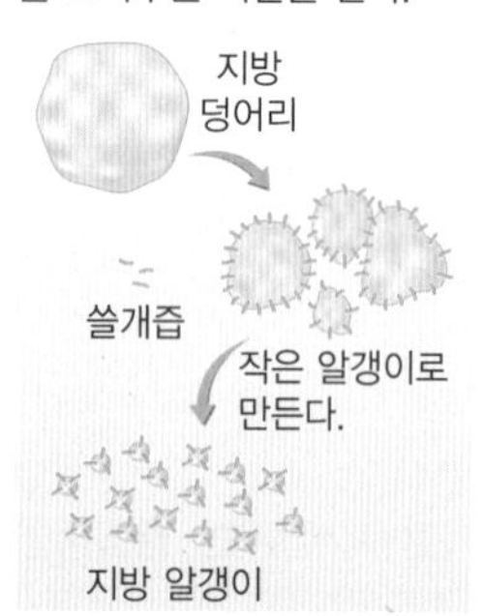

용어 알기

• **소화 효소** 영양소의 분해를 촉진하는 물질로, 화학적으로 다른 물질이 되게 한다.

D 영양소의 흡수와 이동

1. 영양소의 흡수와 이동 경로

① 수용성 영양소: 소장 융털❼의 모세 혈관 → 간 → 심장 → 온몸

② 지용성 영양소: 소장 융털의 암죽관 → 림프관 → 심장 → 온몸

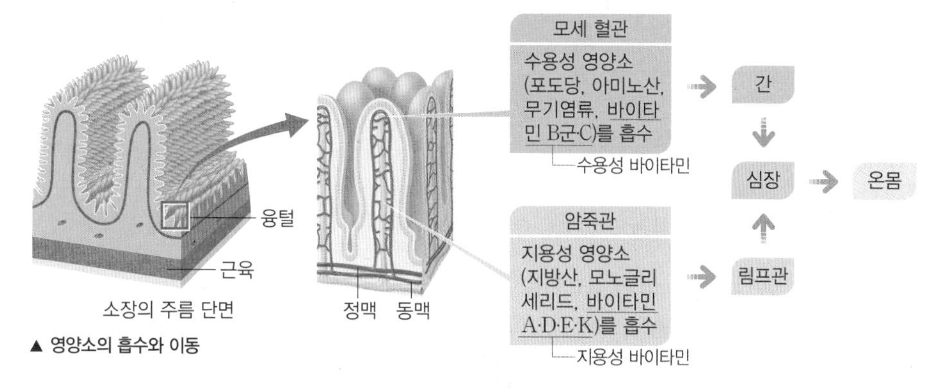

▲ 영양소의 흡수와 이동

2. 대장의 작용

① 소화 효소가 분비되지 않아 화학적 소화는 일어나지 않는다.

② 소장에서 흡수되지 못한 수분의 흡수만 일어나고, 흡수되고 남은 음식물 찌꺼기를 대변으로 배출한다. (대부분의 물은 소장에서 흡수된다.)

❼ 융털과 표면적

소장 내벽에는 많은 주름이 있고, 주름의 표면에는 융털이 존재하는데, 이 융털은 영양소와 접촉하는 표면적을 넓혀 준다. 따라서 영양소를 효율적으로 흡수할 수 있다.

➡ 호흡 기관인 폐 속의 폐포, 식물의 뿌리털도 융털과 같이 표면적을 넓혀서 효율적으로 기능을 한다.

개념 다지기

1단계 2단계 3단계

정답과 해설 039쪽

05 그림은 사람의 소화 기관을 나타낸 것이다.

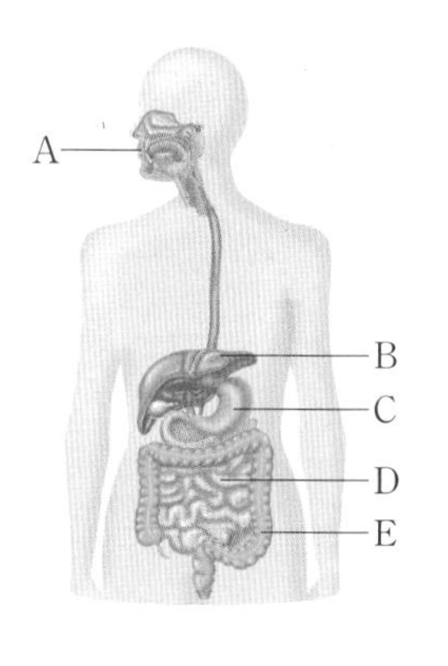

(1) (가) 단백질, (나) 지방의 소화가 최초로 일어나는 기관의 기호와 이름을 각각 쓰시오.

(2) 3대 영양소가 모두 소화되는 기관의 기호와 이름을 쓰시오.

06 다음 중 소화 작용에 대한 설명으로 옳은 것은 ○표, 옳지 않은 것은 ×표를 하시오.

(1) 입에서는 침에 의해 녹말이 엿당으로 분해된다. ( )

(2) 단백질은 소장에서 펩신에 의해 아미노산으로 분해된다. ( )

(3) 쓸개즙은 쓸개에서 생성되어 소장으로 분비되며, 지방의 소화를 돕는다. ( )

(4) 이자액에는 3대 영양소를 분해하는 소화 효소가 모두 들어 있다. ( )

07 다음 (가)와 (나) 중 제시된 영양소에 해당하는 흡수 및 이동 경로를 각각 쓰시오.

> (가) 소장 융털의 모세 혈관 → 간 → 심장 → 온몸
> (나) 소장 융털의 암죽관 → 림프관 → 심장 → 온몸

(1) 포도당 ( )

(2) 지방산 ( )

(3) 아미노산 ( )

(4) 바이타민 A ( )

08 다음 중 대장의 작용에 대한 설명으로 옳은 것은 ○표, 옳지 않은 것은 ×표를 하시오.

(1) 단백질이 최종적으로 분해되는 장소이다. ( )

(2) 소화샘이 없어 소화액이 분비되지 않는다. ( )

(3) 소장을 지나온 물질에 남아 있는 물을 흡수한다. ( )

탐구 공략하기

침의 소화 작용 알아보기

목표 입안에서의 소화 작용을 설명할 수 있다.

공략 포인트 침 희석액에 의해 녹말이 분해되는 것을 확인하고, 침 희석액에 어떤 소화 효소가 들어 있는지 예상할 수 있어야 한다.

과정

❶ 혀 밑에 거즈를 넣어 침을 충분히 적시고, 이 거즈를 10 mL 정도의 증류수에 헹구어 침 희석액을 만든다.
❷ 시험관 A에는 녹말 용액과 증류수를 각각 2 mL씩, 시험관 B에는 녹말 용액과 침 희석액을 각각 2 mL씩 넣은 후, 35~40 ℃의 물이 든 비커에 담근다.
❸ 20분 후 시험관 A와 B의 용액을 받침 유리에 각각 1~2 방울씩 떨어뜨린 후, 아이오딘-아이오딘화 칼륨 용액을 떨어뜨려 색깔 변화를 관찰한다.
❹ 시험관 A와 B에 베네딕트 용액을 1 mL씩 넣고 가열하여 색깔 변화를 관찰한다.

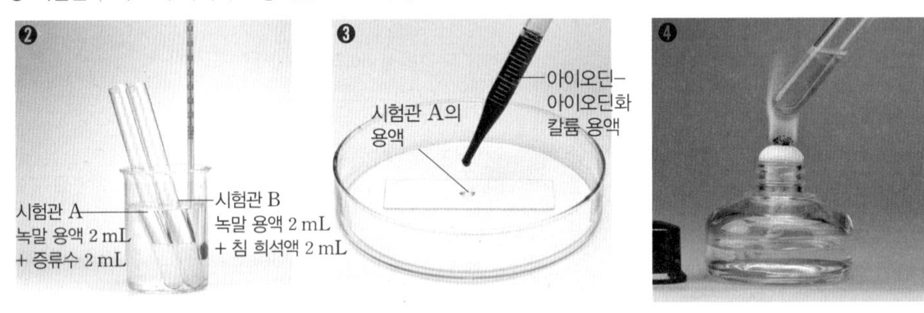

결과

구분	시험관 A	시험관 B
아이오딘 반응	청람색	옅은 갈색(변화 없음)
베네딕트 반응	청색(변화 없음)	황적색
해석	녹말의 소화가 일어나지 않았다.	소화가 일어나 녹말이 엿당으로 변하였다.

정리

1. ❷에서 시험관을 35~40 ℃의 물이 든 비커에 담그는 까닭은 소화 효소는 체온 정도의 온도에서 활발하게 작용하기 때문이다.
2. 침 속에는 녹말을 엿당으로 분해하는 소화 효소인 아밀레이스가 들어 있다.
➡ 침에 의해 녹말이 엿당으로 분해된다.

정답과 해설 039쪽

01 이 탐구에 대한 설명으로 옳은 것은 ○표, 옳지 않은 것은 ×표를 하시오.

(1) 시험관 A에서는 녹말이 분해된다. ( )

(2) 시험관 B에서는 엿당이 존재한다. ( )

(3) 베네딕트 반응 결과 시험관 B의 색깔은 변화가 없다. ( )

(4) 시험관 A와 B를 비교하면 침 희석액 속에 녹말을 분해하는 효소가 들어있음을 알 수 있다. ( )

02 침의 소화 작용을 알아보기 위해 시험관 A~C에 녹말 용액을 2 mL씩 넣고 그림과 같이 장치하였다.

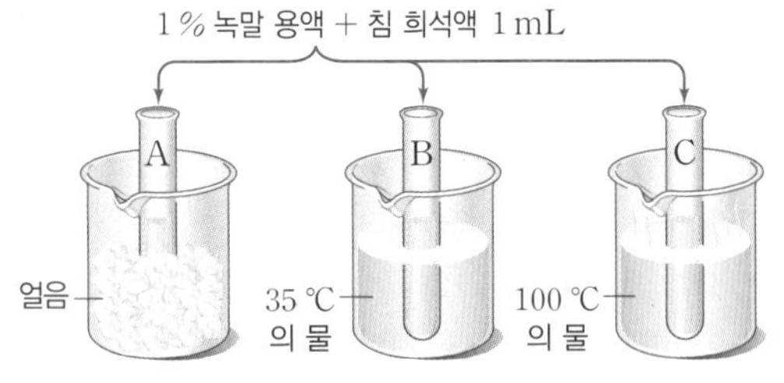

각 시험관에 아이오딘-아이오딘화 칼륨 용액을 떨어뜨렸을 때 시험관 A~C의 색깔 변화를 각각 쓰시오.

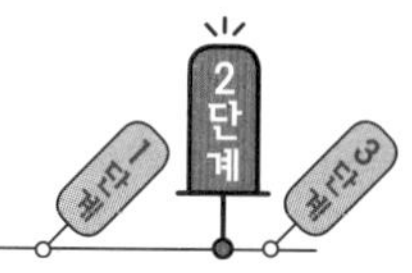

★ 정답과 해설 039쪽

A 동물의 구성 단계

필수

01 동물의 구성 단계에 대한 설명으로 옳지 않은 것은?

① 동물을 구성하는 기본 단위는 세포이다.
② 모양과 기능이 비슷한 세포들이 모여서 조직을 이룬다.
③ 조직들이 모여 특정한 기능을 담당하는 단계는 기관이다.
④ 동물에는 여러 기관이 모여 통일된 기능을 담당하는 단계인 조직계가 있다.
⑤ 동물에서 입, 식도, 위, 소장, 대장처럼 소화에 관련된 기관이 모여서 소화계를 이룬다.

02 다음 중 사람의 몸에서 볼 수 없는 조직은?

① 결합 조직　② 근육 조직
③ 통도 조직　④ 상피 조직
⑤ 신경 조직

필수

03 동물의 구성 단계를 순서대로 옳게 나타낸 것은?

① 세포 → 조직 → 조직계 → 기관 → 개체
② 세포 → 조직 → 기관 → 기관계 → 개체
③ 세포 → 기관 → 조직 → 조직계 → 개체
④ 세포 → 기관 → 기관계 → 조직계 → 개체
⑤ 세포 → 조직 → 조직계 → 기관 → 기관계 → 개체

04 그림은 동물의 구성 단계를 나타낸 것이다.

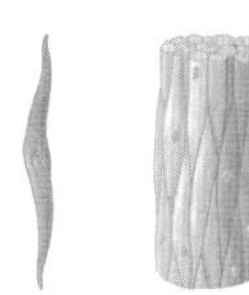

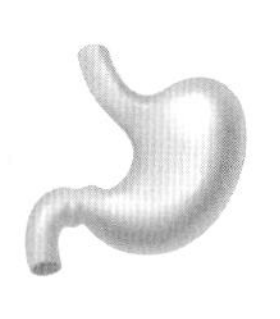
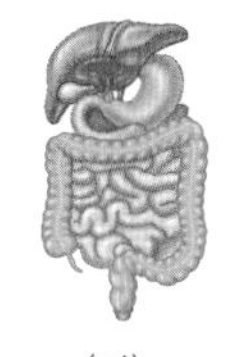
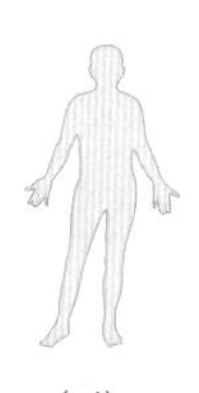

(가)　(나)　(다)　(라)　(마)

모양과 기능이 비슷한 세포들이 모인 구성 단계의 기호와 이름을 옳게 짝 지은 것은?

① (가), 세포　② (나), 조직　③ (다), 기관
④ (라), 기관계　⑤ (마), 개체

B 영양소

05 에너지원으로 사용되는 영양소끼리 옳게 짝 지은 것은?

① 탄수화물, 단백질, 지방
② 무기염류, 바이타민, 물
③ 단백질, 지방, 무기염류
④ 탄수화물, 단백질, 바이타민
⑤ 단백질, 무기염류, 바이타민

필수

06 3대 영양소에 대한 설명으로 옳지 않은 것은?

① 지방은 1 g당 9 kcal의 열량을 낸다.
② 단백질은 항체, 호르몬 등을 구성한다.
③ 탄수화물의 구성 성분에는 질소가 포함된다.
④ 지방은 이용하고 남은 영양소를 피부 아래에 저장한다.
⑤ 탄수화물은 섭취량이 많지만 우리 몸의 구성 비율은 낮다.

필수

07 무기염류와 바이타민의 공통점으로 옳은 것은?

① 몸을 구성한다.
② 체내에서 합성이 된다.
③ 주로 에너지원으로 쓰인다.
④ 탄소, 수소, 산소로 구성된다.
⑤ 몸의 여러 가지 생리 작용을 조절한다.

08 다음 설명에 해당하는 영양소의 이름을 쓰시오.

- 우리 몸을 구성하는 주성분이다.
- 영양소와 노폐물을 운반한다.
- 체온을 조절하며, 생리 작용이 잘 일어나게 돕는다.

09 그림은 어떤 무기염류의 부족 때문에 생긴 사람의 뼈 이상을 나타낸 것이다. 이 사람에게 부족한 무기염류로 옳은 것은?

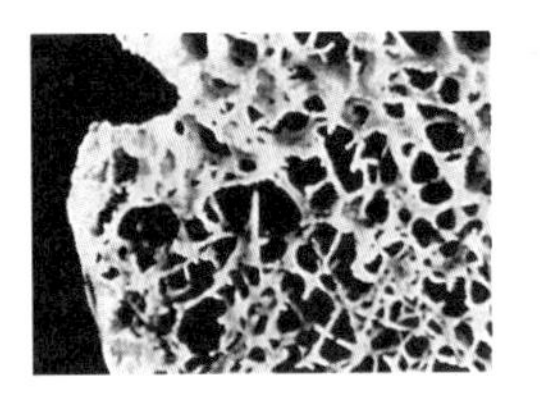

① 철 ② 칼슘 ③ 나트륨
④ 아이오딘 ⑤ 마그네슘

서술형

10 표는 우리가 자주 먹는 몇몇 음식의 영양 성분을 나타낸 것이다. 이 자료를 참고하여 사과나 달걀흰자에 비해 초콜릿을 많이 먹으면 건강에 좋지 않은 까닭을 서술하시오.

(단위: %)

구분	탄수화물	지방	단백질	물	무기염류 및 기타
사과	11.5	0.7	0.4	86.4	1
달걀흰자	0.09	0.1	10.2	88.9	0.71
초콜릿	25	27	6.15	39.7	2.15

(자료 출처: 한국인 영양섭취기준 한국영양학회)

필수

11 표는 4개의 시험관에 어떤 1가지 음식물을 넣고 영양소 검출 반응을 실시한 결과를 나타낸 것이다.

구분	실험 방법	색 변화
(가)	아이오딘-아이오딘화 칼륨 용액을 넣는다.	변화 없음
(나)	베네딕트 용액을 넣은 후 가열한다.	변화 없음
(다)	5 % 수산화 나트륨 용액과 1 % 황산 구리 용액을 넣는다.	변화 없음
(라)	수단 Ⅲ 용액을 넣은 후 잘 흔들어 준다.	선홍색

위 결과로 보아 이 음식물 속에 들어 있는 영양소로 옳은 것은?

① 지방 ② 녹말 ③ 단백질
④ 포도당 ⑤ 탄수화물

12 현준이는 과학 시간에 영양소의 검출에 필요한 약품이 보기와 같이 여러 종류가 있다는 것을 배웠다. 우리가 즐겨 먹는 아이스크림 속에 녹말과 지방이 포함되어 있는지를 확인하려 할 때 준비해야 할 약품을 보기에서 모두 고르시오.

보기
ㄱ. 수단 Ⅲ 용액 ㄴ. 베네딕트 용액
ㄷ. 황산 구리 용액 ㄹ. 수산화 나트륨 용액
ㅁ. 아이오딘-아이오딘화 칼륨 용액

신유형

13 표는 발아현미밥 1인분의 영양 성분을 나타낸 것이다. 이 음식을 섭취했을 때 얻을 수 있는 에너지의 총량으로 옳은 것은?

탄수화물	단백질	지방	나트륨
66 g	6 g	1 g	20 g

① 287 kcal ② 292 kcal ③ 297 kcal
④ 302 kcal ⑤ 307 kcal

서술형

14 달걀흰자에 증류수를 섞어 묽게 하여 시험관에 5 mL를 넣고, 그림과 같이 수산화 나트륨 용액과 황산 구리 용액을 첨가하였다.

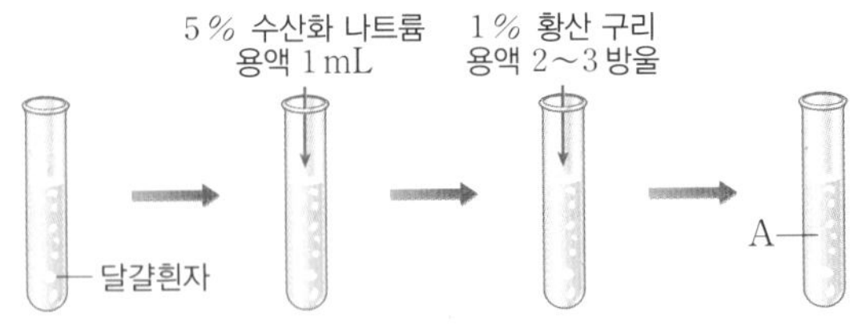

이 반응은 어떤 영양소를 검출하기 위한 반응이며, 실험 결과 A가 어떤 색을 나타내는지 서술하시오.

정답과 해설 039쪽

C 소화 과정

15 그림은 소화관에서 일어나는 분절 운동과 꿈틀 운동을 나타낸 것이다.

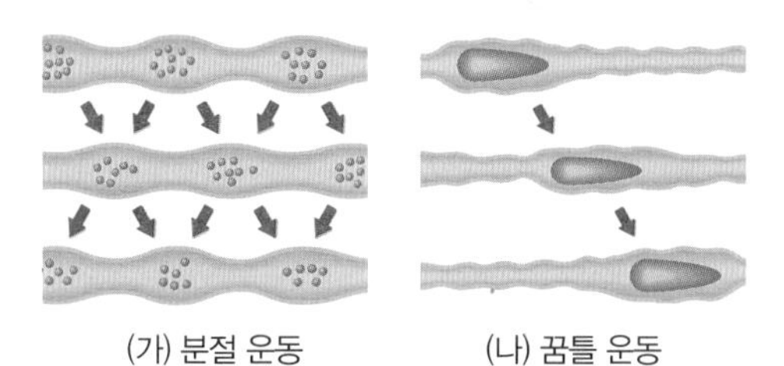

(가) 분절 운동　　(나) 꿈틀 운동

이에 대한 설명으로 옳지 않은 것은?

① 화학적 소화 과정의 일부이다.
② 근육에 의한 기계적 소화 방법이다.
③ (가)는 음식물과 소화액을 섞는 과정이다.
④ (나)는 음식물을 이동시키는 과정이다.
⑤ (나) 과정은 식도, 위, 소장, 대장 등에서 관찰할 수 있다.

16 그림은 사람의 소화 기관을 나타낸 것이다. A에서 일어나는 소화 작용에 대한 설명으로 옳은 것은? (정답 2개)

A

① 탄수화물의 소화가 일어난다.
② 기계적 소화는 일어나지 않는다.
③ 단백질이 최초로 소화되는 곳이다.
④ 지방이 지방산과 모노글리세리드로 분해된다.
⑤ A에서 분비되는 소화액은 산성을 띤다.

17 위액 속에 포함된 염산(위산)의 작용으로 옳지 않은 것은?

① 위액을 산성으로 만든다.
② 음식물의 부패를 방지한다.
③ 음식물 속의 세균을 죽인다.
④ 펩신의 소화 작용을 돕는다.
⑤ 단백질을 중간 산물로 분해한다.

[18-19] 그림은 사람의 소화 기관을 나타낸 것이다.

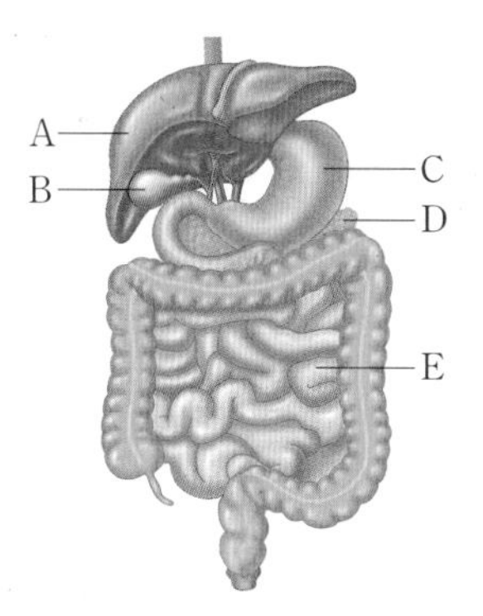

필수

18 (가) 3대 영양소의 소화 작용이 모두 일어나는 곳과 (나) 3대 영양소의 소화 효소를 모두 분비하는 곳의 기호를 각각 쓰시오.

필수

19 각 기관에 대한 설명으로 옳은 것은?

① A: 쓸개즙을 생성한다.
② B: 지방을 분해하는 소화 효소를 분비한다.
③ C: 탄수화물의 소화가 일어난다.
④ D: 쓸개즙을 저장한다.
⑤ E: 아밀레이스와 트립신을 분비한다.

20 그림은 탄수화물의 소화 과정을 나타낸 것이다.

소화 효소 A와 소화 산물인 ㉠, ㉡의 이름을 옳게 짝 지은 것은?

	A	㉠	㉡
①	펩신	지방	지방산
②	트립신	엿당	포도당
③	아밀레이스	엿당	포도당
④	아밀레이스	엿당	아미노산
⑤	라이페이스	단백질	아미노산

21 다음 용액이 들어 있는 시험관 A와 B를 그림과 같이 비커에 넣고, 20분 정도 지난 후 아이오딘-아이오딘화 칼륨 용액을 2~3 방울 떨어뜨렸다.

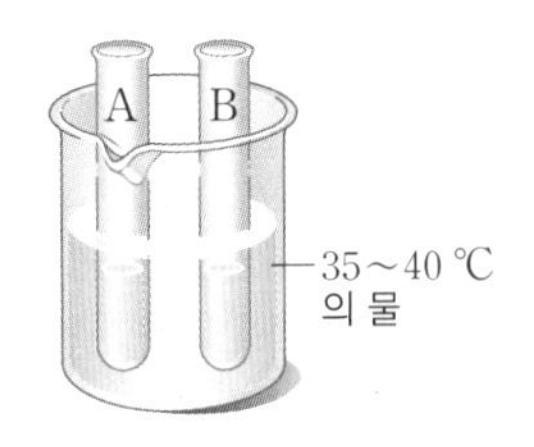

- A: 1 % 녹말 용액 3 mL+묽은 침 1 mL
- B: 1 % 포도당 용액 3 mL+묽은 침 1 mL

A와 B의 용액에서 나타나는 색깔 변화를 각각 쓰시오.

서술형

22 1 %의 녹말 용액과 침 희석액을 시험관 A~C에 같은 양씩 나누어 담고 그림과 같이 장치하여 일정 시간이 지난 후 각 수용액에 베네딕트 용액을 넣고 가열하였다.

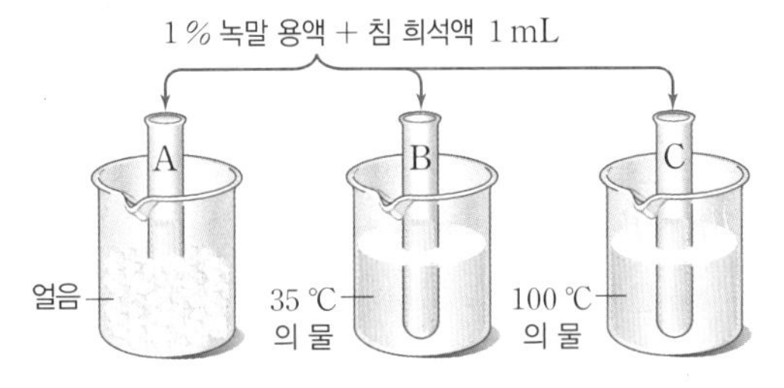

황적색으로 변하는 시험관은 어떤 것인지 쓰고, 그 까닭을 서술하시오.

D 영양소의 흡수와 이동

필수

23 포도당과 아미노산이 우리 몸에 흡수되는 이동 경로로 옳은 것은?

① 융털의 암죽관 → 간 → 심장 → 온몸
② 융털의 암죽관 → 심장 → 간 → 온몸
③ 융털의 모세 혈관 → 심장 → 간 → 온몸
④ 융털의 모세 혈관 → 간 → 심장 → 온몸
⑤ 융털의 모세 혈관 → 림프관 → 심장 → 온몸

24 그림은 소장 융털의 단면을 나타낸 것이다. A로 흡수되는 것과 B로 흡수되는 영양소를 각각 보기에서 골라 옳게 짝 지은 것은?

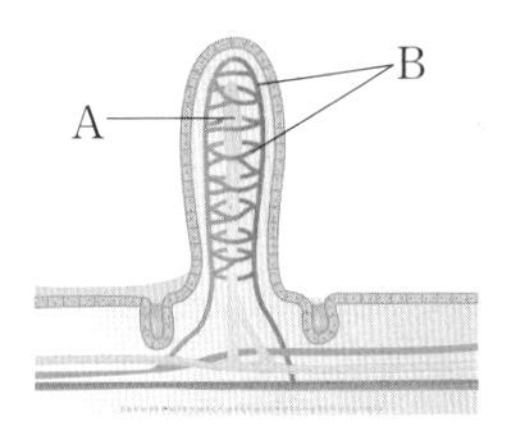

보기

ㄱ. 바이타민 A　　ㄴ. 바이타민 B
ㄷ. 바이타민 C　　ㄹ. 바이타민 D
ㅁ. 모노글리세리드　　ㅂ. 포도당
ㅅ. 아미노산　　ㅇ. 지방산

	A	B
①	ㄱ, ㄴ, ㄹ, ㅅ	ㄷ, ㅁ, ㅂ, ㅇ
②	ㄱ, ㄹ, ㅁ, ㅇ	ㄴ, ㄷ, ㅂ, ㅅ
③	ㄴ, ㄷ, ㅂ, ㅅ	ㄱ, ㄹ, ㅁ, ㅇ
④	ㄷ, ㄹ, ㅂ, ㅅ	ㄱ, ㄴ, ㅁ, ㅇ
⑤	ㄷ, ㅁ, ㅂ, ㅇ	ㄱ, ㄴ, ㄹ, ㅅ

서술형

25 그림은 소화된 영양소가 흡수되는 소장 내벽의 구조를 나타낸 것이다. 소장의 내벽이 이와 같은 구조로 되어 있어 유리한 점에 대해 서술하시오.

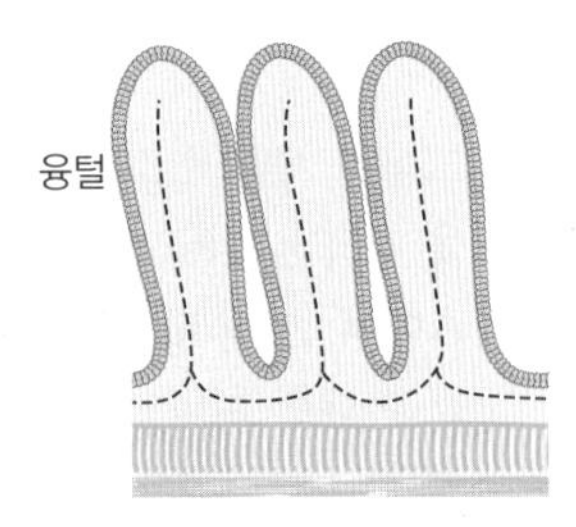

신유형

26 그림은 사람의 소화 기관 중 일부를 나타낸 것이다. A에 대한 설명으로 옳지 않은 것은?

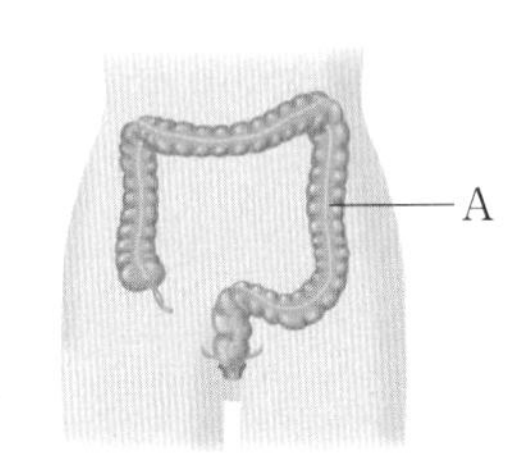

① 소화액이 분비되지 않는다.
② 소화 효소가 분비되지 않는다.
③ 소장의 끝부분에 연결되어 있다.
④ 화학적 소화와 기계적 소화가 모두 일어나지 않는다.
⑤ 소장에서 흡수되지 않은 음식물 찌꺼기를 몸 밖으로 배출한다.

만점 도전하기

정답과 해설 041쪽

필수

01 **그림은 사람의 몸을 구성하는 성분의 비율을 나타낸 것이다. A에 해당하는 영양소의 특징으로 옳지 않은 것은?**

(단위: %)
A 66.0, 16, 13, 4, 0.6, 0.4

① 체온 조절에 관여한다.
② 영양소와 노폐물을 운반한다.
③ 주된 에너지원으로 사용된다.
④ 비열이 커서 온도가 쉽게 변하지 않는다.
⑤ 우리 몸의 생리 작용이 잘 일어나게 돕는다.

필수

02 **2개의 셀로판 주머니에 녹말 용액과 포도당 용액을 각각 넣고 그림과 같이 실험하였다.**

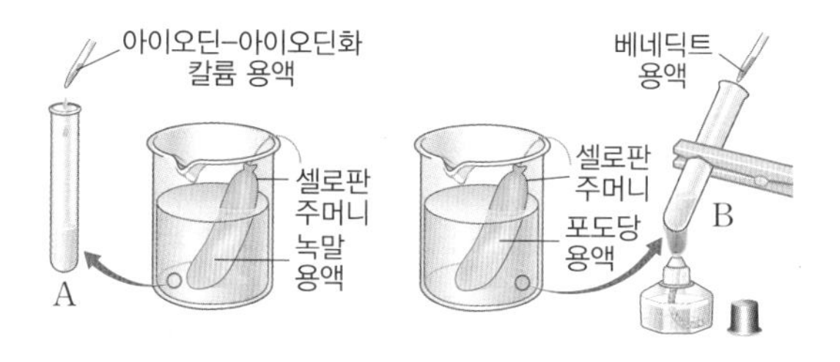

이에 대한 설명으로 옳은 것은?

① A는 청람색으로 변한다.
② B는 색깔 변화가 없다.
③ 녹말은 셀로판 주머니를 통과한다.
④ 포도당은 셀로판 주머니를 통과하지 못한다.
⑤ 녹말은 소화 과정을 거쳐야 우리 몸속으로 흡수될 수 있음을 알 수 있다.

03 **그림과 같이 지방과 물을 담은 시험관에 물질 A를 떨어뜨렸더니 물과 지방이 고르게 섞였다.**

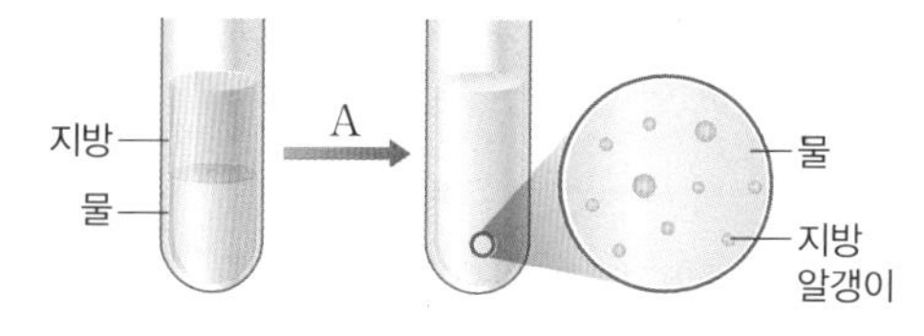

A에 대한 설명으로 옳지 않은 것은?

① 쓸개즙이다.
② 간에서 생성된다.
③ 지방의 소화를 돕는다.
④ 지방 덩어리를 작은 알갱이로 만든다.
⑤ 지방의 소화 효소인 라이페이스가 포함되어 있다.

신유형

04 **다음 설명은 3대 영양소 중 하나인 (가)의 특징을, 그림은 소장 융털의 구조를 나타낸 것이다.**

- 몸을 구성하는 주성분이다.
- 탄소, 수소, 산소, 질소로 구성된다.
- 효소, 호르몬의 주성분으로 생리 작용을 조절한다.

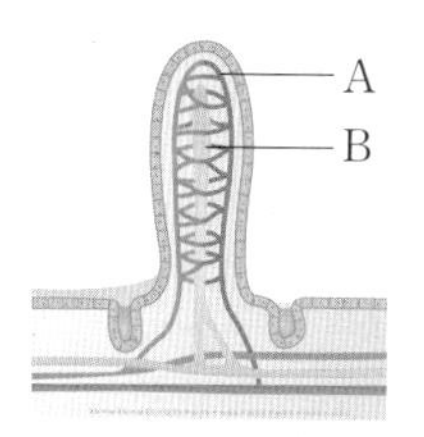

영양소 (가)에 대한 설명으로 옳은 것은?

① 최종 소화 산물은 A를 통해 흡수된다.
② 입에서 가장 먼저 화학적으로 소화된다.
③ 다른 영양소에 비해 1 g당 발생하는 에너지가 높다.
④ 소장에서 소화되지 않은 것은 대장에서 최종적으로 소화된다.
⑤ 이자에서 분비되는 아밀레이스에 의해 화학적으로 소화된다.

필수

05 **다음 중 영양소의 소화와 흡수에 대한 설명으로 옳은 것은?**

① 융털은 소장 안쪽의 표면적을 작게 해 준다.
② 녹말은 아밀레이스의 작용으로 아미노산으로 분해된다.
③ 지방은 쓸개즙의 작용으로 지방산과 모노글리세리드로 분해된다.
④ 단백질은 위에서 중간 산물로 분해되었다가 소장에서 최종 분해된다.
⑤ 모든 소화가 일어난 영양소는 대장에서 최종 흡수되고, 몸 밖으로 내보낸다.

순환

물음으로 흐름잡기

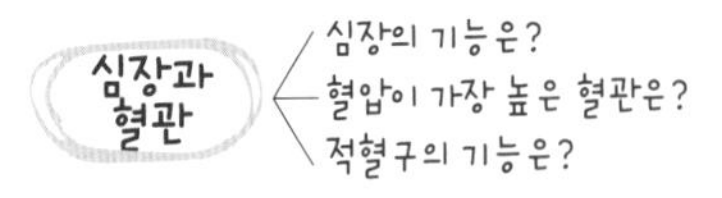

식균 작용을 담당하는 혈구는?
온몸으로 산소와 영양소를 공급하는 순환은?
산소가 많은 선홍색 혈액은?

A 심장과 혈관

1. 심장 사람의 심장❶은 2개의 심방과 2개의 심실로 이루어진다.

(심장: 주먹 크기의 근육질 주머니로, 가슴 중앙의 약간 왼쪽에 있다.)

구분		기능
심방	좌심방	폐에서 산소를 얻은 혈액이 들어오는 곳이다.
	우심방	온몸을 돌면서 이산화 탄소를 많이 함유하게 된 혈액이 들어오는 곳이다.
심실	좌심실	온몸으로 혈액을 내보내는 곳이며, 심장에서 가장 두꺼운 근육으로 되어있다.
	우심실	폐로 혈액을 내보내는 곳이다.

대동맥, 폐동맥, 대정맥, 폐정맥, 좌심방, 우심방, 판막, 좌심실, 우심실, 판막

▲ 심장의 구조

2. 혈관

① 혈관의 종류와 특징

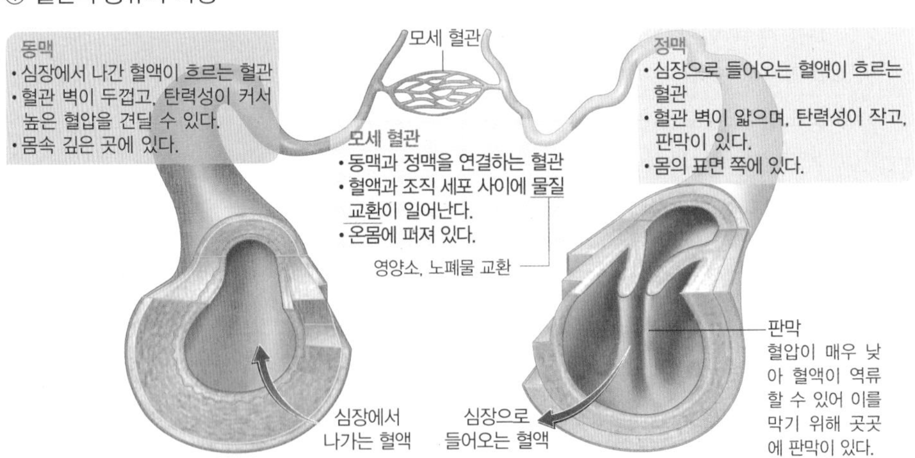

② 혈관의 비교

혈압●	동맥 > 모세 혈관 > 정맥 (주변 근육의 운동에 의해 혈액이 이동한다.) ➡ 심장에 가까울수록 혈압이 높다.		혈압(mmHg) 120, 100, 80, 60, 40, 20, 0, −10 / 심장 수축기, 심장 이완기, 혈압, 혈류 속도, 혈관의 총단면적 / 대동맥, 동맥, 모세 혈관, 정맥
총단면적	모세 혈관 > 정맥 > 동맥	총단면적이 클수록 혈류 속도가 느리다.	
혈류 속도	동맥 > 정맥 > 모세 혈관		
혈관 벽의 두께	동맥 > 정맥 > 모세 혈관 ➡ 동맥은 혈압이 높아 혈관 벽이 두껍다.		

❶ 심장의 박동

심방과 심실이 규칙적으로 수축, 이완하여 온몸으로 혈액이 순환하게 된다.

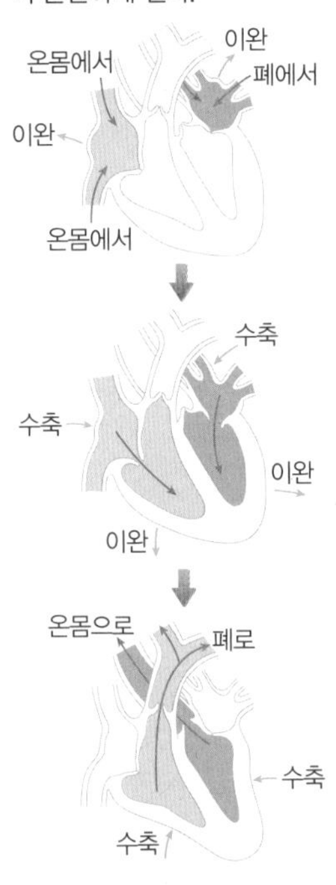

맥박

심장 박동이 혈액을 통해 동맥으로 전달되어 나타내는 혈관 벽의 규칙적인 운동으로, 맥박 수는 심장 박동 수와 같다.

판막

정맥, 심방과 심실 사이, 심실과 동맥 사이에 위치하며, 혈액의 역류를 막는 중요한 역할을 한다.

용어 알기

• **혈압** 심실에서 밀려나간 혈액이 혈관 벽에 미치는 압력으로, 혈압은 좌심실에서 가까운 대동맥에서 가장 높고, 심실에서 멀어질수록 점점 낮아진다.

B 혈액과 혈액 순환

1. 혈액❷ 혈구와 혈장❸으로 구성된다.

① 혈구: 혈액의 고형 성분

구분	적혈구 (크기 약 7 mm)	백혈구 (약 10~20 mm)	혈소판 (약 3 mm)
모양	가운데가 오목한 원반 모양, 핵이 없음	모양과 크기가 변함, 핵이 있음	모양이 일정하지 않음, 핵이 없음
기능	산소 운반 ➡ 붉은색 색소인 헤모글로빈의 작용	식균 작용, 항체 생성	혈액 응고에 관여 (공기에 노출되면 파괴된다.)
수(개/mm^3)	450만~ 500만 (수가 가장 많다.) ➡ 부족 시 빈혈	6,000~8,000 ➡ 세균이 침입하면 수가 증가	25만~40만 ➡ 부족 시 혈액 응고가 잘 안 됨

② 혈장: 혈액의 액체 성분으로 약 90 %가 물로 이루어져 있으며, 체온의 급격한 변화를 막아 체온을 유지하고 이산화 탄소, 영양소, 노폐물, 호르몬 등을 운반한다.

2. 혈액 순환

① 온몸 순환: 심장에서 나간 동맥혈이 온몸의 조직 세포에 산소와 영양소를 공급하고, 이산화 탄소와 노폐물을 받아 심장으로 돌아오는 순환 과정

② 폐순환: 심장에서 나간 정맥혈이 폐에서 이산화 탄소를 버리고 산소를 받아 심장으로 돌아오는 순환 과정

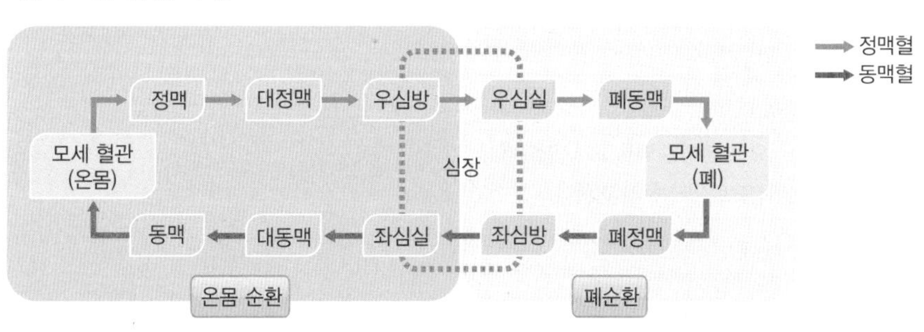

❷ 혈액의 구성

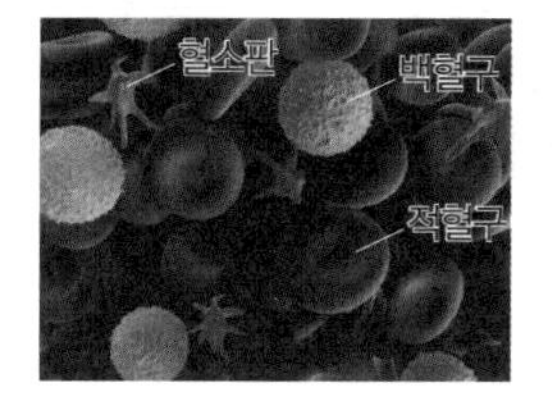

❸ 혈액의 원심 분리

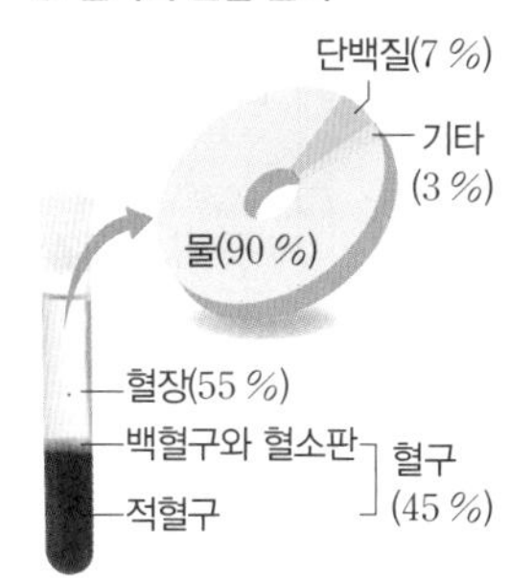

동맥혈과 정맥혈

구분		동맥혈	정맥혈
정의		산소가 많은 혈액	산소가 적은 혈액
색깔		선홍색	암적색
흐르는 곳	심장	좌심방, 좌심실	우심방, 우심실
	혈관	폐정맥, 대동맥	폐동맥, 대정맥

★ 정답과 해설 042쪽

01 다음 (   ) 안에 들어갈 알맞은 말을 각각 쓰시오.

(1) 심장의 구조 중 폐로 혈액을 내보내는 곳은 (   )이며, 폐에서 산소를 얻은 혈액이 들어오는 곳은 (   )이다.

(2) 온몸으로 혈액을 내보내는 곳이며, 심장에서 가장 두꺼운 근육으로 되어 있는 곳은 (   )이다.

(3) 심장으로 들어오는 혈액이 흐르는 혈관인 (   )은 혈관 벽이 얇으며, 판막이 있다.

(4) 온몸에 그물처럼 퍼져 있고, 혈액과 조직 세포 사이에 물질 교환이 일어나는 혈관은 (   )이다.

02 그림은 사람의 혈액 성분을 나타낸 것이다.

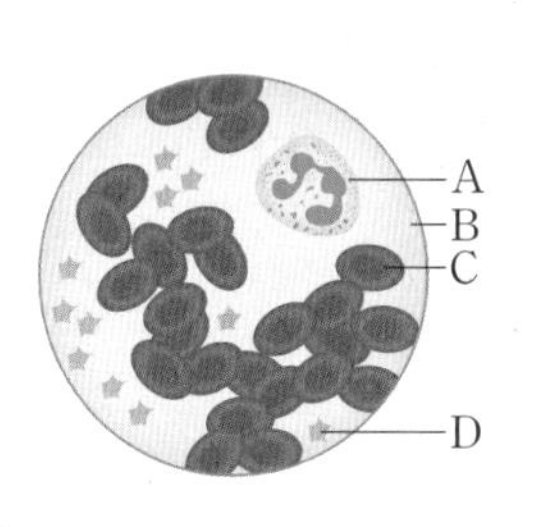

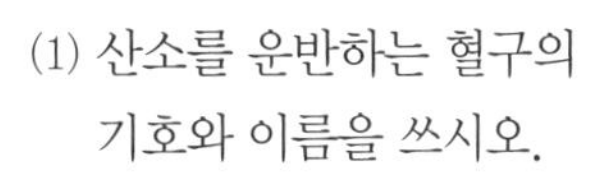

(1) 산소를 운반하는 혈구의 기호와 이름을 쓰시오.

(2) 식균 작용을 하는 혈구의 기호와 이름을 쓰시오.

03 다음은 혈액 순환 중 온몸 순환 과정을 나타낸 것이다. ㉠, ㉡에 들어갈 알맞은 말을 쓰시오.

> 좌심실 → (㉠) → 온몸의 모세 혈관 → 대정맥 → (㉡)

탐구 공략 하기

혈액 관찰하기

목표 혈액 관찰을 통해 혈구 성분의 모양을 확인하고 특징을 이해할 수 있다.

공략 포인트 적혈구, 백혈구, 혈소판 중 핵이 있는 것은 백혈구뿐이므로 백혈구의 핵만 김사액에 의해 보라색으로 염색된다는 점을 이용한다.

과정

❶ 혈액을 채취하고 얇게 펴기

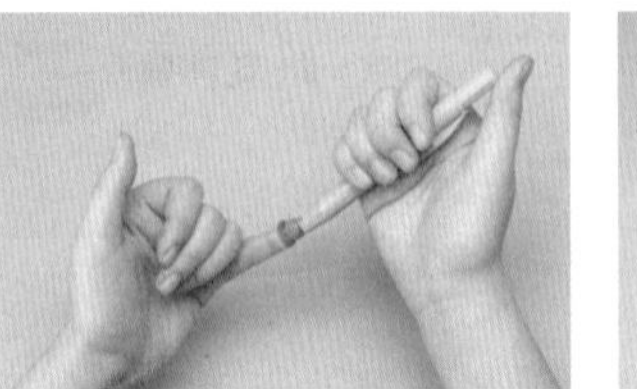

소독한 손가락을 채혈침으로 찔러 혈액 1 방울을 받침 유리에 떨어뜨린다. ➡ 다른 받침 유리를 이용하여 혈액의 가장자리에 비스듬히 댄 후, 혈액의 반대 방향으로 밀어 얇게 편다.

받침 유리를 혈액이 있는 방향으로 밀면 혈구가 깨질 수 있으므로 주의한다.

❷ 백혈구 염색하기

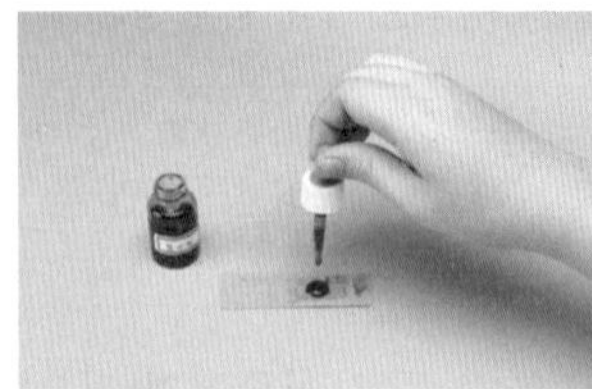

메탄올을 1 방울 떨어뜨리고 건조시킨 다음, 혈액 위에 김사액을 1 방울 떨어뜨리고 3~5분간 두어 염색이 잘 되도록 한다.

김사액은 세포의 핵을 보라색으로 염색시켜 뚜렷하게 관찰할 수 있게 한다.

❸ 혈액 관찰하기

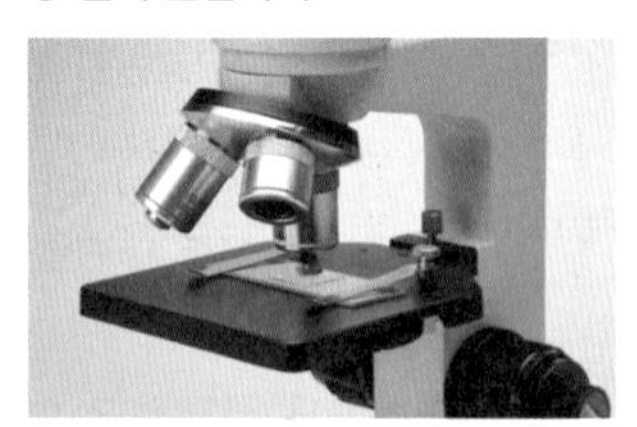

받침 유리를 비커에 담긴 증류수에 넣고 가볍게 헹구어 염색액을 씻어 내고 받침 유리의 물기를 닦는다. ➡ 덮개 유리를 덮고 현미경으로 혈액을 관찰한다.

염색액이 너무 많이 묻어 있으면 현미경 관찰 시 혈구가 잘 보이지 않으므로 주의한다.

결과

1. 적혈구가 가장 많이 관찰된다.
2. 김사액에 의해 핵이 보라색으로 염색된 백혈구가 관찰된다.
3. 혈소판은 크기가 작아 현미경으로 관찰하기 어렵다.

정리

1. 혈구 성분에는 적혈구, 백혈구, 혈소판이 있다.
2. 적혈구는 가운데가 오목한 원반 모양이며 붉은 색이다.
3. 백혈구는 핵이 있으며, 모양과 크기가 일정하지 않다.
4. 혈구 중 약 99 %가 적혈구로, 혈액이 붉게 보이는 원인이 된다.

확인 문제

★ 정답과 해설 042쪽

01 다음은 위 실험에 대한 설명이다. (　　) 안에 들어갈 알맞은 말을 쓰시오.

> 혈구 관찰 시 메탄올을 떨어뜨리는 까닭은 혈액 속 세포들을 살아 있는 것과 같은 형태로 (　　)하기 위해서이다.

02 위 실험에서 관찰된 혈구 중 우리 몸의 혈액에 가장 많이 들어 있는 것은 무엇인지 쓰시오.

03 관찰된 내용 중 위 실험에 대한 설명으로 옳지 않은 것은?

① 혈액이 붉게 보이는 까닭은 백혈구 때문이다.
② 김사액에 의해 핵이 염색된 백혈구를 볼 수 있다.
③ 가운데가 오목한 원반 모양의 적혈구를 볼 수 있다.
④ 혈소판은 공기 중에 노출되면 파괴되므로 관찰할 수 없다.
⑤ 혈액을 얇게 펼 때 덮개 유리를 혈액이 있는 반대 방향으로 밀어야 한다.

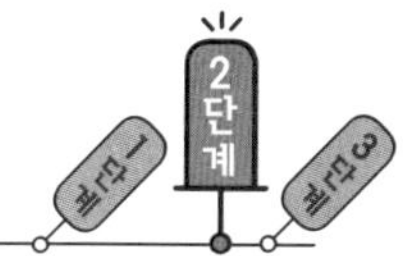

★ 정답과 해설 042쪽

A 심장과 혈관

필수

01 사람의 심장에 대한 설명으로 옳지 않은 것은?

① 2심방 2심실로 구성되어 있다.
② 심방 벽보다는 심실 벽이 두껍다.
③ 우심실은 폐동맥과 연결되어 있다.
④ 좌심방은 폐정맥과 연결되어 정맥혈이 들어온다.
⑤ 혈액이 거꾸로 흐르지 않도록 해 주는 판막이 있다.

[02-03] 그림은 심장의 구조를 나타낸 것이다.

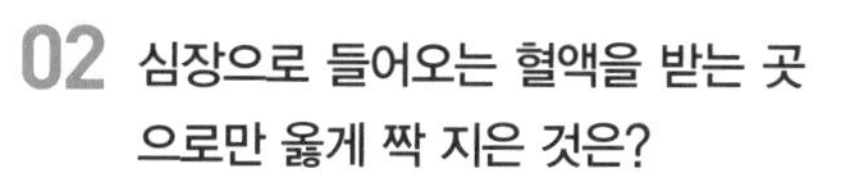

02 심장으로 들어오는 혈액을 받는 곳으로만 옳게 짝 지은 것은?

① A, B ② A, C
③ B, C ④ B, D ⑤ C, D

03 C가 이완하고 D가 수축할 때, C와 D에서 혈액이 흐르는 상태로 옳은 것은?

① 대정맥을 흐르는 혈액이 심장으로 들어오고, 심장에서 폐동맥으로 혈액이 나간다.
② 대정맥을 흐르는 혈액이 심장으로 들어오고, 심장에서 대동맥으로 혈액이 나간다.
③ 폐정맥을 흐르는 혈액이 심장으로 들어오고, 심장에서 대동맥으로 혈액이 나간다.
④ 폐정맥을 흐르는 혈액이 심장으로 들어오고, 심장에서 폐동맥으로 혈액이 나간다.
⑤ 대정맥을 흐르는 혈액이 심장으로 들어오고, 심장에서 대정맥으로 혈액이 나간다.

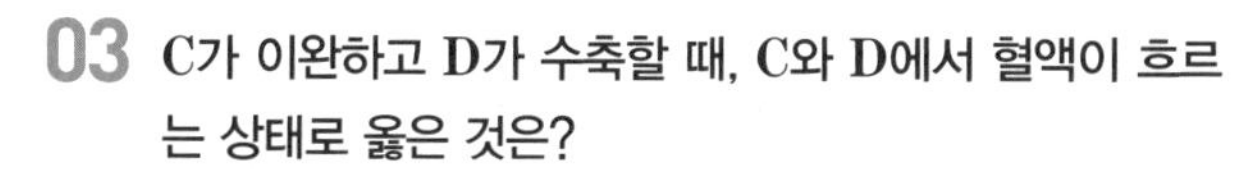

필수

04 그림은 사람의 혈관을 나타낸 것이다.

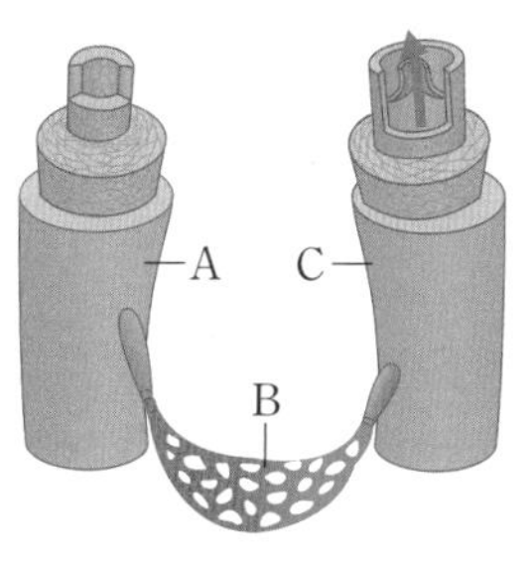

혈관 A~C를 비교한 내용으로 옳지 않은 것은?

	구분	A	B	C
①	분포	몸 표면	몸 전체	몸 깊은 곳
②	혈압	높다.	중간.	낮다.
③	판막	없다.	없다.	있다.
④	혈류 속도	빠르다.	느리다.	중간.
⑤	탄력성	크다.	작다.	작다.

05 다음 설명에 해당하는 구조의 이름을 쓰시오

- 혈액이 거꾸로 흐르는 것을 방지한다.
- 심장 박동 소리의 원인이 되는 부분이다.
- 이 부분에 이상이 있는 사람은 가슴에 심한 통증을 느끼거나 호흡 곤란을 겪는다.

06 그림은 심장에서 나간 혈액이 다시 심장으로 들어올 때까지의 압력을 나타낸 것으로, (가)~(다)는 각각 모세혈관, 정맥, 동맥 중 하나이다.

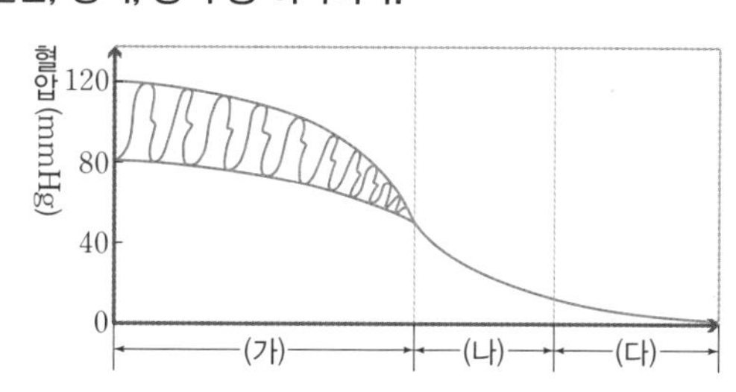

혈관 (가)~(다)의 이름을 각각 쓰시오.

서술형

07 동맥은 다른 혈관에 비해서 두꺼운 근육층으로 되어 있는데, 그 까닭을 서술하시오.

B 혈액과 혈액 순환

필수

08 혈액에 대한 설명으로 옳은 것만을 보기에서 모두 고른 것은?

보기
ㄱ. 적혈구는 산소를 운반한다. ㄴ. 혈장은 영양소를 운반한다. ㄷ. 혈소판은 체내에 침입한 세균을 잡아먹는다. ㄹ. 백혈구는 상처가 났을 때에 혈액을 응고시킨다.

① ㄱ, ㄴ ② ㄱ, ㄹ ③ ㄴ, ㄷ
④ ㄴ, ㄹ ⑤ ㄷ, ㄹ

신유형

09 우리 몸의 적혈구 수가 정상보다 부족하면 나타나는 현상으로 옳은 것은?

① 맥박이 빨라진다.
② 질병에 대한 면역력이 없어져 병에 걸리기 쉽다.
③ 조직 세포에 이산화 탄소와 노폐물이 계속 축적된다.
④ 산소의 운반이 제대로 되지 않아 빈혈 증상이 나타난다.
⑤ 상처 부위의 혈액이 응고되지 않아 혈액이 계속 해서 흘러 나온다.

10 혈소판의 기능에 대한 설명으로 옳은 것은?

① 암모니아를 운반한다.
② 이산화 탄소를 운반한다.
③ 체내에 들어온 세균을 잡아먹는다.
④ 혈액의 농도를 일정하게 유지한다.
⑤ 상처가 났을 때 혈액을 응고시킨다.

11 사람의 혈액 순환에서 폐순환의 기능으로 옳은 것은?

① 조직 세포에 충분한 산소를 공급한다.
② 폐에 필요한 영양소와 산소를 공급한다.
③ 우리 몸에 여러 가지 영양소를 공급한다.
④ 산소를 받아오고, 이산화 탄소를 내보낸다.
⑤ 몸에서 생긴 여러 가지 노폐물을 몸 밖으로 내보낸다.

[12-13] 그림은 사람의 혈액 순환 경로를 나타낸 것이다.

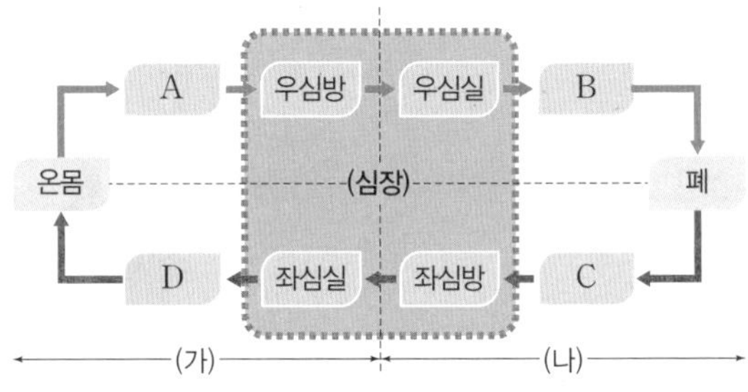

필수

12 A~D 중 산소를 많이 포함한 동맥혈이 흐르는 곳으로만 옳게 짝 지은 것은?

① A, B ② A, C
③ B, C ④ B, D
⑤ C, D

13 (가)와 (나)에 해당하는 혈액 순환의 종류를 각각 쓰시오.

서술형

14 폐정맥과 대정맥을 흐르는 혈액의 기체 함량에 따른 차이점을 서술하시오.

만점 도전하기

정답과 해설 043쪽

필수

01 그림은 사람의 심장 구조를 나타낸 것이다.
이에 대한 설명으로 옳지 않은 것은?

① A와 B에는 정맥혈이 들어 있다.
② A와 B, C와 D 사이에는 각각 판막이 있다.
③ B와 D의 벽은 A와 C의 벽보다 두껍다.
④ ㉠과 ㉡의 혈관에는 항상 동맥혈만 흐른다.
⑤ B와 D의 수축 작용에 의해 혈액이 동맥으로 흘러 나간다.

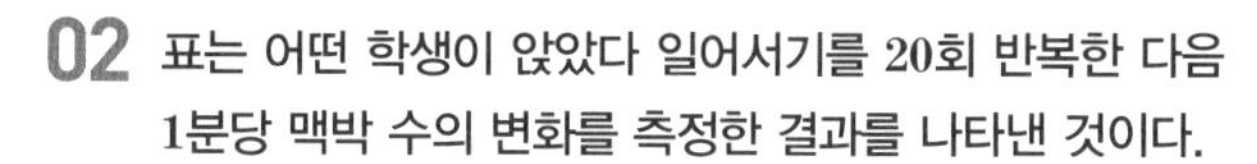

02 표는 어떤 학생이 앉았다 일어서기를 20회 반복한 다음 1분당 맥박 수의 변화를 측정한 결과를 나타낸 것이다.

(단위: 회)

운동 전	운동 직후	2분 후	4분 후
80	120	105	92

이에 대한 설명으로 옳은 것은?

① 운동을 하면 혈액 순환이 느려진다.
② 맥박 수는 운동의 강도에 따라 달라진다.
③ 운동 직후보다 운동 후 시간이 지날수록 맥박 수가 빨라진다.
④ 운동을 하면 맥박 수는 증가하지만, 심장 박동 수는 변화가 없다.
⑤ 운동을 하면 조직 세포에 산소를 빠르게 공급하기 위해 심장 박동이 빨라진다.

신유형

03 한 곳에 오랫동안 서 있으면 다리가 붓고, 몹시 피곤함을 느끼게 되는데, 이때 걸어서 다리를 움직이면 이런 증상이 조금 사라진다. 그 까닭으로 옳은 것은?

① 걸으면 정맥의 판막이 닫히기 때문이다.
② 걸으면 혈류 속도가 빨라지기 때문이다.
③ 걸으면 심장의 수축력이 증가하기 때문이다.
④ 걸으면 다리 정맥 주변의 근육이 수축하여 혈액을 심장으로 보내기 때문이다.
⑤ 걸으면 모세 혈관과 조직 세포 사이의 물질 교환이 원활하게 일어나기 때문이다.

필수

04 그림은 붕어의 꼬리지느러미를 현미경으로 관찰한 것이다.

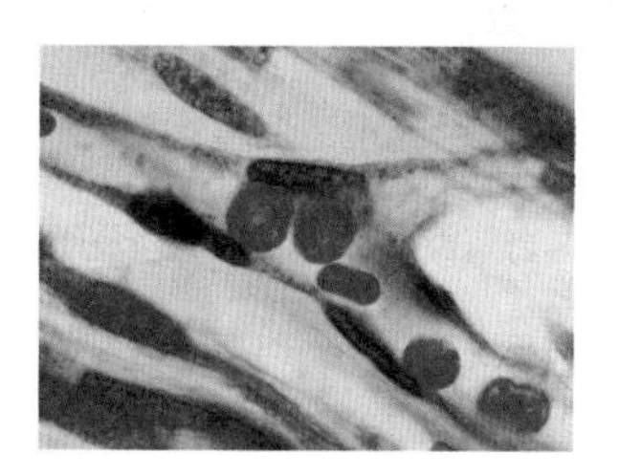

이에 대한 설명으로 옳은 것은?

① 혈액은 한쪽 방향으로만 흐른다.
② 혈구는 정지해 있고 혈장만 흐른다.
③ 혈액이 흐르는 속도는 항상 일정하다.
④ 일정한 시간이 지나면 혈액이 흐르는 방향이 바뀐다.
⑤ 혈관이 매우 넓어서 적혈구 수십 개가 한꺼번에 지나간다.

서술형

05 다음은 윌리엄 하비가 1620년대에 실시한 실험을 간단히 요약한 것이다.

> 팔에 있는 혈관들을 고무줄로 묶었다. 그 결과 (가) 심장의 심실과 연결된 혈관은 묶은 부위 중 심장 쪽이 부풀어 올랐고, (나) 심장의 심방과 연결된 혈관은 심장의 반대쪽 부위가 부풀어 올랐다.

(가), (나)에 해당하는 혈관의 이름을 쓰고, 각 혈관에서 부풀어 오른 부분이 서로 다른 까닭을 서술하시오.

Ⅴ. 동물과 에너지

호흡

물음으로 흐름잡기

호흡
- 호흡을 하는 까닭은?
- 호흡 결과 발생하는 기체는?
- 호흡 기관의 역할은?

기체 교환
- 기체 교환의 원리는?
- 폐포 → 모세 혈관 → 조직 세포 방향으로 이동하는 기체는?

A 호흡

1. 호흡 사람이 생명 활동을 위해 공기 중의 산소를 받아들이고 몸 안에서 생긴 이산화 탄소를 내보내는 작용 ➡ 생물은 산소를 이용해 영양소를 분해하여 생활에 필요한 에너지를 얻는 세포 호흡을 한다. – 호흡의 궁극적인 목적

2. 호흡 기관 공기의 이동 경로는 코 → 기관 → 기관지 → 폐❶이다.

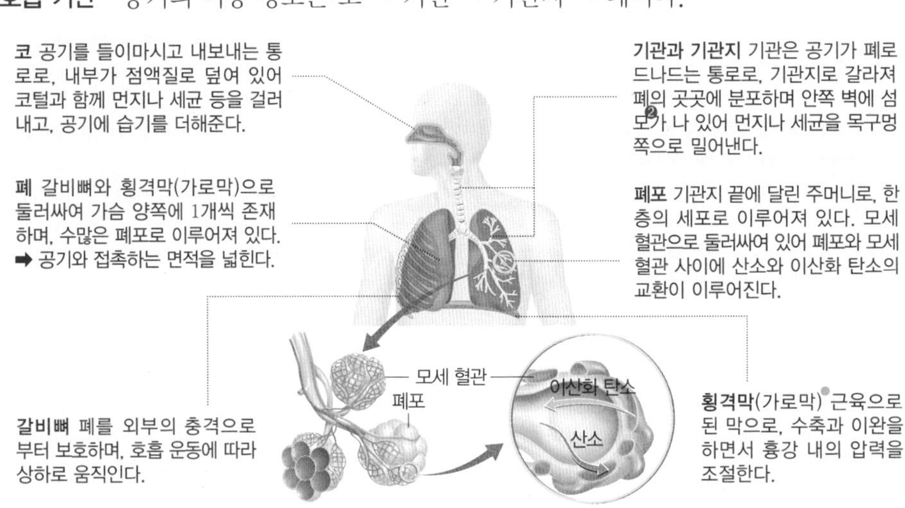

B 호흡 운동

1. 호흡 운동의 원리 폐는 근육이 없어서 갈비뼈와 횡격막(가로막)의 상하 운동에 의해 흉강*의 부피를 조절하여 호흡한다.

2. 호흡 운동

구분	갈비뼈	횡격막(가로막)	흉강의 부피	흉강의 압력	공기의 이동	폐의 부피
들숨	위로	아래로	넓어진다.	낮아진다.	외부 → 폐	커진다.
날숨	아래로	위로	좁아진다.	높아진다.	폐 → 외부	작아진다.

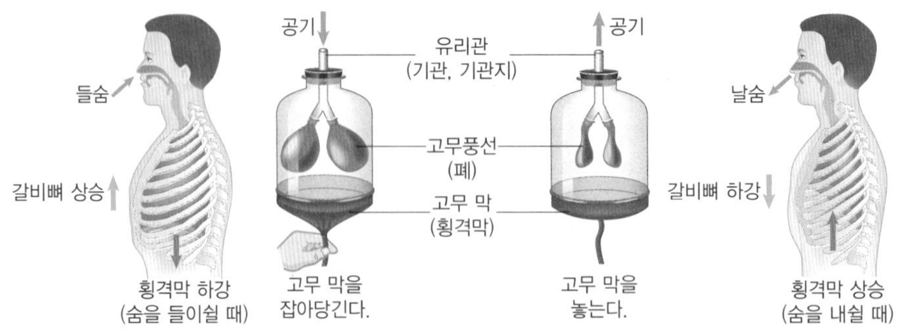

▲ 사람의 호흡 운동과 폐 모형 비교

❶ **폐가 수많은 폐포로 되어 있는 까닭**

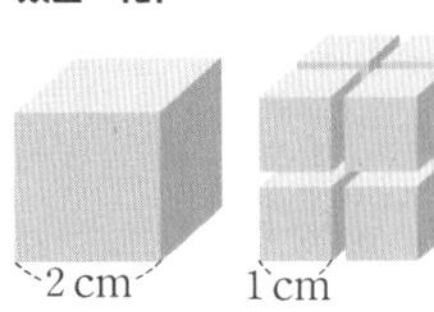

구분	(가)	(나)
표면적(cm^2)	24	48
부피(cm^3)	8	8

➡ 폐포는 폐가 외부 공기와 접촉하는 면적을 넓혀 기체 교환이 효율적으로 일어나도록 한다.

❷ **섬모**

기관과 기관지의 안쪽 벽에는 섬모가 많이 나 있어 먼지 등의 이물질을 걸러 낸다. 걸러진 이물질은 점액에 섞여 섬모 운동에 의해 목구멍 쪽으로 밀려 올라가 몸 밖으로 배출되는데, 이것이 가래이다.

서술형이나 주관식 답을 쓸 때 철자에 주의!

용어 알기
- **횡격막** 가슴과 배를 나누는 근육으로 된 막으로, 횡격막의 위쪽은 가슴, 아래쪽은 배로 구분이 되며, 가로막이라고도 한다.
- **흉강** 폐와 심장이 들어 있는 가슴 속 공간

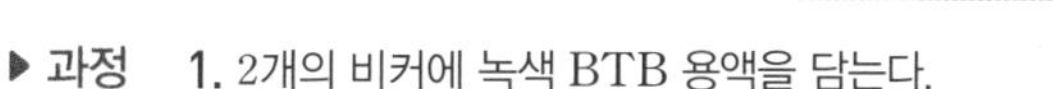

교과서 탐구 BTB 용액을 이용한 들숨과 날숨의 비교

▶ 과정 1. 2개의 비커에 녹색 BTB 용액을 담는다.
2. 비커 A에는 스포이트로 공기를 넣어 주고, B에는 빨대로 입김을 불어 넣는다. – 스포이트로 넣어 준 공기는 들숨, 빨대로 불어 넣은 입김은 날숨에 해당한다.

▶ 결과 BTB 용액의 색깔 변화: 날숨을 불어 넣은 BTB 용액만 노란색으로 변한다. ➡ 날숨 속에 들어 있는 이산화 탄소가 BTB 용액에 녹아 용액이 산성으로 변했기 때문이다.

▶ 해석 날숨에는 들숨보다 이산화 탄소가 많이 들어 있다.

들숨과 날숨의 성분

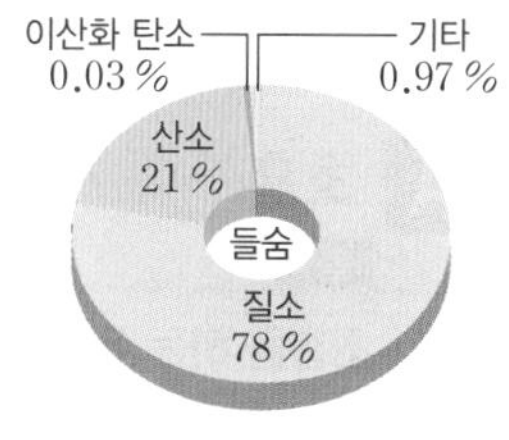

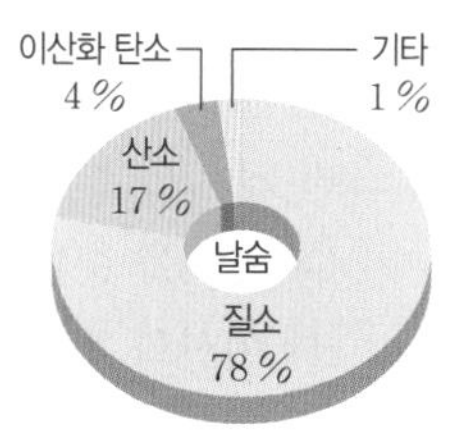

C 기체 교환

구분	산소	이산화 탄소
농도	폐포 > 모세 혈관 > 조직 세포	조직 세포 > 모세 혈관 > 폐포
이동 방향	폐포 → 모세 혈관 → 조직 세포	조직 세포 → 모세 혈관 → 폐포

➡ 기체의 분압• 차에 의한 확산❸으로 산소와 이산화 탄소의 교환이 일어난다.

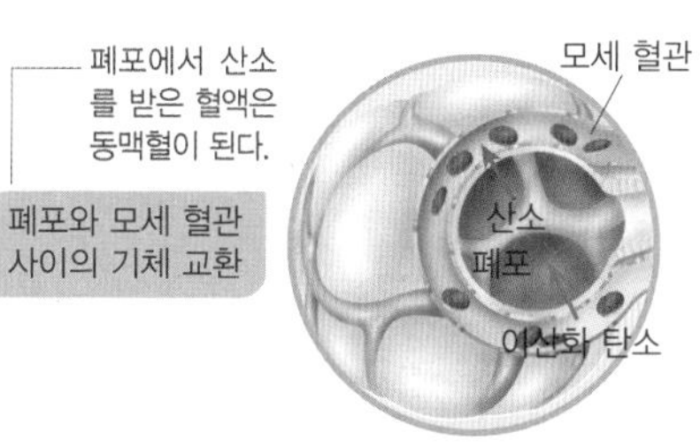

조직 세포
모세 혈관
이산화 탄소
산소
조직 세포와 모세 혈관 사이의 기체 교환
조직 세포에서 이산화 탄소를 받은 혈액은 정맥혈이 된다.

▲ 산소와 이산화 탄소의 분압 차에 의한 확산

❸ 확산
농도가 높은 쪽에서 농도가 낮은 쪽으로 물질이 퍼져 나가는 현상

용어 알기
•분압 전체 기관의 압력에서 각 기체의 부분 압력

★ 정답과 해설 043쪽

01 사람이 생명 활동을 위해 공기 중의 산소를 받아들이고 몸 안에서 생긴 이산화 탄소를 내보내는 작용을 무엇이라고 하는지 쓰시오.

02 다음 설명 중 옳은 것은 ○표, 옳지 않은 것은 ×표를 하시오.

(1) 사람의 호흡 기관에는 입, 코, 기관, 기관지, 폐가 있다. ( )

(2) 폐는 근육 운동에 의해 부피를 조절하여 호흡이 일어난다. ( )

(3) 기관은 공기가 폐로 드나드는 통로로, 기관지로 갈라져 폐 곳곳에 분포한다. ( )

(4) 폐포와 모세 혈관 사이에서는 기체의 분압 차에 의해 기체가 교환된다. ( )

03 다음은 숨을 들이쉴 때의 호흡 운동에 대한 설명이다. ㉠~㉣에 들어갈 알맞은 말을 고르시오.

> 갈비뼈가 ㉠ (올라가고, 내려가고), 횡격막이 ㉡ (올라가면, 내려가면) 흉강이 ㉢ (넓어져서, 좁아져서) 흉강의 압력이 ㉣ (낮아진다, 높아진다). 그 결과 바깥의 공기가 폐로 들어온다.

04 폐포에서의 기체 교환 과정에서 이동하는 기체의 이름을 쓰시오.

(1) 폐포에서 모세 혈관 방향으로 이동하는 기체를 쓰시오.

(2) 모세 혈관에서 폐포 방향으로 이동하는 기체를 쓰시오.

A 호흡

필수

01 호흡을 하는 목적으로 가장 옳은 것은?

① 영양소를 소화시키기 위해서
② 새로운 물질을 합성하기 위해서
③ 생활에 필요한 에너지를 얻기 위해서
④ 혈액을 순환시켜 노폐물을 배출하기 위해서
⑤ 이산화 탄소를 받아들이고, 산소를 내보내기 위해서

02 폐포의 특징으로 옳은 것만을 보기에서 모두 고르시오.

보기
ㄱ. 코와 폐를 연결한다.
ㄴ. 한 층의 세포로 되어 있다.
ㄷ. 모세 혈관으로 둘러싸여 있다.
ㄹ. 폐로 들어가는 공기의 습도와 온도를 조절한다.

필수

03 폐에 대한 설명으로 옳지 않은 것은?

① 가슴속에 2개 있다.
② 산소를 이용해 영양소를 분해한다.
③ 근육이 없어 스스로 운동할 수 없다.
④ 갈비뼈와 횡격막으로 둘러싸여 있다.
⑤ 산소와 이산화 탄소의 교환이 일어난다.

04 폐는 스스로 수축하거나 이완하지 못한다. 그 까닭으로 옳은 것은?

① 뼈가 없기 때문이다.
② 근육이 없기 때문이다.
③ 폐포로 이루어져 있기 때문이다.
④ 갈비뼈로 둘러싸여 있기 때문이다.
⑤ 표면에 모세 혈관이 분포하기 때문이다.

05 심한 운동을 하면 호흡이 점점 빨라진다. 그 까닭으로 옳은 것은?

① 심장 박동 수를 감소시키기 위해서이다.
② 혈액의 흐름을 느리게 하기 위해서이다.
③ 영양소의 분해 속도를 늦추기 위해서이다.
④ 에너지를 생산하는 데 필요한 수소를 공급하기 위해서이다.
⑤ 근육 운동으로 생성된 이산화 탄소를 방출하기 위해서이다.

06 그림은 사람의 호흡 기관의 구조를 나타낸 것이다. 숨을 들이쉴 때 공기의 이동 경로를 기호로 나타내시오.

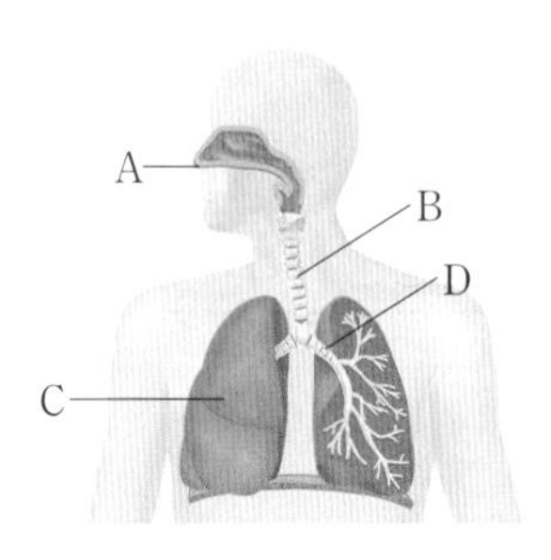

서술형

07 그림은 폐포의 구조를 나타낸 것이다.

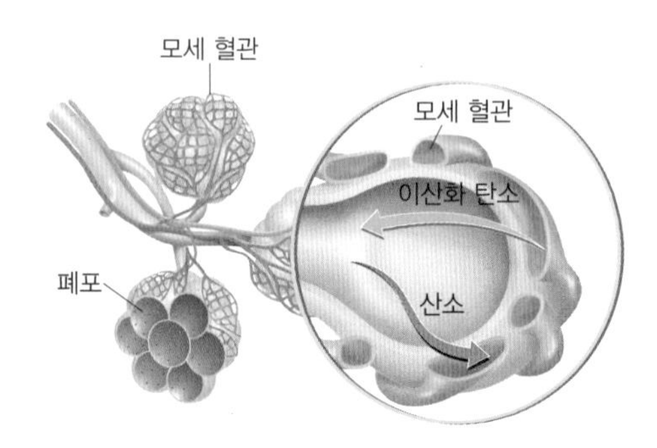

폐가 수많은 폐포로 구성되어 있어서 유리한 점에 대해 서술하시오.

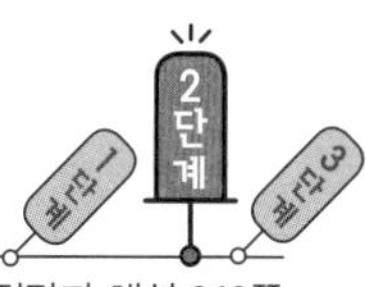

정답과 해설 043쪽

B 호흡 운동

필수

08 표는 날숨일 때 우리 몸에서 나타나는 변화를 나타낸 것이다.

구분	갈비뼈	횡격막	흉강의 부피	흉강의 압력
날숨	㉠	㉡	㉢	㉣

㉠~㉣에 들어갈 말로 옳게 짝 지은 것은?

	㉠	㉡	㉢	㉣
①	올라간다.	내려간다.	커진다.	낮아진다.
②	올라간다.	내려간다.	작아진다.	높아진다.
③	내려간다.	올라간다.	커진다.	낮아진다.
④	내려간다.	올라간다.	작아진다.	높아진다.
⑤	내려간다.	내려간다.	커진다.	낮아진다.

09 그림은 사람의 호흡 기관 모형을 나타낸 것이다. A가 올라가고 B가 내려갈 때의 상황에서 나타나는 가슴 내부의 변화를 옳게 설명한 것은?

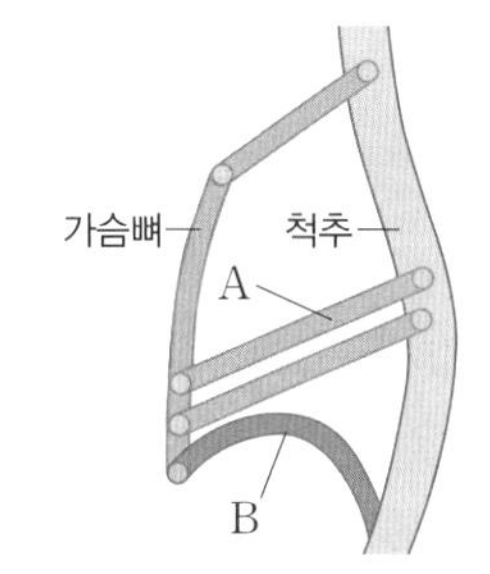

① 폐가 수축한다.
② 흉강이 좁아진다.
③ 내부의 기압이 높아진다.
④ 공기가 몸 밖으로 나간다.
⑤ 숨을 들이쉴 때의 상황을 나타낸 것이다.

필수

10 그림은 사람의 호흡 운동 중 일어나는 갈비뼈와 횡격막의 움직임을 나타낸 것이다. 이에 대한 설명으로 옳은 것만을 보기에서 모두 고른 것은?

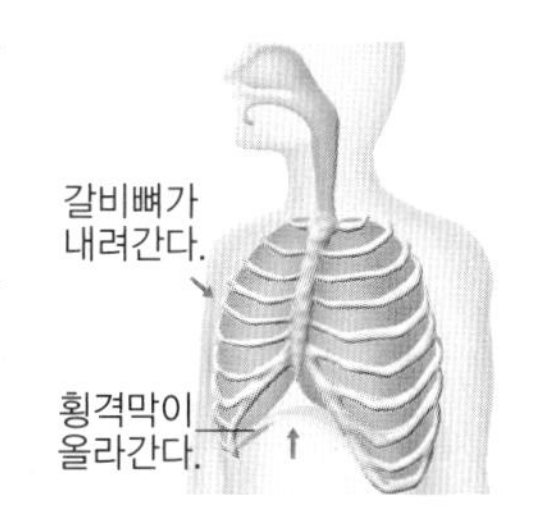

보기
ㄱ. 들숨이 일어난다.
ㄴ. 흉강의 부피가 감소한다.
ㄷ. 흉강 내의 압력이 높아진다.
ㄹ. 폐 속보다 외부의 압력이 더 높아진다.

① ㄱ, ㄷ ② ㄱ, ㄹ ③ ㄴ, ㄷ
④ ㄴ, ㄹ ⑤ ㄷ, ㄹ

필수

11 그림은 사람의 폐에서 공기가 드나드는 원리를 알아보기 위한 호흡 운동 모형을 나타낸 것이다.

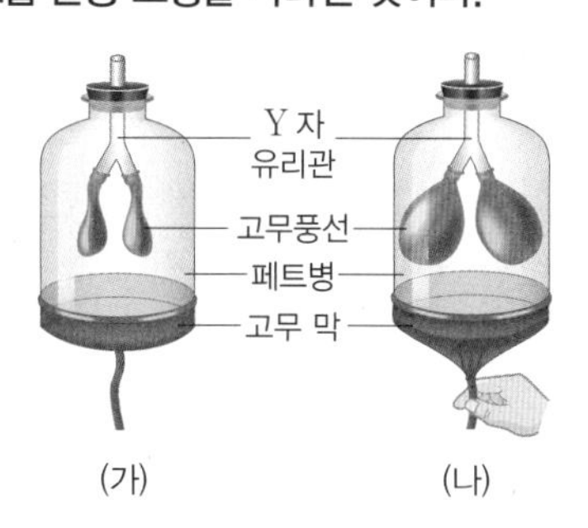

(가) (나)

이에 대한 설명으로 옳은 것은?

① (가)는 들숨에 해당한다.
② (가)는 페트병 속의 압력이 높아진다.
③ (나)는 고무풍선이 오므라든다.
④ (나)는 페트병 속의 부피가 작아진다.
⑤ 고무 막은 실제 호흡 기관의 갈비뼈에 해당한다.

12 표는 사람의 들숨과 날숨에 포함된 기체의 성분을 나타낸 것이다.

기체의 조성	(가)	(나)
질소	78.0 %	78.0 %
산소	21.0 %	17.0 %
이산화 탄소	0.03 %	4.0 %

(가)와 (나)에 해당하는 상태를 쓰시오.

서술형

13 그림은 호흡 운동의 원리를 알아보기 위한 실험 장치를 나타낸 것이다. 고무 막을 아래로 잡아당겼을 때가 들숨인지 날숨인지 쓰고, 이 시기의 호흡 기관의 상태를 서술하시오.

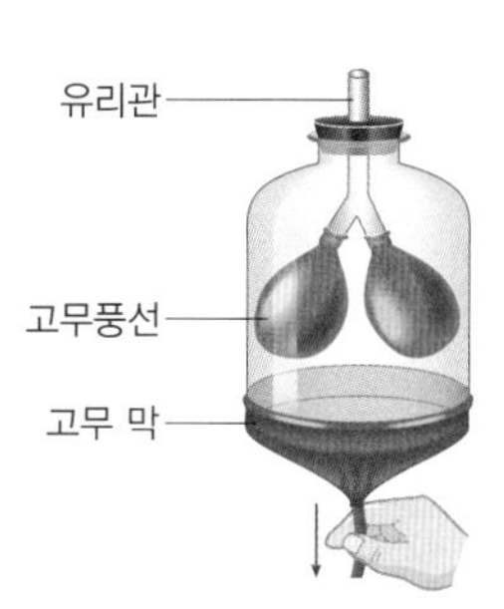

C 기체 교환

14 혈액이 폐포의 모세 혈관을 지나는 동안 일어나는 현상으로 옳은 것은?

① 산소가 많은 선홍색 혈액이 된다.
② 산소가 많은 암적색 혈액이 된다.
③ 적혈구 내의 헤모글로빈 수가 감소한다.
④ 이산화 탄소가 많은 선홍색 혈액이 된다.
⑤ 이산화 탄소가 많은 암적색 혈액이 된다.

필수

15 그림은 사람의 몸속에서 일어나는 기체 교환을 나타낸 것이다.

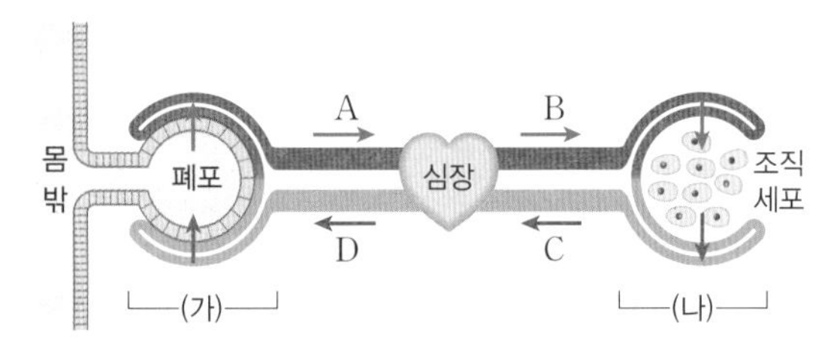

이에 대한 설명으로 옳은 것은?

① (가)에서의 기체 교환으로 에너지가 생성된다.
② (가)에서 산소 농도는 폐포보다 모세 혈관이 높다.
③ (나)는 영양소를 이산화 탄소와 결합시키는 과정이다.
④ A와 B에 해당하는 기체는 질소이다.
⑤ C와 D에 해당하는 기체는 이산화 탄소이다.

16 그림은 모세 혈관과 조직 세포 사이의 물질 교환을 나타낸 것이다.

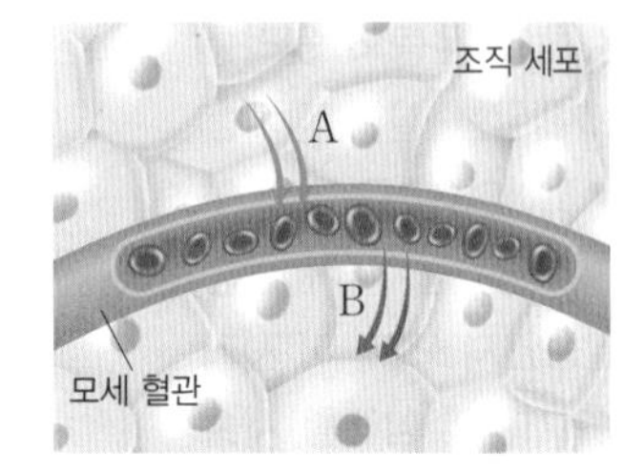

(가) A 방향으로 이동하는 기체와 (나) B 방향으로 이동하는 기체를 각각 쓰시오.

17 폐포와 조직 세포 사이에서 일어나는 기체 교환에 대한 설명으로 옳은 것만을 보기에서 모두 고른 것은?

보기
ㄱ. 조직 세포에서 모세 혈관으로 이산화 탄소가 이동한다.
ㄴ. 산소 분압은 폐포에서 가장 높고, 조직 세포에서 가장 낮다.
ㄷ. 이산화 탄소 분압은 조직 세포에서 가장 높고, 폐포에서 가장 낮다.
ㄹ. 폐포와 조직 세포에서 일어나는 기체 교환에는 에너지가 필요하다.

① ㄱ, ㄴ ② ㄱ, ㄹ ③ ㄴ, ㄷ
④ ㄱ, ㄴ, ㄷ ⑤ ㄴ, ㄷ, ㄹ

[18-19] 그림은 폐포에서의 기체 교환을 나타낸 것이다.

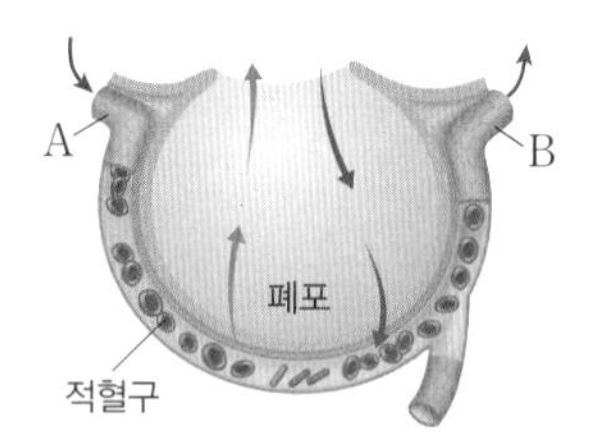

서술형

18 A와 B를 흐르는 혈액은 동맥혈과 정맥혈 중 각각 어떤 것인지 쓰시오.

서술형

19 표는 폐포와 모세 혈관 A, B를 흐르는 혈액에서의 산소와 이산화 탄소 분압을 나타낸 것이다.

구분	A	폐포	B
산소	40	100	100
이산화 탄소	46	40	40

위 표를 통해 알 수 있는 폐포와 모세 혈관 사이의 기체 교환에 대해 간단히 서술하시오.

★ 정답과 해설 045쪽

필수

01 그림은 사람의 호흡 기관을 나타낸 것이다.

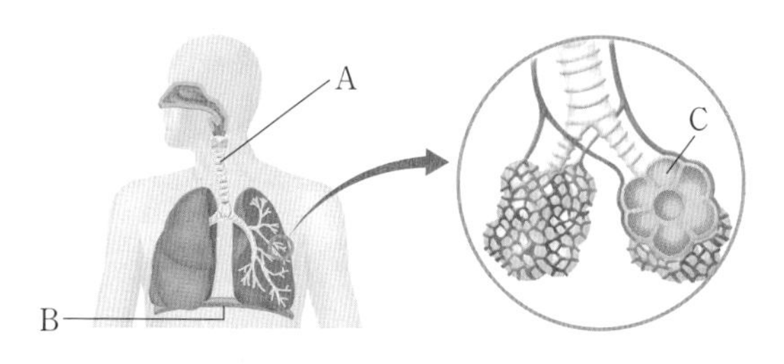

이에 대한 설명으로 옳은 것은?

① A에는 섬모가 있어 이물질을 걸러낸다.
② A에서 산소와 이산화 탄소의 교환이 일어난다.
③ B가 내려가면 폐 속의 공기가 밖으로 나간다.
④ C에서는 점액이 분비되어 먼지와 세균을 걸러낸다.
⑤ C의 수가 적어지고 크기가 커지면 기체 교환이 더 효율적으로 일어난다.

필수

02 그림 (가)는 사람의 몸에서 호흡이 일어나는 동안 폐 내부 압력의 변화를, (나)는 호흡 운동 원리를 알아보기 위한 모형을 나타낸 것이다.

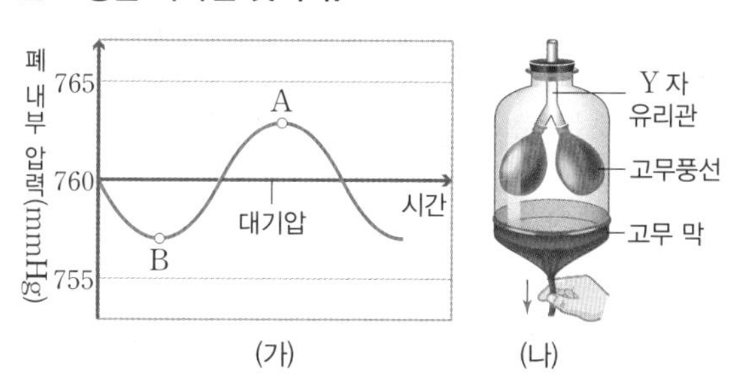

이에 대한 설명으로 옳은 것은?

① A 시기에 갈비뼈와 횡격막이 상승한다.
② B 시기에는 외부의 공기가 폐로 들어온다.
③ B 시기에는 갈비뼈가 내려가고 횡격막이 올라간다.
④ (나)에서 고무 막은 횡격막, 고무풍선은 기관에 해당한다.
⑤ (가)의 B 시기는 (나)에서 잡아당긴 고무 막을 놓을 때에 해당한다.

필수

03 그림은 폐포와 모세 혈관 사이의 기체 교환을 나타낸 것이다.

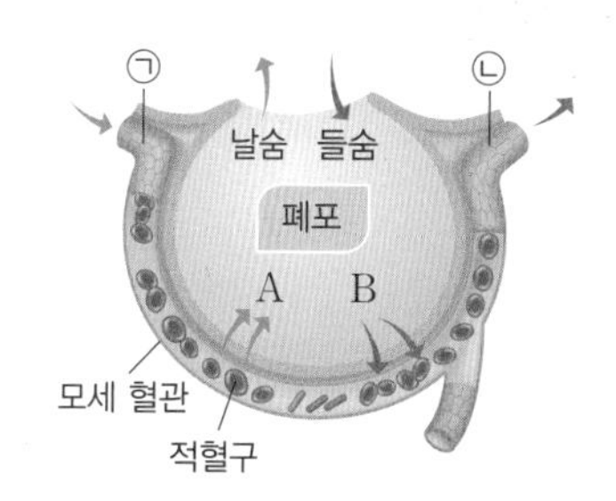

이에 대한 설명으로 옳은 것은?

① 에너지를 이용하는 과정이다.
② A는 산소, B는 이산화 탄소이다.
③ 혈액 속 산소의 농도는 ㉠>㉡이다.
④ 혈액 속 이산화 탄소의 농도는 ㉠<㉡이다.
⑤ ㉠에는 정맥혈, ㉡에는 동맥혈이 흐른다.

서술형

04 그림은 정상인과 폐에 구멍이 생긴 기흉 환자의 폐를 나타낸 것이다.

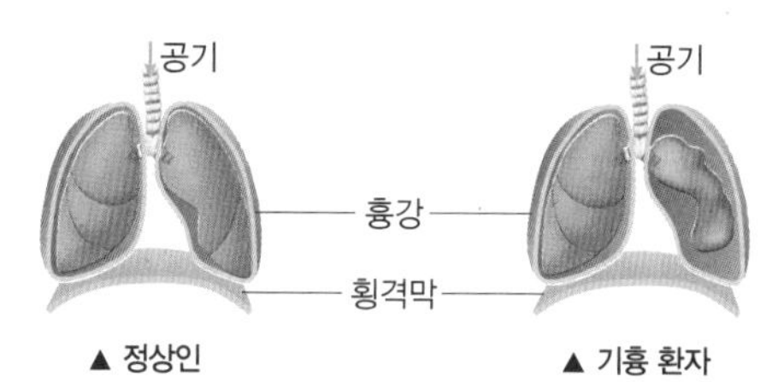

횡격막이 아래로 내려갈 때 정상인과 기흉 환자의 흉강 내부의 압력이 어떻게 달라질지 비교하여 서술하시오.

V. 동물과 에너지

배설

물음으로 흐름잡기

배설 — 배설의 의의는? / 노폐물로 암모니아를 만드는 영양소는? / 사구체에서 여과가 일어나는 원리는?

기관계의 관계 — 영양소와 노폐물을 운반해 주는 기관계는? / 영양소를 공급하는 기관계는?

A 노폐물의 생성과 배설[1]

1. 배설 호흡을 통한 영양소의 분해 과정에서 생성된 노폐물을 몸 밖으로 내보내는 과정

2. 노폐물의 생성과 배설

구분	이산화 탄소	물	암모니아 (독성이 강하다.)
영양소	탄수화물, 지방, 단백질		단백질
배설 장소	폐	폐, 콩팥	콩팥
배설 형태	날숨	날숨, 오줌	간에서 독성이 약한 요소로 전환되어 오줌으로 배설

B 배설 기관의 구조와 기능

1. 배설 기관의 구조

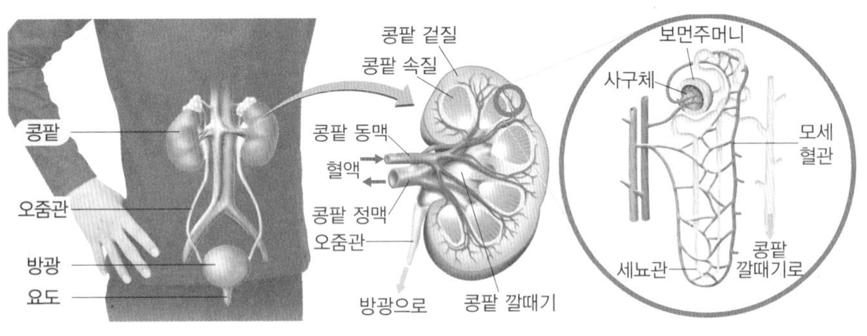

▲ 배설 기관의 구조

콩팥[2]	콩팥 겉질	콩팥의 겉부분으로, 사구체와 보먼주머니가 분포한다.
	콩팥 속질	콩팥의 안쪽 부분으로, 세뇨관이 분포한다.
	콩팥 깔때기	깔때기 모양의 빈 공간으로, 오줌을 잠시 저장했다가 오줌관으로 내보낸다.

오줌관	콩팥에서 생성된 오줌을 방광으로 보내는 긴 관이다.
방광	오줌을 모아 두었다가 내보낸다.
요도	오줌이 몸 밖으로 빠져나가는 통로이다.

2. 오줌의 생성 과정 성인의 콩팥은 하루에 약 180 L의 여과액을 생성하는데, 거의 90 %의 수분이 재흡수된다.

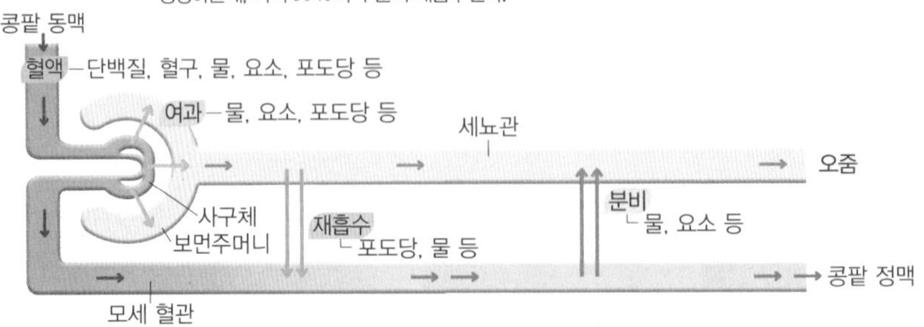

▲ 오줌의 생성 과정

❶ 배설의 의의
- 노폐물 제거: 몸에 해로운 노폐물을 몸 밖으로 보낸다.
- 항상성 유지: 몸속 수분량, 삼투압, 산성도 등을 일정하게 유지한다.

❷ 콩팥
등쪽 좌우에 1개씩 존재하는 강낭콩 모양의 기관으로, 혈액을 걸러 오줌을 생성한다.

콩팥 동맥과 콩팥 정맥
노폐물이 많은 콩팥 동맥의 혈액이 콩팥으로 들어와서 노폐물이 걸러진 후 콩팥 정맥을 통해 나가므로, 콩팥 정맥에는 노폐물이 적은 혈액이 흐른다. 즉, 콩팥 동맥보다 콩팥 정맥에서 요소의 농도가 더 낮다.

콩팥의 기본 단위(네프론)=사구체+보먼주머니+세뇨관
네프론은 양쪽 콩팥에 각각 백만 개 정도 들어 있다.

용어 알기
- **노폐물** 생물체 내에서 물질 대사의 결과로 생겨 몸 밖으로 배설되는 물질
- **요소** 아미노산의 최종 분해 산물로, 물과 알코올에 잘 녹는다.
- **사구체** 모세 혈관이 뭉친 덩어리
- **세뇨관** 오줌을 모으는 가늘고 긴 관

들어가는 혈관은 굵고, 나오는 혈관은 가늘어서 혈압이 매우 높다.

과정	이동 방향	이동 물질	특징
여과[●]	사구체 ↓ 보먼주머니	포도당, 아미노산, 무기염류, 물, 요소	• 사구체의 높은 혈압에 의해 작은 물질들이 걸러지는 과정 • 혈구, 지방, 단백질 등 크기가 큰 물질은 여과되지 못한다.
재흡수	세뇨관 ↓ 모세 혈관	포도당, 아미노산, 무기염류, 물	• 우리 몸에 필요한 영양소와 물 등이 재흡수되는 과정 • 포도당, 아미노산은 100 % 재흡수되지만, 물, 무기염류는 필요한 만큼 재흡수된다.
분비	모세 혈관 ↓ 세뇨관	요소 등의 노폐물	미처 여과되지 않은 노폐물이 분비되는 과정

오줌의 생성 과정
여과는 혈압 차에 의해 작은 물질이 걸러지는 과정이고, 재흡수와 분비는 필요한 것은 얻고, 버릴 것은 버리는 과정

C 소화 • 순환 • 호흡 • 배설의 관계[3]

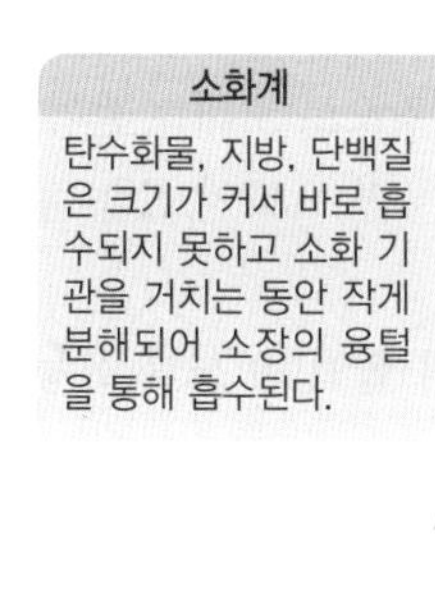

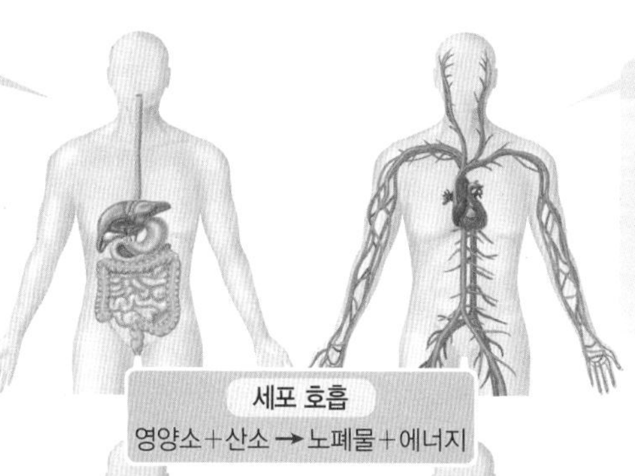

③ 소화, 순환, 호흡, 배설의 유기적 관계
생명 활동이 원활하게 이루어지기 위해서는 외부로부터 끊임없이 영양소, 산소와 같은 물질이 세포로 공급되어야 하고, 세포에서 호흡 결과 발생한 노폐물은 몸 밖으로 원활하게 배설되어야 한다. 사람의 몸에서는 소화계, 순환계, 호흡계, 배설계가 톱니바퀴처럼 맞물려 돌아가면서 이러한 기능을 수행한다.

용어 알기
• 여과 액체 속의 침전물을 거르는 과정

개념 다지기

정답과 해설 045쪽

01 다음 (   ) 안에 들어갈 알맞은 말을 쓰시오.

(1) (   )이란 호흡을 통한 영양소의 분해 과정에서 생성된 노폐물을 몸 밖으로 내보내는 과정이다.

(2) 단백질은 세포에서 호흡에 의해 분해될 때 노폐물로 물과 이산화 탄소 외에 (   )가 생성된다.

(3) 콩팥 겉질에는 (   )와 보먼주머니가 분포한다.

(4) 오줌관은 콩팥에서 만들어진 오줌을 (   )으로 보내는 곳이다.

(5) 사구체에서 보먼주머니로 물질이 이동하는 것을 (   )라고 한다.

02 기관계에 대한 설명 중 옳은 것은 ○표, 옳지 않은 것은 ×표를 하시오.

(1) 순환계에서 혈액은 온몸을 순환하면서 영양소와 노폐물을 운반한다. (   )

(2) 배설계에서 여과는 사구체와 보먼주머니의 압력 차에 의해 일어난다. (   )

(3) 기체 교환의 원리는 폐, 모세 혈관, 조직 세포에서 기체의 분압 차에 의한 확산이다. (   )

(4) 호흡계에서 폐에는 근육이 있어 기체 교환을 통한 호흡 운동이 일어난다. (   )

A 노폐물의 생성과 배설

01 배설에 대한 설명으로 옳은 것은?

① 영양소를 분해해 에너지를 얻는 과정
② 소화 기관에서 찌꺼기를 밀어내는 과정
③ 쓰고 남은 포도당을 간에서 저장하는 과정
④ 호흡으로 생긴 노폐물을 몸 밖으로 내보내는 과정
⑤ 혈액 속에 있는 이산화 탄소와 산소를 교환하는 과정

필수

02 3대 영양소가 호흡에서 이용되어 공통적으로 생성되는 물질을 보기에서 모두 고른 것은?

보기	
ㄱ. 물	ㄴ. 이산화 탄소
ㄷ. 암모니아	ㄹ. 요소

① ㄱ, ㄴ ② ㄱ, ㄷ ③ ㄴ, ㄹ
④ ㄷ, ㄹ ⑤ ㄱ, ㄴ, ㄷ

필수

03 다음은 단백질의 분해 시 생성되는 노폐물에 대한 설명이다.

> 생물의 체내에서 단백질이 분해되면 독성이 있는 (㉠)가 생성되며, (㉠)를 독성이 약한 (㉡)로 만드는 기관은 (㉢)이다.

㉠~㉢에 들어갈 알맞은 말을 옳게 짝 지은 것은?

	㉠	㉡	㉢
①	요소	포도당	쓸개
②	요소	암모니아	간
③	암모니아	포도당	콩팥
④	암모니아	요소	간
⑤	암모니아	아미노산	콩팥

B 배설 기관의 구조와 기능

필수

04 그림은 사람의 배설 기관을 나타낸 것이다.
이에 대한 설명으로 옳지 않은 것은?

① A는 콩팥 겉질로, 주로 사구체가 분포한다.
② B는 콩팥 속질로, 주로 세뇨관이 분포한다.
③ C는 오줌관으로, 오줌을 방광으로 보내는 관이다.
④ D에 오줌이 일정량 이상 차면 요도인 E를 통해 몸 밖으로 나간다.
⑤ 콩팥 동맥보다 콩팥 정맥의 혈액 속 노폐물 농도가 더 낮다.

05 콩팥에 대한 설명으로 옳지 않은 것은?

① 오줌관을 통해 방광과 연결된다.
② 허리의 등쪽으로 좌우에 1개씩 있다.
③ 암모니아가 요소로 전환되는 곳이다.
④ 겉질, 속질, 콩팥 깔때기로 구성된다.
⑤ 길이가 10 cm 정도이며, 강낭콩 모양을 하고 있다.

06 다음은 사람의 콩팥에서 일어나는 배설 작용을 간단히 나타낸 것이다.

> 콩팥 동맥 → 사구체 → 모세 혈관 → 콩팥 정맥
> ↓ (사구체 → 보먼주머니), ↓↑ (모세 혈관 ↔ A)
> 보먼주머니 → A → 콩팥 깔때기

A에 해당하는 것은?

① 네프론 ② 오줌관 ③ 세뇨관
④ 콩팥 겉질 ⑤ 콩팥 속질

정답과 해설 046쪽

07 사구체에서 보먼주머니로 오줌이 여과되는 원리는?

① 노폐물의 확산 ② 재흡수와 분비 작용
③ 혈액의 압력 차이 ④ 보먼주머니의 흡수력
⑤ 사구체의 분비 작용

[08-09] 그림은 콩팥에서 오줌이 생성되는 과정을 나타낸 것이다.

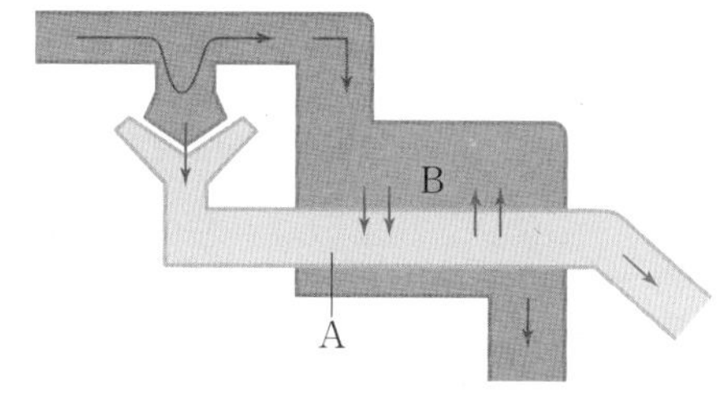

필수

08 A에서 B로 이동하는 물질로 옳지 않은 것은?

① 물 ② 단백질 ③ 포도당
④ 무기염류 ⑤ 아미노산

09 B에서 A로 이동하는 물질로 옳은 것은?

① 요소 ② 혈구 ③ 단백질
④ 포도당 ⑤ 암모니아

10 표는 건강한 사람의 콩팥 동맥, 세뇨관, 방광에 각각 들어 있는 물질 A와 B의 유무를 나타낸 것이다.

물질	콩팥 동맥	세뇨관	방광
A	있다.	없다.	없다.
B	있다.	있다.	없다.

물질 A, B의 예를 옳게 짝 지은 것은? (정답 2개)

① A ─ 물 ② A ─ 단백질
③ B ─ 혈구 ④ B ─ 포도당
⑤ B ─ 요소

11 다음 중 건강한 사람의 오줌에 들어 있는 물질이 아닌 것은?

① 물 ② 요소 ③ 포도당
④ 바이타민 ⑤ 무기염류

신유형

12 짠 음식을 많이 먹고 물을 먹지 않았을 때 콩팥에서 일어나는 현상으로 옳은 것은?

① 오줌의 양이 많아진다.
② 물의 재흡수를 많이 한다.
③ 오줌 속의 염분 농도가 낮아진다.
④ 무기염류의 재흡수를 많이 한다.
⑤ 오줌 속에 당분이 섞여 나가게 된다.

13 그림은 네프론의 구조를 나타낸 것이다

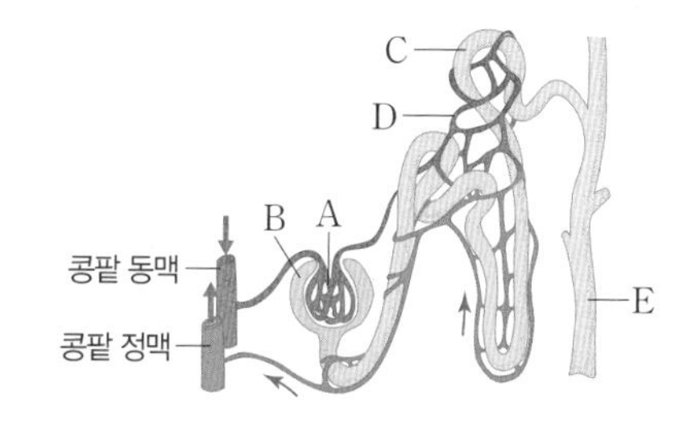

이에 대한 설명으로 옳은 것은?

① 콩팥 동맥에는 노폐물이 걸러진 깨끗한 혈액이 흐른다.
② A는 사구체로, 다른 모세 혈관에 비해 혈압이 높다.
③ A에서 B로 여과되는 물질은 포도당, 단백질, 요소, 무기염류 등이다.
④ D에서 C로 이동하는 물질은 포도당이다.
⑤ 혈액 내 염분 농도가 낮으면 C에서 D로 물의 재흡수가 활발히 일어난다.

서술형

14 우리 몸에 물의 양이 부족한 경우 물의 섭취량과 오줌의 배설량은 어떻게 달라지는지 간단히 서술하시오.

C 소화 · 순환 · 호흡 · 배설의 관계

15 소화, 순환, 호흡, 배설 과정에 대한 설명으로 옳지 않은 것은?

① 소화, 순환, 호흡, 배설 과정은 서로 독립적으로 일어난다.
② 배설 과정은 세포에서 생긴 노폐물을 몸 밖으로 내보내는 과정이다.
③ 우리가 살아가는 데 필요한 에너지를 얻는 과정과 모두 연결되어 있다.
④ 순환 과정은 조직 세포에 필요한 물질을 전달해 주고 노폐물을 운반하는 과정이다.
⑤ 호흡 운동을 통해 산소를 공급하고 이산화 탄소를 방출한다.

16 그림은 소화계, 순환계, 호흡계, 배설계에서 물질의 이동 경로를 나타낸 것이다.

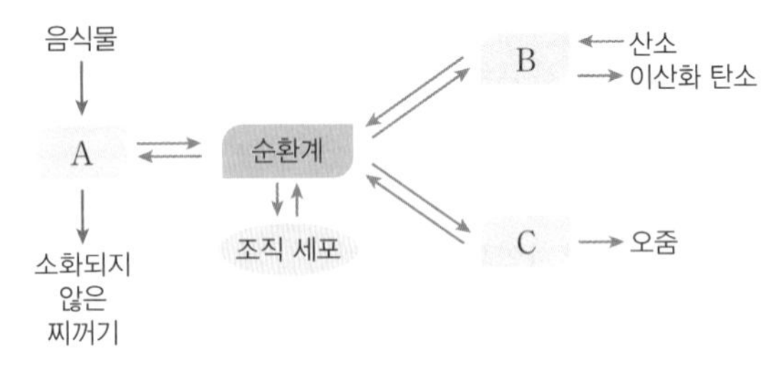

이에 대한 설명으로 옳지 않은 것은?

① A에서 소화가 일어난다.
② B에서 기체의 이동은 확산에 의해 일어난다.
③ 대장은 C에 속한다.
④ C에서 여과, 재흡수, 분비에 의해 오줌이 만들어진다.
⑤ 순환계는 다른 기관의 작용을 연결하는 역할을 한다.

필수

17 그림은 세포 호흡에 필요한 물질과 세포 호흡으로 생성된 노폐물의 운반 과정 중 일부를 나타낸 것이다.

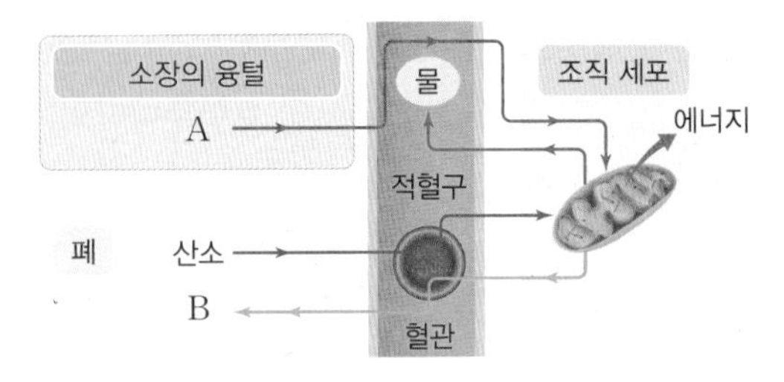

이에 대한 설명으로 옳은 것만을 보기에서 모두 고른 것은?

| 보기 |
ㄱ. A는 영양소이다.
ㄴ. B는 오줌을 통해서도 몸 밖으로 방출된다.
ㄷ. 조직 세포에서 에너지 발생은 세포 호흡을 통해 일어난다.

① ㄱ ② ㄷ ③ ㄱ, ㄴ
④ ㄱ, ㄷ ⑤ ㄴ, ㄷ

서술형

18 그림은 사람의 몸속에서 소화, 순환, 호흡, 배설 사이의 연관성을 나타낸 것이다.

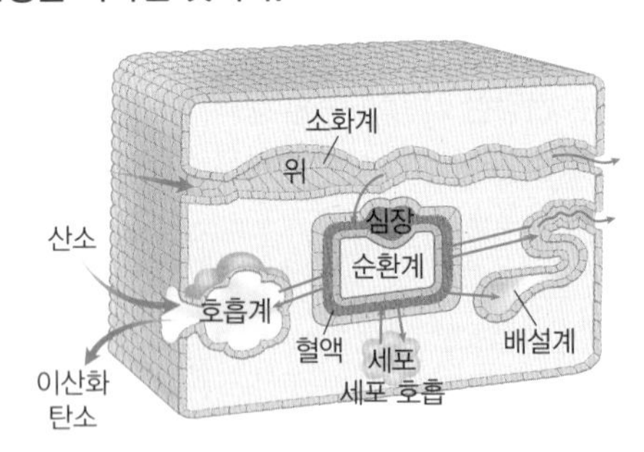

4가지 기관(소화 기관, 순환 기관, 호흡 기관, 배설 기관)의 활동을 근육 활동과 관련지어 서술하시오.

정답과 해설 047쪽

필수

01 다음 중 같은 양을 먹었을 때 분해되는 과정에서 가장 많은 양의 암모니아가 생성되는 음식은?

① 밥 ② 국수 ③ 오렌지
④ 달걀흰자 ⑤ 아이스크림

필수

02 그림은 사람의 배설 기관인 콩팥의 구조를 나타낸 것이다. 이에 대한 설명으로 옳은 것은?

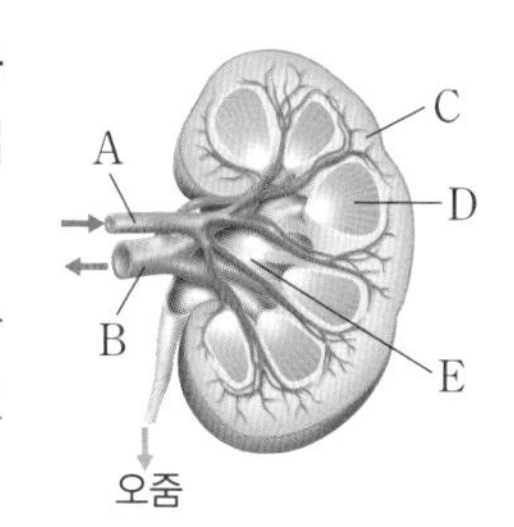

① A에는 B보다 요소의 농도가 더 낮은 혈액이 흐른다.
② C에서는 여과가 일어난다.
③ D에서는 암모니아가 요소로 전환된다.
④ E에서는 재흡수와 분비가 일어나서 오줌이 만들어진다.
⑤ 땀을 많이 흘리면 D에서 물의 재흡수가 적게 일어난다.

필수

03 그림은 사람의 콩팥에서 오줌이 생성되는 과정을 나타낸 것이다.

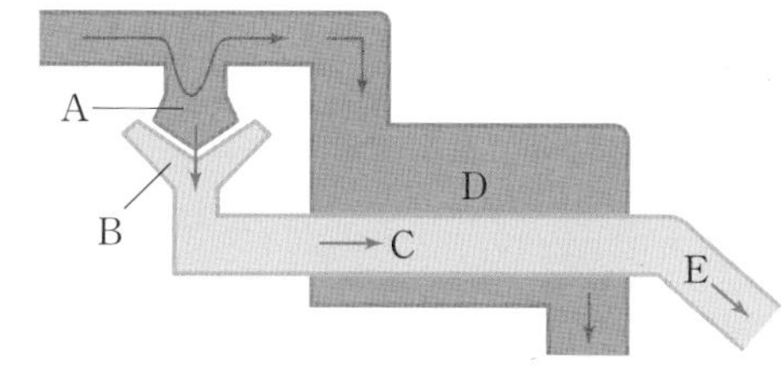

이에 대한 설명으로 옳은 것은?

① A에서 B로 크기가 작은 물질이 이동한다.
② C는 콩팥 겉질에 주로 분포한다.
③ B, C, D를 합쳐서 네프론이라고 한다.
④ 요소의 농도는 E에서 가장 낮다.
⑤ 정상인의 경우 E에서 무기염류가 검출되지 않는다.

신유형

04 표는 혈장과 오줌의 성분을 비교한 것이다.

(단위: %)

성분	물	포도당	요소	단백질
혈장	90~93	7~8	0.03	0.1
오줌	95	0	1.8	0

이를 통해 알 수 있는 콩팥에서 일어나는 작용에 대한 설명으로 옳은 것은?

① 혈장 속의 물을 증가시킨다.
② 혈장 속의 요소를 걸러 내어 오줌을 생성한다.
③ 혈장 속의 포도당을 농축시켜 오줌으로 배설한다.
④ 혈장 속의 단백질을 흡수하여 오줌으로 배설한다.
⑤ 혈장 속의 포도당과 단백질을 요소로 전환하여 오줌으로 배설한다.

필수

05 그림은 사람의 몸속에서 에너지가 생성되는 과정을 나타낸 것이다.

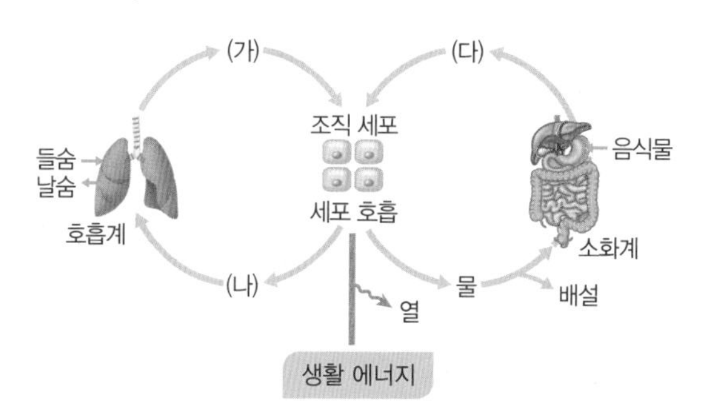

이에 대한 설명으로 옳지 않은 것은?

① (가)에서 산소는 좌심실과 대동맥을 거쳐 조직 세포로 운반된다.
② (나)에서 이산화 탄소는 혈액을 통해 운반되어 날숨으로 방출된다.
③ (다)에서 영양소는 혈액을 통해 조직 세포로 운반된다.
④ 세포 호흡 과정에는 호흡계와 순환계만 작용한다.
⑤ 배설계는 체내 수분량을 일정하게 유지시키는 작용을 한다.

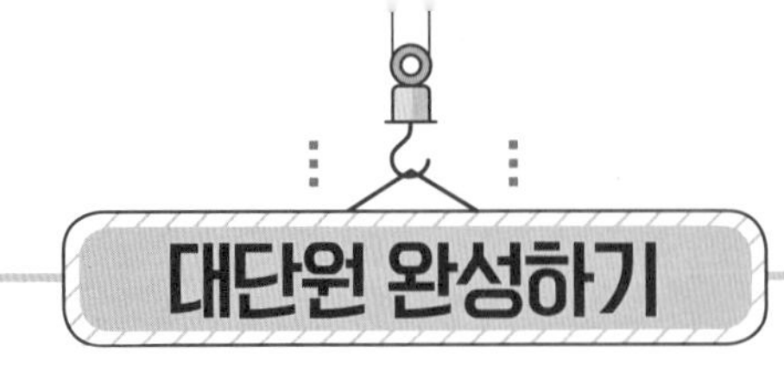

점수 표시가 없는 문제는 모두 3점입니다.

제한시간: 45분

01 다음 설명에 해당하는 동물의 구성 단계로 옳은 것은?

> 기관들이 모여 하나의 통일된 기능을 담당하는 단계이다. 소화계, 순환계, 호흡계, 배설계가 해당된다.

① 세포 ② 조직 ③ 기관
④ 기관계 ⑤ 개체

02 3대 영양소에 공통적으로 포함되어 있는 원소로만 옳게 짝 지은 것은?

① 탄소, 질소, 인 ② 칼슘, 철, 인
③ 황, 탄소, 질소 ④ 탄소, 수소, 산소
⑤ 질소, 인, 칼륨

03 화학적 소화에 대한 설명으로 옳은 것은?

① 혀로 음식물을 침과 잘 섞는다.
② 입 속의 이로 음식물을 잘게 부순다.
③ 입에서 밥을 오래 씹으면 단맛이 난다.
④ 식도를 통하여 위로 음식물을 내려 보낸다.
⑤ 위의 강한 근육 운동으로 음식물과 위액을 섞는다.

04 위에서 분비되는 염산의 작용으로 옳은 것은? (4점)

① 위벽을 보호한다.
② 지방을 부드럽게 한다.
③ 녹말의 소화를 돕는다.
④ 위 속의 체온을 유지한다.
⑤ 음식물 속의 세균을 죽인다.

[05-07] 그림은 사람의 소화 기관을 나타낸 것이다.

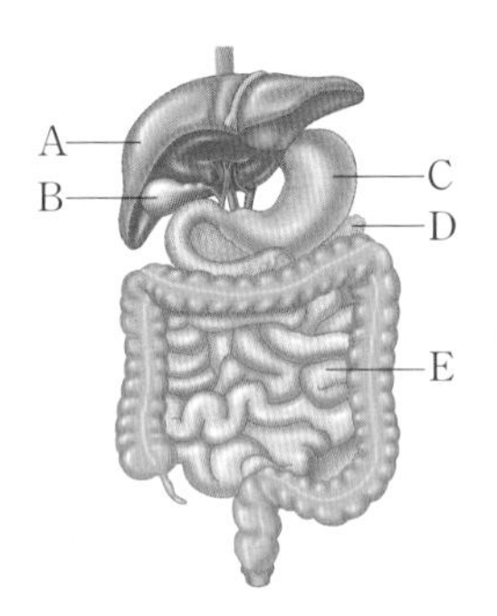

05 다음 설명에 해당하는 기관의 기호와 이름을 쓰시오.

> • 3대 영양소를 소화시키는 소화 효소를 모두 생성한다.
> • 음식물이 지나가는 통로는 아니다.

06 E에 대한 설명으로 옳은 것은?

① 지방의 소화만 일어난다.
② 단백질의 소화가 시작된다.
③ 탄수화물의 소화가 시작된다.
④ 소화 효소가 분비되지 않는다.
⑤ 3대 영양소의 흡수가 일어난다.

07 소화 효소는 없지만 지방의 소화를 도와주는 소화액이 만들어지는 곳의 기호와 이름을 옳게 짝 지은 것은?

① A − 간 ② B − 쓸개
③ C − 위 ④ D − 이자
⑤ E − 소장

정답과 해설 047쪽

08 그림은 소장 벽에 있는 융털의 구조를 나타낸 것이다. A와 B 각각에서 흡수되는 영양소를 옳게 짝지은 것은?

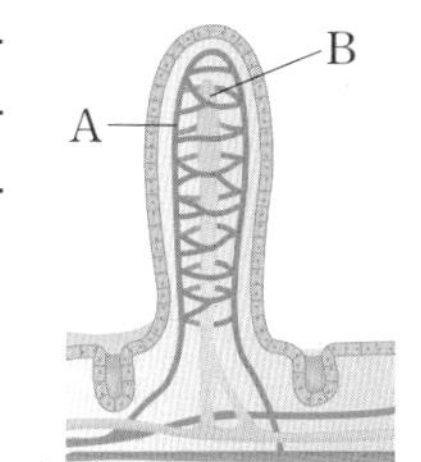

	A	B
①	포도당	아미노산
②	포도당	지방산
③	아미노산	포도당
④	모노글리세리드	아미노산
⑤	지방산	무기염류

09 그림은 사람의 심장 구조를 나타낸 것이다.
A 부분의 작용에 대한 설명으로 옳은 것은?

① 혈액의 압력을 조절한다.
② 심장의 박동을 조절한다.
③ 혈액이 흐르는 양을 조절한다.
④ 혈액 속의 노폐물을 걸러 낸다.
⑤ 혈액을 일정한 방향으로 흐르게 한다.

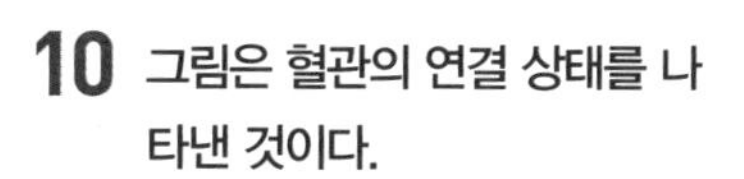

10 그림은 혈관의 연결 상태를 나타낸 것이다.
각 혈관에 대한 설명으로 옳은 것은? (4점)

① A는 혈관 벽이 얇고 탄력성이 약하다.
② B와 조직 세포 사이에서 물질 교환이 일어난다.
③ C는 혈압이 가장 높게 나타난다.
④ C는 심장 부위 중 심실과 연결되어 있다.
⑤ D는 혈액이 흐르는 속도를 조절한다.

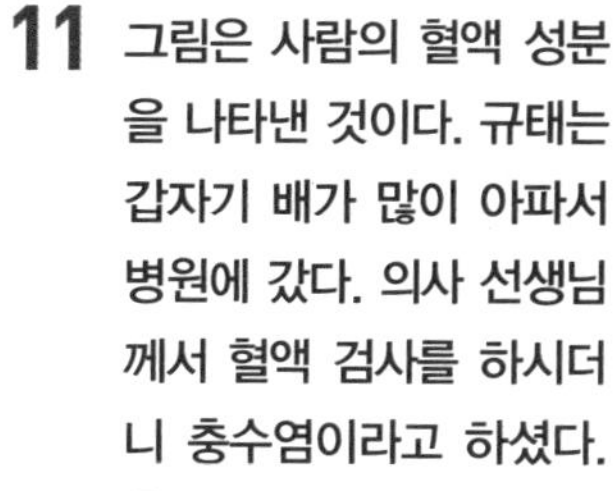

11 그림은 사람의 혈액 성분을 나타낸 것이다. 규태는 갑자기 배가 많이 아파서 병원에 갔다. 의사 선생님께서 혈액 검사를 하시더니 충수염이라고 하셨다.

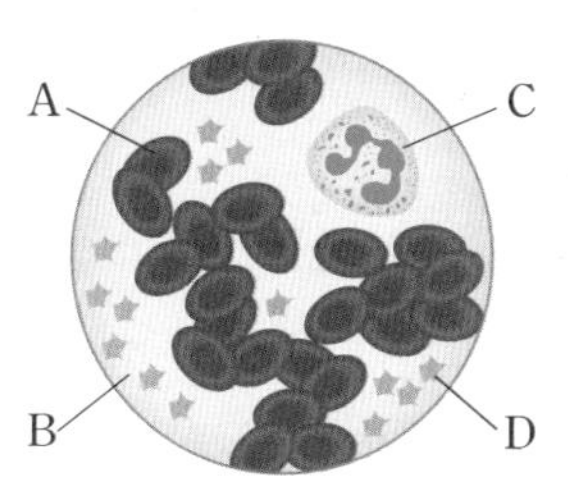

충수염이라는 진단이 나온 근거로 옳은 것은? (4점)

① A의 수가 정상인의 2배 이상이다.
② B의 농도가 정상인보다 묽다
③ C의 수가 정상인보다 2배 이상 많다.
④ D의 수가 정상인의 절반 정도이다.
⑤ A~D의 수가 모두 정상인과 비슷하다.

12 다음 중 온몸 순환의 경로로 옳은 것은?

① 우심실 → 폐동맥 → 폐 → 폐정맥 → 좌심방
② 우심실 → 대동맥 → 온몸 → 대정맥 → 좌심방
③ 좌심실 → 폐동맥 → 폐 → 폐정맥 → 우심방
④ 좌심실 → 대동맥 → 온몸 → 대정맥 → 우심방
⑤ 좌심실 → 폐동맥 → 온몸 → 폐정맥 → 우심방

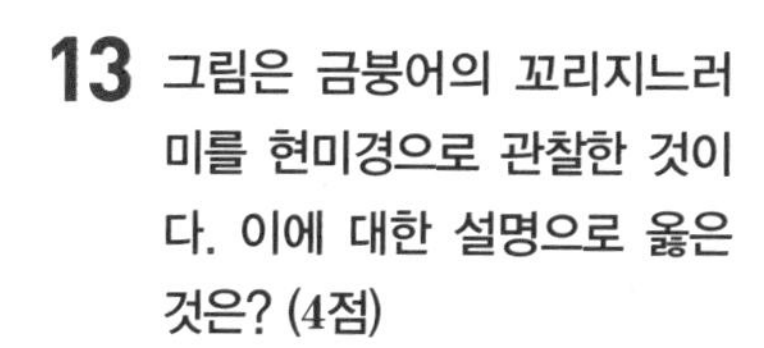

13 그림은 금붕어의 꼬리지느러미를 현미경으로 관찰한 것이다. 이에 대한 설명으로 옳은 것은? (4점)

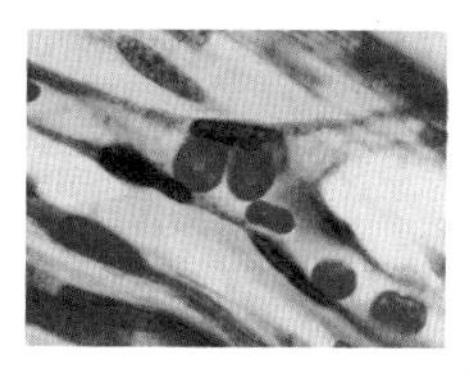

① 혈관의 굵기는 모두 같다.
② 혈액은 한쪽 방향으로만 흐른다.
③ 혈관에는 백혈구, 혈소판이 많이 있다.
④ 모든 혈관에서 혈액이 흐르는 속도는 일정하다.
⑤ 혈관은 모두 일직선으로 되어 있고, 판막이 존재한다.

14 사람의 호흡 기관에 대한 설명으로 옳지 않은 것은? (4점)

① 폐는 근육이 없어 스스로 운동하지 못한다.
② 이산화 탄소는 폐포에서 모세 혈관으로 이동한다.
③ 폐포는 표면적을 넓혀 기체 교환이 효율적으로 일어나게 한다.
④ 우리 몸의 호흡 기관에는 코, 기관, 기관지, 폐 등이 있다.
⑤ 폐포는 모세 혈관으로 둘러싸여 있고, 이곳에서 기체 교환이 이루어진다.

15 사람의 호흡 운동이 일어나는 원리로 옳은 것은?

① 폐의 근육 운동
② 횡격막의 팽창 운동
③ 모세 혈관의 흡수 운동
④ 갈비뼈와 횡격막의 상하 운동
⑤ 폐포를 구성하는 세포막의 삼투

16 그림은 호흡 운동 실험 장치를 나타낸 것이다. 고무 막을 아래로 당겼을 때와 같은 호흡 기관의 변화로 옳은 것은?

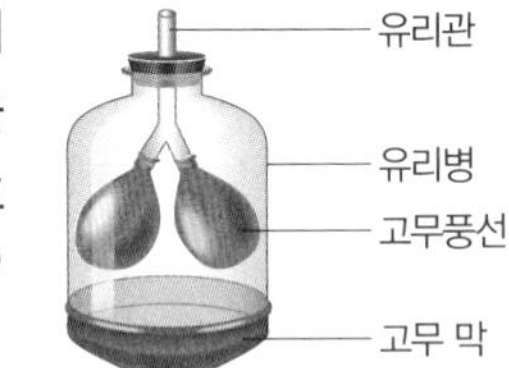

① 기압이 낮아진다.
② 온도가 올라간다.
③ 흉강이 좁아진다.
④ 갈비뼈가 내려간다.
⑤ 공기가 밖으로 나간다.

17 그림은 폐포에서 기체 교환이 일어나는 과정을 나타낸 것이다. 이에 대한 설명으로 옳지 않은 것은? (4점)

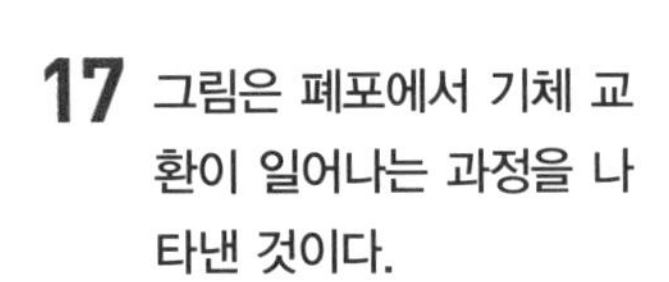

① ㉠은 폐동맥이다.
② ㉡을 흐르는 혈액은 정맥혈이다.
③ ㉡은 좌심방과 연결되어 있다.
④ ㉢은 적혈구이다.
⑤ A는 이산화 탄소이고, B는 산소이다.

18 사람의 노폐물에 대한 설명으로 옳지 않은 것은? (4점)

① 단백질이 분해되면 암모니아가 생긴다.
② 이산화 탄소는 폐를 통하여 외부로 방출된다.
③ 탄수화물의 분해 산물은 이산화 탄소와 물이다.
④ 물은 일반적으로 오줌과 날숨의 형태로 배설된다.
⑤ 암모니아는 콩팥에서 독성이 적은 요소로 전환되어 배설된다.

19 그림은 사람의 콩팥 구조 중 일부를 나타낸 것이다. A에서 걸러지는 물질이 아닌 것은?

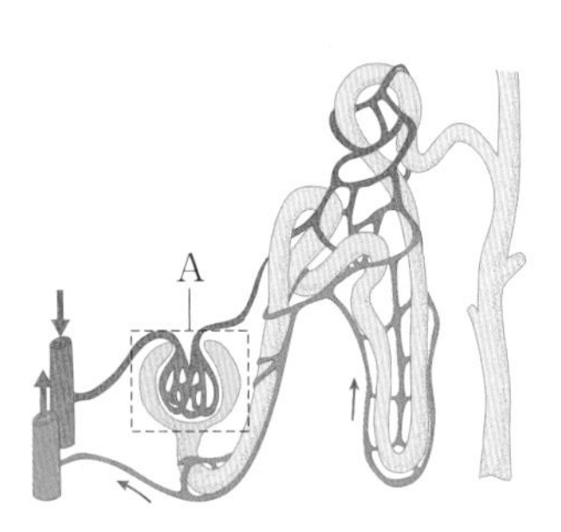

① 물
② 요소
③ 혈구
④ 포도당
⑤ 아미노산

20 그림은 사람의 여러 가지 기관계를 나타낸 것이다.

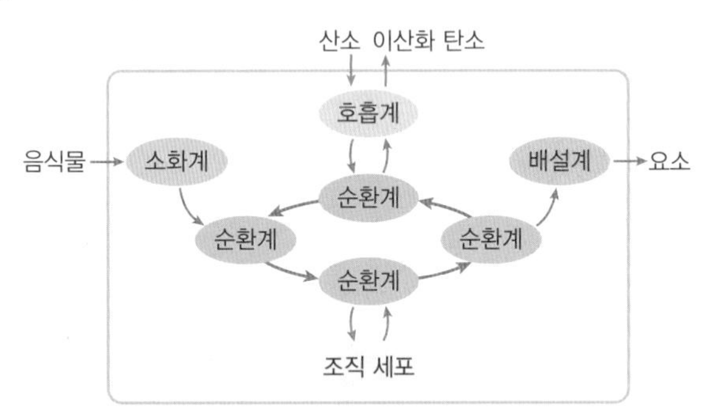

이에 대한 설명으로 옳은 것은? (정답 2개) (4점)

① 소화계, 호흡계, 배설계, 순환계는 모두 통합적으로 작용한다.
② 기관계는 소화계 → 배설계 → 순환계 순으로 작동한다.
③ 호흡계로 유입된 이산화 탄소는 유기물을 분해하는 데 이용된다.
④ 유기물의 분해 결과 생긴 노폐물인 요소는 호흡계를 통해 몸 밖으로 내보낸다.
⑤ 순환계는 소화계와 호흡계로부터 각각 영양소와 산소를 받아 조직 세포로 공급한다.

정답과 해설 047쪽

서 / 술 / 형 / 문 / 제

21 다음은 입에서 일어나는 소화 작용에 대한 설명이다.

> (가) 밥을 입에 넣고 씹었더니 밥알이 작게 부서졌다.
> (나) 밥을 입에 넣고 오래 씹었더니 단맛이 났다.

(가)와 (나)의 차이점을 서술하시오. (6점)

22 그림은 사람의 심장 구조를 나타낸 것이다. A의 이름을 쓰고, 그 기능을 서술하시오. (6점)

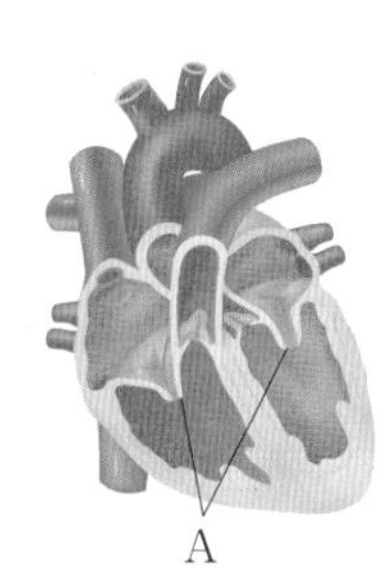

23 그림 (가)는 폐포와 모세 혈관 사이의 기체 교환을, (나)는 조직 세포와 모세 혈관 사이의 기체 교환을 나타낸 것이다.

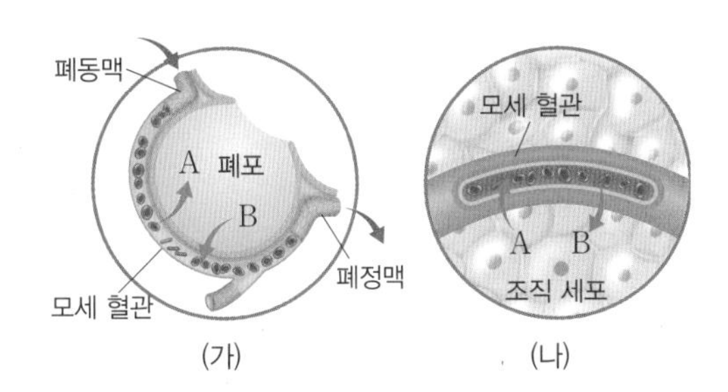

(가), (나)에서 기체 A와 B는 각각 무엇인지 쓰고, 기체 A, B가 교환되는 원리를 서술하시오. (6점)

24 그림은 사람의 콩팥에서 오줌이 만들어지는 과정을 나타낸 것이다.

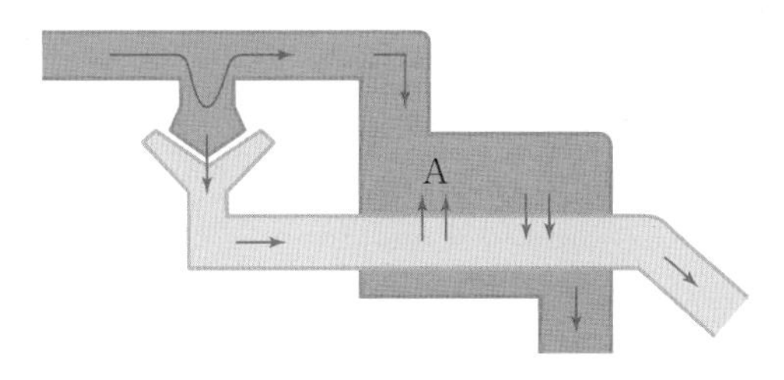

A 과정이 일어나지 않을 때 나타나는 오줌양의 변화를 쓰고, 그 까닭을 서술하시오. (7점)

25 그림은 우리가 섭취한 음식물이 몸속에서 에너지를 생성하는 데 쓰이고, 그 결과 발생한 노폐물이 몸 밖으로 배설되는 과정을 나타낸 것이다.

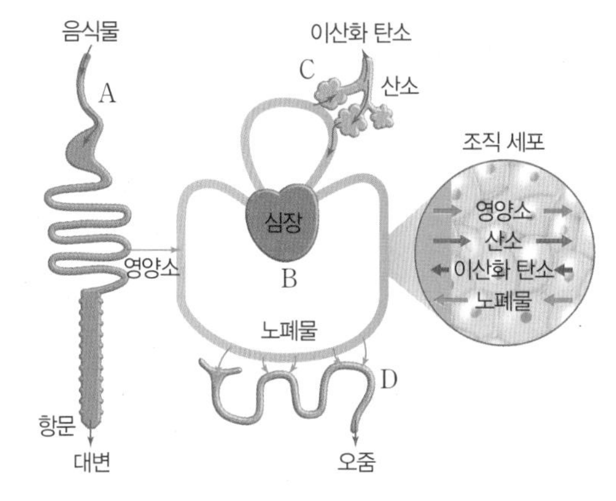

세포 호흡에 의해 에너지를 생성하고, 그 과정에서 발생한 노폐물을 몸 밖으로 배설하기까지의 과정을 기관계 A~D를 모두 포함하여 서술하시오. (7점)

물질의 특성

ㄱ 배울 내용이 쉬워지는 용어

배울 용어를 읽어보고, 이해가 되었으면 ✔ 표시를 해 봅시다.

▢	**순물질**	1가지의 물질로만 이루어진 물질
▢	**혼합물**	2가지 이상의 순물질이 섞여 있는 물질
▢	**물질의 특성**	물질의 여러 가지 성질 중 다른 물질과 구별되는 고유한 성질
▢	**밀도**	단위 부피당 물질의 질량
▢	**포화 용액**	일정한 온도에서 일정한 양의 용매에 용질이 최대로 녹아 있는 용액
▢	**불포화 용액**	용매에 용질이 더 녹을 수 있는 용액
▢	**용해도**	일정한 온도에서 용매 100 g에 최대로 녹을 수 있는 용질의 질량을 g 수로 나타낸 값
▢	**증류**	액체 상태의 혼합물을 가열할 때 끓어 나오는 기체를 냉각하여 순수한 액체를 얻는 방법
▢	**재결정**	물질을 용매에 녹인 후 온도에 따른 용해도 차를 이용하여 불순물을 제거하고 순수한 결정을 얻는 방법
▢	**크로마토그래피**	혼합물을 이루는 각 성분 물질이 용매를 따라 이동하는 속도 차를 이용하여 혼합물을 분리하는 방법

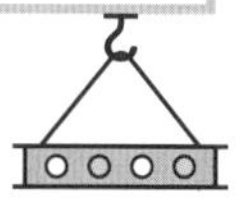

물질의 특성(1)

물음으로 흐름잡기

순물질과 혼합물 — 순물질이란? / 혼합물이란?

끓는점 녹는점 어는점 — 끓는점이란? / 녹는점이란? / 어는점이란?

A 순물질과 혼합물

1. 물질의 분류[1]

물질	순물질		혼합물	
정의	1가지의 물질로만 이루어진 물질		2가지 이상의 순물질이 섞여 있는 물질	
성질	녹는점(어는점), 끓는점, 밀도 등이 일정함		• 성분 물질의 성질을 그대로 가짐 • 성분 물질의 혼합 비율에 따라 녹는점(어는점), 끓는점, 밀도 등이 다름	
종류	원소	화합물	균일 혼합물	불균일 혼합물
	1가지의 원소로만 이루어진 순물질	2가지 이상의 원소로 이루어진 순물질	성분 물질이 고르게 섞여 있는 혼합물	성분 물질이 고르지 않게 섞여 있는 혼합물
예	수소, 산소, 구리, 철, 은, 금	물, 이산화 탄소, 염화 나트륨	공기, 식초, 바닷물, 사이다	암석, 주스, 흙탕물

2. 물질의 특성 물질의 여러 가지 성질 중 다른 물질과 구별되는 고유한 성질

① 물질의 종류에 따라 다르다.

② 물질의 양이 변해도 물질의 특성은 변하지 않는다.

③ 겉보기 성질[2], 끓는점, 녹는점, 어는점, 밀도*, 용해도* 등이 있다.

3. 순물질과 혼합물의 구별[3] 순물질은 녹는점(어는점)과 끓는점이 일정하지만, 혼합물은 녹는점(어는점)과 끓는점이 일정하지 않다.

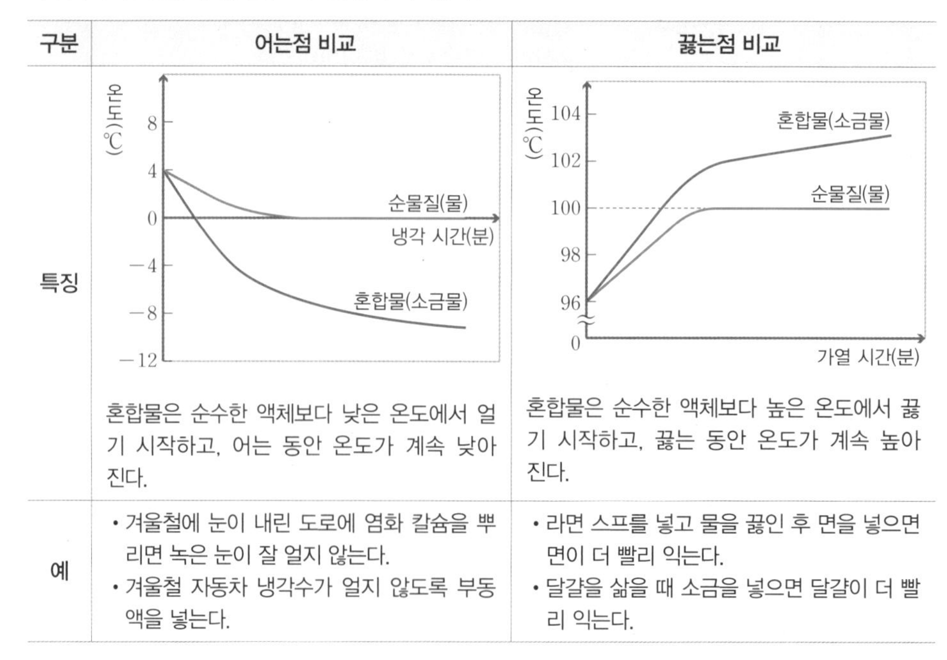

구분	어는점 비교	끓는점 비교
특징	혼합물은 순수한 액체보다 낮은 온도에서 얼기 시작하고, 어는 동안 온도가 계속 낮아진다.	혼합물은 순수한 액체보다 높은 온도에서 끓기 시작하고, 끓는 동안 온도가 계속 높아진다.
예	• 겨울철에 눈이 내린 도로에 염화 칼슘을 뿌리면 녹은 눈이 잘 얼지 않는다. • 겨울철 자동차 냉각수가 얼지 않도록 부동액을 넣는다.	• 라면 스프를 넣고 물을 끓인 후 면을 넣으면 면이 더 빨리 익는다. • 달걀을 삶을 때 소금을 넣으면 달걀이 더 빨리 익는다.

❶ 물질의 분류에 따른 입자 모형

순물질	원소	화합물
혼합물	균일 혼합물	불균일 혼합물

❷ 겉보기 성질

겉보기 성질은 물질의 색깔, 냄새, 맛, 굳기, 결정 모양 등과 같이 감각 기관이나 간단한 기구를 이용하여 구별할 수 있는 성질이다.

❸ 고체 혼합물의 가열 곡선

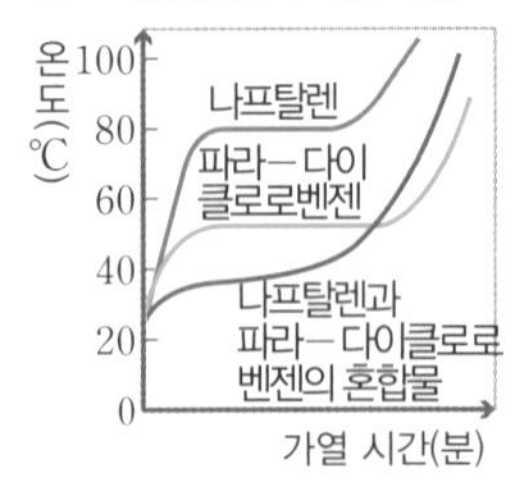

혼합물을 가열하면 각 순물질의 녹는점보다 낮은 온도에서 녹기 시작하고, 녹는 동안 온도가 일정하지 않다.

용어 알기

- **밀도** 물질의 질량을 부피로 나눈 값
- **용해도** 어떤 온도에서 용매 100 g에 최대로 녹을 수 있는 용질의 질량을 g 수로 나타낸 값

B 녹는점과 어는점

1. 녹는점과 어는점 탐구 공략하기 156쪽

특성	녹는점	어는점
정의	고체가 액체로 상태가 변하는 동안 일정하게 유지되는 온도	액체가 고체로 상태가 변하는 동안 일정하게 유지되는 온도
특징	• 녹는점(어는점)은 물질의 종류에 따라 다르다. • 같은 물질인 경우 녹는점(어는점)은 물질의 양에 관계없이 일정하다.❹ • 한 물질의 녹는점과 어는점은 서로 같다. 예 얼음의 녹는점(0 ℃)=물의 어는점(0 ℃)	

❹ 물질의 질량과 녹는점
(불꽃의 세기가 일정할 때)

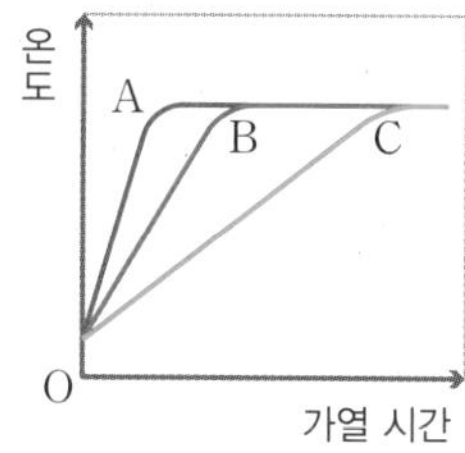

• 녹는점: A=B=C
• 물질의 질량: A<B<C

2. 여러 가지 물질의 녹는점

물질	질소	에탄올	얼음(물)	납	염화 나트륨	철
녹는점(℃)	−210.0	−114.1	0.0	327.5	800.7	1538.0

3. 녹는점을 이용한 예

녹는점이 높은 물질 이용	방화복, 조리 기구, 우주선의 본체, 전구의 필라멘트
녹는점이 낮은 물질 이용	땜납, 퓨즈, 온도계의 수은

용어 알기

• **땜납** 납과 주석의 혼합물로, 두 물질의 녹는점보다 낮아 전기 회로의 납땜에 이용한다.
• **퓨즈** 전기 기구에 많은 전류가 흘러 열이 발생하면 쉽게 녹아 끊어져서 전류를 차단하므로 화재를 방지한다.

개념 다지기

정답과 해설 050쪽

01 다음에서 제시하는 물질을 '순물질'과 '혼합물'로 구분하시오.

금	물	간장	공기	산소	암석
우유	소금물	다이아몬드	염화 나트륨		

(1) 순물질: (　　　　　　　　)
(2) 혼합물: (　　　　　　　　)

02 물질의 특성에 해당하는 것을 보기에서 모두 골라 기호로 쓰시오.

보기
ㄱ. 길이　ㄴ. 냄새　ㄷ. 부피　ㄹ. 색깔
ㅁ. 온도　ㅂ. 질량　ㅅ. 끓는점　ㅇ. 녹는점

03 녹는점과 어는점에 대한 설명으로 옳은 것은 ○표, 옳지 않은 것은 ×표를 하시오.

(1) 같은 물질은 녹는점과 어는점이 같다. (　)
(2) 물질의 양이 많을수록 녹는점이 높아진다. (　)
(3) 어는점은 고체가 액체로 변할 때 일정하게 유지되는 온도이다. (　)

04 녹는점을 이용한 예로 옳은 것끼리 연결하시오.

(1) 녹는점이 높은 물질 이용 •　　• ㉠ 퓨즈
(2) 녹는점이 낮은 물질 이용 •　　• ㉡ 조리 기구

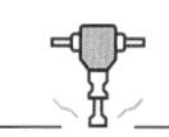

❺ 외부 압력과 물의 끓는점의 관계

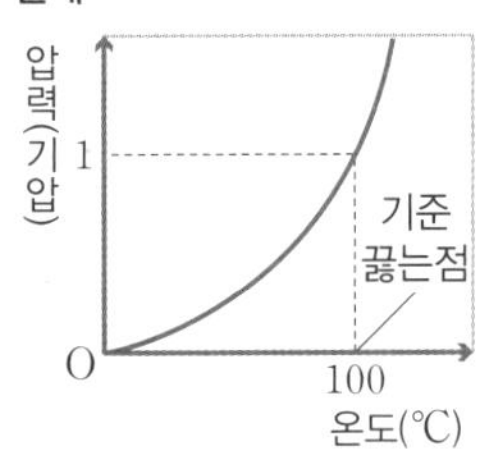

❻ 가열하지 않고 물 끓이기

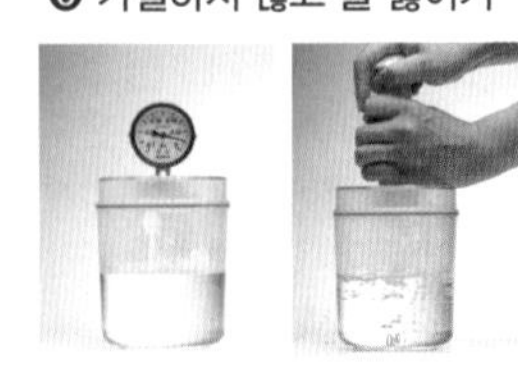

감압 용기에 80 ℃ 정도의 물을 넣고 펌프로 용기 안의 공기를 빼면 물이 끓는다. ➡ 용기 안의 압력이 낮아지므로 물이 100 ℃보다 낮은 온도에서 끓는다.

❼ 끓는 식용유에 물이 들어가면 튀는 이유

식용유의 끓는점(160 ℃)은 물의 끓는점(100 ℃)보다 높다. 따라서 끓는 식용유에 물이 떨어지면 물이 순식간에 기화하여 부피가 급격하게 커지므로 식용유와 함께 주변으로 튄다.

⚠ 용어 알기

- **윤활유** 기계의 마찰 부분에서 발생하는 열이나 마모를 방지하기 위하여 기계에 넣는 기름
- **아이소뷰테인** 뷰테인과 원자의 종류와 개수가 같지만 구조가 다른 물질로, 뷰테인과 성질이 다르다.

C 끓는점

1. 끓는점 액체가 기체로 상태가 변하는 동안 일정하게 유지되는 온도

물질의 종류와 끓는점의 관계	물질의 양과 끓는점의 관계

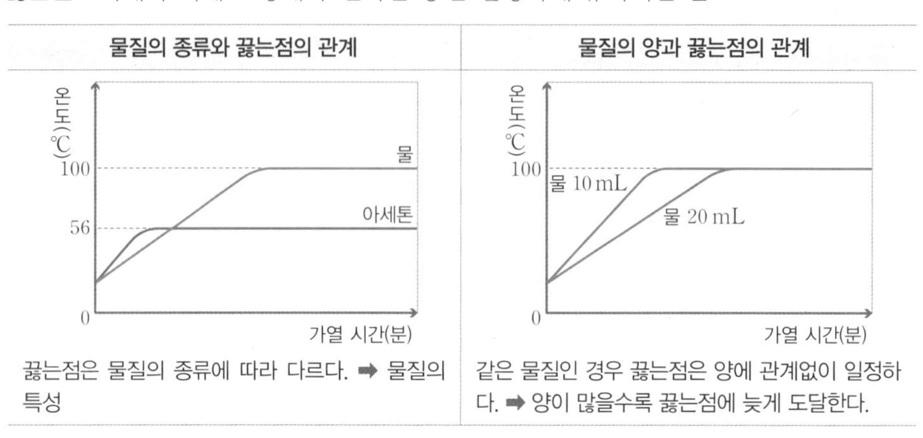

물질의 종류와 끓는점의 관계	물질의 양과 끓는점의 관계
끓는점은 물질의 종류에 따라 다르다. ➡ 물질의 특성	같은 물질인 경우 끓는점은 양에 관계없이 일정하다. ➡ 양이 많을수록 끓는점에 늦게 도달한다.

2. 끓는점과 압력의 관계❺

압력이 높아지면 끓는점이 높아짐	압력이 낮아지면 끓는점이 낮아짐❻
압력 밥솥으로 밥을 하면 밥이 빨리 된다. ➡ 압력 밥솥은 내부 압력이 높아서 물이 100 ℃보다 높은 온도에서 끓기 때문	높은 산에서 밥을 하면 쌀이 설익는다. ➡ 높은 산은 평지보다 기압이 낮으므로 물이 100 ℃보다 낮은 온도에서 끓기 때문
증기, 안전밸브, 고무 링, 120 ℃ 정도 (물이 끓음), 쌀 ▲ 압력 밥솥의 원리	네팔 에베레스트 산 8,848 m 70 ℃ 스위스 몽블랑 4,807 m 85 ℃ 백두산 2,774 m 90 ℃ 오대산 1,539 m 95 ℃ 인천 해발 0 m 100 ℃ ▲ 고도에 따른 물의 끓는점 변화

3. 여러 가지 물질의 끓는점

물질	질소	에탄올	물	아세트산	염화 나트륨	철
끓는점(℃)	−195.8	78.3	100.0	117.9	1465.0	2861.0

4. 끓는점을 이용한 예

① 식용유는 끓는점(160 ℃ 이상)이 물보다 높아 튀김을 만들 때 이용한다.❼

② 액체 질소는 끓는점(−196 ℃)이 매우 낮아 세포나 조직 등 생체 시료의 냉동 보관에 이용한다.

③ 윤활유는 끓는점(300 ℃ 이상)이 높아 뜨거운 기계 안에서 액체로 존재할 수 있다.

④ 암모니아는 기체 중에서 끓는점(−33 ℃)이 비교적 높아 쉽게 액화시킬 수 있으므로 얼음 공장에서 냉매로 이용한다.

⑤ 뷰테인은 기체 중에서 끓는점(0.5 ℃)이 비교적 높아 겨울철 야외에서 기화되기 어려우므로 끓는점이 더 낮은 아이소뷰테인(끓는점: −11.7 ℃)을 포함하여 연료로 이용한다.

▲ 식용유

▲ 액체 질소

▲ 윤활유

5. 녹는점, 끓는점과 물질의 상태[8]

① 물질은 물질의 녹는점보다 낮은 온도에서는 고체, 녹는점과 끓는점 사이의 온도에서는 액체, 끓는점보다 높은 온도에서는 기체 상태로 존재한다.

녹는점(융해) 끓는점(기화)

고체 • 액체 • 기체

고체+액체 액체+기체

② 실온에서 물질의 상태 파악하기

고체	액체	기체
실온 < 녹는점	녹는점 < 실온 < 끓는점	끓는점 < 실온
ⓔ 실온에서 염화 나트륨은 고체이다. ➡ 실온(20 ℃) < 염화 나트륨의 녹는점(800.7 ℃)	ⓔ 실온에서 에탄올은 액체이다. ➡ 에탄올의 녹는점(−114.1 ℃) < 실온(20 ℃) < 에탄올의 끓는점(78.3 ℃)	ⓔ 실온에서 질소는 기체이다. ➡ 질소의 끓는점(−195.8 ℃) < 실온(20 ℃)

⑧ 현재 온도에서 물질의 상태 파악하기

- 고체: 현재 온도 < 녹는점
➡ 현재 온도는 녹는점보다 낮으므로 현재 온도에서 녹지 않은 상태(고체)로 존재
- 액체: 녹는점 < 현재 온도 < 끓는점
➡ 현재 온도는 녹는점보다 높고 끓는점보다 낮으므로 현재 온도에서 녹기는 했으나 끓지 않은 상태(액체)로 존재
- 기체: 끓는점 < 현재 온도
➡ 현재 온도는 끓는점보다 높으므로 현재 온도에서 끓은 상태(기체)로 존재

정답과 해설 050쪽

05 끓는점에 대한 설명으로 옳은 것은 ○표, 옳지 않은 것은 ×표를 하시오.

(1) 물질의 종류에 따라 끓는점이 다르다. ( )

(2) 물질의 양이 많을수록 끓는점이 높아진다. ( )

(3) 가열하는 불꽃의 세기가 강할수록 끓는점이 높아진다. ( )

06 다음은 끓는점과 압력에 대한 설명이다. ㉠, ㉡에 들어갈 알맞은 말을 고르시오.

- 높은 산에서는 대기압이 낮아져 물의 끓는점이 ㉠(높아, 낮아)지므로 밥을 하면 쌀이 설익는다.
- 압력 밥솥으로 밥을 하면 밥솥 내부의 압력이 높아져 물의 끓는점이 ㉡(높아, 낮아)지므로 밥이 빨리 된다.

07 끓는점을 이용하는 예로 옳은 것끼리 연결하시오.

(1) 끓는점이 높은 물질 이용 • • ㉠ 윤활유

(2) 끓는점이 낮은 물질 이용 • • ㉡ 액체 질소

08 표는 물질 A~C의 녹는점과 끓는점을 나타낸 것이다. 실온(20 ℃)에서 물질 A~C의 상태를 각각 쓰시오.

물질	A	B	C
끓는점(℃)	100	−196	1465
녹는점(℃)	0	−210	801

탐구 공략 하기

물질의 녹는점 비교하기

목표 물질의 녹는점을 비교하여 녹는점이 물질의 특성임을 설명할 수 있다.

공략 포인트 물질의 양에 관계없이 물질의 종류에 따라 녹는점이 다르므로 녹는점으로 물질을 구별할 수 있다는 것이 중요한 포인트이다.
녹는점은 물질의 특성이다.

과정 그림 (가)와 (나)는 고체 로르산과 팔미트산을 각각 3 g, 6 g씩 가열하면서 시간에 따라 온도를 측정한 결과이다.

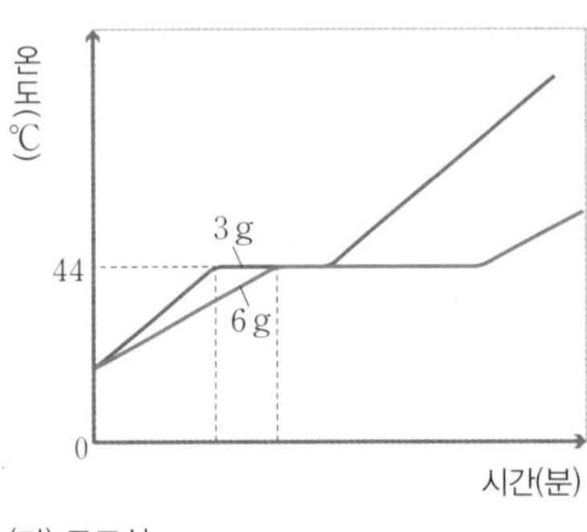

(가) 로르산

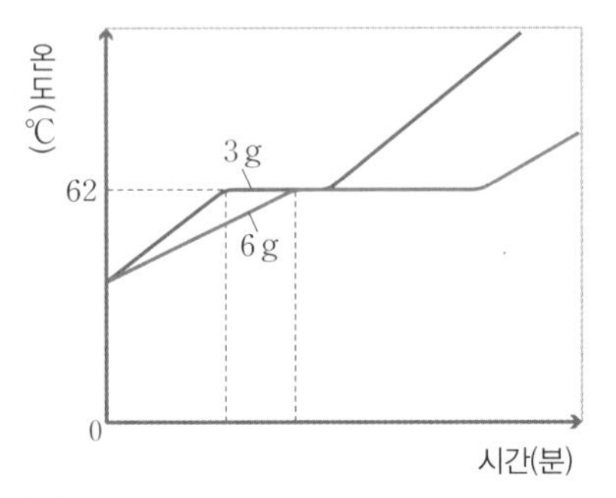

(나) 팔미트산

❶ 로르산과 팔미트산의 녹는점은 각각 몇 ℃인가?
❷ 로르산과 팔미트산의 양을 각각 3 g에서 6 g으로 늘렸을 때 어떠한 변화가 나타나는가?

결과 1. 로르산과 팔미트산의 녹는점

물질	로르산	팔미트산
녹는점(℃)	44	62

2. 로르산과 팔미트산의 양을 늘렸을 때 나타나는 변화
① 로르산과 팔미트산의 녹는점은 모두 변하지 않았다. → 같은 물질은 양에 관계없이 녹는점이 일정하다.
② 로르산과 팔미트산이 녹는점까지 도달하는 데 걸리는 시간이 모두 늘어났다.
③ 로르산과 팔미트산이 융해하는 데 걸리는 시간이 모두 늘어났다. → 물질의 양이 많으면 상태 변화하는 데에 더 많은 열에너지가 필요하다.

3. 로르산과 팔미트산의 양을 더 늘려도 로르산과 팔미트산의 녹는점은 변하지 않고, 녹는점까지 도달하는 데 걸리는 시간과 융해하는 데 걸리는 시간이 늘어날 것이다.

정리 로르산과 팔미트산의 녹는점은 물질의 양에 관계없이 일정하다.

✱ 정답과 해설 050쪽

01 위와 같은 실험 조건에서 로르산과 팔미트산을 각각 9 g씩 가열할 때의 녹는점(℃)을 옳게 짝 지은 것은?

	로르산	팔미트산
①	22	31
②	44	31
③	44	62
④	66	62
④	66	93

02 그림은 세 종류의 고체를 가열했을 때 시간에 따른 온도 변화를 나타낸 것이다. A~D 중 같은 종류의 물질을 고르시오.

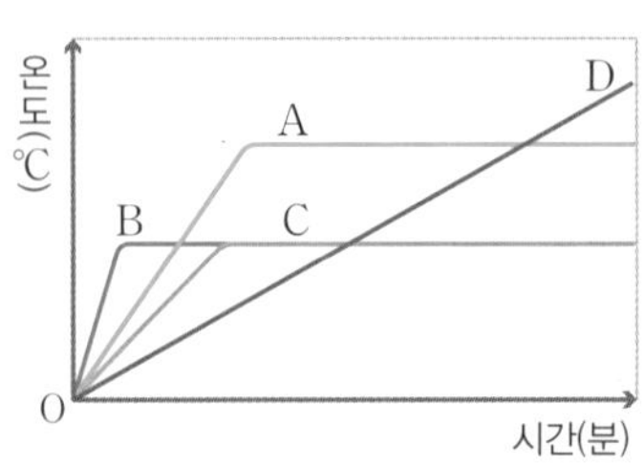

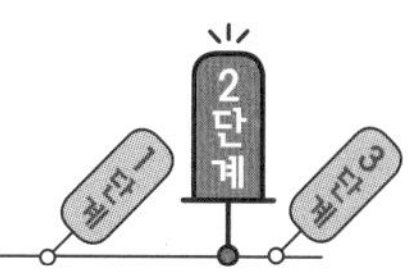

정답과 해설 050쪽

A 순물질과 혼합물

필수
01 순물질과 혼합물에 대한 설명으로 옳지 않은 것은?

① 순물질은 녹는점과 끓는점이 일정하다.
② 혼합물은 2가지 이상의 물질이 섞여 있다.
③ 불균일 혼합물은 성분 물질이 고르지 않게 섞여 있다.
④ 화합물은 2가지 이상의 원소로 이루어진 순물질이다.
⑤ 혼합물은 각 성분 물질의 성질 중 1가지 성질만을 나타낸다.

02 다음 물질을 순물질과 혼합물로 옳게 구별한 것은?

물 수소 암석 설탕물

	순물질	혼합물
①	물, 수소	암석, 설탕물
②	물, 암석	수소, 설탕물
③	수소, 암석	물, 설탕물
④	수소, 설탕물	물, 암석
⑤	암석, 설탕물	물, 수소

03 그림은 여러 가지 물질을 모형으로 나타낸 것이다.

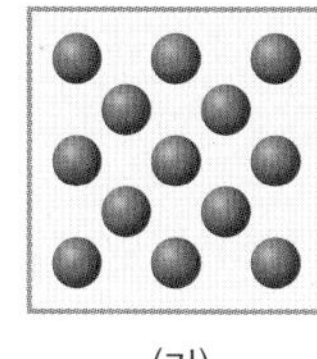
(가)

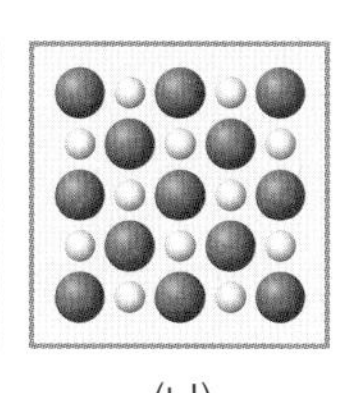
(나)

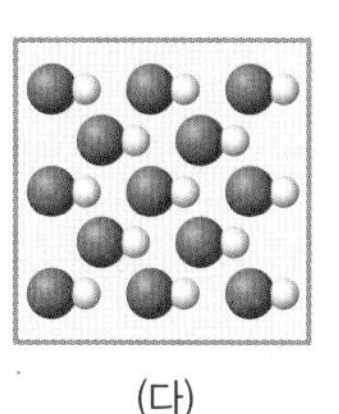
(다)

(가)~(다)를 옳게 구분한 것은?

	(가)	(나)	(다)
①	원소	화합물	균일 혼합물
②	원소	균일 혼합물	화합물
③	화합물	원소	균일 혼합물
④	화합물	균일 혼합물	원소
⑤	균일 혼합물	화합물	원소

04 물질을 구별하기 위한 방법으로 옳은 것은?

① 물의 무게를 측정한다.
② 돌의 모양을 관찰한다.
③ 에탄올의 질량을 측정한다.
④ 소금물의 부피를 측정한다.
⑤ 황산 구리(Ⅱ)의 색을 관찰한다.

필수
05 물질의 특성에 대한 설명으로 옳은 것은?

① 길이, 온도, 부피, 질량 등이 있다.
② 물질의 양에 따라 측정값이 달라진다.
③ 측정 장소에 관계없이 일정한 값을 나타낸다.
④ 물질의 종류에 따라 다르므로 물질을 구별할 수 있다.
⑤ 겉보기 성질은 사람의 감각 기관으로 알아내는 성질이므로 물질의 특성이 아니다.

필수
06 그림은 순수한 물과 소금물의 냉각 곡선을 나타낸 것이다.

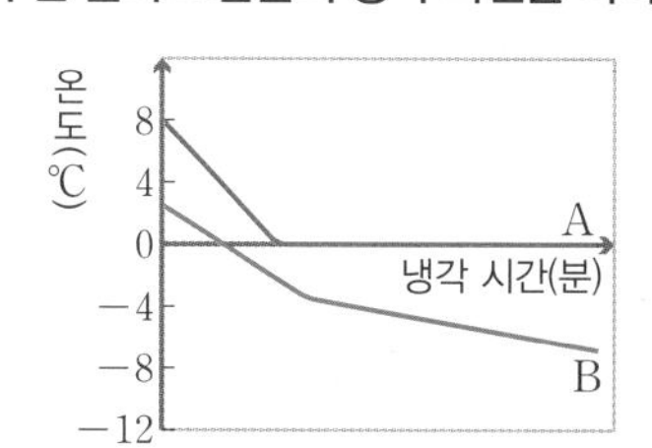

이에 대한 설명으로 옳은 것만을 보기에서 모두 고른 것은?

보기
ㄱ. A는 물의 냉각 곡선이고, B는 소금물의 냉각 곡선이다.
ㄴ. A의 어는점은 물질의 양이 많아질수록 높아진다.
ㄷ. 이 냉각 곡선으로 순물질과 혼합물을 구별할 수 있다.

① ㄱ ② ㄴ ③ ㄱ, ㄷ
④ ㄴ, ㄷ ⑤ ㄱ, ㄴ, ㄷ

[07-08] 그림은 물과 소금물의 가열 곡선을 나타낸 것이다.

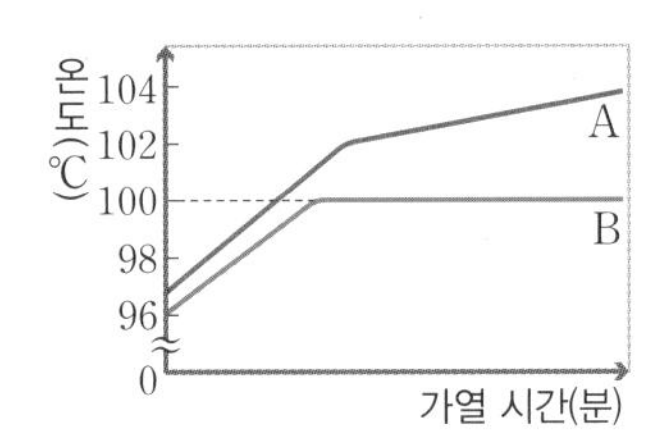

필수

07 이에 대한 설명으로 옳지 않은 것은?

① A는 물, B는 소금물의 가열 곡선이다.
② A는 끓는 동안 온도가 계속 올라간다.
③ A는 B보다 높은 온도에서 끓기 시작한다.
④ B는 끓는점이 일정하다.
⑤ B의 양을 늘려도 끓는점은 변하지 않는다.

필수

08 이 그래프로 설명할 수 있는 현상으로 가장 적절한 것은?

① 겨울에 바닷물이 잘 얼지 않는다.
② 높은 산에서 밥을 하면 쌀이 설익는다.
③ 열기구 내부를 가열하면 열기구가 공중으로 뜬다.
④ 잠수부가 내뿜는 공기 방울이 수면으로 올라갈 수록 커진다.
⑤ 라면 스프를 넣고 물을 끓인 후 면을 넣으면 면이 더 빨리 익는다.

서술형

09 다음 기사를 읽고 밑줄 친 부분의 까닭을 어는점과 관련지어 서술하시오.

> 지난 ○○일 ○○ 지역 일대는 때 아닌 폭설로 교통이 마비되었다. 기온이 영하로 떨어지면서 눈이 얼어붙는 것을 걱정한 시민들이 자발적으로 나서 염화 칼슘을 눈 위에 뿌렸다.
>
> – ○○일보 –

B 녹는점과 어는점

10 녹는점과 어는점에 대한 설명으로 옳지 않은 것은?

① 녹는점에서 고체와 액체가 공존한다.
② 같은 물질은 녹는점과 어는점이 같다.
③ 물질의 양이 많아지면 녹는점이 높아진다.
④ 불꽃의 세기를 강하게 해도 녹는점은 변하지 않는다.
⑤ 녹는점은 고체에서 액체로 상태가 변할 때 일정하게 유지되는 온도이다.

신유형

11 표는 A~D의 조건으로 물질의 녹는점을 측정한 것이다.

구분	A	B	C	D
종류	로르산	로르산	팔미트산	팔미트산
질량(g)	10	20	10	20

다음의 가설을 검증하기 위해서 비교해야 할 실험을 옳게 짝 지은 것은?

> [가설]
> (가) 녹는점은 물질의 종류에 따라 다르다.
> (나) 녹는점은 물질의 양에 관계없이 일정하다.

	(가)	(나)
①	A와 B	A와 C
②	A와 C	A와 B
③	A와 D	C와 D
④	B와 C	B와 D
⑤	B와 D	A와 D

12 표는 여러 가지 물질의 녹는점을 나타낸 것이다.

물질	산소	에탄올	물(얼음)	납
녹는점(℃)	−219	−114	0	328

이에 대한 설명으로 옳지 않은 것은?

① 산소의 어는점은 −219 ℃이다.
② 물의 녹는점에서 납은 고체 상태이다.
③ 25 ℃에서 고체 상태인 물질은 3가지이다.
④ 물질의 양이 증가해도 녹는점은 변하지 않는다.
⑤ −114 ℃에서 에탄올은 고체와 액체가 공존한다.

정답과 해설 050쪽

필수

13 그림은 어떤 고체 물질의 가열과 냉각 곡선을 나타낸 것이다.

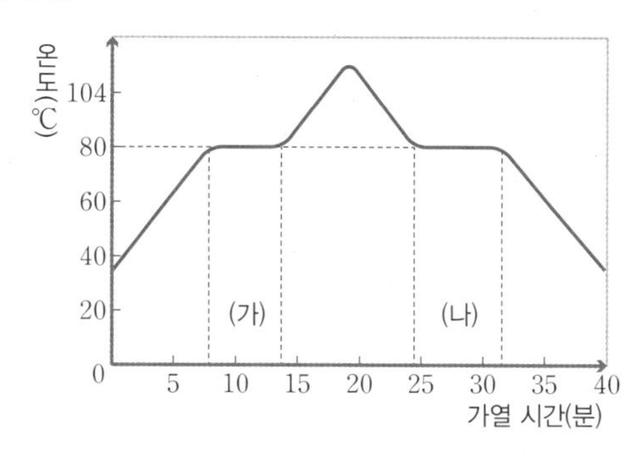

이에 대한 설명으로 옳지 않은 것은?

① 이 물질은 순물질이다.
② 이 물질의 녹는점과 어는점은 80 ℃이다.
③ 불꽃의 세기를 세게 하면 (가) 구간이 짧아진다.
④ 물질의 양을 늘리면 (나) 구간의 온도가 올라간다.
⑤ (가) 구간에서 융해, (나) 구간에서 응고가 일어난다.

14 그림은 고체 X의 가열 곡선을 나타낸 것이다.

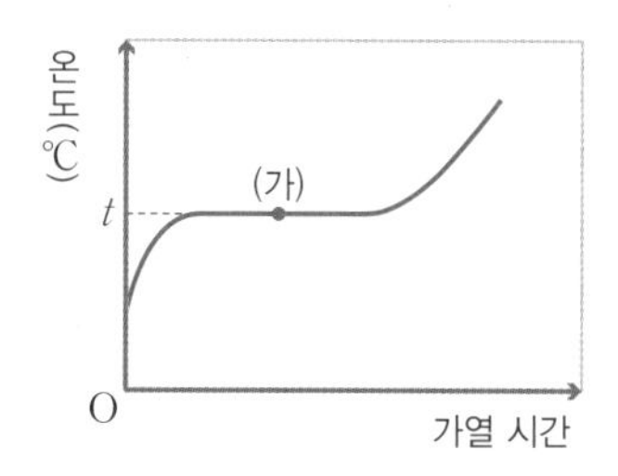

이에 대한 설명으로 옳은 것만을 보기에서 모두 고른 것은?

보기
ㄱ. X는 순물질이다.
ㄴ. X의 녹는점은 t ℃이다.
ㄷ. (가)에는 액체와 기체가 함께 존재한다.

① ㄱ ② ㄷ ③ ㄱ, ㄴ
④ ㄴ, ㄷ ⑤ ㄱ, ㄴ, ㄷ

15 생활 속에서 녹는점이 높은 물질을 사용한 예를 보기에서 모두 고른 것은?

보기
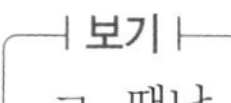
ㄱ. 땜납 ㄴ. 퓨즈
ㄷ. 프라이팬 ㄹ. 전구 속 필라멘트

① ㄱ, ㄴ ② ㄷ, ㄹ ③ ㄱ, ㄴ, ㄷ
④ ㄴ, ㄷ, ㄹ ⑤ ㄱ, ㄴ, ㄷ, ㄹ

C 끓는점

[16-17] 그림은 물과 에탄올의 가열 곡선을 나타낸 것이다.

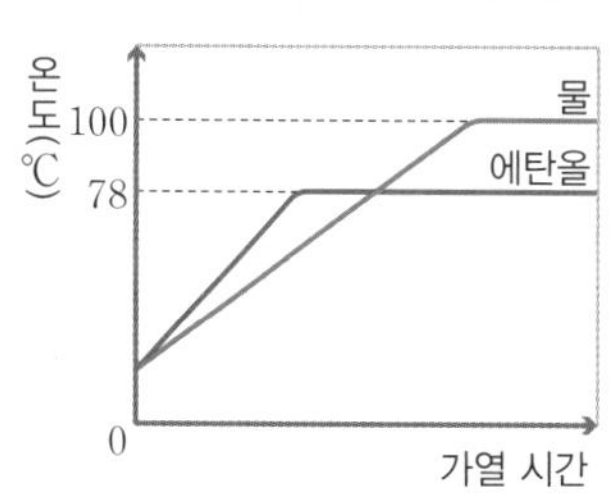

16 이에 대한 설명으로 옳은 것만을 보기에서 모두 고른 것은?

보기
ㄱ. 물과 에탄올은 모두 순물질이다.
ㄴ. 에탄올의 양이 많아지면 끓는점이 높아진다.
ㄷ. 끓는점을 측정하면 물과 에탄올을 구별할 수 있다.

① ㄱ ② ㄴ ③ ㄱ, ㄷ
④ ㄴ, ㄷ ⑤ ㄱ, ㄴ, ㄷ

필수

17 에탄올의 양을 10 g과 20 g으로 각각 다르게 하여 가열할 때, 에탄올의 가열 곡선으로 옳은 것은? (단, 불꽃의 세기는 일정하다.)

①
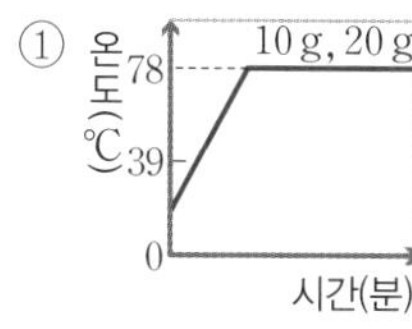

②
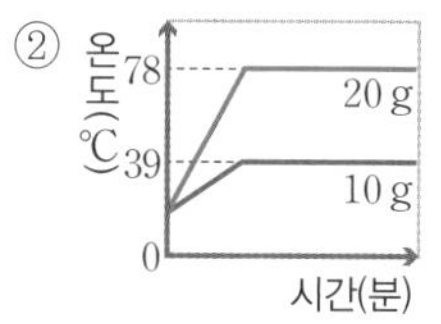

③
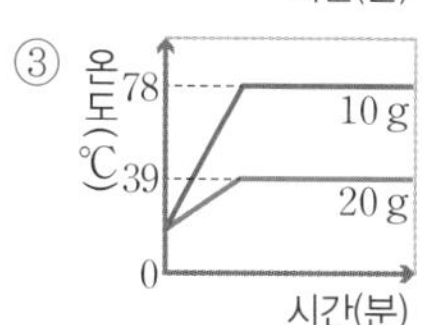

④
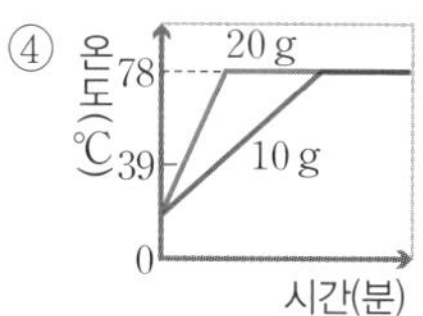

⑤
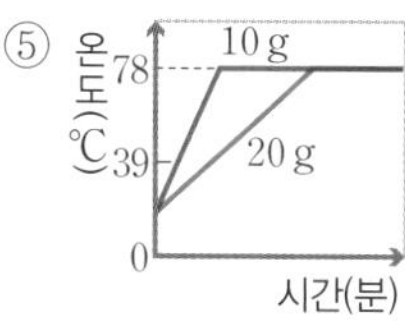

18 물질의 종류에 따라 끓는점이 다른 까닭을 옳게 설명한 것은?

① 물질의 양이 다르기 때문
② 물질을 가열하는 시간이 다르기 때문
③ 물질을 가열하는 불꽃의 세기가 다르기 때문
④ 물질을 구성하는 입자의 크기가 다르기 때문
⑤ 물질을 구성하는 입자 사이의 인력이 다르기 때문

19 그림은 액체 A~C를 같은 세기의 불꽃으로 가열할 때 시간에 따른 온도 변화를 나타낸 것이다.

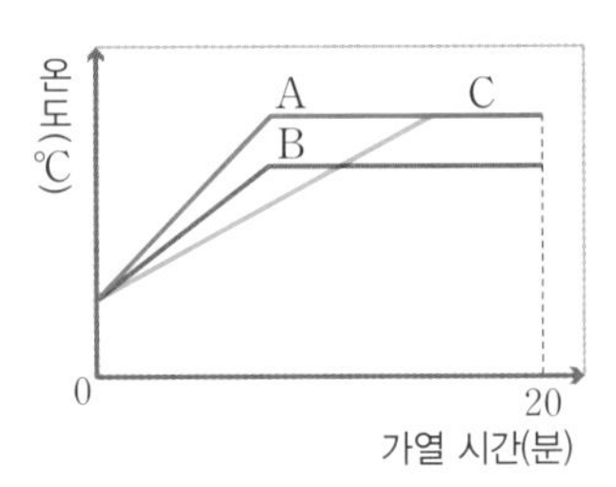

이에 대한 설명으로 옳은 것만을 보기에서 모두 고른 것은?

보기
ㄱ. 액체의 양은 A<C이다.
ㄴ. 액체의 끓는점은 B<C이다.
ㄷ. 액체 A와 B는 같은 물질이다.

① ㄱ ② ㄷ ③ ㄱ, ㄴ
④ ㄴ, ㄷ ⑤ ㄱ, ㄴ, ㄷ

20 그림과 같이 둥근바닥 플라스크에 물을 넣고 끓이다가 입구를 고무마개로 막고 뒤집은 후 찬물을 부었다. 이에 대한 설명으로 옳은 것만을 보기에서 모두 고른 것은?

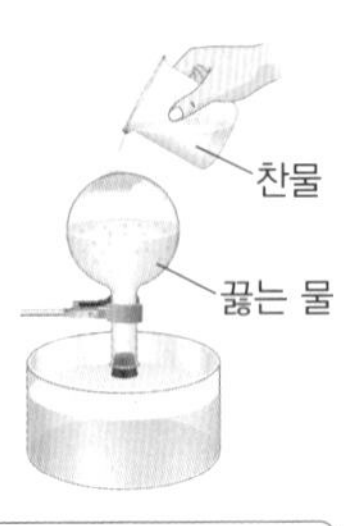

보기
ㄱ. 물의 끓는점이 내려간다.
ㄴ. 플라스크 안의 압력이 높아진다.
ㄷ. 물이 기화하는 데 필요한 에너지가 커진다.

① ㄱ ② ㄷ ③ ㄱ, ㄴ
④ ㄴ, ㄷ ⑤ ㄱ, ㄴ, ㄷ

신유형

21 그림은 물의 가열 곡선을 나타낸 것이다. 이에 대한 설명으로 옳은 것만을 보기에서 모두 고른 것은?

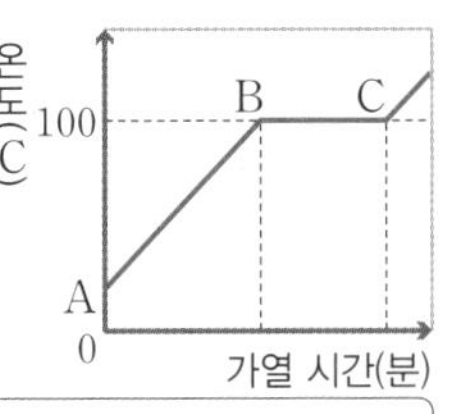

보기
ㄱ. 압력을 높이면 BC 구간의 온도가 높아진다.
ㄴ. 물의 양을 늘리면 AB 구간의 기울기가 커진다.
ㄷ. 불꽃의 세기를 강하게 하면 BC 구간이 짧아진다.

① ㄱ ② ㄴ ③ ㄱ, ㄷ
④ ㄴ, ㄷ ⑤ ㄱ, ㄴ, ㄷ

필수

22 그림과 같이 온도가 90 ℃ 정도의 뜨거운 물을 감압 용기에 넣고 공기를 뺐더니 물속에서 기포가 발생하였다.

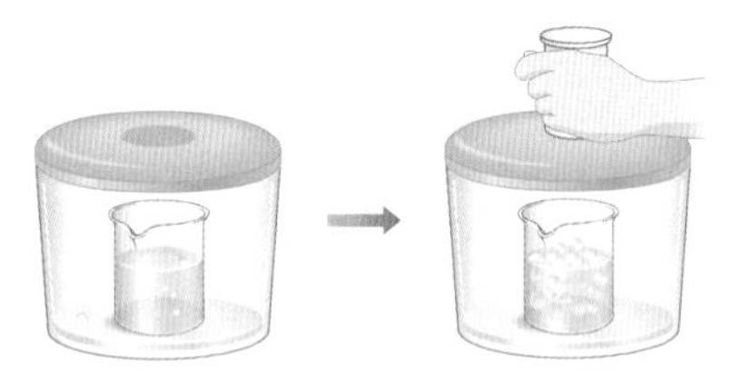

이와 같은 원리로 일어나는 현상으로 가장 적절한 것은?

① 어항 속의 물이 점점 줄어든다.
② 금속을 용접할 때 땜납을 사용한다.
③ 높은 산에서 밥을 하면 쌀이 설익는다.
④ 찌그러진 탁구공을 뜨거운 물에 넣으면 펴진다.
⑤ 잠수부가 내쉰 공기 방울이 수면으로 갈수록 커진다.

23 표는 여러 가지 물질의 녹는점과 끓는점을 나타낸 것이다.

물질	A	B	C	D
녹는점(℃)	−210	−114	17	63
끓는점(℃)	−196	78	118	352

20 ℃에서 기체로 존재하는 것을 모두 고른 것은?

① A ② D ③ A, B
④ B, D ⑤ A, C, D

정답과 해설 052쪽

필수

01 그림은 몇 가지 물질을 기준 (가)~(다)에 따라 분류하는 과정을 나타낸 것이다.

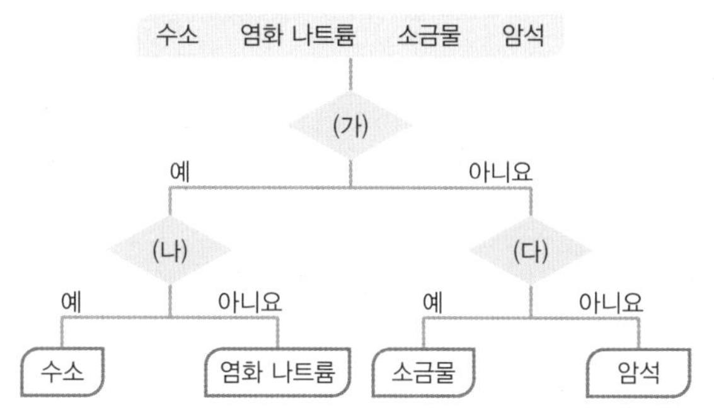

(가)~(다)에 해당하는 질문을 보기에서 골라 옳게 짝 지은 것은?

보기
ㄱ. 녹는점과 끓는점이 일정한가?
ㄴ. 성분 물질이 고르게 섞여 있는가?
ㄷ. 1종류의 원소로만 이루어져 있는가?

	(가)	(나)	(다)
①	ㄱ	ㄴ	ㄷ
②	ㄱ	ㄷ	ㄴ
③	ㄴ	ㄱ	ㄷ
④	ㄴ	ㄷ	ㄱ
⑤	ㄷ	ㄱ	ㄴ

필수

02 그림은 나프탈렌, 파라-다이클로로벤젠, 두 물질의 혼합물의 가열 곡선을 나타낸 것이다.

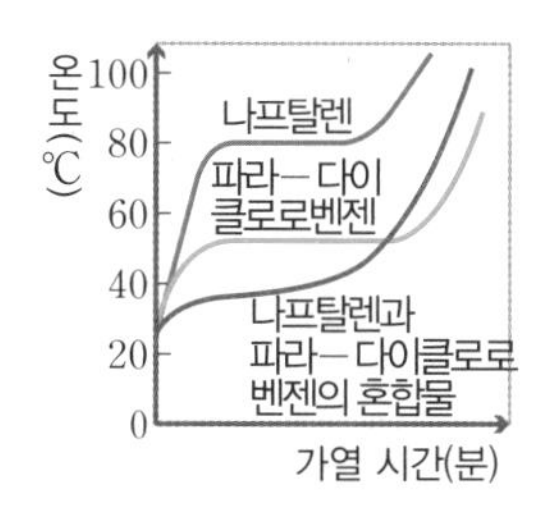

이 그래프로 설명할 수 있는 현상으로 가장 적절한 것은?

① 높은 산에서 밥을 하면 쌀이 설익는다.
② 압력 밥솥으로 밥을 하면 밥이 빨리 된다.
③ 달걀을 삶을 때 소금을 넣으면 더 빨리 익는다.
④ 전기 회로의 땜납으로 납과 주석의 혼합물을 사용한다.
⑤ 라면 스프를 넣고 물을 끓인 다음 면을 넣으면 면이 더 빨리 익는다.

필수

03 그림과 같이 모세관에 서로 다른 종류의 고체 물질을 넣고 물중탕으로 가열하여 녹는점을 측정하였다.

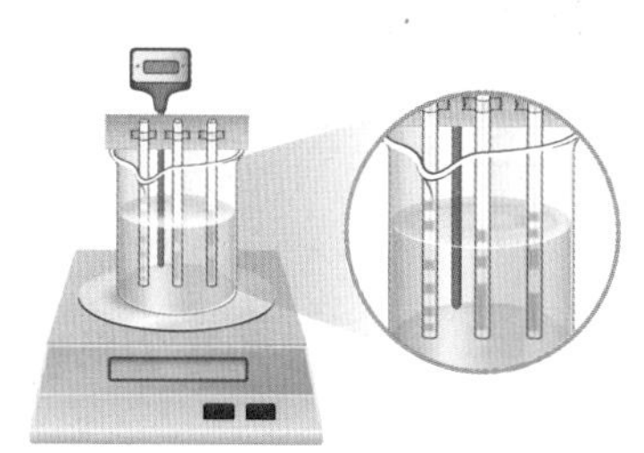

이에 대한 설명으로 옳은 것만을 보기에서 모두 고른 것은?

보기
ㄱ. 각 고체 물질이 투명해지는 온도를 측정한다.
ㄴ. 모세관에 넣은 고체 물질의 양에 따라 녹는점이 달라진다.
ㄷ. 완전히 융해된 후 다시 응고하기 시작하는 온도는 녹는점과 같다.

① ㄱ ② ㄴ ③ ㄱ, ㄷ
④ ㄴ, ㄷ ⑤ ㄱ, ㄴ, ㄷ

신유형

04 그림은 1기압에서 온도에 따른 물질 A~C의 상태를 나타낸 것이다.

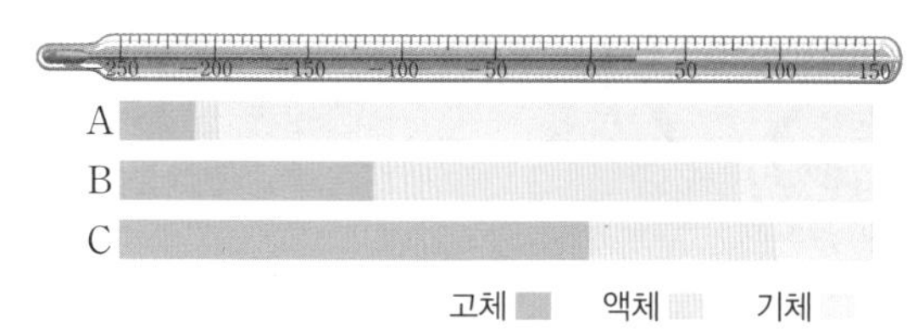

이에 대한 설명으로 옳은 것만을 보기에서 모두 고른 것은?

보기
ㄱ. −50 ℃에서 액체 상태인 것은 B이다.
ㄴ. 2기압에서 C의 끓는점은 100 ℃보다 높다.
ㄷ. C가 액체인 온도에서 A는 고체로 존재한다.

① ㄱ ② ㄷ ③ ㄱ, ㄴ
④ ㄴ, ㄷ ⑤ ㄱ, ㄴ, ㄷ

Ⅵ. 물질의 특성

물질의 특성(2)

물음으로 흐름잡기

A 밀도

1. 부피와 질량

구분	부피❶❷	질량
정의	물질이 차지하고 있는 공간의 크기	장소나 상태와 관계없이 일정한 물질의 고유한 양
단위	cm^3, mL, L 등	g, kg, mg 등
측정 도구	눈금실린더, 부피 플라스크, 피펫 등	전자저울, 윗접시 저울 등

2. 밀도❸ 단위 부피당 물질의 질량

$$밀도=\frac{질량}{부피}$$ (단위: g/cm^3, g/mL, kg/m^3 등)

① 밀도는 물질의 종류에 따라 다르며, 물질의 양이 변해도 일정하다. → 물질의 특성

② 밀도가 큰 물질은 아래로 가라앉고, 밀도가 작은 물질은 위로 뜬다.
　예 밀도 비교: 나무 도막 < 물 < 플라스틱 < 글리세롤

나무 도막 / 물 / 플라스틱 / 글리세롤

③ 같은 물질일 때 밀도의 크기는 일반적으로 고체 > 액체 > 기체 순이다.
　[예외] 물의 밀도 비교: 물(액체) > 얼음(고체) > 수증기(기체)

④ 질량–부피 그래프에서 밀도 비교

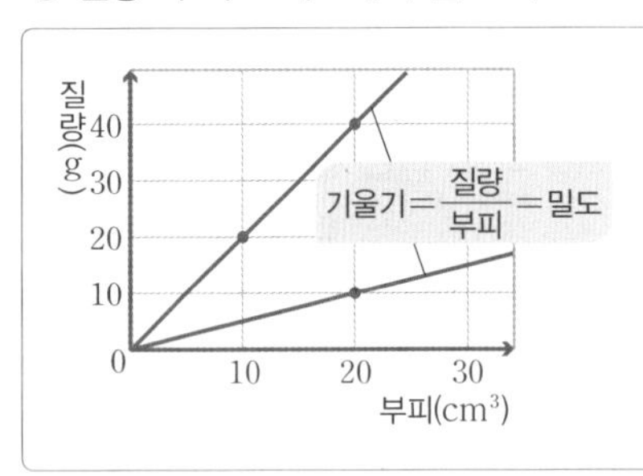

- 직선의 기울기는 밀도를 의미한다.
  ➡ 기울기$=\frac{질량}{부피}=$밀도
- 직선의 기울기가 클수록 밀도가 크다.
- 같은 물질은 상태가 같을 경우 밀도가 같으므로 직선의 기울기가 같다.

교과서 탐구 물질의 밀도 측정

▶ 과정
1. 크기가 다른 철 조각과 알루미늄 조각을 각각 2개씩 준비하고, 각각의 질량을 측정한다.
2. 물이 들어 있는 눈금실린더에 각 금속 조각을 넣었을 때 늘어난 부피를 측정한다.
3. 각 금속 조각의 밀도를 계산한다. $밀도=\frac{질량}{부피}$

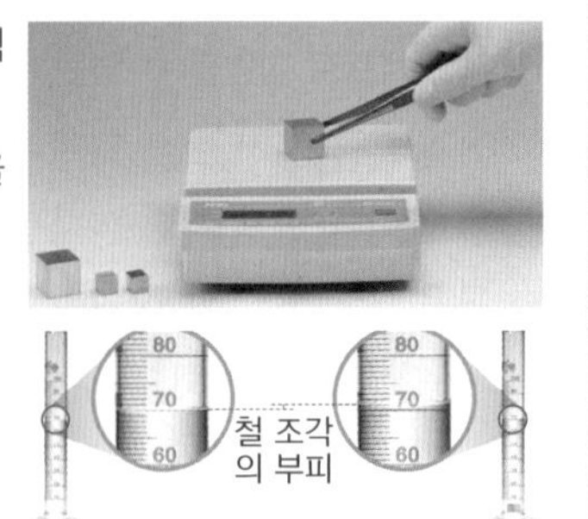

▶ 결과
❶ 철의 밀도: 7.9 g/mL
❷ 알루미늄의 밀도: 2.7 g/mL

▶ 해석 같은 물질인 경우 조각의 크기와 관계없이 밀도가 일정하다.

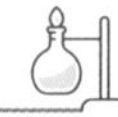

---

❶ 고체의 부피 측정 방법

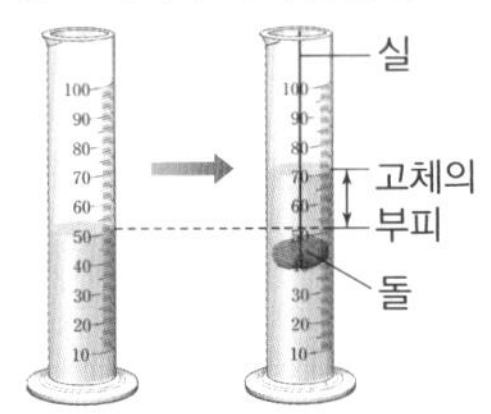

① 고체 물질을 녹이지 않는 액체를 눈금실린더에 담고 액체의 부피 측정
② 고체 물질을 액체 속에 완전히 잠기게 한 후 눈금 읽기
③ 고체의 부피=②−①

❷ 액체의 부피 측정 방법

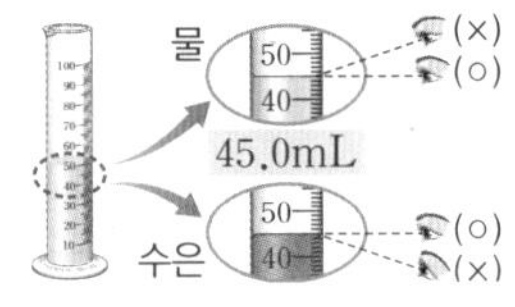

눈의 높이가 액체 표면과 수평이 되게 하여 최소 눈금의 $\frac{1}{10}$까지 어림하여 읽는다.

❸ 아르키메데스의 원리

순금

왕관

아르키메데스는 왕관이 순금으로 만들어졌는지 알아보기 위해 왕관과 같은 질량의 순금을 물에 넣었다. 순금을 넣었을 때보다 왕관을 넣었을 때 더 많은 물이 넘치는 것을 보고 왕관이 순금으로 만들어지지 않았음을 밝혔다. ➡ 질량이 같을 때 부피가 큰 물질은 밀도가 작다. 밀도는 물질의 특성이므로 밀도가 다르면 다른 물질이다.

3. 밀도 변화

구분	고체	액체	기체❹
온도	온도가 높아지면 부피가 약간 증가한다. ➡ 밀도 약간 감소		온도가 높아지면 부피가 크게 증가한다. ➡ 밀도 감소
압력	압력의 영향을 거의 받지 않는다(분자 사이의 거리가 비교적 가까워서 압축되기 어려움).		압력이 증가하면 부피가 크게 감소한다. ➡ 밀도 증가
상태	• 일반적인 물질의 경우 부피: 고체 < 액체 ≪ 기체 ➡ 밀도: 기체 ≪ 액체 < 고체 • 물❺의 경우 부피: 물(액체) < 얼음(고체) ≪ 수증기(기체) ➡ 밀도 : 수증기(기체) ≪ 얼음(고체) < 물(액체) → 얼음이 물 위에 뜬다.		

4. 혼합물의 밀도 변화 성분 물질의 혼합 비율에 따라 혼합물의 밀도가 달라진다.

(가) —소금을 녹임→ (나) —소금을 녹임→ (다)

① 물에 달걀을 넣으면 달걀이 가라앉지만, 물에 소금을 계속 녹이면 소금물의 밀도가 커지므로 달걀이 떠오른다.
② 밀도 비교
- (가) 달걀 > 물
- (나) 달걀 = 저농도 소금물
- (다) 고농도 소금물 > 달걀

5. 밀도와 관련된 현상

① 대류 현상이 일어난다.
② 구명조끼를 입으면 몸이 물에 뜬다.
③ 열기구 속의 공기를 가열하면 열기구가 공중에 뜬다.
④ 잠수함은 내부의 빈 공간에 물을 채워서 물속으로 잠수한다.
⑤ 가스 누출 경보기는 공기보다 밀도가 작은 LNG의 경우 천장 쪽에 설치하고, 공기보다 밀도가 큰 LPG의 경우 바닥 쪽에 설치한다.(밀도: LNG < 공기 < LPG)

❹ 기체의 밀도

기체는 온도가 높을수록, 압력이 낮을수록 부피가 증가하므로 기체의 밀도는 온도와 압력을 함께 표시한다.

❺ 물의 밀도 변화

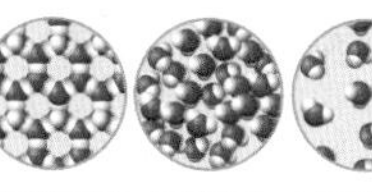

얼음(고체) 물(액체) 수증기(기체)

물 분자는 얼 때 육각형 배열을 하므로 빈 공간이 생겨서 부피가 커진다.

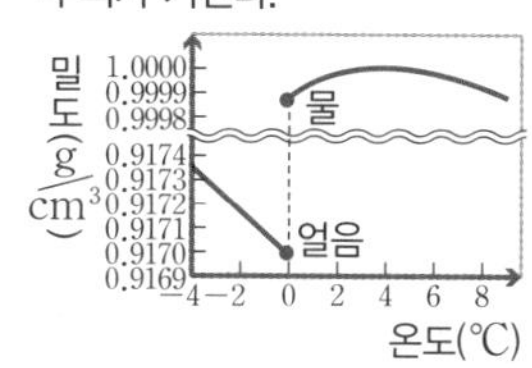

4 ℃일 때 물의 부피가 최소이므로 물의 밀도는 최대이다.

용어 알기

- **LNG** 메테인이 주성분인 액화 천연 가스
- **LPG** 프로페인이나 뷰테인이 주성분인 액화 석유 가스

개념 다지기

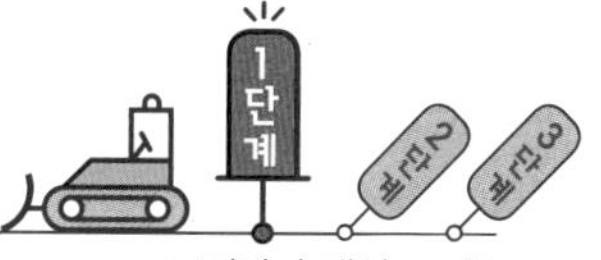

정답과 해설 052쪽

01 부피와 질량에 대한 설명으로 옳은 것은 ○표, 옳지 않은 것은 ×표를 하시오.

(1) 부피의 단위는 cm^3, mL, L 등이다. ( )
(2) 부피는 전자저울, 윗접시 저울 등을 이용하여 측정한다. ( )
(3) 질량은 측정 장소에 관계없이 일정한 물질의 고유한 양이다. ( )

02 밀도에 대한 설명으로 옳은 것은 ○표, 옳지 않은 것은 ×표를 하시오.

(1) 밀도의 단위는 g/cm^3, g/mL 등이다. ( )
(2) 밀도는 물질의 부피를 질량으로 나눈 값이다. ( )
(3) 같은 물질인 경우 물질의 상태가 변해도 밀도는 일정하다. ( )

03 철 조각의 밀도를 구하기 위해 필요한 실험 기구를 보기에서 모두 골라 기호로 쓰시오.

보기
ㄱ. 물 ㄴ. 자 ㄷ. 페트리 접시
ㄹ. 각도기 ㅁ. 전자저울 ㅂ. 눈금실린더

04 그림과 같이 밀도 탑을 만들었을 때 A~E 중에서 밀도가 가장 큰 물질의 기호를 쓰시오.

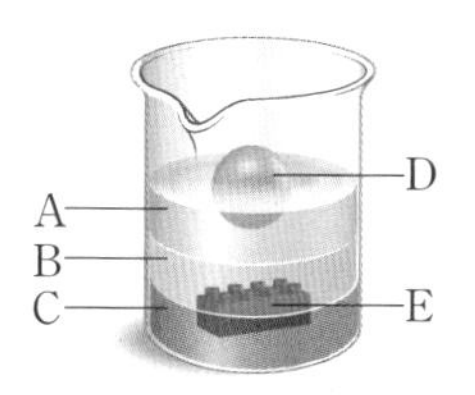

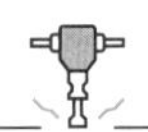

❻ 용해 과정에서 질량, 부피, 성질의 변화

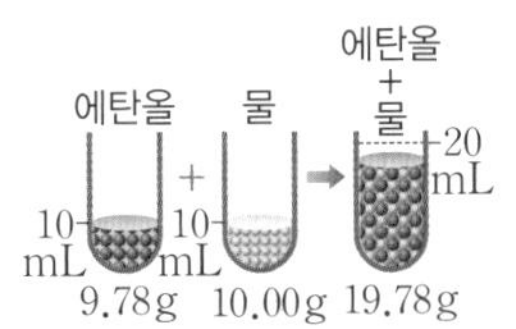

- 질량: 용해 과정에서 용매와 용질을 이루는 입자의 종류와 수가 변하지 않으므로 질량은 변하지 않는다.
- 부피: 용매와 용질을 이루는 입자의 크기가 서로 다르므로 둘을 섞으면 큰 입자 사이의 틈으로 작은 입자가 끼어들어가 전체 부피는 조금 줄어든다.
- 성질: 용질과 용매를 이루는 입자의 종류가 변하지 않으므로 용질과 용매의 성질을 모두 가진다.

❼ 석출되는 용질의 양 구하기

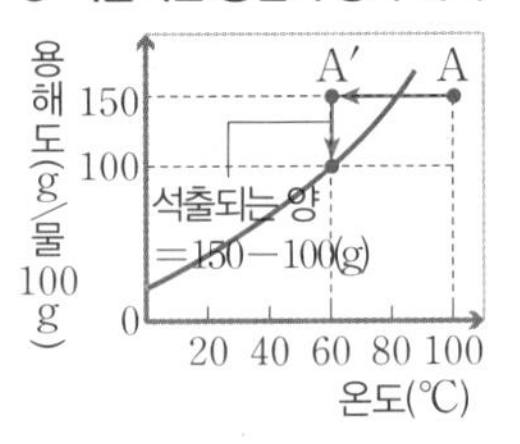

❽ 포화 용액 만들기

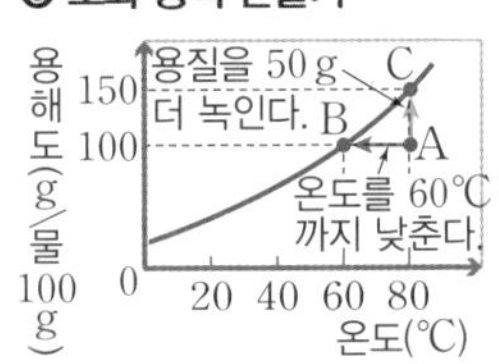

불포화 용액의 온도를 낮추거나(A → B), 같은 온도에서 용질을 더 녹여(A → C) 용해도 곡선과 만나면 포화 용액이 된다.

용어 알기

- 석출 용액에 녹아 있는 용질이 온도가 낮아지면서 녹지 못하고 고체로 분리되는 현상

B 용해도

1. 용해[6] 한 물질이 다른 물질에 녹아 고르게 섞이는 현상

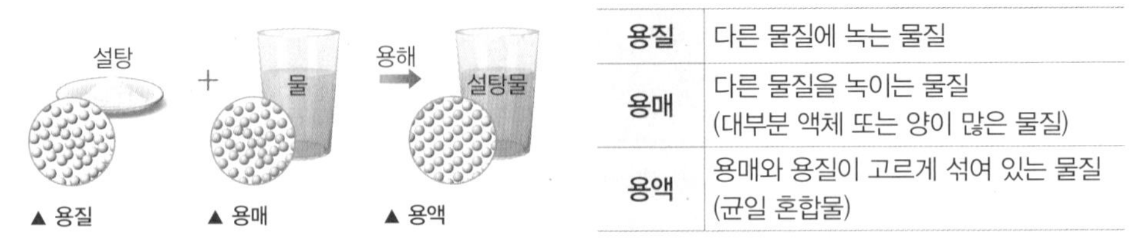

▲ 용질 ▲ 용매 ▲ 용액

용질	다른 물질에 녹는 물질
용매	다른 물질을 녹이는 물질 (대부분 액체 또는 양이 많은 물질)
용액	용매와 용질이 고르게 섞여 있는 물질 (균일 혼합물)

2. 농도 용액의 진한 정도

① 퍼센트 농도: 용액 100 g에 녹아 있는 용질의 질량(g)을 백분율로 나타낸 것

$$\text{퍼센트 농도(\%)}=\frac{\text{용질의 질량(g)}}{\text{용액의 질량(g)}}\times 100=\frac{\text{용질의 질량(g)}}{\text{(용질+용매)의 질량(g)}}\times 100$$

② 같은 종류의 용액이라도 농도가 다를 수 있다. → 물질의 특성이 아니다.

③ 용액의 농도에 따라 색깔, 맛, 녹는점, 끓는점, 밀도 등이 다르다.

3. 용해도 일정한 온도에서 용매 100 g에 최대로 녹일 수 있는 용질의 g 수

① 용해도는 용매의 종류, 용질의 종류, 온도에 따라 다르다.

② 용해도를 나타낼 때는 용매의 종류와 온도를 함께 표시한다.

③ 용매와 온도가 일정할 때 물질에 따라 고유한 용해도를 갖는다. → 물질의 특성

④ 용액의 종류

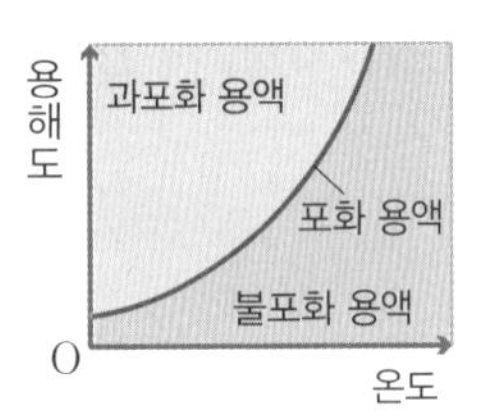

불포화 용액	용매에 용질이 더 녹을 수 있는 용액
포화 용액	용매에 용질이 최대로 녹아 있는 용액
과포화 용액	용해도 이상으로 용질이 녹아 있는 용액

4. 고체의 용해도

① 대부분의 고체 물질은 온도가 높을수록 용해도가 크다.

② 압력의 영향을 거의 받지 않는다.

③ 용해도 곡선: 온도에 따른 물질의 용해도를 나타낸 그래프

- 곡선의 기울기가 클수록 온도에 따른 용해도의 차가 크다.
- 용해도 곡선상의 점은 그 온도에서 포화 용액을 뜻한다.
- 용질의 석출: 용액을 냉각하면 용해도가 감소하므로 냉각한 온도에서의 용해도 이상으로 녹아 있던 용질이 석출된다.

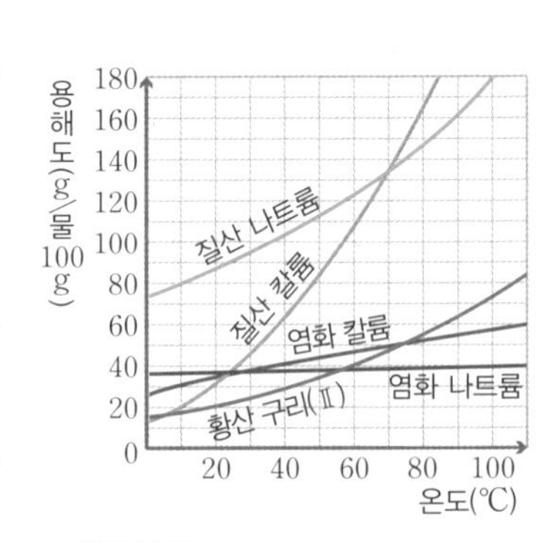

▲ 용해도 곡선

석출되는 용질의 양[7] = 처음 온도에서 녹아 있던 양 − 냉각 온도에서 최대로 녹을 수 있는 양

④ 포화 용액 만들기[8]: 온도 하강 또는 용질 추가

5. 기체의 용해도 기체의 용해도를 나타낼 때는 온도와 압력을 함께 표시한다.

구분	온도	압력
용해도	온도가 낮을수록 기체의 용해도 증가	압력이 높을수록 기체의 용해도 증가
실험	A, B, 사이다, 얼음물, 실온의 물	A, B, 사이다, 50 ℃ 의 물, 50 ℃ 의 물
결과	• 온도: A<B • 기포 발생량: A<B • 기체의 용해도: A>B	• 압력: A<B • 기포 발생량: A>B • 기체의 용해도: A<B
그래프	용해도 – 온도	용해도 – 압력
현상	• 수돗물을 끓이면 소독약 냄새가 사라진다. • 여름철에 물고기가 수면 근처에서 입을 뻐끔거린다. • 발전소에서 사용한 냉각수를 식히지 않고 바다로 내보내면 물고기의 호흡을 방해한다. • 극지방의 바다는 수온이 낮아서 물속에 산소가 많이 녹아 있으므로 다양한 어종이 살고 있다.	• 탄산음료의 뚜껑을 열면 거품이 생긴다.[9] • 깊은 물속에 있던 잠수부가 갑자기 물 위로 올라오면 잠수병에 걸릴 수 있다.[10]

❾ 압력과 기체의 용해도

탄산음료의 뚜껑을 열면 내부의 압력이 낮아지면서 기체의 용해도가 작아지므로 녹아 있던 기체가 빠져나와 거품이 생긴다.

❿ 잠수병

잠수부가 깊은 바다 속으로 잠수하면 높은 압력 때문에 기체의 용해도가 커져서 폐에 흡입된 질소가 혈액에 많이 용해된다. 그런데 잠수부가 급하게 수면으로 올라오면 압력이 낮아지면서 혈액에 녹았던 질소가 기포가 되어 모세혈관을 막아 이상을 일으키는데, 이러한 현상을 잠수병이라고 한다.

★ 정답과 해설 052쪽

05 그림과 같이 설탕과 물을 섞어 설탕물을 만들 때, 각 물질을 용질, 용매, 용액으로 구분하시오.

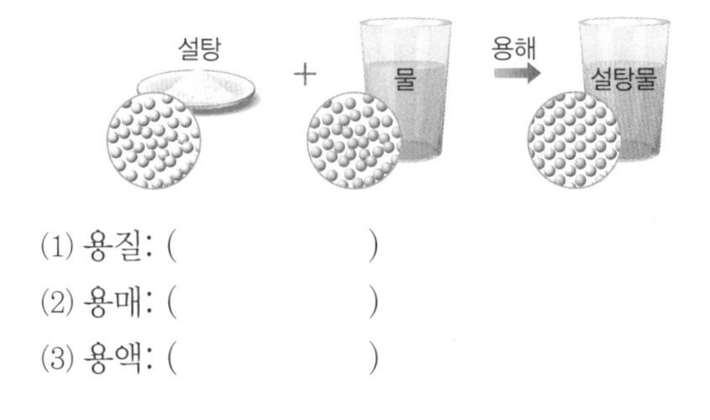

(1) 용질: (   )

(2) 용매: (   )

(3) 용액: (   )

06 물 100 g에 소금 25 g을 녹여서 만든 소금물의 퍼센트 농도(%)를 구하시오.

07 그래프는 어떤 고체 물질의 용해도 곡선이다. 용액 A~C 중에서 포화 용액인 것을 고르시오.

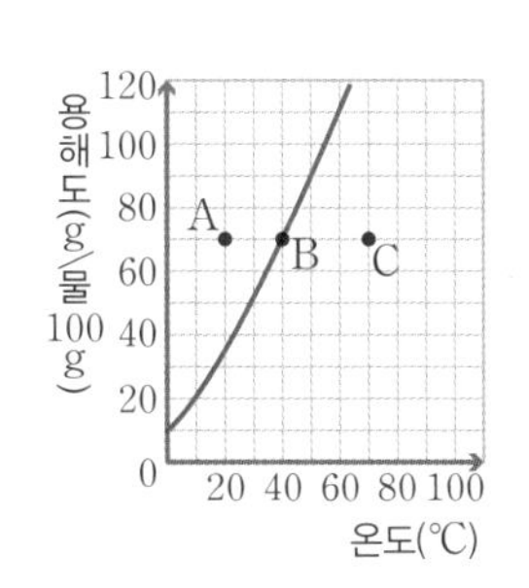

08 용해도에 대한 설명으로 옳은 것은 ○표, 옳지 않은 것은 ×표를 하시오.

(1) 온도에 따라 다르므로 물질의 특성이 아니다. (   )

(2) 불포화 용액에는 용질이 더 녹을 수 있다. (   )

(3) 기체의 용해도는 온도가 낮을수록, 압력이 높을수록 증가한다. (   )

계산 공략 하기

용해도 곡선에서 고체의 석출량 구하기

1. 용해도 곡선 해석하기

A	60 ℃ 물 100 g에는 물질 X가 110 g까지 녹을 수 있다. 만약 물의 양을 절반인 50 g으로 줄인다면 녹을 수 있는 물질 X의 양도 절반인 55 g이 된다.
B	20 ℃ 물 100 g에는 물질 X가 32 g까지 녹을 수 있다. 만약 물의 양을 절반인 50 g으로 줄인다면 녹을 수 있는 물질 X의 양도 절반인 16 g이 된다.

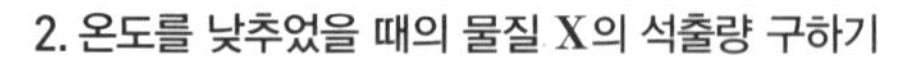

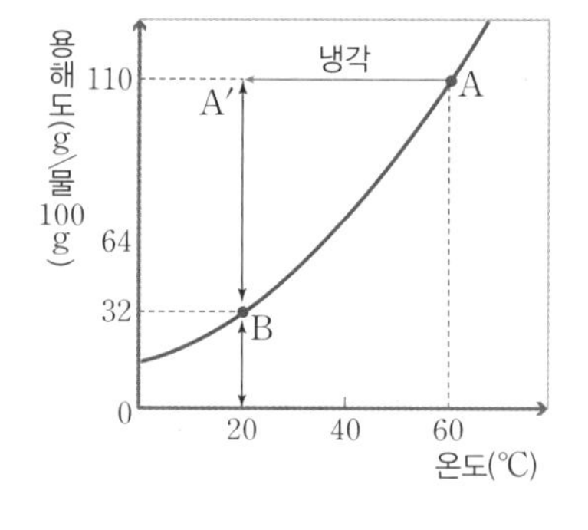

2. 온도를 낮추었을 때의 물질 X의 석출량 구하기

> 석출량=처음 온도에서 녹아 있던 양−냉각 온도에서 최대로 녹을 수 있는 양

예) 60 ℃ 물 100 g에 용질 110 g이 녹아 있는 용액의 온도를 20 ℃까지 낮추었을 때(A → A′) 석출량
=110 g−32 g=78 g

물의 질량이 100 g이 아닌 경우

❶ 용해도는 물 100 g이 기준이므로 물의 질량이 100 g이 아닌 경우에는 비례식을 통해 최대로 녹을 수 있는 용질의 양을 구할 수 있다.

> 물 100 g : 용해도=물의 질량 : 최대로 녹을 수 있는 용질의 질량

❷ 처음 온도와 냉각 온도에서 최대로 녹을 수 있는 양을 각각 비례식으로 계산하여 아래의 식에 대입한다.

> 석출량=처음 온도에서 녹아있던 양−냉각 온도에서 최대로 녹을 수 있는 양

예제
60 ℃ 물 200 g에 물질 X를 녹여 포화 용액을 만든 후, 온도를 20 ℃로 낮추었을 때 석출되는 용질의 질량(g)을 구하시오.

풀이
60 ℃에서
물 100 g : 물질 X 110 g=물 200 g : 물질 X 220 g
20 ℃에서
물 100 g : 물질 X 32 g=물 200 g : 물질 X 64 g
따라서 60 ℃ → 20 ℃ 냉각 시 물질 X 석출량:
220 g−64 g =156 g

포화 용액의 질량이 제시된 경우

❶ 용액의 질량에서 용질의 질량을 제외한 물의 질량을 구한다.

❷ 물의 질량이 100 g인 경우는 용해도를 이용하여 석출량을 구하고, 물의 질량이 100 g이 아닌 경우는 왼쪽의 방법을 이용하여 석출량을 구한다.

예제
60 ℃의 물질 X 포화 수용액 105 g을 20 ℃로 냉각했을 때 석출되는 질량(g)을 구하시오.

풀이
60 ℃에서 물질 X의 용해도는 110이다. 이것으로부터 물 100 g에 물질 X가 110 g 녹아 수용액 210 g을 만들 수 있다는 것을 알 수 있다.
문항에서 제시한 수용액의 질량은 210 g의 절반인 105 g이므로 수용액을 구성하는 물과 물질 X의 질량도 각각 절반인 50 g과 55 g이다.
이 용액을 20 ℃로 냉각했을 때, 물 50 g에 최대로 녹을 수 있는 물질 X의 양은 아래의 비례식으로 구할 수 있다.
물 100 g : 물질 X 32 g=물 50 g : 물질 X 16 g
따라서 60 ℃ → 20 ℃ 냉각 시 물질 X 석출량:
105 g−16 g=89 g

★ 정답과 해설 052쪽

01 90 ℃ 물 50 g에 질산 나트륨 80 g을 녹여 포화 용액을 만든 후, 10 ℃로 냉각할 때 석출되는 용질의 질량(g)을 구하시오. (단, 10 ℃에서 질산 나트륨의 용해도는 80이다.)

02 80 ℃의 포화 용액 280 g을 40 ℃로 냉각했을 때 석출되는 용질의 질량(g)을 구하시오. (단, 80 ℃, 40 ℃에서 이 물질의 용해도는 각각 180, 60이다.)

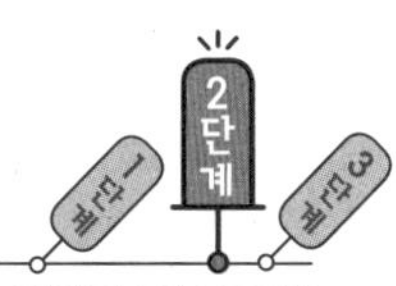

정답과 해설 053쪽

A 밀도

01 질량에 대한 설명으로 옳지 <u>않은</u> 것은?

① 물질의 특성이다.
② 단위는 mg, g, kg 등이 있다.
③ 측정 장소에 관계없이 일정하다.
④ 윗접시 저울이나 전자저울로 측정한다.
⑤ 액체의 질량을 측정할 때, 용기의 질량은 제외한다.

필수
02 밀도에 대한 설명으로 옳은 것은?

① 단위 질량에 대한 물질의 부피이다.
② 물보다 밀도가 작은 물질은 물속에 가라앉는다.
③ 기체의 밀도는 온도와 압력의 영향을 받지 않는다.
④ 같은 물질인 경우 기체 상태일 때 밀도가 가장 크다.
⑤ 두 물질의 질량이 같을 때 밀도가 클수록 부피가 작다.

03 그림은 질량이 16 g인 어떤 금속을 물 20.0 mL가 들어 있는 눈금실린더에 넣었을 때의 모습을 나타낸 것이다.

20.0 mL
22.0 mL

이 금속의 밀도로 옳은 것은?

① 0.125 g/mL ② 0.8 g/mL ③ 1.25 g/mL
④ 5 g/mL ⑤ 8 g/mL

[04-05] 표는 서로 섞이지 않는 액체 A~D의 밀도를 나타낸 것이다.

액체	A	B	C	D
밀도(g/mL)	1.26	1.00	0.79	2.73

04 액체 A~D를 이용하여 밀도 탑을 만들 때 아래에 쌓이는 물질부터 순서대로 나열한 것은?

① A−B−C−D ② B−C−A−D
③ C−B−A−D ④ C−B−D−A
⑤ D−A−B−C

필수
05 위 04의 밀도 탑에 질량이 12 g이고, 부피가 6 cm^3인 고체 X를 넣었을 때, 고체 X의 위치는? (단, 고체 X는 A~D의 액체에 녹지 않는다.)

① A와 B 사이 ② A와 D 사이
③ B와 C 사이 ④ C 위
⑤ D 아래

06 그림은 물을 제외한 일반적인 물질의 상태를 모형으로 나타낸 것이다.

고체

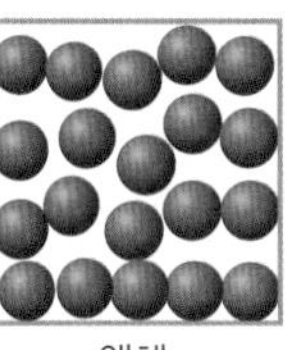
액체

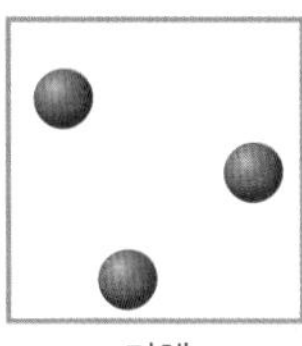
기체

이에 대한 설명으로 옳은 것만을 보기에서 모두 고른 것은?

보기
ㄱ. 고체의 밀도가 가장 크다.
ㄴ. 같은 부피일 때 액체의 질량이 가장 크다.
ㄷ. 같은 질량일 때 기체의 부피가 가장 크다.

① ㄱ ② ㄴ ③ ㄱ, ㄷ
④ ㄴ, ㄷ ⑤ ㄱ, ㄴ, ㄷ

필수

07 그림은 A와 B 두 고체의 부피와 질량의 관계를 나타낸 것이다. 이에 대한 설명으로 옳은 것만을 보기에서 모두 고른 것은?

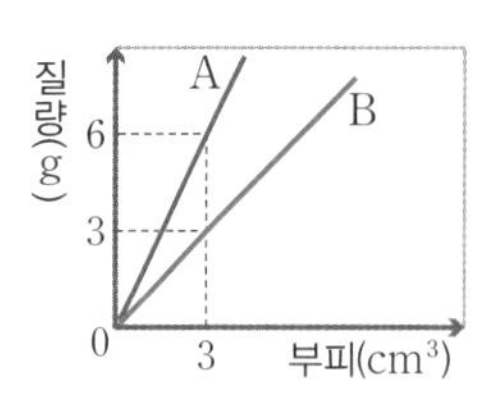

보기
ㄱ. A와 B는 다른 물질이다. ㄴ. 밀도는 A가 B의 2배이다. ㄷ. 질량이 같을 때 부피는 A가 B의 2배이다.

① ㄱ ② ㄷ ③ ㄱ, ㄴ
④ ㄴ, ㄷ ⑤ ㄱ, ㄴ, ㄷ

08 그림은 물에 달걀을 넣은 후 소금을 점점 더 녹였을 때의 모습을 나타낸 것이다.

이에 대한 설명으로 옳은 것만을 보기에서 모두 고른 것은?

보기
ㄱ. 달걀이 물보다 밀도가 작다. ㄴ. 소금물의 농도가 진해질수록 소금물의 밀도가 커진다. ㄷ. 소금물의 농도가 진해질수록 달걀의 밀도가 작아진다.

① ㄱ ② ㄴ ③ ㄱ, ㄷ
④ ㄴ, ㄷ ⑤ ㄱ, ㄴ, ㄷ

09 다음 중 관련된 물질의 특성이 나머지와 다른 것은?

① 구명조끼를 입으면 물에 뜬다.
② 높은 산에서 밥을 지으면 설익는다.
③ 광고용 풍선에 헬륨을 넣어 공중에 띄운다.
④ 열기구 속의 공기를 가열하면 열기구가 떠오른다.
⑤ 잠수부는 허리에 밀도가 큰 납덩어리를 달고 물 속에 들어간다.

10 그림 (가), (나)와 같이 용기에 뜨거운 물과 찬물을 각각 넣고 용기 사이의 칸막이를 제거하였다.

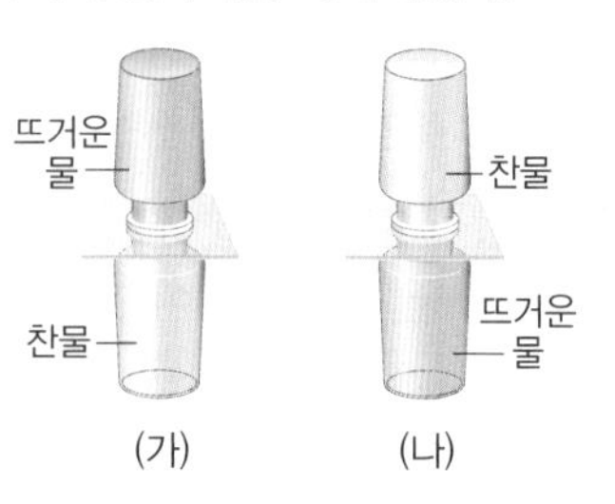

이에 대한 설명으로 옳은 것만을 보기에서 모두 고른 것은?

보기
ㄱ. 대류가 일어나는 것은 (나)이다. ㄴ. 뜨거운 물은 찬물보다 밀도가 작다. ㄷ. 찬물은 뜨거운 물보다 분자 사이의 거리가 멀다.

① ㄱ ② ㄷ ③ ㄱ, ㄴ
④ ㄴ, ㄷ ⑤ ㄱ, ㄴ, ㄷ

서술형

11 다음은 바다에 유출된 기름을 제거하기 위한 방법을 설명한 것이다.

선박이 좌초되어 기름이 바다로 흘러나오면 바닷물이 오염될 수 있다. 이것을 방지하기 위해 <u>물에 잘 뜨는 스타이로폼이나 기름막이를 이용하여 울타리를 만들어 기름이 더 이상 퍼져 나가는 것을 막은 후</u> 기름을 흡수하는 물질을 사용하여 기름을 제거한다.

밑줄 친 부분에서 알 수 있는 기름의 성질을 밀도와 관련지어 서술하시오.

정답과 해설 053쪽

B 용해도

12 물 100 g에 설탕 20 g을 완전히 녹여 혼합물을 만들었다. 이에 대한 설명으로 옳지 않은 것은?

① 설탕은 용질, 물은 용매이다.
② 설탕물의 농도는 20 %이다.
③ 용해 후 전체 부피가 작아진다.
④ 설탕물은 모든 부분의 농도가 같다.
⑤ 용해 전후의 분자 개수는 변하지 않는다.

13 농도가 20 %인 소금물 200 g을 만들기 위해 필요한 소금과 물의 양을 옳게 짝 지은 것은?

	소금	물		소금	물
①	10 g	190 g	②	20 g	180 g
③	20 g	200 g	④	40 g	160 g
⑤	40 g	200 g			

14 용해도에 대한 설명으로 옳은 것은?

① 포화 용액의 퍼센트 농도는 100 %이다.
② 기체의 용해도는 압력이 낮을수록 증가한다.
③ 용해도는 용질과 용매의 종류에 따라 다르다.
④ 불포화 용액은 온도를 높이면 포화 용액이 된다.
⑤ 고체의 용해도는 대체로 온도가 낮을수록 증가한다.

필수
15 그래프는 어떤 고체 물질의 물에 대한 용해도를 나타낸 것이다.

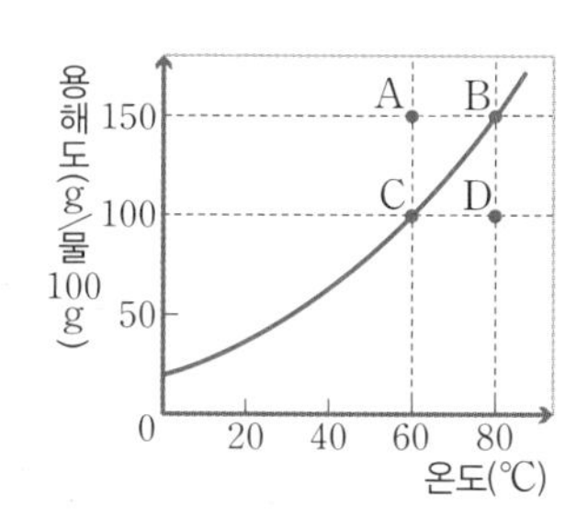

A~D 중 퍼센트 농도가 같은 것끼리 옳게 짝 지은 것은?

① A, C ② A, D ③ B, C
④ B, D ⑤ C, D

필수
16 그림은 고체 X와 Y의 물에 대한 용해도 곡선을 나타낸 것이다.

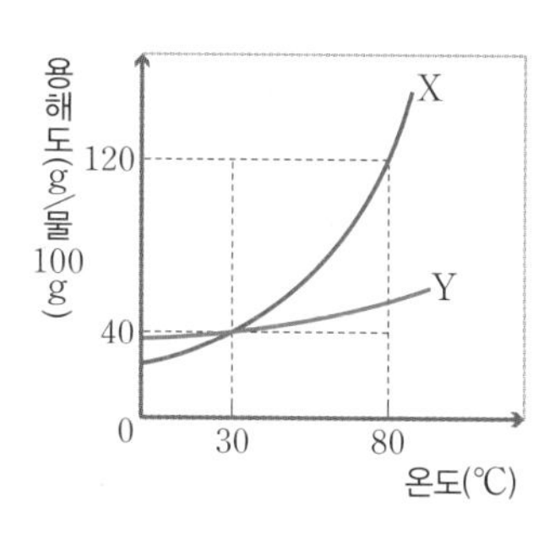

이에 대한 설명으로 옳지 않은 것은?

① 온도에 따른 용해도의 차는 X가 Y보다 크다.
② 온도가 올라갈수록 X와 Y의 용해도는 증가한다.
③ 80 ℃의 물 100 g에 X는 최대 120 g까지 녹을 수 있다.
④ 80 ℃의 물 100 g에 Y를 40 g 녹이면 불포화 용액이 된다.
⑤ 80 ℃의 X 포화 수용액 220 g을 30 ℃로 낮추면 180 g의 용질이 석출된다.

필수
17 그림은 여러 가지 고체의 용해도 곡선이다.

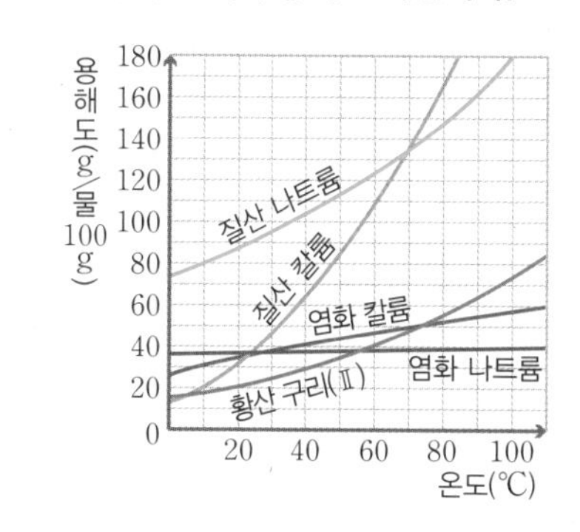

이에 대한 설명으로 옳지 않은 것은?

① 용해도 곡선상에 표시된 점은 포화 용액이다.
② 위의 고체는 모두 온도가 높을수록 용해도가 증가한다.
③ 온도 변화에 따른 용해도 차가 가장 큰 것은 염화 나트륨이다.
④ 40 ℃의 물 100 g에 가장 많이 녹을 수 있는 물질은 질산 나트륨이다.
⑤ 40 ℃의 물 100 g에 고체 50 g을 녹였을 때 불포화 상태인 용액은 2가지이다.

필수

18 그림은 어떤 고체의 용해도 곡선을 나타낸 것이다. 80 ℃의 물 100 g에 고체를 100 g 녹인 용액(A)을 포화 용액으로 만드는 방법으로 옳은 것은?

① 물 50 g을 더 넣는다.
② 물 25 g을 증발시킨다.
③ 온도를 60 ℃로 낮춘다.
④ 온도를 100 ℃로 높인다.
⑤ 고체 25 g을 더 넣는다.

[19-20] 다음은 온도에 따른 질산 칼륨의 용해도를 측정하는 실험 과정과 결과를 나타낸 것이다.

(가) 시험관 4개에 질산 칼륨을 각각 3 g, 6 g, 9 g, 12 g씩 넣고 30 ℃ 물을 10 g씩 넣는다.
(나) 스타이로폼 판지에 구멍을 뚫어 6 g, 9 g, 12 g씩 넣은 시험관 3개를 고정한 후 물이 담긴 비커에 넣고 질산 칼륨이 모두 녹을 때까지 가열한다.
(다) 각 시험관에 온도계를 넣고 흰색 결정이 생기기 시작할 때 용액의 온도를 측정한다.

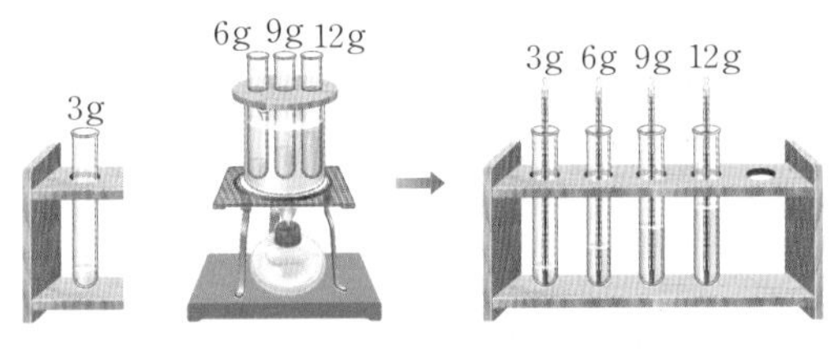

질산 칼륨의 양(g)	3	6	9	12
결정이 생기는 온도(℃)	20	37	51	65

필수

19 이에 대한 설명으로 옳은 것만을 보기에서 모두 고른 것은?

보기
ㄱ. 20 ℃에서 질산 칼륨의 용해도는 3이다.
ㄴ. 결정이 생기기 시작할 때 용액은 포화 상태이다.
ㄷ. 온도가 높아질수록 질산 칼륨의 용해도가 커진다.

① ㄱ ② ㄷ ③ ㄱ, ㄴ
④ ㄴ, ㄷ ⑤ ㄱ, ㄴ, ㄷ

필수

20 65 ℃에서 포화 상태인 질산 칼륨 수용액 220 g을 20 ℃로 냉각할 때 석출되는 질산 칼륨의 질량은?

① 9 g ② 45 g ③ 90 g
④ 190 g ⑤ 217 g

21 다음은 기체의 용해도의 특성을 알아보기 위한 실험 과정과 결과를 나타낸 것이다.

[실험 과정]
(가) 시험관 A~C에 사이다를 10 mL씩 넣고, 서로 다른 온도의 물이 들어 있는 비커에 각각 넣는다.

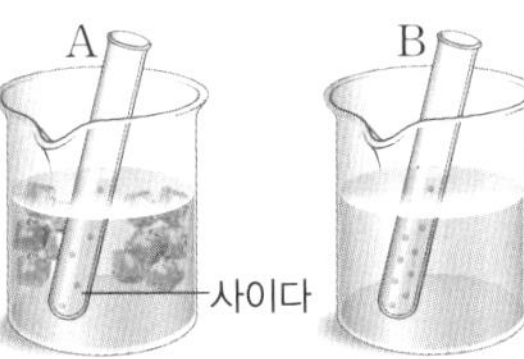

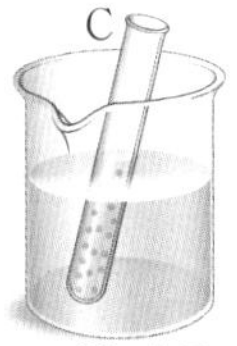

(나) 각 시험관에서 발생하는 기포의 양을 비교한다.
[실험 결과] 기포의 양 : A<B<C

이를 통해 도출할 수 있는 결론으로 가장 적절한 것은?

① 온도가 높을수록 기체의 용해도가 증가한다.
② 온도가 높을수록 기체의 용해도가 감소한다.
③ 압력이 낮을수록 기체의 용해도가 증가한다.
④ 압력이 낮을수록 기체의 용해도가 감소한다.
⑤ 발생하는 기포의 양이 많을수록 기체의 용해도가 증가한다.

서술형

22 다음은 신문 기사의 일부이다.

바닷가에 위치한 ○○발전소에서 냉각수를 식히지 않은 상태로 바다로 내보냈다는 의혹이 제기되었다. 발전소 주변의 어민들은 뜨거운 배수로 인한 물속의 산소 부족으로 고기들이 폐사했다며 강하게 항의하고 있다.

밑줄 친 부분의 원인을 기체의 용해도와 관련지어 서술하시오.

★ 정답과 해설 054쪽

필수

01 그림은 물에 녹지 않는 고체 A~D의 질량과 부피를 나타낸 것이다.

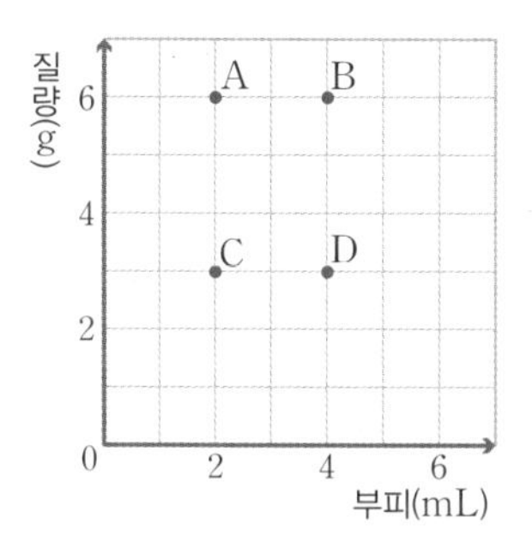

이에 대한 설명으로 옳은 것은?

① 밀도는 A보다 B가 크다.
② B와 C는 같은 물질이다.
③ 밀도는 B보다 D가 크다.
④ D를 물에 넣으면 가라앉는다.
⑤ D를 반으로 자르면 C와 밀도가 같아진다.

신유형

02 그림은 왕관이 순금으로 만들어졌는지 확인하기 위해 물이 든 항아리에 질량이 같은 왕관, 순금, 순은을 넣어 넘친 물의 부피를 비교한 모습을 나타낸 것이다.

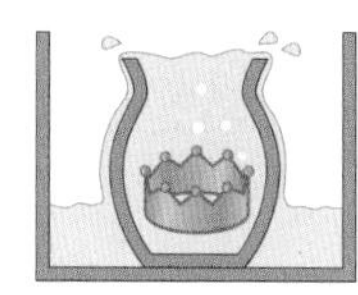
A(왕관)

B(순금)

C(순은)

이에 대한 설명으로 옳은 것만을 보기에서 모두 고른 것은?

보기
ㄱ. 밀도는 B<A<C이다.
ㄴ. 왕관에는 순금보다 밀도가 큰 물질이 섞여 있다.
ㄷ. 왕관이 순금이라면 넘친 물의 양이 순금과 같아야 한다.

① ㄱ ② ㄷ ③ ㄱ, ㄴ
④ ㄴ, ㄷ ⑤ ㄱ, ㄴ, ㄷ

필수

03 그래프는 어떤 고체 물질의 물에 대한 용해도를 나타낸 것이다. 이에 대한 설명으로 옳은 것은?

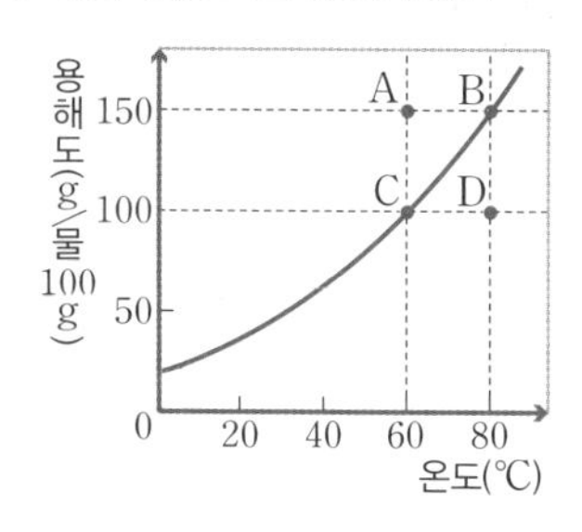

① A 용액은 불포화 용액이다.
② B 용액의 농도는 100 %이다.
③ D 용액의 온도를 높이면 포화 용액이 된다.
④ D 용액 100 g에는 50 g의 용질이 더 녹을 수 있다.
⑤ B 용액 250 g의 온도를 60 ℃로 낮추면 용질 50 g이 석출된다.

신유형

04 그림과 같이 둥근바닥 플라스크에 암모니아 기체를 넣고 물이 들어 있는 스포이트를 누르면 비커 안에 분수가 생긴다.

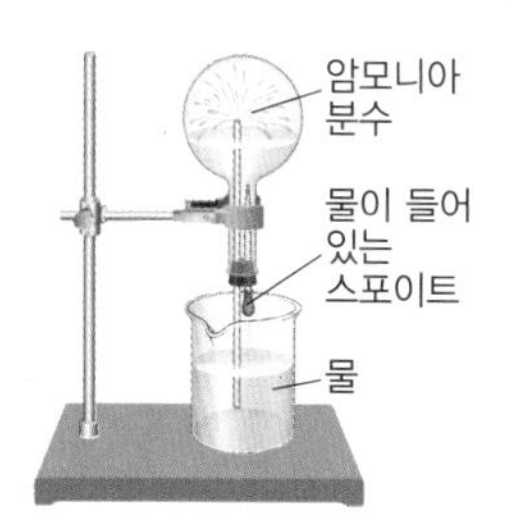

이와 관련된 물질의 특성으로 옳은 것은?

① 암모니아는 물보다 밀도가 작다.
② 암모니아는 물보다 끓는점이 낮다.
③ 암모니아는 물보다 녹는점이 낮다.
④ 암모니아는 물에 대한 용해도가 크다.
⑤ 압력이 낮아지면 물의 끓는점이 낮아진다.

Ⅵ. 물질의 특성

혼합물의 분리

물음으로 흐름잡기

끓는점 차를 이용한 분리 — 증류란? / 증류의 예?

용해도 차를 이용한 분리 — 거름이란? / 재결정이란?

A 끓는점 차를 이용한 분리

1. 증류❶ 액체 혼합물을 가열할 때 끓어 나오는 기체를 냉각하여 순수한 액체를 얻는 방법
예 소줏고리로 맑은 소주 만들기,❷ 바닷물에서 식수 얻기 등

교과서 탐구 물과 에탄올의 분리

▶ 과정
1. 가지 달린 삼각 플라스크에 물과 에탄올을 각각 50 mL씩 넣어 혼합한다.
2. 삼각 플라스크에 끓임쪽을 넣고 그림과 같이 장치한다.
3. 가열 장치로 가열하면서 1분 간격으로 온도를 측정하여 기록한다.
4. 온도가 일정하게 유지되는 동안 유리관으로 나오는 물질을 서로 다른 시험관에 모은다.

▶ 결과 및 해석

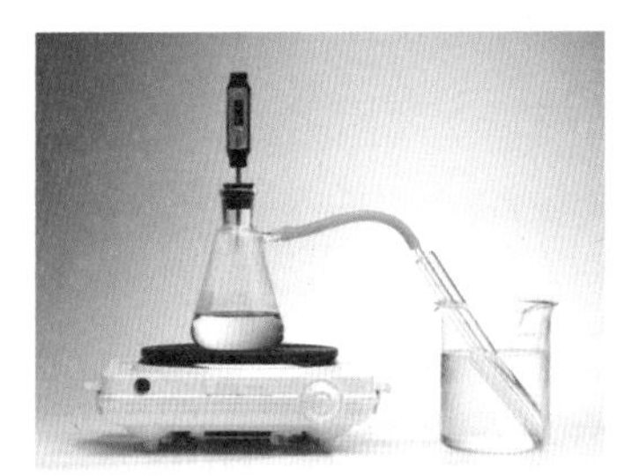

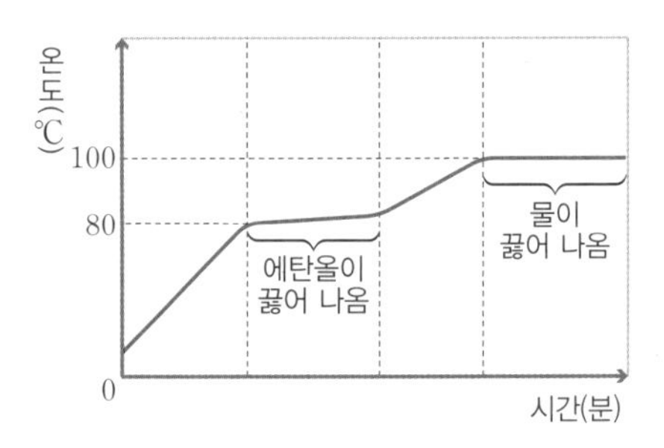

끓는점이 낮은 에탄올이 먼저 끓어 나오고, 끓는점이 높은 물이 나중에 끓어 나온다.

2. 원유의 분리 증류탑❸ 위쪽에서 끓는점이 낮은 성분부터 먼저 증류되어 나온다.

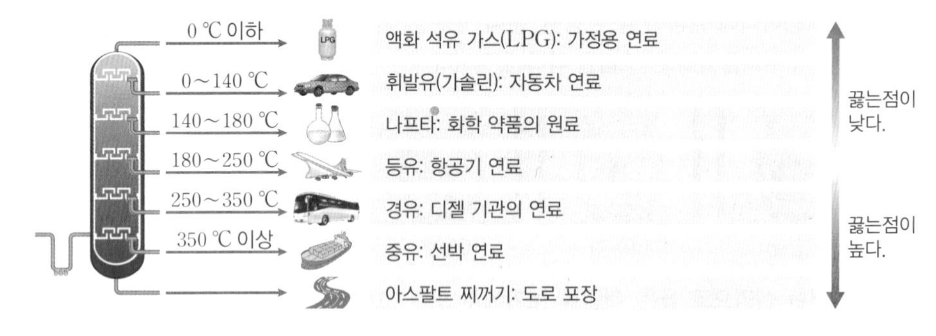

B 밀도 차를 이용한 분리

1. 고체 혼합물의 분리 밀도가 다른 고체 혼합물의 경우 고체를 녹이지 않고 두 고체 물질의 중간 밀도를 가진 액체에 두 고체 물질을 넣으면 한 물질은 액체 위에 뜨고, 다른 물질은 아래에 가라앉아 분리된다.

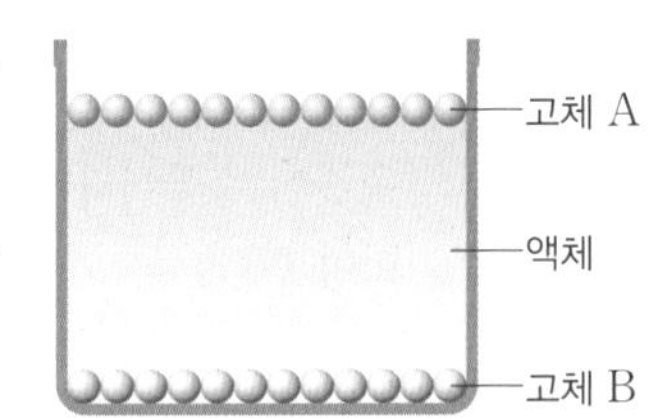

밀도 비교: 고체 A < 액체 < 고체 B

---

❶ 분별 증류
액체 혼합물에 증류를 반복하여 각각의 성분 물질로 분리하는 방법
예 물과 에탄올의 혼합물 분리, 물과 아세톤의 혼합물 분리, 원유 분리, 공기 분리 등

❷ 소줏고리의 원리

곡물을 발효시켜 만든 술을 가열하면 끓는점이 낮은 에탄올이 먼저 끓어 나오다가 찬물에 의해 냉각되어 액체 소주로 모인다. 소주는 발효주에 비해 에탄올의 농도가 높다.

❸ 증류탑의 특징
- 위쪽으로 갈수록 온도가 낮아진다.
- 증류탑 안에서 증류가 여러 번 일어난다.
- 증류탑의 높이가 높을수록 분리가 잘 된다.

용어 알기
- **끓임쪽** 액체가 갑자기 끓어 넘치는 것을 막기 위해 넣는 돌이나 유리 조각
- **원유** 땅속에서 뽑아낸 가공하지 않은 기름
- **나프타** 정제되지 않은 휘발유

2. 서로 섞이지 않는 액체 혼합물의 분리 혼합물을 분별 깔때기나 시험관에 넣으면 밀도가 큰 액체는 가라앉고, 밀도가 작은 액체는 떠올라서 층을 이룬다.

구분	액체의 양이 적을 때	액체의 양이 많을 때
실험 장치	스포이트 / 밀도가 작은 액체 / 밀도가 큰 액체	분별 깔때기 / 밀도가 작은 액체 / 밀도가 큰 액체 / 꼭지
방법	밀도가 작은 액체가 시험관의 위층에 있으므로 스포이트를 이용하여 위에 떠있는 액체를 분리	마개를 연 후 꼭지를 돌려 밀도가 큰 아래층의 액체를 분리하고, 밀도가 작은 위층의 액체는 위쪽 입구로 분리

혼합물	물과 식용유	물과 에테르	물과 사염화 탄소	간장과 참기름
위층	식용유	에테르	물	참기름
아래층	물	물	사염화 탄소	간장
밀도 비교	식용유＜물	에테르＜물	물＜사염화 탄소	참기름＜간장

3. 밀도 차를 이용한 분리의 예[4]

구분	원리	밀도 비교
사금 채취	사금이 섞인 모래를 그릇에 담아 물속에서 흔들면 모래는 씻겨 나가고, 사금이 남는다.	물＜모래＜사금
볍씨 고르기	볍씨를 소금물에 넣으면 속이 찬 좋은 볍씨는 아래로 가라앉고, 쭉정이는 위에 뜬다.	쭉정이＜소금물＜좋은 볍씨
달걀 고르기	달걀을 소금물에 넣으면 신선한 달걀은 아래로 가라앉고, 오래된 달걀은 위에 뜬다.	오래된 달걀＜소금물＜신선한 달걀
혈액 분리	혈액을 원심 분리기에 넣고 회전시키면 혈구는 아래로, 혈장은 위로 분리된다.	혈장＜혈구
키질	불순물이 섞인 곡물을 키에 넣고 까부르면 쭉정이는 날아가거나 앞쪽에 남고, 돌은 안쪽에 모인다.	쭉정이＜곡물＜돌

❹ 밀도 차를 이용한 혼합물 분리의 예

사금 채취

볍씨 고르기

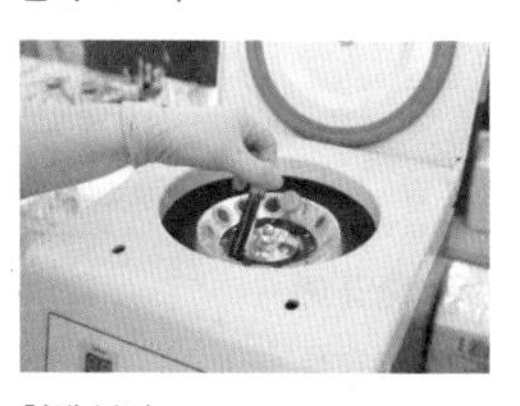
혈액 분리

키질

유출된 기름 제거

✱ 정답과 해설 055쪽

01 다음은 생활 속에서 혼합물을 분리하는 예이다. 공통적으로 이용되는 물질의 특성을 쓰시오.

- 증류탑에서 원유를 분리한다.
- 바닷물을 가열하여 식수를 얻는다.
- 발효주를 소줏고리에 넣고 가열하여 소주를 얻는다.

02 그림과 같이 혼합물을 분별 깔때기로 분리할 때, A층과 B층에 위치하는 물질을 각각 쓰시오.

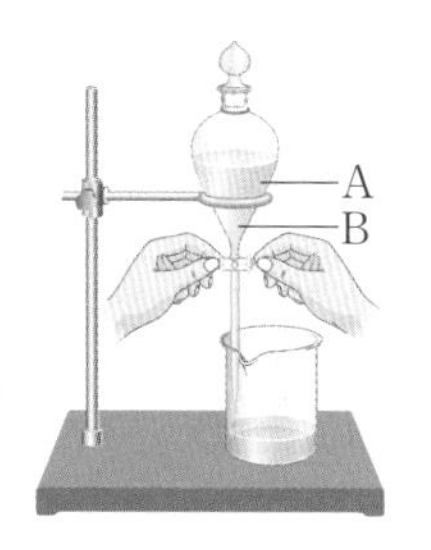

혼합물	A	B
물과 식용유	㉠	㉡
물과 사염화 탄소	㉢	㉣

03 혼합물의 분리

C 용해도 차를 이용한 분리

1. 용매에 대한 용해도 차를 이용한 분리

거름

① 고체 혼합물에서 용매에 녹지 않는 물질을 거름 장치로 걸러서 분리하는 방법
② 용매에 녹는 성분: 작은 알갱이로 나누어져 거름종이의 미세 구멍을 통과한다.
③ 용매에 녹지 않는 성분: 알갱이가 커서 거름종이를 통과하지 못하므로 거름종이 위에 남는다.
④ 예: 모래와 염화 나트륨 혼합물, 염화 나트륨과 나프탈렌 혼합물⑤

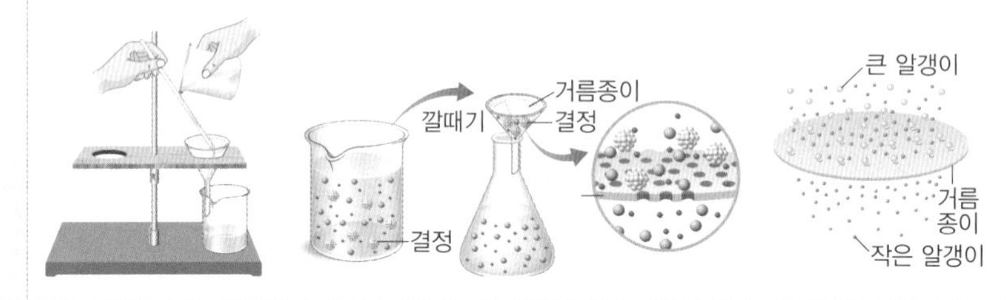

추출⑥

① 혼합물에서 특정 물질을 잘 녹이는 용매를 사용하여 물질을 분리하는 방법
② 예: 녹차 우려내기, 원두커피 내리기, 한약 달이기, 향수 만들기, 나물의 쓴맛 제거하기, 드라이클리닝으로 기름때 제거하기, 에테르로 콩에서 기름 성분 분리하기

기체 혼합물의 분리⑦

① 기체 혼합물에서 용매에 녹는 물질을 분리하는 방법
② 예: 화장실에서 암모니아 냄새 없애기, 비가 내리면 공기 오염 물질(이산화 황, 이산화 질소 등)이 줄어들고 산성비가 만들어지는 현상

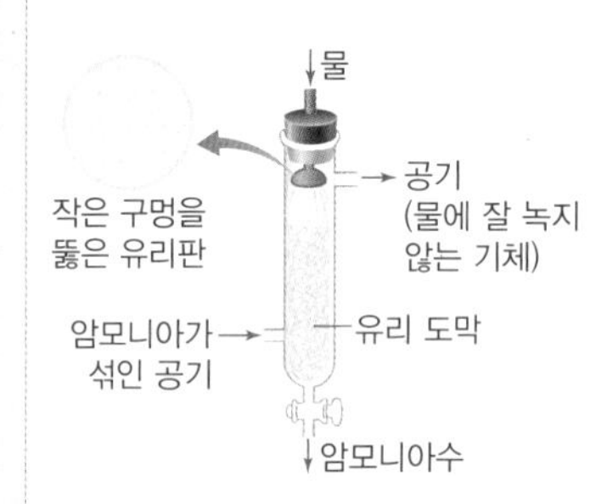

암모니아가 섞인 공기의 분리
암모니아는 물에 잘 용해되지만 공기는 물에 잘 용해되지 않는다. 물이 나오는 장치에 암모니아가 섞인 공기를 통과시키면 암모니아는 물에 녹아 암모니아수 형태로 장치 아래로 빠지고, 물에 녹지 않는 공기는 다른 가지로 나오게 된다.
➡ 물에 대한 용해도가 큰 기체는 물에 녹아 용액의 형태로 빠져나온다.

2. 온도에 따른 용해도 차를 이용한 분리

① 재결정: 적은 양의 불순물이 섞여 있는 물질을 용매에 녹인 후 온도에 따른 용해도 차를 이용하여 불순물을 제거하고 순수한 결정을 얻는 방법 탐구 공략하기 176쪽
예 천일염에서 정제 소금 얻기, 불순물이 섞인 황산 구리(Ⅱ)에서 순수한 결정 얻기

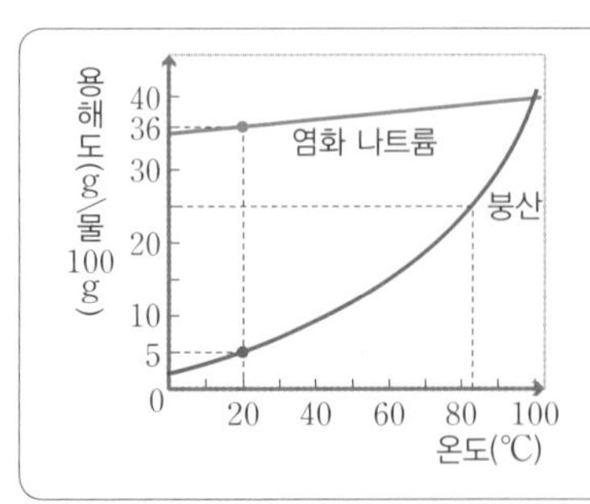

붕산의 재결정
① 물 100 g에 염화 나트륨 25 g과 붕산 25 g을 섞은 혼합물을 넣고 가열하여 완전히 녹인다.
② 온도를 서서히 20 ℃까지 낮춘다. ➡ 염화 나트륨은 불포화 상태이지만 붕산은 포화 상태를 넘어서게 되어 더 이상 녹아 있지 못하고 고체로 석출된다.
③ 거름 과정을 거쳐 고체를 분리한다. ➡ 온도에 따른 용해도의 차가 큰 물질이 결정으로 석출된다.

---

⑤ 소금과 나프탈렌 분리하기
- 용매가 물인 경우: 소금은 물에 녹고, 나프탈렌은 물에 녹지 않아서 거름종이 위에 나프탈렌이 남는다.
- 용매가 에탄올인 경우: 나프탈렌은 에탄올에 녹고, 소금은 에탄올에 녹지 않아서 거름종이 위에 소금이 남는다.

⑥ 추출의 예
- 차 티백을 물에 담가 두면 차가 우러난다.

- 한약을 달여서 약 성분을 얻는다.

- 나물을 삶아 찬물에 담가 두면 쓴맛을 내는 성분이 빠져나온다.

⑦ 물에 대한 기체의 용해도
- 용해도가 큰 기체: 암모니아, 염화 수소, 이산화 황 등
- 용해도가 작은 기체: 질소, 산소, 수소 등

D 이동 속도 차를 이용한 분리

1. 크로마토그래피[8] 혼합물의 각 성분 물질이 용매를 따라 이동하는 속도 차를 이용하여 혼합물을 분리하는 방법

㉮ 사인펜 잉크 색소 분리, 도핑 테스트*, 식물의 색소 분리, 농약 성분 검사, 음식에 포함된 유해 물질 검출

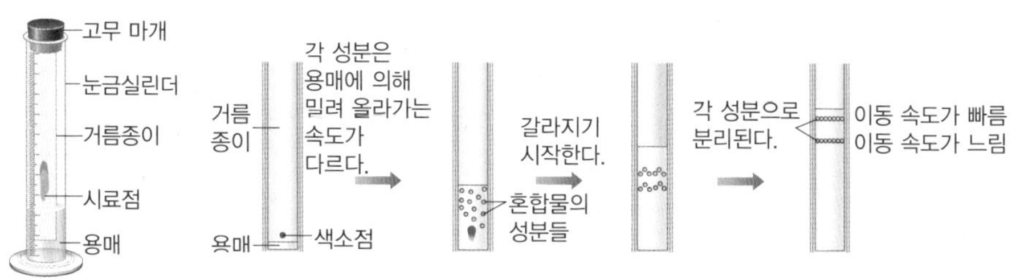

방법	• 색소점은 작고 진하게 여러 번 찍는다. • 혼합물을 모두 녹이는 용매를 선택한다. • 색소점이 용매에 잠기지 않게 장치한다. • 용매가 증발되지 않도록 용기의 입구를 막는다.
특징	• 매우 적은 양의 혼합물도 분리할 수 있다. • 분리 방법이 간단하고, 분리하는 데 걸리는 시간이 짧다. • 성질이 비슷하거나 복잡한 혼합물도 쉽게 분리할 수 있다. • 용매의 종류에 따라 분리되는 성분 물질의 수 또는 이동한 거리가 달라진다.

⑧ 크로마토그래피의 예

• 식물 잎의 색소를 분리한다.

용어 알기

• **도핑 테스트** 운동 경기 전후에 선수가 금지된 약물을 복용했는지 알아보기 위해 혈액이나 소변을 채취하여 실시하는 검사

★ 정답과 해설 055쪽

03 그림과 같은 장치로 혼합물을 분리할 때, 거름종이에 남는 물질(A)과 거름종이를 통과하는 물질(B)에 해당하는 물질을 각각 쓰시오.

혼합물	용매	A	B
소금과 모래	물	㉠	㉡
소금과 나프탈렌	물	㉢	㉣
소금과 나프탈렌	에탄올	㉤	㉥

04 그림은 콩에서 지방을 분리하는 과정을 나타낸 것이다. 이와 같이 혼합물을 분리하는 방법을 쓰시오.

05 다음은 생활 속에서 혼합물을 분리하는 예이다. 공통적으로 이용되는 물질의 특성을 쓰시오.

> • 소금과 모래의 혼합물을 물에 녹여 거른다.
> • 녹차 잎을 따뜻한 물에 넣으면 차가 우러난다.

06 크로마토그래피에 대한 설명으로 옳은 것은 ○표, 옳지 않은 것은 ×표를 하시오.

(1) 성분 물질의 밀도 차를 이용하여 분리하는 방법이다. ( )

(2) 크로마토그래피 결과 여러 색깔로 나뉘는 색소는 혼합물이다. ( )

(3) 혼합물의 양이 적을 때에는 크로마토그래피로 분리할 수 없다. ( )

탐구 공략 하기

질산 칼륨의 재결정

목표 재결정을 이용하여 질산 칼륨 속의 불순물을 제거할 수 있다.

공략 포인트 혼합물을 이루는 성분 중에서 온도에 따른 용해도 차가 큰 물질이 석출되면서 순수한 결정을 만들고, 온도에 따른 용해도 차가 작은 물질은 용액에 그대로 녹아 있으므로 두 물질을 분리할 수 있다.
온도에 따른 용해도의 차가 서로 다른 물질일수록 두 물질을 재결정으로 분리하기 수월하다.

과정

❶ 질산 칼륨에 불순물 섞기

물 50 g이 든 비커에 질산 칼륨 35 g과 황산 구리(Ⅱ) 1 g을 섞어 만든 혼합물을 넣고 모두 녹을 때까지 가열한다.
황산 구리(Ⅱ)는 불순물이므로 소량만 넣는다.

❷ 재결정

얼음물이 들어 있는 비커에 과정 ❶의 비커를 넣고 결정이 생길 때까지 식힌다.

❸ 거름

결정이 더 이상 생기지 않으면 거름 장치를 사용하여 과정 ❷의 용액을 거른다.
거름종이에 남은 고체에 증류수를 부어 씻어 내면 순수한 질산 칼륨을 얻을 수 있다.

결과

1. 거름종이 위에 흰색의 결정이 남는다. → 질산 칼륨이 결정으로 석출되었다.
2. 거른 용액은 푸른색을 띤다. → 황산 구리(Ⅱ)는 용액 속에 그대로 녹아 있다.

정리

1. 온도에 따른 용해도의 차가 큰 질산 칼륨은 순수한 결정으로 석출된다.
2. 온도에 따른 용해도의 차가 작은 황산 구리(Ⅱ)는 용액에 그대로 녹아 있다.
➡ 질산 칼륨이 황산 구리(Ⅱ)보다 온도에 따른 용해도 차가 크다.

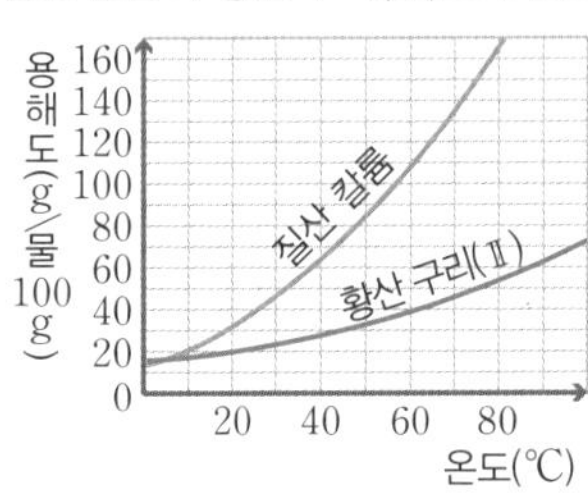

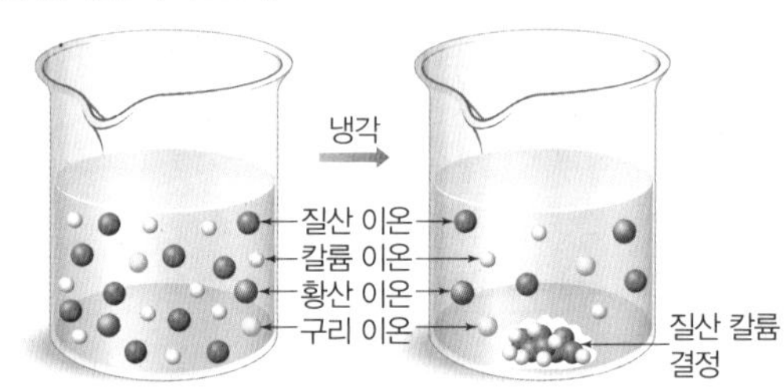

확인 문제

★ 정답과 해설 055쪽

01 사탕수수에서 얻은 설탕을 물에 녹인 다음 서서히 냉각하면 소량의 불순물을 제거하여 순수한 설탕을 얻을 수 있다. 이 현상의 원리로 옳은 것은?

① 밀도 차를 이용한 분리
② 끓는점 차를 이용한 분리
③ 녹는점 차를 이용한 분리
④ 용해도 차를 이용한 분리
⑤ 이동 속도 차를 이용한 분리

02 그림은 염화 나트륨과 붕산의 용해도 곡선을 나타낸 것이다. 80 ℃ 물 100 g에 염화 나트륨 25 g과 붕산 25 g을 모두 녹인 후 온도를 20 ℃까지 낮추었을 때 석출되는 물질을 쓰시오.

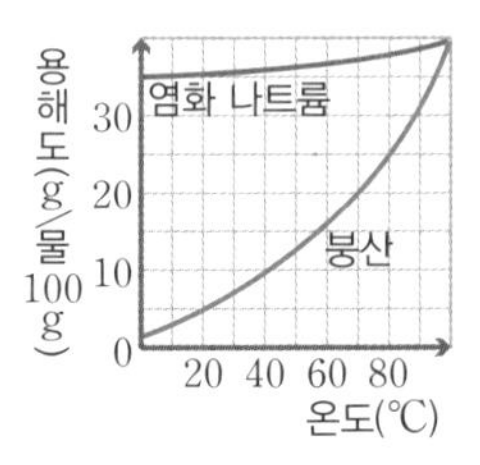

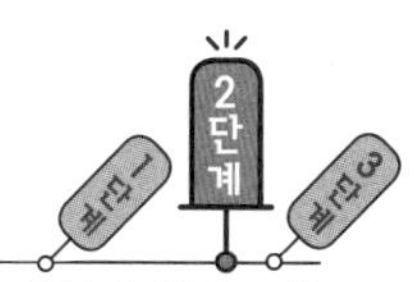

★ 정답과 해설 055쪽

A 끓는점 차를 이용한 분리

01 다음은 소줏고리를 이용하여 맑은 술을 만드는 방법에 대한 설명이다.

> 우리 조상들은 곡물로 만든 술에서 맑은 술을 얻기 위해 소줏고리를 이용하였다. 가마솥을 가열하면 기화한 술이 찬물이 담긴 그릇 바닥에서 액화하여 소줏고리의 가지로 흘러나온다.

이와 같은 혼합물의 분리 방법으로 옳은 것은?

① 증류 ② 거름 ③ 추출
④ 재결정 ⑤ 크로마토그래피

필수
02 그림의 장치를 이용하여 분리할 수 있는 혼합물로 가장 적절한 것은?

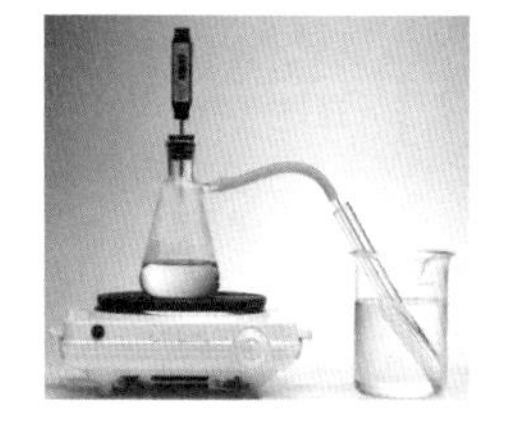

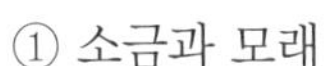

① 소금과 모래
② 물과 식용유
③ 물과 에탄올
④ 플라스틱과 스타이로폼
⑤ 질산 칼륨과 염화 나트륨

필수
03 그림은 같은 양의 물과 에탄올을 증류 장치에 넣고 가열하여 시간에 따른 온도 변화를 나타낸 그래프이다. 이에 대한 설명으로 옳은 것은?

① 두 물질은 밀도 차로 분리된다.
② 두 물질은 A 구간에서 고체 상태로 존재한다.
③ B 구간에서 주로 에탄올이 기화된다.
④ C 구간에서 물이 끓어 나온다.
⑤ D 구간에서 끓는점이 낮은 물질이 기화된다.

04 그림은 원유를 분리하는 증류탑의 구조를 나타낸 것이다. 이에 대한 설명으로 옳지 <u>않은</u> 것은?

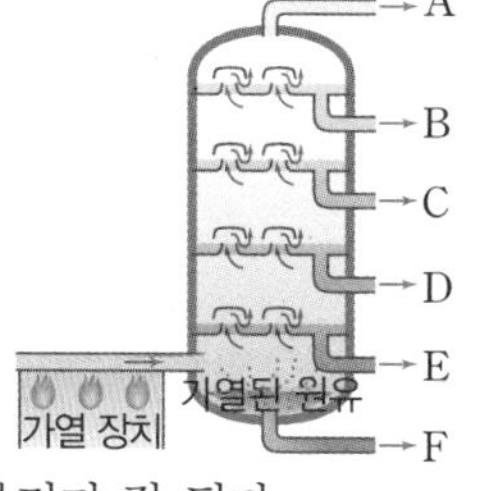

① 끓는점 차를 이용하여 분리한다.
② 증류탑 높이가 높을수록 분리가 잘 된다.
③ 증류탑 온도는 위쪽으로 갈수록 낮아진다.
④ A~F 중에서 끓는점이 가장 낮은 물질은 A이다.
⑤ A~F 중에서 가장 먼저 분리되는 물질은 F이다.

필수
05 그림은 뷰테인과 프로페인의 혼합물을 분리하는 과정을 나타낸 것이다.

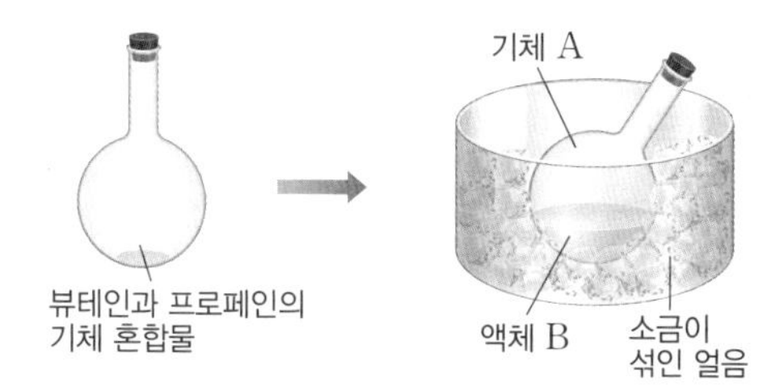

이에 대한 설명으로 옳은 것만을 보기에서 모두 고른 것은? (단, 뷰테인의 끓는점은 -0.5 ℃, 프로페인의 끓는점은 -42.1 ℃이다.)

> 보기
> ㄱ. A는 뷰테인, B는 프로페인이다.
> ㄴ. 끓는점이 높은 물질이 먼저 액화된다.
> ㄷ. A와 B는 물에 대한 용해도 차로 분리된다.

① ㄴ ② ㄷ ③ ㄱ, ㄴ
④ ㄱ, ㄷ ⑤ ㄴ, ㄷ

06 표는 네 가지 기체 물질의 끓는점을 나타낸 것이다.

기체	아르곤	질소	산소	프로페인
끓는점(℃)	−185.8	−195.8	−183.0	−42.1

위의 네 가지 기체 혼합물을 -200 ℃로 냉각한 후 온도를 서서히 높일 때 가장 먼저 분리되는 물질은?

① 산소 ② 질소 ③ 아르곤
④ 프로페인 ⑤ 질소, 프로페인

07 그림은 식초에서 물을 분리하기 위한 실험 장치를 나타낸 것이다.

이와 같은 혼합물의 분리는 물질의 어떤 특성을 이용한 것인가?

① 밀도 ② 끓는점 ③ 녹는점
④ 어는점 ⑤ 용해도

08 끓는점 차를 이용하여 혼합물을 분리한 예로 옳지 않은 것은?

① 바닷물로 식수 만들기
② 증류탑에서 공기 분리하기
③ 증류탑에서 원유 분리하기
④ 유조선에서 유출된 기름 제거하기
⑤ 소줏고리를 이용하여 소주 만들기

필수
09 그림은 바닷물에서 정수된 물을 얻는 모습을 나타낸 것이다.

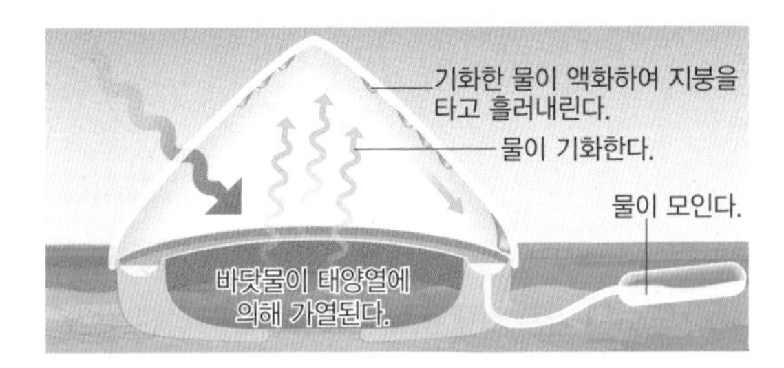

이와 같은 원리가 적용된 예로 옳지 않은 것은?

① 뜨거운 물로 녹차를 우려낸다.
② 정유 공장에서 원유를 분리한다.
③ 소줏고리로 맑은 소주를 얻는다.
④ 증류탑에서 액체 공기를 분리한다.
⑤ 물과 에탄올의 혼합물을 분리한다.

B 밀도 차를 이용한 분리

필수
10 표는 물에 녹지 않는 몇 가지 고체 물질의 질량과 부피의 측정 값을, 그림은 물에서 두 고체 혼합물이 분리된 모습을 나타낸 것이다.

물질	A	B	C	D	E
질량(g)	10	10	30	15	15
부피(mL)	20	5	20	10	20

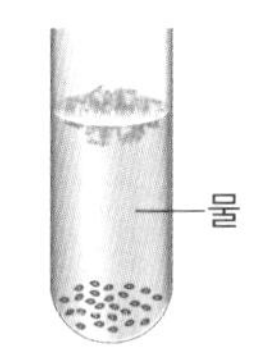

물질 A~E 중 두 가지를 섞어 물에 넣었을 때, 그림과 같이 분리되는 물질을 옳게 짝 지은 것은? (단, 물의 밀도는 1 g/cm³이다.)

① A와 B ② A와 E ③ B와 C
④ B와 D ⑤ C와 D

11 표는 여러 가지 액체의 밀도를 나타낸 것이다.

물질	A	B	C	D	E
밀도(g/cm³)	0.71	0.79	1.0	1.6	13.6

밀도가 0.9 g/cm³인 고체 X와 밀도가 1.2 g/cm³인 고체 Y의 혼합물을 분리하기 위해 넣어 줄 액체로 가장 적절한 것은? (단, X와 Y 두 고체는 표에 제시된 액체에 녹지 않는다.)

① A ② B ③ C ④ D ⑤ E

필수
12 그림과 같은 장치로 혼합물을 분리할 때 A와 B에 해당하는 물질을 옳게 짝 지은 것은?

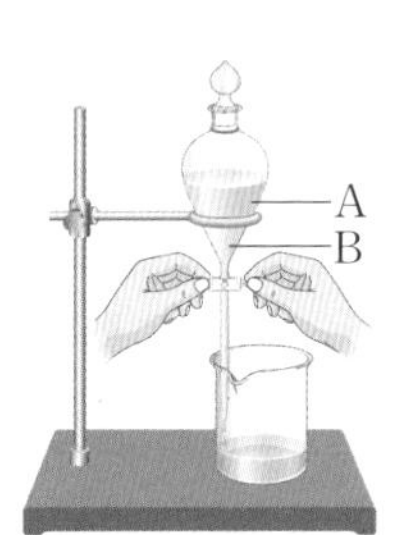

	A	B
①	물	식용유
②	물	에탄올
③	물	사염화 탄소
④	에탄올	물
⑤	사염화 탄소	물

★ 정답과 해설 055쪽

필수

13 그림은 볍씨를 소금물에 넣었을 때 알찬 볍씨와 쭉정이가 분리된 모습을 나타낸 것이다. 이에 대한 설명으로 옳지 않은 것은?

① 밀도 차를 이용하여 분리한다.
② 쭉정이는 소금물보다 밀도가 작다.
③ 알찬 볍씨는 소금물보다 밀도가 크다.
④ 쭉정이가 뜨지 않을 때는 물을 더 넣는다.
⑤ 소금물로 신선한 달걀을 고르는 것은 이와 같은 원리이다.

14 다음 혼합물의 분리 방법에서 공통적으로 이용되는 물질의 특성은?

- 소금물로 신선한 달걀을 고른다.
- 모래 속에 들어 있는 사금을 채취한다.
- 바다에서 유출된 기름이 퍼지지 않도록 기름막이를 설치한다.

① 농도　② 밀도　③ 끓는점
④ 녹는점　⑤ 용해도

서술형

15 그림과 같은 장치로 혼합물을 분리할 때 액체 A와 B에 대해 필요한 조건을 두 가지 서술하시오.

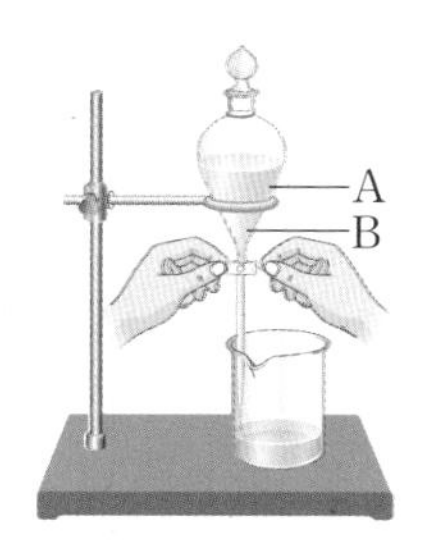

C 용해도 차를 이용한 분리

16 그림과 같은 장치로 분리할 수 있는 혼합물로 옳은 것은?

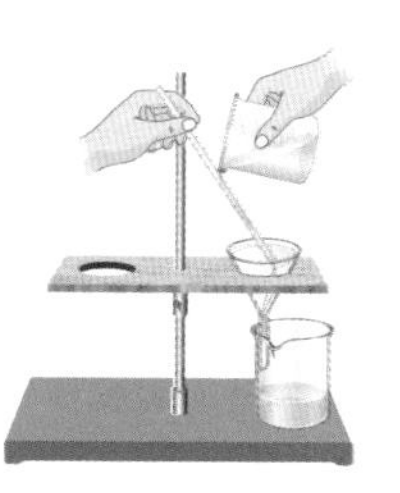

① 물과 식용유
② 물과 에탄올
③ 질소와 산소
④ 모래와 사금
⑤ 모래와 염화 나트륨

17 혼합물을 분리할 때 이용되는 물질의 특성이 나머지 넷과 다른 것은?

① 나물의 쓴맛 제거하기
② 콩에서 지방 분리하기
③ 소금과 나프탈렌 분리하기
④ 모래와 스타이로폼 분리하기
⑤ 천일염에서 정제 소금 분리하기

필수

18 그림은 염화 나트륨과 붕산의 용해도 곡선을 나타낸 것이다. 이 특성을 고려하여 염화 나트륨과 붕산의 혼합물을 분리할 수 있는 실험 장치로 가장 적절한 것은?

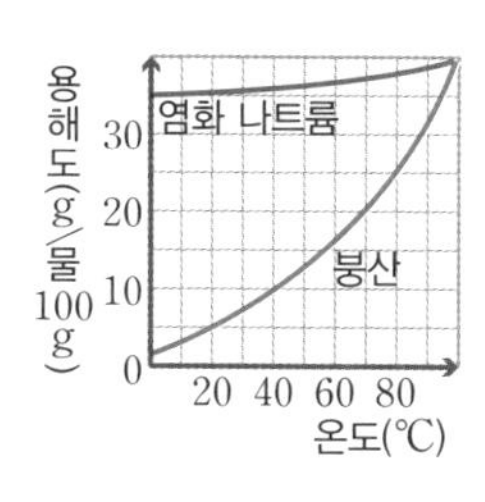

①
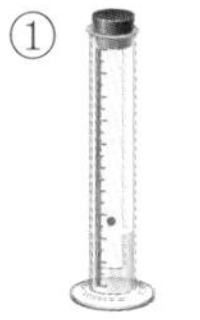

②

③
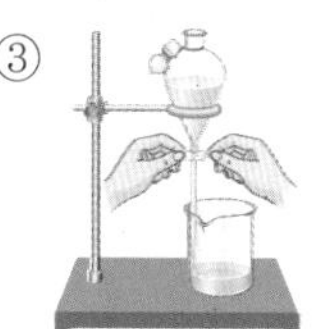

④
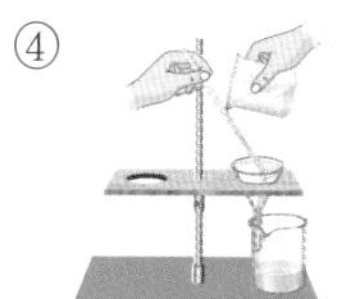

⑤
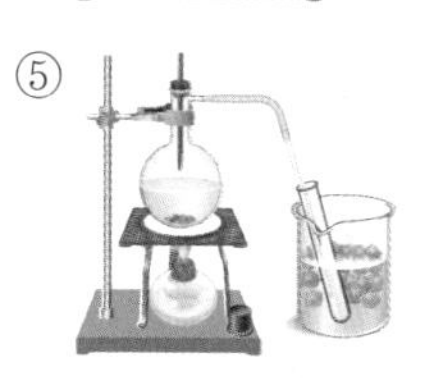

필수

19 그림은 소금과 나프탈렌의 혼합물을 물에 녹여 분리하기 위한 실험 장치를 나타낸 것이다. 이에 대한 설명으로 옳은 것은?

① A에는 소금이 남는다.
② 녹는점 차를 이용한 분리 방법이다.
③ B는 물에 녹아 거름종이 구멍을 통과한 물질이다.
④ 소금과 나프탈렌을 모두 녹이는 용매를 사용한다.
⑤ 물 대신 에탄올을 사용하여 같은 실험을 해도 결과가 같다.

필수

20 그림과 같이 공기와 암모니아의 혼합 기체를 물이 나오는 관에 통과시켰다. 이에 대한 설명으로 옳은 것만을 보기에서 모두 고른 것은?

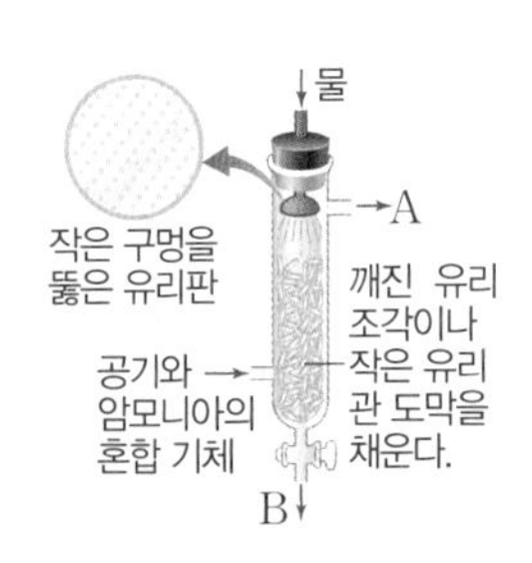

보기
ㄱ. 암모니아는 B를 통해 나온다. ㄴ. 물에 대한 밀도 차를 이용한 분리 방법이다. ㄷ. A에서는 기체, B에서는 수용액 상태의 물질이 나온다.

① ㄴ ② ㄷ ③ ㄱ, ㄴ
④ ㄱ, ㄷ ⑤ ㄴ, ㄷ

D 이동 속도 차를 이용한 분리

필수

21 크로마토그래피에 대한 설명으로 옳지 않은 것은?

① 적은 양의 혼합물도 분리할 수 있다.
② 비슷한 성질의 물질을 분리할 수 있다.
③ 용매를 따라 이동하는 속도 차로 분리한다.
④ 혼합물을 녹이지 않는 액체를 용매로 사용한다.
⑤ 운동선수의 금지 약물 복용 여부를 검사하는 도핑 테스트에 이용된다.

22 그림과 같은 장치를 이용하여 분리할 수 없는 것은?

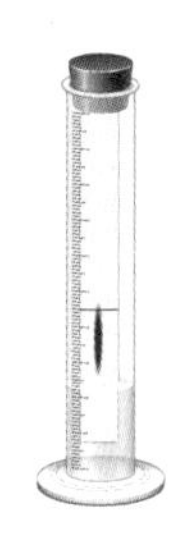

① 원유의 성분 분리
② 엽록소의 성분 분리
③ 운동선수의 도핑 테스트
④ 수성 사인펜의 색소 분리
⑤ 식품에 들어 있는 농약 검사

23 그림은 크로마토그래피를 이용하여 물질을 분리한 결과를 나타낸 것이다.

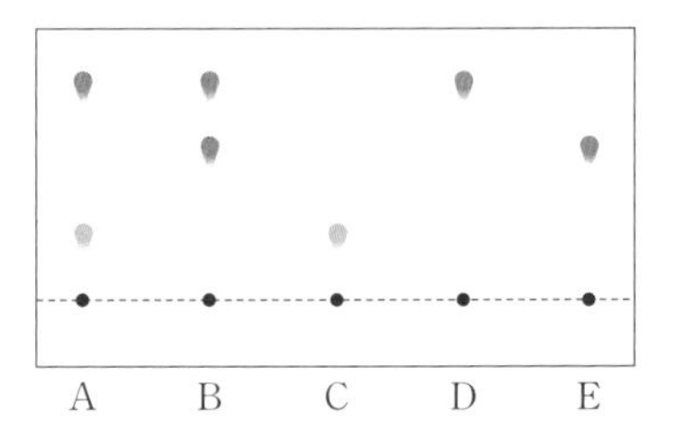

A~E 중에서 혼합물을 모두 고른 것은?

① A, B ② C, D ③ A, B, C
④ C, D, E ⑤ A, B, C, D, E

필수

24 그림은 크로마토그래피를 이용하여 물질을 분리한 결과를 나타낸 것이다.

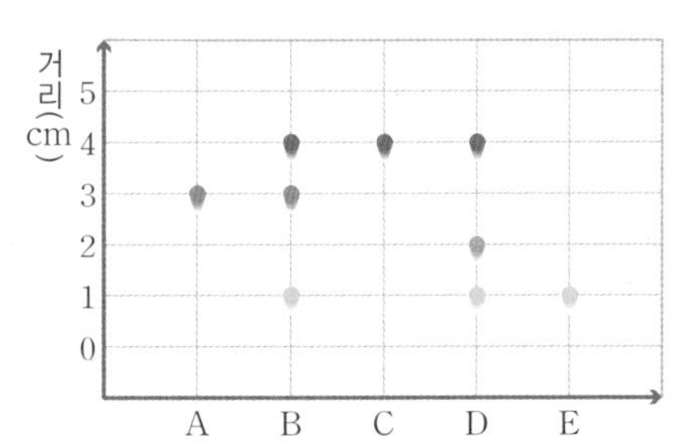

이에 대한 설명으로 옳지 않은 것은?

① D에는 C와 E가 포함되어 있다.
② B를 이루는 물질은 최소 3가지이다.
③ B와 D에는 공통으로 C와 E가 포함되어 있다.
④ 용매를 따라 이동하는 속도는 C<A<E 순이다.
⑤ A~E는 모두 용매에 녹는 물질이 포함되어 있다.

정답과 해설 057쪽

필수

01 그림은 곡물로 만든 술을 가열하여 맑은 술을 만드는 소줏고리의 구조를 나타낸 것이다.

이에 대한 설명으로 옳은 것만을 보기에서 모두 고른 것은?

보기
ㄱ. 이러한 분리 방법을 추출이라고 한다.
ㄴ. 끓는점이 높은 물이 먼저 끓어 나온다.
ㄷ. 맑은 술(소주)은 곡물로 만든 술보다 에탄올의 함량이 높다.

① ㄴ ② ㄷ ③ ㄱ, ㄴ
④ ㄱ, ㄷ ⑤ ㄴ, ㄷ

신유형

02 그림은 재질이 다른 플라스틱 A~C의 혼합물을 분리하기 위한 실험 과정을 나타낸 것이다.

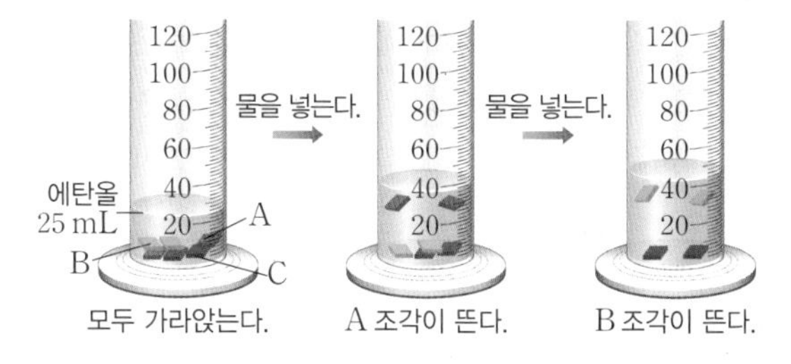

이에 대한 설명으로 옳지 않은 것은?

① 밀도 차를 이용하여 분리한다.
② A와 B를 물에 넣으면 모두 뜬다.
③ 밀도의 크기는 A<B<C 순이다.
④ A~C의 밀도는 모두 에탄올보다 크다.
⑤ 에탄올에 물을 넣으면 순수한 에탄올보다 밀도가 작아진다.

신유형

03 다음은 음료수에 포함된 카페인을 분리하는 방법에 대한 설명이다.

> 카페인은 물보다 메틸렌 클로라이드에 더 잘 녹고, 물과 메틸렌 클로라이드는 서로 잘 섞이지 않는다. 카페인을 함유한 음료수와 메틸렌 클로라이드를 같이 넣고 잘 흔들어 주면 음료수 속에 있던 ㉠ 카페인은 메틸렌 클로라이드에 대부분 녹게 된다. 그 다음 ㉡ 서로 섞이지 않는 두 용액을 분리한 후, ㉢ 메틸렌 클로라이드를 모두 증발시키면 카페인을 얻을 수 있다.

㉠~㉢ 과정에 이용된 물질의 특성을 옳게 짝 지은 것은?

	㉠	㉡	㉢
①	밀도	끓는점	용해도
②	밀도	녹는점	용해도
③	녹는점	밀도	끓는점
④	용해도	밀도	끓는점
⑤	용해도	녹는점	밀도

필수

04 다음은 황산 구리(Ⅱ) 결정을 만드는 과정이다.

> (가) 불순물이 섞인 황산 구리(Ⅱ)를 뜨거운 물에 최대한 녹여서 포화 용액을 만든다.
> (나) 작은 황산 구리(Ⅱ) 조각을 실로 묶어 (가) 용액 속에 담가 놓는다.
> (다) 용액이 식으면서 황산 구리(Ⅱ) 결정이 커지는 것을 관찰할 수 있다.

이에 대한 설명으로 옳은 것은?

① 이와 같은 분리 방법을 추출이라고 한다.
② 결정이 자라는 동안 용액은 포화 상태이다.
③ 위의 과정을 통해 불순물의 함량이 많아진다.
④ 황산 구리(Ⅱ)는 (가)보다 (다)에서 더 잘 녹는다.
⑤ (가)의 용액보다 (다)의 남은 용액의 농도가 더 진하다.

점수 표시가 없는 문제는 모두 3점입니다.

제한시간: 45분

01 그림과 같이 몇 가지 물질을 분류하였다.

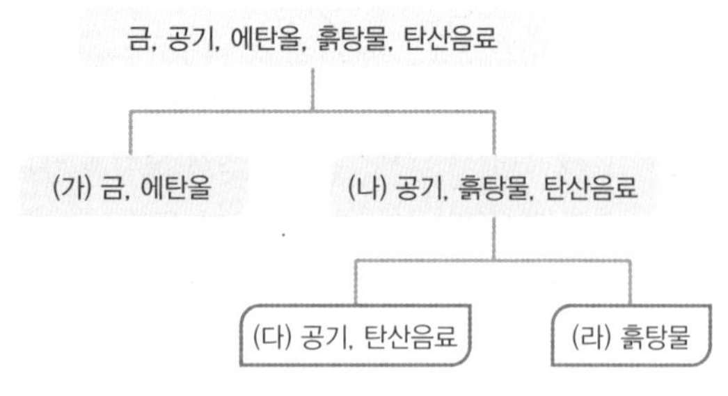

이에 대한 설명으로 옳은 것은? (4점)

① (가)는 끓는점이 일정하다.
② (가)는 2가지 이상의 물질이 섞여 있다.
③ (나)는 물질의 특성이 일정하다.
④ (다)는 1가지 물질로만 이루어져 있다.
⑤ (라)는 성분 물질이 고르게 섞여 있다.

02 물질을 구별할 수 있는 특성만을 옳게 짝 지은 것은?

① 부피, 색깔, 온도　② 길이, 냄새, 부피
③ 길이, 질량, 촉감　④ 냄새, 색깔, 끓는점
⑤ 농도, 무게, 끓는점

03 그림은 같은 세기의 불꽃으로 가열했을 때의 물 50 mL, 에탄올 50 mL, 에탄올 100 mL의 가열 곡선을 나타낸 것이다.

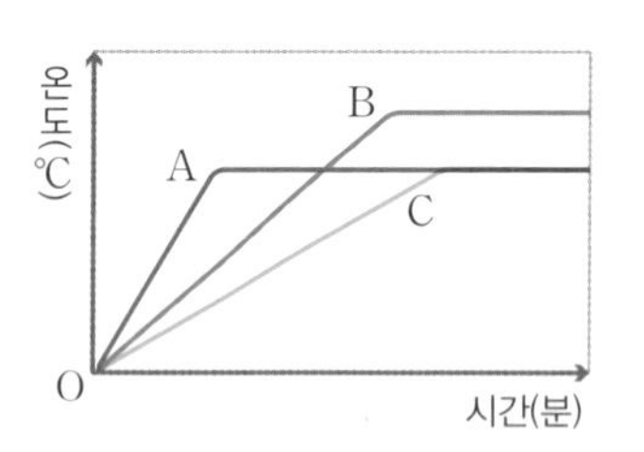

이에 대한 설명으로 옳은 것만을 보기에서 모두 고른 것은?

보기
ㄱ. A는 에탄올 50 mL이다. ㄴ. B와 C는 같은 물질이다. ㄷ. B의 끓는점이 가장 높다.

① ㄱ　② ㄴ　③ ㄱ, ㄷ
④ ㄴ, ㄷ　⑤ ㄱ, ㄴ, ㄷ

04 그림은 물과 소금물의 냉각 곡선을 나타낸 것이다.

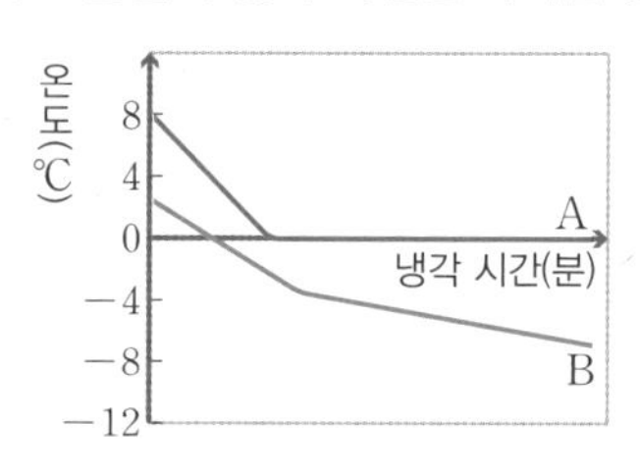

이에 대한 설명으로 옳지 않은 것은? (4점)

① A는 물, B는 소금물의 냉각 곡선이다.
② B의 농도는 온도가 낮아질수록 진해진다.
③ B는 얼기 시작한 후 온도가 계속 내려간다.
④ A의 어는점은 물질의 양과 관계없이 일정하다.
⑤ 이 냉각 곡선으로 원소와 화합물을 구분할 수 있다.

05 둥근바닥 플라스크에 물을 넣고 끓인 후 입구를 막고 잠시 식힌 다음, 플라스크를 거꾸로 세워 찬물을 부었더니 물이 다시 끓었다.

이와 같은 원리에 의해 일어나는 현상은? (4점)

① 염전에서 소금이 만들어진다.
② 하늘 높이 올라간 풍선이 터진다.
③ 염화 칼슘을 뿌리면 눈이 빨리 녹는다.
④ 높은 산에서 밥을 하면 밥이 설익는다.
⑤ 스프를 먼저 넣고 라면을 끓이면 면이 빨리 익는다.

06 표는 여러 가지 물질의 녹는점과 끓는점을 나타낸 것이다.

물질	A	B	C	D	E
녹는점(℃)	−218	−114	−39	0	80
끓는점(℃)	−183	78	357	100	218

25 ℃에서 고체 상태인 것은?

① A　② B　③ C　④ D　⑤ E

정답과 해설 057쪽

07 다음은 어떤 액체의 밀도를 측정하기 위한 실험 결과이다.

> • 빈 비커의 질량: 100 g
> • 액체가 담긴 비커의 질량: 146.5 g
> • 비커에 넣은 액체의 부피: 50 mL

이 액체의 밀도로 옳은 것은?

① 0.79 g/mL ② 0.93 g/mL ③ 1.07 g/mL
④ 1.26 g/mL ⑤ 1.59 g/mL

08 표는 아르키메데스가 왕관이 순금인지 확인하기 위해 수행한 실험의 결과를 나타낸 것이다.

구분	색깔	질량(g)	부피(cm^3)
순금	노란색	400	20.7
왕관	노란색	400	26.7

이에 대한 결론으로 가장 타당한 것은?

① 색이 같으므로 왕관은 순금이다.
② 질량이 같으므로 왕관은 순금이다.
③ 부피가 다르므로 왕관은 순금이 아니다.
④ 밀도가 다르므로 왕관은 순금이 아니다.
⑤ 위 실험 결과로는 순금인지 확인할 수 없다.

09 그림은 고체 A~C의 부피와 질량 사이의 관계를 나타낸 것이다.

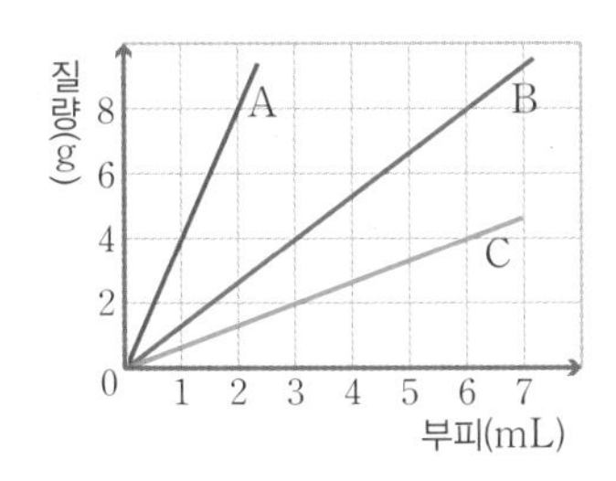

이에 대한 설명으로 옳지 않은 것은? (4점)

① A의 밀도가 가장 크다.
② A의 밀도는 B의 3배이다.
③ A, B, C는 모두 다른 물질이다.
④ C의 부피가 9 mL일 때 질량은 6 g이다.
⑤ 질량이 같을 때 B의 부피는 C의 2배이다.

10 용액 (가)~(다)의 퍼센트 농도를 옳게 비교한 것은? (4점)

> (가) 물 50 g에 설탕 50 g이 녹아 있는 용액
> (나) 설탕 50 g이 녹아 있는 설탕물 150 g
> (다) 20 %의 설탕물 100 g에 설탕 100 g을 더 녹인 용액

① (가)>(나)>(다) ② (가)>(다)>(나)
③ (나)>(가)>(다) ④ (다)>(가)>(나)
⑤ (다)>(나)>(가)

11 그림은 어떤 고체의 물에 대한 용해도 곡선을 나타낸 것이다. 이에 대한 설명으로 옳은 것만을 보기에서 모두 고른 것은? (4점)

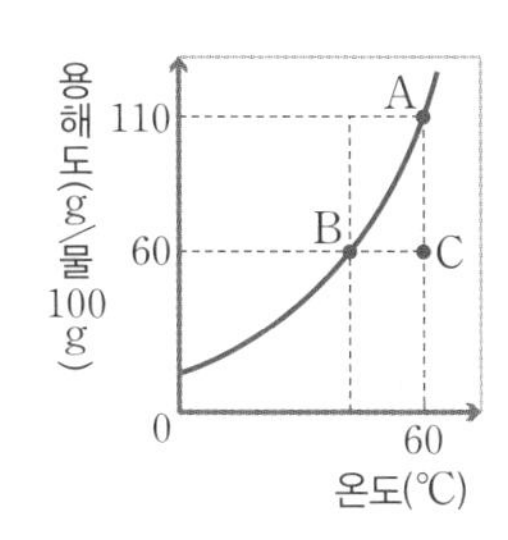

> 보기
> ㄱ. A 점 용액의 농도는 100 %이다.
> ㄴ. B 점과 C 점 용액의 퍼센트 농도는 같다.
> ㄷ. 60 ℃의 물 100 g에 이 고체를 60 g 녹이면 포화 용액이 된다.

① ㄱ ② ㄴ ③ ㄱ, ㄷ
④ ㄴ, ㄷ ⑤ ㄱ, ㄴ, ㄷ

12 그림과 같이 시험관 A~D에 같은 양의 사이다를 넣은 후 서로 다른 조건에서 발생하는 기포를 관찰하였다. 이에 대한 설명으로 옳은 것만을 보기에서 모두 고른 것은? (4점)

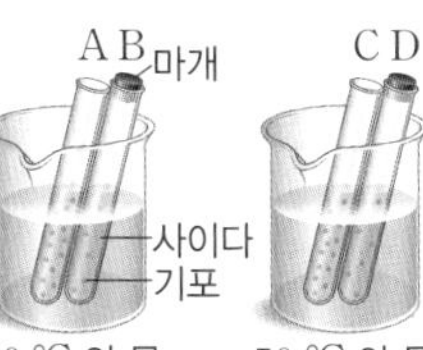

> 보기
> ㄱ. 기포가 가장 많이 발생하는 시험관은 B이다.
> ㄴ. A와 B 또는 C와 D를 비교하면 잠수병의 원인을 설명할 수 있다.
> ㄷ. A와 C 또는 B와 D를 비교하면 온도와 기체의 용해도 사이의 관계를 알 수 있다.

① ㄱ ② ㄴ ③ ㄱ, ㄷ
④ ㄴ, ㄷ ⑤ ㄱ, ㄴ, ㄷ

13 온도에 따른 기체의 용해도 곡선으로 옳은 것은?

①
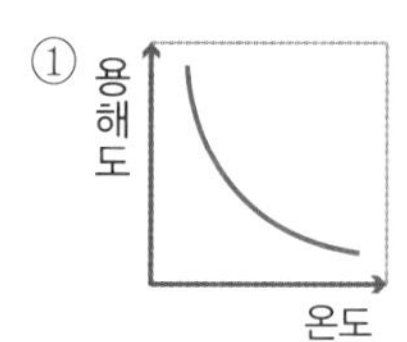

②
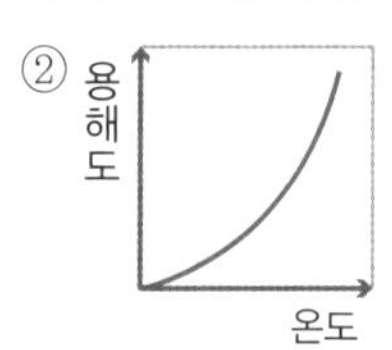

③
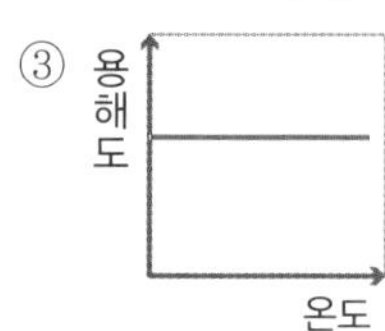

④
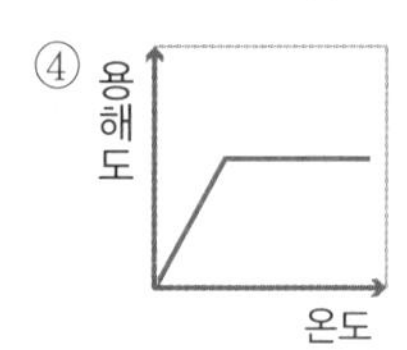

⑤
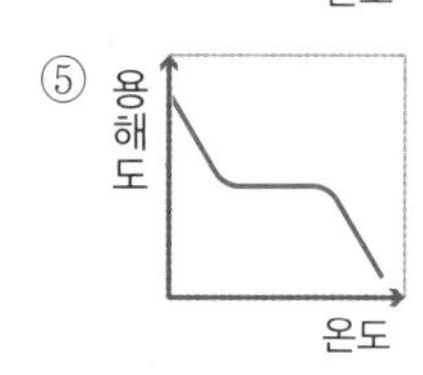

14 우리 조상들은 소줏고리에 막걸리를 넣고 가열하여 소주를 만들었다. 이와 같은 원리를 이용하여 혼합물을 분리하는 예로 가장 적절한 것은? (4점)

① 녹차 잎을 물에 우려낸다.
② 모래에 섞여 있는 사금을 골라낸다.
③ 간장에 뜬 기름을 숟가락으로 걷어 낸다.
④ 볍씨를 소금물에 넣어 쭉정이를 골라낸다.
⑤ 증류탑을 이용하여 원유를 성분 물질로 분리한다.

15 표는 두 물질의 특성을 정리한 것이다.

물질	녹는점(℃)	끓는점(℃)	밀도(g/mL)	용해도
A	0	100	1	A와 B는 섞이지 않음
B	−22.92	76.72	1.59	

물질 A와 B가 섞여 있는 혼합물을 분리하는 장치로 가장 적절한 것은? (4점)

①
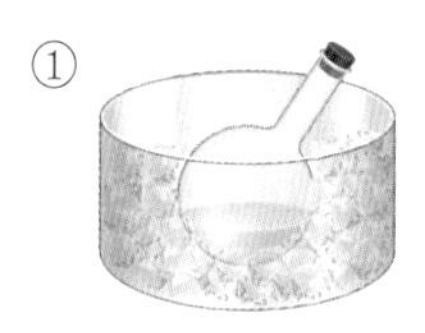

②

③
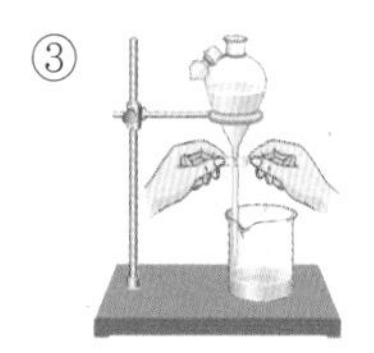

④
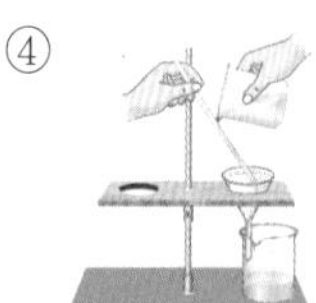

⑤
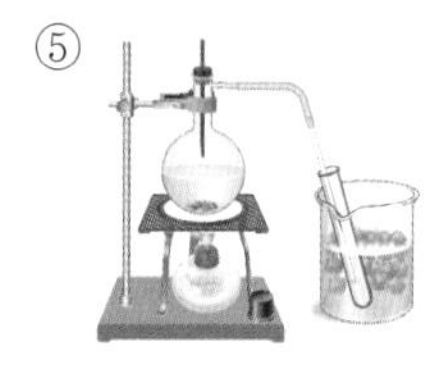

16 그림은 염화 나트륨과 붕산의 용해도 곡선을 나타낸 것이다. 80 ℃의 물 100 g에 염화 나트륨 20 g과 붕산 20 g을 모두 녹인 후 20 ℃로 냉각시킬 때에 대한 설명으로 옳은 것만을 보기에서 모두 고른 것은? (4점)

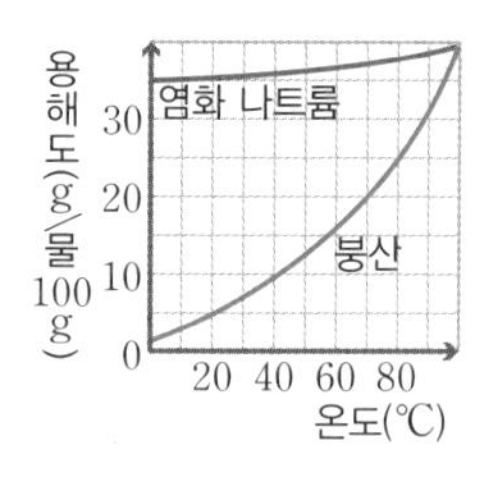

보기
ㄱ. 붕산이 석출된다.
ㄴ. 이 분리 방법은 추출이다.
ㄷ. 염화 나트륨 수용액은 불포화 상태이다.

① ㄱ ② ㄴ ③ ㄱ, ㄷ
④ ㄴ, ㄷ ⑤ ㄱ, ㄴ, ㄷ

17 그림은 물을 이용하여 수성 사인펜 잉크의 색소를 분리한 모습을 나타낸 것이다. (4점)

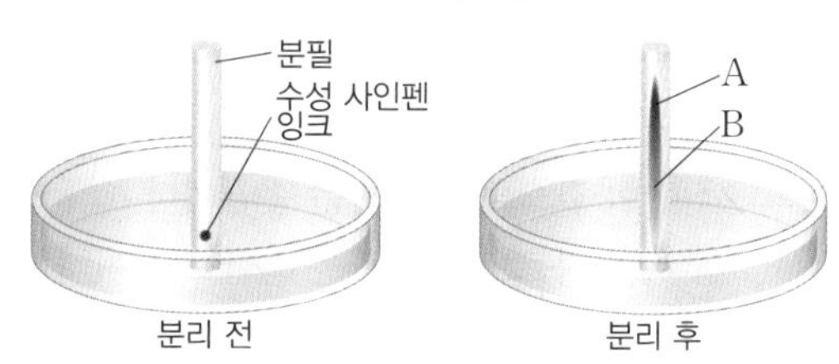

이에 대한 설명으로 옳은 것만을 보기에서 모두 고른 것은?

보기
ㄱ. 이 분리 방법은 크로마토그래피이다.
ㄴ. A가 B보다 이동하는 속도가 빠르다.
ㄷ. 물 대신 에탄올을 사용해도 결과는 같다.

① ㄱ ② ㄴ ③ ㄱ, ㄴ
④ ㄱ, ㄷ ⑤ ㄴ, ㄷ

18 혼합물과 그 혼합물을 분리할 때 이용되는 물질의 특성을 옳게 짝 지은 것은? (4점)

① 메탄올과 에탄올 – 용해도
② 사인펜 잉크의 색소 – 끓는점
③ 염화 나트륨과 나프탈렌 – 밀도
④ 질산 칼륨과 염화 나트륨 – 용해도
⑤ 물과 사염화탄소 – 용매를 따라 이동하는 속도

정답과 해설 057쪽

서/술/형/문/제

19 그림과 같이 주사기에 90 ℃ 정도의 물을 넣고 피스톤을 잡아당겼더니 물이 끓었다. 그 까닭을 서술하시오. (6점)

20 그림 (가)와 같이 에탄올에 고추기름을 넣었더니 두 액체가 섞이지 않고 고추기름이 컵 아랫부분에 가라앉았다. 이 컵에 스포이트로 물을 조금씩 넣었더니 그림 (나)와 같이 고추기름이 떠올랐다. 그 까닭을 밀도와 관련지어 서술하시오. (6점)

(가)

(나)

21 그림은 어떤 고체 X의 용해도 곡선을 나타낸 것이다. A 용액을 포화 용액으로 만들 수 있는 방법을 두 가지 서술하시오. (단, 물의 양은 일정하다.) (6점)

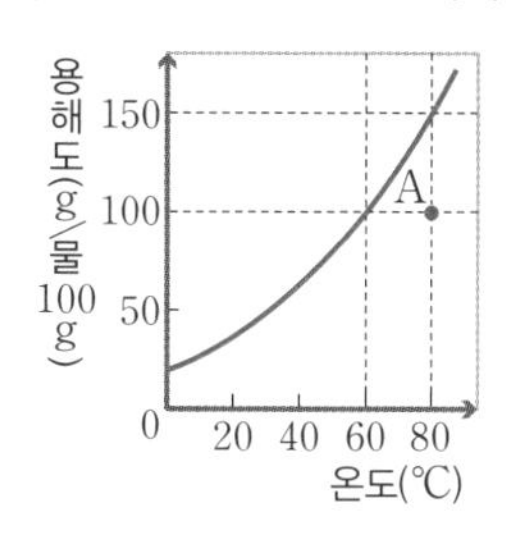

22 시험관 A~F에 같은 양의 사이다를 넣고 그림과 같이 장치하여 발생하는 기포를 관찰하였다. (각 4점)

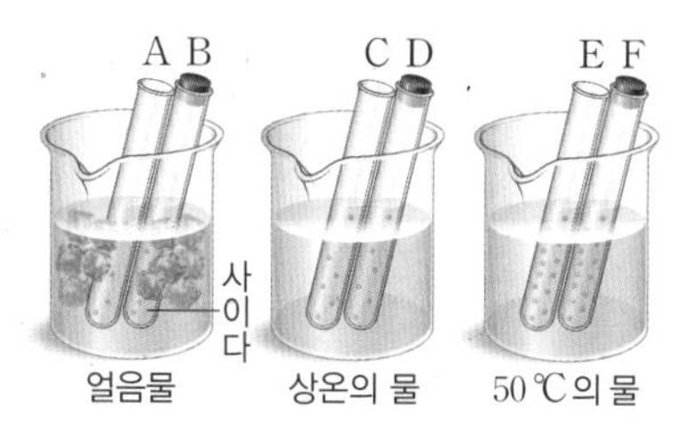

(1) A~F 중 압력과 기체의 용해도의 관계를 설명하기 위해 비교해야 할 시험관을 고르시오.

(2) A~F 중 기포가 가장 많이 발생하는 시험관을 고르고 그 까닭을 서술하시오.

23 표는 몇 가지 물질의 특성을 나타낸 것이다. (각 4점)

물질	녹는점(℃)	끓는점(℃)	밀도(g/mL)	용해도
A	0	100	1	C와 섞임
B	−23	64	1.59	A, C와 섞이지 않음
C	−117	78	0.79	A와 섞임

(1) A와 B의 혼합물을 분리하는 방법에 대해 쓰고, 그 까닭을 서술하시오.

(2) A와 C의 혼합물을 분리하는 방법에 대해 쓰고, 그 까닭을 서술하시오.

VII

수권과 해수의 순환

배울 내용이 쉬워지는 용어

배울 용어를 읽어보고, 이해가 되었으면 ✔ 표시를 해 봅시다.

☐ **수권** 지구에 존재하는 모든 물

☐ **육수** 수권 중 육지에 존재하는 물

☐ **해수** 수권 중 바다에 존재하는 물

☐ **수자원** 지구상의 물 중 이용 가능한 물

☐ **염류** 해수에 녹아 있는 여러 가지 물질

☐ **염분** 해수 1 kg 중에 녹아 있는 염류의 총량을 g 수로 나타낸 것

☐ **염분비 일정 법칙** 지역이나 계절에 따라 해수의 염분은 변하지만, 각 염류 간의 질량비는 어느 바다에서나 일정하다는 법칙

☐ **해류** 일정한 방향으로 지속적으로 흐르는 해수의 흐름

☐ **조경 수역** 한류와 난류가 만나는 곳

☐ **조석** 밀물과 썰물에 의해 해수면이 주기적으로 높아졌다 낮아지는 현상

☐ **만조** 밀물에 의해 해수면이 가장 높아진 때

☐ **간조** 썰물에 의해 해수면이 가장 낮아진 때

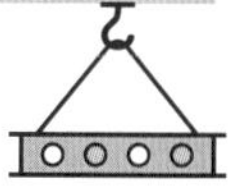

Ⅶ. 수권과 해수의 순환

수권과 해수의 성질

물음으로 흐름잡기

- 어떻게 분류해?
- 가장 많은 것은?
- 육수의 구성은?

해수의 성질
- 수온의 연직 분포는?
- 염분의 주요 변화 요인은?
- 염류 간의 염분비는?

A 수권의 분포와 특징

1. 수권의 분포 수권(지구상에 분포하는 모든 물)의 물은 크게 해수와 육수로 나눌 수 있는데, 해수가 대부분을 차지한다. 육수 중에는 빙하가 가장 많다.

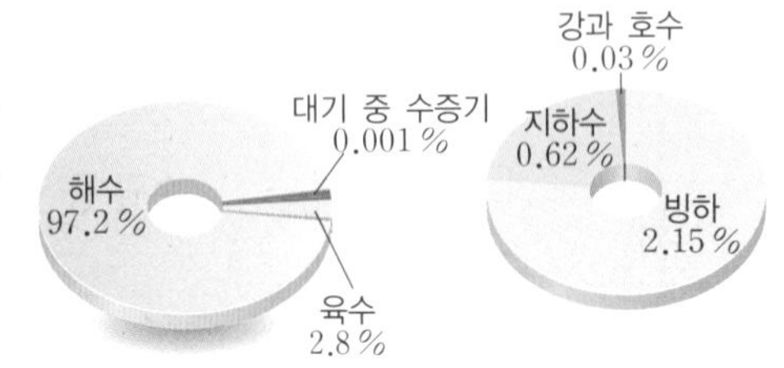

2. 수권을 구성하는 물의 특징

지구상의 물❶	해수(바닷물)	육수(육지의 물)			대기 중의 수증기
		빙하	지하수	강과 호수	
분포(%)	97.2	2.15	0.62	0.03	0.001
특징	여러 가지 염류가 포함되어 있다.	빙하가 가장 많으며, 강과 호수의 물은 수자원으로 많이 활용된다.			아주 적은 양이지만, 기상 현상을 일으키는 중요한 역할을 한다.

해수(바닷물) > 빙하 > 지하수 > 강과 호수 > 대기 중의 수증기

❶ **지구상의 물의 분포 변화** 최근 지구 온난화의 영향으로 극지방이나 고산 지대에 있는 빙하가 녹아 바다로 흘러 들어가고 있다. 그 결과 빙하의 양은 줄어들고, 해수의 양이 증가하여 해수면이 상승하고 있다.

B 우리나라의 수자원

1. 수자원 지구상의 물 중 이용 가능한 물로서, 용도에 따라 생활용수, 공업용수, 농업용수, 유지용수로 분류한다.

생활용수	우리가 마시거나 일상생활에 사용하는 물
공업용수	공장에서 제품을 만들 때 사용하는 물
농업용수	논이나 밭에서 작물을 재배할 때 사용하는 물
유지용수●	강이나 하천의 기능을 유지하기 위해 사용하는 물

2. 우리나라의 수자원 용도

① 우리나라의 수자원은 대부분 강과 호수로부터 얻는다.

② 비나 눈으로 내리는 연평균 강수량을 수자원 총량이라고 하는데, 이 중 하천이나 지하수 등을 이용하며, 이용하는 양은 약 28 %이다.

③ 현재 농업용수로 가장 많이 활용하고 있지만, 생활 수준의 향상으로 생활용수의 이용량이 급격히 증가하고 있다.

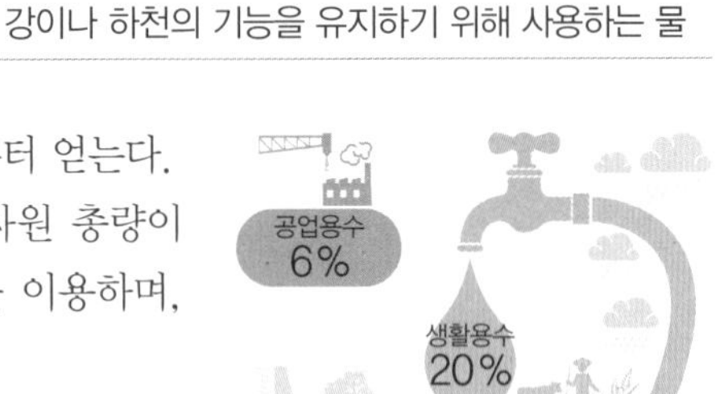

▲ 우리나라의 용도별 수자원 이용 현황

우리나라의 월별 강수량

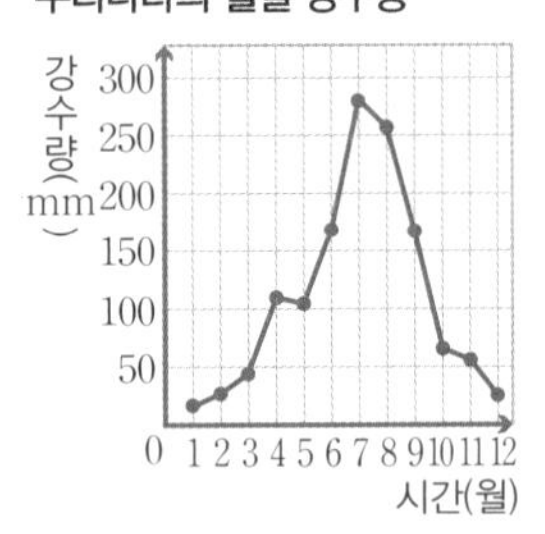

1년 강수량의 65 % 정도가 6~9월 사이에 집중되어 있다.

3. 수자원의 가치

① 수자원은 우리가 마시는 물부터 농업용수, 공산품 및 전기 생산 등 우리 생활에서 꼭 필요하며, 대체할 수 없는 자원으로서의 중요한 가치를 지닌다.

② 지하수는 강이나 호수보다 더 많은 양이 분포하고 있으며, 빗물을 통해서 지속적으로 채워져 수자원으로서 중요한 가치를 지닌다.

③ 수권에서 바로 활용할 수 있는 물은 매우 적은 양이므로 오염을 방지하고, 빗물 저장 시설과 같은 저수 시설을 통해 물 부족에 대비하여야 한다.

지하수의 활용
- 가뭄 때 물이 부족하면 지하수를 끌어 올려 사용한다.
- 식수, 목욕탕, 수영장, 온천 등에 이용한다.

용어 알기
- **유지용수** 하천의 형태를 유지하고 환경을 보호하는 데 필요한 물

C 해수의 온도

1. 표층 해수의 수온 분포 해수면의 온도는 저위도 지방에서 고위도 지방으로 갈수록 대체로 낮아진다.❷ ➡ 저위도에서 고위도로 갈수록 해수면에 도달하는 태양 복사 에너지의 양이 줄어들기 때문이다.

해수 표면의 온도는 대체로 위도와 나란하게 분포한다.

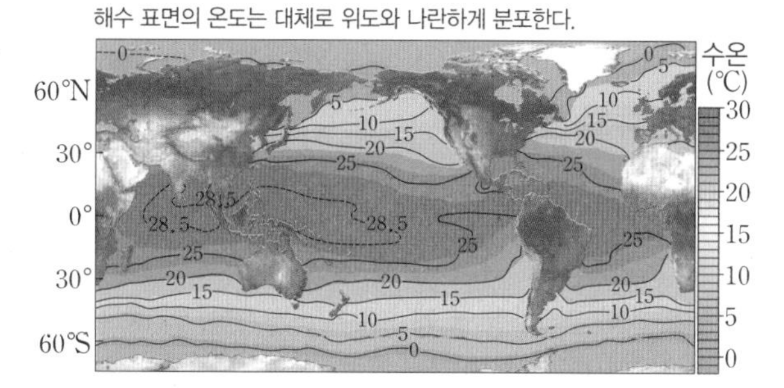

해수의 연직 수온 분포에 영향을 미치는 주된 요인은 태양 복사 에너지와 바람이다.

2. 해수의 연직 수온 분포 해수면에 입사된 태양 복사 에너지는 대부분 해수 표면에서 흡수되므로 깊이가 깊어질수록 온도가 낮아지지만, 바람의 영향으로 3개의 층을 이룬다.❸

혼합층	• 해수면 부근에 나타나는 수온이 일정한 층 ➡ 바람의 영향으로 해수가 섞이기 때문 • 혼합층의 두께는 장소와 계절에 따라 달라지는데, 바람이 강할수록 두께가 두껍게 나타난다.❹
수온 약층	• 깊이 들어갈수록 태양 복사 에너지를 적게 받아 수온이 급격히 내려가는 층 • 안정된 층으로, 혼합층과 심해층 사이의 열과 물질 전달을 억제한다.
심해층	• 수온 변화가 거의 없는 냉수층 • 계절이나 위도에 따른 수온 변화가 거의 없다.

태양 복사 에너지가 도달하지 않기 때문

교과서 탐구 해수의 연직 수온 분포

▶ **과정** 수조의 물속에 5개의 온도계를 깊이를 달리하여 장치한 후 전등을 켜고 각 온도계의 눈금이 일정해지면 온도를 측정한다. 또 수면에 작은 선풍기로 바람을 일으킨 후 온도계의 눈금이 일정해지면 다시 온도를 측정한다.

▶ **결과 및 해석**

수온(℃) 15 20 25 30 / 깊이(cm) 0 2 4 6 8 / ㉠ ㉡ ㉢ / 선풍기 — 작동 전 — 작동 후

❶ 물: 해수, 전등: 태양, 작은 선풍기를 작동시키는 것: 바람으로 가정
❷ 해수의 연직 수온 분포는 태양 복사 에너지와 바람의 영향을 받는다.
❸ ㉠은 혼합층, ㉡은 수온 약층, ㉢은 심해층에 해당한다.

❷ 위도별 표층 해수의 수온 분포

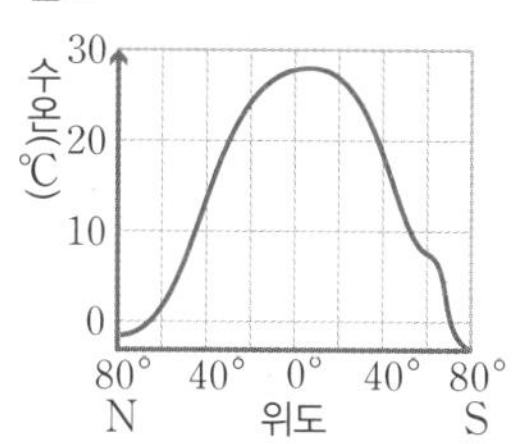

❸ 해수의 층상 구조

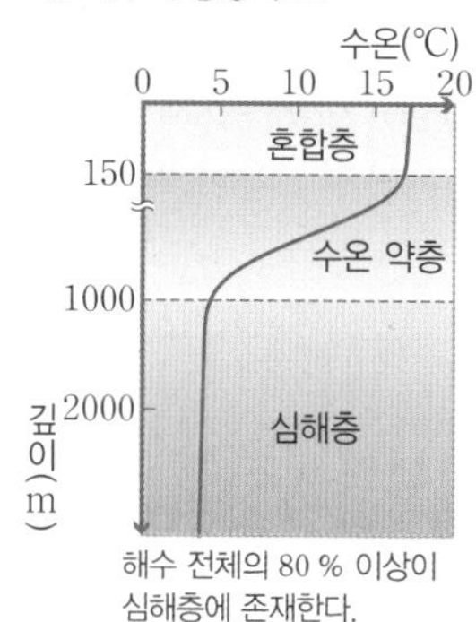

해수 전체의 80 % 이상이 심해층에 존재한다.

❹ 계절에 따른 해수의 층상 구조 변화
계절에 따라 태양 복사 에너지와 바람의 세기가 달라지므로 해수의 연직 수온 분포가 변한다. 즉, 바람이 강한 계절에는 혼합층이 두꺼워지고, 일사량이 많은 여름철에는 표층과 심층의 온도 차이가 커지므로 수온 약층이 뚜렷하게 발달한다.

개념 다지기

★ 정답과 해설 060쪽

01 다음 설명에 해당하는 것을 보기에서 골라 기호를 쓰시오.

보기
ㄱ. 해수 ㄴ. 빙하 ㄷ. 지하수
ㄹ. 강과 호수 ㅁ. 대기 중의 수증기

(1) 지구상에 분포하는 물 중 가장 많은 양을 차지한다. ( )
(2) 육지의 물 중 가장 많은 양을 차지한다. ( )
(3) 식수, 농업용수로 가장 많이 활용된다. ( )
(4) 기상 현상을 일으키는 역할을 한다. ( )

02 해수의 연직 수온 분포에 대한 설명으로 옳은 것은 ○표, 옳지 않은 것은 ×표를 하시오.

(1) 바람이 강할수록 혼합층의 두께는 두꺼워진다. ( )
(2) 수온 약층에서는 해수의 대류 운동이 활발하다. ( )
(3) 심해층은 계절이나 위도에 따른 수온 변화가 거의 없다. ( )
(4) 적도 지방은 바람이 강하므로 혼합층이 두껍게 발달한다. ( )

01 수권과 해수의 성질

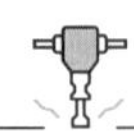

D 염류와 염분

1. 염류[5] 해수에 녹아 있는 여러 가지 물질로 염화 나트륨이 가장 많고, 염화 마그네슘이 두 번째로 많다.

2. 염분 해수 1 kg 중에 녹아 있는 염류의 총량을 g 수로 나타낸 것

① 단위: psu 또는 천분율인 ‰(퍼밀)을 사용 ② 전 세계 해수의 평균 염분: 약 35 psu*

해수 1 kg에 염류 35 g이 녹아 있음을 의미한다.

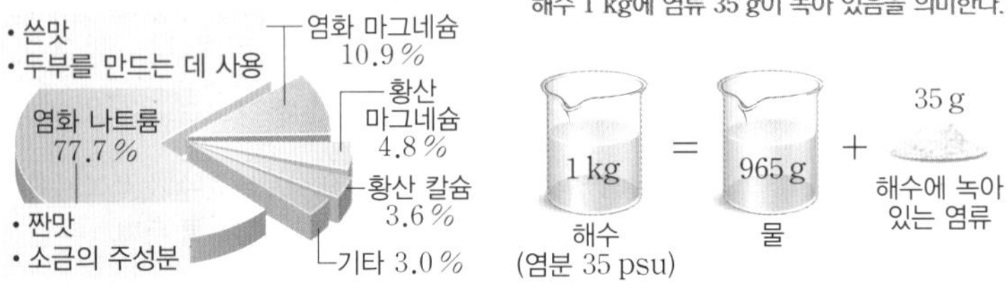

▲ 해수에 녹아 있는 염류의 양

▲ 해수의 평균 염분

3. 염분의 변화

① 염분의 변화 요인: 강수량과 증발량, 강물의 유입량, 해수의 결빙과 해빙 등[6]

변화 요인	염분이 높은 곳	염분이 낮은 곳
증발량과 강수량	증발량 > 강수량	증발량 < 강수량
강물의 유입량	강물이 흘러들지 않는 바다	강물이 흘러드는 바다
해수의 결빙과 해빙	해수가 어는 바다	빙하가 녹는 바다

해수가 얼 때 순수한 물만 얼기 때문에 염분이 높아진다.

② 위도에 따른 염분 분포[7]

- 적도 지방: 염분이 낮다. ➡ 흐리고 비가 오는 날이 많아 강수량이 많기 때문
- 중위도 지방: 염분이 높다. ➡ 연중 날씨가 맑으므로 증발량이 많기 때문
- 고위도 지방: 염분이 낮다. ➡ 눈이 많이 내리고, 빙하가 녹는 양이 많기 때문

위도 20°~30° 부근의 바다에서 염분이 높다.

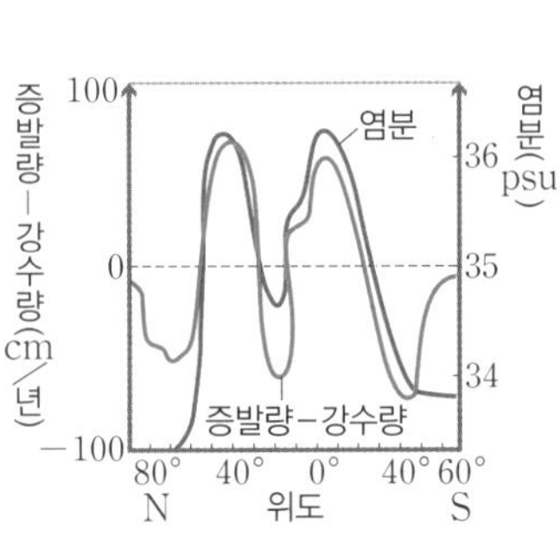

▲ 위도별 염분 분포

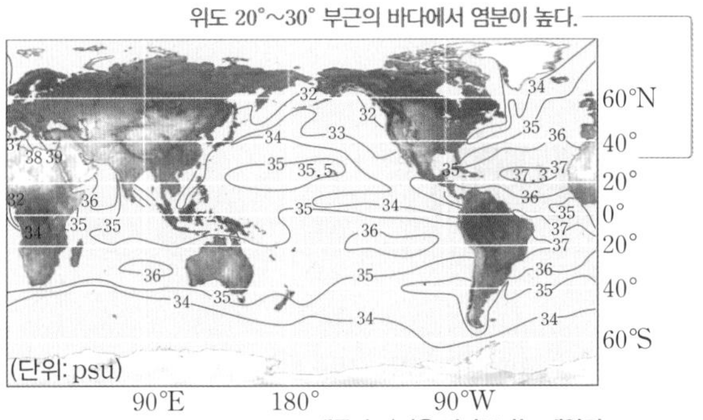

▲ 전 세계 해양의 표층 염분 분포

대륙과 가까운 바다보다는 대양의 한가운데가 염분이 높다.

4. 우리나라 부근 바다의 염분 분포

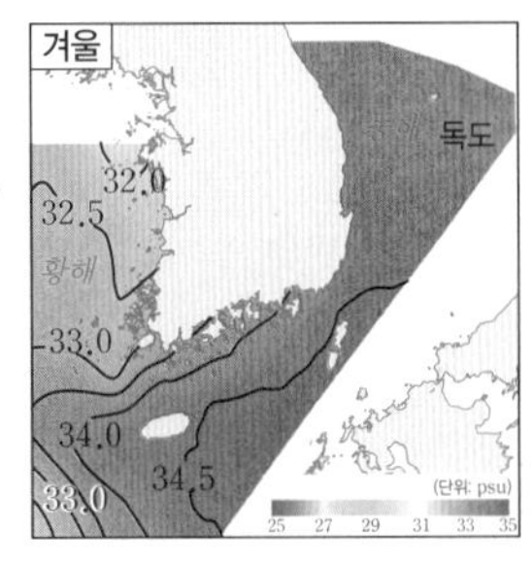

염분 분포	원인
황해 < 동해	황해는 동해보다 강물의 유입량이 많기 때문
여름철 < 겨울철	여름철은 겨울철보다 강수량이 많기 때문
해안에서 가까운 바다 < 먼 바다	해안 가까운 지역일수록 강물의 유입량이 많기 때문

---

5 염류의 기원

대부분의 염류는 지각의 물질이 강물이나 지하수에 녹아 바다로 흘러들어간 것이다.

- 지각의 물질이 녹아 들어온 것: 나트륨, 칼슘, 마그네슘, 칼륨
- 해저 화산에서 분출된 물질이 녹아 들어온 것: 염소, 황
- 대기 성분이 해수에 녹아 들어온 것: 산소, 이산화 탄소

6 염분에 영향을 미치는 요인

증발량이 많고 (강물의 유입량+강수량)이 적을수록 염분은 높고, 증발량이 적고 (강물의 유입량+강수량)이 많을수록 염분은 낮다.

7 위도별 염분 분포

해수의 염분에 가장 큰 영향을 주는 요인은 증발량과 강수량이다. 따라서 위도별 염분 분포는 (증발량−강수량)의 값과 거의 비례한다.

용어 알기

- **psu** 실용염분단위의 약자로서, 15 ℃, 1기압 상태에서 전류를 흘려보내 측정하며 psu는 ‰과 거의 같은 값을 가짐

E 염분비 일정 법칙

해수의 염분은 염류의 양이 달라져서 변하는 것이 아니라 증발과 강수 등에 의해 물의 양이 달라져서 변한다.

1. 염분비 일정 법칙 지역이나 계절에 따라 해수의 염분은 변하지만, 각 염류 간의 질량비는 어느 바다에서나 일정하다.

㉮ 동해와 사해의 염분은 각각 33 psu, 200 psu로 서로 다르지만, 두 바다에서 염화 나트륨이 차지하는 질량비는 거의 같다.

2. 염분비가 일정한 까닭 증발이나 강수에 의해 염분이 달라져도 해수는 항상 움직이면서 서로 섞이기 때문에 염류 간의 질량비는 일정하다.

교과서 탐구 염분비 일정 법칙

▶ 과정 표는 황해와 지중해의 해수 1 kg 속에 녹아 있는 염화 나트륨과 염화 마그네슘의 질량 및 전체 염류에 대한 비율을 나타낸 것이다. 두 바다에서 염분과 각 염류가 차지하는 질량비를 구해 보자.

지역	해수 1 kg 속의 전체 염류의 질량(g)	염화 나트륨		염화 마그네슘	
		질량(g)	구성비(%)	질량(g)	구성비(%)
황해	32	24	75	3.2	10
지중해	40	30	A	4.0	B

▶ 결과 및 해석

❶ 지중해의 염분(40 psu)은 황해의 염분(32 psu)보다 높다.

❷ 지중해에서 염화 나트륨이 차지하는 비율 $A=\frac{30\text{ g}}{40\text{ g}}\times100=75$ %로서, 황해와 같다.

또 염화 마그네슘이 차지하는 비율 $B=\frac{4.0\text{ g}}{40\text{ g}}\times100=10$ %로서, 황해와 같다.

➡ 황해와 지중해에서 각 염류가 차지하는 비율은 같다. ➡ 염분비 일정 법칙

염류의 비율을 계산하는 방법
전체 염류에서 한 염류가 차지하는 비율은 $\frac{\text{한 염류의 양}}{\text{전체 염류의 양}}\times100(\%)$의 식을 이용하여 구한다.

염분비 일정 법칙 쉽게 이해하기
찌개를 끓일 때 소금과 고춧가루를 2 : 1의 비율로 넣었을 때 찌개가 졸면 찌개는 짜진다(염분). 그러나 찌개 속의 소금과 고춧가루의 비율은 2 : 1로 변하지 않는다(염분비 일정 법칙).

★ 정답과 해설 060쪽

03 그림은 어떤 해수 1 kg 속에 녹아 있는 여러 염류의 질량을 측정하여 나타낸 것이다.

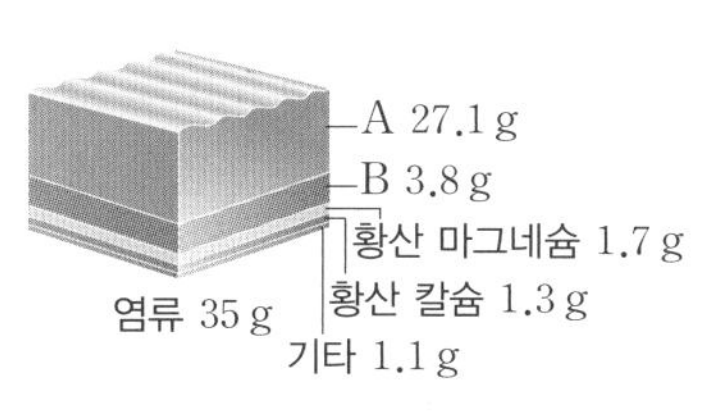

(1) 염류 A, B는 각각 무엇인지 쓰시오.

(2) 이 해수의 염분은 얼마인지 쓰시오.

04 다음 글의 ㉠~㉢에 들어갈 알맞은 말을 쓰시오.

> 해수 1 kg 속에 녹아 있는 전체 염류의 양을 g 수로 나타낸 것을 (㉠)이라 하며, 단위로는 (㉡) 또는 ‰(퍼밀)을 사용한다. 전 세계 해수의 평균 (㉠)은 약 (㉢)이다.

05 염분의 변화에 대한 설명으로 옳은 것은 ○표, 옳지 않은 것은 ×표를 하시오.

(1) 빙하가 녹는 해빙 지역은 염분이 낮다. ( )

(2) 강물의 유입량이 많은 바다는 염분이 높다. ( )

(3) 강수량이 증발량보다 많은 지역의 바다는 염분이 낮다. ( )

06 다음 글의 ㉠, ㉡에 들어갈 알맞은 말을 쓰시오.

> 우리나라의 동해와 황해 중 염분이 더 낮은 곳은 (㉠)이다. 그 까닭은 (㉡)이 많기 때문이다.

계산 공략 하기

염류의 양 구하기

해수의 양과 염분 이용하기

❶ 염분은 해수 1 kg에 포함된 염류의 양(g)이므로 다음의 비례식이 성립한다.

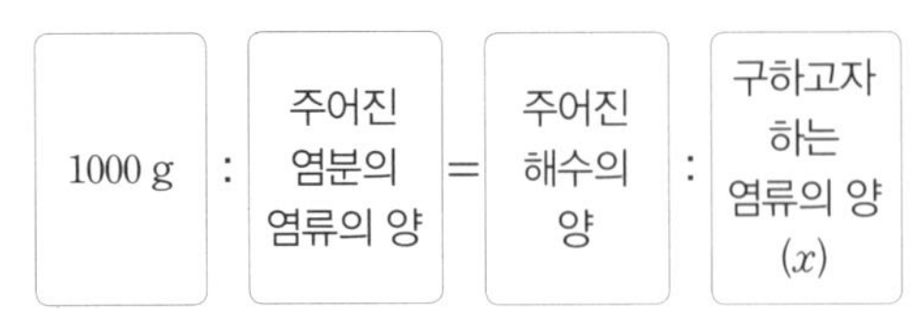

❷ 이 비례식을 이용하여 구하고자 하는 염류의 양(x)을 구한다.

$$x=\frac{\text{주어진 염분의 염류의 양}\times\text{주어진 해수의 양}}{1000\text{ g}}(\text{g})$$

예제

염분이 30 psu인 해수 300 g을 증발시킬 때 얻을 수 있는 염류의 양(x)을 구하시오.

풀이

염분은 해수 1 kg에 포함된 염류의 양(g)이므로, 다음의 비례식을 이용하여 염류의 양 x를 구한다.

$$1000\text{ g} : 30\text{ g}=300\text{ g} : x$$

$$\therefore x=\frac{30\text{ g}\times300\text{ g}}{1000\text{ g}}=9\text{ g}$$

염분비 일정 법칙 이용하기

❶ 염분비 일정 법칙은 염류 또는 구성 원소들 사이에 적용되므로, 다음의 비례식이 성립한다.

㉠ A 지역 해수 1 kg 속에 포함된 염화 나트륨의 양(g)	:	㉡ A 지역 해수 1 kg 속에 포함된 염화 마그네슘의 양(g)	=	㉢ B 지역 해수 1 kg 속에 포함된 염화 나트륨의 양(g)	:	㉣ B 지역 해수 1 kg 속에 포함된 염화 마그네슘의 양(g)

❷ 이 비례식을 이용하여 구하고자 하는 염류의 양을 구한다. 만약, B 지역 해수 1 kg에 포함된 염화 마그네슘의 질량(g)을 구하면 다음 식과 같다.

$$㉣=\frac{㉡\times㉢}{㉠}(\text{g})$$

예제

표는 서로 다른 두 지역의 해수 1 kg 속에 포함된 염화 나트륨과 염화 마그네슘의 양을 나타낸 것이다.

지역	염화 나트륨의 양(g)	염화 마그네슘의 양(g)
A	32	4
B	40	x

B 지역의 해수 1 kg 속에 포함된 염화 마그네슘의 양(x)을 구하시오.

풀이

염분비 일정 법칙을 이용하여 B 지역 해수 1 kg 속에 포함된 염화 마그네슘의 양 x를 구한다.

$$32\text{ g} : 4\text{ g}=40\text{ g} : x \qquad \therefore x=\frac{4\text{ g}\times40\text{ g}}{32\text{ g}}=5\text{ g}$$

★ 정답과 해설 060쪽

01 염분이 40 psu인 해수 600 g을 증발시킬 때 얻을 수 있는 염류의 양(x)을 구하시오.

02 염분이 30 psu인 해수를 그릇에 담고 가열하였다. 물이 모두 증발한 후 그릇에 남은 염류의 질량이 60 g이었다면 가열한 해수의 양(x)을 구하시오.

03 표는 (가)와 (나) 두 지역의 해수 1 kg 속에 포함된 염화 나트륨과 염화 마그네슘의 양을 나타낸 것이다.

지역	염화 나트륨(g)	염화 마그네슘(g)
(가)	27	3.6
(나)	30	A

A에 들어갈 값을 쓰시오.

04 염분이 35 psu인 해수에서 염소가 전체 염류의 약 55 %를 차지하고 있다. 다른 바다에서 채취한 염분이 30 psu인 해수 1 kg 속에는 염소가 몇 g 녹아 있는지 쓰시오.

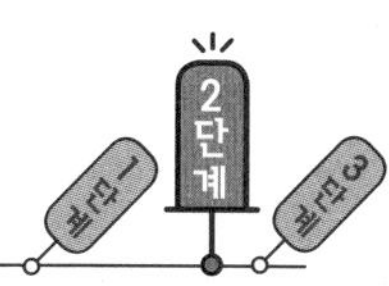

정답과 해설 060쪽

A 수권의 분포와 특징

01 지구상의 물에 대한 설명으로 옳은 것은?

① 지구 표면적의 약 97.2 %가 바다이다.
② 육지의 물은 대부분 액체 상태로 존재한다.
③ 지구는 다른 행성들에 비해 물이 부족한 편이다.
④ 지구상의 물은 대부분 염류가 포함되지 않은 담수이다.
⑤ 지구상의 물은 기체, 액체, 고체로 상태를 바꾸며 끊임없이 순환한다.

[02-03] 그림은 지구상의 물의 분포를 나타낸 것이다.

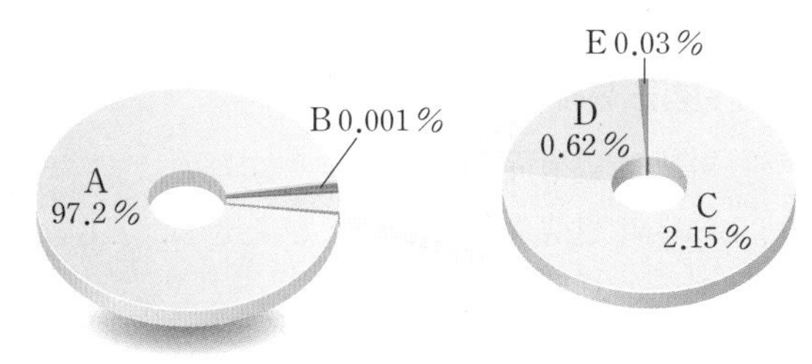

필수
02 위 그림에 대한 설명으로 옳은 것은?

① A는 극지방이나 고산 지대에 분포한다.
② B는 장소나 계절에 관계없이 그 양이 일정하다.
③ C에는 여러 가지 염류가 포함되어 있다.
④ D는 눈, 비 등의 기상 현상을 일으킨다.
⑤ E는 수자원으로 가장 많이 활용한다.

03 A~E 중 지구 온난화의 영향으로 그 양이 계속 줄어들고 있는 것의 기호와 명칭을 쓰시오.

B 우리나라의 수자원

필수
04 우리나라의 수자원 이용에 대한 설명으로 옳지 않은 것은?

① 농업용수로 가장 많이 이용한다.
② 생활용수의 이용량이 급격히 증가하고 있다.
③ 우리나라의 수자원은 대부분 강과 호수로부터 얻는다.
④ 수자원 총량에 대한 이용량의 비율은 계속 감소하고 있다.
⑤ 유지용수는 하천의 기능을 정상적으로 유지하기 위해 필요한 물이다.

05 우리나라는 현재 필요한 수자원을 충분히 확보하지 못하고 있다. 그 까닭으로 볼 수 없는 것은?

① 인구 밀도가 높다.
② 연강수량이 매우 적다.
③ 하천수의 이용률이 높다.
④ 강수가 여름철에 집중된다.
⑤ 하천의 길이가 짧고 경사가 급하다.

필수
06 지하수에 대한 설명으로 옳은 것만을 보기에서 모두 고른 것은?

보기
ㄱ. 육수 중에서 가장 많은 양을 차지한다.
ㄴ. 가뭄 때 물이 부족하면 지하수를 끌어올려 사용한다.
ㄷ. 한 번 사용하면 고갈되어 지속적으로 활용이 불가능하다.

① ㄱ ② ㄴ ③ ㄱ, ㄷ
④ ㄴ, ㄷ ⑤ ㄱ, ㄴ, ㄷ

C 해수의 온도

신유형

07 그림은 전 세계 표층 해수의 등온선을 나타낸 것이다.

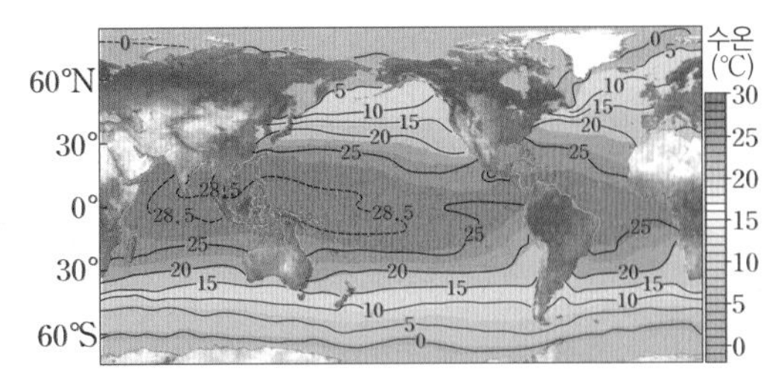

표층 해수의 수온 분포에 대한 설명으로 옳은 것만을 보기에서 모두 고른 것은?

보기
ㄱ. 등온선은 대체로 경도와 나란하다.
ㄴ. 저위도에서 고위도로 갈수록 대체로 수온이 낮아진다.
ㄷ. 표층 해수의 수온은 태양 복사 에너지의 영향을 많이 받는다.

① ㄱ ② ㄱ, ㄴ ③ ㄱ, ㄷ
④ ㄴ, ㄷ ⑤ ㄱ, ㄴ, ㄷ

08 그림은 위도에 따른 표층 해수의 물리량 변화를 나타낸 것이다. 세로축(y)에 해당하는 해수의 물리량은?

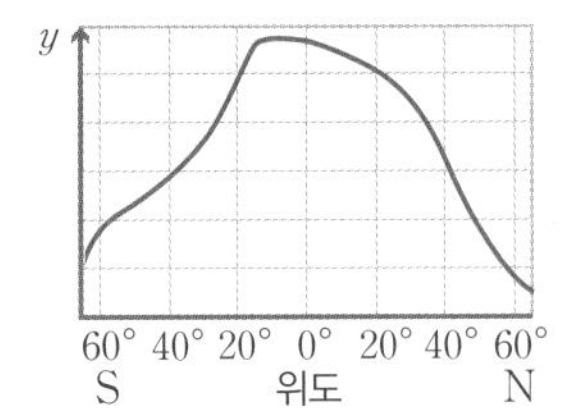

① 온도 ② 염분
③ 밀도 ④ 강수량
⑤ 증발량

필수

09 그림은 해수의 연직 수온 분포를 나타낸 것이다. 이에 대한 설명으로 옳은 것은?

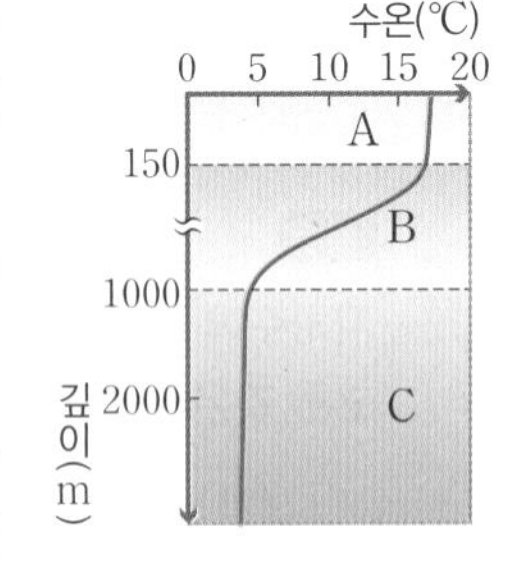

① A는 혼합층, B는 심해층, C는 수온 약층이다.
② 깊이에 따라 A층의 온도가 일정한 까닭은 해류의 영향 때문이다.
③ 깊이에 따라 C층의 온도가 일정한 까닭은 태양 복사 에너지가 많이 도달하기 때문이다.
④ 바람이 약하게 부는 해역일수록 A층의 두께가 두껍게 나타난다.
⑤ B층은 가장 안정된 층으로서, A층과 C층 사이의 열과 물질의 전달을 막아 준다.

10 다음 글의 ㉠, ㉡에 알맞은 말을 쓰시오.

> 겨울철이 되면 태양 복사 에너지의 양이 적어지고, 바람이 강해진다. 이때 우리나라 동해에서 혼합층의 온도는 (㉠)지고, 두께는 (㉡)진다.

[11-12] 그림 (가)와 같이 장치한 후 전등으로 수면 위를 비추면서 온도가 변하지 않을 때까지 가열한 후, 2분 정도 수조의 수면에 작은 선풍기로 바람을 일으킨 다음 수온을 측정하였더니 그림 (나)와 같이 나타났다.

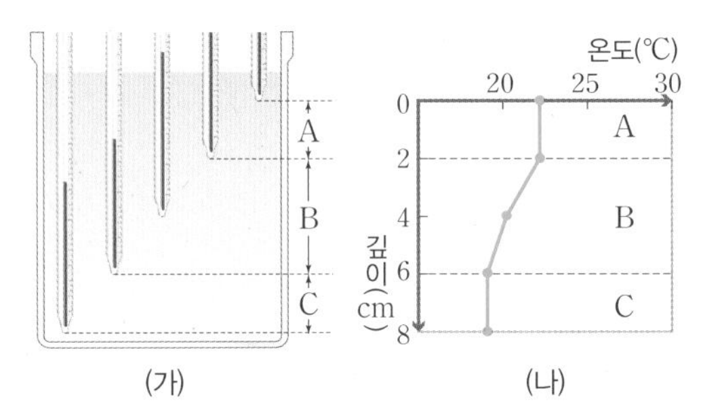

(가) (나)

11 위 실험을 통해 알아보려는 현상은?

① 파도의 발생 원인
② 해류의 발생 원인
③ 해수의 연직 수온 분포
④ 위도에 따른 해수의 염분 분포
⑤ 위도에 따른 해수의 표층 수온 분포

12 위 실험에 대한 설명으로 옳은 것만을 보기에서 모두 고른 것은?

보기
ㄱ. 전등은 태양, 작은 선풍기를 작동시키는 것은 바람으로 가정하였다.
ㄴ. 전등의 에너지는 수심이 깊어질수록 많이 도달한다.
ㄷ. 작은 선풍기를 강하게 틀수록 A층의 두께는 두꺼워진다.
ㄹ. 전등의 세기를 강하게 할수록 B층의 깊이에 따른 온도 차는 작아진다.

① ㄱ, ㄴ ② ㄱ, ㄷ ③ ㄱ, ㄹ
④ ㄴ, ㄷ ⑤ ㄷ, ㄹ

정답과 해설 060쪽

서술형

13 수온 약층은 혼합층과 심해층 사이의 열이나 물질의 전달을 억제한다. 이와 같은 현상이 일어나는 까닭은 수온 약층의 어떤 특징 때문인지 서술하시오.

D 염류와 염분

신유형

14 그림은 어떤 해수 속에 녹아 있는 여러 염류의 성분을 분석하여 나타낸 것이다.

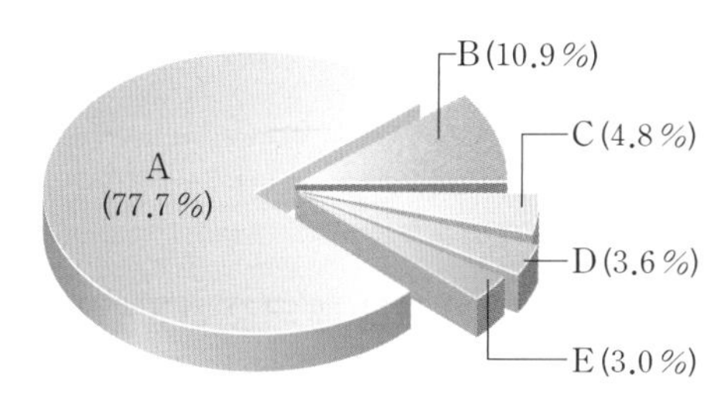

다음과 같은 성질을 가진 염류의 기호와 이름을 쓰시오.

- 쓴맛이 난다.
- 간수라고도 한다.
- 두부를 만드는 데 이용된다.

필수

15 해수 속에 포함된 염류에 대한 설명으로 옳은 것만을 보기에서 모두 고른 것은?

보기
ㄱ. 대부분 해저 화산 분출물이 바다로 녹아 들어간 것이다.
ㄴ. 해수 속에서 이온 상태로 존재하는 것이 많다.
ㄷ. 염류 중 가장 많은 양을 차지하는 것은 염화 나트륨이다.

① ㄱ　② ㄷ　③ ㄱ, ㄴ
④ ㄴ, ㄷ　⑤ ㄱ, ㄴ, ㄷ

필수

16 해수의 염분에 대한 설명으로 옳지 않은 것은?

① 염류의 종류에 따라 염분이 달라진다.
② 염분은 계절과 장소에 따라 달라진다.
③ 염분의 단위인 ‰은 천분율에 해당한다.
④ 전 세계 해수의 평균 염분은 약 35 psu이다.
⑤ 해수 1 kg 속에 녹아 있는 염류의 g 수이다.

17 황해의 염분을 알아보기 위하여 황해에서 채취해 온 해수를 그림과 같이 증발 접시에 넣고 가열하여 다음과 같은 실험 결과를 얻었다.

- 해수가 담긴 증발 접시의 질량: 381 g
- 증발 접시의 질량: 331 g
- 물을 증발시킨 후 증발 접시와 흰 고체의 질량: 332.6 g

황해의 염분은 몇 psu인지 쓰시오.

18 소금을 물에 녹여 염분이 30 psu인 소금물 500 g을 만들려고 한다. 이때 필요한 소금과 물의 양을 옳게 짝 지은 것은?

	소금	물
①	15 g	51 g
②	15 g	485 g
③	15 g	500 g
④	30 g	470 g
⑤	30 g	500 g

필수 신유형

19 그림은 전 세계 바다의 표층 염분 분포를 나타낸 것이다.

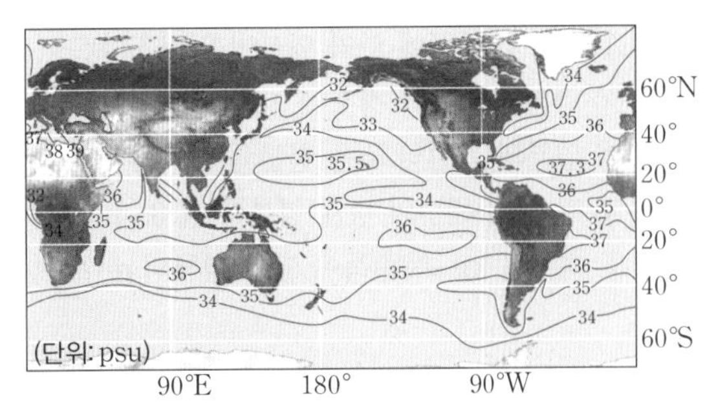

이 그림에 대한 설명으로 옳은 것만을 보기에서 모두 고른 것은?

보기
ㄱ. 해수면의 온도가 높을수록 염분이 높다.
ㄴ. 대륙 주변보다 대양의 한가운데가 염분이 높다.
ㄷ. 중위도 해역의 염분이 높은 까닭은 강수량보다 증발량이 많기 때문이다.

① ㄱ ② ㄴ ③ ㄱ, ㄷ
④ ㄴ, ㄷ ⑤ ㄱ, ㄴ, ㄷ

필수

20 그림은 겨울철과 여름철에 우리나라 주변 바다의 염분을 측정하여 나타낸 것이다.

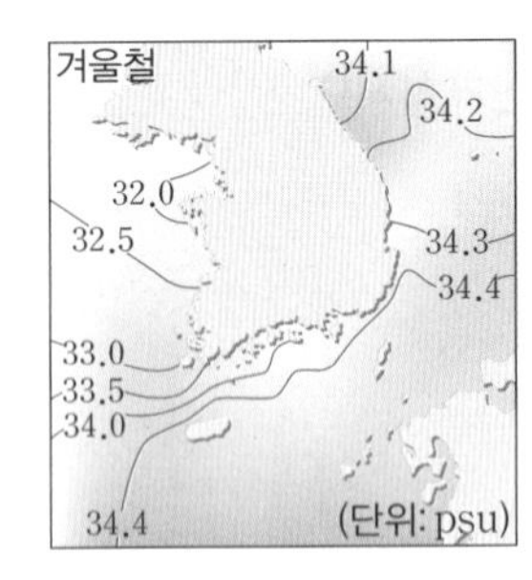

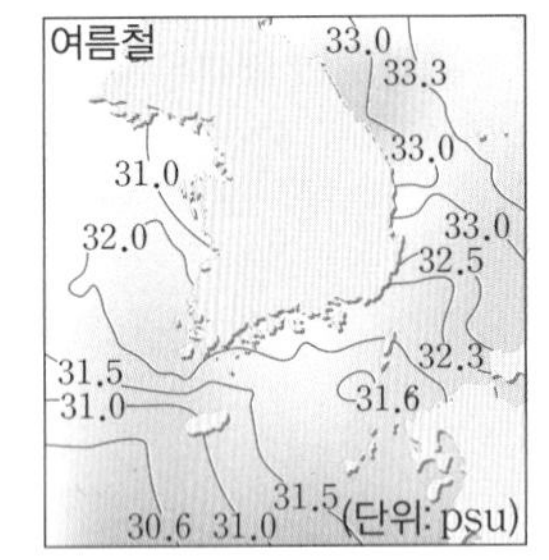

이에 대한 설명으로 옳은 것만을 보기에서 모두 고른 것은?

보기
ㄱ. 동해는 황해보다 염분이 높다.
ㄴ. 겨울철은 여름철에 비해 염분이 낮다.
ㄷ. 해안에서 멀리 떨어질수록 염분이 높아진다.
ㄹ. 우리나라 주변 바다의 염분은 전 세계 해수의 평균 염분보다 높다.

① ㄱ, ㄴ ② ㄱ, ㄷ ③ ㄱ, ㄹ
④ ㄴ, ㄷ ⑤ ㄷ, ㄹ

E 염분비 일정 법칙

필수

21 표는 여러 바다의 염분을 나타낸 것이다.

구분	동해	홍해	사해
염분(psu)	33	40	200

동해, 홍해, 사해에서 서로 같은 값을 갖는 것은?

① 해수의 표층 수온 분포
② 해수의 연직 수온 분포
③ 해수 1 kg 속에 들어 있는 염류의 총량
④ 해수 1 kg 속에 들어 있는 염화 나트륨의 양
⑤ 해수 1 kg 속의 염류 중 염화 나트륨이 차지하는 비율

22 여름철에 홍수가 났을 때 금강 하구에 있는 군산 앞바다에서 염분과 염류 중 염화 마그네슘의 비율은 각각 어떻게 변하는지 옳게 짝 지은 것은?

	염분	염화 마그네슘의 비율
①	낮아진다	낮아진다
②	낮아진다	높아진다
③	낮아진다	변함없다
④	변함없다	낮아진다
⑤	변함없다	변함없다

서술형 신유형

23 해수 속에 녹아 있는 염류 중에 포함된 염화 이온의 양만 알면 다음과 같은 식으로 염분을 구할 수 있다.

염분(psu)=1.8×염화 이온(psu)

(1) 염화 이온의 양을 알면 염분을 구할 수 있는 까닭을 서술하시오.

(2) 어떤 해수 1 kg 속에 포함된 염화 이온이 20 psu라면, 이 해수의 염분은 몇 psu인지 쓰시오.

정답과 해설 062쪽

01 그림은 위도에 따른 해수의 층상 구조를 나타낸 것이다.

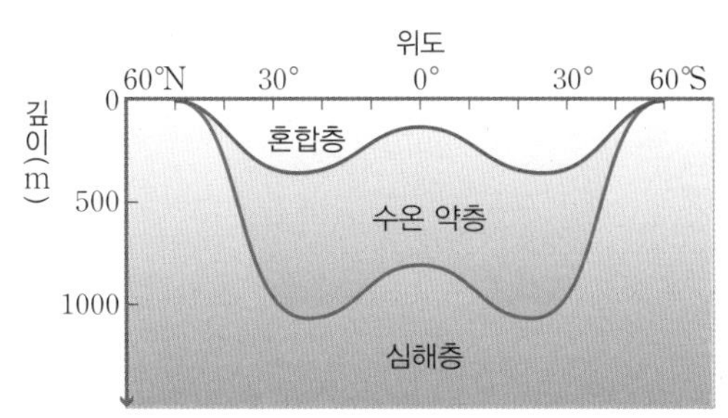

이에 대한 해석으로 옳은 것만을 보기에서 모두 고른 것은?

| 보기 |
ㄱ. 중위도 지방에서 혼합층이 두꺼운 까닭은 바람이 강하기 때문이다.
ㄴ. 적도 지방에서 수온 약층이 두꺼운 까닭은 표층과 심층의 온도 차가 크기 때문이다.
ㄷ. 고위도 지방에서 층이 구분되지 않은 까닭은 표층과 심층의 온도 차가 거의 없기 때문이다.

① ㄱ ② ㄷ ③ ㄱ, ㄴ
④ ㄴ, ㄷ ⑤ ㄱ, ㄴ, ㄷ

필수

02 그림은 우리나라의 동해에서 봄철과 여름철에 해수의 연직 수온 분포를 나타낸 것이다.

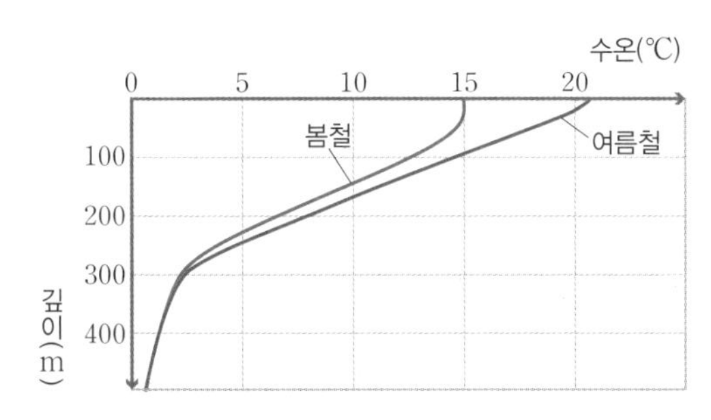

이에 대한 해석으로 옳은 것만을 보기에서 모두 고른 것은?

| 보기 |
ㄱ. 봄철에는 여름철보다 바람이 더 강하게 분다.
ㄴ. 여름철에는 표층 해수와 심해층 사이의 물질 이동이 활발하다.
ㄷ. 봄철보다 여름철에 표층 해수의 혼합이 활발하게 일어난다.

① ㄱ ② ㄷ ③ ㄱ, ㄴ
④ ㄴ, ㄷ ⑤ ㄱ, ㄴ, ㄷ

03 그림은 지각을 구성하는 원소와 해수의 염류 속에 포함된 주요 성분 원소를 나타낸 것이다.

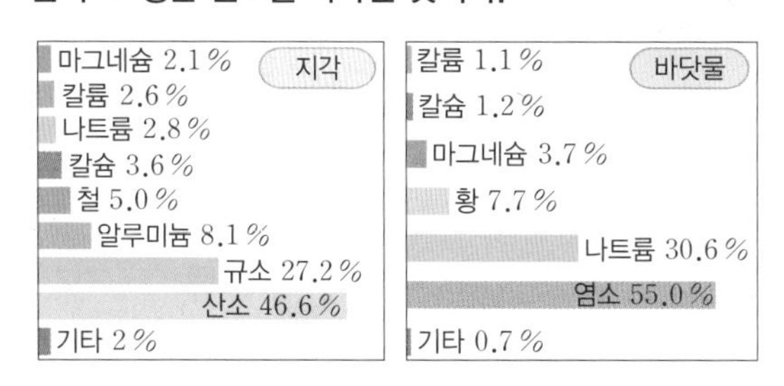

이에 대한 해석으로 옳은 것만을 보기에서 모두 고른 것은?

| 보기 |
ㄱ. 지각과 바닷물 속 염류의 구성 원소를 비교하면 염류의 기원을 알 수 있다.
ㄴ. 오랜 기간 동안 바닷물 속에 녹아 있는 원소들이 침전되어 지각을 형성하였다.
ㄷ. 염소와 황은 해저 화산 분출물이 바닷물 속에 녹아 들어간 것이다.

① ㄱ ② ㄴ ③ ㄱ, ㄷ
④ ㄴ, ㄷ ⑤ ㄱ, ㄴ, ㄷ

필수

04 그림은 여러 해역에서 증발량, 강수량, 강물의 유입량을 측정하여 나타낸 것이다. 염분이 가장 높은 해역은? (단, 다른 요인은 무시한다.)

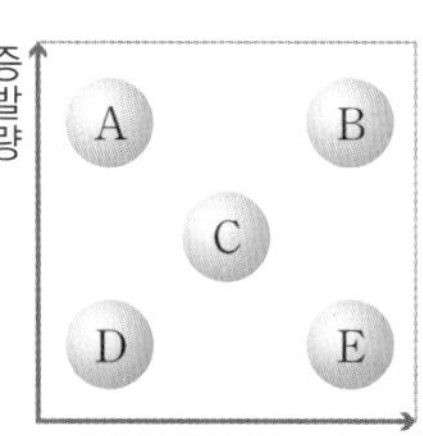

① A ② B
③ C ④ D
⑤ E

필수

05 염분이 36 psu인 해수 1 kg 속에 염화 나트륨이 27 g 들어 있다면, 염분이 40 psu인 해수 1 kg을 증발시켜 얻을 수 있는 염화 나트륨의 양은 몇 g인가?

① 24 g ② 27 g ③ 30 g
④ 34 g ⑤ 37 g

VII. 수권과 해수의 순환

해수의 순환

물음으로 흐름잡기

해류 — 해류의 종류는? / 우리나라 주변 해류는? / 난류와 한류가 만나는 지역은?

— 조류란? / 조석의 원인은? / 조차란?

A 해류

1. 해류 일정한 방향으로 지속적으로 흐르는 해수의 흐름

① 난류: 저위도에서 고위도로 흐르는 따뜻한 해류 ➡ 난류가 흐르는 해역은 주변 바다보다 수온이 높다.

② 한류: 고위도에서 저위도로 흐르는 차가운 해류 ➡ 한류가 흐르는 해역은 주변 바다보다 수온이 낮다.

2. 우리나라 주변의 해류

구분		특징	
난류	근원	쿠로시오 해류❶	우리나라 주변을 흐르는 난류의 근원
	지류	황해 난류	쿠로시오 해류에서 갈라져 나와 황해로 흐르는 해류
		동한 난류	쿠로시오 해류에서 갈라져 나와 동해로 흐르는 해류
한류	근원	연해주 한류	오호츠크해에서 아시아 대륙을 따라 남하하는 해류
	지류	북한 한류	연해주 한류에서 갈라져 나와 동해로 흐르는 해류

동해안 가까이에 동한 난류가 강하게 흐르기 때문에 우리나라 동해안 주변의 겨울철 기온은 같은 위도의 서해안보다 높다.

3. 조경 수역 난류와 한류가 만나는 곳으로 우리나라에서는 동한 난류와 북한 한류가 만나 조경 수역이 형성된다.

① 영양 염류❷와 플랑크톤이 많아 좋은 어장이 형성된다.

② 조경 수역의 위치는 계절에 따라 바뀐다. ➡ 난류의 세력이 강한 여름에는 북상하고, 한류의 세력이 강한 겨울에는 남하한다.

교과서 탐구 해류가 발생하는 원인

▶ 과정
1. 물을 넣은 수조에 스타이로폼 조각을 띄운다.
2. 작은 선풍기로 수면 가까이에 바람이 불게 한다.
3. 바람의 방향을 달리하면서 스타이로폼 조각의 움직임을 관찰한다.

▶ 결과
❶ 바람이 한 방향으로 계속해서 불면 스타이로폼 조각도 일정한 방향으로 이동한다. ➡ 물이 바람을 따라 일정한 방향으로 흐르기 때문이다.
❷ 바람이 부는 방향을 바꾸어 주면 물이 흐르는 방향도 바뀐다.

❶ 쿠로시오 해류
우리나라 주변을 흐르는 난류의 근원이 되는 해류로, 검푸른색을 띠므로 흑조라고도 한다. 폭이 좁고 빠르게 흐르는 해류이다.

해류의 색깔
한류는 산소와 영양 염류가 풍부하여 플랑크톤이 많으므로 녹색을 띤다. 반면에 난류는 산소와 영양 염류가 적어서 맑고 검푸른색을 띤다.

❷ 영양 염류
해수 속의 규산염, 인산염, 황산염 등으로 플랑크톤에게 필수적인 염류이다. 영양 염류가 많아지면 플랑크톤이 많아지므로 어류도 풍부해진다.

용어 알기
- **해역** 바다 위의 일정한 구역
- **북상** 북쪽으로 올라감
- **남하** 남쪽으로 내려감

B 조석 현상

1. 조석 밀물과 썰물에 의해 해수면이 주기적으로 높아졌다 낮아지는 현상

① 원인: 달과 태양의 인력
└ 주로 달의 인력에 의해 나타난다.

② 조류: 밀물과 썰물의 흐름[3]
- 밀물: 바닷물이 밀려 들어오는 현상
- 썰물: 바닷물이 빠져나가는 현상

③ 조석 주기: 만조에서 다음 만조, 간조에서 다음 간조까지 걸리는 시간 ➡ 약 12시간 25분

2. 만조와 간조 우리나라에서 만조와 간조는 하루에 각각 2번 정도 생긴다.

만조	밀물에 의해 해수면이 가장 높아진 때
간조	썰물에 의해 해수면이 가장 낮아진 때
조차	만조와 간조 때의 높이 차이로 지역에 따라 다르게 나타난다.

실생활 활용 예 : 고기잡이배가 바다로 나가거나 들어올 때, 갯벌에서 조개를 캘 때 등

▲ 만조 때의 모습

▲ 간조 때의 모습

3. 사리와 조금 사리와 조금은 한 달에 약 2번씩 생긴다.

① 사리: 한 달 중 조차가 가장 크게 나타나는 시기

② 조금: 한 달 중 조차가 가장 작게 나타나는 시기

③ 우리나라 주변 바다에서 조차는 황해에서 가장 크고, 동해에서 가장 작다.

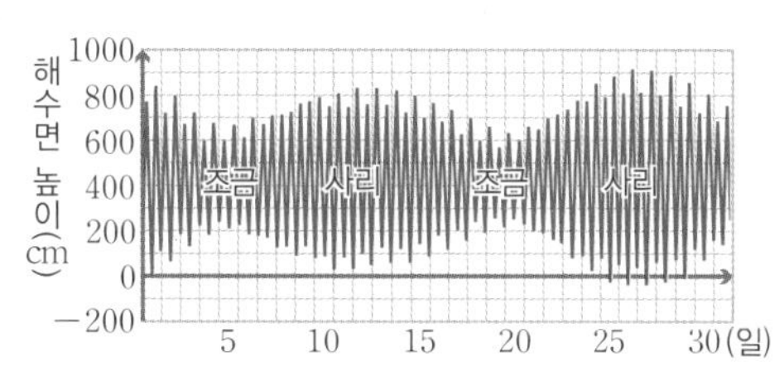

▲ 한 달 동안 해수면의 높이 변화

조류와 해류는 차이점은?
조류는 일정한 주기를 가지고 변하는 해수의 흐름이고, 해류는 지속적으로 일정한 방향으로 흐르는 해수의 흐름이다.

❸ 밀물과 썰물
바닷가에서는 해수가 육지 쪽으로 밀려오는 밀물과 해수가 바다 쪽으로 빠져나가는 썰물이 주기적으로 나타난다.

용어 알기
- **인력** 공간적으로 떨어진 물체끼리 서로 끌어당기는 힘
- **주기** 한 바퀴 도는 기간, 본래의 자리로 되돌아오는 데 걸리는 기간

개념 다지기

정답과 해설 062쪽

01 그림은 우리나라 주변을 흐르는 해류를 나타낸 것이다.

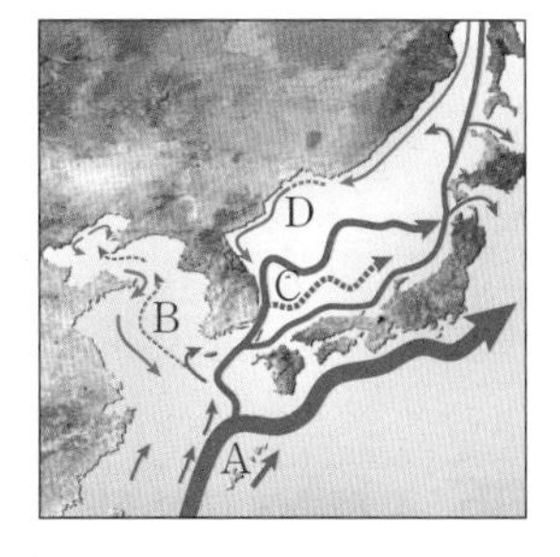

(1) 우리나라 주변을 흐르는 난류의 근원이 되는 해류의 기호와 명칭을 쓰시오.

(2) 조경 수역에 해당하는 곳을 찾아 그림에 ×로 표시하시오.

02 조석 현상에 대한 설명으로 옳은 것은 ○표, 옳지 않은 것은 ×표를 하시오.

(1) 해수면이 주기적으로 높아졌다 낮아지는 현상을 조석이라고 한다. ( )

(2) 조석에 의해 주기적으로 바뀌는 해수의 흐름을 조류라고 한다. ( )

(3) 하루 중 해수면이 가장 높아진 때를 간조, 가장 낮은 때를 만조라고 한다. ( )

(4) 한달 중 조차가 가장 큰 때를 조금, 가장 작은 때를 사리라고 한다. ( )

(5) 조차가 작은 곳은 큰 곳보다 갯벌이 더 넓게 드러난다. ( )

A 해류

필수

01 해류에 대한 설명으로 옳지 않은 것은?

① 난류와 한류로 구분된다.
② 일정한 방향으로 흐른다.
③ 모든 해류는 전 세계를 순환한다.
④ 해류는 바람의 영향을 크게 받는다.
⑤ 난류는 저위도에서 고위도로 흐른다.

02 우리나라 주변의 해류에 대한 설명으로 옳은 것은?

① 황해에서는 한류만 흐른다.
② 북한 한류는 황해에 흐르는 해류이다.
③ 우리나라의 주변 해류는 모두 난류이다.
④ 쿠로시오 해류는 고위도에서 저위도로 흐르는 해류이다.
⑤ 동해에서는 난류와 한류가 만나는 지역이 나타난다.

필수

03 그림은 우리나라 주변을 흐르는 해류를 나타낸 것이다.

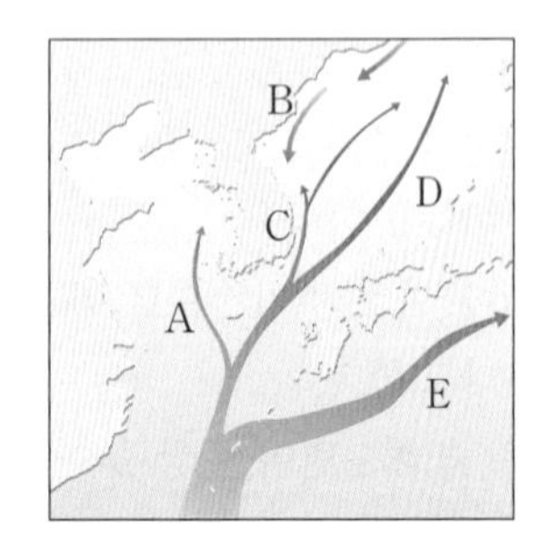

영양 염류와 플랑크톤이 풍부하여 좋은 어장을 형성하는 곳과 관련된 해류를 옳게 짝 지은 것은?

① A, B ② A, D ③ B, C
④ B, E ⑤ C, D

[04-05] 그림은 우리나라 주변을 흐르는 해류를 나타낸 것이다.

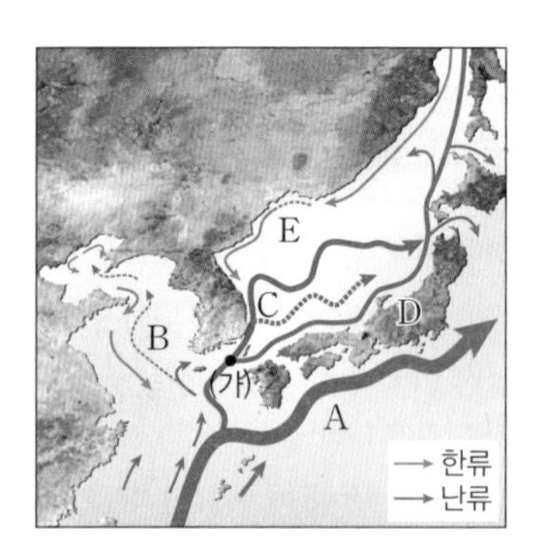

필수

04 이에 대한 설명으로 옳은 것만을 보기에서 모두 고른 것은?

| 보기 |
ㄱ. B 해류는 E 해류보다 수온이 낮다.
ㄴ. C 해류와 E 해류가 만나는 곳은 물고기가 거의 잡히지 않는다.
ㄷ. C 해류의 영향으로 겨울철에 동해안은 같은 위도의 서해안보다 평균 기온이 높다.
ㄹ. (가) 해역에서 유리병 속에 편지를 넣어 바다에 띄우면 C 해류나 D 해류를 타고 흘러갈 수 있다.

① ㄱ, ㄴ ② ㄱ, ㄷ ③ ㄴ, ㄷ
④ ㄴ, ㄹ ⑤ ㄷ, ㄹ

05 A 해류에 대한 설명으로 옳지 않은 것은?

① 태평양에서 북상하는 난류이다.
② 폭이 좁고, 흐름이 빠른 해류이다.
③ 산소와 영양 염류가 풍부한 해류이다.
④ 검푸른색을 띠고 있어 흑조라고도 한다.
⑤ 우리나라 부근을 흐르는 난류의 근원이다.

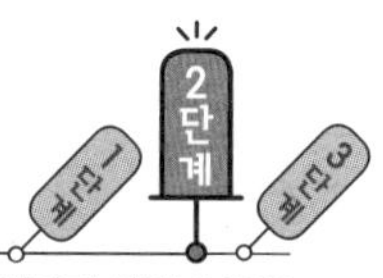

정답과 해설 062쪽

필수

06 그림과 같이 물을 넣은 수조에 스타이로폼 조각을 띄우고 작은 선풍기로 수면 가까이에 바람이 불게 하였다.

이 실험의 결과를 통해 알 수 있는 사실은?

① 해저의 수심
② 해류의 생성 원인
③ 바람의 생성 원인
④ 해수의 침식 작용
⑤ 조경 수역의 생성 과정

07 그림은 부산 앞바다에서 침몰한 유조선에서 빠져나온 기름띠가 퍼져 나갈 경로를 예상한 것이다.

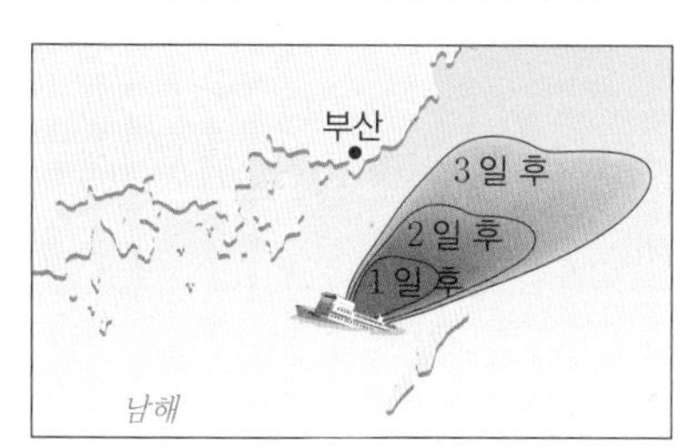

이렇게 예상한 근거로 옳은 것은?

① 남해안의 해안선이 복잡하기 때문이다.
② 남해보다 동해의 수심이 깊기 때문이다.
③ 남해보다 동해의 수온이 높기 때문이다.
④ 유조선이 북동쪽 방향으로 이동하기 때문이다.
⑤ 이 지역의 해류가 북동쪽으로 흐르기 때문이다.

08 우리나라 동해안의 강릉 지역이 비슷한 위도의 서해안 지역보다 겨울철에 더 따뜻한 까닭과 관계가 깊은 해류는?

① 북한 한류　② 동한 난류
③ 황해 난류　④ 연해주 한류
⑤ 쿠로시오 해류

B 조석 현상

09 조류에 대한 설명으로 옳은 것만을 보기에서 모두 고른 것은?

보기
ㄱ. 일정한 주기를 갖는다.
ㄴ. 썰물은 바닷물이 빠져나갈 때이다.
ㄷ. 바람의 영향으로 발생한다.

① ㄱ　② ㄷ　③ ㄱ, ㄴ
④ ㄴ, ㄷ　⑤ ㄱ, ㄴ, ㄷ

10 다음 글의 ㉠~㉢에 들어갈 알맞은 말을 옳게 짝 지은 것은?

바닷가에서 바다 쪽으로 빠져나가는 해수의 흐름을 (㉠)이라 하고, 반대로 바닷가로 들어오는 해수의 흐름을 (㉡)이라 하며, 이것의 흐름을 (㉢)라고 한다.

	㉠	㉡	㉢
①	만조	간조	조류
②	간조	만조	조석
③	밀물	썰물	조류
④	썰물	밀물	조류
⑤	썰물	밀물	조차

필수

11 그림은 어느 바닷가의 해수면 높이를 하루 동안 관측한 결과를 나타낸 것이다.

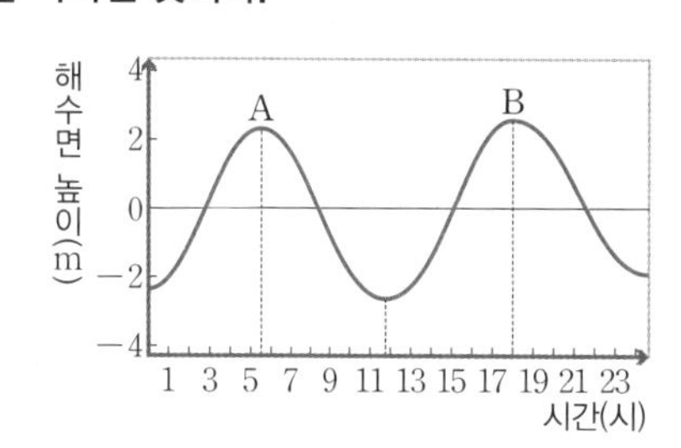

이에 대한 설명으로 옳은 것은?

① 오전 7시경에 밀물이 나타난다.
② 해수면의 높이 차이는 최대 약 1 m이다.
③ 약 12시경에 해수면의 높이가 가장 높다.
④ 하루에 대략 2번씩 해수면이 높아졌다 낮아진다.
⑤ A에서 B까지 걸리는 시간은 약 18시간이다.

12 해류와 조류에 대한 설명으로 옳지 않은 것은?

① 해류는 난류와 한류로 구분된다.
② 조류는 밀물과 썰물을 포함한다.
③ 해류는 지속적으로 일정한 흐름을 갖는다.
④ 조류는 일정한 주기로 흐름의 방향이 바뀐다.
⑤ 해류와 조류는 모두 바람에 의해 발생한다.

필수

13 조석 현상에 대한 설명으로 옳지 않은 것은?

① 조류는 주기적으로 흐름이 바뀐다.
② 밀물은 바닷물이 밀려 들어오는 현상이다.
③ 간조는 하루 중 해수면이 가장 높아진 때이다.
④ 조차는 만조와 간조일 때 해수면의 높이 차이이다.
⑤ 우리나라 주변 바다에서 조차는 동해안보다 서해안에서 더 크다.

14 그림 (가)와 (나)는 서해안의 어느 지역에서 하루 중 해수면이 가장 높아진 때와 낮아진 때의 모습을 나타낸 것이다.

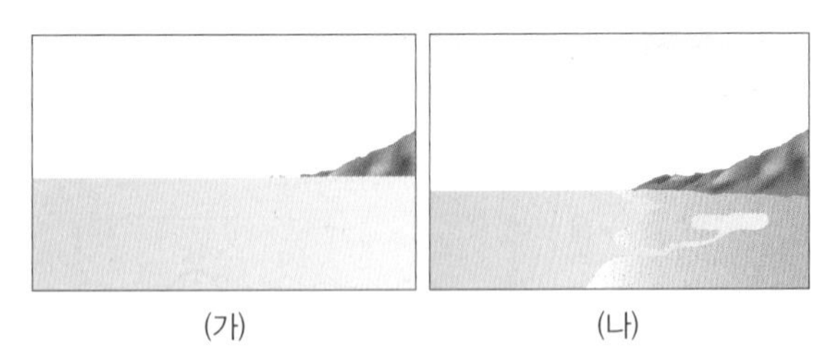
(가) (나)

이 그림에 대한 설명으로 옳은 것만을 보기에서 모두 고른 것은?

| 보기 |
ㄱ. (가)는 간조일 때이고, (나)는 만조일 때이다.
ㄴ. (가)에서 (나) 사이에는 밀물을 볼 수 있다.
ㄷ. (가)와 (나)처럼 해수면의 높이가 달라지는 현상을 조석이라고 한다.

① ㄱ ② ㄷ ③ ㄱ, ㄴ
④ ㄴ, ㄷ ⑤ ㄱ, ㄴ, ㄷ

15 그림은 서해안의 어느 지역의 모습을 나타낸 것이다.

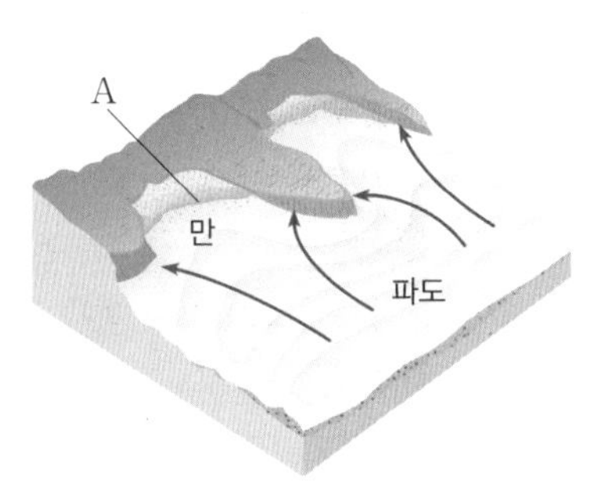

A 지역에 대한 설명으로 옳은 것만을 보기에서 모두 고른 것은?

| 보기 |
ㄱ. 해수욕장이 잘 발달한다.
ㄴ. 조류에 의한 침식이 활발하다.
ㄷ. 조류에 의한 에너지가 집중된다.

① ㄱ ② ㄴ ③ ㄷ
④ ㄱ, ㄴ ⑤ ㄴ, ㄷ

서술형

16 그림은 인천 앞바다에서 어느 날 하루 동안 해수면의 높이 변화를 나타낸 것이다.

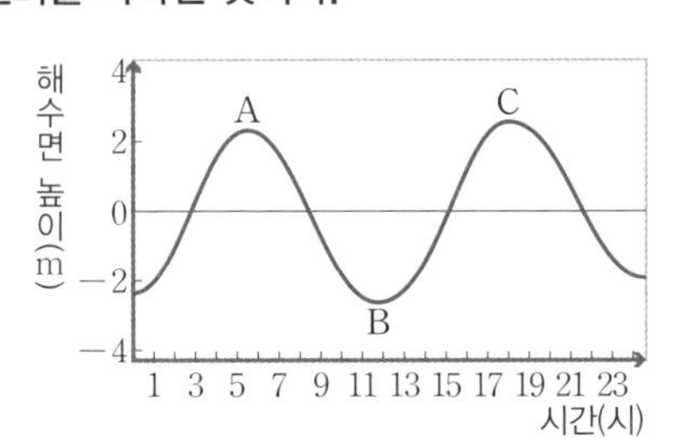

A~C 중 조개를 캐기 가장 좋은 때를 쓰고, 그 까닭을 설명하시오.

만점 도전하기

3단계

정답과 해설 063쪽

필수

01 그림은 여름철 우리나라 주변을 흐르는 표층 해수의 이동 모습을 나타낸 것이다.

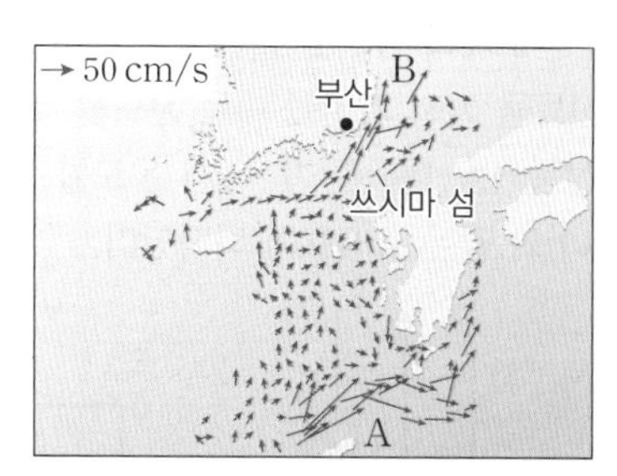

이에 대한 설명으로 옳은 것만을 보기에서 모두 고른 것은? (단, 그림에서 화살표는 각 지점에서의 해수의 이동 속력과 방향이고, 화살표의 길이는 속력에 비례한다.)

보기

ㄱ. A 해역의 해류는 대부분 동해로 흘러 들어간다.
ㄴ. B 해역의 해류가 북상하여 북한 한류가 된다.
ㄷ. A 해역에서 쿠로시오 해류가, B 해역에서 동한 난류가 흐른다.

① ㄱ ② ㄷ ③ ㄱ, ㄴ
④ ㄱ, ㄷ ⑤ ㄱ, ㄴ, ㄷ

필수

02 그림과 같이 거제도와 쓰시마 섬 사이에서 유조선이 침몰하였다.

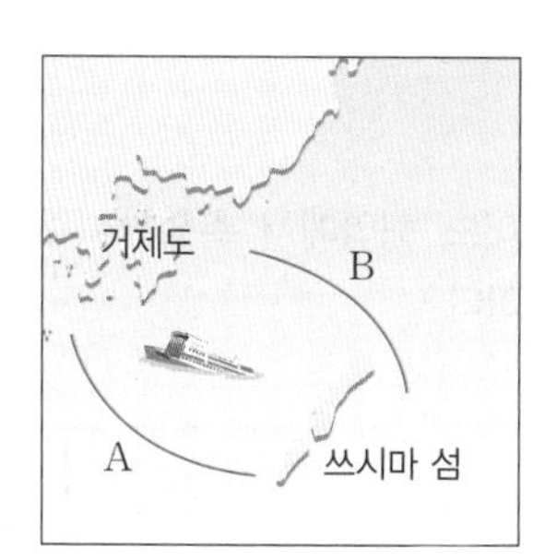

이때 기름의 유출을 막아 주는 (가) 오일펜스를 설치해야 하는 방향과 (나) 이와 관련 있는 해류를 옳게 짝 지은 것은?

	(가)	(나)
①	A	동한 난류
②	A	황해 난류
③	A	쿠로시오 해류
④	B	동한 난류
⑤	B	황해 난류

신유형

03 그림 (가)와 (나)는 겨울철과 여름철에 우리나라 부근의 해류의 흐름을 순서없이 나타낸 것이다.

(가)

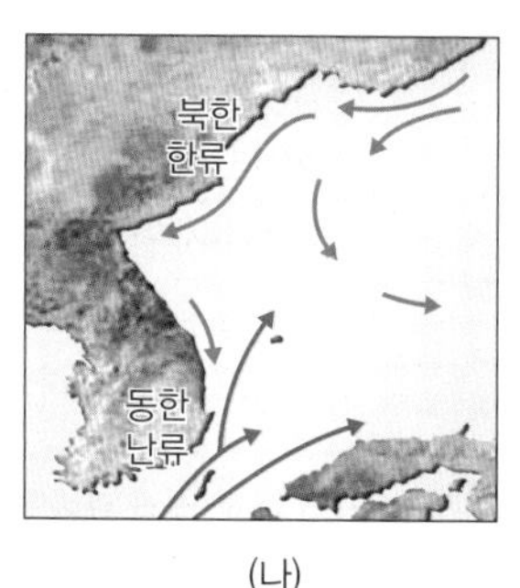

(나)

(가)와 (나) 중 겨울철 해류의 흐름과 이와 같이 생각한 까닭을 옳게 짝 지은 것은?

① (가) – 동한 난류의 세력이 강해졌기 때문
② (가) – 북한 한류의 세력이 강해졌기 때문
③ (가) – 북한 한류와 동한 난류의 세력이 비슷해졌기 때문
④ (나) – 동한 난류의 세력이 강해졌기 때문
⑤ (나) – 북한 한류의 세력이 강해졌기 때문

04 그림 (가)는 겨울철에 우리나라 부근에서 흐르는 해류의 분포를 나타낸 것이고, (나)는 A~C 해류가 흐르는 해역에서 해수의 수온과 염분을 측정하여 순서 없이 나타낸 것이다.

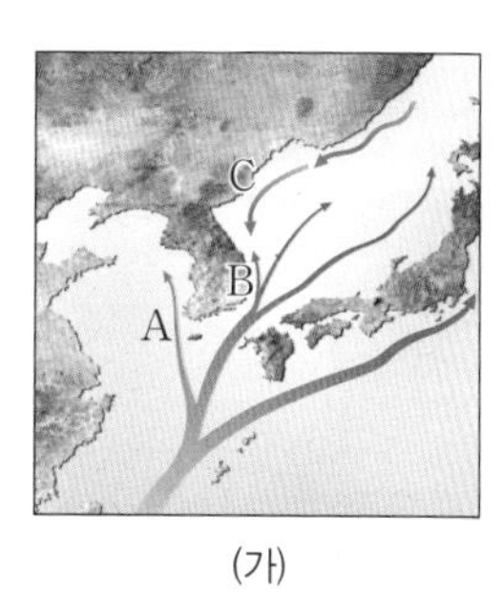

(가)

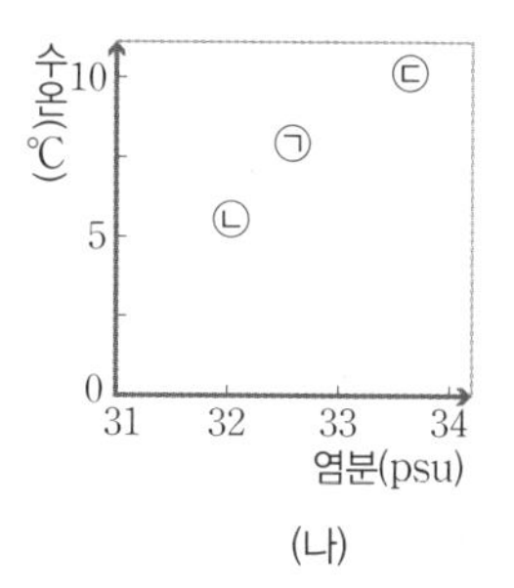

(나)

그림 (가)의 A~C 해류에 해당하는 수온과 염분 분포를 그림 (나)에서 골라 옳게 짝 지은 것은?

	A	B	C
①	㉠	㉡	㉢
②	㉠	㉢	㉡
③	㉡	㉠	㉢
④	㉡	㉢	㉠
⑤	㉢	㉠	㉡

정답 표시가 없는 문제는 모두 3점입니다.

제한시간: 45분

01 다음은 지구상에 분포하는 여러 가지 물의 특징을 나타낸 것이다.

> (가) 고산 지대나 극지방에 주로 분포한다.
> (나) 수자원으로 가장 많이 사용하고 있다.
> (다) 땅속이나 암석의 틈 사이로 흐르기 때문에 눈으로 관찰하기 어렵다.

지구상에 분포하는 물의 양을 옳게 비교한 것은? (4점)

① (가)>(나)>(다)　② (가)>(다)>(나)
③ (나)>(다)>(가)　④ (다)>(가)>(나)
⑤ (다)>(나)>(가)

02 수자원에 대한 설명으로 옳은 것은? (4점)

① 지구상의 모든 물을 의미한다.
② 우리가 사용하는 수자원은 주로 해수이다.
③ 수자원의 대부분은 지하수로부터 얻고 있다.
④ 수자원의 양은 지역이나 계절에 따라 큰 차이가 난다.
⑤ 산업 발달로 인해 수자원 부족 현상이 해소되고 있다.

03 해수의 표면 온도는 저위도에서 고위도로 갈수록 대체로 낮게 나타난다. 그 까닭을 옳게 설명한 것은?

① 고위도로 갈수록 염분이 낮아지기 때문
② 고위도로 갈수록 바람이 강해지기 때문
③ 고위도로 갈수록 태양 복사 에너지가 감소하기 때문
④ 고위도로 갈수록 지구 복사 에너지가 증가하기 때문
⑤ 고위도는 눈이 많이 내리고 빙하가 녹기 때문

04 해수의 연직 수온 분포를 알아보기 위해 그림 (가)와 같이 온도계의 깊이를 달리하여 수조의 물속에 장치하고 전등을 켜서 가열한 다음 온도를 측정하였다. 또 작은 선풍기를 틀어준 후 다시 온도를 측정하였더니 그림 (나)와 같은 그래프가 나타났다.

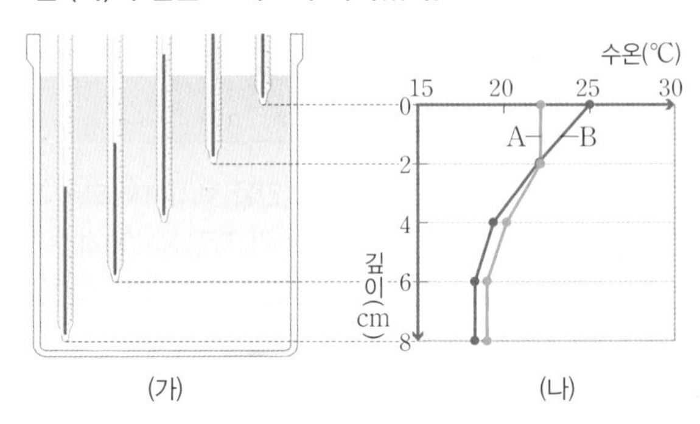

이 실험에 대한 설명으로 옳지 않은 것은? (4점)

① 전등의 에너지에 의해 수조의 물은 가열된다.
② 수심이 얕은 곳은 깊은 곳보다 온도 변화가 크다.
③ 작은 선풍기를 틀면 수면 부근의 물은 잘 섞인다.
④ 전등의 에너지는 물의 깊이에 관계없이 같은 양이 전달된다.
⑤ A는 작은 선풍기를 튼 후의 온도 변화이고, B는 작은 선풍기를 틀기 전의 온도 변화이다.

05 그림은 어느 해역에서 측정한 수온의 연직 분포를 나타낸 것이다.

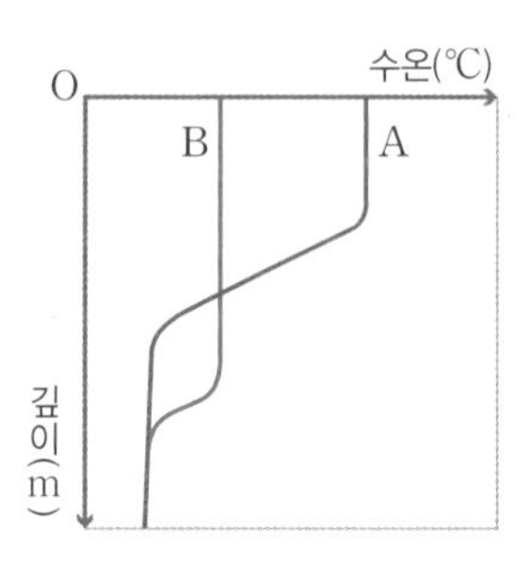

수온의 연직 분포가 A에서 B로 변했을 때, 이 해역에서 그 값이 증가할 것으로 예상되는 것은? (4점)

① 염분　② 해류의 속도
③ 바람의 세기　④ 조류의 세기
⑤ 태양 복사 에너지의 입사량

정답과 해설 063쪽

06 다음 글의 ㉠~㉢에 들어갈 알맞은 말을 옳게 짝 지은 것은?

> 혼합층은 바람이 강한 (㉠)에서 두껍게 발달하며, 수온 약층은 표층과 심층의 온도 차이가 큰 (㉡)에서 온도 변화가 급격하게 나타난다. 또, 수온의 연직 층상 구조가 잘 나타나지 않는 곳은 (㉢)이다.

	㉠	㉡	㉢
①	고위도	저위도	중위도
②	중위도	저위도	고위도
③	중위도	고위도	저위도
④	저위도	중위도	고위도
⑤	저위도	고위도	중위도

07 염류와 염분에 대한 설명으로 옳은 것만을 보기에서 모두 고른 것은? (4점)

> 보기
> ㄱ. 바닷물이 얼면 염분은 낮아진다.
> ㄴ. 염류의 종류에 따라 염분은 차이가 난다.
> ㄷ. 염분에 가장 큰 영향을 주는 요인은 증발량과 강수량이다.
> ㄹ. 대부분의 염류는 지각의 물질이 바다로 녹아 들어간 것이다.

① ㄱ, ㄴ ② ㄱ, ㄷ ③ ㄴ, ㄷ
④ ㄴ, ㄹ ⑤ ㄷ, ㄹ

08 염분이 25 psu인 해수에 들어 있는 염류와 물의 비율(염류 : 물)을 옳게 나타낸 것은? (4점)

① 1 : 3 ② 1 : 4 ③ 1 : 39
④ 1 : 400 ⑤ 1 : 4000

09 염분이 36 psu인 바닷물을 증발시켜 염류 72 kg을 얻으려고 한다. 이때 필요한 최소한의 바닷물은 몇 kg인가? (4점)

① 100 kg ② 200 kg ③ 400 kg
④ 1000 kg ⑤ 2000 kg

10 그림은 위도에 따른 강수량과 증발량을 나타낸 것이다.

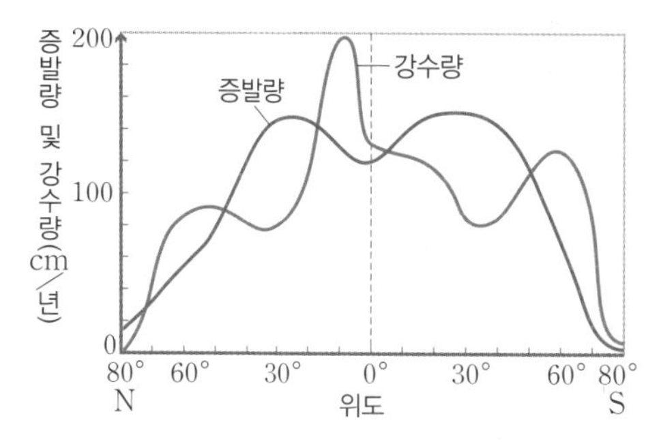

염분이 가장 높을 것으로 예상되는 곳은?

① 북극 지방 ② 남극 지방
③ 적도 지방 ④ 위도 30°인 지방
⑤ 위도 60°인 지방

11 그림은 강물이 흘러들어가는 어느 해역에서 여름철과 겨울철의 표층 해수의 염분을 측정한 것이다.

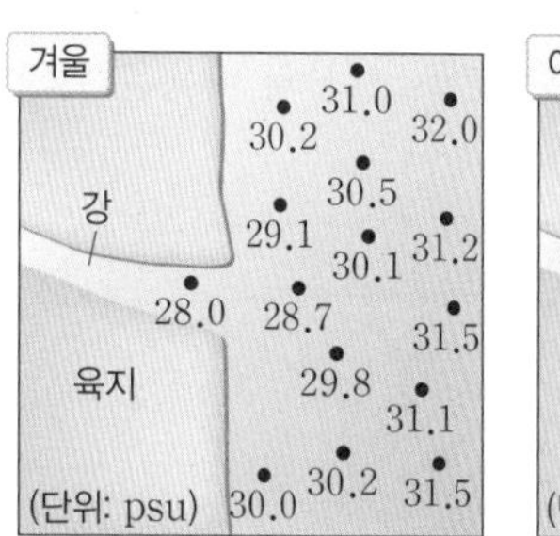

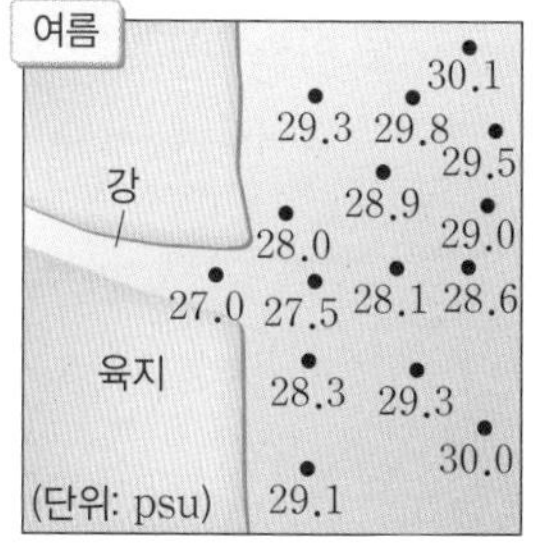

이 그림에 대한 설명으로 옳은 것만을 보기에서 모두 고른 것은? (4점)

> 보기
> ㄱ. 육지에서 가까울수록 강물의 유입량이 많다.
> ㄴ. 강물이 많이 유입될수록 염분이 높아진다.
> ㄷ. 이 해역은 여름철보다 겨울철에 강물의 유입량이 많다.

① ㄱ ② ㄷ ③ ㄱ, ㄴ
④ ㄴ, ㄷ ⑤ ㄱ, ㄴ, ㄷ

12 우리나라 주변 여러 해역의 바닷물 중에서 염분이 가장 낮을 것으로 예상되는 곳은?

① 여름철 동해 ② 여름철 황해
③ 겨울철 동해 ④ 겨울철 황해
⑤ 겨울철 남해

13 표는 어떤 바닷물 1 kg에 녹아 있는 염류의 성분을 분석하여 나타낸 것이다.

염류	바닷물 1 kg에 녹아 있는 양(g)
(가)	27.2
(나)	3.8
황산 마그네슘	1.7
기타	2.3

이 바닷물에 대한 설명으로 옳지 않은 것은? (4점)

① 이 바닷물의 염분은 35 psu이다.
② (가)는 짠맛, (나)는 쓴맛이 난다.
③ (가), (나)를 구성하는 원소 중 염소는 해저 화산 분출물에서 유래된 것이다.
④ 어느 바닷물이나 1 kg 속에 포함된 염류의 양은 위의 표와 같다.
⑤ 어느 바닷물이나 (가) : (나)의 비율은 위의 표와 같다.

14 해류에 대한 설명으로 옳지 않은 것은? (4점)

① 주로 바람 때문에 생긴다.
② 계절에 관계없이 순환 방향이 일정하다.
③ 겨울철 연안 지방의 기후에 영향을 미친다.
④ 겨울철에는 한류가 발생하고, 여름철에는 난류가 발생한다.
⑤ 해류의 순환 방향은 바람의 방향과 거의 비슷하게 나타난다.

15 그림은 우리나라 주변을 흐르는 해류를 나타낸 것이다.

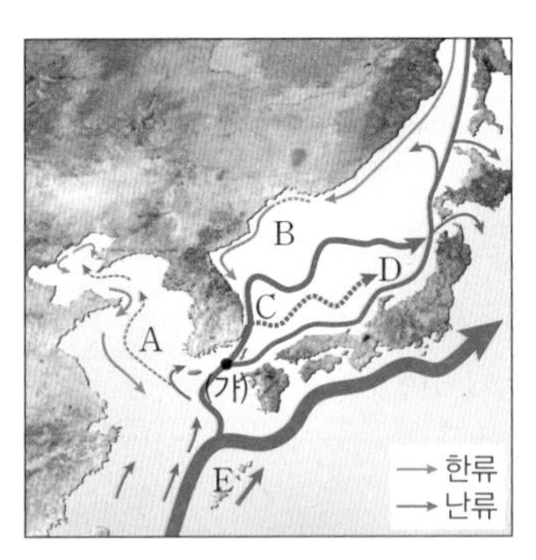

이에 대한 설명으로 옳지 않은 것은? (4점)

① A 해류의 영향으로 겨울철에 서해안은 같은 위도의 동해안보다 따뜻하다.
② 부산에서 동해안의 속초로 항해할 때 C 해류를 이용하면 좋다.
③ B 해류와 C 해류가 만나는 곳은 영양 염류와 플랑크톤이 많아 좋은 어장이 형성된다.
④ (가) 해역에서 버려진 쓰레기는 C 해류와 D 해류를 타고 흘러갈 수 있다.
⑤ E 해류는 우리나라 근해를 흐르는 난류의 근원으로, 폭이 좁고 유속이 빠르다.

16 조석 현상과 관련된 설명으로 옳은 것은? (4점)

① 조석은 주기적으로 나타나는 해수의 수평 흐름이다.
② 조석 현상의 원인은 태양과 달의 인력이다.
③ 하루 중 해수면이 가장 낮아진 때를 조금이라고 한다.
④ 해수면이 주기적으로 높아졌다 낮아지는 현상을 조류라고 한다.
⑤ 조차는 만조와 간조 때의 시간 차이이다.

정답과 해설 063쪽

서술형 문제

17 그림은 수권을 구성하는 물의 분포 비율을 나타낸 것이다.

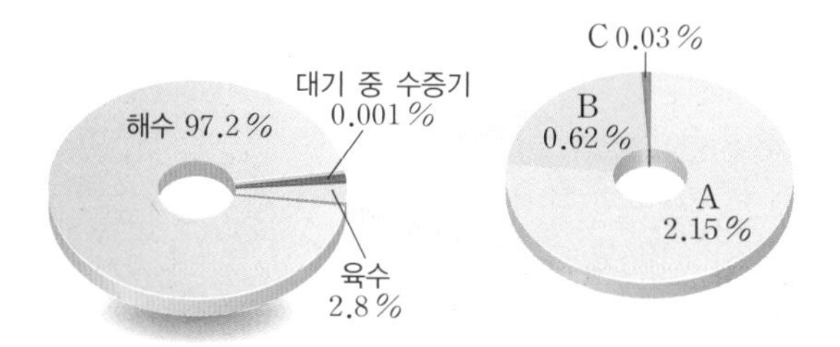

A~C 중 수자원으로서의 가치가 높은 물의 기호를 쓰고, 그 까닭을 서술하시오. (10점)

18 그림은 어느 해역에서 겨울철과 여름철에 측정한 해수의 연직 수온 분포를 나타낸 것이다.

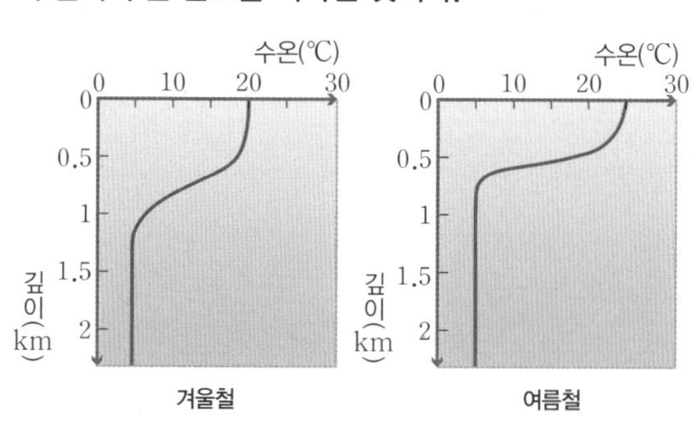

겨울철과 여름철 중 바람이 더 강한 계절을 쓰고, 그렇게 생각한 까닭을 서술하시오. (10점)

19 그림은 우리나라 부근 바다의 겨울철과 여름철의 평균 염분 분포를 나타낸 것이다.

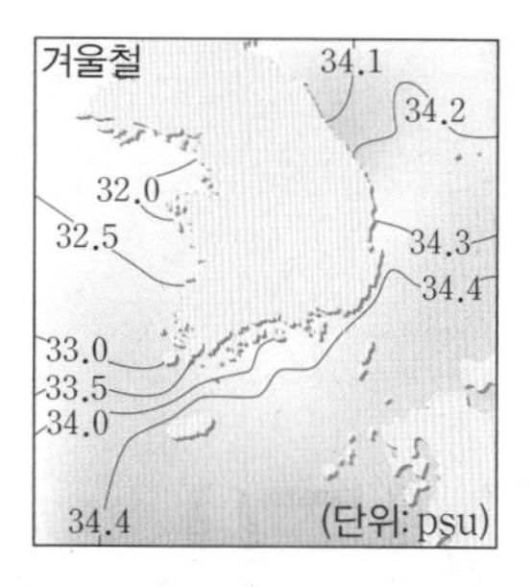

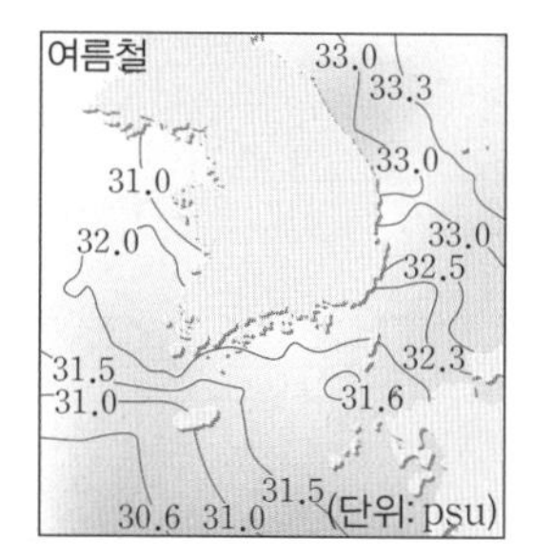

겨울철과 여름철 중 염분이 더 높은 계절을 쓰고, 이와 같이 염분 차이가 생기는 까닭을 두 계절의 강수량과 관련지어 서술하시오. (10점)

20 그림 (가)는 우리나라 주변 해류의 모습이고, 그림 (나)의 A는 유조선이 침몰하여 기름이 유출된 지점을 나타낸 것이다.

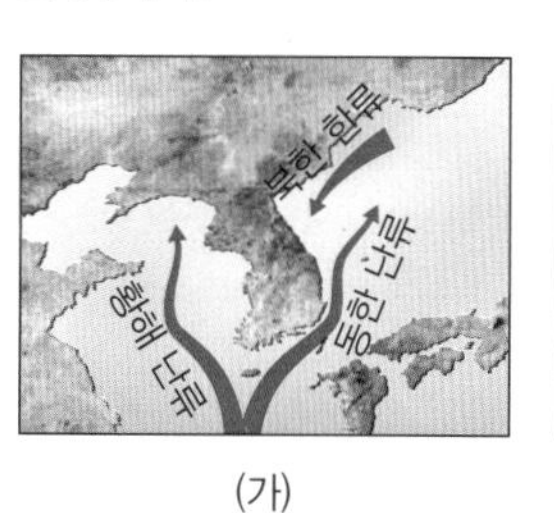

(가)

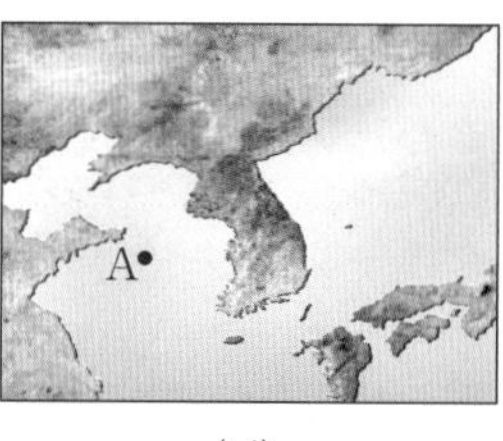

(나)

유출된 기름은 A 지점의 북쪽과 남쪽 중 어느 방향으로 가장 많이 이동할지 쓰고, 이와 같이 생각한 까닭을 그림 (가)에서 제시된 해류와 관련지어 서술하시오.(단, 해류의 영향만을 고려한다.) (10점)

VIII

열과 우리 생활

01 온도와 열

02 비열과 열팽창

배울 내용이 쉬워지는 용어

배울 용어를 읽어보고, 이해가 되었으면 ✔ 표시를 해 봅시다.

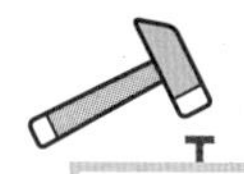

☐ **온도**	물체를 이루는 입자 운동의 활발한 정도를 나타낸 것
☐ **열**	온도가 다른 두 물체가 접촉해 있을 때 온도가 높은 물체에서 온도가 낮은 물체로 이동하는 에너지
☐ **열평형**	온도가 다른 두 물체가 접촉해 있을 때 두 물체의 온도가 같아져 더는 변하지 않고 일정한 상태
☐ **전도**	고체에서 물질을 이루고 있는 입자의 운동이 이웃한 입자에 차례로 전달되어 열이 이동하는 현상
☐ **대류**	열을 얻은 액체나 기체 입자가 직접 이동하여 열이 이동하는 현상
☐ **복사**	열이 다른 물질의 도움 없이 직접 이동하는 현상
☐ **단열**	열의 이동을 막는 것
☐ **열량**	온도가 다른 물체 사이에서 이동하는 열의 양
☐ **비열**	어떤 물질 1 ㎏의 온도를 1 ℃ 높이는 데 필요한 열량
☐ **열팽창**	물체의 온도가 높아질 때 물체의 길이나 부피가 늘어나는 현상
☐ **바이메탈**	열팽창 정도가 서로 다른 금속 2개를 붙여놓은 것

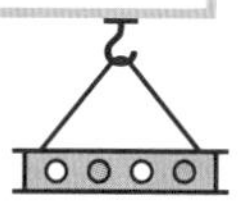

온도와 열

⚠ 물음으로 흐름잡기

- 온도란?
- 측정 도구는?
- 온도가 높을 때 입자는?
- 온도가 낮을 때 입자는?

- 열의 이동 방법 3가지는?
- 열의 이동을 막는 것은?
- 두 물체의 온도가 같아진 상태는?

A 온도와 입자 운동

1. 온도 물체의 차갑고 뜨거운 정도를 나타낸다.

① 온도: 물체를 이루고 있는 입자의 활발한 정도를 숫자로 나타낸 것

② 단위: ℃(섭씨도), K(켈빈)❶ 등

③ 사람의 감각만으로는 얼마나 차가운지, 얼마나 뜨거운지 정확히 알 수 없으므로 물체의 온도를 정확하게 알기 위해 온도계를 이용하여 측정한다.

④ 여러 가지 온도계

▲ 알코올 온도계

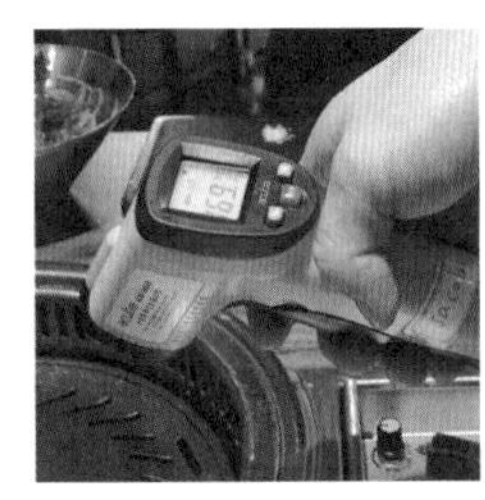

▲ 적외선 온도계❷

▲ 열화상 카메라

❶ K(켈빈)
입자의 운동이 멈추었을 때의 온도를 0 K(−273 ℃)으로 정한 온도로 섭씨온도와 같은 눈금 간격으로 나타낸다.
절대 온도＝섭씨온도＋273

❷ 적외선 온도계
물체에서 나오는 적외선을 감지하여 온도를 측정하는 온도계로, 물체에 직접 접촉하지 않고 온도를 측정한다.

2. 온도와 입자 운동

① 고체, 액체, 기체 모두 온도가 높을수록 입자의 운동이 활발하다.

온도가 높을 때	온도가 낮을 때
뜨거운 물	찬물
입자의 운동이 활발하다.	입자의 운동이 둔하다.

② 물체를 두드리거나 튕길 때에도 입자의 운동이 활발해지면서 온도가 올라간다.

가장 낮은 온도
0 K는 −273 ℃로 입자의 운동이 멈춘 상태이므로 어떤 물체의 온도도 이보다 낮을 수는 없다. 그러나 온도가 아무리 높아지더라도 입자 운동도 그 만큼 활발해질 수 있으므로 가장 높은 온도는 존재하지 않는다.

교과서 탐구 온도가 다른 물 입자의 운동

▶ 과정
1. 뜨거운 물과 찬물에 각각 코코아 가루를 한 숟가락씩 넣고, 코코아 가루가 녹는 모습을 관찰한다.
2. 뜨거운 물과 찬물에서 물 입자가 운동하는 모습을 그린 다음 설명한다.

▶ 결과 뜨거운 물의 코코아가 찬물의 코코아보다 더 빨리 퍼진다.

▶ 해석 온도가 높을수록 입자의 운동이 활발하다.

⚠ 용어 알기
- **입자** 물질을 구성하는 매우 작은 물체, 원자, 분자, 소립자 등
- **적외선** 가시광선의 붉은색보다 파장이 긴 전자기파

B 열과 열평형

1. 열

① 열: 온도가 다른 두 물체가 접촉해 있을 때 온도가 높은 물체에서 온도가 낮은 물체로 이동하는 에너지

② 열량

- 온도가 다른 두 물체 사이에서 이동하는 열의 양 열량∝질량×온도 변화
- 단위: cal(칼로리)[3], kcal(킬로칼로리)

2. 열평형 탐구 공략하기 214쪽

① 열평형: 온도가 다른 두 물체가 접촉해 있을 때 두 물체의 온도가 같아져 더 이상 변하지 않는 상태[4]

② 온도가 다른 두 물체가 접촉해 있으면 온도가 높은 물체는 열을 잃어 입자 운동이 둔해지고, 온도가 낮은 물체는 열을 얻어 입자 운동이 활발해진다.

③ 열평형이 이루어지는 과정에서 온도가 높은 물체가 잃은 열량은 온도가 낮은 물체가 얻은 열량과 같다.

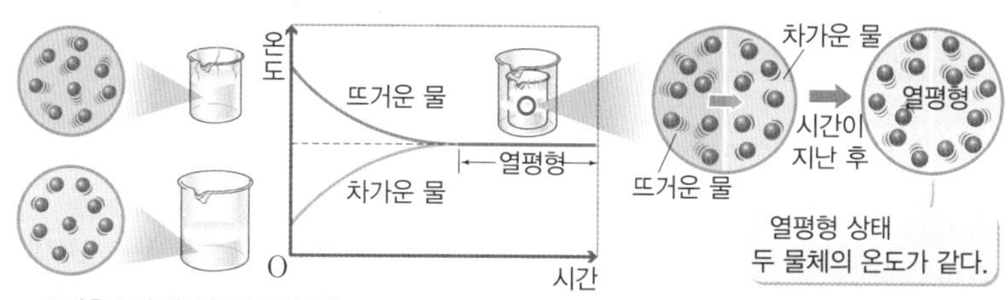

▲ 뜨거운 물과 차가운 물의 열평형

④ 열평형의 이용: 뜨거운 달걀을 찬물에 넣어 식히기, 얼음이 든 아이스박스에 음료수 병 넣어 차갑게 유지하기, 온도계로 물체의 온도 측정하기 등

❸ cal(칼로리)

1 cal는 물 1 g의 온도를 1 ℃ 올리는 데 필요한 열량이다. 따라서 물 5 g의 온도를 1 ℃ 올리는 데 필요한 열량은 5 cal이다.

물 1 kg의 온도를 1 ℃ 올리는 데 필요한 열량은 1 kcal이다.

❹ 열평형 온도

온도가 다른 두 물체가 접촉하여 열평형 상태가 되었을 때의 온도는 높은 온도와 낮은 온도의 중간값이 아니다. 각 물체의 종류 및 질량에 따라 열평형 온도는 달라진다.

정답과 해설 066쪽

01 물체를 이루는 입자의 활발한 정도를 나타내는 것은?

① 열 ② 온도 ③ 습도 ④ 열량 ⑤ 에너지

02 온도와 입자 운동에 대한 설명으로 옳은 것은 ○표, 옳지 않은 것은 ×표를 하시오.

(1) 물체의 온도가 높을수록 입자 운동이 활발하다. ( )

(2) 물체를 두드리면 입자의 운동이 활발해지면서 물체의 온도가 내려간다. ( )

(3) 고체, 액체, 기체 모두 온도가 높을 때 입자 운동이 활발하다. ( )

03 열에 대한 다음 설명의 ㉠, ㉡에 들어갈 알맞은 말을 쓰시오.

> 온도가 다른 두 물체가 접촉해 있을 때 온도가 (㉠) 물체에서 온도가 (㉡) 물체로 이동하는 에너지를 열이라고 한다.

04 열평형이 되는 과정에서 열의 이동 방향으로 옳은 것은?

① 질량이 큰 물체에서 질량이 작은 물체로
② 질량이 작은 물체에서 질량이 큰 물체로
③ 부피가 큰 물체에서 부피가 작은 물체로
④ 온도가 높은 물체에서 온도가 낮은 물체로
⑤ 온도가 낮은 물체에서 온도가 높은 물체로

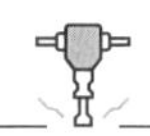

C 열의 이동

1. 열의 이동 방법

열이 이동할 때는 전도, 대류, 복사 중 1가지 방법으로만 이동하지 않고, 한번에 2~3가지 방법으로 이동하는 경우가 많다.

① 전도, 대류, 복사

구분	전도[5]	대류	복사[6]
정의	물질을 이루고 있는 입자의 운동이 이웃한 입자에 차례로 전달되어 열이 이동하는 현상	열을 얻은 액체나 기체에서 입자가 직접 이동하여 열이 이동하는 현상	열이 다른 물질의 도움 없이 직접 이동하는 현상
이동 모습			
예	• 주전자 바닥을 가열하면 주전자 전체가 뜨거워진다. • 전기장판 위에 누우면 몸이 따뜻해진다.	• 난로에 데워진 따뜻한 공기는 위로 이동한다. • 에어컨에서 나온 찬 공기는 아래로 이동하여 방 전체의 온도를 낮춘다.	• 햇빛 아래에 있으면 따뜻함을 느낀다. • 난로를 켜면 조금 떨어진 곳에서도 난로의 따뜻함을 느낀다.

② 효율적으로 냉난방을 하는 방법

- 냉난방기는 대류로 공기를 이동시키며 열을 전달한다.
- 냉방기는 위쪽에 설치해야 찬 공기는 아래로 내려오고 더운 공기는 위로 올라가면서 대류가 잘 일어나 방 전체가 시원해진다.
- 난방기는 아래쪽에 설치해야 따뜻한 공기는 위로 올라가고 찬 공기는 아래로 내려오면서 대류가 잘 일어나 방 전체가 따뜻해진다.

2. 단열

① 단열: 열의 이동을 막는 것

② 보온병의 효율적인 단열 방법

- 공기층을 이용하면 전도에 의한 열의 이동을 막을 수 있다.[7]
- 진공 상태는 전도와 대류에 의한 열의 이동을 막을 수 있다.
- 금속판으로 열을 반사시키면 복사에 의한 열의 이동을 막을 수 있다.

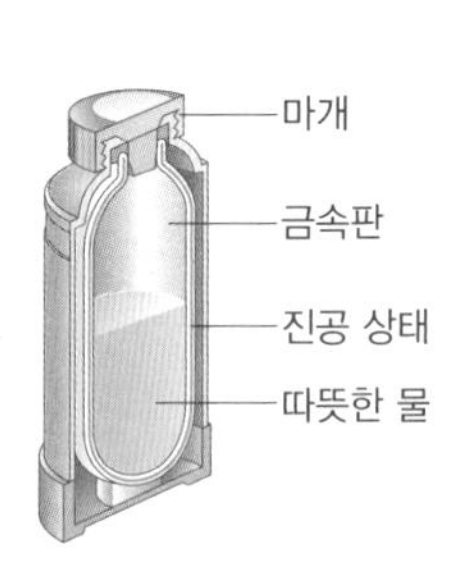

▲ 보온병

③ 단열의 이용[8]

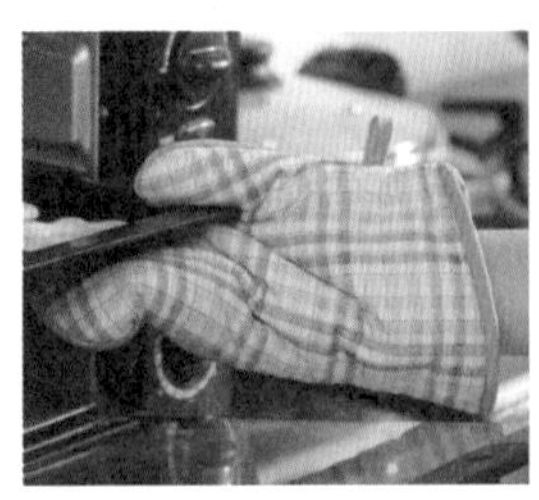
▲ 부엌용 장갑

▲ 음식 배달 가방

▲ 스타이로폼 박스

⑤ 열을 전도하는 정도
- 열을 잘 전도하는 물질 은>구리>알루미늄>철
- 열을 잘 전도하지 않는 물질 공기>나무>플라스틱

⑥ 복사열 확인

열화상 카메라를 이용하면 사람의 몸이나 건물 등 물체에서 방출되는 복사열을 찍을 수 있다. 이때 온도가 높은 부분은 붉은색으로 온도가 낮은 부분은 파란색으로 나타낸다.

⑦ 공기의 단열 효과

겨울철에 얇은 옷을 여러 겹으로 입으면 옷과 옷 사이에 공기층이 생겨 단열 효과가 좋아진다. 공기는 열전도율이 작아 전도에 의한 열의 이동을 잘 막는 좋은 단열재이다.

⑧ 효율적으로 집을 단열하는 방법

이중 창문, 문풍지, 스타이로폼 등을 이용하여 집 안팎의 열이 이동하는 것을 막는다.

용어 알기
- **진공** 물질이 전혀 존재하지 않는 공간
- **스타이로폼** 전체의 98 %가 공기로 이루어져 있는 플라스틱

★ 정답과 해설 066쪽

05 열의 이동에 대한 설명으로 옳은 것은 ○표, 옳지 않은 것은 ×표를 하시오.

(1) 전도와 대류는 모든 열의 이동에서 나타난다. ( )

(2) 고체에서는 주로 전도에 의해 열이 이동한다. ( )

(3) 대류는 액체에서만 나타난다. ( )

(4) 복사는 입자가 직접 이동하여 열이 이동하는 현상이다. ( )

(5) 에어컨을 방의 위쪽에 설치하는 것은 대류의 원리를 이용한 것이다. ( )

(6) 햇빛 아래에 있을 때 따뜻함을 느끼는 것은 태양의 복사열 때문이다. ( )

(7) 열의 이동은 항상 1가지 방법으로만 나타난다. ( )

06 열의 이동 방법과 그에 따른 예를 옳은 것끼리 연결하시오.

(1) 전도 • • ㉠ 난로에 데워진 따뜻한 공기가 위로 올라간다.

(2) 대류 • • ㉡ 전기장판 위에 누우면 몸이 따뜻해진다.

(3) 복사 • • ㉢ 햇빛 아래에 있으면 따뜻함을 느낀다.

07 냉난방기의 설치에 대한 설명이다. ㉠~㉢에 들어갈 알맞은 말을 쓰시오.

> 냉난방기는 공기가 (㉠)의 방법으로 이동하며 열을 전달한다. 냉방기는 (㉡)에 설치해야 찬 공기는 아래로 내려오고 더운 공기는 위로 올라가면서 방 전체가 시원해진다. 난방기는 (㉢)에 설치해야 더운 공기는 위로 올라가고 찬 공기는 아래로 내려오면서 방 전체가 따뜻해진다.

08 그림은 열화상 카메라로 온도를 측정하는 모습이다. 열화상 카메라는 어떤 열의 이동 방법을 이용하여 온도를 측정하는지 쓰시오.

09 집을 효율적으로 단열하기 위한 재료로 옳은 것만을 보기에서 모두 고른 것은?

> 보기
> ㄱ. 문풍지 ㄴ. 금속판
> ㄷ. 이중 창문 ㄹ. 스타이로폼

① ㄱ ② ㄱ, ㄴ ③ ㄴ, ㄷ
④ ㄱ, ㄷ, ㄹ ⑤ ㄴ, ㄷ, ㄹ

10 보온병의 내부 모습이다. 각각에 사용된 단열재는 어떤 열의 이동을 막는 것인지 쓰시오.

11 그림은 일상생활에서 이용되는 생활 용품의 예이다. 공통으로 이용되고 있는 원리는 무엇인지 쓰시오.

(가) 부엌용 장갑

(나) 음식 배달 가방

(다) 스타이로폼 박스

탐구 공략 하기

뜨거운 물과 찬물의 온도 변화 측정하기

목표

온도가 다른 두 물체가 열평형에 도달하는 과정을 온도-시간 그래프를 이용하여 설명할 수 있다.

공략 포인트

온도가 다른 두 물체를 접촉하면 고온의 물체는 온도가 낮아지고, 저온의 물체는 온도가 높아지면서 어느 정도 시간이 지나면 서로 온도가 같아진다는 것을 안다. 이때 열평형 상태의 온도는 고온과 저온의 중간값이 아니라는 것을 이해한다.

과정

❶ 열량계에 찬물 넣기

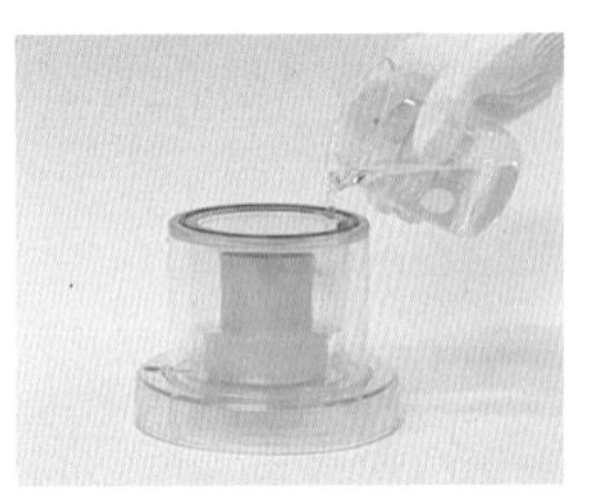

열량계에 찬물을 넣는다.
열량계는 단열이 잘되어 탐구 결과를 더 정확하게 얻을 수 있다.

❷ 금속 캔에 뜨거운 물 넣기

가운데 있는 금속 캔에 뜨거운 물을 넣는다.
금속 캔은 전도가 잘되는 물체로, 실험 결과가 빠르게 나타난다.

❸ 온도계 꽂기

열량계의 뚜껑을 닫고, 뜨거운 물과 찬물에 각각 디지털 온도계를 꽂는다.
온도계가 열량계와 금속 캔의 바닥이나 벽에 닿지 않도록 주의한다.

❹ 온도 측정하기 금속 캔과 열량계 속 물의 온도를 2분 간격으로 측정하여 표에 기록한다.

결과

시간(분)	0	2	4	6	8	10	12	14	16
열량계 속 물의 온도(℃)	20.0	26.0	28.4	29.4	29.7	30.0	30.0	30.0	30.0
금속 캔 속 물의 온도(℃)	60.0	42.0	34.8	31.9	30.8	30.0	30.0	30.0	30.0

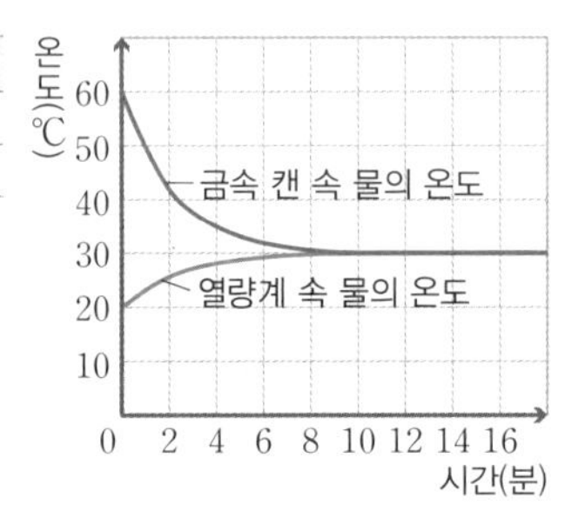

1. 열량계 속 물의 온도는 높아지고, 금속 캔 속 물의 온도는 낮아진다.
2. 10분 후부터 두 물의 온도는 같아진다.

정리

뜨거운 물에서 찬물로 열이 이동하므로 캔 속 물의 온도는 낮아지고, 열량계 속 물의 온도는 높아진다. 열량계 속 물 입자는 운동이 활발해지고, 금속 캔 속 물 입자는 운동이 둔해진다.

★ 정답과 해설 066쪽

확인 문제

01 보기는 이 실험의 과정을 순서없이 나열한 것이다. 실험의 과정을 순서대로 쓰시오.

| 보기 |
ㄱ. 온도 측정하기 ㄴ. 온도계 꽂기
ㄷ. 열량계에 찬물 넣기
ㄹ. 금속 캔에 뜨거운 물 넣기

02 열량계에 뜨거운 물을 넣기 위해 금속 캔을 사용한 까닭을 서술하시오.

03 이 실험에 대한 설명으로 옳은 것은 ○표, 옳지 않은 것은 ×표를 하시오.

(1) 온도계를 꽂을 때 온도계 끝이 열량계와 금속 캔 바닥에 닿도록 한다. ( )
(2) 열은 금속 캔 속 물에서 열량계 속 물로 이동한다. ( )
(3) 열량계 속 물 입자는 운동이 활발해진다. ( )
(4) 금속 캔 속 물의 입자 활동이 둔해진다. ( )
(5) 열량계 속의 물과 금속 캔 속의 물은 30.0 ℃에서 열평형을 이룬다. ( )

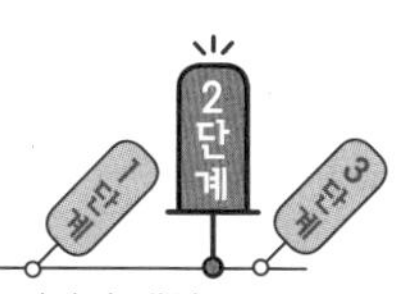

정답과 해설 066쪽

A 온도와 입자 운동

01 온도에 대한 설명으로 옳은 것은?

① 온도는 사람이 피부로 느끼는 추운 정도이다.
② 온도는 두 물체가 접촉할 때 이동하는 에너지이다.
③ 온도는 끝없이 낮아질 수도 있고, 높아질 수도 있다.
④ 사람의 피부 감각으로 정확한 온도 측정이 가능하다.
⑤ 온도는 물체를 이루는 입자의 활발한 정도를 나타낸 것이다.

02 그림은 아이에게 분유를 먹이기 전 손에 떨어뜨려 분유의 온도를 알아보는 모습이다. 분유의 온도를 더 정확하게 알기 위해 필요한 기구는 무엇인지 쓰시오.

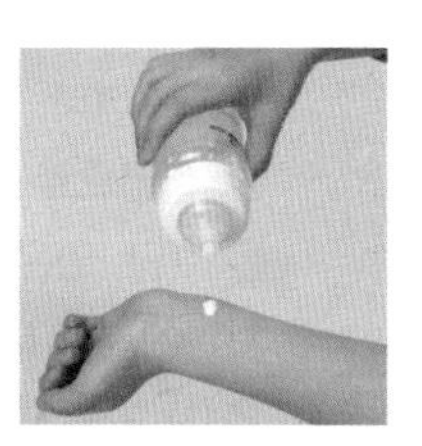

03 어떤 물체의 온도를 측정하였더니 절대 온도로 300 K이었다. 이 물체의 섭씨온도로 옳은 것은?

① −27 ℃ ② 27 ℃ ③ 270 ℃
④ 300 ℃ ⑤ 573 ℃

필수

04 온도와 입자 운동에 대한 설명으로 옳은 것만을 보기에서 모두 고른 것은?

보기
ㄱ. 0 ℃에서 모든 입자들은 제자리에 멈춰 있다.
ㄴ. 온도는 물체를 이루는 입자들의 활발한 정도는 나타낸 것이다.
ㄷ. 같은 물체인 경우 온도가 높아질수록 입자 운동이 활발해진다.

① ㄱ ② ㄴ ③ ㄷ
④ ㄱ, ㄷ ⑤ ㄴ, ㄷ

[05-06] 그림은 같은 물질이지만 온도가 다른 입자 운동 모습을 나타낸 것이다. (단, (가), (나), (다)의 질량은 같다.)

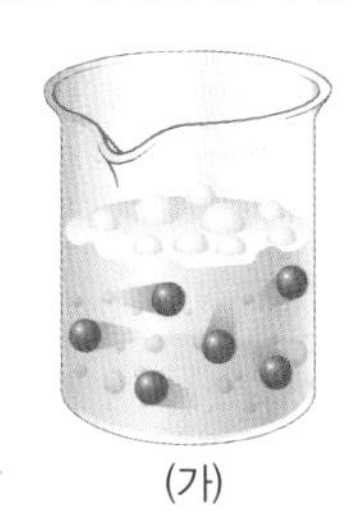
(가)

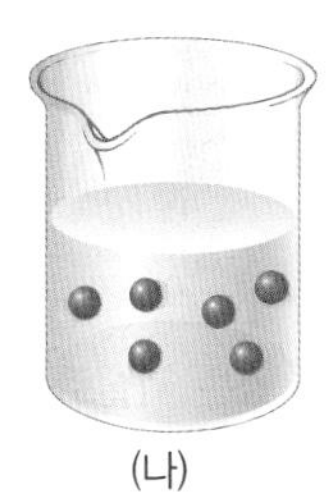
(나)

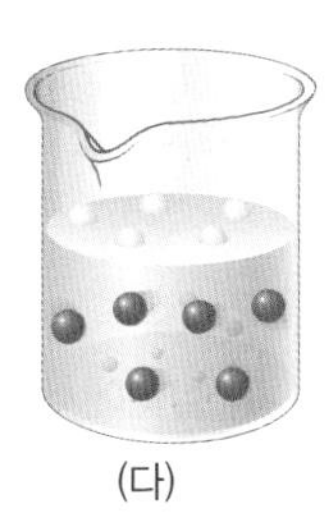
(다)

필수

05 위 그림에 대한 설명으로 옳지 않은 것은?

① 온도가 가장 낮은 것은 (나)이다.
② 온도가 가장 높은 것은 (가)이다.
③ 입자 운동이 가장 활발한 것은 (다)이다.
④ 입자가 가지고 있는 열에너지가 가장 큰 것은 (가)이다.
⑤ 입자가 가지고 있는 열에너지가 가장 작은 것은 (나)이다.

06 위 그림에서 온도가 가장 높은 것과 가장 낮은 것을 서로 접촉시켰을 때, 열의 이동에 대한 설명으로 옳은 것은?

① 열을 잃어 입자의 운동이 느려지는 것은 (나)이다.
② 열을 잃어 입자의 운동이 느려지는 것은 (다)이다.
③ 열을 얻어 입자의 운동이 빨라지는 것은 (가)이다.
④ 열을 얻어 입자의 운동이 빨라지는 것은 (나)이다.
⑤ 온도가 가장 높은 것과 가장 낮은 것을 서로 접촉시켰을 때 입자의 운동을 나타낸 것은 (나)이다.

07 고무줄을 여러 번 잡아당겼다가 놓으면 고무줄이 뜨거워지는 까닭으로 옳은 것은?

① 손의 열이 고무줄로 전달되기 때문에
② 주변 공기의 온도가 올라가기 때문에
③ 고무줄의 입자 운동이 둔해지기 때문에
④ 고무줄의 입자 운동이 활발해지기 때문에
⑤ 공기 중에서 고무줄로 열이 이동하기 때문에

08 그림은 따뜻한 물과 찬물에 각각 코코아를 한 숟가락씩 넣은 모습이다.

이 실험에서 알 수 있는 사실로 옳은 것은?

① 코코아 입자만 자유롭게 움직여 고르게 섞인다.
② 물 입자와 코코아 입자는 서로 부딪히지 않는다.
③ 물의 온도가 높을수록 코코아는 느리게 퍼진다.
④ 물의 온도가 높을수록 물 입자의 운동이 활발하다.
⑤ 물 입자의 열에너지는 코코아 입자로 이동하지 않는다.

B 열과 열평형

09 그림은 뜨거운 코코아를 컵에 담아 손으로 들고 있는 모습이다. 이에 대한 설명으로 옳지 않은 것은?

① 손의 온도는 높아지고 있다.
② 코코아의 온도는 낮아지고 있다.
③ 컵에서 손으로 열이 이동한다.
④ 손에서 컵으로 열이 이동한다.
⑤ 코코아에서 컵으로 열이 이동하였다.

10 열량에 대한 설명으로 옳지 않은 것은?

① 물체를 가열한 시간이 길수록 물체가 받는 열량은 많아진다.
② 1 kcal는 물 1 kg의 온도를 1 ℃ 높이는 데 필요한 열량이다.
③ 물에 같은 열량을 가한 경우 질량이 클수록 온도 변화가 크다.
④ 질량이 같은 물에 가한 열량과 온도 변화는 항상 비례한다.
⑤ 물의 질량이 클수록 같은 온도까지 높이려면 더 많은 열이 필요하다.

11 그림은 전열기 위에 놓인 비커 속 물의 온도를 측정하는 모습이다. 온도계로 온도를 측정할 때 열평형을 이루는 두 물체는?

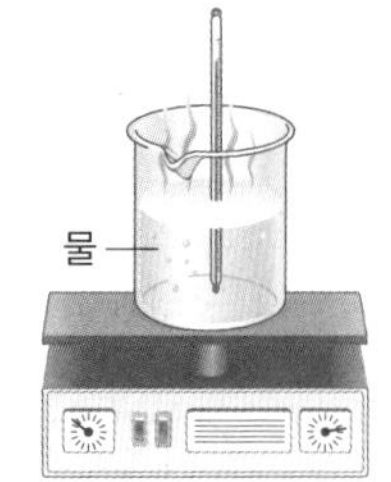

① 비커와 물
② 물과 공기
③ 전열기와 물
④ 물과 온도계
⑤ 전열기와 비커

필수

12 그림은 접촉한 두 물체 A와 B의 시간에 따른 온도를 나타낸 그래프이다. 이에 대한 설명으로 옳은 것은? (단, 열은 A와 B 사이에서만 이동하였다.)

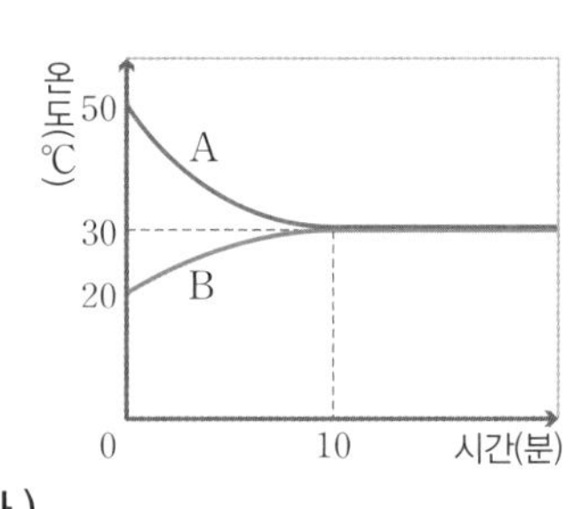

① 열은 B에서 A로 이동한다.
② A와 B의 온도 변화는 같다.
③ A의 입자 운동은 점점 활발해진다.
④ A가 잃은 열은 B가 얻은 열보다 많다.
⑤ 열평형에 도달하는 데 걸린 시간은 10분이다.

서술형

13 그림은 접촉하고 있는 두 물체 A와 B의 입자 운동을 모형으로 나타낸 것이다.

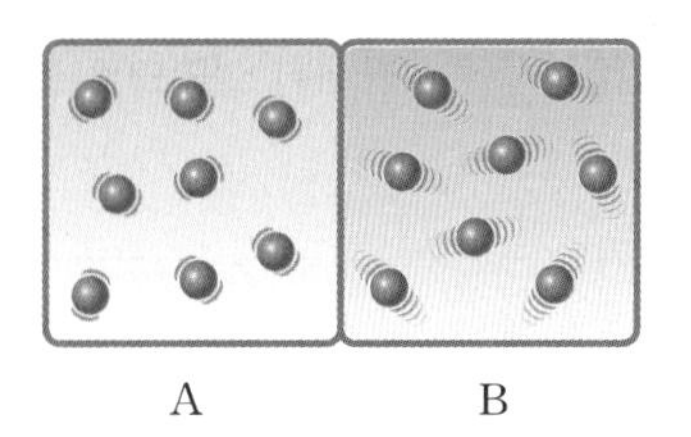

(1) 열이 이동하는 방향을 쓰시오.

(2) (1)에서와 같은 방향으로 열이 이동하는 까닭을 입자 운동과 관련지어 서술하시오.

정답과 해설 066쪽

14 열평형이 될 때까지 입자 운동에 대한 설명이다. (　　) 안에 들어갈 내용으로 알맞은 것은?

> 입자 운동이 둔한 찬물과 입자 운동이 활발한 뜨거운 물을 접촉시키고 어느 정도 시간이 지나면 (　　　　) 열평형이 된다.

① 찬물의 입자 수가 더 많아지는
② 뜨거운 물의 입자 수가 더 많아지는
③ 찬물의 입자 운동이 더 둔해지는
④ 뜨거운 물의 입자 운동이 더 활발해지는
⑤ 찬물과 뜨거운 물의 입자 운동 상태가 같아지는

[15-16] 그림은 온도가 다른 물체 A, B, C, D를 둘씩 접촉시켰을 때의 열의 이동 방향을 화살표로 나타낸 것이다.

, 

, C → A

신유형

15 물체 A ~ D를 온도가 높은 것부터 순서대로 나열한 것은?

① A − B − C − D　② A − D − B − C
③ B − C − A − D　④ C − A − B − D
⑤ D − B − C − A

16 물체 A와 D를 서로 접촉시키면, 열은 어디에서 어디로 이동하는지 쓰시오.

필수

17 그림은 두 물체 A, B를 접촉시킨 경계의 모습이다. 이에 대한 설명으로 옳은 것만을 보기에서 모두 고른 것은?

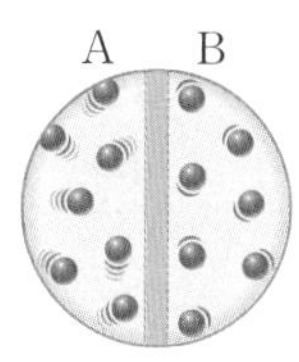

> 보기
> ㄱ. 처음에는 A에서 B로 열이 이동한다.
> ㄴ. 시간이 지날수록 A의 온도는 점점 낮아진다.
> ㄷ. 시간이 지날수록 B의 입자 운동은 둔해진다.

① ㄱ　② ㄴ　③ ㄷ
④ ㄱ, ㄴ　⑤ ㄴ, ㄷ

18 그림 (가)는 찬물에 담가 놓은 수박이고, 그림 (나)는 뜨거운 물에 담가 놓은 한약의 모습이다.

(가)

(나)

(가)와 (나)에서 열의 이동에 대한 설명으로 옳지 않은 것은?

① (가)에서 열을 잃는 것은 수박이다.
② (나)에서 열을 잃는 것은 뜨거운 물이다.
③ (가)에서 열은 수박에서 찬물로 이동한다.
④ (나)에서 열은 한약에서 뜨거운 물로 이동한다.
⑤ (가)와 (나)에서 열은 온도가 높은 물체에서 낮은 물체로 이동한다.

C 열의 이동

19 그림과 같이 뜨거운 차에 금속 숟가락을 담가 두면 숟가락의 손잡이가 따뜻해진다. 이와 관련 있는 열의 이동으로 옳은 것은?

① 전도　② 대류
③ 복사　④ 열평형
⑤ 열팽창

필수

20 뜨거운 코코아와 숟가락의 입자 운동에 대한 설명이다. ㉠~㉢에 들어갈 알맞은 말을 옳게 짝 지은 것은?

> 뜨거운 코코아에 숟가락을 담그면 코코아 입자들이 활발하게 움직이며 숟가락 입자들과 충돌한다. 이로 인해 숟가락 입자들의 운동은 점점 (㉠), 코코아 입자들의 운동은 점점 (㉡). 즉, 입자의 충돌에 의해 열이 전달되어 숟가락이 (㉢).

	㉠	㉡	㉢
①	둔해지고	둔해진다	차가워진다
②	둔해지고	활발해진다	차가워진다
③	활발해지고	둔해진다	뜨거워진다
④	활발해지고	활발해진다	뜨거워진다
⑤	활발해지고	활발해진다	차가워진다

21 전도에 관한 설명으로 옳지 <u>않은</u> 것은?

① 입자들이 이동하지 않고 열을 전달한다.
② 고체에서 나타나는 열의 이동 방법이다.
③ 물질을 이루고 있는 입자들이 진동을 전달하여 열이 전달된다.
④ 감기가 심한 환자의 이마에 손을 대면 온도가 높다는 것을 느낄 수 있다.
⑤ 에어컨을 틀면 방 안이 전체적으로 시원해지는 것은 전도로 설명할 수 있다.

서술형

22 그림과 같이 주전자의 손잡이를 플라스틱으로 만드는 까닭을 서술하시오.

신유형

23 국과 죽의 식는 속도에 대한 설명이다. (　　) 안에 공통으로 들어갈 알맞은 말을 쓰시오.

> 일반적으로 국물이 많은 국은 (　　) 현상이 잘 일어나 빨리 식지만 국물이 많지 않은 죽은 (　　) 현상이 천천히 일어나므로 표면에 가까운 부분만 잘 식고 표면 아래쪽은 잘 식지 않는다.

필수

24 그림은 톱밥이 들어 있는 비커의 한쪽 끝을 가열하는 모습이다. 이에 대한 설명으로 옳은 것은?

① 물이 열을 받으면 톱밥이 물에 녹는다.
② 비커의 왼쪽에 있는 톱밥이 위로 올라간다.
③ 알코올램프로 가열하면 톱밥이 모두 위로 뜬다.
④ 알코올램프로 가열한 쪽의 톱밥이 위로 올라간다.
⑤ 물이 따뜻해지면 톱밥이 아래로 내려오고, 식으면 다시 위로 올라온다.

25 그림과 같은 열의 이동 방법에 대한 설명으로 옳지 <u>않은</u> 것은?

① 복사에 의한 열의 이동이다.
② 진공 중에서도 열이 전달된다.
③ 물질을 통해 직접 열이 전달된다.
④ 전자기파의 형태로 열이 전달된다.
⑤ 열이 빛과 같은 빠르기로 전달된다.

26 그림은 단열을 고려한 이중창의 구조를 나타낸 것이다. 이중창의 단열 원리와 가장 관계가 깊은 현상으로 옳은 것은?

① 햇볕을 쬐면 따뜻하다.
② 난방기를 켰더니 방이 따뜻하다.
③ 물을 끓이는 냄비의 뚜껑이 움직인다.
④ 더운 여름철 아스팔트에 아지랑이가 보인다.
⑤ 뜨거운 냄비를 만질 때 주방용 장갑을 사용한다.

신유형

27 그림은 체육 시간에 공을 이용하여 활동을 하는 모습이다.

그림의 (가)~(다)의 모습을 살펴보고 어떤 열의 이동의 모습과 닮았는지 쓰시오.

만점 도전하기

정답과 해설 068쪽

[01-02] 그림은 뜨거운 물에 숟가락을 넣은 후 물 입자들과 숟가락을 이루는 입자들의 운동을 나타낸 것이다.

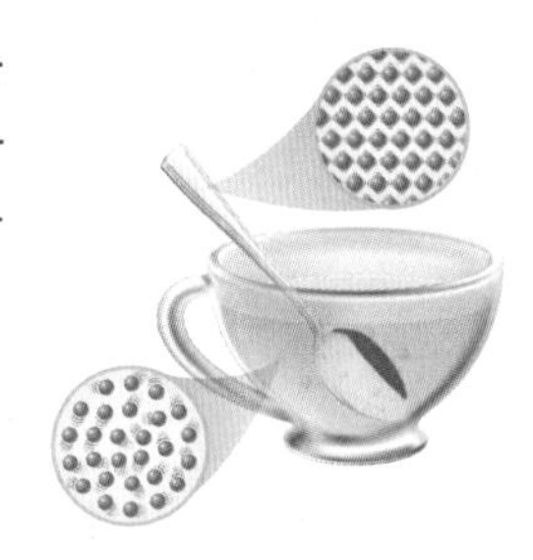

01 숟가락의 물속에 있는 부분과 밖에 있는 손잡이 중에서 입자 운동이 더 활발한 것은 어느 것인지 쓰시오.

필수

02 위 그림에 대한 설명으로 옳은 것만을 보기에서 모두 고른 것은?

보기
ㄱ. 숟가락에서 물로 열이 이동한다.
ㄴ. 물 입자의 운동이 처음보다 점점 둔해진다.
ㄷ. 시간이 지나면 숟가락의 온도는 물보다 낮아진다.

① ㄱ ② ㄴ ③ ㄷ
④ ㄱ, ㄴ ⑤ ㄴ, ㄷ

필수

03 그림은 실내 온도가 20 ℃인 실험실에서 40 ℃의 물이 들어 있는 비커의 시간에 따른 온도를 나타낸 것이다.

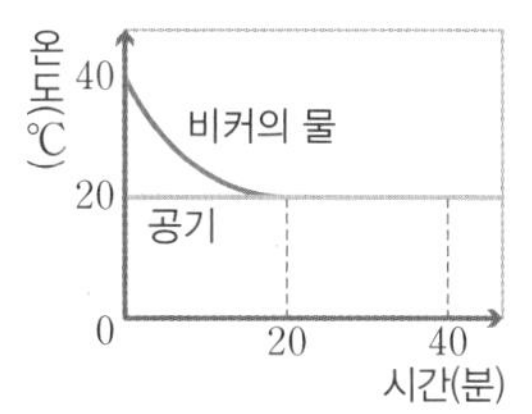

열평형에 도달할 때까지 공기의 온도 변화가 없는 까닭으로 옳은 것은?

① 물의 온도가 공기의 온도보다 높기 때문이다.
② 공기의 온도가 물의 온도보다 낮기 때문이다.
③ 공기의 온도는 20 ℃ 이상으로는 오르지 않기 때문이다.
④ 비커의 물에 비하여 실험실 안의 공기의 질량이 매우 크기 때문이다.
⑤ 실험실 안의 공기에 비하여 비커의 물의 질량이 매우 크기 때문이다.

필수

04 그림은 실온의 우유팩, 뜨거운 찜질팩, 나무판, 금속판을 각각 다른 순서로 포개어 놓은 모습이다.

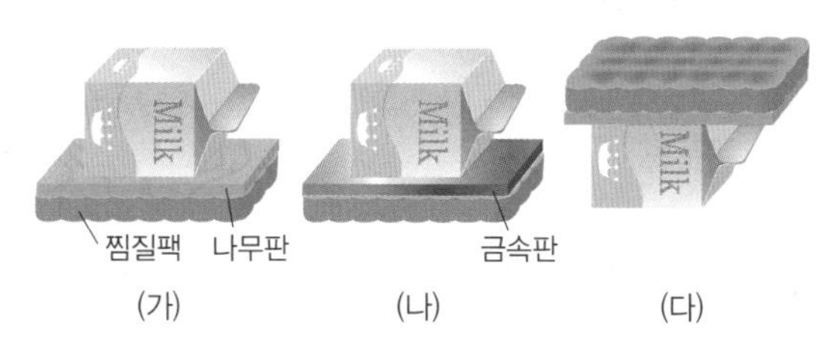

(가)~(다) 중 우유가 빠르게 골고루 데워지는 순서대로 나열한 것은?(단, 찜질팩, 나무판, 금속판의 온도는 같다.)

① (가) – (나) – (다) ② (가) – (다) – (나)
③ (나) – (가) – (다) ④ (나) – (다) – (가)
⑤ (다) – (가) – (나)

신유형

05 그림은 용광로에서 방열복을 입고 작업하는 사람의 모습이다. 이에 대한 설명으로 옳지 않은 것은?

① 작업 중 높아진 체온이 빨리 식을 수 있도록 금속 재질로 옷을 만들었다.
② 용광로에서 복사되는 열을 반사할 수 있도록 반짝이는 겉감을 사용하였다.
③ 방열복은 불이 쉽게 옮겨 붙지 않도록 불에 쉽게 타지 않는 재질로 만들었다.
④ 용광로 주변은 고온이기 때문에 열이 잘 전도되지 않도록 두껍게 만들었다.
⑤ 뜨거운 공기가 옷 속으로 들어오지 않도록 공기가 드나들 수 있는 곳을 막았다.

Ⅷ. 열과 우리 생활

비열과 열팽창

물음으로 흐름잡기

비열 — 비열이란? / 비열이 큰 물질의 온도 변화는? / 비열이 작은 물질의 온도 변화는?

열팽창 — 온도가 높아질 때 길이나 부피가 변하는 현상은? / 열팽창이 일어날 때 입자 사이의 거리는?

A 비열

1. 물체의 온도 변화와 열량

① 열량과 질량이 다를 때 물의 온도 변화❶

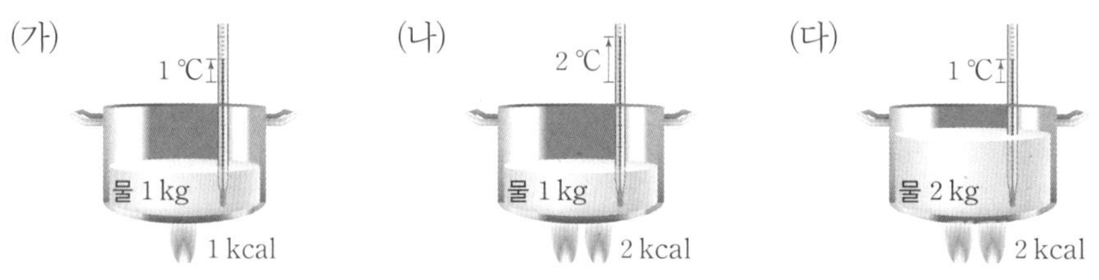

▲ 열량과 질량에 따른 물의 온도 변화

- (가)와 (나) 비교: 질량이 같으면 가한 열량이 많을수록 온도가 많이 올라간다.
- (나)와 (다) 비교: 같은 열량을 가하면 질량이 작을수록 온도가 많이 올라간다.

2. 비열 물질에 따라 같은 양의 열을 받아도 온도가 변하는 정도가 다르다

① 비열: 어떤 물질 1 kg의 온도를 1 ℃ 올리는 데 필요한 열량❷

② 비열의 단위: kcal/(kg·℃)

$$\text{비열(kcal/(kg·℃))} = \frac{\text{열량}}{\text{질량(kg)} \times \text{온도 변화(℃)}}$$ ➡ 열량 = 비열 × 질량 × 온도 변화

③ 몇 가지 물질의 비열

물질	구리	철	모래	알루미늄	식용유	에탄올	물
비열	0.09	0.11	0.19	0.22	0.40	0.58	1.00

교과서 탐구 질량이 같은 두 물체의 비열 비교하기❸

▶ 과정
1. 두 개의 비커에 물과 식용유를 각각 100 g씩 넣는다.
2. 두 비커를 핫플레이트 위에 올려놓고 온도계로 처음 온도를 측정한다.
3. 핫플레이트로 두 비커를 5분 동안 가열하면서 두 액체의 온도를 1분 간격으로 측정하여 기록한다.

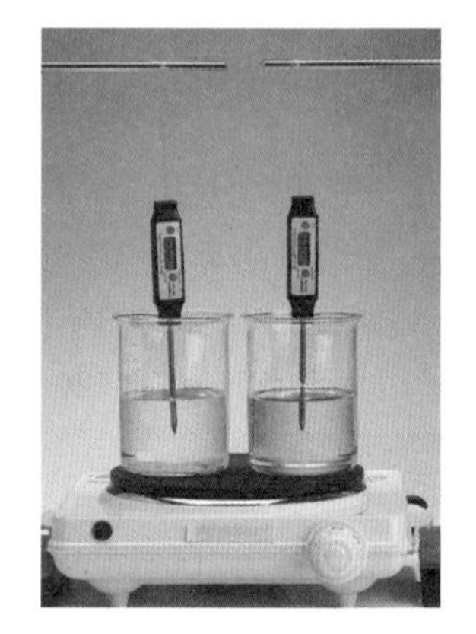

▶ 결과

시간	처음	1분	2분	3분	4분	5분
물의 온도(℃)	20.0	24.0	28.0	32.0	36.0	40.0
식용유의 온도(℃)	20.0	30.0	40.0	50.0	60.0	70.0

▶ 해석 질량이 같아도 물질의 종류에 따라 같은 열량을 가했을 때 온도 변화가 다르다.

❶ **열량과 온도 변화의 비례**
1 kcal의 열량으로 물 1 kg을 가열하면 물의 온도는 1 ℃가 올라간다. 열량과 온도 변화는 비례하므로 5 kcal의 열량으로 물 1 kg을 가열한다면 물의 온도는 5 ℃가 올라간다.

❷ **물질의 종류와 비열**
물질의 종류에 따라 비열이 다르다. 같은 양의 물질이라도 비열이 큰 물질일수록 같은 온도로 올리는 데 더 많은 열량이 필요하다.

❸ **물과 식용유의 비열 비교**

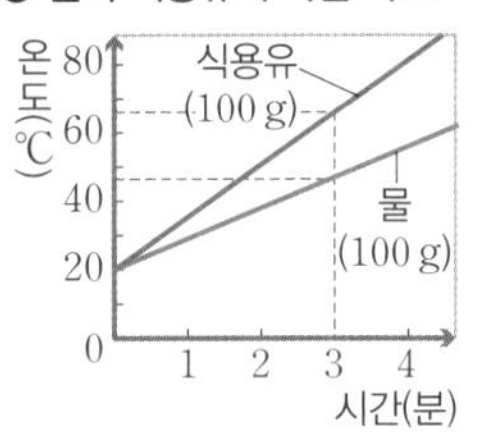

- 같은 시간 동안 온도 변화
  식용유 > 물
- 비열
  물 > 식용유

용어 알기
- **핫플레이트** 전기로 작동되는 가열기
- **에탄올** 무색투명한 휘발성 액체로, 몸에 흡수되면 흥분이나 마취 작용을 일으킨다.

3. 비열과 우리 생활 해풍: 낮에 바다에서 육지로 부는 바람
육풍: 밤에 육지에서 바다로 부는 바람

① 해풍과 육풍

- 물의 비열은 모래의 비열보다 크다. 낮에는 모래의 온도가 물보다 더 빨리 올라가 모래 사장은 바닷물보다 뜨겁고, 밤에는 더 빨리 식어서 바닷물보다 차다.
- 바닷가에서 낮에는 바다에서 육지로 해풍이 불고, 밤에는 육지에서 바다로 육풍이 분다.

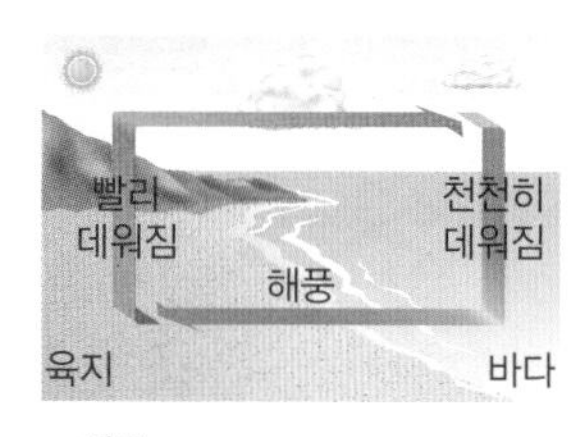

▲ 해풍

▲ 육풍

② 물의 비열을 이용한 예[4]: 물은 다른 물질보다 비열이 커서 온도가 잘 변하지 않으므로 오랫동안 따뜻한 상태나 차가운 상태를 유지할 수 있다[5].

자동차 냉각수	찜질 팩	온수 매트
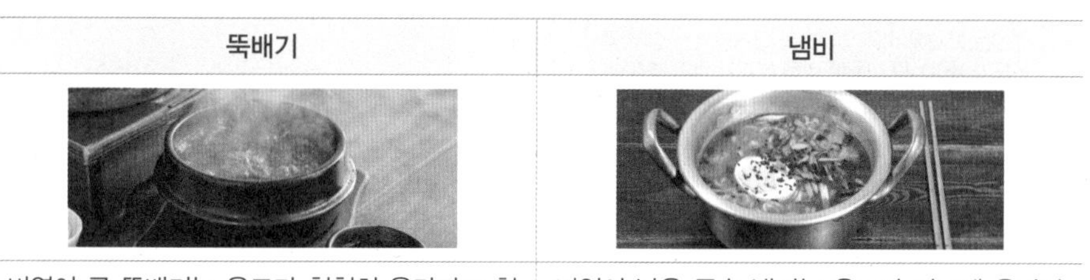		
물이 엔진 주변을 흐르면서 과열된 엔진의 온도를 낮춘다.	찜질 팩 속에 뜨거운 물이나 찬 물을 넣어 찜질을 한다.	물을 데워 난방을 하기 때문에 오랫동안 따뜻함을 유지한다.

③ 비열을 이용한 조리 도구

뚝배기	냄비
비열이 큰 뚝배기는 온도가 천천히 올라가고 천천히 식어 오랫동안 따뜻한 상태를 유지하는 음식을 조리할 때 사용한다.	비열이 낮은 금속 냄비는 온도가 빠르게 올라가고 빠르게 식어 빨리 끓여야 하는 음식을 조리할 때 사용한다.

해안과 내륙 지방의 일교차
바다에 가까운 해안 지방은 내륙지방보다 일교차가 작다. 그 까닭은 해안 지방의 바다의 온도가 쉽게 오르내리지 않기 때문이다.

❹ 체온 유지
사람은 몸의 약 60 ~ 70 %가 물로 이루어져 있다. 우리 몸속에 있는 물은 비열이 커서 외부의 온도가 급격히 변해도 온도 변화가 작기 때문에 체온을 일정하게 유지하는 데 중요한 역할을 한다.

❺ 일상생활에서의 비열
- 비열이 커야 좋은 예: 냉난방 장치에 사용되는 물은 비열이 커서 한번 데워지면 잘 식지 않는다.
- 비열이 작아야 좋은 예: 난방용 배관으로 사용되는 구리관은 비열이 작아서 쉽게 데워진다.

정답과 해설 068쪽

01 비열에 대한 설명으로 옳은 것은 ○표, 옳지 않은 것은 ×표를 하시오.

(1) 물질마다 비열은 다르다. ( )
(2) 비열의 단위는 kg/kcal이다. ( )
(3) 일반적으로 액체의 비열이 고체의 비열보다 크다. ( )
(4) 비열이 큰 물질일수록 온도를 높이는 데 더 많은 열량이 필요하다. ( )

02 ( ) 안에 들어갈 알맞은 말을 쓰시오.

(1) 같은 양의 열을 가했을 때 질량이 ( ) 온도 변화가 작다.
(2) 비열은 어떤 물질 1 kg의 온도를 ( ) 올리는 데 필요한 열량이다.

03 그림은 낮의 바다 모습이다. 바람의 방향을 화살표로 나타내시오.

02 비열과 열팽창

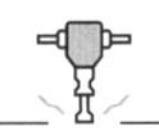

기체의 열팽창
기체는 고체나 액체보다 열팽창 정도가 매우 크며, 물질의 종류에 관계없이 열팽창 정도가 같다.

❻ 물질의 열팽창 정도
- 고체의 열팽창 정도
알루미늄 > 구리 > 철 > 유리
- 액체의 열팽창 정도
아세톤 > 에탄올 > 글리세린 > 물

❼ 금속의 열팽창 정도
금속의 열팽창 정도는 매우 작다. 길이 1 m인 구리선의 경우 온도가 10 ℃ 올라가면 길이가 0.017 cm 늘어난다.

❽ 일상생활에서의 열팽창
- 충치 치료할 때 넣는 충전재는 치아와 열팽창 정도가 비슷한 재료를 사용하여 치아와 충전재가 떨어지지 않게 한다.
- 끼어서 빠지지 않는 그릇의 안쪽에는 찬물을 넣고 바깥에는 뜨거운 물을 붓는다.
- 유리병의 금속 뚜껑이 열리지 않을 때 유리병을 뜨거운 물에 넣어주면 금속 뚜껑은 많이 팽창하고 유리병은 조금 팽창하여 뚜껑을 쉽게 열 수 있다.

B 열팽창 열팽창은 고체, 액체, 기체 모두에서 일어나는 현상이다.

1. 열팽창 온도가 높아질 때 길이나 부피가 늘어나는 현상❻

탐구 공략하기 224쪽

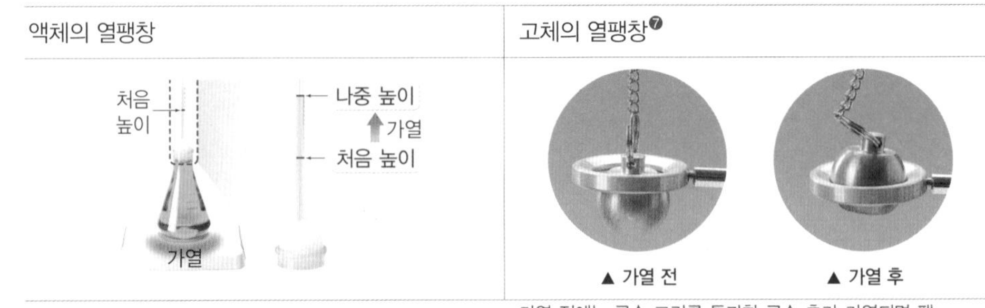

가열 전에는 금속 고리를 통과한 금속 추가 가열되면 팽창하여 금속 고리를 통과하지 못한다.

2. 열팽창과 입자 운동

물질을 이루는 입자의 크기나 입자끼리 연결되어 있는 상태가 물질마다 다르기 때문에 물질의 종류에 따라 열팽창 정도가 다르다.

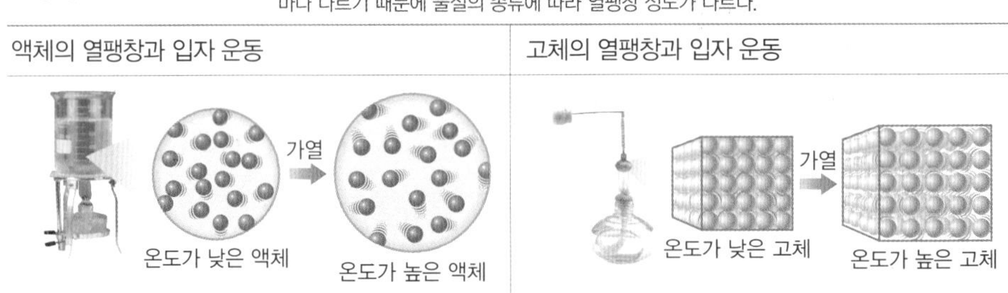

액체는 고체에 비해 입자끼리 끌어당기는 힘이 약하므로 온도가 올라가면 고체에 비해 부피가 많이 팽창한다.

온도가 낮을 때	가열할 때	온도가 높을 때
입자 운동이 활발하지 않아 입자 사이의 거리가 가깝다.	입자 운동이 활발해져 입자들 사이의 거리가 멀어진다.	입자들이 차지하는 공간이 늘어나 부피가 팽창한다.

3. 열팽창의 활용❽

① 고체의 열팽창 활용

선로의 틈	가스관	다리 이음매
더운 여름철에 선로가 늘어나서 휘어지지 않게 하기 위해 선로 사이에 틈을 둔다.	가스관이 팽창이나 수축에 의해 파손되는 것을 방지하기 위해 가스관을 ㄷ자형으로 만든다.	콘크리트가 팽창하거나 수축할 수 있도록 다리 상판 사이에 간격을 둔다.

② 바이메탈*

- 원리: 온도가 올라가면 열팽창 정도가 작은 금속 쪽으로 휘어져 전류를 차단해 온도를 조절한다.
- 이용: 전기다리미나 토스터 등의 자동 온도 조절 장치*에 이용

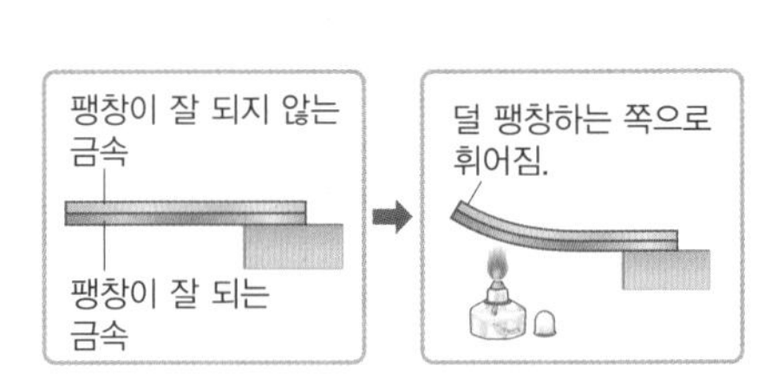

용어 알기
- **바이메탈** 열팽창 정도가 다른 두 금속을 붙여 놓은 것
- **자동 온도 조절 장치** 온도 변화에 의해 자동으로 전원을 차단하거나 작동시킨다.

③ 액체의 열팽창 활용

온도계	음료수 병
온도에 따라 알코올의 부피가 일정하게 팽창하는 성질을 이용하여 온도를 측정한다.	액체의 열팽창으로 음료수 병이 깨지는 것을 방지하기 위해 병에 액체를 가득 채우지 않는다.

해수면 상승과 액체의 열팽창
지구 온난화로 바닷물의 온도가 올라가고 이로 인해 바닷물이 열팽창하므로 해수면이 상승한다. 해수면 상승의 원인에는 빙하가 녹는 것도 있지만 바닷물의 열팽창 효과가 더 크다.(바닷물의 온도가 1 ℃ 올라가면 평균 해수면은 40 cm 높아짐)

★ 정답과 해설 068쪽

04 **열팽창에 대한 설명으로 옳은 것은 ○표, 옳지 않은 것은 ×표를 하시오.**

(1) 고체와 액체는 물질에 따라 열팽창 정도가 다르다. ( )

(2) 물체가 열팽창하면 입자들이 차지하는 공간은 작아진다. ( )

(3) 열팽창이 일어나면 물질을 이루는 입자들이 활발해진다. ( )

(4) 같은 열량을 가하더라도 물질에 따라 늘어나는 부피가 다르다. ( )

05 **보기의 물질들을 열팽창 정도가 큰 것부터 순서대로 쓰시오.**

보기
ㄱ. 에탄올　　ㄴ. 철
ㄷ. 유리　　ㄹ. 글리세린

06 **( ) 안에 들어갈 알맞은 말을 쓰시오.**

(1) 온도가 높아질 때 길이나 부피가 늘어나는 현상을 ( )이라고 한다.

(2) 물체를 가열하면 입자 운동이 ( )해져 입자들 사이의 거리가 멀어진다.

(3) 온도가 ( ) 때 입자들이 차지하는 공간이 늘어나 부피가 팽창한다.

07 **다음은 바이메탈에 대한 설명이다. ㉠, ㉡에 들어갈 알맞은 말을 쓰시오.**

> 바이메탈은 열팽창 정도가 (㉠) 두 금속을 붙여 놓은 것이다. 바이메탈의 온도가 올라가면 열팽창 정도가 (㉡) 금속 쪽으로 휘어진다.

08 **그림은 두 금속 A, B로 만든 바이메탈의 원래 모습과 가열한 모습을 나타낸 것이다.**

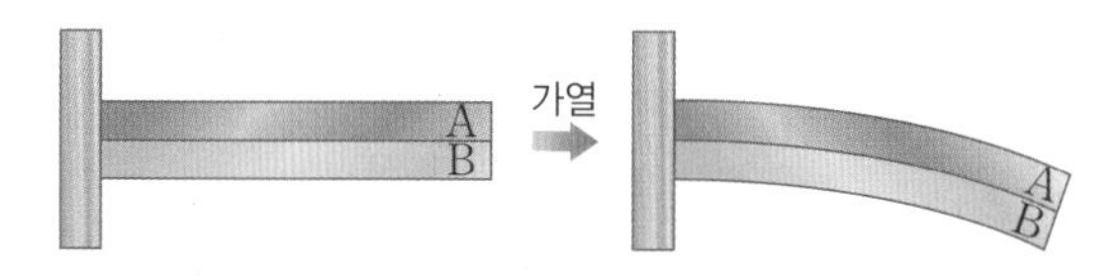

금속 A와 B의 열팽창 정도를 부등호로 나타내시오.

09 **그림은 계절에 따른 기차의 선로의 틈 모습이다. (가)와 (나)의 모습에 각각 알맞은 계절을 쓰시오.**

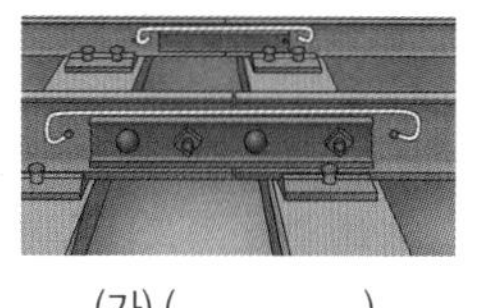
(가) ( )

(나) ( )

탐구 공략 하기

여러 가지 물질의 열팽창

목표

물질의 종류에 따라 열팽창 정도가 다름을 관찰할 수 있다.

공략 포인트

물과 에탄올을 가열하였을 때 유리관 속 액체의 높이 변화를 통해 물체의 부피가 늘어남을 안다. 이때 액체의 높이 변화 차이를 자세히 관찰하여 물질의 종류에 따라 열팽창 정도가 서로 다름을 이해한다.

과정

❶ 액체 채우기

두 개의 삼각플라스크에 각각 물과 에탄올을 가득 채운다.
삼각 플라스크에 액체를 가득 채워야 나중에 입구를 막을 때 유리관 속으로 액체가 들어 올 수 있다.

❷ 잉크 섞기

물에는 빨간색 잉크를, 에탄올에는 파란색 잉크를 섞는다.
액체의 색깔을 다르게 하여 서로 구분하면 결과를 관찰하기 쉬워진다.

❸ 액체의 높이 변화 관찰하기

삼각 플라스크의 입구를 유리관을 꽂은 고무마개로 각각 막아 따뜻한 물이 들은 수조 안에 나란히 놓은 후, 액체의 높이 변화를 관찰한다.
처음 유리관 속 액체의 높이가 같도록 한다.

결과

1. 시간이 지나면 두 유리관 속 액체의 높이가 처음보다 높아진다.
2. 유리관 속 물의 높이 변화보다 에탄올의 높이 변화가 더 크다.

정리

1. 삼각 플라스크 안의 액체가 열을 받아 온도가 높아지면 액체의 입자 운동이 활발해지고, 입자 사이의 거리가 멀어져 입자들이 차지하는 공간이 늘어나 열팽창이 일어난다.
2. 물과 에탄올은 각각 열팽창하는 정도가 달라 유리관 속 액체의 높이 변화도 다르다.
3. 에탄올의 높이 변화가 물의 높이 변화보다 큰 것으로 보아 에탄올의 열팽창 정도가 물보다 크다.

정답과 해설 069쪽

01 이 실험을 통해 알아보고자 하는 것은?

① 온도와 열의 관계
② 물질의 종류와 열의 관계
③ 물질의 종류와 온도의 관계
④ 물질의 종류와 열팽창의 관계
⑤ 물질의 종류와 열의 이동 방법의 관계

02 '여러 가지 물질의 열팽창' 실험에서 물의 높이 변화보다 에탄올의 높이 변화가 더 큰 까닭을 서술하시오.

03 이 실험에 대한 설명으로 옳은 것은 ○표, 옳지 않은 것은 ×표를 하시오.

(1) 수조에 따뜻한 물 대신 찬물을 넣어도 실험 결과는 달라지지 않는다. ( )
(2) 유리관 속 액체의 높이가 변한 까닭은 각각의 입자 운동이 활발해졌기 때문이다. ( )
(3) 시간이 충분히 지나면 물과 에탄올의 높이는 제자리로 돌아온다. ( )
(4) 에탄올 대신 글리세린으로 실험을 하면 글리세린의 높이 변화보다 물의 높이 변화가 더 클 것이다. ( )
(5) 에탄올의 높이 변화가 물의 높이 변화보다 큰 것으로 보아 열팽창 정도는 에탄올이 물보다 크다. ( )

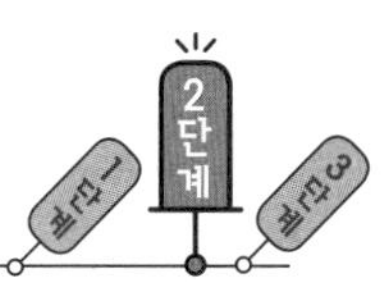

정답과 해설 069쪽

A 비열

필수

01 그림은 질량이 같은 식용유와 물을 같은 조건에서 가열했을 때의 시간에 따른 온도 변화를 나타낸 그래프이다. 이에 대한 설명으로 옳은 것만을 보기에서 모두 고른 것은?

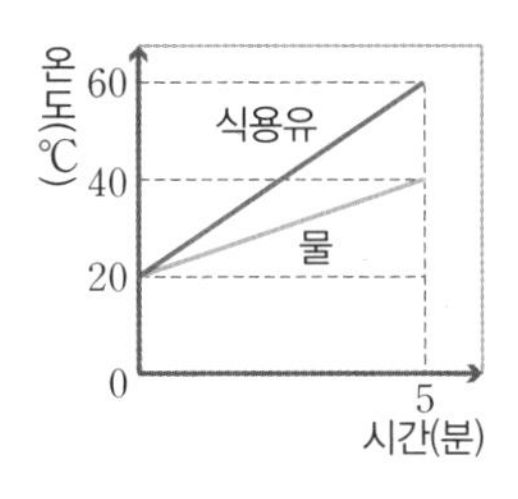

보기
ㄱ. 식용유의 비열은 물의 비열보다 크다.
ㄴ. 식용유가 물보다 온도가 빠르게 변한다.
ㄷ. 온도를 1 ℃ 높이는 데 필요한 열량은 식용유가 물보다 더 크다.

① ㄱ ② ㄴ ③ ㄷ
④ ㄱ, ㄴ ⑤ ㄴ, ㄷ

02 가스레인지로 물을 끓이는 데 걸리는 시간을 줄이기 위한 방법으로 가장 좋은 것은?

① 물의 양을 줄이고 불의 세기를 세게 한다.
② 물의 양을 늘리고 불의 세기를 세게 한다.
③ 물의 양을 줄이고 불의 세기를 약하게 한다.
④ 물의 양을 늘리고 불의 세기를 약하게 한다.
⑤ 물의 양을 늘리고 불의 세기를 그대로 유지한다.

03 물체의 비열에 대한 설명으로 옳지 않은 것은?

① 물질마다 다르다.
② 단위는 kcal/(kg·℃)를 쓴다.
③ 물질의 질량이 커지면 비열도 커진다.
④ 어떤 물질 1 kg의 온도를 1 ℃ 높이는 데 필요한 열량이다.
⑤ 물질의 비열과 질량이 클수록 물질의 온도를 변화시키는 데 많은 열량이 필요하다.

필수

04 표는 질량이 같은 물질 A, B, C에 같은 열량을 가하였을 때 각각의 처음 온도와 나중 온도를 측정한 것이다.

	A	B	C
처음 온도(℃)	17	25	30
나중 온도(℃)	40	38	41

세 물질의 비열을 비교한 것으로 옳은 것은?

① A>B>C ② B>A>C
③ B>C>A ④ C>B>A
⑤ C>A>B

05 그림은 질량이 같은 물체 A ~ C를 동일하게 가열하였을 때 시간에 따른 온도 변화를 나타낸 그래프이다.

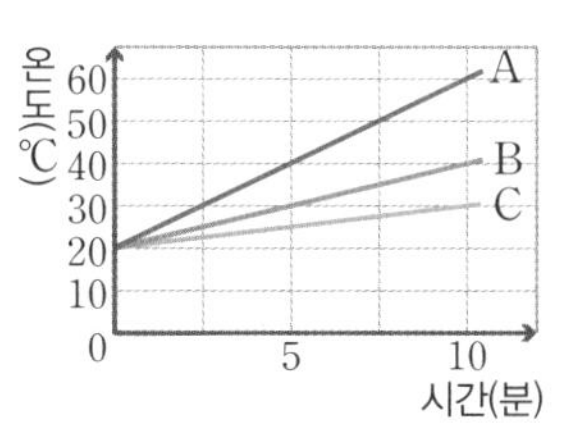

세 물체의 비열의 비 A : B : C로 옳은 것은?

① 1 : 2 : 3 ② 1 : 2 : 4 ③ 1 : 2 : 5
④ 3 : 2 : 1 ⑤ 4 : 2 : 1

필수

06 그림은 질량이 같은 두 액체 A와 B를 동일하게 가열하였을 때 시간에 따른 온도 변화를 나타낸 그래프이다. 이에 대한 설명으로 옳은 것은? (단, 가한 열량은 모두 온도 변화에만 쓰인다.)

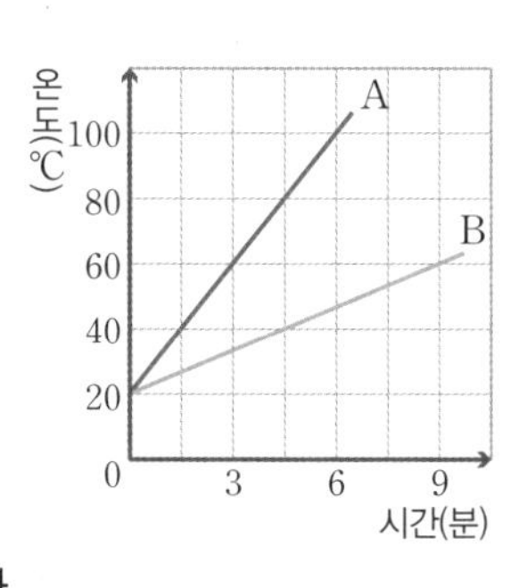

① A는 B보다 비열이 크다.
② A와 B는 서로 같은 물질이다.
③ 같은 시간 동안 온도 변화는 A가 B보다 작다.
④ 같은 시간 동안 A가 B보다 더 많은 열량을 얻었다.
⑤ 온도를 20 ℃만큼 높이는 데 걸리는 시간은 A가 B보다 짧다.

[07-09] 여러 가지 물질의 비열을 조사하여 표로 나타내었다.

물질	비열 (kcal/(kg ℃))	물질	비열 (kcal/(kg ℃))
물	1.00	철	0.11
에탄올	0.58	구리	0.09
알루미늄	0.22	은	0.06
유리	0.20	금	0.03

07 위의 비열을 조사한 물질 각 1 kg에 동일한 열량을 공급하였을 때 온도 변화가 가장 큰 것은?

① 물 ② 철 ③ 금
④ 유리 ⑤ 알코올

08 처음 온도가 25 ℃인 알루미늄을 가열하였더니 온도가 62 ℃가 되었다. 같은 열량을 철에 공급하였을 때 처음 온도가 30 ℃인 철의 온도는 몇 ℃가 되는지 쓰시오. (단, 알루미늄과 철의 질량은 같다.)

09 위의 표에 대한 설명으로 옳은 것은?

① 비열을 고려해 보온병을 만든다면 알루미늄으로 만드는 것이 좋다.
② 물은 여러 가지 물질 중 온도 변화가 심한 편에 속하는 물질이다.
③ 유리컵에 넣은 차가 철로 만든 컵에 넣은 차보다 더 빨리 식는다.
④ 동일한 열량으로 가열하였을 때 에탄올보다 물의 온도가 더 빨리 올라간다.
⑤ 철로 만든 숟가락보다 알루미늄으로 만든 숟가락이 더 빨리 데워지고 더 빨리 식는다.

필수

10 그림은 질량이 같은 돌솥과 놋그릇에 같은 양의 음식을 담고 같은 온도가 될 때까지 가열한 모습이다.

(가) 돌솥

(나) 놋그릇

돌솥과 놋그릇을 실온에 두었을 때 음식이 더 천천히 식는 그릇과 그 까닭을 짝 지은 것으로 옳은 것은?

① 돌솥 – 비열이 크기 때문
② 돌솥 – 비열이 작기 때문
③ 놋그릇 – 비열이 크기 때문
④ 놋그릇 – 비열이 작기 때문
⑤ 그릇의 질량이 같으므로 같다.

필수

11 여름철 한낮 바닷가의 모래는 뜨겁지만 바닷물은 차갑다. 그러나 밤이 되면 모래는 차갑지만 바닷물의 온도는 크게 변하지 않는다. 이러한 현상이 생기는 까닭으로 옳은 것은?

① 물의 처음 온도가 모래보다 높았기 때문에
② 모래의 처음 온도가 물보다 높았기 때문에
③ 물의 비열이 모래보다 커서 온도 변화가 더 작기 때문에
④ 모래의 비열이 물보다 작아 온도 변화가 더 작기 때문에
⑤ 모래의 질량이 물보다 작아 온도 변화가 더 작기 때문에

서술형

12 그림 (가)는 90 ℃의 물 1 kg이 들어 있는 찜질팩이고, (나)는 90 ℃의 모래 1 kg이 들어 있는 찜질팩이다.

(가)

(나)

(가)와 (나) 중 같은 온도로 가열된 찜질팩을 더 오랫동안 사용할 수 있는 것을 고르고, 그 까닭을 서술하시오.

정답과 해설 069쪽

B 열팽창

13 금속 막대에 열을 가했을 때 금속 막대의 입자들의 움직임에 대한 설명으로 옳은 것은?

① 입자의 부피가 늘어난다.
② 입자들의 움직임이 둔해진다.
③ 입자와 입자 사이의 거리가 가까워진다.
④ 입자의 개수가 많아져서 부피가 늘어난다.
⑤ 입자 사이의 거리가 멀어져서 부피가 늘어난다.

14 그림은 도넛 모양의 금속 원판을 알코올램프로 가열하는 모습이다. 이때 금속 안쪽 원둘레 A와 원판 넓이 B의 변화를 옳게 짝지은 것은?

	A	B		A	B
①	길어진다	늘어난다	②	짧아진다	늘어난다
③	길어진다	변화없다	④	짧아진다	변화없다
⑤	길어진다	줄어든다			

필수

15 그림은 금속 구가 금속 고리를 통과하지 못한 모습이다. 금속 구를 통과시키는 방법으로 옳은 것만을 보기에서 모두 고른 것은?

보기
ㄱ. 금속 구를 냉각한다.
ㄴ. 금속 구를 가열한다.
ㄷ. 금속 고리를 냉각한다.
ㄹ. 금속 고리를 가열한다.

① ㄱ, ㄴ ② ㄱ, ㄷ ③ ㄱ, ㄹ
④ ㄴ, ㄷ ⑤ ㄴ, ㄹ

16 유리병의 금속 뚜껑이 열리지 않을 때 뜨거운 물속에 넣으면 뚜껑을 쉽게 열 수 있다. 그 까닭으로 옳은 것은?

① 금속이 유리보다 비열이 더 크기 때문에
② 유리가 금속보다 열팽창 정도가 더 크기 때문에
③ 금속이 유리보다 열팽창 정도가 더 크기 때문에
④ 금속이 유리보다 열전도의 정도가 더 크기 때문에
⑤ 금속 뚜껑 사이로 뜨거운 물이 스며들기 때문에

신유형

17 그림은 삼각 플라스크에 같은 양의 물, 글리세린, 콩기름, 에탄올을 같은 양만큼 넣고 유리관이 달린 고무마개로 막은 뒤 뜨거운 물에 넣고 시간이 지난 후 변화된 모습을 나타낸 것이다.

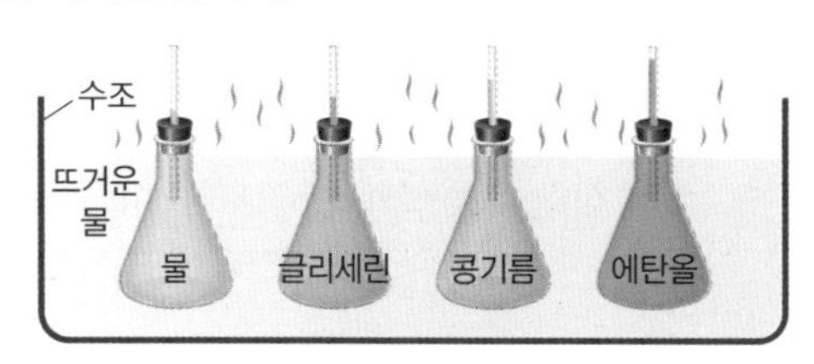

이에 대한 설명으로 옳은 것은?

① 물의 온도가 가장 많이 높아졌다.
② 에탄올의 온도가 가장 많이 높아졌다.
③ 열팽창 정도가 가장 큰 액체는 에탄올이다.
④ 온도계에 사용할 액체로는 글리세린이 적합하다.
⑤ 뜨거운 물 대신 얼음물을 사용했다면 물의 높이가 가장 많이 변화했을 것이다.

18 그림은 여러 가지 모양의 병과 마개이다.

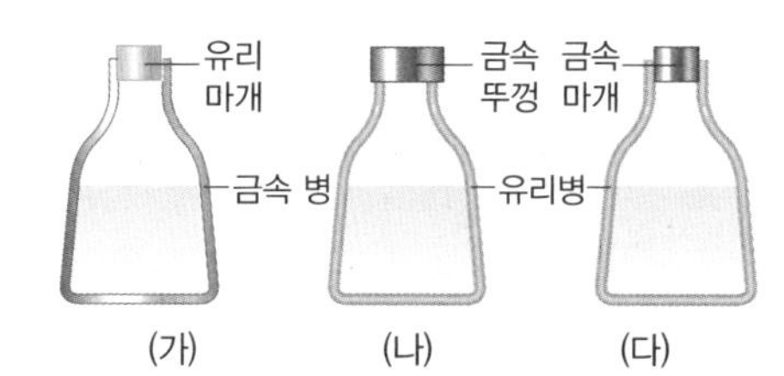

(가) ~ (다) 중 전체를 가열할 때 뚜껑이나 마개가 잘 열리는 것을 모두 쓰시오. (단, 열팽창 정도는 금속이 유리보다 크다.)

19 열팽창에 대한 설명으로 옳은 것만을 보기에서 모두 고른 것은?

보기
ㄱ. 액체보다 고체의 열팽창 정도가 크다.
ㄴ. 열에 의해 팽창이 잘 되는 물질은 수축도 잘 된다.
ㄷ. 온도가 높아지면 입자가 차지하는 공간이 커지면서 부피가 팽창한다.

① ㄱ ② ㄴ ③ ㄷ
④ ㄱ, ㄴ ⑤ ㄴ, ㄷ

20 치과에서 충치를 치료할 때 충전재로 금을 사용하는 까닭으로 옳은 것은?

① 금이 단단하기 때문이다.
② 금의 가격이 비싸기 때문이다.
③ 금의 색이 치아와 비슷하기 때문이다.
④ 금이 충치를 치료하는 효과가 있기 때문이다.
⑤ 금의 열팽창 정도가 치아와 비슷하기 때문이다.

필수 신유형

21 그림은 나무 바퀴에 금속 테를 고정시키는 방법이다. (　　) 안에 들어갈 말을 옳게 짝 지은 것은?

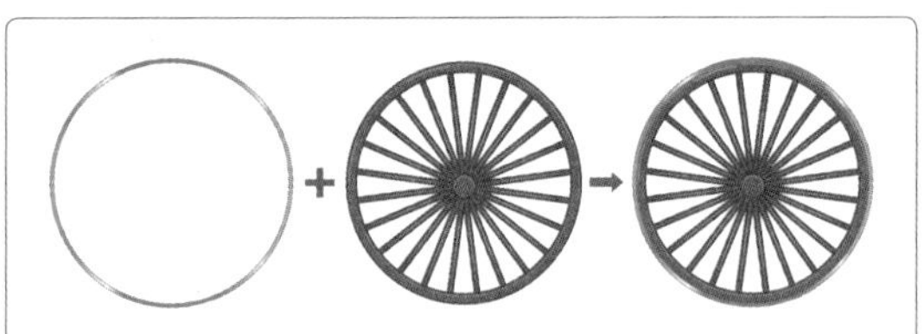

바퀴에 끼울 수 없을 정도로 딱 맞는 금속 테를 (㉠)하여 (㉡)시킨 다음, 나무 바퀴에 끼워 다시 (㉢)시키면 된다.

	㉠	㉡	㉢
①	가열	수축	냉각
②	가열	팽창	냉각
③	가열	수축	가열
④	냉각	팽창	가열
⑤	냉각	수축	냉각

22 그림은 바이메탈을 가열했을 때 모양 변화를 나타낸 것이다.

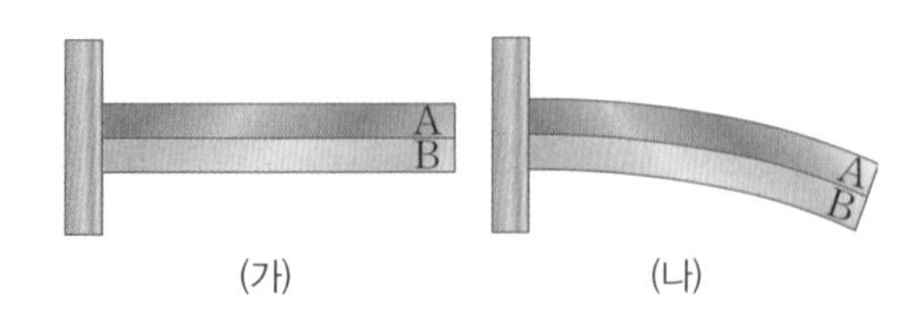

(가)　　　(나)

이에 대한 설명으로 옳은 것만을 보기에서 모두 고른 것은?

보기
ㄱ. A의 열팽창 정도가 B보다 크다.
ㄴ. (나)에서 바이메탈이 냉각되면 (가)가 된다.
ㄷ. 온도가 낮아지면 B가 더 많이 수축한다.

① ㄱ　② ㄴ　③ ㄷ
④ ㄱ, ㄴ　⑤ ㄴ, ㄷ

23 그림은 구리와 철을 붙여서 만든 바이메탈의 모습이다.

바이메탈의 가운데 부분을 가열하였을 때의 모습으로 옳은 것은? (단, 열팽창 정도는 구리 > 철 이다.)

① 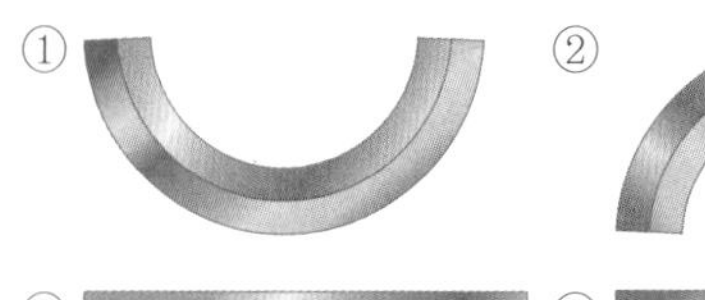
② 
③ ④ 
⑤ 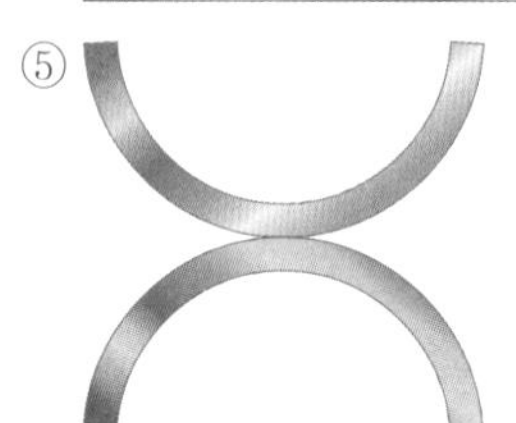

신유형

24 그림은 일상생활에서 사용하는 온도계이다. 온도계를 만들 때 알코올이나 수은을 사용하는 까닭으로 옳은 것은?

① 온도에 따라 액체의 무게가 변한다.
② 온도에 따라 액체의 색깔이 변한다.
③ 온도에 따라 액체가 기체로 변한다.
④ 온도에 따라 액체의 부피가 일정하게 변한다.
⑤ 온도에 따라 액체의 질량이 일정하게 변한다.

서술형

25 그림은 두 그릇이 서로 꽉 끼어 빠지지 않는 모습이다.
뜨거운 물과 찬물을 사용하여 그릇을 분리하는 방법을 열팽창과 관련지어 서술하시오.

만점 도전하기

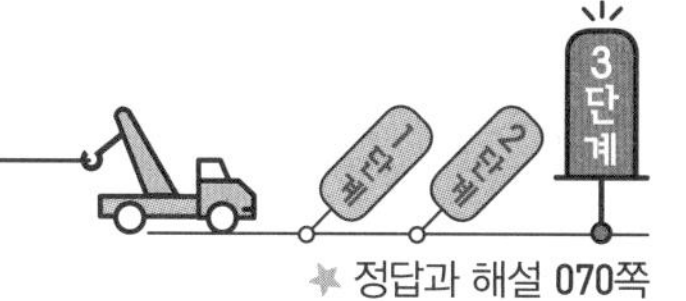

★ 정답과 해설 070쪽

01 그림은 물과 식용유를 10분 동안 같은 조건으로 가열한 결과를 나타낸 시간에 따른 온도 변화 그래프이다.

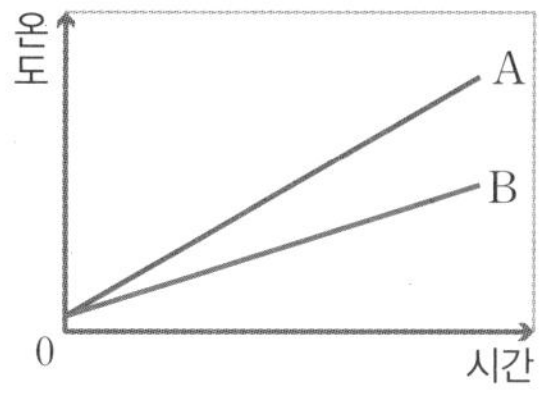

A, B 중 식용유의 온도 변화 그래프와 그 까닭을 옳게 짝 지은 것은? (단, 물의 비열은 1.00 kcal/(kg·℃), 식용유의 비열은 0.40 kcal/(kg·℃)이다.)

① A, 물의 온도가 더 빠르게 변화하기 때문에
② A, 물의 온도가 더 일정하게 변화하기 때문에
③ A, 식용유의 온도가 더 빠르게 변화하기 때문에
④ B, 식용유의 온도가 더 빠르게 변화하기 때문에
⑤ B, 식용유의 온도가 더 일정하게 변화하기 때문에

필수

02 그림은 각각의 용기에 물의 양과 가하는 열량을 다르게 하였을 때의 온도 변화를 나타낸 것이다.

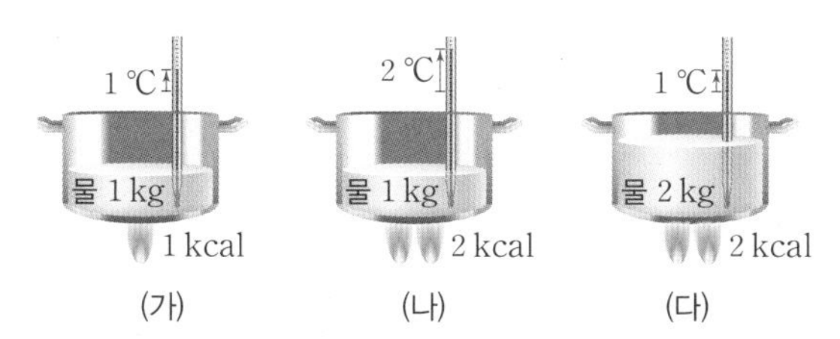

(가) (나) (다)

(가) ~ (다)의 열량, 질량, 온도 변화의 관계를 통해 알 수 있는 물질의 비열을 나타내는 식으로 옳은 것은?

① 비열＝질량×온도 변화×열량
② 비열＝$\frac{\text{온도 변화×열량}}{\text{질량}}$
③ 비열＝$\frac{\text{질량×열량}}{\text{온도 변화}}$
④ 비열＝$\frac{\text{질량×온도 변화}}{\text{열량}}$
⑤ 비열＝$\frac{\text{열량}}{\text{질량×온도 변화}}$

필수

03 그림은 길이와 굵기가 같은 철선과 구리선에 각각 100 g의 추를 매달고 가열한 모습과 결과이다.

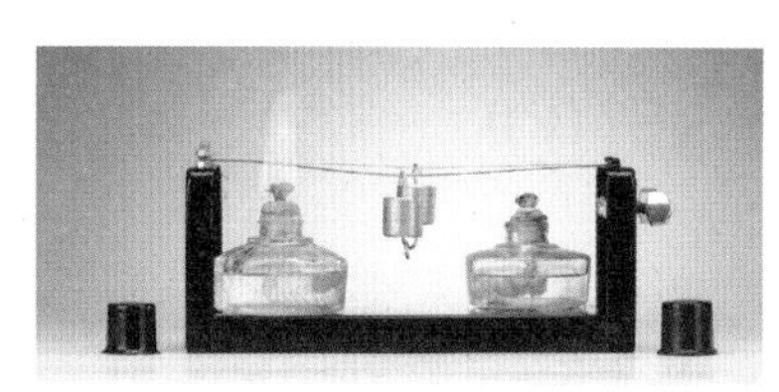

구분	철선	구리선
가열 전 추의 높이(cm)	8.5	8.5
가열 후 추의 높이(cm)	8.0	7.8

이 실험의 결과에 대한 설명으로 옳은 것을 모두 고르시오. (정답 2개)

① 가열 후 추의 높이가 높아진 것으로 보아 금속선의 길이가 늘어났다.
② 가열 후 추의 높이가 낮아진 것으로 보아 금속선의 길이가 늘어났다.
③ 가열 후 추의 높이가 높아진 것으로 보아 금속선의 길이가 줄어들었다.
④ 가열 후 철선의 높이가 더 높은 것으로 보아 철선의 열팽창 정도가 더 크다.
⑤ 가열 후 구리선의 높이가 더 낮아진 것으로 보아 구리의 열팽창 정도가 더 크다.

04 그림과 같은 고리 모양의 금속을 가열하였을 때 틈의 변화로 옳은 것은?

① 넓어진다.
② 좁아진다.
③ 좁아지다가 넓어진다.
④ 넓어지다가 좁아진다.
⑤ 아무런 변화가 없다.

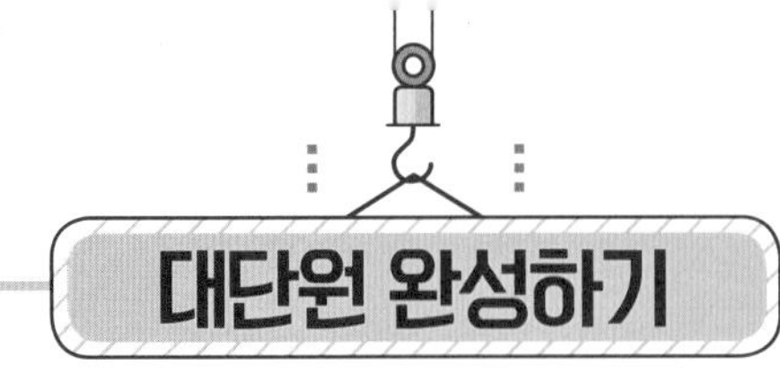

정답 표시가 없는 문제는 모두 3점입니다.

제한시간: 45분

01 뜨거운 국물을 그릇에 담아 식탁 위에 올려 두었을 때 국물에서 나타나는 변화로 옳은 것만을 보기에서 모두 고른 것은? (4점)

보기
ㄱ. 입자 운동이 둔해진다.
ㄴ. 입자 운동이 활발해진다.
ㄷ. 입자 사이의 거리가 멀어진다.
ㄹ. 입자 사이의 거리가 가까워진다.
ㅁ. 입자들이 차지하는 공간이 늘어난다.
ㅂ. 입자들이 차지하는 공간이 줄어든다.

① ㄱ, ㄷ, ㅁ ② ㄱ, ㄷ, ㅂ
③ ㄱ, ㄹ, ㅂ ④ ㄴ, ㄷ, ㅁ
⑤ ㄴ, ㄹ, ㅂ

02 온도에 대한 설명으로 옳지 않은 것은? (4점)

① 절대 온도의 단위는 K(켈빈)이다.
② 0 ℃는 절대 온도 273 K와 같다
③ 물체의 질량이 클수록 온도가 높다.
④ 온도로 물체의 차고 따뜻한 정도를 비교할 수 있다.
⑤ 온도는 물체를 이루고 있는 입자의 활발한 정도를 나타낸 것이다.

03 그림은 뜨거운 물과 찬물에 각각 색소를 한 방울씩 넣고 시간이 지난 모습이다.

이와 같은 결과가 나온 까닭으로 옳은 것은? (4점)

① 찬물의 입자 운동이 더 활발하기 때문에
② 뜨거운 물의 입자 운동이 더 활발하기 때문에
③ 찬물에서 색소 입자가 더 잘 녹기 때문에
④ 찬물의 입자들은 운동을 하지 않기 때문에
⑤ 뜨거운 물의 입자들은 운동을 하지 않기 때문에

04 일상생활 속 모습에서 열평형 상태인 것만을 보기에서 모두 골라 쓰시오. (5점)

보기
ㄱ.

온도계의 구부를 오랫동안 쥐었더니 눈금이 올라가다가 일정해졌다.

ㄴ.

찬물에 얼음을 넣었더니 시간이 지난 후 얼음이 더 이상 녹지 않았다.

ㄷ.

가스레인지 위의 물이 계속 끓고 있다.

ㄹ.
에어컨으로 방 안의 온도를 낮춘다.

05 그림은 온도가 70 ℃인 물체 A와 온도가 10 ℃인 물체 B를 접촉시킨 후 시간에 따른 온도 변화를 나타낸 그래프이다.

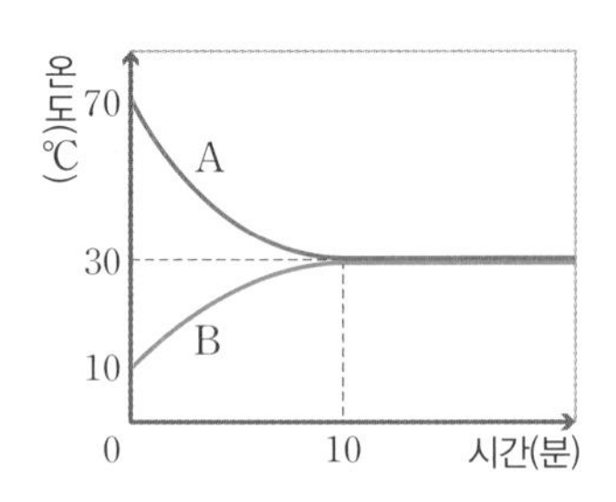

이에 대한 설명으로 옳은 것만을 보기에서 모두 고른 것은? (5점)

보기
ㄱ. 30 ℃에서 열평형 상태가 된다.
ㄴ. 물체 A의 비열은 물체 B의 비열의 두 배이다.
ㄷ. 열평형이 될 때까지 물체 A에서 물체 B로 열이 이동한다.

① ㄱ ② ㄴ ③ ㄷ
④ ㄱ, ㄴ ⑤ ㄱ, ㄷ

정답과 해설 071쪽

06 서로 다른 물체 A ~ D 중 두 물체를 골라 접촉시켰더니 열의 이동 방향이 다음과 같았다.

접촉한 물체	A, B	A, C	C, D
열의 이동 방향	A → B	C → A	D → C

네 물체 중 온도가 가장 높은 것과 가장 낮은 것의 기호를 쓰시오. (5점)

07 어떤 물체에서 일어나는 대류 현상에 대한 설명으로 옳은 것은? (4점)

① 매질이 없는 곳에서도 일어난다.
② 주로 고체와 액체에서 일어난다.
③ 온도 차가 작을수록 더 잘 일어난다.
④ 온도가 높아지면 입자의 이동으로 입자 사이의 거리가 좁아진다.
⑤ 입자 운동이 활발해지면서 입자가 직접 이동하여 열이 이동한다.

08 다음 글에서 A, B와 관련된 열의 이동 방법을 옳게 짝지은 것은? (4점)

A: 여름철 뜨거운 햇빛을 막기 위해 양산이나 파라솔을 사용한다.
B: 국그릇에 넣어 둔 숟가락이 뜨거워진다.

	A	B		A	B
①	전도	대류	②	전도	복사
③	대류	복사	④	복사	전도
⑤	복사	대류			

09 지하철은 실내 온도를 조절하기 위해 계절에 맞게 냉난방을 한다. 보다 효율적인 냉난방을 위한 냉방기와 난방기의 위치로 옳은 것은? (5점)

	냉방기	난방기		냉방기	난방기
①	천장	천장	②	의자 아래	천장
③	천장	의자 아래	④	의자 아래	의자 아래
⑤	창문 옆	창문 옆			

10 단열의 방법이 나머지 넷과 다른 것은? (5점)

① 금속 냄비의 손잡이 부분을 플라스틱으로 만든다.

② 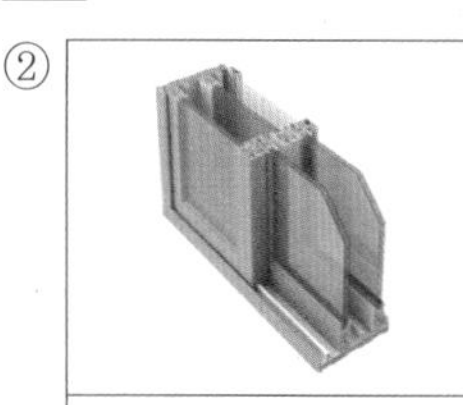
창문을 이중 유리로 만든다.

③ 
보온병 안쪽을 금속판으로 만든다.

④ 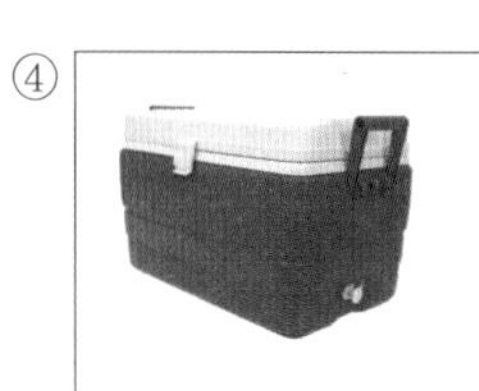
아이스박스를 단열재로 만든다.

⑤ 
건물을 지을 때 스타이로폼을 이용한다.

11 질량이 같은 금속 A, B에 열을 가하고 온도 변화를 측정하였다.

	열량(kcal)	처음 온도(℃)	나중 온도(℃)
금속 A	10	25	95
금속 B	10	25	60

이에 대한 설명으로 옳은 것만을 보기에서 모두 고른 것은? (5점)

보기
ㄱ. 열을 가하지 않으면 금속 A는 금속 B보다 빨리 식을 것이다.
ㄴ. 금속 A와 금속 B에는 동일한 열량을 가하였다.
ㄷ. 열을 가한 후 금속 A보다 금속 B의 입자 운동이 더 활발하다.

① ㄱ ② ㄱ, ㄴ ③ ㄱ, ㄷ
④ ㄴ, ㄷ ⑤ ㄱ, ㄴ, ㄷ

12 그림은 칸막이로 나누어진 수조의 양쪽에 질량이 다른 뜨거운 물과 찬물을 각각 넣은 모습이다. 시간에 따른 물의 온도 변화 그래프로 옳은 것은?(단, 열은 뜨거운 물과 찬물 사이에서만 이동하였다.) (5점)

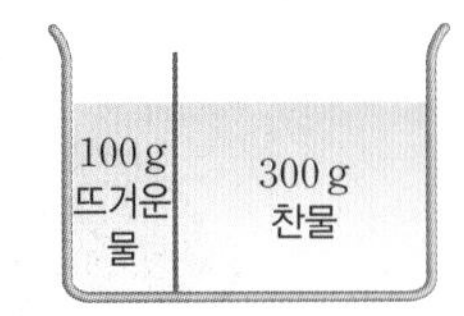

①
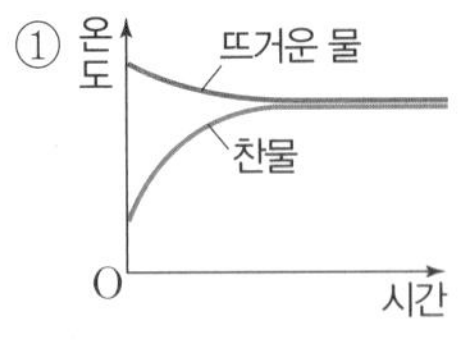

②
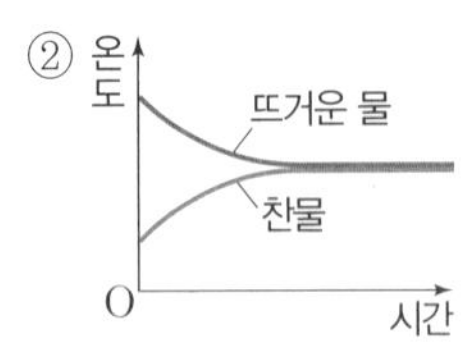

③
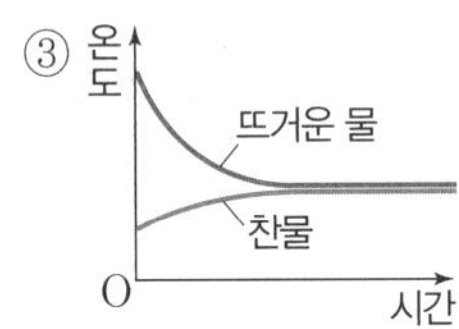

④
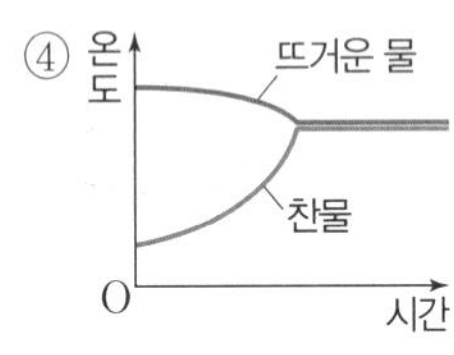

⑤
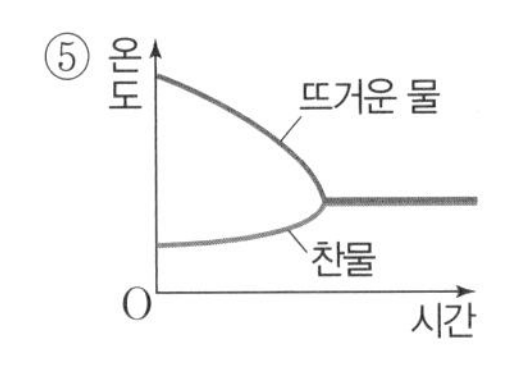

13 그림은 하루 동안 해수욕장 모래와 바닷물의 온도 변화를 나타낸 그래프이다.

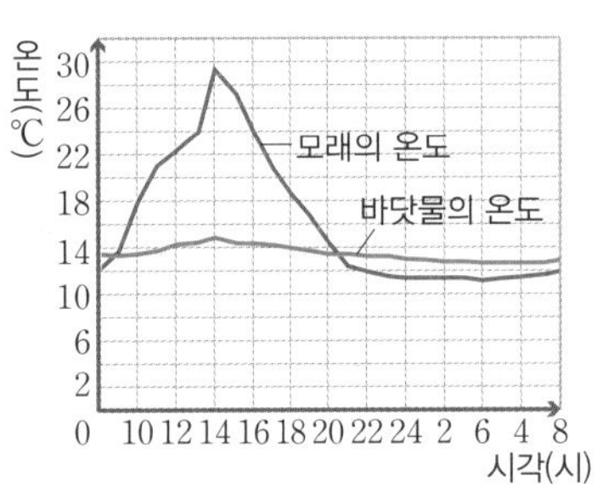

이에 대한 설명으로 옳은 것만을 보기에서 모두 고른 것은?(단, 바닷물의 비열은 1.00 kcal/(kg·℃), 모래의 비열은 0.19 kcal/(kg·℃)이다.) (5점)

보기
- ㄱ. 비열이 클수록 온도 변화가 작다.
- ㄴ. 모래와 바닷물의 비열은 하루 동안 여러 번 변한다.
- ㄷ. 하루 동안의 온도 변화는 모래가 바닷물보다 크다.

① ㄱ ② ㄴ ③ ㄱ, ㄷ ④ ㄴ, ㄷ ⑤ ㄴ, ㄷ

14 그림은 길이와 굵기가 같은 철선과 구리선에 각각 100 g의 추를 매달고 가열하는 모습이다.

구리선의 추의 높이가 철선의 추의 높이보다 낮아졌다면 이에 대한 설명으로 옳은 것은? (5점)

① 철선이 구리선보다 열팽창 정도가 더 크다.
② 구리선이 철선보다 열팽창 정도가 더 크다.
③ 철선과 구리선의 열팽창 정도는 서로 같다.
④ 철선이 받은 열량이 구리선이 받은 열량보다 크다.
⑤ 구리선이 받은 열량이 철선이 받은 열량보다 크다.

15 그림은 금속 A와 금속 B를 붙여서 알코올램프로 가열하였더니 금속 A쪽으로 휜 모습이다.

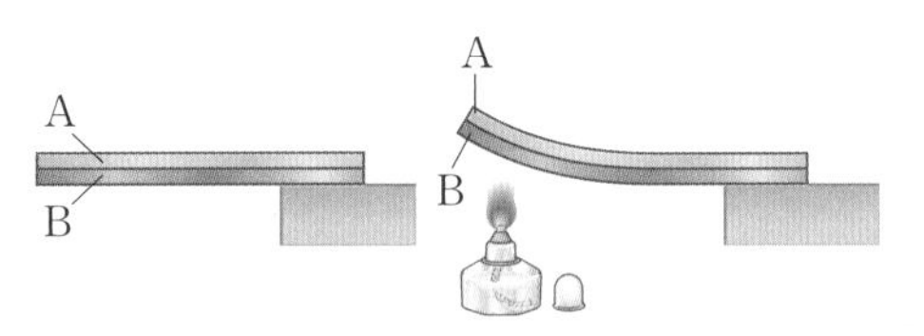

이에 대한 설명으로 옳은 것만을 보기에서 모두 고른 것은? (5점)

보기
- ㄱ. 금속 A의 온도가 금속 B의 온도보다 높다.
- ㄴ. 금속 A의 열팽창 정도는 금속 B보다 작다.
- ㄷ. 두 금속 A, B를 사용하여 자동 온도 조절 장치를 만들 수 있다.

① ㄱ ② ㄴ ③ ㄱ, ㄴ ④ ㄴ, ㄷ ⑤ ㄱ, ㄴ, ㄷ

★ 정답과 해설 071쪽

서 / 술 / 형 / 문 / 제

16 그림은 접촉해 있는 두 물체의 시간에 따른 온도 변화를 나타낸 것이다.

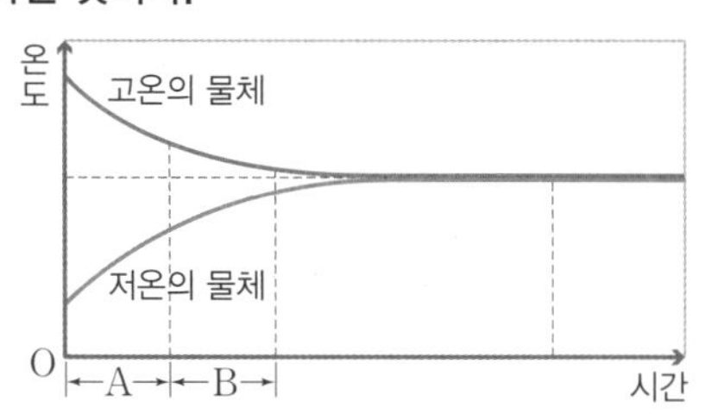

구간 A와 B 중 열의 이동이 빠른 구간을 고르고, 그 이유를 서술하시오. (5점)

17 그림은 단열을 고려한 이중창의 구조를 나타낸 것이다. 이중창의 단열 원리는 무엇인지 서술하시오. (5점)

18 그림은 바닷가에서 부는 해풍과 육풍의 모습이다. 낮에는 해풍이 불고, 밤에는 육풍이 부는 까닭을 서술하시오. (5점)

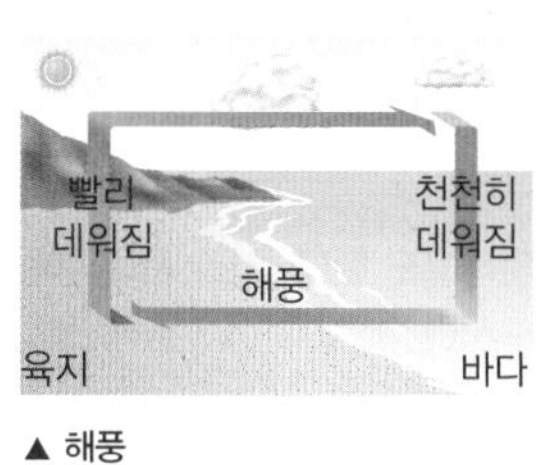

▲ 해풍

▲ 육풍

19 표는 지학이가 가족들을 위해 요리를 하려고 준비한 재료의 비열과 질량을 표로 정리하여 나타낸 것이다.

구분	감자	양파	당근	햄
비열(kcal/(kg·℃))	0.4	0.1	0.4	0.5
질량(g)	200	300	100	200

조리 시간이 오래 걸리는 식재료를 먼저 조리하려고 할 때 먼저 요리해야 하는 순서대로 쓰고 그 까닭을 서술하시오.(단, 시간 당 가한 열량은 같으며, 재료의 요리 전과 후의 온도는 모두 같다.) (5점)

20 그림은 여러 가지 물질의 비열을 나타낸 것이다.

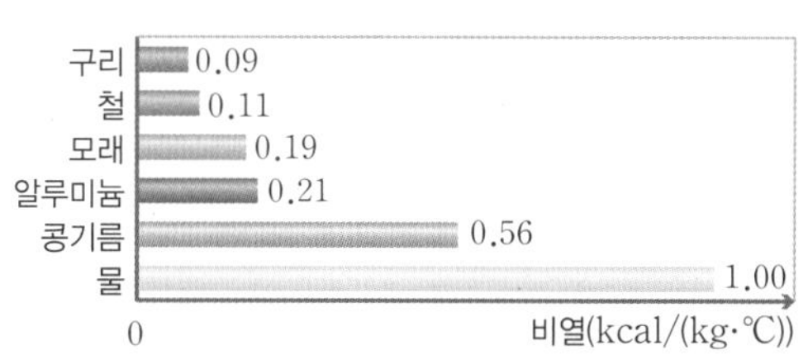

물의 비열이 다른 물질에 비해 크기 때문에 나타나는 현상이나 활용 예를 3가지 이상 서술하시오. (5점)

21 그림은 프랑스 파리의 에펠탑이다. 에펠탑은 계절마다 높이가 달라진다고 한다. 높이가 가장 높은 계절을 쓰고, 그 까닭을 서술하시오. (5점)

재해 · 재난과 안전

01 재해 · 재난의 원인과 대처

IX. 재해 · 재난과 안전

01 재해 · 재난의 원인과 대처

물음으로 흐름잡기

재해·재난 — 자연 현상은? / 인간 활동은?

대처 방안 — 화학 물질이 유출되면? / 지진이 발생하면?

A 재해 · 재난의 원인과 피해

1. 재해·재난

① 재난: 한파, 가뭄, 지진, 감염성 질병 확산, 화학 물질 유출 등 국민과 국가에 피해를 주는 것

② 재해: 재난으로 발생하는 피해

2. 자연 현상으로 발생하는 재해·재난 황사, 태풍, 집중 호우, 폭염, 한파 등의 기상 현상으로 발생하거나 지진, 화산 활동, 지진 해일 등의 지각 변동으로 발생한다.

구분	사례	원인과 피해
폭염		일정 기준 이상의 기온 상승으로 가축이 쓰러져 죽거나 응급 환자가 발생한다. 전력 사용 증가로 산업에 피해를 주거나 불쾌지수가 높아져 사회적 문제가 생긴다.
황사, 미세먼지		대기 중 모래 먼지인 황사와 입자의 크기가 작은 먼지인 미세먼지는 호흡기 질환이나 피부 질환을 일으킨다.
태풍, 집중 호우		강한 바람과 비를 동반하는 태풍(열대 저기압)과 단시간에 많은 비가 내리는 집중 호우는 하천 범람, 산사태, 홍수 등을 일으켜 인명과 재산 피해를 준다.
한파		겨울철에 기온이 갑자기 내려가면 농작물이 냉해(농작물이 자라는 도중 겨울철의 이상 저온이나 일조량 부족으로 입는 농작물의 피해)를 입거나 수도 계량기가 얼어서 터지는 피해가 발생한다.
가뭄		오랫동안 비가 내리지 않는 현상으로 생물의 생장을 방해하며, 물 부족과 강이나 저수지가 마르는 환경적 피해뿐만 아니라 경제적인 피해도 일으킨다.
화산 활동		화산 쇄설물이나 용암의 분출로 화재나 산사태 등이 발생하여 인명 피해가 생기거나 생태계를 파괴한다.
지진		지반이 갈라지는 자연 현상으로 건물이나 도로가 파괴되고 산사태가 발생하여 재산이나 인명 피해가 생긴다. 특히, 해저에서 지진이 발생하면 수십 m 높이의 바닷물이 해안 지역을 덮치는 지진 해일이 발생할 수도 있다.
지진 해일		해저 지각 변동으로 발생하며, 쓰나미라고도 한다. 일본 서해안에서 규모 7.0 이상의 지진이 발생하면 1~2시간 후 우리나라 동해안에서 지진 해일이 발생할 수 있다.

지진의 원인으로는 단층 작용, 화산 활동, 지하 동굴 붕괴 등이 있다.

지진 해일: 바다에 큰 물결이 갑자기 일어나 육지로 넘쳐 오름

3. 인간 활동으로 발생하는 재해·재난 화학 물질 유출, 운송 수단 사고, 감염성 질병 확산 등 사람의 부주의로 발생한다.

구분	사례	원인과 피해
화학 물질 유출		유출된 화학 물질이 호흡기로 흡입되거나 피부로 흡수되어 인체에 피해가 생기거나 생태계를 파괴한다. 최근 유해 물질 사고의 대응 능력을 강화하기 위한 훈련을 하고 있다.
감염성 질병 확산		감염성 질병을 일으키는 세균, 바이러스가 피부 접촉이나 호흡기로 사람이나 동물에게 전염된다. 감염성 질병이 확산되는 원인으로는 병원체의 진화, 모기나 진드기와 같은 매개체의 증가, 인구 이동, 무역 증가 등이 있다.
운송 수단 사고❶		철도, 비행기, 선박 등에서 발생하는 화재, 테러, 폭발 등의 사고로 대규모 인명 피해가 생긴다. 사고의 원인은 대부분 안전 관리 소홀, 안전 규정 무시 등과 관련이 있지만, 자체 결함으로 사고가 일어나기도 한다.

❶ 운송 수단 사고의 피해
운송 수단으로 한 번에 많은 사람이나 화물을 원하는 곳으로 빠르게 이동할 수 있어 매우 편리하지만, 운송 수단 사고는 대부분 대형 사고로 이어져 피해가 크다.

⚠ 용어 알기
- **병원체** 생물체에 기생하여 병을 일으키는 미생물
- **매개체** 둘 사이에서 어떤 일을 맺어주는 구실을 하는 것

정답과 해설 073쪽

01 재해와 재난에 대한 설명으로 옳은 것은 ○표, 옳지 않은 것은 ×표를 하시오.

(1) 재난은 한파, 가뭄, 지진, 감염성 질병 확산, 화학 물질 유출 등 국민과 국가에 피해를 주는 것을 말한다. ( )

(2) 재난으로 발생하는 피해가 재해이다. ( )

(3) 재해와 재난은 모두 자연 현상으로 발생한다. ( )

02 다음은 재해·재난에 대한 설명이다. ㉠, ㉡에 들어갈 알맞은 말을 쓰시오.

> 대기 중 모래 먼지인 (㉠)와 입자의 크기가 작은 먼지인 (㉡)는 호흡기 질환이나 피부 질환을 일으킨다.

03 재해·재난과 그 원인이나 피해를 옳게 연결하시오.

(1) 화학 물질 유출 •   • ㉠ 안전 규정 무시

(2) 감염성 질병 확산 •   • ㉡ 인구 이동, 무역 증가

(3) 운송 수단 사고 •   • ㉢ 호흡기나 피부 손상

04 다음 보기는 재해와 재난의 여러 가지 예를 나타낸 것이다.

> **보기**
> ㄱ. 폭염   ㄴ. 한파
> ㄷ. 화산 활동   ㄹ. 운송 수단 사고
> ㅁ. 감염성 질병 확산   ㅂ. 화학 물질 유출

(1) 자연 현상으로 발생하는 재해·재난을 모두 골라 기호로 쓰시오.

(2) 인간 활동으로 발생하는 재해·재난을 모두 골라 기호로 쓰시오.

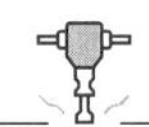

B 재해 · 재난 대처 방안

1. 과학적 원리를 이용한 재해·재난 대처 방안 자연 현상으로 발생하는 재해·재난과 인간 활동으로 발생하는 재해·재난의 조사와 연구로 과학적 원리를 이용한 대처 방안을 마련하고 대비할 수 있다.

구분	대처 사례	대처 방안
감염성 질병 확산		• 감염성 질병의 증상, 감염[●]경로, 확산되고 있는 지역, 잠복기[●]등을 알아본다. • 외출할 때에는 마스크를 착용하고, 사람이 많이 모이는 장소는 되도록 피하며, 기침이나 재채기를 할 때에는 휴지, 손수건 등으로 코와 입을 가린다.
운송 수단 사고		• 열차에 화재가 발생한 경우 연기를 마시지 않도록 옷이나 수건으로 코와 입을 감싸고, 불길이 없는 열차로 이동한다. • 소화기를 꺼내어 불길을 진화하고, 열차가 멈추면 수동으로 열차 문을 열고 선로로 나가 가까운 역으로 이동한다. 이때 다른 열차가 오는지 주의한다.
화학 물질 유출❷		• 창문 등 외부와 통하는 곳을 닫고 외부 공기와 통하는 에어컨 등은 작동하지 않는다. • 관계 기관의 안내 방송을 통해 유출된 가스의 성질 및 대피 요령을 듣고 알맞게 행동하며, 유출된 가스가 공기보다 무거운 기체라면 되도록 높은 곳으로 대피한다.
기상재해		• 한파가 발생하면 옷을 여러 벌 껴입고 외투, 목도리와 장갑 등을 착용하여 추위에 신체가 노출되지 않도록 한다. • 태풍이 발생하면 강풍에 대비하여 유리창에 테이프를 붙인다. • 안내 방송으로 상황을 파악하고 권고하는 내용에 따른다.
화산 폭발		• 안내 방송을 통해 화산 분출물[●]등에 대한 상황을 파악한다. • 화산재에 노출되지 않도록 외출을 삼간다. • 실내에서는 창문과 문을 닫고 물을 묻힌 수건을 문의 빈틈이나 환기구에 두어 화산재를 막는다.
지진		• 튼튼한 책상 밑으로 이동하여 머리를 손 등으로 감싸 보호하며 흔들림이 멈출 때까지 대피한다. • 흔들림이 멈추면 전기와 가스를 차단하고, 계단을 이용하여 건물 밖으로 이동하여 운동장 등 넓은 곳으로 대피한다.

2. 재해·재난 대처를 위한 정부와 개인의 노력 정부와 지방자치단체에서는 재난 및 안전 관리 체제를 확립하고, 이에 필요한 사항을 통합적으로 관리하여 국민이 안전하게 생활할 수 있도록 노력하고 있다.

① 재해 · 재난이 발생했을 때 신속하게 대처하여 피해를 줄일 수 있도록 한다.

② 국가에서는 재해 · 재난의 원인별 예보 시스템을 갖추고 미리 대피할 수 있도록 해야 한다.

③ 개인은 재해 · 재난이 일어났을 때를 대비하여 평소에 비상 물품을 준비해 두고, 재해 · 재난별 대피 요령을 충분히 익혀 두어야 한다.

❷ 화학 물질 유출의 대처 방안
유출된 유독가스가 공기보다 밀도가 크면 높은 곳으로, 공기보다 밀도가 작으면 낮은 곳으로 대피해야 하며, 관계 기관이 제공하는 정보에 따라 움직이는 것이 안전하다. 사고 발생 지역으로 바람이 불 때는 바람을 안고(바람이 부는 반대 방향으로) 이동해야 한다. 만약, 사고 발생 지역에서 바람이 불어올 때는 바람이 불어오는 방향의 직각 방향으로 이동해야 한다.

용어 알기
- **감염** 병원체가 몸 안에 들어가 증식하는 일
- **잠복기** 병원체가 신체에 침입해서 발병하기까지의 기간
- **분출물** 솟구쳐 뿜어 나오는 물질

3. 지진 발생 시 대처 방법❸

지진이 발생하면 땅이 흔들리는 동안 탁자나 책상 밑으로 들어가 몸을 보호한다.

흔들림이 멈추면 가스와 전기를 차단하고 계단을 통해 건물 밖으로 나간다.

좁은 길이나 담 근처로 피신하지 말고, 간판 등은 떨어지기 쉬우므로 주의한다.

❸ 지진 대피 시 행동 요령
건물 밖으로 나왔을 때에는 가방이나 손으로 머리를 보호하고, 건물과 거리를 두고 주위를 살피며 대피해야 한다. 대피할 때에는 떨어지는 물건에 유의하며 신속하게 운동장이나 공원 등 넓은 공간으로 이동하고, 이때 차량을 이용하지 않도록 한다.

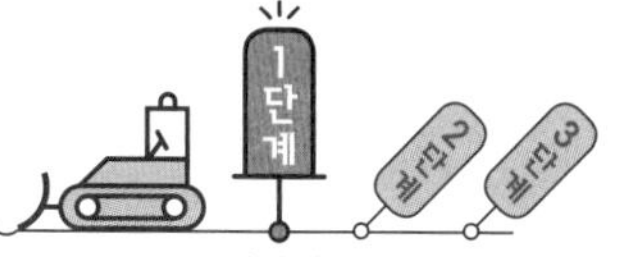

★ 정답과 해설 073쪽

05 다음은 어떤 재해 · 재난이 발생했을 때의 대피 요령이다. 이 재해 · 재난은 무엇인지 쓰시오.

> 이 현상이 발생하면 재빨리 튼튼한 책상 밑으로 이동하여 머리를 손 등으로 감싸 보호하며 흔들림이 멈출 때까지 대피한다. 흔들림이 멈추면 전기와 가스를 차단하고, 계단을 이용하여 신속하게 건물 밖으로 이동하여 운동장 등 넓은 곳으로 대피한다.

06 재해 · 재난과 그 대처 방안을 옳게 연결하시오.

(1) 화학 물질 유출 •　　• ㉠ 외출할 때에는 마스크를 착용하고, 사람이 많이 모이는 장소는 되도록 피한다.

(2) 화산 폭발 •　　• ㉡ 실내에서는 창문과 문을 닫고 물을 묻힌 수건을 문의 빈틈이나 환기구에 둔다.

(3) 감염성 질병 확산 •　　• ㉢ 유출된 가스가 공기보다 무거운 기체라면 되도록 높은 곳으로 대피한다.

07 과학적 원리를 이용한 재해 · 재난 대처 방안에 대한 설명으로 옳은 것은 ○표, 옳지 않은 것은 ×표를 하시오.

(1) 지진이 발생하면 계단보다는 엘리베이터를 이용한다. (　　)

(2) 화학 물질이 유출되면 바람이 부는 반대 방향으로 이동해야 한다. (　　)

(3) 운송 수단의 종류에 따른 대피 방법을 미리 알아 두는 것이 좋다. (　　)

(4) 화산이 폭발하면 문과 창문은 닫고, 환기구는 열어 두어야 한다. (　　)

(5) 기침이나 재채기를 할 때는 휴지, 손수건 등으로 코와 입을 가려야 한다. (　　)

08 재해 · 재난에 대한 정부와 개인의 노력에 대한 설명으로 옳은 것은 ○표, 옳지 않은 것은 ×표를 하시오.

(1) 재해·재난이 발생했을 때 신속하게 대처한다. (　　)

(2) 국가는 재해·재난의 원인별 예보 시스템을 갖추고 미리 대피할 수 있도록 해야 한다. (　　)

(3) 재해·재난에서 개인이 할 수 있는 일은 없다. (　　)

A 재해 · 재난의 원인과 피해

필수

01 다음 설명에 해당하는 기상재해로 옳은 것은?

> • 가축이 폐사하거나 응급 환자가 발생한다.
> • 전력 사용 증가로 산업에 피해를 주거나 불쾌지수가 높아져 사회적 문제가 생긴다.

① 가뭄 ② 태풍 ③ 황사
④ 폭염 ⑤ 한파

02 그림은 재해 · 재난과 이로 인해 농작물이 피해를 입은 모습을 나타낸 것이다.

이와 같은 재해 · 재난과 관련 있는 것은?

① 가뭄 ② 한파
③ 기상재해 ④ 화학 물질 유출
⑤ 감염성 질병 확산

필수

03 그림은 지진으로 발생한 어느 지역의 피해 현장을 나타낸 것이다. 지진에 대한 설명으로 옳지 않은 것은?

① 지반이 갈라지고 산사태가 발생한다.
② 단층 작용, 화산 활동, 지하 동굴 붕괴 등이 원인이다.
③ 해저에서 지진이 발생하면 지진 해일이 발생하기도 한다.
④ 다양한 관측 장비를 이용하여 정확하게 예보하고 있다.
⑤ 건물이나 도로가 파괴되고 재산이나 인명 피해가 생긴다.

04 그림은 재해 · 재난 중 운송 수단 사고를 나타낸 것이다. 운송 수단 사고에 대한 설명으로 옳은 것만을 보기에서 모두 고른 것은?

> 보기
> ㄱ. 철도, 비행기, 선박 등에서 발생하는 사고이다.
> ㄴ. 자체 결함으로 사고가 일어나는 경우는 없다.
> ㄷ. 화재, 테러, 폭발 등의 사고로 인명 피해는 크지 않다.
> ㄹ. 사고의 원인은 대부분 안전 관리 소홀, 안전 규정 무시 등과 관련이 있다.

① ㄱ, ㄴ ② ㄱ, ㄷ ③ ㄱ, ㄹ
④ ㄴ, ㄷ ⑤ ㄴ, ㄹ

필수

05 다음에서 설명하는 재해 · 재난의 사례를 옳게 짝 지은 것은?

> (가) 화재, 테러, 폭발 등의 사고로 대규모 인명 피해가 생긴다.
> (나) 호흡기로 흡입되거나 피부로 흡수되어 인체에 피해가 생긴다.
> (다) 세균, 바이러스가 피부 접촉이나 호흡기로 사람이나 동물에게 전염된다.

	(가)	(나)	(다)
①	지진	운송 수단 사고	화학 물질 유출
②	화학 물질 유출	황사	운송 수단 사고
③	화학 물질 유출	운송 수단 사고	감염성 질병 확산
④	운송 수단 사고	미세먼지	가뭄
⑤	운송 수단 사고	화학 물질 유출	감염성 질병 확산

06 재해 · 재난에 해당하지 않는 것은?

① 지진 ② 인구 증가
③ 운송 수단 사고 ④ 화학 물질 유출
⑤ 감염성 질병 확산

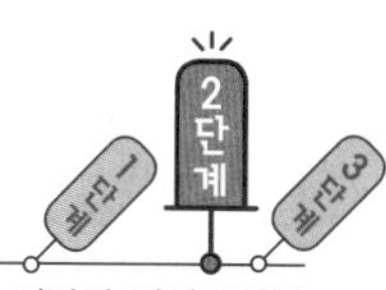

정답과 해설 073쪽

B 재해 · 재난 대처 방안

07 그림과 같은 화산 폭발에 대한 대처 방안으로 옳은 것은?

① 화산 폭발이 일어나면 문이나 창문은 모두 열어야 한다.
② 화산 폭발이 일어나면 운동장과 같은 넓은 곳으로 대피한다.
③ 화산 폭발이 일어나면 집안의 환기구는 모두 열어 환기를 시키도록 한다.
④ 용암이 흘러나오는 것을 볼 수 있는 기회이므로 화산 가까이 가도록 한다.
⑤ 화산 폭발이 일어날 가능성이 있는 곳에서는 방진 마스크, 예비 의약품 등을 미리 준비한다.

08 운송 수단 사고의 대처 방안으로 옳지 않은 것은?
① 비행기나 배를 탈 때에는 안내 방송을 잘 들어야 한다.
② 전동차 사고를 대비하여 안전 장비의 위치를 알아 둔다.
③ 선박 사고를 대비하여 구명조끼의 위치를 미리 확인한다.
④ 비행기를 탔을 때 좌석에서는 안전띠를 착용하지 않아도 된다.
⑤ 위험 물질 수송 차량 사고가 발생하면 사고 지점에서 빠져나와 대피해야 한다.

필수
09 지진이 발생했을 때의 대처 방안으로 옳은 것만을 보기에서 모두 고르시오.

보기
ㄱ. 가스나 전기는 차단하면 안 된다.
ㄴ. 흔들림이 멈추었을 때 대피해야 한다.
ㄷ. 실내에서는 튼튼한 탁자 아래로 피한다.
ㄹ. 대피할 때에는 머리와 몸을 보호해야 한다.
ㅁ. 건물 밖으로 나갈 때에는 엘리베이터를 이용한다.

필수
10 재해 · 재난의 대처 방안으로 옳지 않은 것은?
① 화산이 폭발하면 화산재에 노출되지 않도록 한다.
② 비가 많이 올 때에는 감전 사고와 침수 피해에 주의해야 한다.
③ 지진이 일어나면 가스와 전기를 차단하여 화재 등이 발생하지 않도록 한다.
④ 감염성 질병을 예방하기 위해 비누를 사용하여 흐르는 깨끗한 물에 손을 자주 씻는다.
⑤ 독성이 있는 화학 물질이 유출되면 숨을 편하게 쉴 수 있게 수건 등으로 코와 입을 감싸지 않는다.

서술형
11 다음은 두 학생이 재해 · 재난에 대해 토론한 내용이다. 두 학생이 얘기한 부분 중 잘못된 부분을 찾아 옳게 고쳐 쓰시오.

- 수호: 지진이 발생하여 건물 밖으로 대피할 때는 엘리베이터를 이용하여 재빨리 대피해야 해.
- 진희: 화학 물질 유출 사고가 발생하면 바람이 부는 방향으로 대피해야 해.

정답과 해설 074쪽

필수

01 그림은 바다에 기름이 유출된 모습이다.

이와 같은 재해 · 재난과 관련 있는 설명으로 옳은 것은?

① 무분별한 자연의 개발이 원인이다.
② 접촉이나 호흡기를 통해 전염된다.
③ 태풍, 집중 호우 등 기상재해로 발생한다.
④ 안전 관리 소홀, 안전 규정 무시 등이 원인이다.
⑤ 모기나 진드기와 같은 매개체의 증가, 인구 이동, 무역 증가 등이 원인이다.

필수

02 지진이 일어났을 때 대처 요령으로 옳은 것은?

① 야외에 있을 때에는 건물이나 담장 옆으로 이동한다.
② 지진이 발생하면 무조건 건물 밖으로 대피하도록 한다.
③ 집 안에서는 가스와 전기를 차단하고 문은 닫아 두도록 한다.
④ 자동차 안은 안전하므로 지진이 발생하면 차 안에 있도록 한다.
⑤ 엘리베이터 안에 있을 때에는 모든 층의 버튼을 눌러 먼저 열리는 층에서 내리도록 한다.

03 재해 · 재난의 사례와 그 원인 및 피해를 짝 지은 것으로 옳지 않은 것은?

① 화산 폭발 – 항공기 운항 제한
② 화학 물질 유출 – 인구 이동, 무역 증가
③ 기상재해 – 홍수나 농경지 침수, 가뭄 피해
④ 감염성 질병 확산 – 감염자 접촉에 의한 감염
⑤ 운송 수단 사고 – 안전 관리 소홀, 안전 규정 무시

필수

04 다음 설명은 어느 재해 · 재난에 대한 대처 방안이다.

- 식수는 끓인 물이나 생수를 사용해야 한다.
- 식재료는 반드시 흐르는 깨끗한 물에 씻어야 한다.
- 비누를 사용하여 흐르는 깨끗한 물에 손을 자주 씻는다.

이와 관련된 재해 · 재난과 관계가 있는 것은?

① 짧은 시간 동안에 큰 피해가 발생할 수 있다.
② 해저에서 발생하면 해일이 발생할 수도 있다.
③ 안전 관리 소홀, 안전 규정 무시 등과 관련이 있다.
④ 호흡기 질환을 일으키고, 항공과 운수 산업에 큰 피해를 주기도 한다.
⑤ 병원체의 진화, 모기나 진드기와 같은 매개체의 증가 등이 원인이다.

05 다음은 어느 재해 · 재난에 대한 설명이다.

- 사고나 폭발로 발생하는 경우가 많다.
- 사람이나 자연환경에 피해를 준다.
- 짧은 시간에 큰 피해가 발생할 수 있다.

이에 해당하는 재해 · 재난의 대처 방안을 설명한 것으로 옳은 것은?

① 식수는 끓인 물이나 생수를 사용해야 한다.
② 튼튼한 탁자 아래로 들어가 몸을 보호해야 한다.
③ 건물과 거리를 두고 주위를 살피며 운동장과 같은 넓은 곳으로 대피한다.
④ 흡입하지 않게 옷이나 손수건 등으로 코와 입을 감싸고 최대한 멀리 대피한다.
⑤ 안내 방송을 잘 듣고, 운송 수단의 종류에 따른 대피 방법을 미리 알아 두는 것이 좋다.

과학 배경 지식을 쌓는 과학 도서 시리즈

2018년 국립중앙도서관
사서 추천도서

생물학자 최재천 강력 추천 

동물들은 왜 극한 무기 진화에 에너지를 쏟을까?
대량 살상 무기의 시대, 인류 무기 경쟁의 끝은 어디일까?

극한 무기라는 프리즘으로 생존 경쟁과 진화,
인류사까지 그 장대한 이야기를 하나로 꿰다

동물의 무기

잔인하면서도 아름다운 극한 무기의 생물학

글 **더글러스 엠린** | 값 19,500원

2017년 국립중앙도서관
사서 추천도서

발사부터 귀환까지,
우주 생활을 생생히 담은 '우주 다큐'
4번의 우주 비행,
무려 53일에 이르는 우주 체류!

전 나사(NASA) 우주 비행사 톰 존스의
생생한 증언이 담긴 본격 우주 비행 지침서

우주에서 살기, 일하기, 생존하기

우주 비행사가 들려주는 우주 비행의 모든 것

글 **톰 존스** | 값 15,500원

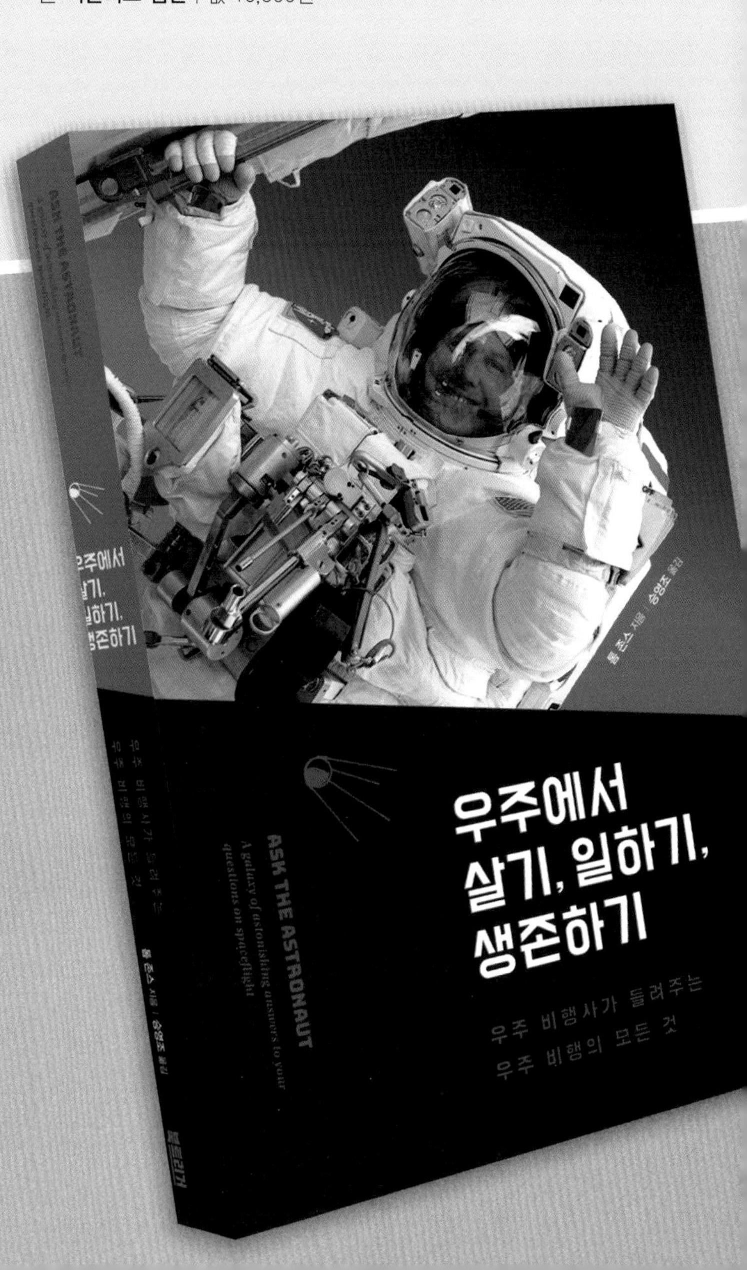

트리거는 지학사의 단행본 브랜드입니다. www.jihak.co.kr

지학사

개념을 쉽게 풀어 주는 기본서

개념풀 빠작

중학 과학 2

진도책과 1:1 맞춤 복습용 교재

Book 2 복습책

- 중요한 내용을 스스로 채워 보는 개념으로 복습하기
- 집중 반복을 통해 개념을 익히는 헷갈리는 내용 공략하기
- 학교 시험 유형의 실전 문제를 풀어 보는 문제로 복습하기

개념풀 특강

중학 과학 2

Book 2 복습책

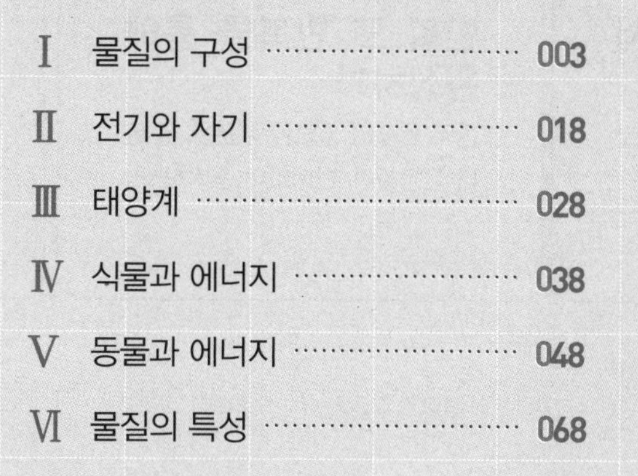

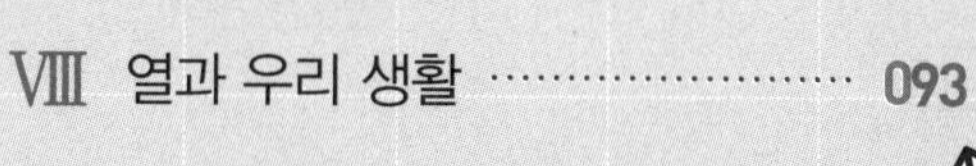

'복습책' 구성과 특징

1단계

2단계

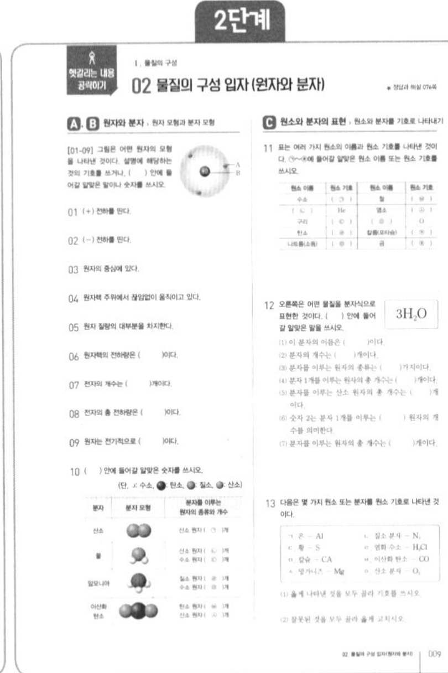

3단계

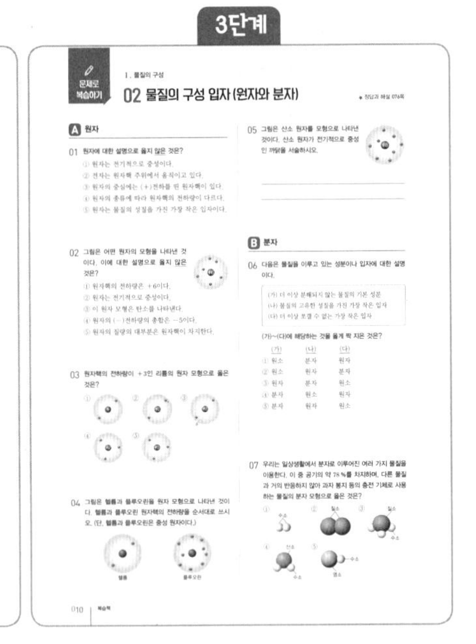

1 단계

개념으로 복습하기

핵심 개념을 채우면서 암기하기

중단원별 핵심 요약을 스스로 채우면서 개념을 복습하자!

2 단계

헷갈리는 내용 공략하기

반복 또 반복을 통해 완성하기

반복 연습이 필요한 부분은 한 번 더 점검하여, 빈틈없이 준비하자!

3 단계

문제로 복습하기

실전 문제로 실전처럼 풀어보기

핵심 요약을 통해 내용 정리를 마쳤다면, 문제로 실전에 대비하자!

01 물질의 기본 성분

✱ 정답과 해설 075쪽

A 원소

1. 물질을 이루는 기본 성분에 대한 학자들의 주장

탈레스	모든 물질의 근원은 물이다.
아리스토텔레스	모든 물질은 물, 불, 흙, 공기의 4가지 원소로 이루어져 있으며, 이들은 따뜻함, 차가움, 건조함, 축축함의 4가지 성질에 의해 서로 바뀔 수 있다.
보일	물질을 이루는 기본 성분으로서 더 이상 분해되지 않는 단순한 물질을 원소라고 하였다.
(❶)	뜨겁게 가열하는 주철관 안으로 물을 통과시켜 물을 (❷)와 (❸)로 분해하여 물이 원소가 아님을 증명하였다. 물, 주철관, 수소, 찬물, 화로

2. (❹): 더 이상 다른 물질로 분해되지 않으면서 물질을 이루는 기본 성분

예 수소, 산소, 질소, 탄소, 금, 철 등

(1) 현재까지 알려진 원소는 120여 가지이다.

(2) 90여 가지는 자연에서 발견된 것이고, 나머지는 인공적으로 만든 것이다.

(3) 원소는 종류에 따라 성질이 다르다.

(4) 우리 주위에 있는 모든 물질은 원소로 이루어져 있다. ➡ 1가지 원소로 이루어진 것도 있고, 여러 가지 원소로 이루어진 것도 있다.

3. 원소의 이용

(❺)	모든 원소 중 가장 가벼우며, 우주 왕복선의 연료로 이용된다.
(❻)	지구 대기 성분의 약 21 %를 차지하며, 생물의 호흡과 물질의 연소에 이용된다.
금	산소나 물과 반응하지 않아 광택이 유지되므로 장신구의 재료로 이용된다.
(❼)	지구 중심핵에 가장 많이 존재하고, 단단하므로 기계, 건축 재료로 이용된다.
구리	전류를 잘 흐르게 하는 성질이 있어 전선에 이용된다.
헬륨	공기보다 가볍고 불에 타지 않으므로 비행선의 충전 기체로 이용된다.
(❽)	과자 봉지의 충전 기체로 이용된다.
규소	반도체 소자에 이용된다.
(❾)	수돗물 소독이나 표백제에 이용된다.

B 원소의 구별 방법

1. (❿): 일부의 금속 원소를 포함한 물질을 불꽃에 넣었을 때 포함된 금속 원소의 종류에 따라 특유의 불꽃색이 나타나는 반응

(1) 여러 가지 원소의 불꽃색

원소	리튬	나트륨	칼륨	칼슘	스트론튬	구리
불꽃색	빨간색	노란색	보라색	주황색	빨간색	청록색

(2) 원소의 불꽃 반응 실험

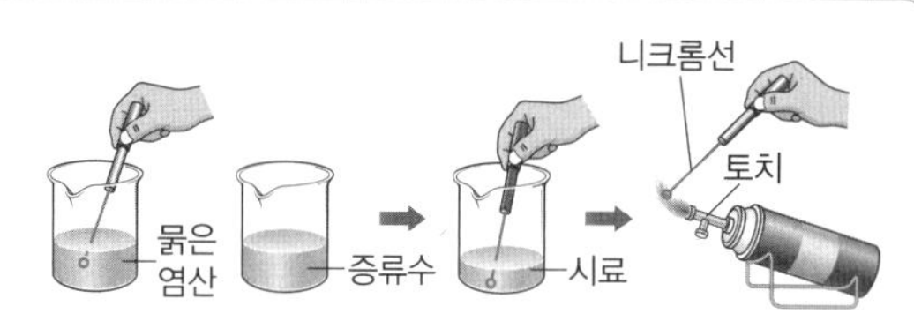

❶ 묽은 염산과 증류수로 깨끗이 씻은 니크롬선을 토치의 겉불꽃에 넣고 다른 색깔이 나타나지 않는지 확인한다.
➡ 니크롬선을 묽은 염산과 증류수로 씻는 까닭: 니크롬선에 묻은 불순물을 제거하기 위해서

❷ 각 물질의 수용액을 니크롬선에 묻혀 토치의 겉불꽃에 넣고 불꽃색을 관찰한다. ➡ 니크롬선을 토치의 겉불꽃에 넣는 까닭: 겉불꽃은 속불꽃보다 온도가 높고 무색이어서 불꽃색을 관찰하기 좋기 때문

(3) 불꽃 반응의 특징

① 실험 방법이 간단하다.

② 물질의 양이 적어도 그 속에 포함된 원소의 종류를 알아낼 수 있다.

③ 물질의 종류가 달라도 같은 금속 원소를 포함하면 같은 불꽃색을 나타낸다. ➡ 불꽃색을 관찰하면 물질에 포함된 특정 원소의 종류를 알 수 있다.

예 염화 나트륨과 질산 나트륨: 서로 다른 물질이지만 모두 (⓫)을 포함하기 때문에 불꽃색은 노란색이다.

2. (⓬): 특정 원소가 포함된 물질의 불꽃을 분광기로 관찰할 때 특정 부분만 밝은 선으로 나타나는 불연속적인 색의 띠

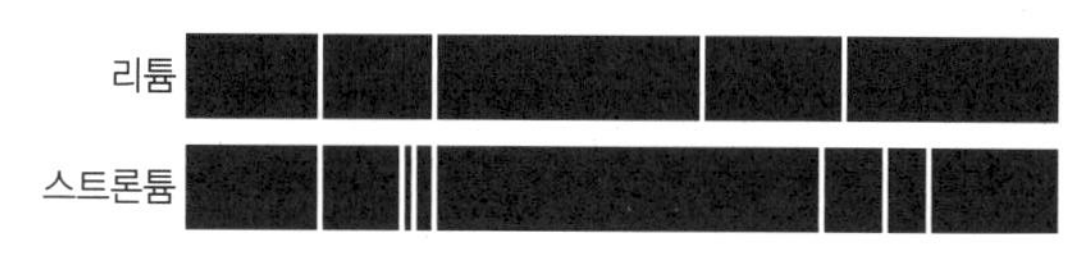

(1) 물질에 포함된 원소의 종류에 따라 선의 색깔, 위치, 개수, 굵기가 다르게 나타난다.

(2) 리튬과 스트론튬처럼 불꽃색이 비슷할 때는 선 스펙트럼을 비교하면 원소의 종류를 구별할 수 있다.

01 물질의 기본 성분

★ 정답과 해설 075쪽

B 원소의 구별 방법 › 불꽃 반응, 선 스펙트럼

[01-04] 다음은 불꽃 반응 실험 과정을 나타낸 것이다.

[실험 과정]
(가) 니크롬선을 묽은 염산에 넣어 깨끗이 씻은 후 증류수로 헹군다.
(나) 니크롬선을 토치의 겉불꽃에 넣고 다른 색깔이 나타나지 않을 때까지 가열한다.
(다) 준비한 각 물질을 니크롬선에 묻혀 토치의 겉불꽃에 넣고 색깔을 관찰한다.

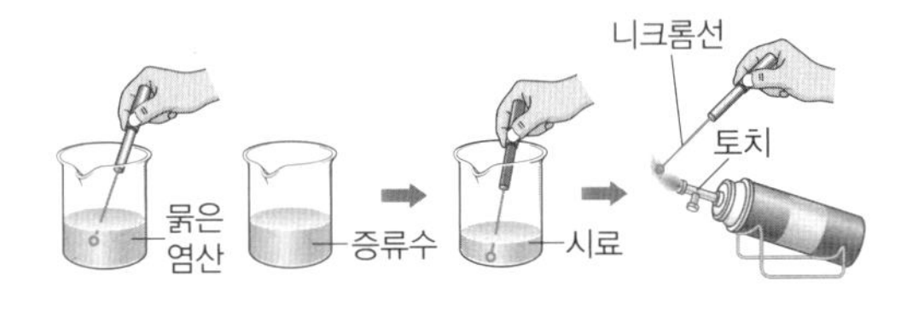

01 과정 (가)에서 니크롬선을 묽은 염산과 증류수로 씻는 까닭을 쓰시오.

02 다음 물질로 이 실험을 했을 때 불꽃색을 쓰시오.

(1) 염화 리튬 (　　　)
(2) 염화 구리(Ⅱ) (　　　)
(3) 염화 나트륨 (　　　)
(4) 질산 구리(Ⅱ) (　　　)
(5) 질산 리튬 (　　　)
(6) 염화 칼륨 (　　　)
(7) 염화 바륨 (　　　)
(8) 질산 나트륨 (　　　)
(9) 염화 스트론튬 (　　　)

03 다음 물질 (가)~(라)로 불꽃 반응을 할 때, 같은 불꽃색을 나타내는 물질끼리 묶고, 그 원인이 되는 물질의 원소 이름과 불꽃색을 함께 쓰시오.

(가) 염화 리튬	(나) 질산 칼륨
(다) 염화 칼륨	(라) 질산 리튬

04 불꽃색으로 염화 리튬과 염화 스트론튬을 구별하기 어려운 까닭과 이 물질들을 구별하는 방법을 쓰시오.

[05-06] 다음은 분광기를 이용하여 스펙트럼을 관찰하는 실험 과정을 나타낸 것이다.

[실험 과정]
(가) 분광기로 햇빛을 관찰하였다.
(나) 염화 나트륨을 묻힌 니크롬선을 겉불꽃에 넣었을 때 나타나는 불꽃색을 분광기로 관찰하였다.
(다) 염화 리튬과 염화 스트론튬, 미지의 물질 X를 (나)와 같은 방법으로 관찰하였다.

[실험 결과]

05 (가)와 (나)의 스펙트럼의 차이를 쓰시오.

06 미지 물질 X에 포함된 원소를 모두 쓰시오.

07 그림은 원소 A, B와 물질 (가)~(마)의 선 스펙트럼을 나타낸 것이다.

(가)~(마) 중 원소 A와 B를 모두 포함하는 물질을 쓰시오.

문제로 복습하기

I. 물질의 구성

01 물질의 기본 성분

★ 정답과 해설 075쪽

A 원소

01 라부아지에는 그림과 같이 뜨거운 주철관에 물을 통과시킬 때 일어나는 변화를 관찰하였다.

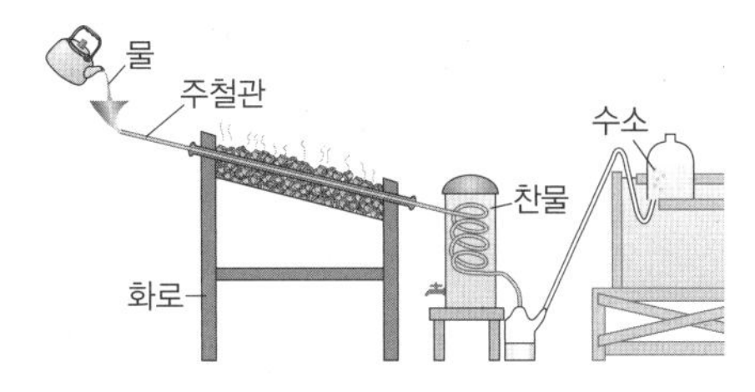

이 실험으로 알게 된 사실로 옳은 것은?

① 물은 원소이다.
② 물을 가열하면 다른 원소로 변한다.
③ 철을 가열하면 수소 기체가 발생한다.
④ 물이 기화할 때 새로운 원소가 생성된다.
⑤ 물이 다른 물질로 분해되므로 원소에 속하지 않는다.

02 원소에 대한 설명으로 옳은 것만을 보기에서 모두 고른 것은?

보기
ㄱ. 물은 원소이다.
ㄴ. 물질을 이루는 기본 성분이다.
ㄷ. 더 이상 다른 종류의 물질로 분해되지 않는다.

① ㄱ ② ㄴ ③ ㄷ
④ ㄱ, ㄴ ⑤ ㄴ, ㄷ

03 다음 우리 주변의 물질 중 원소를 모두 고른 것은?

염화 나트륨, 알루미늄, 공기, 산소, 금, 이산화 탄소

① 알루미늄, 공기, 금
② 알루미늄, 산소, 금
③ 염화 나트륨, 알루미늄, 금
④ 알루미늄, 공기, 이산화 탄소
⑤ 염화 나트륨, 알루미늄, 이산화 탄소

04 다음 설명에 해당하는 것끼리 옳게 짝 지은 것은?

• 물질을 이루는 기본 성분이다.
• 더 이상 다른 종류의 물질로 분해되지 않는다.

① 물, 탄소 ② 물, 설탕
③ 수소, 탄소 ④ 수소, 염화 나트륨
⑤ 탄소, 염화 나트륨

05 원소에 대한 설명으로 옳지 않은 것은?

① 물질이 탈 때는 새로운 원소가 생긴다.
② 물을 구성하는 원소는 수소와 산소이다.
③ 더 이상 다른 물질로 분해되지 않는다.
④ 현재까지 원소가 120여 가지 발견되었다.
⑤ 우리 주위에 있는 물질은 1가지 원소로 이루어진 것도 있고, 여러 가지 원소로 이루어진 것도 있다.

06 그림과 같이 장치하고, 수산화 나트륨을 조금 녹인 물에 전류를 흘려 주었다. 이에 대한 설명으로 옳지 않은 것은?

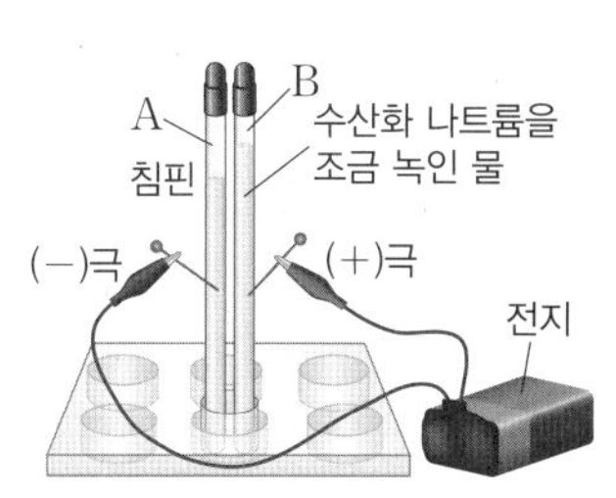

① A에 모인 기체는 수소이다.
② 물은 수소와 산소로 이루어진 물질이다.
③ 수산화 나트륨은 물에서 전류가 잘 흐르게 한다.
④ A에 모인 기체는 성냥불을 가까이하면 '퍽'소리를 내면서 탄다.
⑤ B에 모인 기체에 꺼져가는 향불을 가까이하면 향불이 꺼진다.

07 생활 속에서 사용하고 있는 물질의 주된 구성 원소로 옳은 것은?

① 전선에 이용된다. − 구리
② 반도체 소자에 이용된다. − 질소
③ 귀금속에 이용된다. − 알루미늄
④ 우주 왕복선의 연료로 이용된다. − 산소
⑤ 수돗물의 소독약으로 이용된다. − 플루오린

08 다음은 물질을 이루는 기본 성분에 관한 고대 사람들의 생각이다.

> • 탈레스: 모든 물질의 근원은 물이다.
> • 아리스토텔레스: 만물은 물, 불, 흙, 공기의 4가지 원소로 이루어져 있으며, 이들을 조합하여 여러 물질이 만들어진다.

프랑스의 과학자 라부아지에는 뜨겁게 달구어진 주철관에 물을 부었을 때 수소와 산소가 발생하는 실험을 통해 위의 생각이 틀렸음을 증명하였다. 이를 근거로 물이 원소가 아닌 까닭을 서술하시오.

B 원소의 구별 방법

09 다음은 불꽃 반응 실험 과정을 순서 없이 나타낸 것이다.

> (가) 니크롬선 끝에 물질을 묻힌다.
> (나) 니크롬선을 묽은 염산으로 씻은 다음 증류수로 헹군다.
> (다) 물질을 묻힌 니크롬선을 겉불꽃 속에 넣고 불꽃색을 관찰한다.
> (라) 아무것도 묻히지 않은 니크롬선을 겉불꽃 속에 넣고 불꽃색을 관찰한다.

실험 과정을 순서대로 옳게 나열한 것은?

① (가)-(나)-(다)-(라)
② (가)-(라)-(나)-(다)
③ (나)-(가)-(라)-(다)
④ (나)-(다)-(라)-(가)
⑤ (나)-(라)-(가)-(다)

10 불꽃색이 같은 물질끼리 옳게 짝 지은 것은?

① 염화 나트륨, 염화 리튬
② 질산 나트륨, 질산 칼슘
③ 염화 스트론튬, 질산 나트륨
④ 염화 나트륨, 질산 스트론튬
⑤ 질산 스트론튬, 염화 스트론튬

[11-13] 다음은 불꽃 반응 실험 과정을 나타낸 것이다.

> (가) 니크롬선을 묽은 염산에 넣어 깨끗이 씻은 후 증류수로 헹군다.
> (나) 니크롬선을 토치의 겉불꽃에 넣고 다른 색깔이 나타나지 않을 때까지 가열한다.
> (다) 준비한 각 물질을 니크롬선에 묻혀 토치의 겉불꽃에 넣고 색깔을 관찰한다.

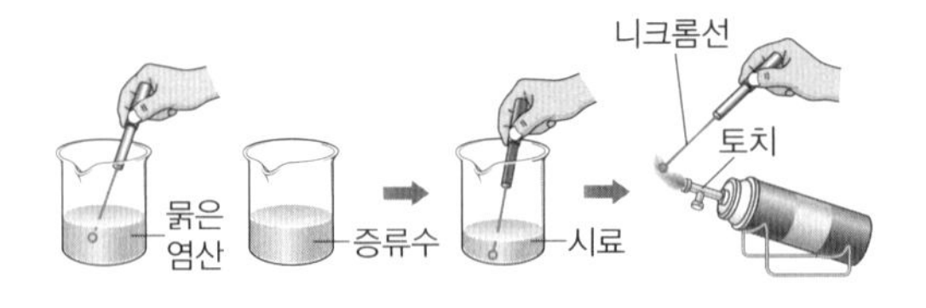

11 이 실험으로 알 수 있는 것은?

① 물질의 상태
② 물질의 녹는점
③ 물질의 끓는점
④ 물질에 포함된 모든 원소의 종류
⑤ 물질에 포함된 금속 원소의 종류

12 물질을 묻히기 전에 (가)처럼 니크롬선을 묽은 염산과 증류수로 씻는 까닭은?

① 원소의 불꽃색을 정확하게 보기 위해서
② 니크롬선에 시료가 잘 묻도록 하기 위해서
③ 니크롬선이 불꽃에 타는 것을 막기 위해서
④ 니크롬선에 묻은 염산의 불꽃색을 보기 위해서
⑤ 니크롬선을 구성하는 원소가 무엇인지 알아내기 위해서

13 이 실험을 통해 관찰한 불꽃색이 보라색을 나타낸 물질을 옳게 짝 지은 것은?

① 염화 칼륨, 질산 칼륨
② 염화 구리(Ⅱ), 염화 칼륨
③ 질산 칼륨, 질산 스트론튬
④ 황산 구리(Ⅱ), 염화 나트륨
⑤ 염화 구리(Ⅱ), 황산 구리(Ⅱ)

14 다음은 불꽃 반응 실험 장치이다.

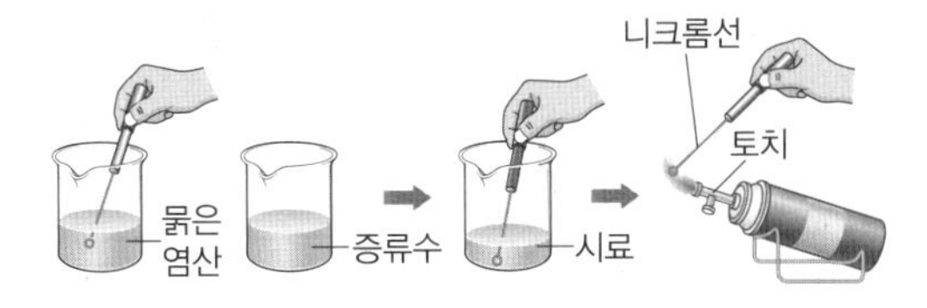

이 실험에 대한 설명으로 옳지 않은 것은?

① 염화 구리(Ⅱ)의 불꽃색은 청록색이다.
② 적은 양의 시료로 원소 구별이 가능하다.
③ 물질을 묻힌 니크롬선을 토치의 겉불꽃에 넣는다.
④ 물질 속에 포함된 금속 원소의 종류를 쉽게 알 수 있다.
⑤ 질산 리튬과 질산 칼륨은 같은 질산을 포함하므로 불꽃색이 같다.

15 다음은 불꽃 반응 실험 과정을 나타낸 것이다.

[실험 과정]
(가) 니크롬선을 묽은 염산에 담갔다가 증류수에 헹구고 토치의 겉불꽃에 넣어 불꽃색이 나타나지 않을 때까지 가열하였다.
(나) 여러 가지 물질의 수용액을 니크롬선에 묻혀 토치의 겉불꽃에 넣었을 때 나타나는 불꽃색을 관찰하였다.

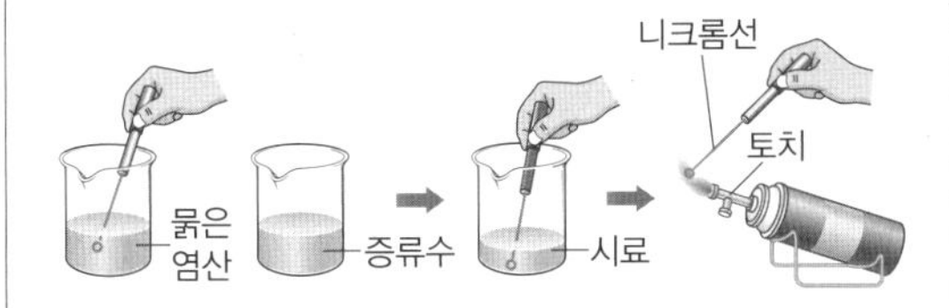

[실험 결과]

수용액	불꽃색
(가)	노란색
질산 구리(Ⅱ)	(㉠)
염화 나트륨	(㉡)
(나)	청록색

이 실험에 대한 설명으로 옳지 않은 것은?

① (가)의 물질에는 나트륨이 포함되어 있다.
② ㉠에서 예상되는 불꽃색은 청록색이다.
③ ㉡에서 예상되는 불꽃색은 노란색이다.
④ (나)의 물질에는 염소가 포함되어 있다.
⑤ 불꽃색을 통해 물질에 포함된 금속 원소의 종류를 알 수 있다.

16 염화 나트륨은 나트륨과 염소 원소로 이루어져 있다. 염화 나트륨을 불꽃 반응시키면 노란색의 불꽃이 나타난다. 나트륨과 염소 중 어떤 원소에 의해 노란색이 나타나는지 확인하기 위해서 불꽃색을 관찰해야 하는 물질을 옳게 짝 지은 것은?

① 염화 칼륨, 염화 리튬
② 질산 나트륨, 염화 리튬
③ 질산 나트륨, 질산 리튬
④ 염화 칼륨, 질산 스트론튬
⑤ 질산 나트륨, 질산 스트론튬

17 빛을 분광기로 관찰할 때 나타나는 스펙트럼에 대한 설명으로 옳은 것은?

① 물질에 포함된 원소의 종류를 알 수 있다.
② 선 스펙트럼으로 물질의 종류를 모두 알 수 있다.
③ 햇빛을 분광기로 관찰하면 선 스펙트럼이 나타난다.
④ 물질의 양에 따라 선 스펙트럼의 모양이 달라질 수 있다.
⑤ 불꽃색이 비슷한 원소는 선 스펙트럼도 비슷하게 나타난다.

18 그림은 임의의 원소 A, B와 물질 (가)~(라)의 선 스펙트럼을 나타낸 것이다.

원소 A, B를 모두 포함하는 물질을 모두 고른 것은?

① (가), (나) ② (가), (다) ③ (가), (라)
④ (나), (다) ⑤ (다), (라)

19 금속 원소가 포함된 어떤 물질을 불꽃 반응시켰더니 빨간색의 불꽃이 나타났다. 이 물질에 포함된 금속 원소를 확인할 수 있는 방법을 서술하시오.

I. 물질의 구성

02 물질의 구성 입자 (원자와 분자)

개념으로 복습하기

★ 정답과 해설 076쪽

A 원자

1. (❶): 물질을 이루는 기본 입자

(1) 원자의 중심에는 (❷)이 있고, 그 주위에서 (❸)가 끊임없이 움직이고 있다.

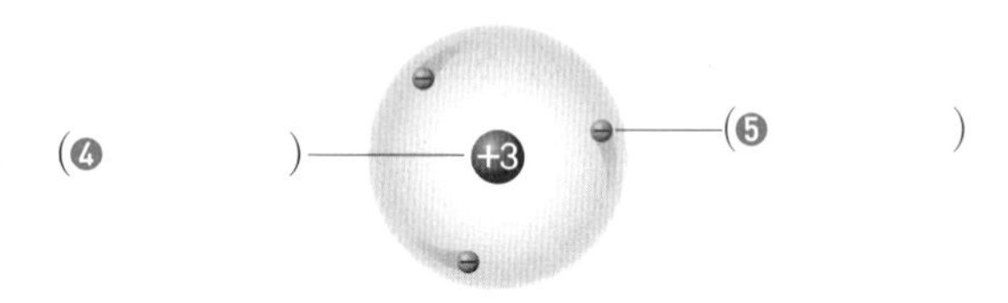

(2) 원자는 (❻)의 (+)전하량과 (❼)의 총 (−)전하량이 같으므로 전기적으로 (❽)이다.

2. 원자 모형: 원자는 크기가 매우 작아서 눈으로 볼 수 없기 때문에 원자 모형을 사용하여 나타낸다.

원자	리튬	탄소
원자 모형	+3	+6
원자핵의 전하량	+3	+6
전자의 개수	3개	6개

B 분자

1. (❾): 물질의 성질을 가진 가장 작은 입자

(1) 분자는 원자로 이루어져 있다.

(2) 결합하는 원자의 종류와 개수에 따라 분자의 종류가 달라진다.

2. 분자 모형

분자	분자 모형	분자를 이루는 원자의 종류와 개수
산소		산소 원자 2개
물		산소 원자 1개 수소 원자 2개
암모니아		질소 원자 1개 수소 원자 3개
이산화 탄소		탄소 원자 (❿)개 산소 원자 (⓫)개

C 원소와 분자의 표현 방법

1. 원소를 원소 기호로 나타내기

(1) 현재는 라틴어나 영어로 된 원소 이름의 첫 글자를 알파벳의 (⓬)로 나타낸다.

예) 수소 Hydrogen ➡ H

(2) 첫 글자가 같을 때는 중간 글자를 택하여 첫 글자 다음에 (⓭)로 나타낸다.

예) 헬륨 Helium ➡ He

(3) 여러 가지 원소 기호

원소 이름	원소 기호	원소 이름	원소 기호
수소	H	염소	Cl
리튬	Li	칼륨(포타슘)	K
탄소	C	칼슘	Ca
질소	N	철	Fe
산소	O	구리	Cu
나트륨(소듐)	Na	은	Ag

2. 분자를 원소 기호로 나타내기

(1) (⓮): 원소 기호를 사용하여 분자를 이루는 원자의 종류와 수를 나타낸 것

① 분자를 이루는 원자의 종류를 원소 기호로 나타낸다.

② 분자를 이루는 원자의 개수를 원소 기호의 오른쪽 아래에 작은 숫자로 표시한다.(단, 원자의 개수가 하나일 때는 숫자 '1'은 생략한다.)

③ 분자의 개수를 나타낼 때에는 분자식 앞에 큰 숫자로 표시한다.

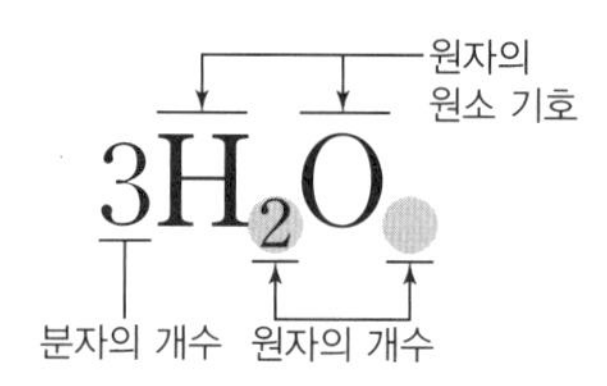

분자의 종류	물
분자의 개수	3개
분자를 이루는 원자의 종류	수소(H), 산소(O)
분자 1개를 이루는 원자의 개수	수소 2개, 산소 1개
분자를 이루는 원자의 총 개수	9개

(2) 여러 가지 분자의 분자식

분자	분자식	분자	분자식
수소	H_2	염화 수소	HCl
산소	O_2	이산화 탄소	CO_2
물	H_2O	암모니아	NH_3

헷갈리는 내용 공략하기

02 물질의 구성 입자(원자와 분자)

★ 정답과 해설 076쪽

A, B 원자와 분자 > 원자 모형과 분자 모형

[01-09] 그림은 어떤 원자의 모형을 나타낸 것이다. 설명에 해당하는 것의 기호를 쓰거나, ( ) 안에 들어갈 알맞은 말이나 숫자를 쓰시오.

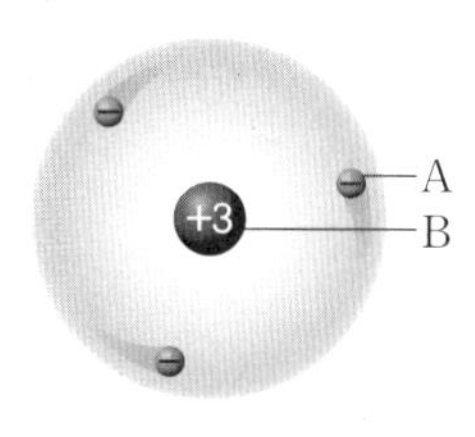

01 (+) 전하를 띤다.

02 (−) 전하를 띤다.

03 원자의 중심에 있다.

04 원자핵 주위에서 끊임없이 움직이고 있다.

05 원자 질량의 대부분을 차지한다.

06 원자핵의 전하량은 ( )이다.

07 전자의 개수는 ( )개이다.

08 전자의 총 전하량은 ( )이다.

09 원자는 전기적으로 ( )이다.

10 ( ) 안에 들어갈 알맞은 숫자를 쓰시오.

(단, ◦: 수소, ●: 탄소, ●: 질소, ●: 산소)

분자	분자 모형	분자를 이루는 원자의 종류와 개수
산소		산소 원자 (㉠)개
물		산소 원자 (㉡)개 수소 원자 (㉢)개
암모니아		질소 원자 (㉣)개 수소 원자 (㉤)개
이산화 탄소		탄소 원자 (㉥)개 산소 원자 (㉦)개

C 원소와 분자의 표현 > 원소와 분자를 기호로 나타내기

11 표는 여러 가지 원소의 이름과 원소 기호를 나타낸 것이다. ㉠~㉩에 들어갈 알맞은 원소 이름 또는 원소 기호를 쓰시오.

원소 이름	원소 기호	원소 이름	원소 기호
수소	(㉠)	철	(㉥)
(㉡)	He	염소	(㉦)
구리	(㉢)	(㉧)	O
탄소	(㉣)	칼륨(포타슘)	(㉨)
나트륨(소듐)	(㉤)	금	(㉩)

12 오른쪽은 어떤 물질을 분자식으로 표현한 것이다. ( ) 안에 들어갈 알맞은 말을 쓰시오.

$3H_2O$

(1) 이 분자의 이름은 ( )이다.
(2) 분자의 개수는 ( )개이다.
(3) 분자를 이루는 원자의 종류는 ( )가지이다.
(4) 분자 1개를 이루는 원자의 총 개수는 ( )개이다.
(5) 분자를 이루는 산소 원자의 총 개수는 ( )개이다.
(6) 숫자 2는 분자 1개를 이루는 ( ) 원자의 개수를 의미한다.
(7) 분자를 이루는 원자의 총 개수는 ( )개이다.

13 다음은 몇 가지 원소 또는 분자를 원소 기호로 나타낸 것이다.

ㄱ. 은 − Al	ㄴ. 질소 분자 − N_2
ㄷ. 황 − S	ㄹ. 염화 수소 − H_2Cl
ㅁ. 칼슘 − CA	ㅂ. 이산화 탄소 − CO
ㅅ. 망가니즈 − Mg	ㅇ. 산소 분자 − O_3

(1) 옳게 나타낸 것을 모두 골라 기호를 쓰시오.

(2) 잘못된 것을 모두 골라 옳게 고치시오.

02 물질의 구성 입자 (원자와 분자)

★ 정답과 해설 076쪽

A 원자

01 원자에 대한 설명으로 옳지 않은 것은?

① 원자는 전기적으로 중성이다.
② 전자는 원자핵 주위에서 움직이고 있다.
③ 원자의 중심에는 (+)전하를 띤 원자핵이 있다.
④ 원자의 종류에 따라 원자핵의 전하량이 다르다.
⑤ 원자는 물질의 성질을 가진 가장 작은 입자이다.

02 그림은 어떤 원자의 모형을 나타낸 것이다. 이에 대한 설명으로 옳지 않은 것은?

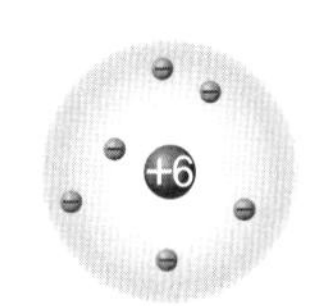

① 원자핵의 전하량은 +6이다.
② 원자는 전기적으로 중성이다.
③ 이 원자 모형은 탄소를 나타낸다.
④ 원자의 (−)전하량의 총합은 −5이다.
⑤ 원자의 질량의 대부분은 원자핵이 차지한다.

03 원자핵의 전하량이 +3인 리튬의 원자 모형으로 옳은 것은?

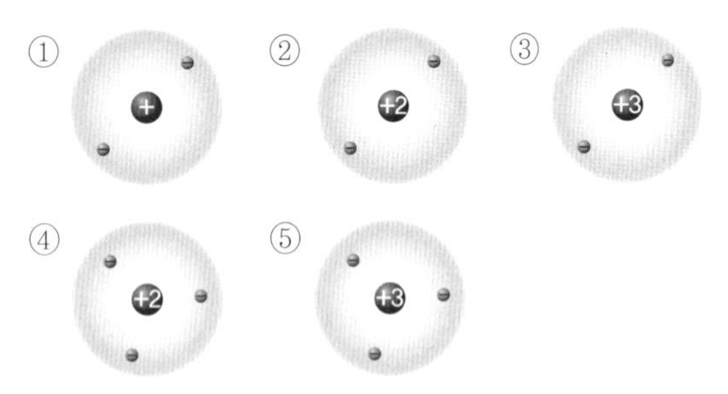

04 그림은 헬륨과 플루오린을 원자 모형으로 나타낸 것이다. 헬륨과 플루오린 원자핵의 전하량을 순서대로 쓰시오. (단, 헬륨과 플루오린은 중성 원자이다.)

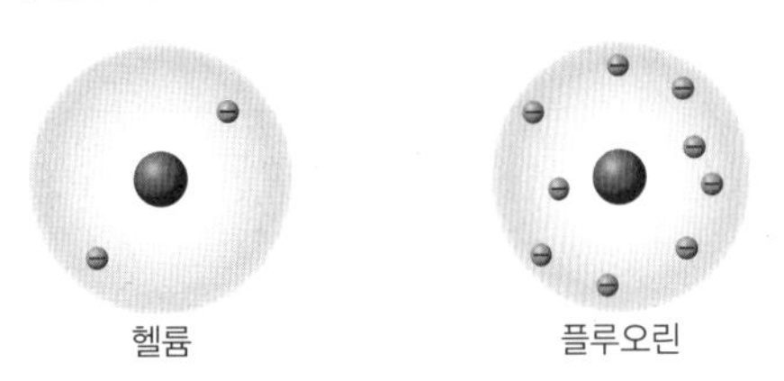

05 그림은 산소 원자를 모형으로 나타낸 것이다. 산소 원자가 전기적으로 중성인 까닭을 서술하시오.

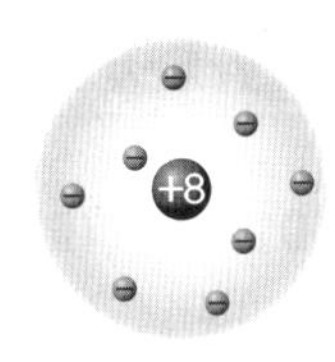

B 분자

06 다음은 물질을 이루고 있는 성분이나 입자에 대한 설명이다.

> (가) 더 이상 분해되지 않는 물질의 기본 성분
> (나) 물질의 고유한 성질을 가진 가장 작은 입자
> (다) 더 이상 쪼갤 수 없는 가장 작은 입자

(가)~(다)에 해당하는 것을 옳게 짝 지은 것은?

	(가)	(나)	(다)
①	원소	분자	원자
②	원소	원자	분자
③	원자	분자	원소
④	분자	원소	원자
⑤	분자	원자	원소

07 우리는 일상생활에서 분자로 이루어진 여러 가지 물질을 이용한다. 이 중 공기의 약 78 %를 차지하며, 다른 물질과 거의 반응하지 않아 과자 봉지 등의 충전 기체로 사용하는 물질의 분자 모형으로 옳은 것은?

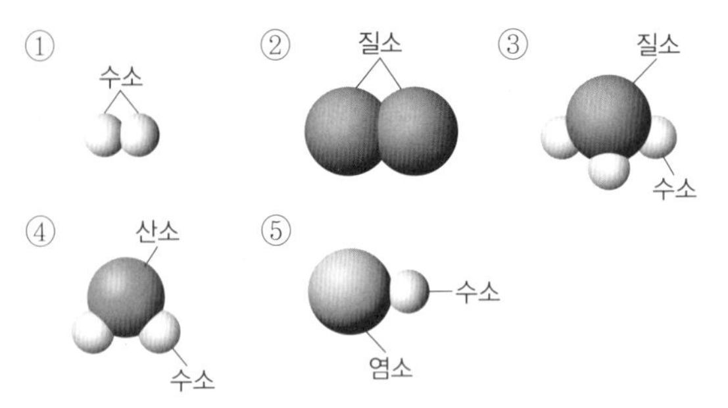

08 메테인의 분자 모형과 이에 대한 설명이다.

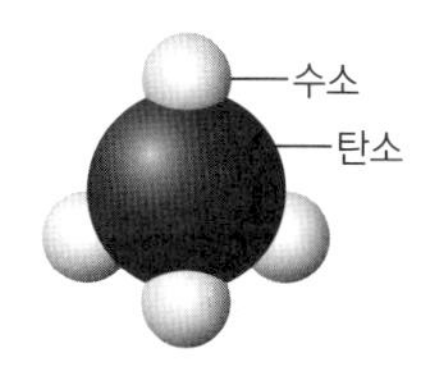

메테인 (㉠) 1개는 수소 (㉡) (㉢)개와 탄소 (㉣) (㉤)개로 이루어져 있다.

㉠~㉤에 들어갈 말로 옳은 것은?

① ㉠: 원자 ② ㉡: 분자 ③ ㉢: 2
④ ㉣: 원소 ⑤ ㉤: 1

09 다음은 수소와 산소 원자로 이루어진 물질들이 섞여 있는 것을 나타낸 것이다. 몇 종류의 분자가 있는지 쓰시오.

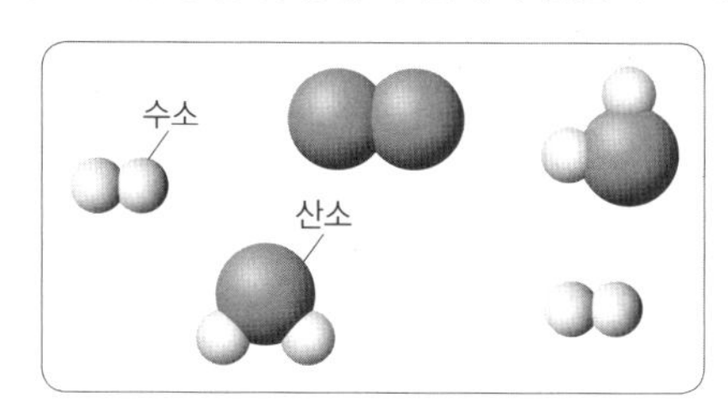

10 다음은 메탄올과 에탄올의 분자 모형이다.

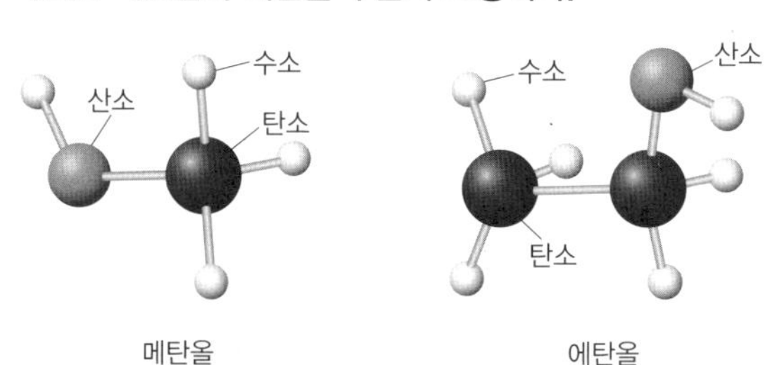

이에 대한 설명으로 옳은 것은?

① 같은 물질이고, 같은 원소로 이루어져 있다.
② 같은 물질이고, 탄소 원자의 수가 같다.
③ 다른 물질이고, 같은 원소로 이루어져 있다.
④ 다른 물질이고, 산소 원자의 수가 다르다.
⑤ 다른 물질이고, 수소 원자의 수가 같다.

11 다음은 일산화 탄소와 이산화 탄소의 분자 모형이다.

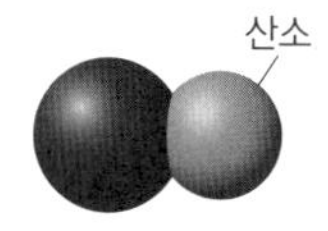

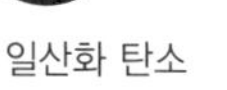

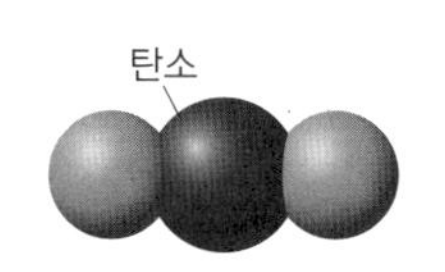

일산화 탄소 분자와 이산화 탄소 분자를 구성하는 입자의 공통점과 차이점을 서술하시오.

C 원소와 분자의 표현 방법

12 원소 기호에 대한 설명으로 옳지 않은 것은?

① 원소 기호의 첫 글자는 알파벳의 대문자로 쓴다.
② 베르셀리우스가 현재와 같은 원소 기호를 제안했다.
③ 원소 기호는 영어나 라틴어로 된 원소 이름을 이용하여 나타낸다.
④ 첫 글자가 같을 경우 중간 글자를 하나 선택하여 첫 글자 다음에 대문자로 나타낸다.
⑤ 원소를 기호로 나타내면 서로 다른 언어를 사용하는 사람들끼리 정보를 쉽게 전달할 수 있다.

13 원소 이름과 원소 기호를 옳게 짝 지은 것은?

① 나트륨 − N ② 마그네슘 − Ma
③ 아이오딘 − I ④ 칼슘 − K
⑤ 수은 − Al

14 생활 속에서 사용하고 있는 물질의 주된 구성 원소를 옳게 짝 지은 것은?

① 못 − Fe
② 연필심 − Ca
③ 풍선, 비행선의 충전 기체 − H
④ 수돗물의 소독약 − F
⑤ 우주 왕복선의 연료 − N

15 그림은 물 분자를 모형으로 나타낸 것이다.

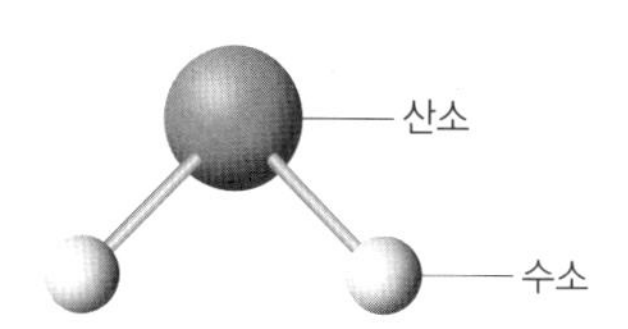

물 분자를 원소 기호로 옳게 표현한 것은?

① H_2O ② H_2O_1 ③ CH_2
④ C_1H_2 ⑤ NH_2

16 그림은 암모니아 분자를 모형으로 나타낸 것이다.

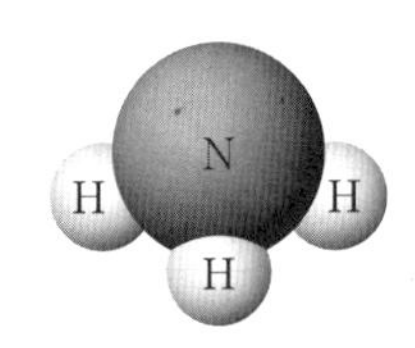

암모니아 분자를 원소 기호로 옳게 표현한 것은?

① NH3 ② NH_3 ③ N3H
④ N_3H ⑤ NH^3

17 다음 여러 가지 물질 중 분자 1개를 이루는 원자의 개수가 가장 많은 것은?

① 4HCl ② $3H_2O_2$ ③ $2CH_4$
④ $3CO_2$ ⑤ $2NH_3$

18 분자 모형과 분자식을 옳게 짝 지은 것은?

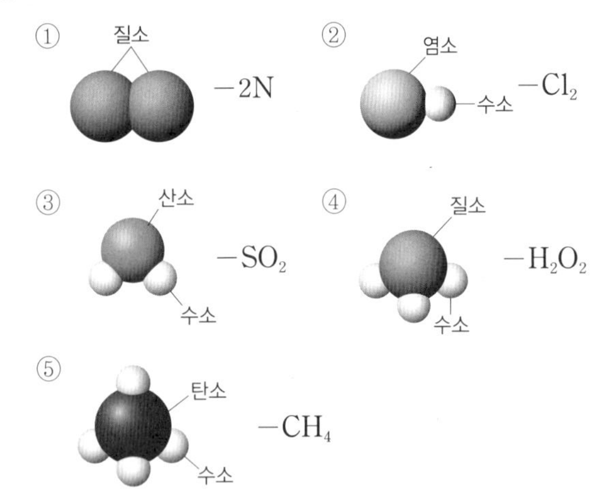

19 $2H_2O$에 대한 설명으로 옳은 것만을 보기에서 모두 고른 것은?

보기
ㄱ. 물 분자의 수는 2개이다. ㄴ. 원자의 총 개수는 6개이다. ㄷ. 원소는 3종류이다. ㄹ. 물 분자 1개는 2개의 원자로 이루어져 있다.

① ㄱ, ㄴ ② ㄱ, ㄷ ③ ㄴ, ㄷ
④ ㄴ, ㄹ ⑤ ㄷ, ㄹ

20 오른쪽은 어떤 물질을 분자식으로 표현한 것이다.
이에 대한 설명으로 옳지 않은 것은?

$3CO_2$

① 이산화 탄소를 분자식으로 나타낸 것이다.
② 분자의 개수는 3개이다.
③ 분자를 이루는 총 원자의 개수는 9개이다.
④ 분자를 이루는 원자의 종류는 3종류이다.
⑤ 분자 1개를 이루는 원자는 3개이다.

21 다음은 산소(O)로만 이루어진 2가지 물질을 나타낸 것이다.

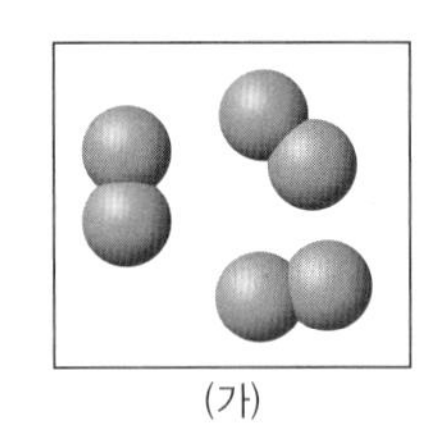
(가)

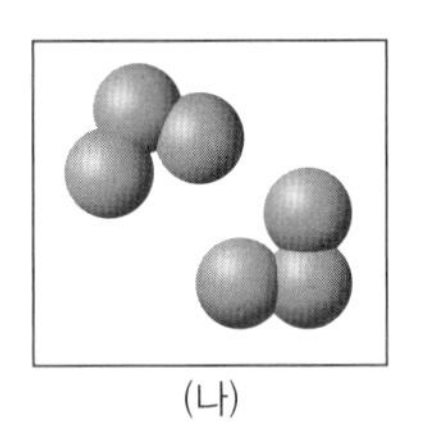
(나)

이에 대한 설명으로 옳은 것은?

① (가)의 분자식은 $2O_3$이다.
② (나)의 분자식은 $3O_2$이다.
③ (가)와 (나) 분자의 성질은 같다.
④ 분자의 개수는 (가)와 (나)가 같다.
⑤ 분자 1개를 이루는 산소 원자의 개수는 (가)보다 (나)가 많다.

22 다음 설명에 해당하는 분자의 분자식을 쓰시오.

- 분자를 구성하는 원소는 탄소와 수소이다.
- 분자 1개를 구성하는 원자의 개수는 6개이다.
- 분자를 이루는 탄소 원자와 수소 원자의 개수비는 1 : 2이다.

23 오른쪽은 메테인의 분자식을 나타낸 것이다.
이를 통해 우리가 알 수 있는 사실을 3가지 서술하시오.

$3CH_4$

03 전하를 띠는 입자(이온)

★ 정답과 해설 077쪽

A 이온

1. (❶): 원자가 전자를 잃거나 얻어 전하를 띠는 입자

2. 이온의 형성

(1) **양이온**: 원자가 전자를 (❷) (+)전하를 띠는 이온 ➡ 원자가 전자를 잃으면 원자핵의 (+)전하량보다 전자의 총 (−)전하량이 적어지므로 (+)전하를 띤 양이온이 된다.

(2) **음이온**: 원자가 전자를 (❸) (−)전하를 띠는 이온 ➡ 원자가 전자를 얻으면 원자핵의 (+)전하량보다 전자의 총 (−)전하량이 많아지므로 (−)전하를 띤 음이온이 된다.

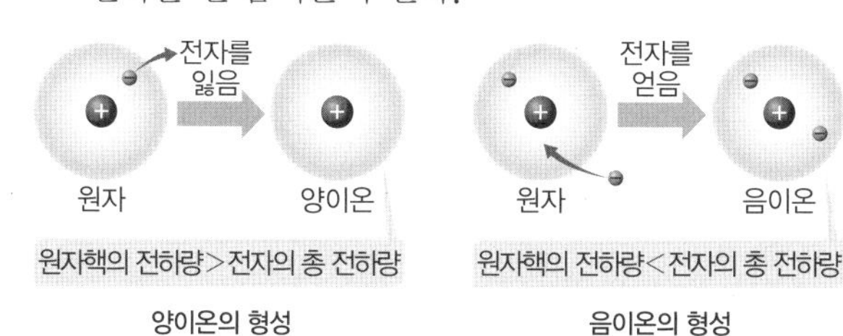

양이온의 형성 음이온의 형성

3. 이온의 표시

(1) (❹): 이온을 나타낼 때 원소 기호의 오른쪽 위에 전하의 종류와 잃거나 얻은 전자의 수를 함께 표시한 식

(2) **이온의 표시와 이름**

① 양이온의 표시와 이름

원소 기호의 오른쪽 위에 잃은 전자의 수를 +, 2+, 3+ 등으로 표시한다.(단, 1은 생략)	
양이온의 이름: 원소의 이름 뒤에 '이온'을 붙인다.	

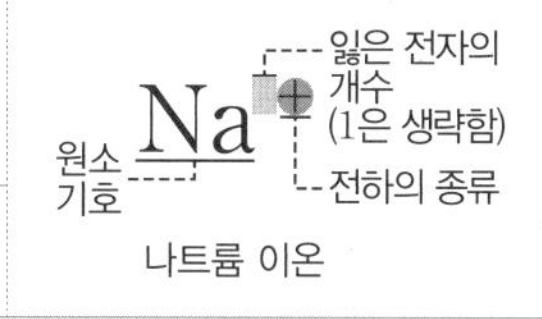

나트륨 이온

② 음이온의 표시

원소 기호의 오른쪽 위에 얻은 전자의 수를 −, 2−, 3− 등으로 표시한다.(단, 1은 생략)	
음이온의 이름: 원소의 이름 뒤에 '화 이온'을 붙인다.(단, 원소 이름이 산소나 염소와 같이 '소'로 끝날 때에는 '소'를 빼고 '화 이온'을 붙인다.)	

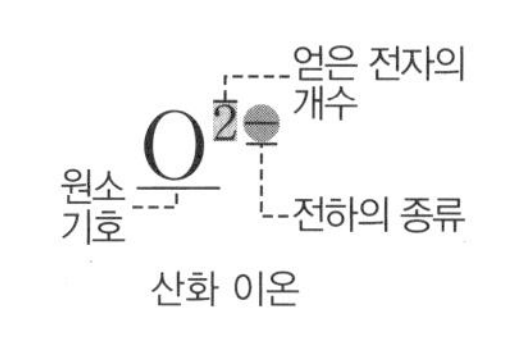

산화 이온

③ 여러 개의 원자가 모여서 이루어진 이온의 경우도 오른쪽 위에 이온의 전체 전하를 표시한다.

㉠ 암모늄 이온(NH_4^+), 황산 이온(SO_4^{2-})

(3) 여러 가지 이온의 이름과 이온식

양이온		음이온	
이름	이온식	이름	이온식
나트륨 이온	Na^+	염화 이온	Cl^-
칼륨 이온	K^+	산화 이온	O^{2-}
칼슘 이온	Ca^{2+}	수산화 이온	OH^-
은 이온	Ag^+	질산 이온	NO_3^-
구리 이온	Cu^{2+}	황산 이온	SO_4^{2-}
암모늄 이온	NH_4^+	탄산 이온	CO_3^{2-}

4. 이온의 이동: 이온이 들어 있는 수용액에 전류를 흘려 주면 양이온은 (❺)극으로, 음이온은 (❻)극으로 이동한다. ➡ 이는 이온이 (❼)를 띠고 있기 때문에 나타나는 현상이다.

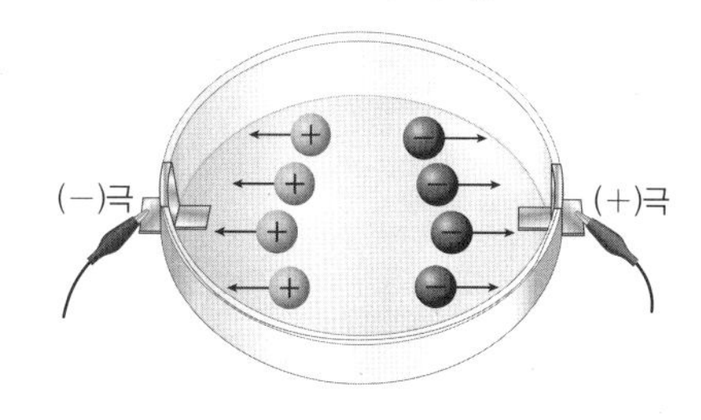

B 앙금 생성 반응

1. 앙금 생성 반응: 이온이 들어 있는 서로 다른 두 수용액을 섞었을 때 양이온과 음이온이 반응하여 물에 잘 녹지 않는 물질인 (❽)을 생성하는 반응

㉠ 염화 나트륨 수용액 속의 염화 이온(Cl^-)과 질산 은 수용액 속의 은 이온(Ag^+)이 반응하면 흰색의 염화 은(AgCl) 앙금이 생긴다.

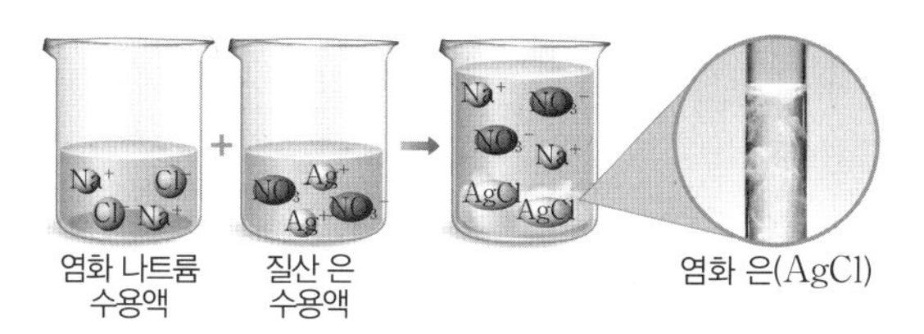

2. 이온의 확인: 앙금 생성 반응을 이용하여 수용액 속에 들어 있는 (❾)의 존재를 확인할 수 있다.

양이온	음이온	생성되는 앙금	앙금 색깔
Ag^+	Cl^-	염화 은(AgCl)	흰색
Ca^{2+}	CO_3^{2-}	탄산 칼슘($CaCO_3$)	흰색
Ba^{2+}	SO_4^{2-}	황산 바륨($BaSO_4$)	흰색
Pb^{2+}	I^-	아이오딘화 납(PbI_2)	노란색
Cu^{2+}	S^{2-}	황화 구리(CuS)	검은색

헷갈리는 내용 공략하기

03 전하를 띠는 입자(이온)

★ 정답과 해설 077쪽

A 이온 > 이온의 형성 과정을 모형과 이온식으로 나타내기

01 리튬(Li) 원자와 산소(O) 원자에서 형성된 이온을 모형으로 표현하고, ㉠~㉧에 알맞은 숫자와 이온식을 쓰시오.

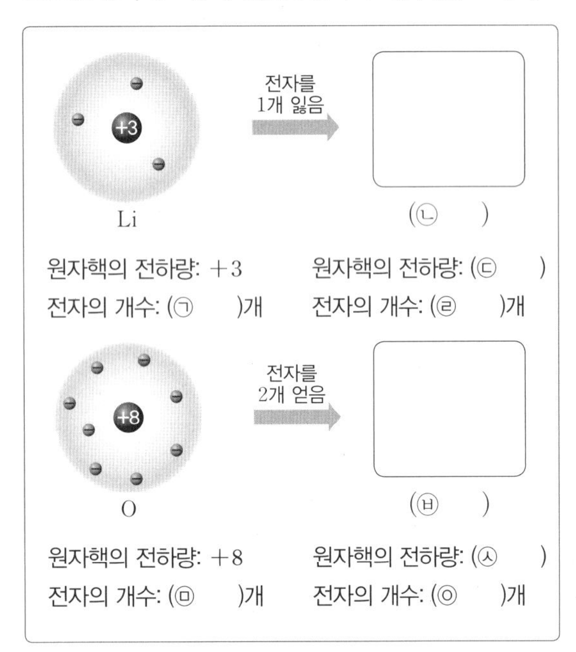

02 표는 몇 가지 원자와 이온의 원자핵의 전하량과 전자의 개수를 나타낸 것이다.

원자 또는 이온	C	Mg^{2+}	S	Cl^-
원자핵의 전하량	+6	+12	㉢	+17
전자의 개수(개)	㉠	㉡	16	㉣

㉠~㉣에 들어갈 알맞은 숫자를 쓰시오.

03 표는 몇 가지 이온의 이름과 이온식을 나타낸 것이다.

이온 이름	이온식	이온 이름	이온식
㉠	Li^+	㉤	O^{2-}
마그네슘 이온	㉡	㉥	Cl^-
㉢	Al^{3+}	㉦	OH^-
㉣	NH_4^+	탄산 이온	㉧

㉠~㉧에 들어갈 알맞은 이온의 이름이나 이온식을 쓰시오.

04 그림은 양이온과 음이온이 형성되는 과정을 나타낸 것이다.

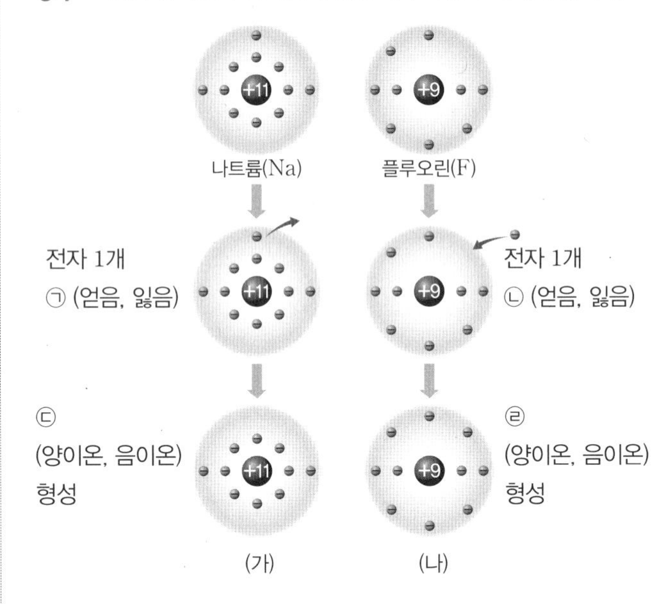

(1) ㉠~㉣에 알맞은 말을 고르시오.

(2) (가), (나) 각 이온의 이름과 이온식을 쓰시오.

05 다음에서 (가) 전자를 가장 많이 얻어서 형성된 이온과 (나) 전자를 가장 많이 잃어서 형성된 이온을 각각 골라 기호를 쓰시오.

ㄱ. H^+　　ㄴ. O^{2-}　　ㄷ. OH^-
ㄹ. Al^{3+}　　ㅁ. NH_4^+　　ㅂ. F^-

06 표는 몇 가지 이온의 원자핵의 전하량과 전자의 개수를 나타낸 것이다.

구분	원자핵의 전하량	전자의 개수(개)
A	+3	2
B	+9	10
C	+11	10
D	+12	10

A~D를 양이온과 음이온으로 구별하시오.

03 전하를 띠는 입자(이온)

★ 정답과 해설 077쪽

A 이온

01 그림은 어떤 원자 A의 구조를 모형으로 나타낸 것이다. 이에 대한 설명으로 옳지 않은 것은?

(가)
+3 (나)

① (가)는 전자를 나타낸다.
② (나)는 원자핵을 나타낸다.
③ (가)는 (나)의 주위를 끊임없이 움직이고 있다.
④ (가)의 총 전하량의 크기는 (나)의 전하량의 크기와 같다.
⑤ 원자 A가 이온이 될 때 (나)의 전하량이 달라진다.

02 그림 (가)와 (나)는 두 원자 A와 B가 이온이 되는 과정을 모형으로 나타낸 것이다.

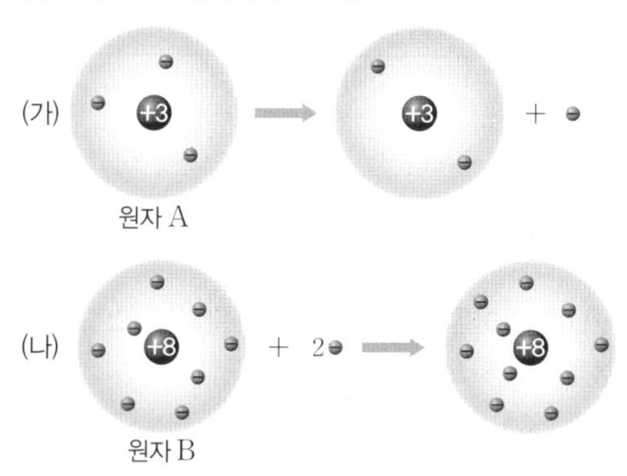

이에 대한 설명으로 옳은 것은?

① 원자 A의 이온은 (−)전하를 띤다.
② (가)는 음이온이 형성되는 과정이다.
③ (나)는 양이온이 형성되는 과정이다.
④ 원자 B의 이온을 이온식으로 표현하면 B^{2+}이다.
⑤ 원자 B의 이온은 (−)전하량이 (+)전하량보다 크다.

03 원자핵의 전하량이 +12인 마그네슘(Mg) 원자가 이온이 되었을 때, 마그네슘 이온(Mg^{2+})이 가지는 전자의 개수는?

① 10개　② 11개　③ 12개
④ 13개　⑤ 14개

04 그림은 원자와 이온을 모형으로 나타낸 것이다.

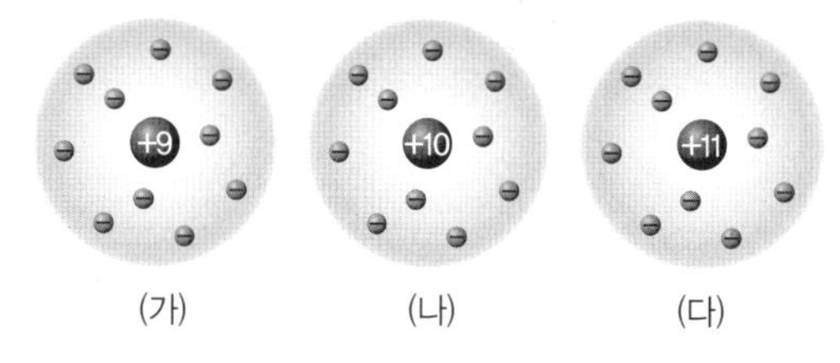

이에 대한 설명으로 옳은 것은?

① (가)는 양이온이다.
② (나)는 음이온이다.
③ (다)는 중성 원자이다.
④ (가)는 (−)전하량이 (+)전하량보다 크다.
⑤ (나)는 (−)전하량이 (+)전하량보다 작다.

05 이온의 이름이 옳지 않은 것은?

① Cl^-: 염화 이온　② K^+: 칼륨 이온
③ OH^-: 수소화 이온　④ NH_4^+: 암모늄 이온
⑤ CO_3^{2-}: 탄산 이온

06 오른쪽은 어떤 이온을 이온식으로 나타낸 것이다.
이에 대한 설명으로 옳은 것은?

Ca^{2+}

① 칼슘화 이온이라고 부른다.
② Ca는 원소 기호를 의미한다.
③ 띠고 있는 전하의 종류는 (−)이다.
④ (+)전하량보다 (−)전하량이 더 크다.
⑤ 칼슘 원자가 전자를 2개 얻어서 형성되었다.

07 여러 가지 이온 중에서 원자가 전자를 가장 많이 얻어서 형성되는 것은?

① H^+　② Fe^{2+}　③ Al^{3+}
④ Cl^-　⑤ S^{2-}

08 표는 몇 가지 원자와 이온의 원자핵의 전하량과 전자의 개수를 나타낸 것이다.

원자 또는 이온	Li^{+}	C	N	O^{2-}	Na^{+}
원자핵의 전하량	+3	+6	㉢	+8	㉤
전자의 개수(개)	㉠	㉡	7	㉣	10

㉠~㉤에 들어갈 내용으로 옳은 것은?

① ㉠: 3 ② ㉡: 5 ③ ㉢: +7
④ ㉣: 6 ⑤ ㉤: +9

09 그림은 수소(H) 원자에서 이온이 형성되는 과정을 모형으로 나타낸 것이다.

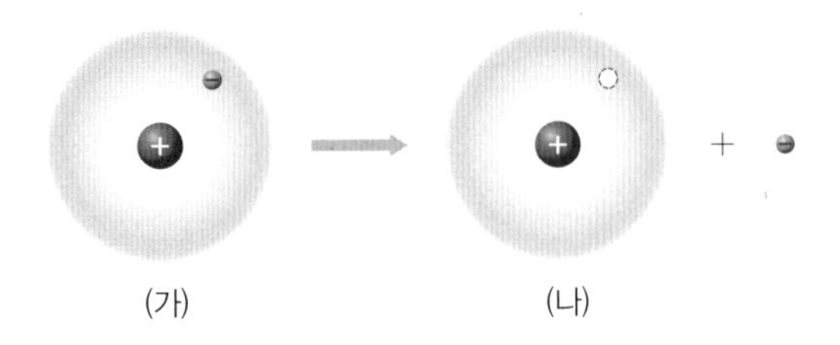

이에 대한 설명으로 옳은 것은?

① (가)와 (나)는 전자의 개수가 같다.
② (가)와 (나)의 원자핵의 전하량은 다르다.
③ (나)는 −1가의 음이온이다.
④ (나)를 이온식으로 나타내면 H^{-}이다.
⑤ (나)는 (+)전하량이 (−)전하량보다 크다.

10 그림은 몇 가지 원자와 이온을 모형으로 나타낸 것이다.

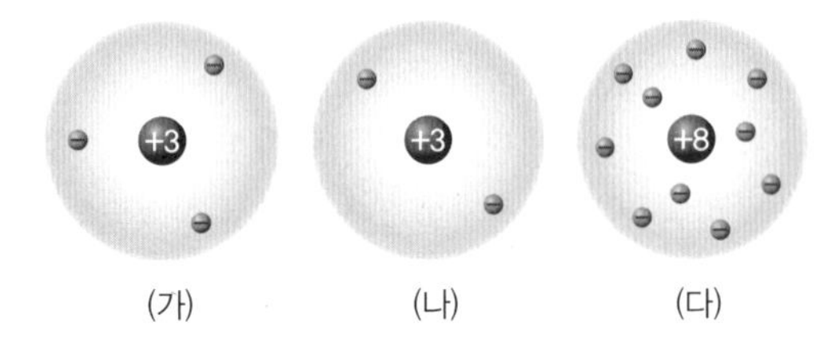

이에 대한 설명으로 옳은 것은?

① (가)~(다)는 모두 전기적으로 중성이다.
② (가)와 (나)의 원자핵의 전하량은 같다.
③ (가)는 (+)전하량이 (−)전하량보다 더 크다.
④ (나)는 전자 1개를 얻어 형성된 음이온이다.
⑤ 수용액에서 전류를 흘려 주었을 때 (다)는 (−)극으로 이동한다.

11 질산 칼륨 수용액을 적신 거름종이에 보라색의 과망가니즈산 칼륨 수용액을 떨어뜨린 후 전류를 흘려 주었더니 그림과 같이 보라색 성분이 전극 B 쪽으로 이동하였다.

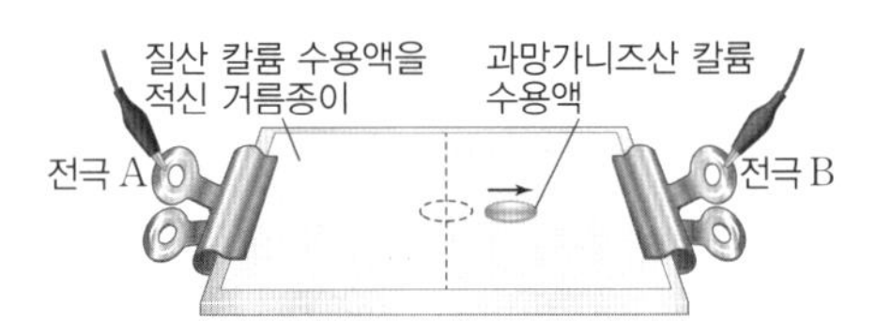

이에 대한 설명으로 옳은 것만을 보기에서 모두 고른 것은?(단, 수용액에서 과망가니즈산 이온(MnO_4^-)은 보라색이다.)

보기
ㄱ. 전극 A는 (+)극이다.
ㄴ. 전극 B로 이동하는 이온은 2종류이다.
ㄷ. 칼륨 이온과 질산 이온은 이동하지 않는다.

① ㄱ ② ㄴ ③ ㄷ
④ ㄱ, ㄴ ⑤ ㄴ, ㄷ

12 표는 이온 A~D를 구성하는 원자핵의 (+)전하량과 전자의 개수를 나타낸 것이다.

이온	A	B	C	D
원자핵의 전하량	+3	+8	+9	+12
전자의 개수(개)	2	10	10	10

A~D를 양이온과 음이온으로 구분하고, 그렇게 생각한 까닭을 서술하시오.

13 질산 칼륨 수용액이 담긴 페트리 접시 가운데에 파란색의 황산 구리(Ⅱ) 수용액을 떨어뜨린 후 전류를 흘려 주었더니 그림과 같이 파란색 성분이 (−)극 쪽으로 이동하였다.

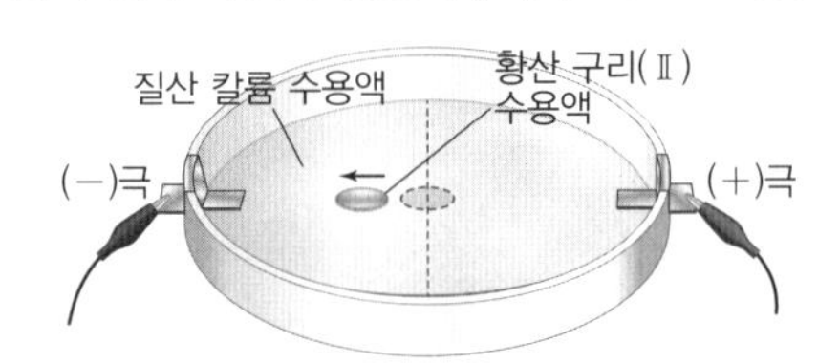

이 실험 결과로 알 수 있는 사실은 무엇인지 서술하시오.

B 앙금 생성 반응

14 표는 반응판 위에 투명 필름을 올려놓고, 미지의 A, B, C, D 수용액을 떨어뜨린 후 그 위에 염화 칼륨(KCl) 수용액을 1방울 떨어뜨릴 때 나타나는 변화를 기록한 것이다.

구분	A 용액	B 용액	C 용액	D 용액
KCl 수용액	반응 없음	흰색 앙금 생성	반응 없음	반응 없음

B 수용액에 들어 있을 것으로 예상할 수 있는 이온으로 옳은 것은?

① Ag^+ ② Ba^{2+} ③ Ca^{2+}
④ CO_3^{2-} ⑤ SO_4^{2-}

15 서로 반응하여 앙금을 생성하는 이온을 옳게 짝 지은 것은?

① Ag^+, NO_3^- ② Ba^{2+}, SO_4^{2-}
③ Na^+, CO_3^{2-} ④ K^+, I^-
⑤ Ca^{2+}, Cl^-

16 두 종류의 수용액을 혼합시킬 때 앙금이 생성되지 <u>않는</u> 것은?

① 질산 은 수용액+염화 칼슘 수용액
② 염화 나트륨 수용액+질산 은 수용액
③ 탄산 나트륨 수용액+염화 칼슘 수용액
④ 염화 바륨 수용액+황산 나트륨 수용액
⑤ 염화 칼륨 수용액+수산화 나트륨 수용액

17 그림과 같이 염화 칼슘 수용액에 물질 X의 수용액을 넣었더니 흰색 앙금이 생성되었다.
물질 X로 예상되는 물질을 보기에서 모두 고른 것은?

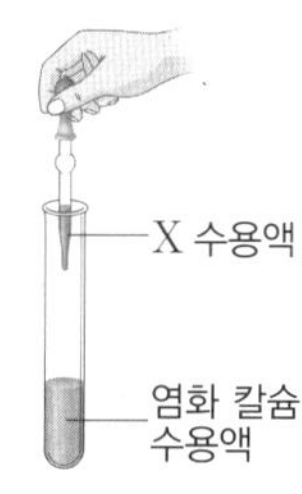

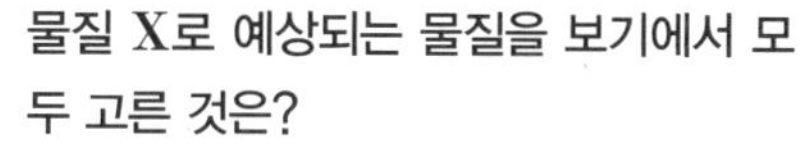

보기
ㄱ. 염화 나트륨 ㄴ. 질산 은
ㄷ. 탄산 칼륨 ㄹ. 질산 바륨

① ㄱ, ㄴ ② ㄱ, ㄷ ③ ㄴ, ㄷ
④ ㄴ, ㄹ ⑤ ㄷ, ㄹ

18 그림은 염화 나트륨(NaCl) 수용액과 질산 은($AgNO_3$) 수용액을 섞었을 때의 반응을 모형으로 나타낸 것이다.

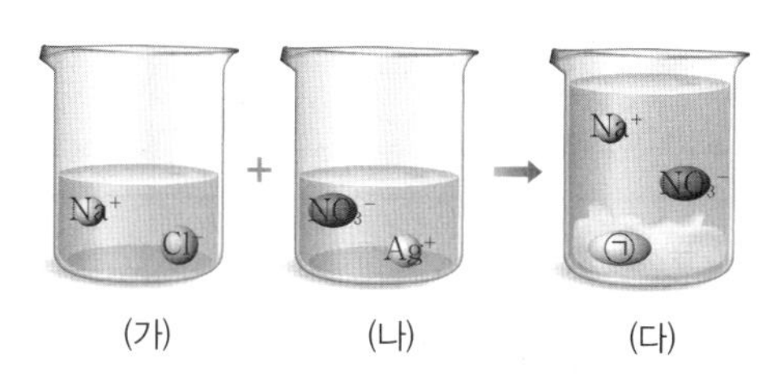

이에 대한 설명으로 옳은 것만을 보기에서 모두 고른 것은?

보기
ㄱ. ㉠은 흰색 앙금인 염화 은이다.
ㄴ. (가)와 (다)의 불꽃색은 같다.
ㄷ. 전원 장치를 연결하면 (가)~(다)는 모두 전기가 통한다.

① ㄱ ② ㄴ ③ ㄱ, ㄷ
④ ㄴ, ㄷ ⑤ ㄱ, ㄴ, ㄷ

19 그림은 아이오딘화 칼륨(KI) 수용액과 성분을 모르는 A 수용액의 앙금 생성 반응을 모형으로 나타낸 것이다.

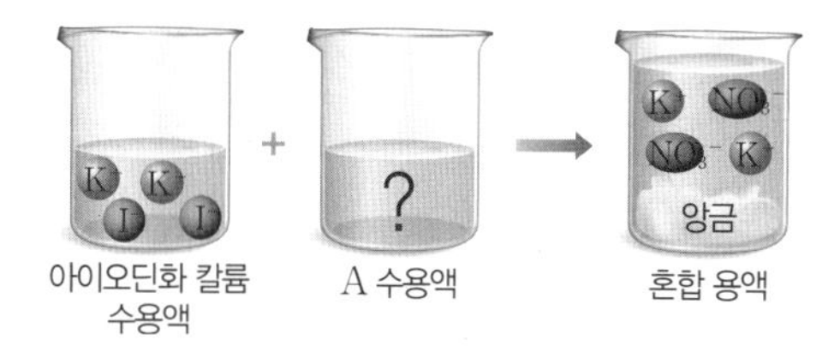

물질 A로 예상되는 물질로 옳은 것은?

① 염화 칼슘 ② 염화 바륨 ③ 질산 구리(Ⅱ)
④ 질산 납 ⑤ 탄산 나트륨

20 다음은 물질 X를 확인하기 위해 실험한 결과이다.

(가) X의 불꽃색을 관찰하였더니 보라색이 나타났다.
(나) X 수용액에 질산 납 수용액을 떨어뜨렸더니 노란색 앙금이 생겼다.

물질 X가 무엇인지 예상하고, 그렇게 생각한 까닭을 서술하시오.

Ⅱ. 전기와 자기

01 전기

✱ 정답과 해설 078쪽

A 전기의 발생

1. (❶): 서로 다른 두 물체를 마찰시켰을 때 발생하는 전기

(1) **대전**: 물체가 전기를 띠는 현상으로, 대전된 물체를 대전체라고 한다.

구분	전하량 비교	띠는 전기
전자를 잃으면	(+)전하>(−)전하	(❷)전하를 띤다.
전자를 얻으면	(−)전하>(+)전하	(❸)전하를 띤다.

(2) **전기력**: 전기를 띤 물체 사이에 작용하는 힘

같은 종류의 전하를 띤 물체 사이	서로 밀어내는 힘 작용
다른 종류의 전하를 띤 물체 사이	서로 끌어당기는 힘 작용

2. 정전기 유도

(1) **정전기 유도**: 대전되지 않은 물체에 대전체를 가까이 할 때 물체의 양 끝으로 전하가 유도되는 현상

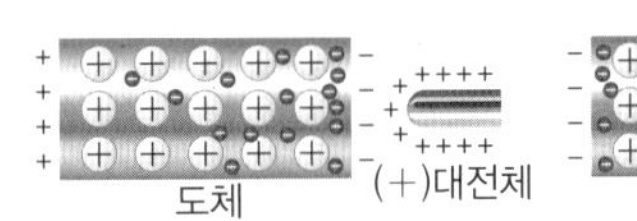

▲(+)대전체를 가까이할 때

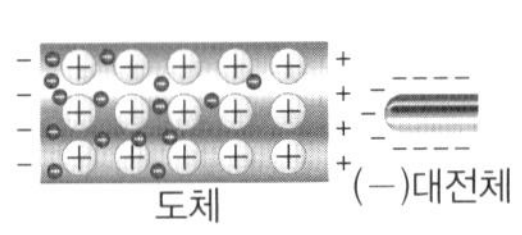

▲(−)대전체를 가까이 할 때

대전체와 가까운 쪽	대전체와 (❹) 종류의 전하를 띤다.
대전체와 먼 쪽	대전체와 (❺) 종류의 전하를 띤다.

(2) (❻): 정전기 유도 현상을 이용하여 물체의 대전 여부 등을 알 수 있는 기구

➡ 물체를 검전기의 금속판에 가까이 했을 때 금속박이 벌어지면 물체는 대전된 상태이다.

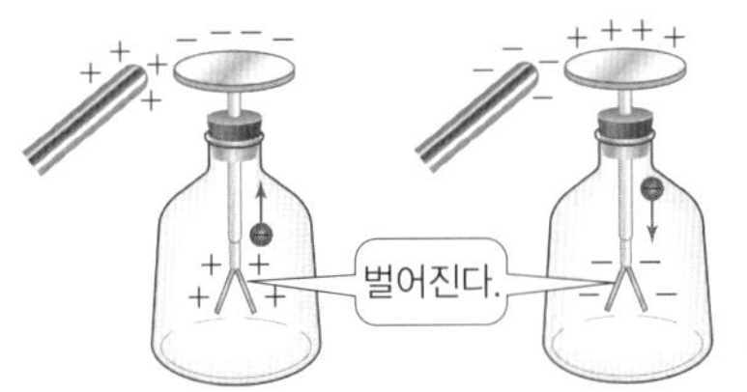

▲ (+)대전체를 가까이 할 때 ▲ (−)대전체를 가까이 할 때

B 전류와 전압

1. 전류와 전압

(1) **전류**: 전하의 흐름[단위: A(암페어)]

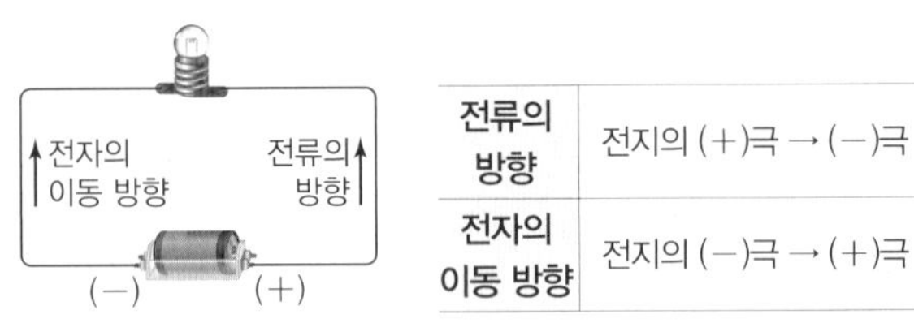

전류의 방향	전지의 (+)극 → (−)극
전자의 이동 방향	전지의 (−)극 → (+)극

(2) **전압**: 전류가 흐르게 하는 능력[단위: V(볼트)]

2. 저항

(1) **저항**: 전류의 흐름을 방해하는 정도[단위: Ω(옴)]

• 저항의 원인: 물질 속에서 움직이는 전자가 물질을 이루고 있는 원자와 충돌하기 때문이다.

• 저항의 크기: 물질의 종류에 따라 다르며, 같은 물질인 경우 도선의 길이가 길수록, 도선의 굵기가 가늘수록 저항이 크다.

(2) **옴의 법칙**: 도선에 흐르는 전류의 세기는 전압에 (❼)하고, 저항에 (❽)한다.

$$\text{전류의 세기}(I)=\frac{\text{전압}(V)}{\text{저항}(R)} \Rightarrow V=IR$$

(3) **저항의 연결**

구분	직렬연결	병렬연결
회로도	V, V_1, V_2, R_1, R_2, I_1, I_2, I	V_1, R_1, I_1, R_2, I_2, V_2, I, V
전체 저항	연결된 저항이 많아질수록 전체 저항이 커진다.	연결된 저항이 많아질수록 전체 저항이 작아진다.
전류	연결된 저항이 많아질수록 흐르는 전체 전류의 세기가 (❾).	연결된 저항이 많아질수록 흐르는 전체 전류의 세기가 (❿).
전압	전원의 전압이 각 저항에 나뉘어 걸린다.	각 저항에 걸리는 전압은 전원의 전압과 같다.
특징	저항 하나가 끊어지면 회로 전체가 끊어진다.	저항 하나가 끊어져도 다른 저항에는 전류가 흐른다.
쓰임새	퓨즈, 크리스마스트리의 동시에 켜지고 꺼지는 전구 등	멀티탭, 전기 배선 등

헷갈리는 내용 공략하기

Ⅱ. 전기와 자기

01 전기

★ 정답과 해설 078쪽

B 전류와 전압 > 직렬연결과 병렬연결

[01-10] 다음 물음에 알맞은 저항의 연결 방법을 보기에서 골라 쓰시오.

보기
• 직렬연결 • 병렬연결

01 두 저항에 흐르는 전류가 같은 저항의 연결 방법을 골라 쓰시오.

02 두 저항에 걸리는 전압이 같은 저항의 연결 방법을 골라 쓰시오.

03 저항을 많이 연결할수록 전체 저항이 커지는 저항의 연결 방법을 골라 쓰시오.

04 저항을 많이 연결할수록 전체 전류가 커지는 저항의 연결 방법을 골라 쓰시오.

05 각 저항에 걸리는 전압이 전원의 전압과 같은 저항의 연결 방법을 골라 쓰시오.

06 저항 하나만 끊어져도 회로 전체에 전류가 흐르지 않는 저항의 연결 방법을 골라 쓰시오.

07 저항 하나가 끊어져도 나머지 저항에는 전류가 계속 흐르는 저항의 연결 방법을 골라 쓰시오.

08 전기 기구를 독립적으로 켜거나 끌 수 있는 저항의 연결 방법을 골라 쓰시오.

09 전원의 전압이 각 저항에 나뉘어 걸리는 저항의 연결 방법을 골라 쓰시오.

10 많은 전기 기구를 동시에 사용하였을 때 과전류가 흐를 수 있는 저항의 연결 방법을 골라 쓰시오.

[11-15] 다음 쓰임새에 알맞은 저항의 연결 방법을 보기에서 골라 쓰시오.

보기
• 직렬연결 • 병렬연결

11 전기 회로에 과도한 전류가 흐르면 끊어지는 퓨즈

12 멀티탭

13 함께 켜지고 꺼지는 장식용 전구

14 건물의 전기 배선

15 도로 주변의 가로등

01 전기

★ 정답과 해설 078쪽

A 전기의 발생

[01-02] 그림 (가)는 면장갑으로 플라스틱 빨대를 문지르는 모습을, (나)는 (가)의 빨대를 세워진 빨대 위에 핀으로 꽂아둔 모습을 나타낸 것이다.

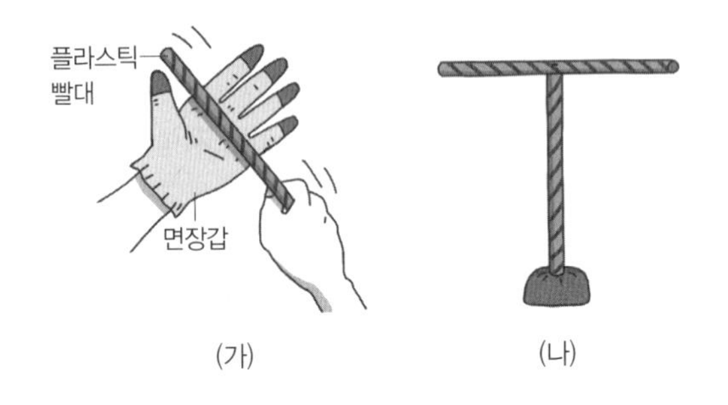

01 (가)에서 면장갑은 (+)전하, 빨대는 (−)전하를 띠었을 때, 이에 대한 설명으로 옳은 것은?

① 면장갑에서 빨대로 원자핵이 이동하였다.
② 빨대에서 면장갑으로 원자핵이 이동하였다.
③ 면장갑에서 빨대로 전자가 이동하였다.
④ 빨대에서 면장갑으로 전자가 이동하였다.
⑤ 면장갑과 빨대를 더 오래 문지르면 전기를 띠지 않게 된다.

02 마찰한 면장갑을 플라스틱 빨대에 가까이 할 때 빨대의 움직임으로 옳은 것은?

① 빨대는 면장갑에서 멀어진다.
② 빨대는 면장갑에 끌려온다.
③ 빨대는 가만히 그 자리에 있다.
④ 빨대는 면장갑에서 멀어지다가 끌려온다.
⑤ 빨대는 시계 방향으로 회전한다.

03 그림 (가)는 (−)전하로 대전된 플라스틱 막대를 금속 막대에 가까이 하는 것을, 그림 (나)는 (가)의 플라스틱 막대를 금속 막대에 접촉하는 것을 나타낸 것이다.

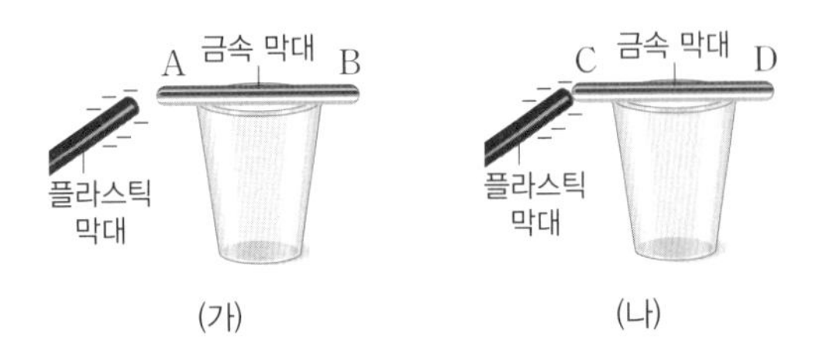

A, B, C, D 부분이 띠는 전하의 종류를 옳게 쓰시오.

04 다음은 검전기를 이용한 실험을 나타낸 것이다.

> • 검전기에 물체 A를 가까이 가져갔더니 금속박은 아무런 변화가 없었다.
> • (+)전하로 대전되어 있는 검전기에 물체 B를 가까이 했더니 금속박이 더 벌어졌다.
> • (+)전하로 대전되어 있는 검전기에 물체 C를 가까이 했더니 금속박이 오므라들었다.

이 실험에 대한 설명으로 옳지 않은 것은?

① A는 전기를 띠지 않는다.
② B는 (+)전하를 띤다.
③ C는 (−)전하를 띤다.
④ A, B, C 모두 대전체이다.
⑤ 검전기로 물체의 대전 여부를 알 수 있다.

05 그림과 같이 서로 접촉하고 있는 금속구 A, B에 (−)대전체를 가까이 가져갔다. 이 실험에 대한 설명으로 옳지 않은 것은?

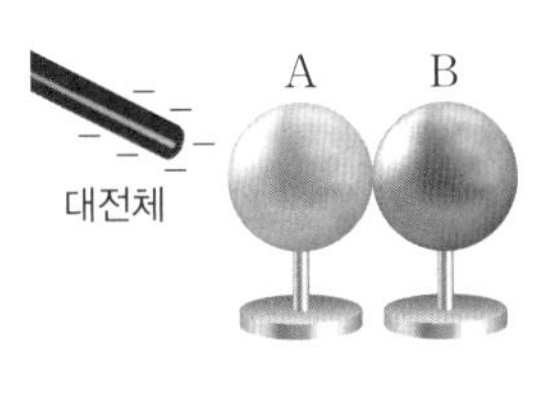

① A는 (+)전하를 띤다.
② B는 A와 같은 전하를 띤다.
③ 전자가 A에서 B로 이동하였다.
④ 정전기 유도 현상을 이용한 것이다.
⑤ A와 B를 떼어 놓으면 두 금속구 사이에 인력이 작용한다.

06 그림 (가), (나)는 물줄기에 각각 (−)대전체와 (+)대전체를 가까이 하는 모습을 나타낸 것이다.

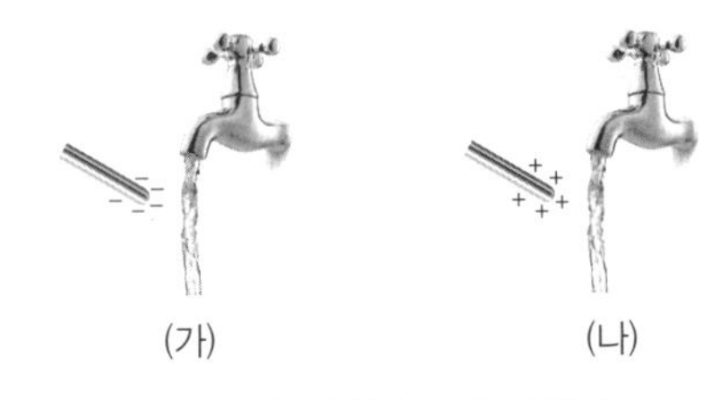

(가), (나)에서 물줄기의 변화를 서술하시오.

B 전류와 전압

07 그림과 같은 회로에서 전구 양 끝에 걸리는 전압과 회로에 흐르는 전류를 측정하려고 한다.

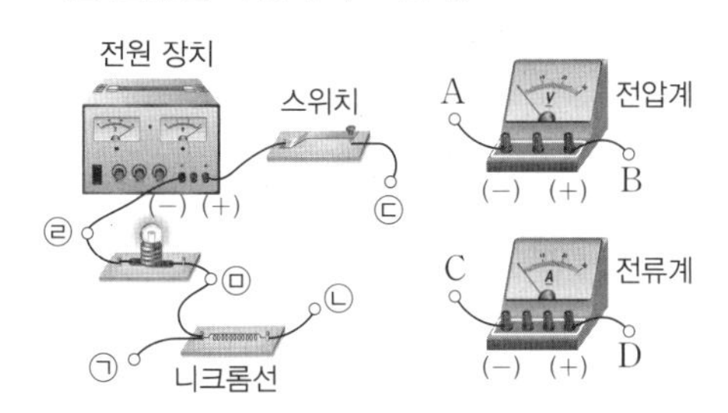

전압계와 전류계의 단자 A～D를 옳게 짝 지은 것은?

	A	B	C	D
①	㉠	㉡	㉢	㉣
②	㉡	㉠	㉣	㉢
③	㉡	㉢	㉣	㉤
④	㉣	㉤	㉡	㉢
⑤	㉤	㉣	㉠	㉡

08 표는 종류가 다른 저항 a, b, c에 각각 같은 전압을 걸어 줄 때 측정한 전류의 세기를 나타낸 것이다.

저항	a	b	c
전류(A)	0.2	0.1	0.5

세 저항의 비(a : b : c)로 옳은 것은?

① 2 : 1 : 5 ② 5 : 1 : 2 ③ $\frac{1}{2}$: 1 : 5
④ 2 : 1 : $\frac{1}{5}$ ⑤ 5 : 10 : 2

09 표는 사람의 몸에 전류가 흐를 때, 전류의 세기에 따라 사람에게 미치는 영향의 정도를 나타낸 것이다.

전류의 세기	1 mA	5 mA	20 mA	70 mA
증상	느낄 수 있음.	고통스러움.	강한 경련	치명적임.

150 V에 감전되어 강한 경련이 일어나는 사람의 저항은?

① 500 Ω ② 750 Ω ③ 1000 Ω
④ 5000 Ω ⑤ 7500 Ω

10 그림은 두 저항 A, B에 흐르는 전류와 걸리는 전압의 관계를 나타낸 것이다.

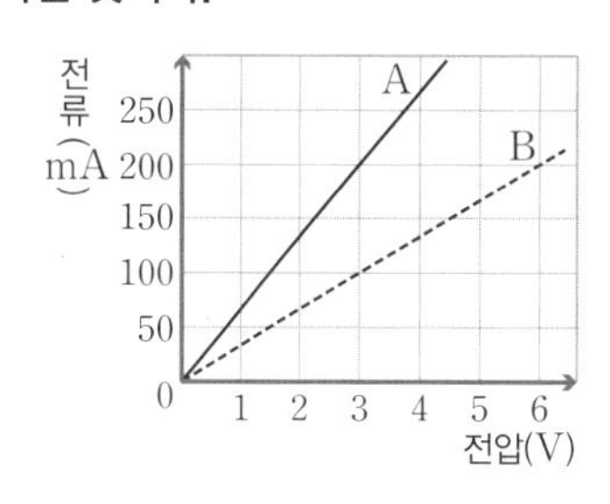

이에 대한 설명으로 옳지 않은 것은?

① B의 저항은 30 Ω이다.
② A의 저항 값이 B의 2배이다.
③ 같은 전압을 걸었을 때 B에 흐르는 전류의 세기가 A보다 작다.
④ A와 B의 재질과 길이가 같다면 단면적은 A가 B보다 크다.
⑤ 저항 A를 연결한 회로에 30 V의 전압을 걸어 주면 2 A의 전류가 흐른다.

11 그림은 도선 A, B, C에 걸리는 전압과 흐르는 전류의 관계를 나타낸 것이다. 도선 A, B, C의 저항의 비(A : B : C)는?

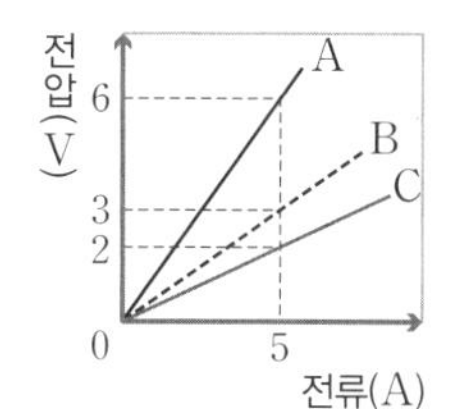

① 6 : 3 : 2 ② 2 : 3 : 6
③ 1 : 2 : 3 ④ 3 : 2 : 1
⑤ 3 : 2 : 6

12 동일한 세 전구 A, B, C를 그림과 같이 연결하였다. 이에 대한 설명으로 옳은 것은?

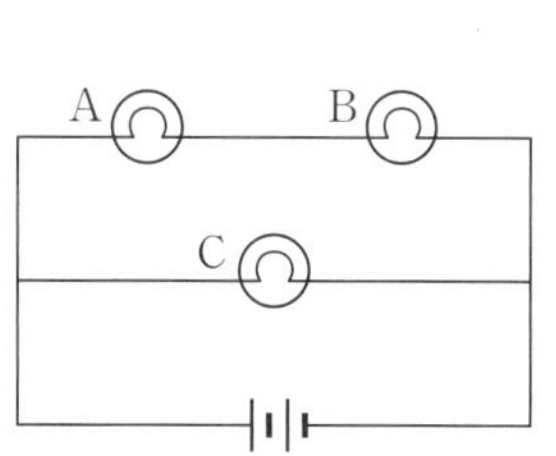

① A가 B보다 밝다.
② 세 전구 중 C가 가장 밝다.
③ 각 전구에 걸리는 전압은 모두 같다.
④ 전구 A가 끊어져도 전구 B는 불이 켜진다.
⑤ A가 끊어지면 C의 밝기는 밝아진다

13 그림과 같은 전기 회로에서 전류계 a, b로 측정한 전류의 세기가 각각 1.5 A, 1 A이었다.

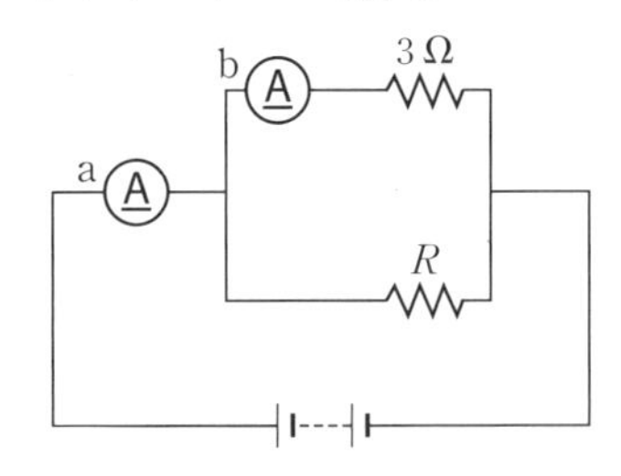

이때 저항 R의 크기와 전체 저항, 전체 전압을 옳게 짝지은 것은?

R	전체 저항	전체 전압
① 3 Ω	3 Ω	6 V
② 3 Ω	2 Ω	3 V
③ 6 Ω	3 Ω	12 V
④ 6 Ω	2 Ω	3 V
⑤ 9 Ω	3 Ω	6 V

[14-15] 10 Ω, 20 Ω인 저항과 크기를 모르는 저항 R를 병렬연결하여 4 V의 전원에 연결하였더니 전류계의 눈금이 1 A을 가리켰다.

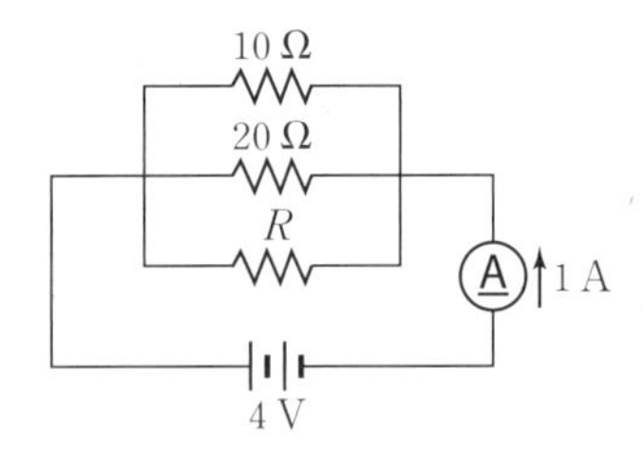

14 저항 R에 흐르는 전류의 세기는?

① 0.1 A ② 0.2 A ③ 0.4 A
④ 0.6 A ⑤ 0.8 A

15 저항 R의 크기는?

① 1Ω ② 5Ω ③ 10Ω
④ 20Ω ⑤ 40Ω

[16-17] 그림 (가)와 같이 회로에 6V의 전압을 걸어 준 후 스위치를 닫았더니 전류계와 전압계가 나타내는 눈금이 그림 (나)와 같았다.

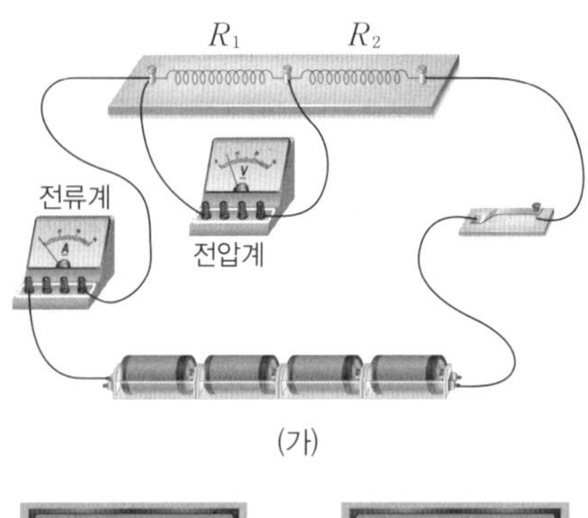

(가)

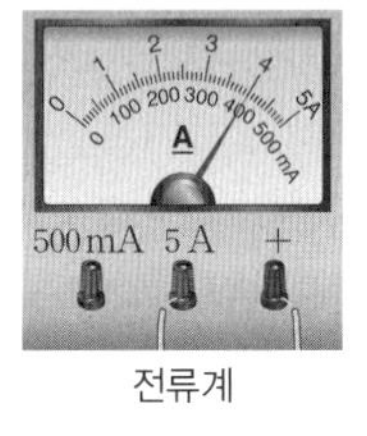

전류계

전압계

(나)

16 저항 R_2에 걸리는 전압은 얼마인가?

① 2 V ② 4 V ③ 6 V
④ 8 V ⑤ 10 V

17 저항 R_2의 크기는?

① 0.5 Ω ② 1 Ω ③ 1.5 Ω
④ 3 Ω ⑤ 4.5 Ω

18 그림과 같이 (−)전하로 대전된 검전기 A에 연결한 집게 도선을 대전되지 않은 검전기 B에 접촉하였다.

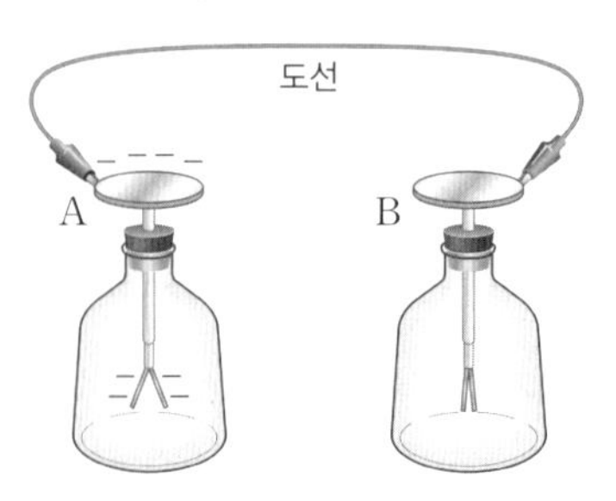

집게 도선을 B에 접촉하는 순간 검전기 B에서 일어나는 변화를 서술하시오.

02 자기

✱ 정답과 해설 079쪽

A 전류에 의한 자기장

1. 자기장

(1) **자기장**: 자기력이 작용하는 공간

방향	나침반 바늘의 (❶)극이 가리키는 방향
세기	자석의 양 끝에 가까울수록 세고, 자석에서 멀수록 약하다.

(2) **자기력선**: 자기장 내에서 나침반 바늘의 N극이 가리키는 방향을 연속적으로 이은 선

- 자기력선은 N극에서 나와 S극으로 들어간다.
- 자기력선은 도중에 끊어지거나 자기력선끼리 서로 교차하지 않는다.
- 자기력선의 간격이 좁을수록 자기장이 세다.

2. 전류에 의한 자기장

(1) **직선 전류에 의한 자기장**

① 모양: 도선을 중심으로 한 동심원 모양

② 방향

오른손 엄지손가락을 (❷)의 방향으로 하여 일치시킬 때 나머지 네 손가락이 감아쥐는 방향이 (❸)의 방향이다.

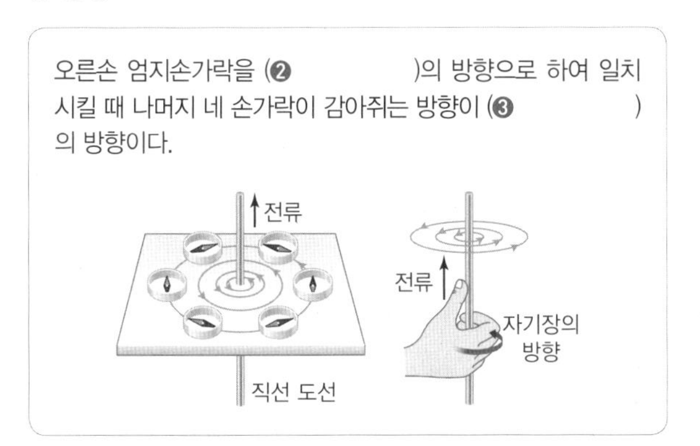

(2) **원형 도선 주위의 자기장**: 원형 도선의 각 부분을 작은 직선 도선으로 생각하였을 때, 각 직선 도선에 의해 생기는 자기력선이 합해진 모양

(3) **코일 주위의 자기장**

- **코일의 바깥쪽**: (❹) 주위에 생기는 자기장의 모양과 비슷하다.
- **코일의 안쪽**: 코일의 축에 나란한 직선 방향으로 균일한 자기장이 생긴다.

오른손의 네 손가락을 코일에 흐르는 (❺)의 방향으로 감아쥘 때 엄지손가락이 가리키는 방향이 코일 내부의 자기장의 방향이다.

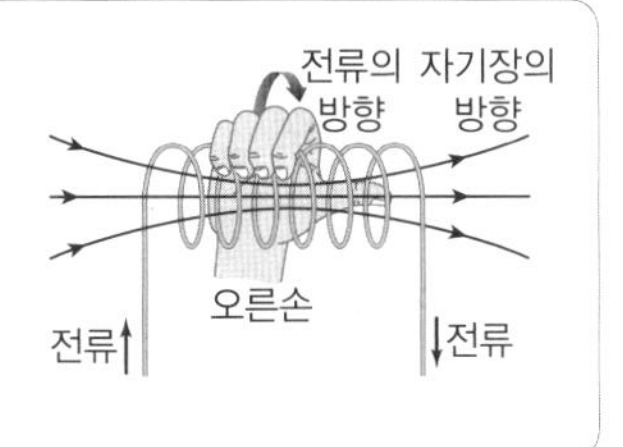

3. (❻): 전류가 흐르는 코일 속에 철심을 넣은 것으로, 전류가 흐를 때만 자석이 된다.

(1) **전자석의 특징**

- 전류가 흐르면 자석이 되고, 전류를 끊으면 자석의 성질을 잃는다.
- (❼)의 방향이 바뀌면 자석의 극도 바뀐다.
- 전류의 세기를 조절하여 자석의 세기를 조절할 수 있다.

(2) **전자석의 이용**: 전자석 기중기, 자기 부상 열차, 자기 공명 영상(MRI) 장치 등

B 전류가 흐르는 도선이 받는 힘

1. 자기장 속에서 전류가 흐르는 도선이 받는 힘

(1) **자기력의 방향**

① **방향 찾는 방법**: 오른손의 엄지손가락을 전류의 방향으로, 네 손가락을 자기장의 방향으로 향하게 했을 때 손바닥이 향하는 방향

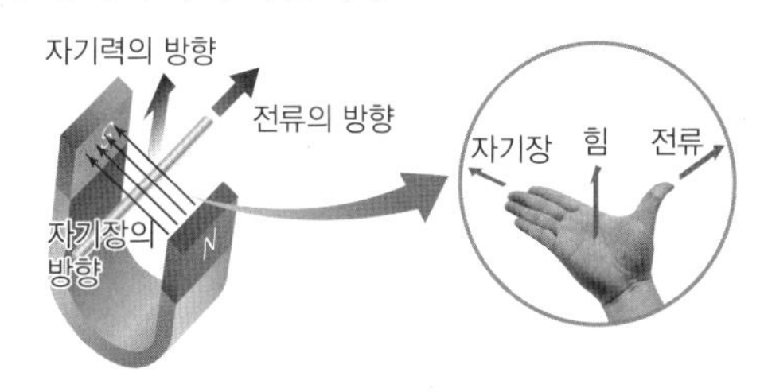

② **자기력의 방향이 바뀌는 경우**: 전류의 방향이 바뀔 때, 자기장의 방향이 바뀔 때

(2) **자기력의 크기**: 도선에 흐르는 전류의 세기가 클수록, (❽)이 셀수록 크다.

2. 전동기

(1) **회전 원리**: 자기장 안에서 전류가 흐르는 코일이 받는 힘을 이용

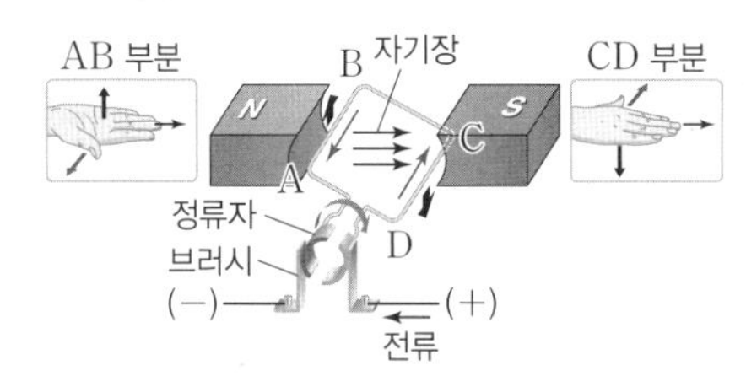

(2) **전동기의 회전 속력**: 센 자석을 사용하거나 전압을 높여 전류의 세기를 크게 하면 전동기의 회전 속력이 빨라진다.

(3) **전동기의 이용**: 선풍기, 세탁기, 전기 자동차, 엘리베이터, 스피커 등

02 자기

★ 정답과 해설 079쪽

B 전류가 흐르는 도선이 받는 힘 › 자기장 속에서 전류가 흐르는 도선이 받는 힘의 방향

[01-07] 그림은 자석 사이에 놓인 전류가 흐르는 도선의 모습을 나타낸 것이다. a~d 중 도선이 받는 힘의 방향을 골라 쓰시오. (단, ⊗는 지면을 뚫고 들어가는 방향으로 전류가 흐르는 것이고, ⊙는 지면을 뚫고 나오는 방향으로 전류가 흐르는 것이다.)

01

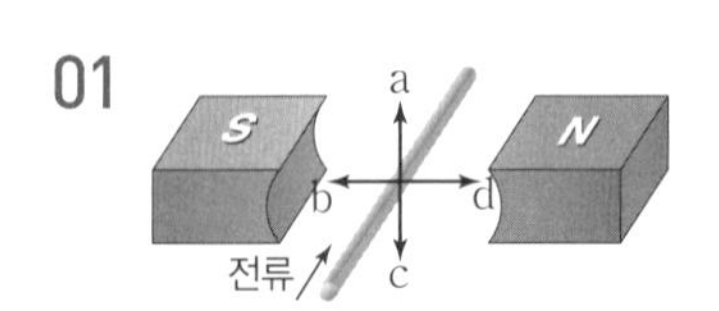

02

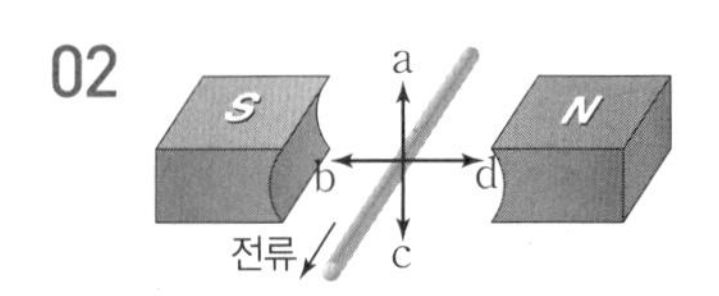

03 **04**

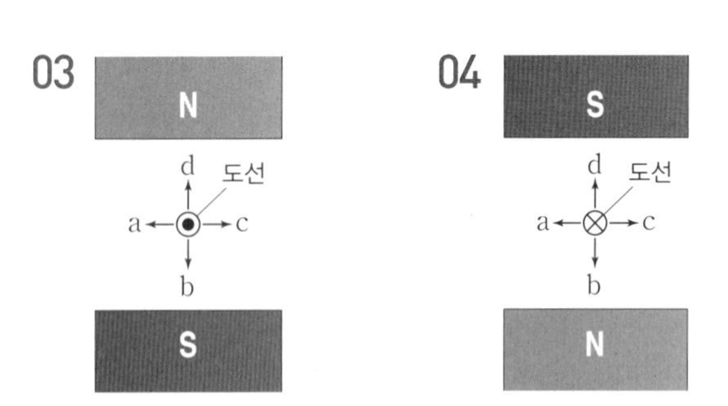

05

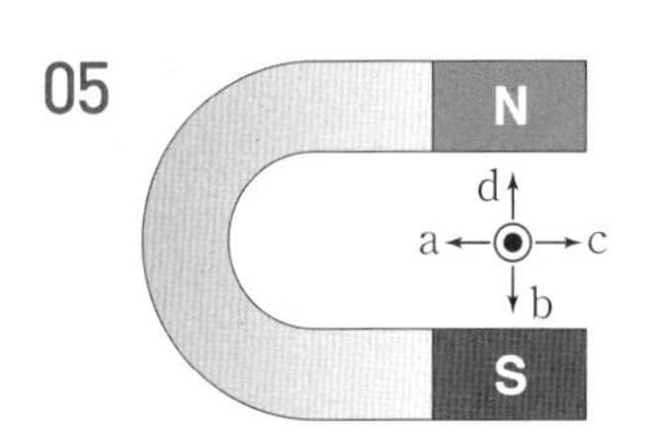

06

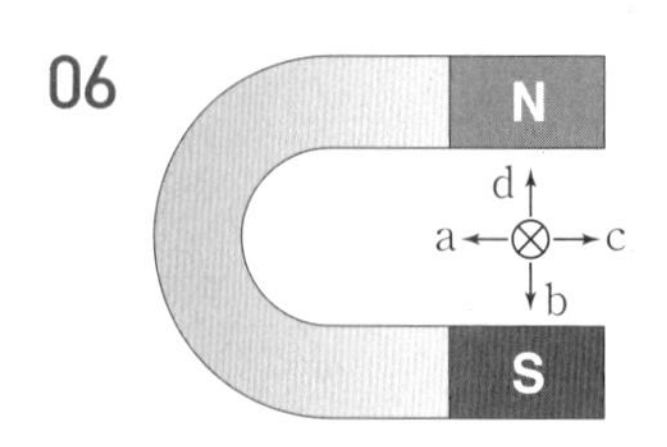

07 **08**

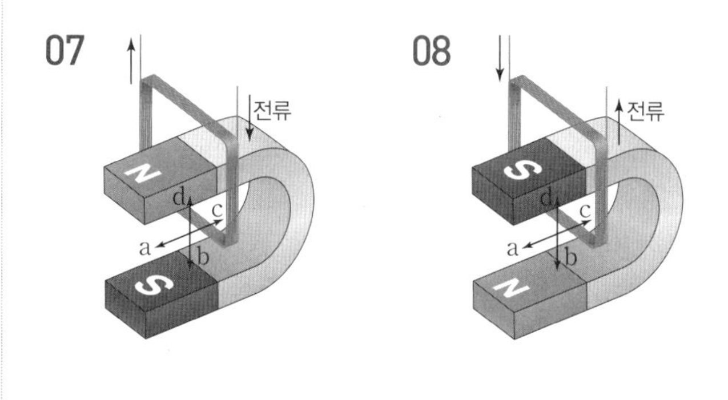

09

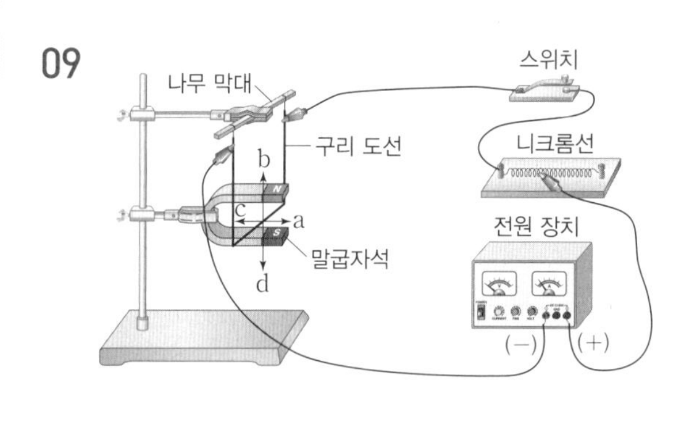

10

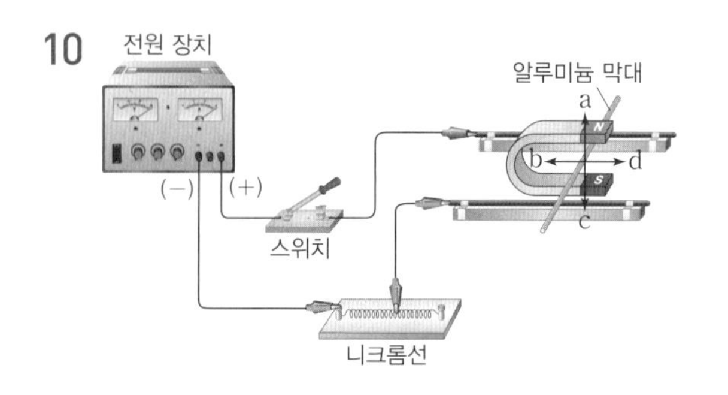

문제로 복습하기

Ⅱ. 전기와 자기

02 자기

★ 정답과 해설 079쪽

A 전류에 의한 자기장

01 다음 중 두 자석 사이의 자기력선 모양으로 옳은 것은? (정답 2개)

①
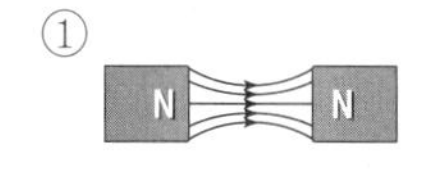

②
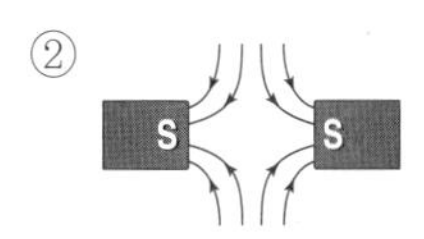

③
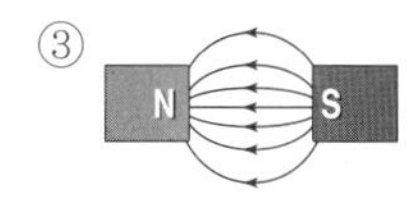

④
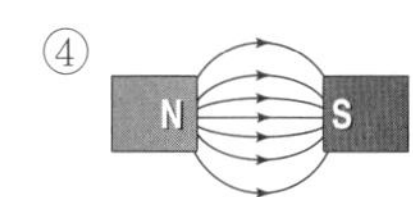

⑤
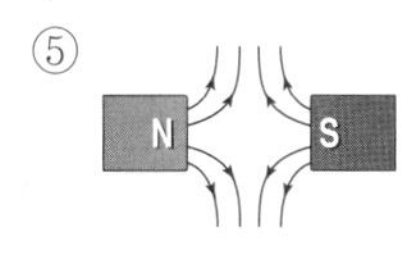

02 자기력과 자기장에 대한 설명으로 옳은 것만을 보기에서 모두 고른 것은?

보기

ㄱ. 막대자석의 자기장은 양극의 끝이 가장 세다.
ㄴ. 자기력이 작용하는 공간을 자기장이라고 한다.
ㄷ. 자기장의 세기는 자석에서 멀수록 크다.
ㄹ. 자기장의 방향은 N극이 가리키는 방향이다.
ㅁ. 자기력선이 조밀할수록 자기력이 약하다.

① ㄱ, ㄴ, ㄷ ② ㄱ, ㄴ, ㄹ ③ ㄱ, ㄹ, ㅁ
④ ㄴ, ㄹ, ㅁ ⑤ ㄷ, ㄹ, ㅁ

03 그림과 같이 전기 회로의 직선 도선 주위의 A, B에 나침반을 놓았다.

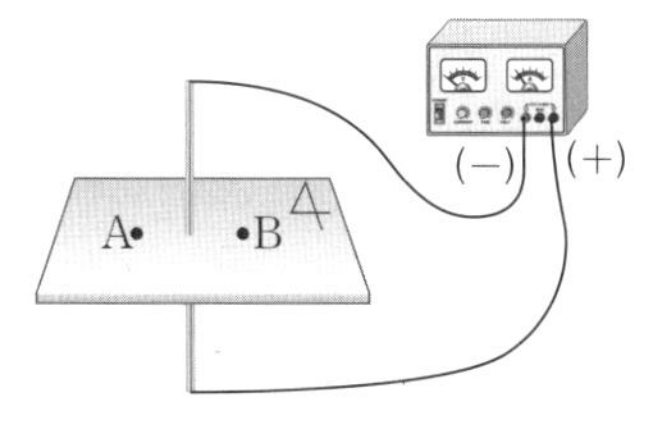

A, B에 놓인 나침반 바늘의 모습을 옳게 짝 지은 것은?

	A	B		A	B
①			②		
③			④		
⑤		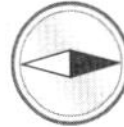			

04 직선 도선 주위에 생기는 자기장이 세지는 경우만을 보기에서 모두 고른 것은?

보기

ㄱ. 도선에 흐르는 전류의 방향을 바꾸는 경우
ㄴ. 도선에 흐르는 전류의 세기를 세게 하는 경우
ㄷ. 도선에 걸어 주는 전압을 높이는 경우
ㄹ. 도선에 연결된 저항을 큰 것으로 바꾸어 연결하는 경우

① ㄱ, ㄴ ② ㄱ, ㄷ ③ ㄱ, ㄹ
④ ㄴ, ㄷ ⑤ ㄷ, ㄹ

05 그림과 같이 전류가 흐르는 도선 위에 나침반을 올려 놓았다.

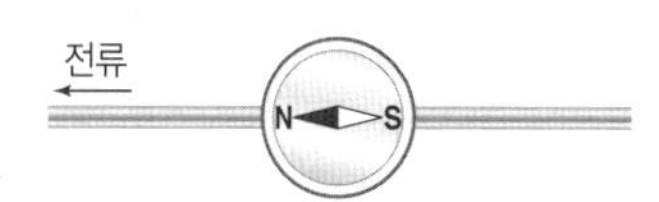

나침반 바늘의 N극이 가리키는 방향으로 옳은 것은?

① ②
③ 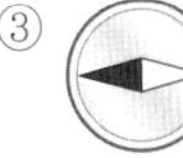
④ 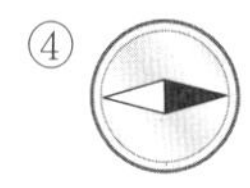
⑤ 

06 그림과 같이 전류가 흐르는 코일 주위에 나침반 A, B를 놓았다.

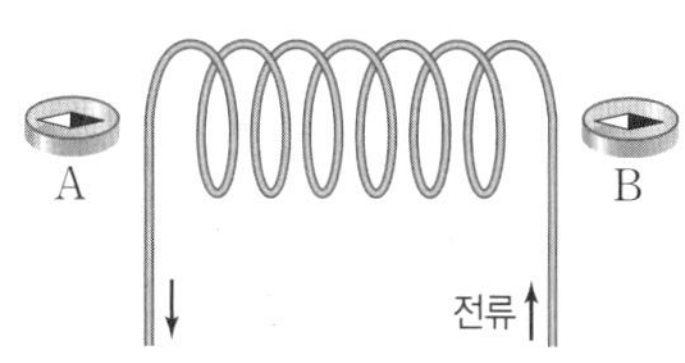

나침반 A, B의 바늘의 N극이 가리키는 방향을 옳게 짝 지은 것은?

	A	B		A	B
①	→	→	②	→	←
③	←	→	④	←	←
⑤	↓	↑			

07 그림 (가)~(라)는 여러 가지 자기력선의 모양을 나타낸 것이다.

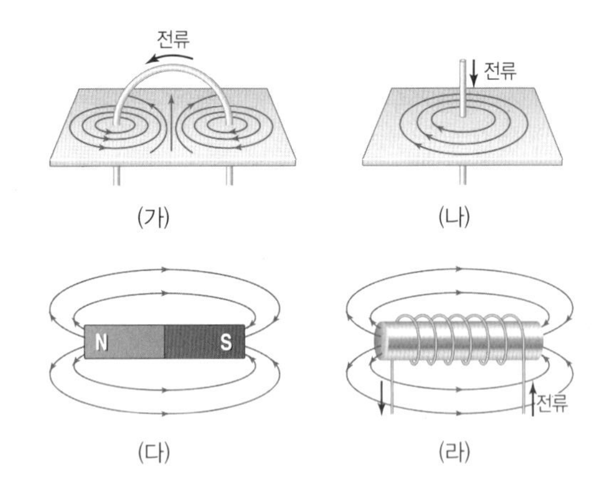

자기력선의 방향이 옳은 것만을 모두 고르시오.

08 전류가 흐르는 코일 주위에 나침반을 놓았더니 나침반 바늘의 모습이 그림과 같았다.

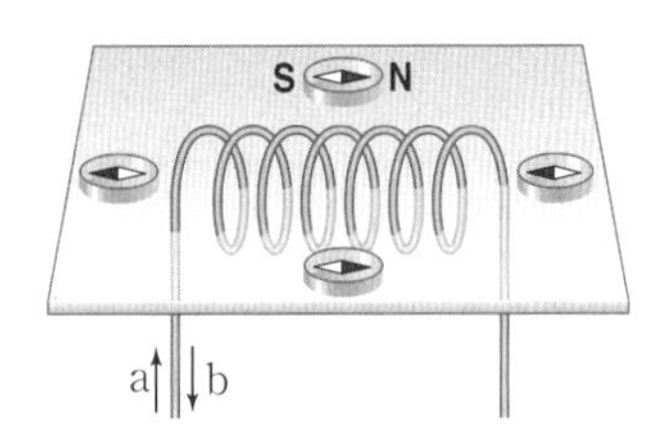

이에 대한 설명으로 옳은 것만을 보기에서 모두 고른 것은?

보기
ㄱ. 전류는 a 방향으로 흐른다. ㄴ. 전류는 b 방향으로 흐른다. ㄷ. 코일의 왼쪽에 N극이 형성된다. ㄹ. 코일의 오른쪽에 N극이 형성된다.

① ㄱ, ㄷ ② ㄱ, ㄹ ③ ㄴ, ㄷ
④ ㄴ, ㄹ ⑤ ㄴ, ㄷ, ㄹ

09 전자석에 대한 설명으로 옳지 <u>않은</u> 것은?

① 전류의 세기가 클수록 전자석의 세기도 세다.
② 전자석의 세기는 코일을 감은 횟수에 비례한다.
③ 전자석은 전류가 흐를 때에만 자석의 성질을 띤다.
④ 전자석을 이용한 예로는 초인종, 기중기가 있다.
⑤ 전자석의 극은 막대자석처럼 항상 고정되어 있다.

B 전류가 흐르는 도선이 받는 힘

10 자기장 속에서 전류가 흐르는 도선이 있을 때 전류, 자기장, 힘의 방향을 옳게 나타낸 것은?

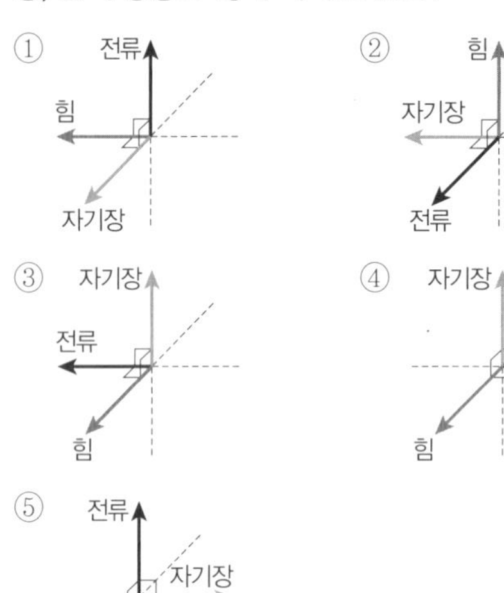

11 그림 (가)~(다)와 같이 자기장 속 전류가 흐르는 도선이 놓여 있을 때 도선이 받는 힘이 큰 순서대로 나열하시오. (단, (가)~(다)의 전류의 세기와 자석의 세기는 같다.)

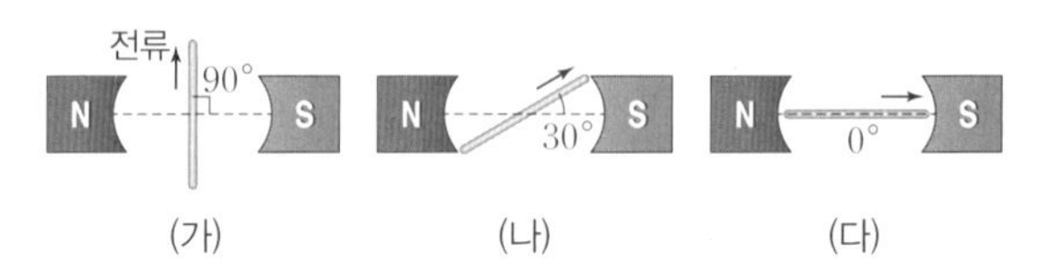

12 그림은 전동기의 구조를 간단히 나타낸 것이다.

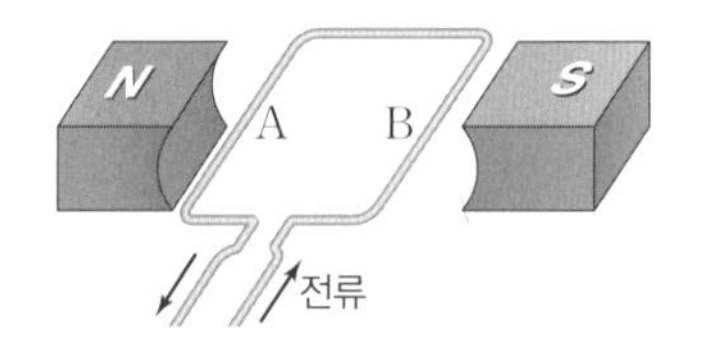

코일의 A, B 부분이 받는 힘의 방향과 코일의 회전 방향을 옳게 짝 지은 것은?

	A	B	회전 방향
①	위쪽	위쪽	회전하지 않는다.
②	위쪽	아래쪽	시계 방향
③	아래쪽	위쪽	반시계 방향
④	아래쪽	아래쪽	회전하지 않는다.
⑤	아래쪽	아래쪽	시계 방향

13 자기장 내에서 전류가 흐르는 도선이 받는 힘의 방향을 알아보기 위하여 그림과 같이 도선 그네를 장치한 후 스위치를 닫았다.

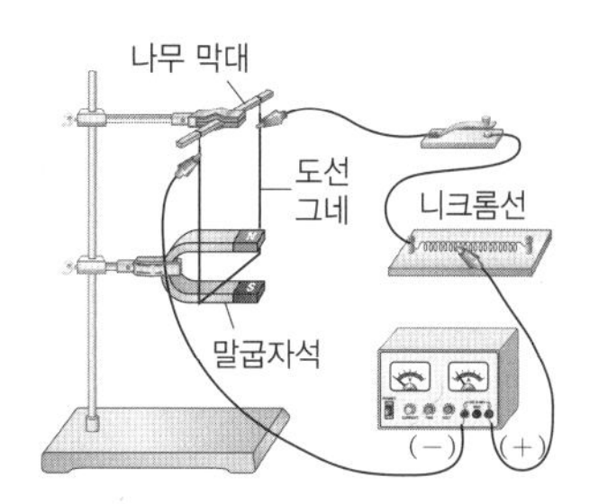

이에 대한 설명으로 옳은 것만을 보기에서 모두 고른 것은?

| 보기 |

ㄱ. 도선 그네는 왼쪽으로 움직인다.
ㄴ. 도선 그네는 오른쪽으로 움직인다.
ㄷ. 니크롬선의 저항을 줄이면 도선 그네가 더 많이 움직인다.
ㄹ. 전원 장치의 극을 반대로 하면 도선 그네가 움직이지 않는다.

① ㄱ, ㄴ ② ㄱ, ㄷ ③ ㄱ, ㄹ
④ ㄴ, ㄷ ⑤ ㄷ, ㄹ

14 자기장 속에서 전류가 흐르는 도선이 받는 힘을 이용한 기구가 아닌 것은?

① 전자석 ② 전압계 ③ 전동기
④ 전류계 ⑤ 세탁기

15 전동기에 대한 설명으로 옳은 것은? (정답 2개)

① 전동기는 자기력을 이용한 장치이다.
② 전류가 세지면 전동기의 회전 방향이 바뀐다.
③ 전류의 방향이 바뀌면 전동기의 회전 속력이 느려진다.
④ 자기장의 방향이 바뀌면 전동기의 회전 방향이 바뀐다.
⑤ 선풍기, 전기 다리미는 전동기를 이용한 전기 기구이다.

16 그림과 같이 도선 위에 나침반을 놓고 스위치를 닫았더니 나침반 바늘의 N극이 아래쪽을 가리켰다.

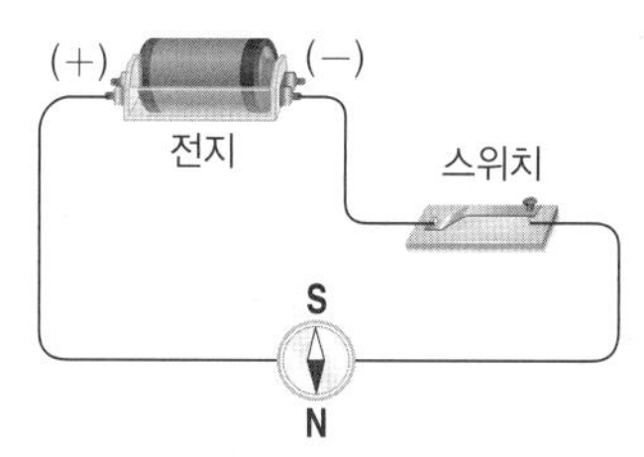

실험 장치에서 전지의 극을 바꾸어 연결하였을 때 나침반 바늘의 움직임의 변화를 쓰고, 이로부터 알 수 있는 사실을 서술하시오.

17 그림은 균일한 자기장 속에 전류가 흐르는 직선 도선이 놓여 있는 모습을 나타낸 것이다. 이에 대한 설명으로 옳지 않은 것은? (단, ⊗는 전류가 지면으로 들어가는 방향이다.)

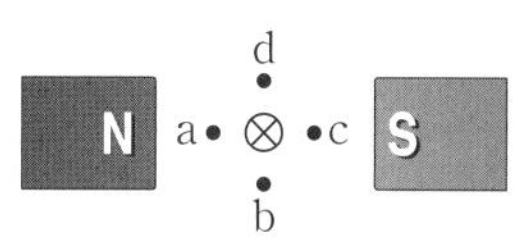

① 자기장이 가장 센 곳은 d이다.
② 자기장이 가장 약한 곳은 b이다.
③ 도선은 b 쪽으로 자기력을 받는다.
④ 자석의 극과 전류의 방향이 모두 반대로 바뀌면 도선이 받는 힘의 방향도 반대로 바뀐다.
⑤ 전류의 세기가 세지면 자기력의 세기도 증가한다.

18 그림은 자기장 속에서 도선이 받는 힘에 대해 알아보기 위한 장치이다.

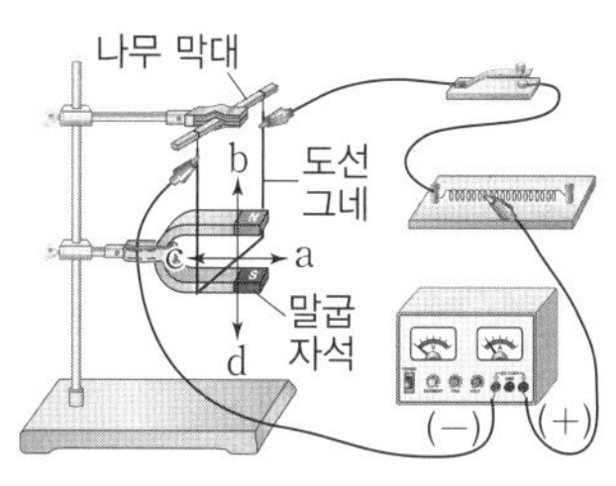

스위치를 닫을 때 도선이 움직이는 방향(a~d)을 쓰고, 도선이 더 많이 움직이게 하기 위한 방법 세 가지를 서술하시오.

01 지구와 달의 크기와 운동

✱ 정답과 해설 080쪽

A 지구와 달의 크기 측정

1. 지구의 크기 측정: 에라토스테네스가 최초로 측정

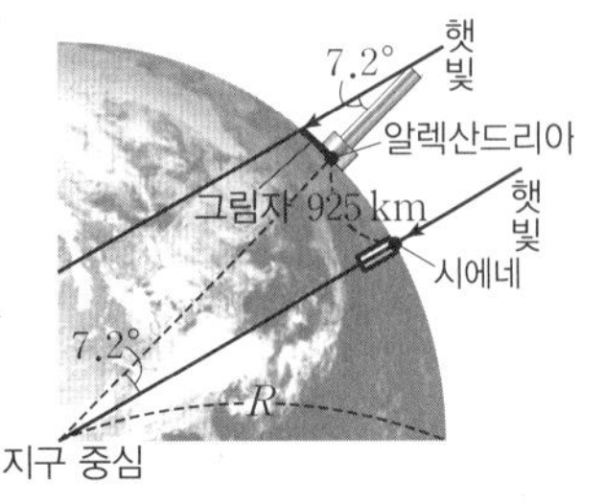

(1) **측정 원리:** 원에서 호의 길이는 (❶   ) 의 크기에 비례

(2) **가정:** 지구는 완전한 (❷   )이며, 햇빛은 지구상의 어디에서나 평행하게 들어옴

(3) **지구의 반지름 계산**

$$2\pi R : 360° = 925\text{ km} : 7.2°$$

$$\therefore R = \frac{360°}{7.2°} \times \frac{925\text{ km}}{2\pi} \fallingdotseq 7365\text{ km}$$

2. 달의 크기 측정: 삼각형의 (❸   ) 이용

(1) **달의 크기 측정:** 동전 또는 종이의 작은 구멍을 이용하여 측정

(2) **측정 원리:** 서로 닮은 두 삼각형에서 대응하는 변의 길이 비는 일정

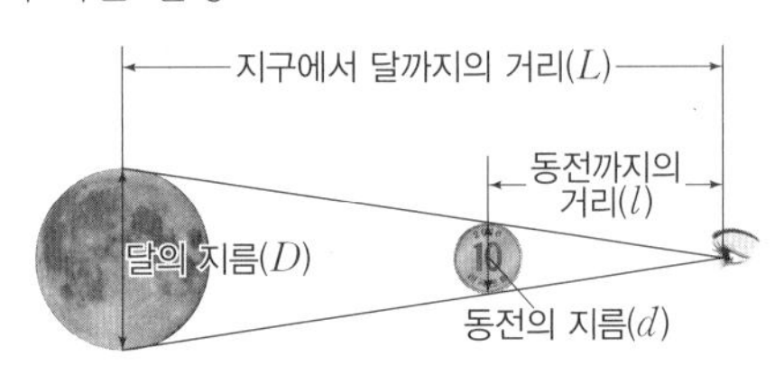

(3) **직접 측정해야 하는 값:** (❹   ), 동전의 지름(d)

(4) **미리 알고 있어야 하는 값:** 지구에서 달까지의 거리(L)

$$d : D = l : L \qquad \therefore D = \frac{d \times L}{l}$$

B 지구의 운동

1. 지구의 자전

(1) **지구의 자전 방향과 자전 속도:** 서 → 동, 1시간에 (❺   )씩 회전

(2) **지구의 자전에 의한 현상:** 별의 (❻   ), 낮과 밤의 반복, 밀물과 썰물의 반복, 인공위성 궤도의 서편 현상 등

(3) **북쪽 하늘의 별의 일주 운동:** 동 → 서(시계 반대 방향)로 1시간에 (❼   )씩 회전

2. 지구의 공전

(1) **지구의 공전 방향과 속도:** 서 → 동, 하루에 약 1°씩 회전

(2) **지구의 공전에 의한 현상:** 별의 (❽   ), 태양의 연주 운동, 계절의 변화, 별의 시차 현상 등

(3) **별의 연주 운동:** 별이 하루에 약 1°씩 (❾   )로 이동하여 1년 후에 다시 원래의 위치로 되돌아오는 운동

C 달의 운동

1. 달의 공전: 달이 지구를 중심으로 한 달에 한 바퀴씩 도는 운동

(1) **공전 방향:** 서 → 동(시계 반대 방향)

(2) **공전 속도:** 하루에 약 13°씩 회전

2. 달의 모양 변화

(1) **원인:** 달이 (❿   )하기 때문

(2) **달의 모양 변화:** 삭 → 초승달 → (⓫   ) → 보름달(망) → 하현달 → (⓬   ) → 삭

3. 일식과 월식

(1) **일식:** 태양－달－지구의 순서로 위치할 때, 태양이 달에 의해 가려지는 현상

관측	달이 (⓭)의 위치에 있을 때 관측
개기 일식	달의 본그림자가 생기는 지역에서 태양 전체가 가려지는 현상
부분 일식	달의 반그림자가 생기는 지역에서 태양의 일부가 가려지는 현상

(2) **월식:** 태양－지구－달의 순서로 위치할 때, 달이 지구의 그림자에 의해 가려지는 현상

관측	달이 (⓮)의 위치에 있을 때 관측
개기 월식	달 전체가 지구의 본그림자 속에 들어갈 때 달 전체가 가려지는 현상
부분 월식	달의 일부만 지구의 본그림자 속에 들어갈 때 달의 일부가 가려지는 현상

헷갈리는 내용 공략하기

01 지구와 달의 크기와 운동

★ 정답과 해설 080쪽

B, C 지구와 달의 운동 > 지구의 자전 및 공전 방향과 속도, 나타나는 현상, 달의 위상 변화와 관측 시기 구분하기

[01-07] 지구의 운동과 관련된 설명을 나열한 것이다. 다음 물음에 알맞은 말을 보기에서 찾아 쓰시오.

보기	
약 1°/일	15°/시간
서 → 동	동 → 서
별의 연주 운동	계절의 변화
낮과 밤의 반복	별의 일주 운동
인공위성 궤도의 서편 현상	태양의 연주 운동

01 지구의 자전 방향과 속도를 쓰시오.

02 별의 일주 운동 방향과 속도를 쓰시오.

03 지구의 공전 방향과 속도를 쓰시오.

04 태양의 연주 운동 방향과 속도를 쓰시오.

05 별의 연주 운동 방향과 속도를 쓰시오.

06 지구가 자전하기 때문에 나타나는 현상을 모두 쓰시오.

07 지구가 공전하기 때문에 나타나는 현상을 모두 쓰시오.

[08-14] 그림은 태양, 지구, 달의 상대적인 위치를 나타낸 것이다.

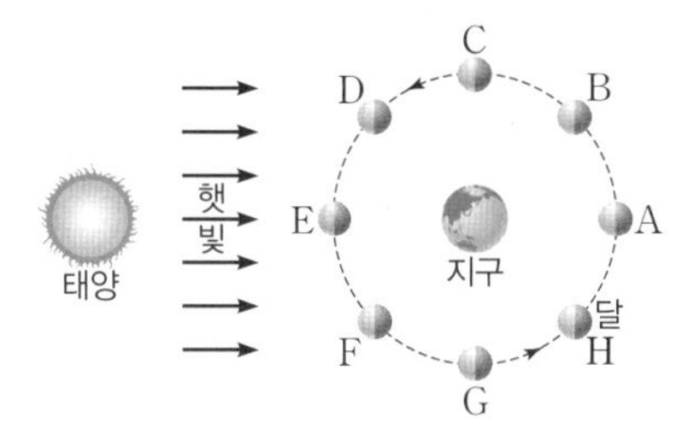

08 상현달이 관측되는 달의 위치를 찾아 기호를 쓰시오.

09 보름달이 관측되는 달의 위치를 찾아 기호를 쓰시오.

10 하늘에서 가장 오랫동안 관측할 수 있는 달의 위치와 모양을 쓰시오.

11 해가 진 직후부터 자정까지만 관측할 수 있는 달의 위치와 모양을 쓰시오.

12 자정 무렵부터 해 뜨기 직전까지만 관측할 수 있는 달의 위치와 모양을 쓰시오.

13 일식이 일어날 수 있는 달의 위치와 모양을 쓰시오.

14 월식이 일어날 수 있는 달의 위치와 모양을 쓰시오.

문제로 복습하기

Ⅲ. 태양계

01 지구와 달의 크기와 운동

★ 정답과 해설 080쪽

A 지구와 달의 크기 측정

[01-03] 그림은 지구 모형의 크기를 측정하는 실험을 나타낸 것이다.

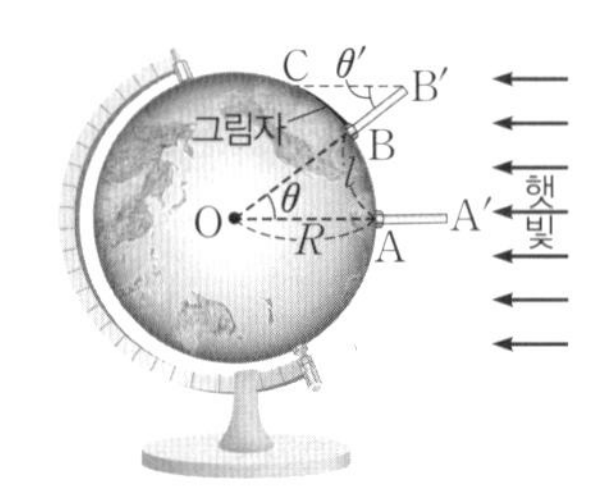

01 위 실험에 대한 설명으로 옳지 않은 것은?

① 막대 AA′과 BB′은 동일한 경도 상에 세운다.
② 막대 AA′과 BB′은 되도록 멀리 세운다.
③ ∠BB′C와 두 막대 사이의 거리 l은 직접 측정해야 한다.
④ ∠BB′C와 중심각 θ는 엇각으로 크기가 같다.
⑤ 햇빛은 평행하게 들어온다고 가정한다.

02 위 실험에서 ∠BB′C=20°이고, l=6.28 cm일 때 지구 모형의 반지름(R)을 구하시오.(단, π=3.14로 계산한다.)

03 위 실험과 같이 지구의 크기를 측정할 때 이용된 수학적 원리는 무엇인가?

① 호의 길이는 엇각에 비례한다.
② 호의 길이는 동위각에 비례한다.
③ 대칭인 두 삼각형의 닮음비를 이용한다.
④ 호의 길이는 중심각의 크기에 반비례한다.
⑤ 호의 길이는 그에 대응하는 중심각의 크기에 비례한다.

04 그림은 달의 크기를 측정하기 위한 실험을 나타낸 것이다.

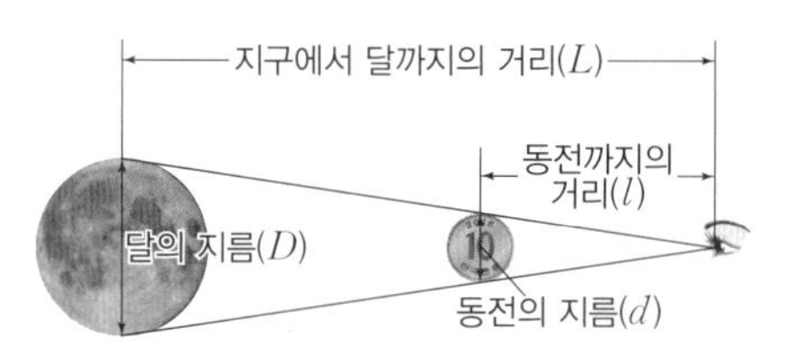

이 실험에서 직접 측정해야 하는 값만을 보기에서 모두 고른 것은?

보기
ㄱ. 달의 둘레
ㄴ. 동전의 지름
ㄷ. 동전의 둘레
ㄹ. 관측자와 동전 사이의 거리

① ㄱ, ㄷ ② ㄴ, ㄹ ③ ㄷ, ㄹ
④ ㄱ, ㄴ, ㄷ ⑤ ㄴ, ㄷ, ㄹ

05 그림은 각지름을 이용하여 달의 크기를 측정하는 원리를 나타낸 것이다.

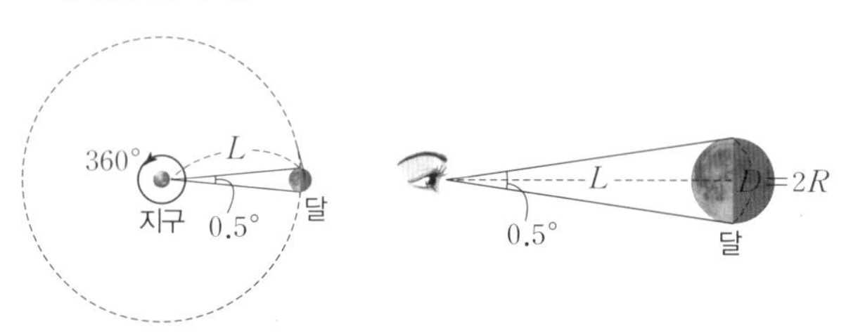

달의 각지름이 0.5°, 달까지의 거리가 L일 때, 달의 반지름(R)을 구하는 식으로 옳은 것은?

① $\frac{2°\pi L}{360°}$ ② $\frac{\pi L}{360°}$ ③ $\frac{360° L}{0.5°}$
④ $\frac{0.5°\pi L}{360°}$ ⑤ $\frac{360° L}{0.5°\pi}$

06 태양과 달은 우리 눈에 거의 같은 크기로 보이므로 각지름이 0.5°로 거의 같다. 태양의 지름은 달에 비해 약 400배나 큰데, 두 천체가 같은 크기로 보이는 까닭을 구체적으로 서술하시오.

B 지구의 운동

07 별의 일주 운동에 대한 설명으로 옳지 않은 것은?

① 하루에 한 바퀴씩 회전한다.
② 운동 방향이 지구의 자전 방향과 같다.
③ 북극성을 중심으로 일주 운동을 한다.
④ 관측 방향에 따라 이동 경로가 다르게 보인다.
⑤ 지구의 자전 때문에 나타나는 상대적인 운동이다.

08 그림은 2시간 주기로 일정한 궤도를 돌고 있는 인공위성의 모습이다. 현재 이 인공위성이 A 궤도를 돌고 있다면 2시간 후에는 어느 위치에서 관측되겠는가?

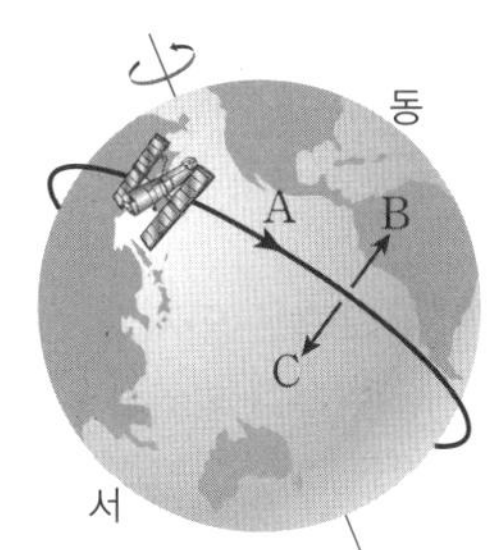

① 현재와 같은 A 궤도
② B 쪽으로 15° 떨어진 지점
③ B 쪽으로 30° 떨어진 지점
④ C 쪽으로 15° 떨어진 지점
⑤ C 쪽으로 30° 떨어진 지점

09 그림 (가)~(다)는 해가 진 직후 서쪽 하늘의 별자리를 15일 간격으로 관측하여 순서 없이 나타낸 것이다.

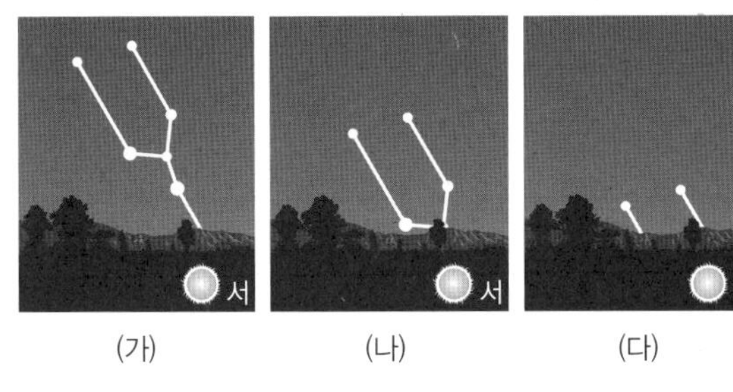

(가) (나) (다)

이 그림에 대한 설명으로 옳은 것은?

① 별의 일주 운동을 나타낸 것이다.
② 관측 순서는 (다) → (나) → (가)이다.
③ 별자리를 기준으로 태양은 동 → 서로 이동한다.
④ 태양을 기준으로 별자리는 서 → 동으로 이동한다.
⑤ 지구의 공전 때문에 나타나는 별의 겉보기 운동이다.

10 지구가 공전하기 때문에 나타나는 현상으로 옳지 않은 것은?

① 낮과 밤의 길이가 변한다.
② 천체의 일주 운동 현상이 나타난다.
③ 계절에 따라 지구에서 보이는 별자리가 달라진다.
④ 우리나라에서 계절에 따라 태양의 남중 고도가 변한다.
⑤ 우리나라에서 봄, 여름, 가을, 겨울의 계절 변화가 나타난다.

11 그림은 춘·추분, 하지, 동지 때 우리나라에서 태양의 일주 운동 경로를 나타낸 것이다.

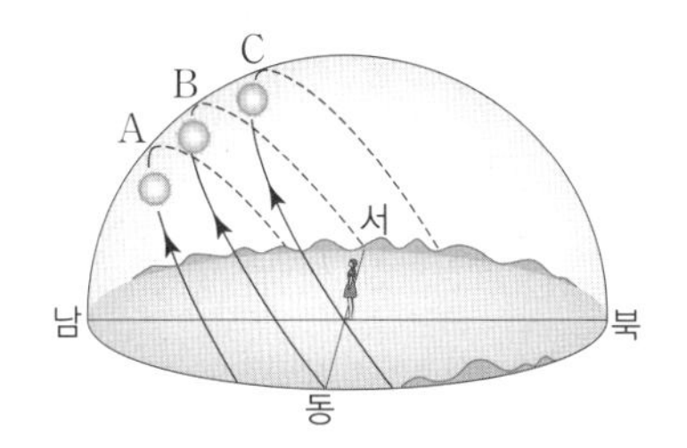

태양의 일주 운동 경로가 A와 같을 때 우리나라에서 일어나는 현상만을 보기에서 모두 고른 것은?

보기
ㄱ. 1년 중 낮의 길이가 가장 길다.
ㄴ. 1년 중 태양의 남중 고도가 가장 높다.
ㄷ. 1년 중 해 뜨는 시각이 가장 늦다.
ㄹ. 태양이 가장 남쪽으로 치우쳐서 뜨고 진다.

① ㄱ, ㄴ ② ㄱ, ㄷ ③ ㄴ, ㄷ
④ ㄴ, ㄹ ⑤ ㄷ, ㄹ

12 다음은 지구에서 계절의 변화가 생기는 원인을 나열한 것이다.

• 밤과 낮의 길이 변화
• 태양의 남중 고도 변화
• 지표면이 받는 태양 복사 에너지의 양 변화

이러한 현상들을 일으키는 근본적인 원인을 서술하시오.

C 달의 운동

[13-14] 그림은 지구 둘레를 공전하는 달의 위치를 나타낸 것이다.

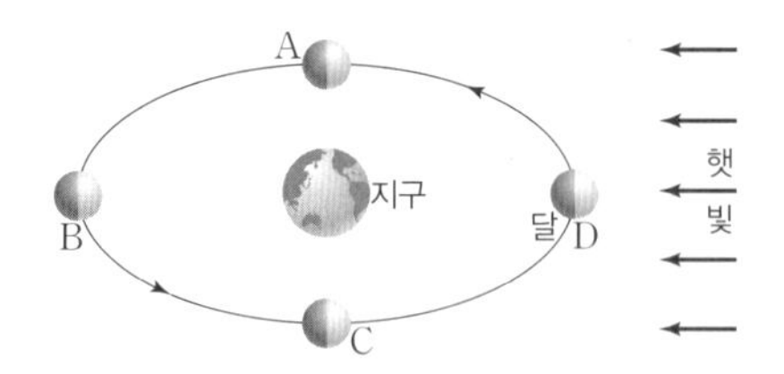

13 달이 C 위치에 있을 때 모양과 음력 날짜를 옳게 나타낸 것은?

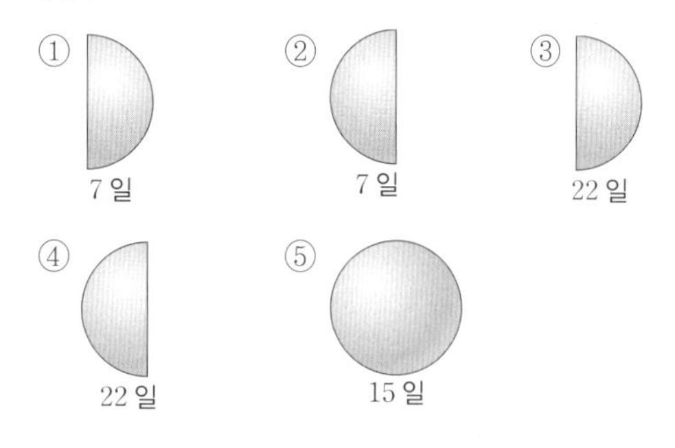

14 달이 D 위치에 있을 때에 대한 설명으로 옳은 것은?

① 음력 15일경이다.
② 보름달을 볼 수 있다.
③ 밤새 달을 볼 수 있다.
④ 초저녁에 서쪽 하늘에서 달을 볼 수 있다.
⑤ 달이 이 위치에 있을 때 일식이 일어날 수 있다.

15 매일 해가 진 직후 관측한 달의 위치는 어떻게 나타나는지 옳게 설명한 것은?

① 항상 같은 위치에서 관측된다.
② 서쪽에서 동쪽으로 약 1°씩 이동한 위치에서 관측된다.
③ 서쪽에서 동쪽으로 약 13°씩 이동한 위치에서 관측된다.
④ 동쪽에서 서쪽으로 약 1°씩 이동한 위치에서 관측된다.
⑤ 동쪽에서 서쪽으로 약 13°씩 이동한 위치에서 관측된다.

16 그림 (가)와 (나)에서 일어난 현상의 명칭을 각각 쓰시오.

(가)

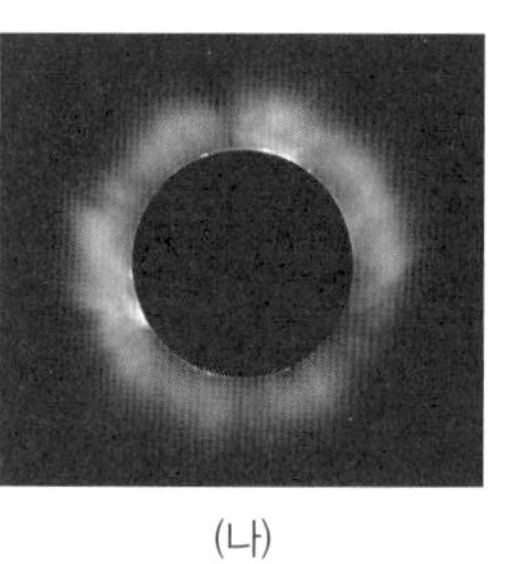
(나)

17 그림은 민지가 15일 동안 해가 진 직후에 관측한 달의 모양과 위치를 방위판에 나타낸 것이다.

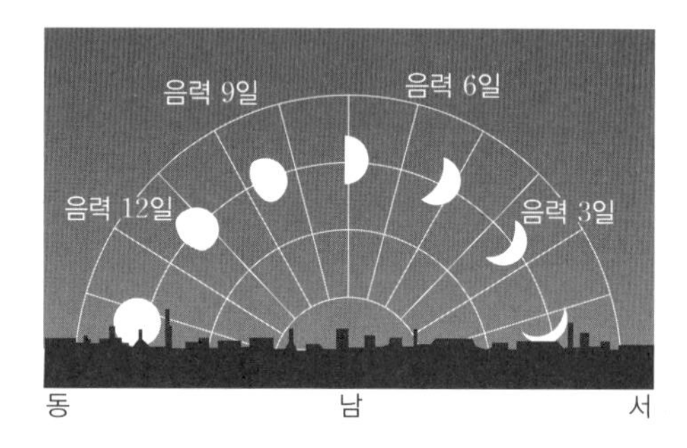

이 그림에 대한 해석으로 옳은 것은? (정답 2개)

① 달은 스스로 빛을 내는 천체이다.
② 달은 하루에 약 1°씩 서쪽으로 공전한다.
③ 초승달은 초저녁에만 볼 수 있을 것이다.
④ 상현달은 자정 무렵에 서쪽 하늘로 질 것이다.
⑤ 보름달은 초저녁에 떠서 새벽에 남중할 것이다.

18 그림은 북반구에서 일어난 일식을 나타낸 것이다.

A와 B 중 일식의 진행 방향은 어느 것인지 쓰고, 그 까닭을 서술하시오.

02 태양과 태양계 행성

★ 정답과 해설 081쪽

A 태양계를 이루는 행성

1. 태양계의 구성 천체: 태양, (❶), 위성, 왜소 행성, 소행성, 혜성, 유성 등으로 구성

2. 태양계 행성의 특징

수성	• 태양계에서 크기가 가장 작은 행성 • 대기가 없고, 표면에 많은 (❷)가 있음 • 낮과 밤의 표면 온도 차이가 매우 큼
금성	• 크기와 질량이 지구와 비슷함 • 가장 밝게 보이는 행성, 두꺼운 이산화 탄소 대기 • 태양계 행성 중 표면 온도가 가장 높음
지구	• 대기와 물이 존재하며, 위성인 달이 있음 • 현재까지 생명체가 존재하는 유일한 행성
(❸)	• 크기는 지구의 절반 정도 • 토양에 산화 철이 포함되어 있어서 표면이 붉은색임 • 양극에는 이산화 탄소와 물이 얼어 붙은 흰색의 극관이 있음 • 거대한 화산과 대협곡, 과거에 물이 흐른 흔적이 있음
(❹)	• 태양계에서 크기가 가장 큰 행성 • 거대한 대기의 소용돌이인 (❺)과 가로줄무늬가 있음
토성	• 태양계에서 2번째로 큰 행성 • 얼음과 암석으로 이루어진 뚜렷하고 아름다운 고리가 있음 • 태양계 행성 중 평균 밀도가 가장 작음
(❻)	• 대기 중의 메테인으로 인해 청록색으로 보임 • 자전축이 공전 궤도면에 거의 나란함
해왕성	• 태양계에서 가장 바깥쪽에 있는 행성 • 대기 중의 메테인에 의해 파란색으로 보임 • 대기의 소용돌이로 생긴 커다란 검은 점(대흑점), 희미한 고리가 있음

3. 공전 궤도에 따른 행성의 분류

(1) **내행성:** 지구보다 안쪽에서 태양 주위를 공전하는 행성 ➡ 수성, 금성

(2) **외행성:** 지구보다 바깥쪽에서 태양 주위를 공전하는 행성 ➡ (❼), 목성, 토성, 천왕성, 해왕성

4. 물리적 특성에 따른 행성의 분류

(1) (❽) **행성:** 질량과 반지름이 작고, 평균 밀도가 크며, 위성이 없거나 적음. ➡ 수성, 금성, 지구, 화성

(2) (❾) **행성:** 질량과 반지름이 크고, 평균 밀도가 작으며, 위성이 많음. ➡ 목성, 토성, 천왕성, 해왕성

B 태양의 활동

1. 태양의 표면

(1) **흑점:** 주변보다 온도가 상대적으로 (❿) 때문에 광구에 나타나는 검은 점

(2) (⓫): 광구 아래의 대류 현상에 의해 광구에 쌀알을 뿌려놓은 것처럼 보이는 무늬

2. 태양의 대기

(1) (⓬): 광구 바로 위에 나타나는 붉은색의 얇은 대기층

(2) **코로나:** 채층 위로 멀리까지 뻗어 있는 청백색의 옅은 대기층

(3) (⓭): 채층 위로 솟아오르는 고온의 거대한 불기둥

(4) **플레어:** 태양의 표면에서 에너지가 갑자기 방출되면서 폭발하는 현상

3. 태양 활동이 활발할 때

(1) **태양에서 나타나는 현상:** 흑점 수가 많아지고, 코로나의 크기가 커지고, (⓮)이 강해지며, 홍염이나 플레어가 자주 발생함

(2) **지구가 받는 영향:** 자기 폭풍이 일어나고, 오로라가 자주 나타남. 무선 통신이 방해를 받고, 인공위성이나 송전 시설이 고장나기도 함

C 천체의 관측

1. 천체 망원경: 대물렌즈(또는 주경)로 별빛을 모아 천체의 상을 만들고 (⓯)로 이를 확대하여 관측하는 도구

2. 굴절 망원경의 구조

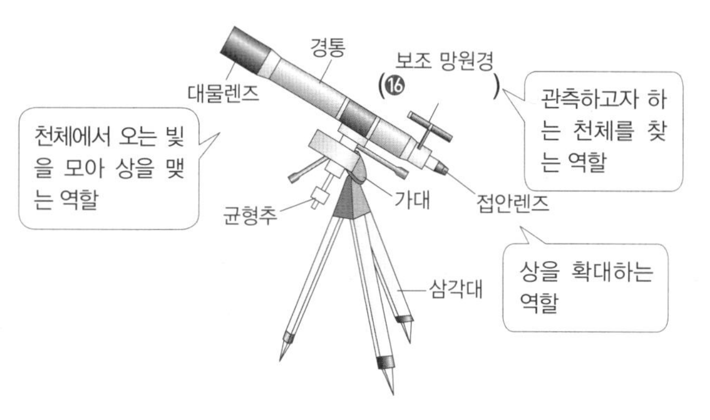

헷갈리는 내용 공략하기

Ⅲ. 태양계

02 태양과 태양계 행성

★ 정답과 해설 081쪽

A, B 태양계를 이루는 행성, 태양의 활동 > 태양계 행성의 특징과 분류, 태양의 표면과 대기, 태양 활동의 영향

[01-08] 태양계를 이루는 행성을 나열한 것이다. 다음과 같은 특징을 나타내는 행성을 보기에서 골라 쓰시오.

보기
수성　금성　지구　화성
목성　토성　천왕성　해왕성

01 대기와 물이 없어서 밤과 낮의 온도 차가 매우 크다.

02 태양계 행성 중 평균 밀도가 가장 작으며, 가장 납작한 타원 모양이다.

03 두꺼운 이산화 탄소 대기로 덮여 있어서 표면 온도가 매우 높다.

04 태양계 행성 중 크기가 가장 크며, 대적점과 가로줄무늬가 있다.

05 메테인 성분 때문에 청록색으로 보이며, 자전축이 공전 궤도면과 거의 나란한 상태로 공전한다.

06 표면은 붉은색의 사막으로 이루어져 있으며, 과거에 물이 흐른 흔적이 있다.

07 지구보다 바깥쪽 궤도에서 공전하며, 반지름이 작고 평균 밀도가 큰 지구형 행성에 속한다.

08 반지름이 크고 평균 밀도가 작은 목성형 행성에 속한다.

[09-13] 태양의 표면과 대기에서 관측되는 현상을 나열한 것이다. 다음 설명에 해당하는 현상을 보기에서 골라 쓰시오.

보기
흑점　채층　홍염
플레어　코로나　쌀알무늬

09 광구 바로 위에 나타나는 붉은색의 얇은 대기층이다.

10 광구 아래의 대류 현상 때문에 광구에 나타나는 무늬이다.

11 채층 위로 멀리까지 뻗어 있는 청백색의 옅은 대기층이다.

12 태양의 표면에서 에너지가 갑자기 방출되면서 폭발하는 현상이다.

13 채층 위로 솟아오르는 고온의 거대한 불기둥이다.

[14-15] 태양의 활동이 활발할 때 나타나는 현상을 나열한 것이다. 다음 설명에 해당하는 현상을 보기에서 골라 쓰시오.

보기
ㄱ. 흑점 수가 많아진다.
ㄴ. 자기 폭풍이 일어난다.
ㄷ. 오로라가 자주 나타난다.
ㄹ. 코로나의 크기가 커진다.
ㅁ. 무선 통신이 방해를 받는다.
ㅂ. 홍염이나 플레어가 자주 발생한다.
ㅅ. 인공위성이나 송전 시설이 고장난다.

14 태양의 활동이 활발할 때 태양에서 나타나는 현상을 모두 쓰시오.

15 태양의 활동이 활발할 때 지구에서 나타나는 현상을 모두 쓰시오.

02 태양과 태양계 행성

★ 정답과 해설 081쪽

A 태양계를 이루는 행성

01 태양계를 구성하는 천체가 아닌 것은?

① 유성 ② 혜성 ③ 소행성
④ 북극성 ⑤ 왜소 행성

02 다음은 태양계 여러 행성들의 특징을 설명한 것이다.

(가) 양극에 얼음과 드라이아이스로 이루어진 흰색의 극관이 있다.
(나) 대기가 없기 때문에 낮과 밤의 온도 차가 매우 크다.
(다) 태양계의 행성 중 크기가 가장 크며, 가로줄무늬와 대적점이 있다.

태양에서 가까이 있는 행성부터 옳게 나열한 것은?

① (가) - (나) - (다) ② (가) - (다) - (나)
③ (나) - (가) - (다) ④ (나) - (다) - (가)
⑤ (다) - (가) - (나)

03 그림은 태양계를 구성하는 행성들이다.

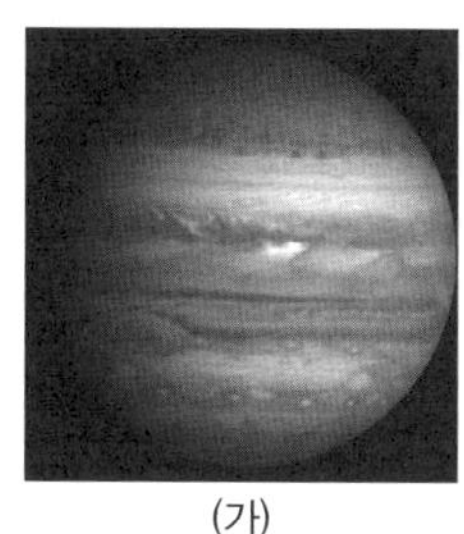
(가)

(나)

(가), (나) 두 행성의 공통점으로 옳지 않은 것은?

① 고리가 있다.
② 밀도가 작다.
③ 위성의 수가 많다.
④ 표면이 암석으로 이루어져 있다.
⑤ 지구보다 바깥 궤도를 공전하고 있다.

04 화성에 대한 설명으로 옳은 것만을 보기에서 모두 고른 것은?

보기
ㄱ. 적도 부근에 커다란 붉은 점이 있다.
ㄴ. 과거에 물이 흘렀던 흔적이 남아 있다.
ㄷ. 극지방에서 흰색의 극관을 볼 수 있다.
ㄹ. 희박한 이산화 탄소의 대기로 덮여 있다.

① ㄱ, ㄴ ② ㄴ, ㄷ ③ ㄴ, ㄹ
④ ㄱ, ㄴ, ㄷ ⑤ ㄴ, ㄷ, ㄹ

05 그림은 달과 수성의 표면을 나타낸 것으로, 운석 구덩이가 많아 비슷한 모습이다.

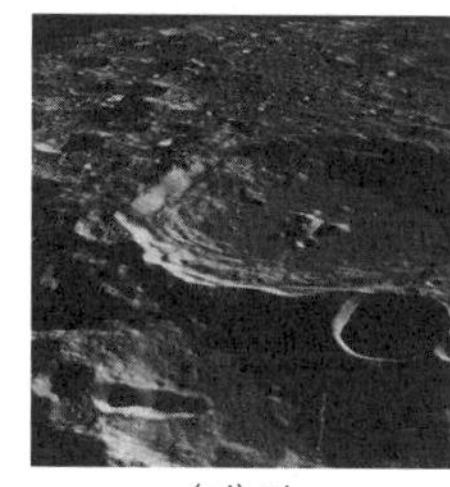
(가) 달

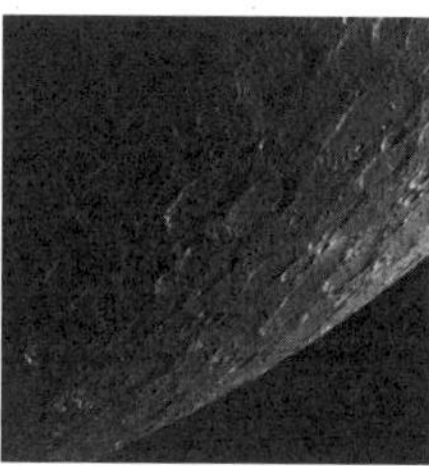
(나) 수성

이와 같이 표면 모습이 비슷한 것은 두 천체가 어떤 공통점을 가지고 있기 때문인가?

① 대기와 물이 없다.
② 가로줄무늬가 있다.
③ 물이 흐른 흔적이 있다.
④ 밤과 낮의 기온 차가 거의 없다.
⑤ 이산화 탄소의 대기로 덮여 있다.

06 행성의 물리적 특성을 비교한 내용으로 옳지 않은 것은?

① 지구와 금성 – 크기가 비슷하다.
② 수성과 목성 – 질량이 비슷하다.
③ 목성과 토성 – 가로줄무늬가 있다.
④ 금성과 화성 – 대기의 성분이 비슷하다.
⑤ 천왕성과 해왕성 – 구성 물질이 비슷하다.

07 그림은 지구형 행성과 목성형 행성을 물리량에 따라 구분하여 나타낸 것이다. 물리량 A에 해당하는 것만을 보기에서 모두 고른 것은?

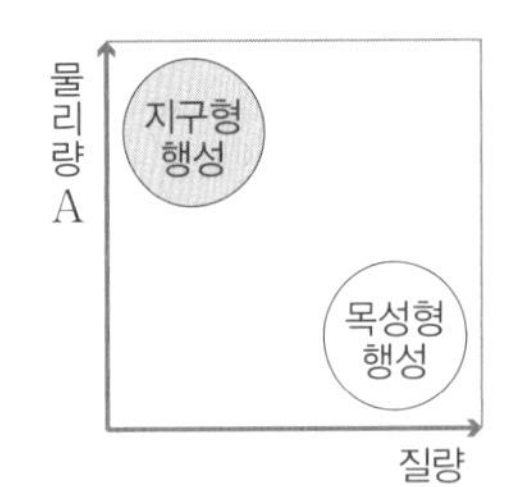

보기
ㄱ. 반지름　　ㄴ. 위성 수
ㄷ. 평균 밀도　　ㄹ. 자전 주기

① ㄱ, ㄴ　② ㄱ, ㄷ　③ ㄴ, ㄷ
④ ㄴ, ㄹ　⑤ ㄷ, ㄹ

08 그림은 태양계를 구성하고 있는 행성을 나타낸 것이다.

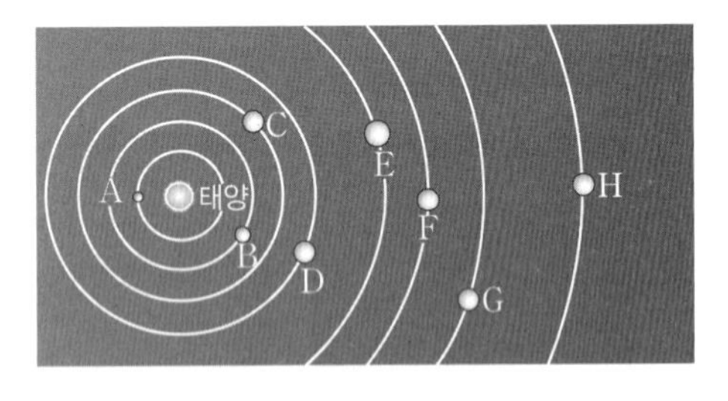

이 그림의 행성들에 대한 설명으로 옳은 것은?

① A는 지구와 크기가 비슷한 행성이다.
② B는 대기가 없어 표면에 운석 구덩이가 많다.
③ D는 목성형 행성으로, 표면에서 가로줄무늬와 대적점이 관측된다.
④ F는 물보다 밀도가 작은 행성으로, 뚜렷한 고리를 가지고 있다.
⑤ H는 청록색을 띠는 행성으로, 자전축이 공전 궤도면과 거의 평행하다.

09 그림은 태양계에서 크기가 가장 큰 행성의 사진이다. 이 행성에 가로줄무늬와 대적점이 나타나는 까닭을 간단하게 서술하시오.

B 태양의 활동

10 그림 (가)~(다)는 개기 일식 때 태양의 대기에서 볼 수 있는 여러 현상들을 나타낸 것이다.

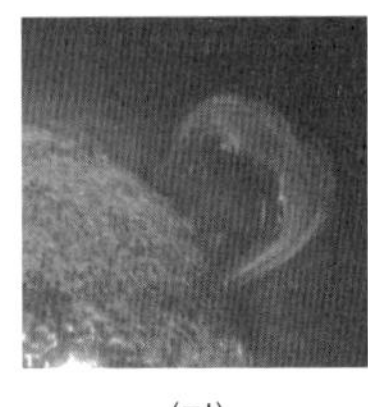
(가)

(나)

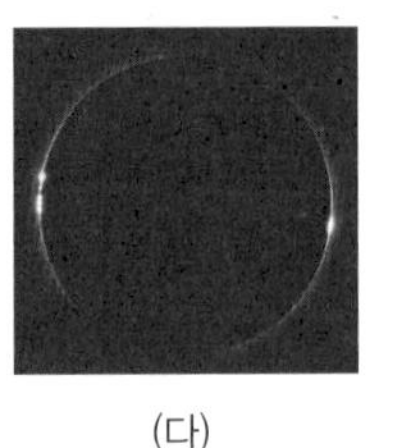
(다)

(가)~(다) 현상의 명칭을 옳게 짝 지은 것은?

	(가)	(나)	(다)
①	홍염	코로나	채층
②	홍염	채층	코로나
③	채층	홍염	코로나
④	코로나	채층	홍염
⑤	코로나	홍염	채층

11 다음에서 설명하는 것은 무엇인지 쓰시오.

- 태양의 대기에서 나타나는 현상이다.
- 흑점 주변에서 일어나는 폭발 현상이다.
- 이것이 발생하면 태양풍이 강해져 지구에 피해를 준다.

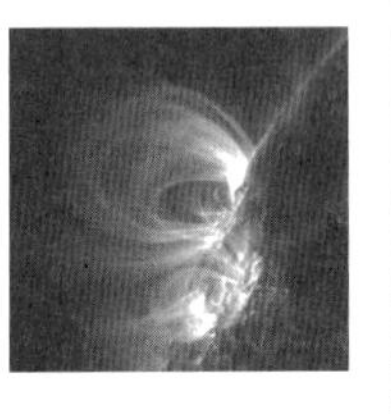

12 태양 활동이 활발해질 때 지구에서 나타날 수 있는 현상만을 보기에서 모두 고르시오.

보기
ㄱ. 대규모 정전이 발생한다.
ㄴ. 오로라 발생 지역이 좁아진다.
ㄷ. 인공위성의 고장이나 오작동이 일어난다.
ㄹ. 위성항법장치(GPS)의 수신 장애가 일어난다.

13 그림은 태양의 흑점을 4일 간격으로 관측하여 나타낸 것이다.

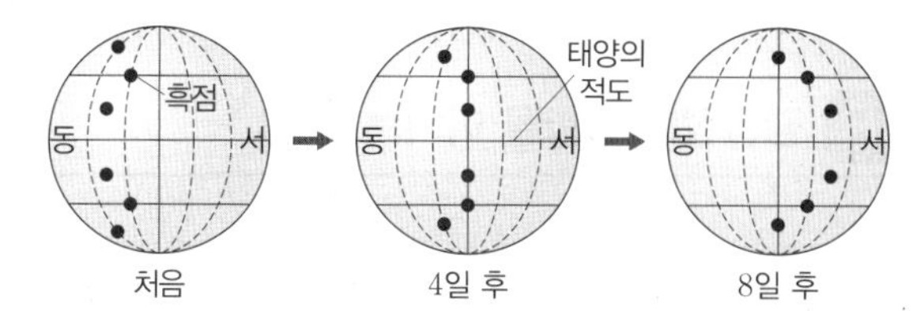

이 그림을 보고 알 수 있는 사실만을 보기에서 모두 고른 것은?

보기
ㄱ. 태양 표면은 기체 상태이다. ㄴ. 태양은 동쪽에서 서쪽으로 자전한다. ㄷ. 태양은 적도 부근이 극 부근보다 더 빠르게 자전한다.

① ㄱ ② ㄴ ③ ㄱ, ㄷ
④ ㄴ, ㄷ ⑤ ㄱ, ㄴ, ㄷ

14 그림은 태양의 광구에서 관측되는 현상이다. 이러한 현상을 무엇이라고 하는지 쓰고, 생성 원인을 서술하시오.

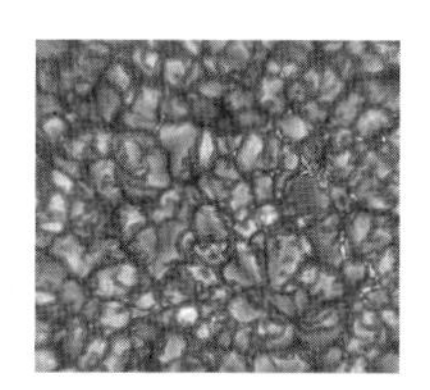

C 천체의 관측

15 그림과 같은 굴절 망원경에서 A~E의 명칭 중 옳지 <u>않은</u> 것은?

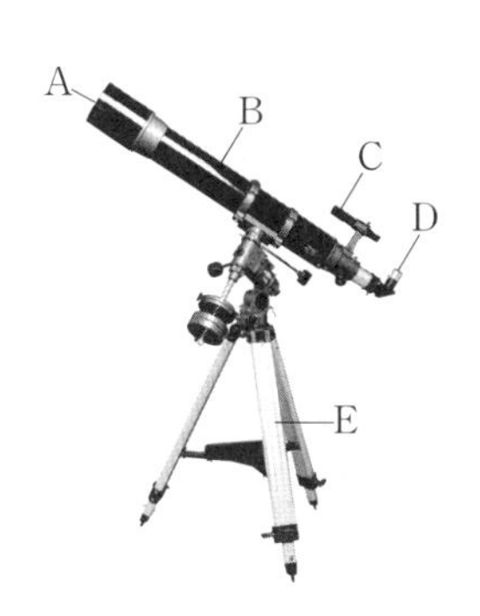

① A — 대물렌즈
② B — 경통
③ C — 균형추
④ D — 접안렌즈
⑤ E — 삼각대

16 그림은 천체 망원경으로 태양을 관찰하는 모습을 나타낸 것이다. 망원경으로 태양을 직접 보지 않고 투영판에 맺히도록 해서 관찰하는 까닭은 무엇인가?

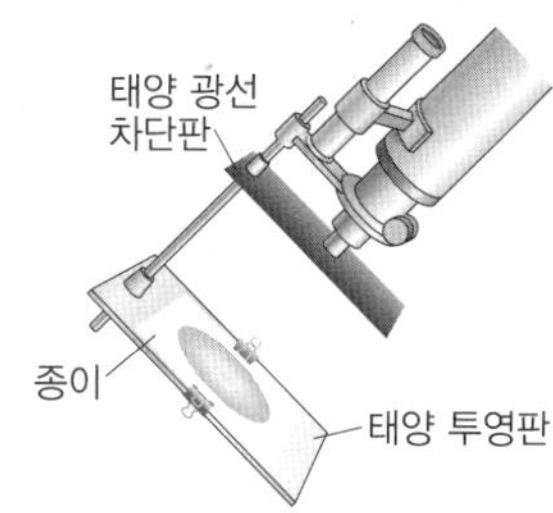

① 눈을 보호하기 위해
② 태양의 크기를 정확하게 알기 위해
③ 태양의 밝기를 정확하게 알기 위해
④ 태양의 색깔을 정확하게 알기 위해
⑤ 태양의 대기를 정확하게 알기 위해

17 보기는 달을 관측하기 위해 천체 망원경을 조작한 과정을 순서 없이 나타낸 것이다. 조작 순서대로 기호를 쓰시오.

보기
ㄱ. 경통의 방향이 달을 향하도록 한다. ㄴ. 접안렌즈를 바꾸어 저배율에서 고배율 순으로 달을 관측한다. ㄷ. 파인더의 시야에 보이는 십자선 중앙에 달이 오도록 망원경을 조절한다. ㄹ. 접안렌즈를 통해 달을 보면서 상이 선명하게 보이도록 초점을 맞춘다.

18 천체를 관측하는 망원경은 주로 높은 산 위에 설치하며, 우주 공간에 설치하는 경우도 있다. 이러한 장소에 천체 망원경을 설치하는 주된 까닭은 무엇인지 서술하시오.

01 광합성

★ 정답과 해설 082쪽

A 광합성

1. 광합성: 식물이 빛에너지를 이용해 물과 이산화 탄소로 양분(포도당)과 (❶)를 만드는 과정

물 + 이산화 탄소 --빛에너지 (엽록체)--> 포도당 + 산소

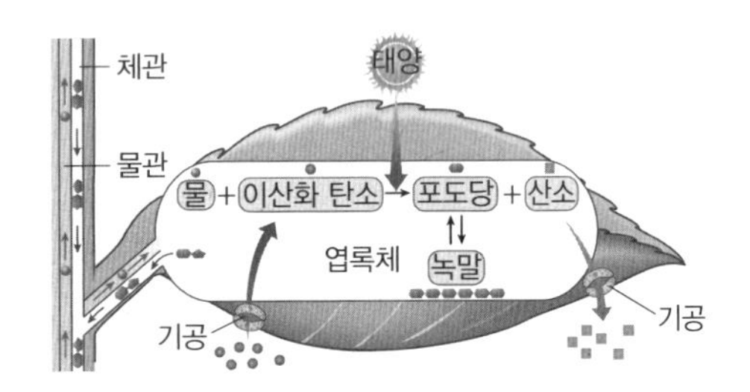

(1) 광합성이 일어나는 장소: 엽록체

(2) 광합성에 필요한 물질

① 빛에너지: 엽록체 속 엽록소에서 흡수

② (❷): 뿌리에서 흡수하여 잎까지 이동

③ (❸): 기공을 통해 흡수

(3) 광합성 결과 생성되는 물질

① 포도당: 광합성의 결과로 생성되는 양분으로, (❹) 형태로 바뀌어 잠시 저장

② 산소: 일부는 자신의 호흡에 사용하고, 나머지는 (❺)을 통해 공기 중으로 방출

광합성 산물 확인 실험

그림과 같이 잎의 일부를 알루미늄 포일로 가려 햇빛을 비춘 후, 에탄올에 넣고 물중탕을 하여 아이오딘-아이오딘화 칼륨 용액을 떨어뜨린다.

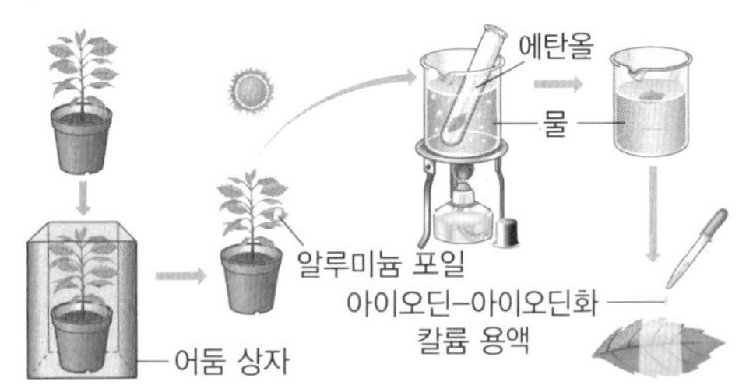

• 빛을 받은 부위는 청람색으로 변하며, 알루미늄 포일로 가려졌던 잎의 부분은 색깔 변화가 없다.

➡ 광합성에는 (❻)이 필요하며, 광합성 결과 (❼)이 생성됨을 알 수 있다.

2. 광합성의 의의

(1) 물과 이산화 탄소로부터 (❽)을 생성

(2) 생물의 호흡에 필요한 (❾)를 생성

(3) 빛에너지를 양분에 (❿)의 형태로 저장

B 광합성에 영향을 미치는 요인

빛의 세기	이산화 탄소의 농도	온도
(그래프: 광합성량 / 빛의 세기)	(그래프: 광합성량 / 이산화 탄소의 농도)	(그래프: 광합성량 / 온도)
빛의 세기가 강해질수록 광합성량이 (⓫) 하다가 빛의 세기가 일정 세기 이상이 되면 광합성량이 더 이상 증가하지 않고 일정해진다.	이산화 탄소의 농도가 증가할수록 광합성량이 증가하다가 일정 농도 이상이 되면 광합성량이 더 이상 증가하지 않고 (⓬) 해진다.	온도가 높아질수록 광합성량이 증가하다가 온도가 약 40 ℃ 이상이 되면 광합성량이 급격히 (⓭) 한다.

C 증산 작용

1. 증산 작용: 식물체 내의 물이 기공을 통해 (⓮) 형태로 빠져나가는 현상

(1) 증산 작용의 조절: (⓯)의 팽창과 수축에 의한 기공의 여닫이로 조절

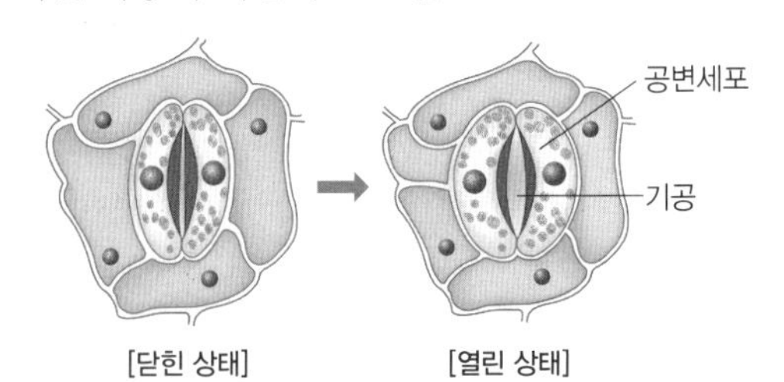

[닫힌 상태] [열린 상태]

➡ 기공은 빛이 있는 낮에 주로 열리고, 밤에 닫힌다.

(2) 기공이 열리는 과정

공변세포의 광합성 ➡ 포도당 생성으로 세포 내 농도 높아짐 ➡ 주위 세포로부터 공변세포로 물 흡수 ➡ 공변세포가 팽팽해져 활처럼 휘어짐 ➡ 기공 (⓰)

2. 증산 작용이 잘 일어나는 조건: 햇빛이 강할 때, 온도가 높을 때, 습도가 (⓱) 때, 바람이 잘 불 때, 체내 수분량이 (⓲) 때

3. 증산 작용의 의의

(1) 식물체에서 (⓳)의 원동력

(2) 식물의 (⓴) 조절

(3) 식물체 내의 수분량 조절

헷갈리는 내용 공략하기

01 광합성

✱ 정답과 해설 082쪽

A, B 광합성과 광합성에 영향을 미치는 요인 › 광합성에 필요한 물질

[01-08] 다음은 광합성 작용을 알아보기 위한 실험 과정이다.

(1) 비커에 청색의 BTB 용액을 넣고 황색이 될 때까지 빨대를 통해 날숨을 충분히 불어 넣는다.
(2) 이 용액을 3개의 시험관 A~C에 같은 양으로 나누어 넣고, 그림과 같이 장치한다.

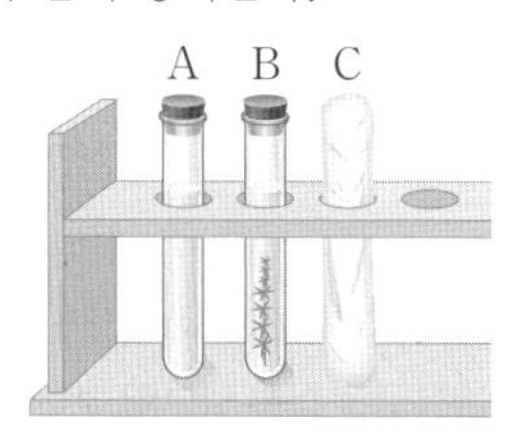

• A: 마개를 막아 그대로 둔다.
• B: 검정말을 넣고 마개를 막는다.
• C: 검정말을 넣고 마개를 막은 다음, 알루미늄 포일로 감싼다.

(3) 3개의 시험관을 빛이 비치는 곳에 놓아둔다.
(4) 충분한 시간이 지난 후, 색 변화를 관찰한다.

01 이산화 탄소의 농도에 따른 BTB 용액의 색깔 변화를 쓰시오.

이산화 탄소의 농도		
많다	⟷	적다
산성	중성	염기성
(㉠)	(㉡)	(㉢)

02 과정 (1)은 BTB 용액에 무엇을 공급하기 위한 과정인지 쓰시오.

03 시험관 C처럼 알루미늄 포일로 감싼 까닭을 쓰시오.

04 실험 결과 시험관 B 속 BTB 용액의 색깔을 쓰시오.

05 실험 결과 시험관 C 속 BTB 용액의 색깔을 쓰시오.

06 다음은 시험관 B에서 04번과 같은 결과가 나온 까닭을 설명한 것이다. ㉠, ㉡에 들어갈 알맞은 말을 쓰시오.

검정말이 (㉠) 작용으로 이산화 탄소를 소모하여 BTB 용액 속 이산화 탄소의 농도가 (㉡)하였다.

07 다음은 시험관 C에서 05번과 같은 결과가 나온 까닭을 설명한 것이다. ㉠, ㉡에 들어갈 알맞은 말을 쓰시오.

검정말이 빛을 받지 못해 광합성을 하지 못하고 (㉠)만 일어나므로 BTB 용액 속 (㉡)가 소비되지 않는다.

08 시험관 B와 C의 결과를 비교하여 알 수 있는 사실을 쓰시오.

[09-10] 다음은 식물의 광합성에 관한 실험 과정을 나타낸 것이다.

(1) 녹색의 BTB 용액에 입김을 불어 넣고 A~D 4개의 시험관에 나누어 넣는다.
(2) 그림과 같이 장치하여 햇빛이 비치는 곳에 놓아둔다. (단, A는 가열한 후 장치한다.)

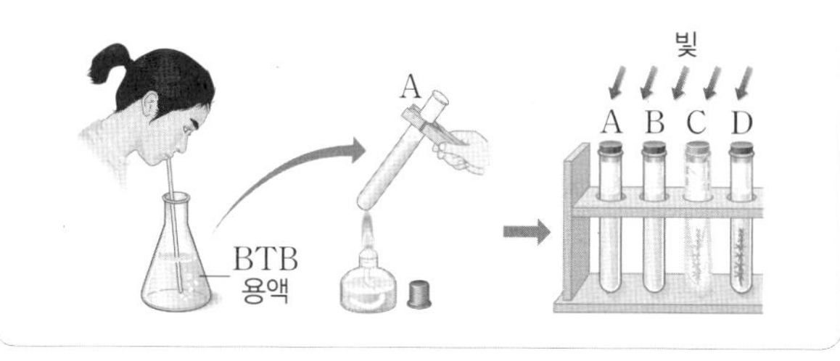

09 BTB 용액의 색깔이 청색으로 변하는 시험관의 기호를 모두 쓰시오.

10 BTB 용액의 색깔이 청색으로 변한 까닭을 각각 쓰시오.

01 광합성

★ 정답과 해설 082쪽

A 광합성

01 광합성의 반응식으로 옳은 것은?

① 물+이산화 탄소 → 포도당+산소+에너지
② 물+이산화 탄소+에너지 → 물+산소
③ 물+이산화 탄소+에너지 → 포도당+산소
④ 산소+이산화 탄소 → 물+포도당+에너지
⑤ 포도당+산소 → 에너지+물+이산화 탄소

02 그림은 광합성의 과정을 나타낸 것이다.

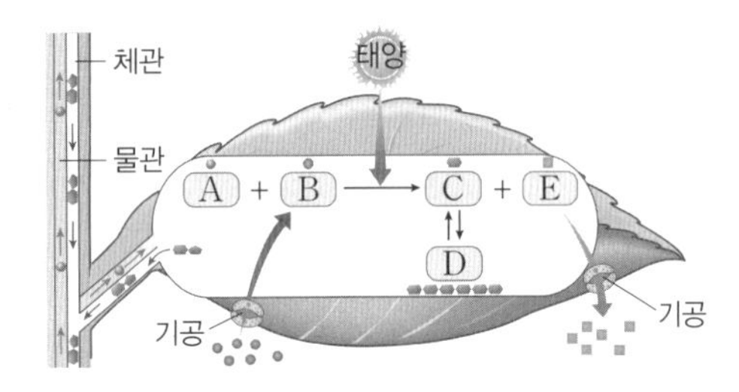

이에 대한 설명으로 옳은 것은?

① A는 뿌리에서 공급된다.
② C는 체관을 통해 공급된다.
③ B는 산소, E는 이산화 탄소이다.
④ D는 광합성이 일어나지 않을 때 생성된다.
⑤ 생성된 E는 모두 기공을 통해 방출된다.

[03-04] 그림은 검정말을 이용한 광합성 실험 과정을 나타낸 것이다.

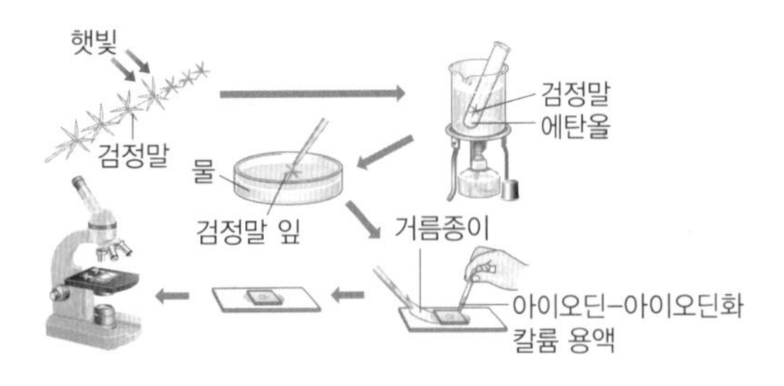

03 현미경으로 관찰된 결과를 옳게 나타낸 것은?

① 핵이 청람색으로 관찰된다.
② 세포질이 청람색으로 관찰된다.
③ 세포막이 청람색으로 관찰된다.
④ 엽록체가 청람색으로 관찰된다.
⑤ 세포 전체가 청람색으로 관찰된다.

04 실험 과정에서 검정말을 에탄올에 넣어 물중탕하는 까닭으로 옳은 것은?

① 잎 속의 불순물을 제거한다.
② 엽록체 내의 녹말을 제거한다.
③ 엽록체 내의 엽록소를 제거한다.
④ 엽록체에 이산화 탄소를 공급한다.
⑤ 포도당이 엽록체로 변하는 작용을 촉진한다.

05 광합성을 한 검정말 세포에 아이오딘-아이오딘화 칼륨 용액을 떨어뜨렸더니 청람색으로 변하였다.
이를 통해 알 수 있는 사실로 옳은 것은?

① 광합성에는 빛이 필요하다.
② 광합성의 결과 녹말이 생성되었다.
③ 광합성의 결과 산소가 발생되었다.
④ 광합성에는 이산화 탄소가 필요하다.
⑤ 광합성에는 아이오딘-아이오딘화 칼륨 용액이 필요하다.

06 그림과 같이 빛이 있는 곳에 둔 쥐는 시간이 경과한 후에 살아 있었으나 빛이 없는 곳에 둔 쥐는 시간이 경과한 후에 더 이상 호흡을 하지 않았다.

이 실험을 통해 내린 결론으로 가장 옳은 것은?

① 쥐와 식물은 함께 살 수 있다.
② 식물은 광합성을 통해 산소를 흡수한다.
③ 식물은 쥐가 살아가는 데 필요한 양분을 공급한다.
④ 쥐는 식물이 살아가는 데 필요한 물질을 공급한다.
⑤ 식물은 빛이 있을 때만 쥐가 호흡하는 데 필요한 산소를 만든다.

[07-08] 그림과 같이 장치하여 빛을 비추었더니 검정말에서 기포가 발생하였다.

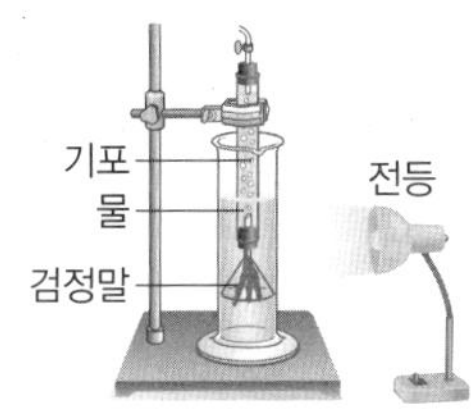

07 실험 결과 발생한 기체의 성분을 확인하는 방법으로 옳은 것은?

① 불을 붙여본다.
② 석회수에 통과시킨다.
③ BTB 용액에 넣어본다.
④ 꺼져 가는 향의 불씨를 대어 본다.
⑤ 풍선에 넣어 풍선이 위로 떠오르는지 본다.

08 이 실험을 통해 알 수 있는 사실로 옳은 것은?

① 광합성 결과 산소가 소모된다.
② 광합성 결과 산소가 발생한다.
③ 광합성 결과 수증기가 발생한다.
④ 광합성 결과 이산화 탄소가 소모된다.
⑤ 광합성 결과 이산화 탄소가 발생한다.

[09-10] 다음은 광합성 작용을 알아보기 위한 실험이다.

(1) 비커에 청색의 BTB 용액을 넣고 황색이 될 때까지 빨대를 통해 입김을 충분히 불어 넣는다.

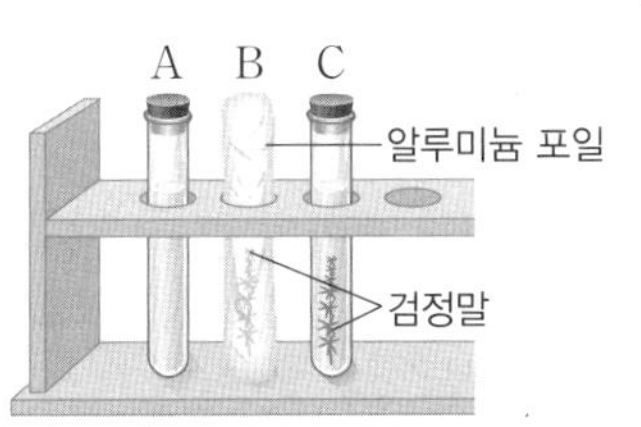

(2) 이 용액을 3개의 시험관 A~C에 같은 양으로 나누어 넣고, 그림과 같이 장치한 후 빛이 잘 비치는 곳에 놓아둔다.
(3) 충분한 시간이 지난 후, 색 변화를 관찰한다.

09 일정한 시간이 지난 후 나타나는 시험관의 색깔을 옳게 짝 지은 것은?

	A	B	C		A	B	C
①	황색	청색	황색	②	황색	청색	청색
③	황색	황색	청색	④	녹색	황색	녹색
⑤	녹색	녹색	황색				

10 시간이 지난 후 시험관 C의 BTB 용액 색깔이 변한 까닭을 서술하시오.

____

B 광합성에 영향을 미치는 요인

11 그래프와 같이 나타낼 수 있는 환경 요인에 해당하는 것을 옳게 짝 지은 것은?

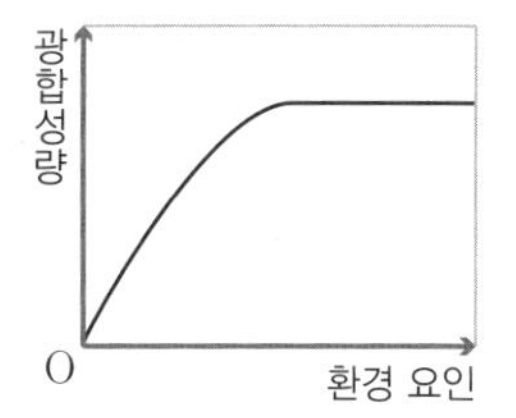

① 온도, 습도
② 빛의 세기, 온도
③ 이산화 탄소 농도, 습도
④ 이산화 탄소의 농도, 온도
⑤ 빛의 세기, 이산화 탄소의 농도

12 그림과 같이 입김을 불어 넣은 표본병에 검정말을 넣고 빛을 비추면서 1분 동안 발생하는 기포의 수를 세었다.

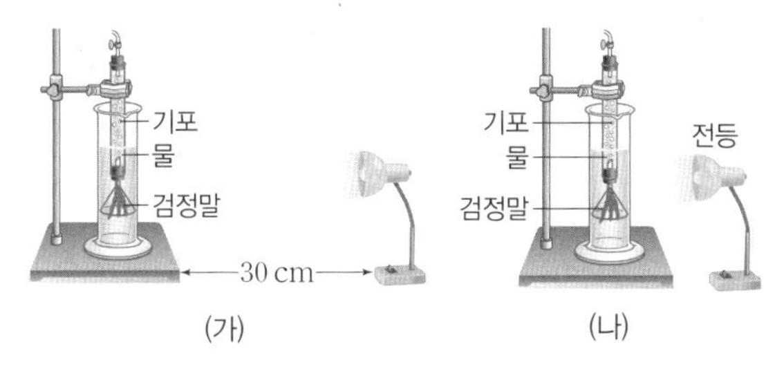

(가)와 비교한 (나)의 특징으로 옳은 것은?

① 빛의 세기가 약해진다.
② 온도가 급격히 높아진다.
③ 발생하는 기포 수가 증가한다.
④ 발생하는 기포 수가 감소한다.
⑤ 용액 속 이산화 탄소의 농도가 증가한다.

13 그림과 같이 표본병에 검정말을 넣고 빛을 비추면서 발생하는 기포의 수를 세었다.
기포의 수를 증가시키는 방법으로 옳은 것을 보기에서 모두 고른 것은?

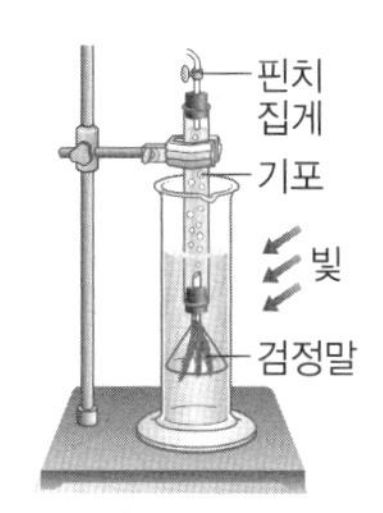

보기
ㄱ. 물에 입김을 불어 넣는다.
ㄴ. 빛과의 거리를 멀게 한다.
ㄷ. 물에 얼음을 넣어준다.
ㄹ. 물속에 탄산수소 나트륨을 넣어준다.

① ㄱ, ㄴ ② ㄱ, ㄹ ③ ㄱ, ㄷ, ㄹ
④ ㄴ, ㄷ, ㄹ ⑤ ㄱ, ㄴ, ㄷ, ㄹ

C 증산 작용

[14-15] 그림은 잎의 기공이 변하는 모습을 나타낸 것이다.

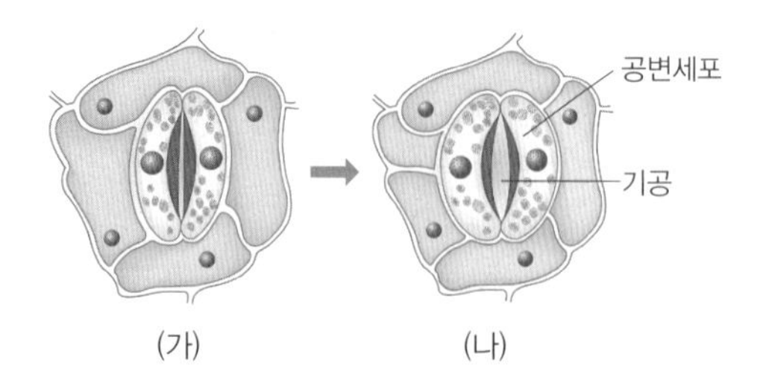

14 이에 대한 설명으로 옳지 않은 것은?

① (가)는 기공이 닫힌 상태이다.
② (가)는 밤, (나)는 낮에 관찰된다.
③ (가)는 공변세포가 팽창한 상태이다.
④ (나)에서 기공을 통해 수증기가 빠져나간다.
⑤ 기공은 주로 잎의 뒷면에서 많이 관찰된다.

15 (가)에서 (나)로 변하게 되는 것과 관계있는 것을 보기에서 모두 고른 것은?

보기
ㄱ. 공변세포가 광합성을 한다. ㄴ. 표피 세포가 광합성을 한다. ㄷ. 주변 세포에서 공변세포로 물이 이동한다. ㄹ. 공변세포의 기공 쪽 세포벽이 반대쪽 세포벽보다 두껍다.

① ㄱ, ㄷ ② ㄱ, ㄹ ③ ㄴ, ㄷ
④ ㄱ, ㄷ, ㄹ ⑤ ㄴ, ㄷ, ㄹ

16 증산 작용에 대해 알아보기 위해 그림과 같이 장치하고 햇빛이 잘 비치는 곳에 두었다. A와 B에서 나타나는 변화를 옳게 짝 지은 것은?

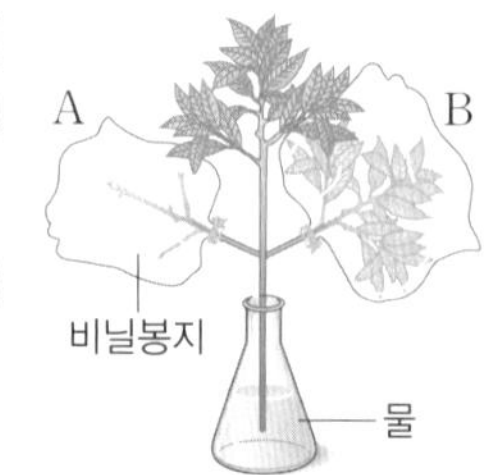

	A	B
①	부피 수축	부피 팽창
②	부피 팽창	부피 수축
③	변화 없음	뿌옇게 됨
④	뿌옇게 됨	뿌옇게 됨
⑤	변화 없음	변화 없음

17 크기가 비슷한 봉선화의 줄기 4개를 준비하여 다음과 같은 실험 조건을 만들었다.

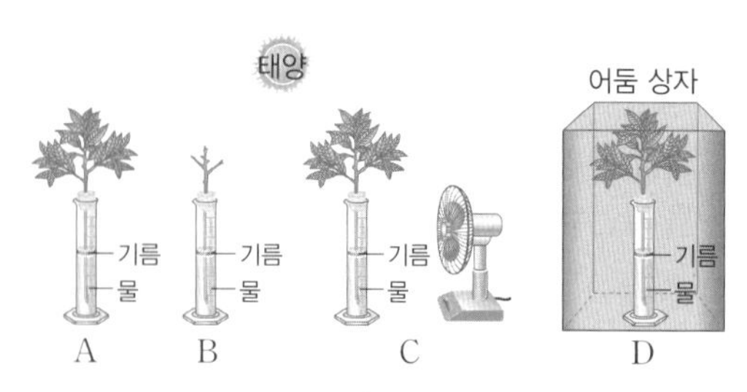

증산 작용이 가장 활발히 일어나는 눈금실린더와 일어나지 않는 눈금실린더를 순서대로 옳게 짝 지은 것은?

① A, B ② C, B ③ C, D
④ D, B ⑤ D, C

18 증산 작용에 대한 설명으로 옳지 않은 것은?

① 식물의 호흡을 조절한다.
② 식물의 수분량을 조절한다.
③ 식물의 체온 상승을 방지한다.
④ 보통 잎의 앞면보다 뒷면에서 활발히 일어난다.
⑤ 뿌리에서 흡수한 물이 잎까지 올라가는 원동력이 된다.

19 그림과 같이 키가 큰 나무의 꼭대기까지 물이 상승하는 데 가장 큰 영향을 주는 현상은?

① 뿌리압 ② 증산 작용
③ 광합성 작용 ④ 모세관 현상
⑤ 물의 응집력

20 그림은 어떤 식물에서 시간에 따른 증산량을 나타낸 것이다.

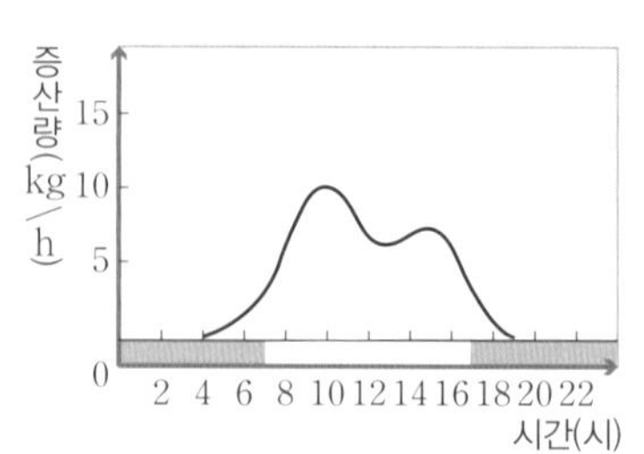

이를 통해서 알 수 있는 사실을 서술하시오.

개념으로 복습하기

02 식물의 호흡

✱ 정답과 해설 083쪽

A 호흡

1. 호흡: 생물이 (❶   )를 이용해서 양분을 분해하여 생명 활동에 필요한 (❷   )를 얻는 작용

포도당 + 산소 ⟶ 물 + 이산화 탄소 + 에너지

2. 식물의 호흡

일어나는 장소	• 기체 교환으로서의 호흡: 잎, 줄기, 뿌리에서 일어난다. • 에너지를 얻는 작용으로서의 호흡: 모든 (❸)에서 일어난다.
일어나는 시간	낮과 밤의 구분 없이 (❹) 일어난다.
호흡이 활발한 시기	씨가 싹틀 때, 꽃이 필 때, 생장할 때 등 에너지가 많이 필요할 때 활발하게 일어난다.

식물의 호흡 확인 실험

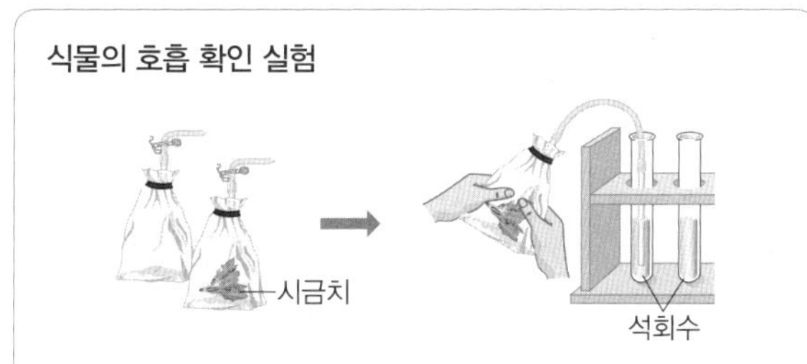

시금치가 들어 있던 비닐봉지 속 공기만 석회수를 뿌옇게 만든다. ➡ 호흡 결과 (❺   )가 발생하였음을 알 수 있다.

3. 식물의 기체 교환

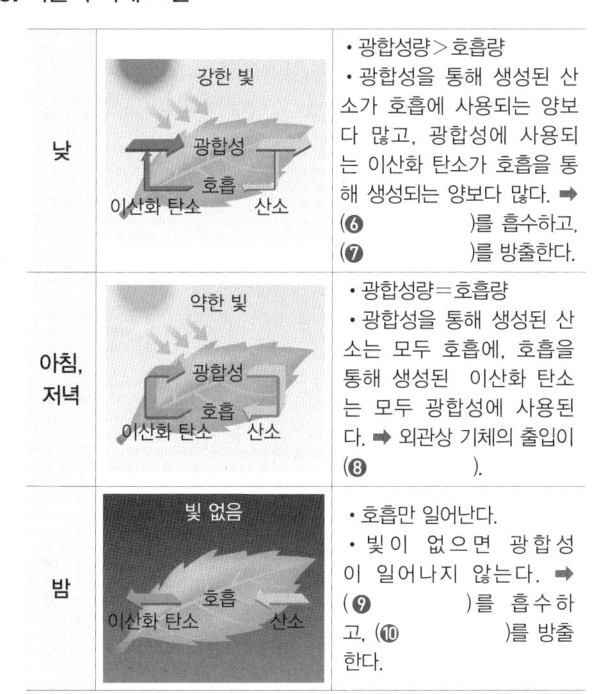

낮	• 광합성량>호흡량 • 광합성을 통해 생성된 산소가 호흡에 사용되는 양보다 많고, 광합성에 사용되는 이산화 탄소가 호흡을 통해 생성되는 양보다 많다. ➡ (❻)를 흡수하고, (❼)를 방출한다.
아침, 저녁	• 광합성량=호흡량 • 광합성을 통해 생성된 산소는 모두 호흡에, 호흡을 통해 생성된 이산화 탄소는 모두 광합성에 사용된다. ➡ 외관상 기체의 출입이 (❽).
밤	• 호흡만 일어난다. • 빛이 없으면 광합성이 일어나지 않는다. ➡ (❾)를 흡수하고, (❿)를 방출한다.

B 광합성과 호흡

1. 광합성과 호흡의 관계: 광합성은 빛에너지를 양분에 (⓫   )하며, 호흡은 양분을 분해하여 에너지를 (⓬   )하는 과정이다.

2. 광합성과 호흡의 비교

구분	광합성	호흡
반응 과정	물 + (⓭) → 포도당 + 산소	포도당 + (⓮) → 물 + 이산화 탄소
일어나는 장소	(⓯)가 있는 세포	모든 세포
일어나는 시간	빛이 있을 때(낮)	(⓰)
기체의 출입	이산화 탄소 흡수, (⓱) 방출	산소 흡수, (⓲) 방출
물질의 변화	양분 (⓳)	양분 (⓴)
에너지 관계	에너지 (㉑)	에너지 (㉒)
비교	이산화 탄소, 빛, 산소, 광합성, 물, 포도당, 에너지, 호흡, 물, 이산화 탄소, 산소	

3. 광합성 산물의 이용과 저장

(1) **산물의 이용**: 생명 유지에 필요한 에너지원 및 식물체의 구성 성분으로 이용

(2) **산물의 이동**: 광합성으로 생성된 포도당은 곧바로 물에 녹지 않는 (㉓   )로 바뀌어 잎에 잠시 저장되었다가 밤이 되면 물에 잘 녹는 (㉔   )으로 전환되어 (㉕   )을 통해 식물의 각 기관으로 이동

(3) **산물의 저장**: 남은 양분은 열매, 뿌리, 줄기 등에 녹말이나 지방 등의 형태로 저장

① (㉖   )에 저장: 고구마, 당근 등
② (㉗   )에 저장: 감자, 양파 등
③ 열매에 저장: 사과, 감, 배 등
④ 씨(종자)에 저장: 벼, 보리 등

헷갈리는 내용 공략하기

Ⅳ. 식물과 에너지

02 식물의 호흡

★ 정답과 해설 083쪽

A 광합성 › 식물의 기체 교환

[01-06] 그림은 하루 동안 식물에서 일어나는 기체 교환을 나타낸 것이다.

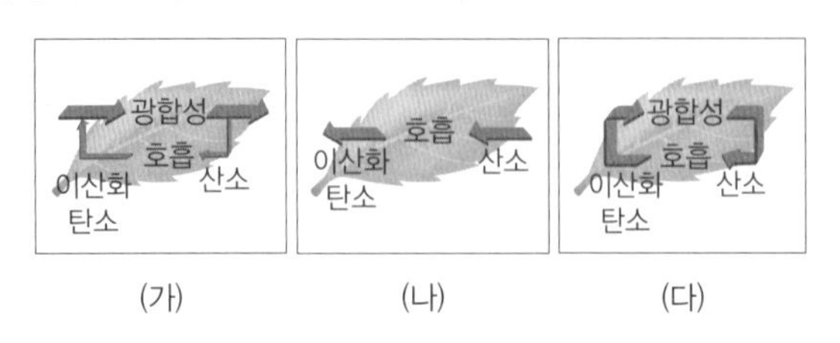

01 하루 중 (가)와 (나)에 해당하는 시기를 쓰시오.

02 (가) 시기의 기체 출입과 관련되어 식물체에서 일어나는 작용을 모두 쓰시오.

03 (가) 시기에 식물이 외부에서 이산화 탄소를 흡수하고, 산소를 방출하는 까닭을 쓰시오.

04 (나) 시기에 식물이 외부에서 산소를 흡수하고 이산화 탄소를 방출하는 까닭을 쓰시오.

05 하루 중 (다)에 해당하는 시기를 쓰시오.

06 (다) 시기에 외관상 기체 출입이 없는 까닭을 쓰시오.

07 식물에서 광합성이 일어나는 시기를 쓰시오.

08 식물에서 호흡이 일어나는 시기를 쓰시오.

B 광합성과 호흡 › 광합성과 호흡의 관계

[09-10] 다음은 광합성과 호흡의 관계를 나타낸 것이다.

> • 광합성
> 물＋이산화 탄소＋(㉠) ⟶ (㉡)＋산소
>
> • 호흡
> (㉢)＋산소 ⟶ 물＋이산화 탄소＋(㉣)

09 ㉠과 ㉡에 들어갈 알맞은 말을 쓰시오.

10 ㉢과 ㉣에 들어갈 알맞은 말을 쓰시오.

11 다음은 광합성의 의미를 나타낸 것이다. ㉠, ㉡에 들어갈 알맞은 말을 쓰시오.

> 광합성은 (㉠)를 이용하여 물과 이산화 탄소로 포도당과 같은 양분을 합성하는 작용으로, 그 결과 산소가 발생하며, 양분에 에너지를 (㉡)할 수 있다.

12 다음은 호흡의 의미를 나타낸 것이다. ㉠~㉣에 들어갈 알맞은 말을 쓰시오.

> 호흡은 포도당과 같은 양분을 (㉠)하여 생활에 필요한 (㉡)를 얻는 작용으로, 그 과정에 (㉢)가 이용되며, 물과 (㉣)가 생성된다.

02 식물의 호흡

★ 정답과 해설 083쪽

A 호흡

01 다음은 호흡의 반응식을 나타낸 것이다. ㉠, ㉡에 들어갈 알맞은 말을 쓰시오.

포도당+(㉠) ⟶ 물+(㉡)+에너지

02 식물의 호흡에 대한 설명으로 옳은 것은?

① 호흡은 밤에만 일어난다.
② 호흡은 모든 세포에서 일어난다.
③ 호흡은 양분을 합성하는 과정이다.
④ 호흡을 통하여 에너지를 저장한다.
⑤ 호흡은 빛의 세기가 셀수록 잘 일어난다.

03 식물의 호흡이 활발해지는 시기로 옳은 것은?

① 낙엽이 질 때　② 종자가 싹틀 때
③ 광합성을 할 때　④ 증산 작용을 할 때
⑤ 뿌리털에서 물을 흡수할 때

04 그림과 같이 2개의 보온병 (가)와 (나)를 준비하고, (가)에는 싹튼 콩을, (나)에는 삶은 콩을 넣고 일정한 시간이 지난 후의 온도 변화를 측정하였더니 (가)의 온도가 (나)보다 높았다.

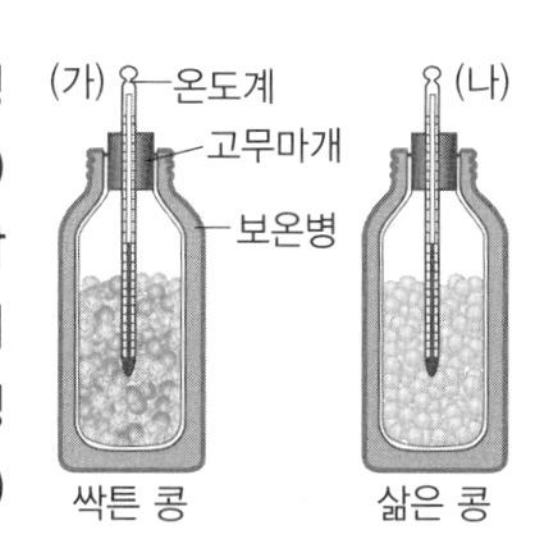

이에 대한 설명으로 옳은 것은?

① 싹튼 콩이 호흡을 하여 에너지가 발생하였다.
② 싹튼 콩이 광합성을 하여 에너지가 발생하였다.
③ 삶은 콩이 호흡을 하면서 에너지를 소비하였다.
④ 삶은 콩이 광합성을 하여 에너지를 소비하였다.
⑤ 삶은 콩이 호흡을 하여 이산화 탄소가 발생하였다.

05 시금치가 들어 있는 비닐봉지와 공기만 들어 있는 비닐봉지를 어두운 곳에 두었다가 그림과 같이 비닐봉지 속의 공기를 석회수에 통과시켰더니 시금치가 들어 있던 비닐봉지 속의 공기만 석회수를 뿌옇게 흐렸다.

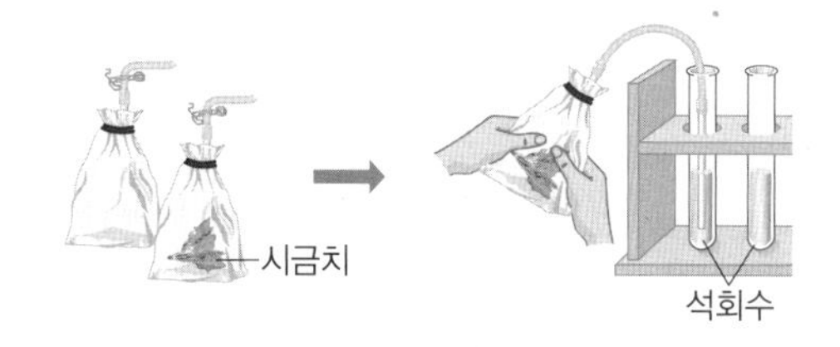

이러한 변화를 일으킨 식물의 작용과 발생한 기체를 옳게 짝 지은 것은?

① 호흡, 산소　② 광합성, 산소
③ 증산 작용, 산소　④ 호흡, 이산화 탄소
⑤ 광합성, 이산화 탄소

[06-07] 그림은 하루 동안 식물에서 일어나는 기체 교환을 나타낸 것이다.

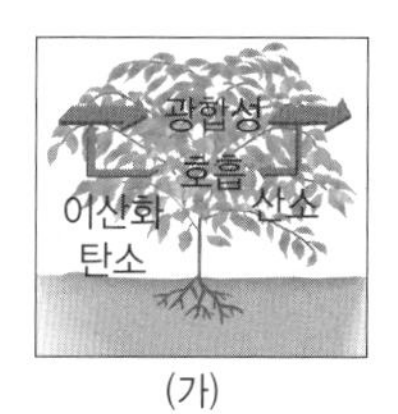

(가)

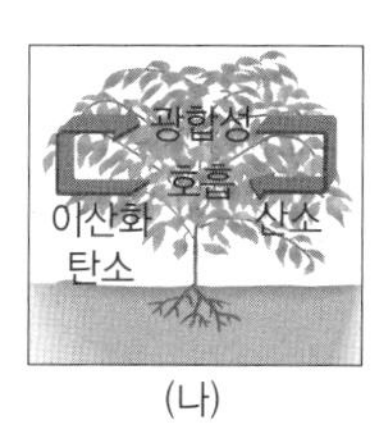

(나)

06 위와 같은 기체 교환이 일어나는 시기를 옳게 짝 지은 것은?

	(가)	(나)		(가)	(나)
①	낮	밤	②	아침	저녁
③	밤	낮	④	낮	아침, 저녁
⑤	저녁	아침, 낮			

07 (나)와 같은 기체 출입이 나타나는 까닭으로 옳은 것은?

① 호흡이 일어나지 않는다.
② 광합성이 일어나지 않는다.
③ 호흡량과 광합성량이 같다.
④ 호흡량이 광합성량보다 많다.
⑤ 광합성량이 호흡량보다 많다.

08 식물의 호흡과 기체 교환에 대한 설명으로 옳지 않은 것은?

① 밤에는 호흡만 일어난다.
② 낮에는 광합성량이 호흡량보다 많다.
③ 식물은 호흡을 통해 생활 에너지를 얻는다.
④ 식물의 호흡은 잎, 줄기, 뿌리에서 모두 일어난다.
⑤ 식물은 호흡할 때 이산화 탄소를 흡수하고, 산소를 방출한다.

09 그림은 어떤 식물에서 맑은 날 하루 동안의 광합성량과 호흡량의 변화를 나타낸 것이다.

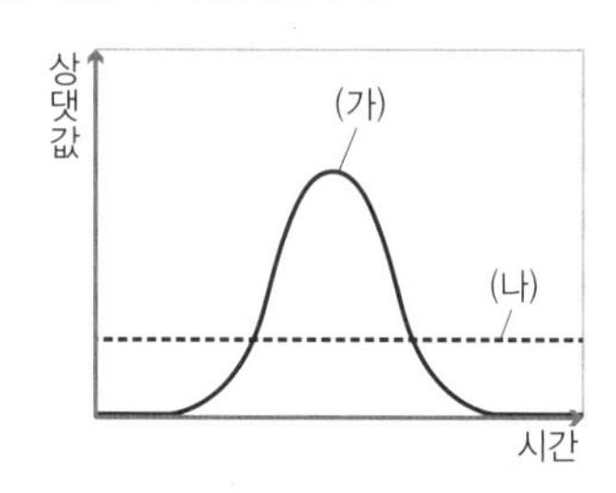

(가)와 (나)는 광합성량과 호흡량 중 무엇에 해당하는지 쓰고, 그 까닭을 서술하시오.

B 광합성과 호흡

10 다음은 광합성과 호흡을 비교한 것이다. ㉠, ㉡에 들어갈 에너지의 종류를 옳게 짝 지은 것은?

> • 광합성: 물 + 이산화 탄소 + (㉠) ⟶ 포도당 + 산소
> • 호흡: 포도당 + 산소 ⟶ 물 + 이산화 탄소 + (㉡)

	㉠	㉡
①	빛에너지	화학 에너지
②	열에너지	빛에너지
③	빛에너지	생활 에너지
④	화학 에너지	열에너지
⑤	화학 에너지	빛에너지

11 다음 중 광합성과 호흡을 비교한 것으로 옳지 않은 것은?

	구분	광합성	호흡
①	시간	빛이 있을 때	항상
②	장소	엽록체	모든 세포
③	흡수 기체	이산화 탄소	산소
④	양분	합성	분해
⑤	에너지	발생	저장

[12-13] 4개의 플라스크에 녹색의 중성 BTB 용액을 넣어 그림과 같이 장치한 후, 햇빛이 잘 드는 곳에 두었다.

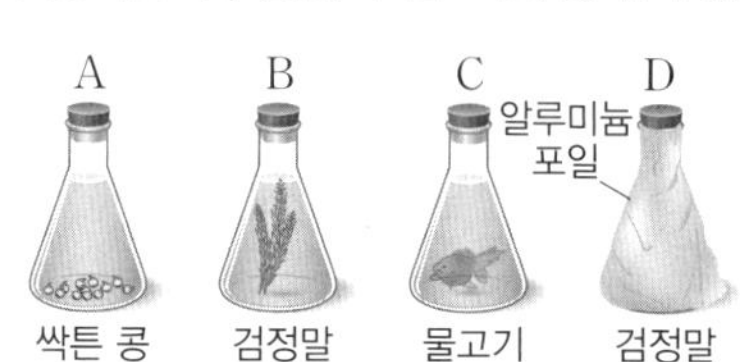

12 플라스크 A~D의 색깔 변화를 옳게 짝 지은 것은?

	A	B	C	D
①	황색	청색	황색	황색
②	황색	황색	청색	황색
③	청색	청색	황색	황색
④	청색	황색	황색	청색
⑤	청색	황색	청색	황색

13 이 실험을 통하여 알 수 있는 사실로 가장 타당한 것은?

① 식물은 호흡을 하지 않는다.
② 동물은 호흡을 할 때 산소가 필요하다.
③ 식물은 광합성의 결과 산소를 방출한다.
④ 식물은 호흡을 할 때 이산화 탄소가 필요하다.
⑤ 식물은 빛이 없을 때는 광합성을 하지 못하고 호흡만 한다.

[14-15] 그림은 광합성의 과정을 나타낸 것이다.

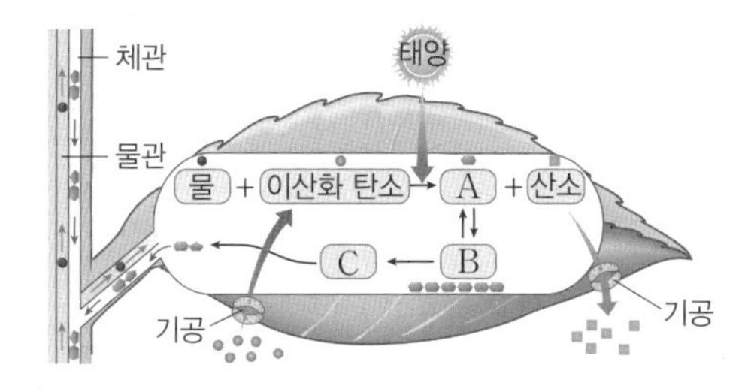

14 광합성 산물 A~C의 명칭을 옳게 짝 지은 것은?

	A	B	C
①	녹말	포도당	설탕
②	녹말	설탕	포도당
③	포도당	설탕	녹말
④	포도당	녹말	설탕
⑤	설탕	녹말	포도당

15 광합성 산물 B가 C의 형태로 전환되는 까닭으로 옳은 것을 보기에서 모두 고르시오.

보기
ㄱ. C는 저장에 유리하다.
ㄴ. C는 운반에 유리하다.
ㄷ. C는 B보다 분자량이 작다.
ㄹ. C는 B보다 분자량이 크다.
ㅁ. C는 물에 잘 녹는다.
ㅂ. C는 물에 잘 녹지 않는다.

16 식물이 광합성으로 생성한 양분을 이용하는 방법으로 옳지 않은 것은?

① 뿌리, 줄기, 열매 등에 저장한다.
② 식물의 몸을 구성하는 데 이용한다.
③ 녹말, 지방 등으로 전환하여 저장한다.
④ 쓰고 남은 양분은 뿌리를 통해 내보낸다.
⑤ 생활하는 데 필요한 에너지원으로 이용한다.

17 그림은 벼와 옥수수를 나타낸 것이다.

이 식물들이 광합성을 통해 생성한 양분을 저장하는 형태로 옳은 것은?

① 지방 ② 설탕 ③ 녹말
④ 포도당 ⑤ 단백질

18 식물이 광합성과 호흡을 실시하는 근본적인 까닭으로 가장 옳은 것은?

① 물보다는 포도당을 체내에 저장하기 유리하다.
② 빛에너지보다 화학 에너지의 에너지 효율성이 높다.
③ 물과 이산화 탄소는 식물이 에너지원으로 이용할 수 없다.
④ 지구의 에너지원인 빛에너지를 생활에 직접 이용할 수 없다.
⑤ 빛에너지는 에너지양이 너무 커서 에너지양이 작은 형태로 변환시켜야 한다.

19 그림과 같이 금붕어를 (가)와 (나)의 수조에 나누어 넣고 햇빛이 많은 창가에서 키웠더니 (나) 수조의 금붕어가 더 오래 살았다.

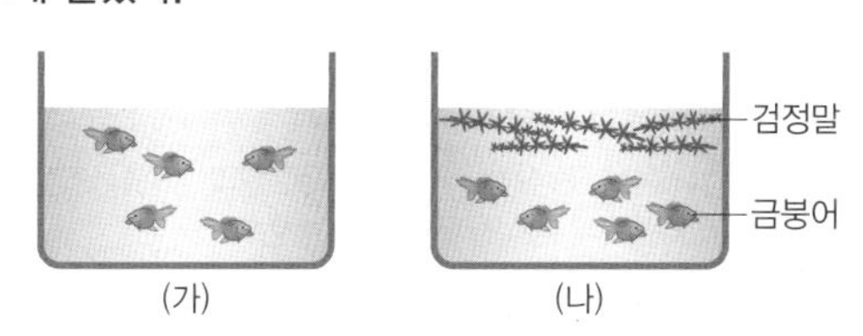

(나) 수조의 금붕어가 더 오래 산 까닭을 간단히 서술하시오.

개념으로 복습하기

V. 동물과 에너지

01 소화

★ 정답과 해설 084쪽

A 동물의 구성 단계

(❶)	동물을 구성하는 기본 단위 예 상피 세포, 적혈구, 백혈구
조직	모양과 기능이 비슷한 세포들의 모임 예 결합 조직, 근육 조직, 신경 조직, 상피 조직
기관	(❷)들이 모여 특정한 기능을 담당하는 단계 예 소장, 심장, 폐 등
(❸)	기관들이 모여 하나의 통일된 기능을 담당하는 단계 예 소화계, 순환계, 호흡계, 배설계
개체	기관계가 체계적으로 연결된 독립적인 생물체

B 영양소

1. 3대 영양소: (❹)으로 사용되는 영양소

구분	기본 단위	특징
탄수화물	포도당	• 주로 에너지원으로 사용된다. ➡ 1 g당 (❺) kcal • 몸을 구성한다. ➡ 섭취량에 비해 몸을 구성하는 비율이 (❻)다. • 사용하고 남은 탄수화물은 글리코젠이나 (❼)으로 전환되어 저장된다. • 종류: 단당류(포도당), 이당류(엿당, 설탕), 다당류(녹말) 등
단백질	아미노산	• 에너지원으로 사용된다. ➡ 1 g당 (❽) kcal • 주로 몸을 구성한다. ➡ 세포와 근육을 구성하는 주성분 • 효소, 호르몬, 항체의 주성분으로 생리 작용을 조절한다.
지방	지방산, 글리세롤	• 에너지원으로 사용된다. ➡ 1 g당 (❾) kcal • 몸을 구성하며, 피부 아래에 저장되어 체온 유지에 중요한 역할을 한다.

2. 부영양소: (❿)으로 사용되지 않지만, 몸을 구성하거나 생리 작용을 조절하는 영양소

물	• 우리 몸의 약 66 %를 차지한다. • 영양소와 노폐물 등을 운반하고, 체온을 조절한다. • 물질을 녹여 생리 작용이 잘 일어나게 돕는다.
무기염류	• 몸을 구성하며, 적은 양으로 생리 작용을 조절한다. • 반드시 음식물로 섭취해야 한다. • 종류: 철, 칼슘, 인, 나트륨 등
바이타민	• 몸을 구성하지 않으며, 적은 양으로 생리 작용을 조절한다. • 반드시 음식물로 섭취해야 한다. • 부족하면 (⓫)이 나타난다. • 종류: 바이타민 A, B, C, D 등

3. 영양소 검출 반응

영양소	검출 용액	반응 결과
(⓬)	아이오딘-아이오딘화 칼륨 용액	(⓭)
(⓮)	수단 Ⅲ 용액	선홍색
(⓯)	5 % 수산화 나트륨 용액 +1 % 황산 구리 용액 ➡ (⓰) 반응	보라색
당분(포도당)	베네딕트 용액(가열)	황적색

C 소화 과정

1. 소화: 음식에 들어 있는 영양소를 세포로 흡수하기 위해 작게 분해하는 과정

➡ 기계적 소화와 화학적 소화가 있다.

2. 소화 과정

입		녹말 —침(아밀레이스)→ (⓱)
위		(⓲) —위액(펩신)→ 중간 산물
소장	이자액	• (⓳): 녹말 → 엿당 • 트립신: 중간 산물 → 중간 산물 • (⓴): 지방 → 지방산+모노글리세리드
소장	쓸개즙	• (㉑)에서 생성되어 (㉒)에 저장된 후 십이지장으로 분비된다. • 소화 효소는 없지만 (㉓)의 소화를 돕는다.
소장	소장의 소화 효소	탄수화물과 단백질을 최종 소화한다.

D 영양소의 흡수와 이동

1. 영양소의 흡수와 이동 경로

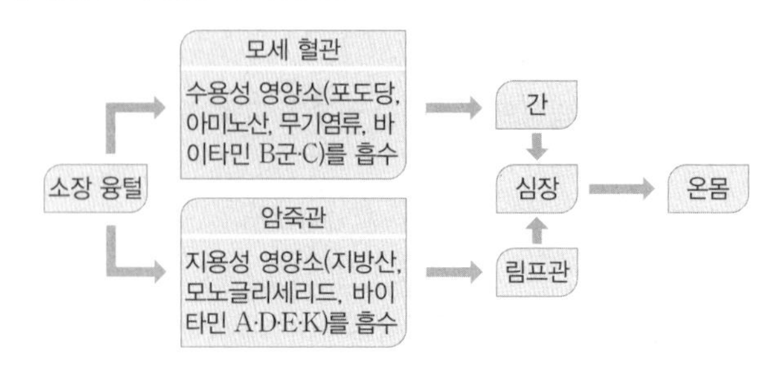

2. 대장의 작용: 소장에서 흡수되지 못한 (㉔)을 흡수하고, 음식물 찌꺼기를 대변으로 배출한다.

01 소화

★ 정답과 해설 084쪽

A 동물의 구성 단계 > 동물의 유기적 구성

[01-04] 보기는 동물을 구성하는 각 단계를 나타낸 것이다. 다음 물음에 알맞은 말을 보기에서 골라 쓰시오.

보기				
세포	조직	개체	기관	기관계

01 동물을 구성하는 기본 단위를 쓰시오.

02 조직들이 모여 특정한 기능을 담당하는 단계를 쓰시오.

03 기관들이 모여 하나의 통일된 기능을 담당하는 단계를 쓰시오.

04 동물의 구성 단계를 보기의 용어를 이용하여 순서대로 쓰시오.

B 영양소 > 3대 영양소와 부영양소

[05-08] 보기는 여러 가지 영양소를 나타낸 것이다. 다음 물음에 알맞은 말을 보기에서 골라 쓰시오.

보기			
물	지방	포도당	단백질
탄수화물	무기염류	아미노산	바이타민

05 에너지원으로 사용되는 영양소를 모두 쓰시오.

06 탄수화물과 단백질을 구성하는 기본 단위를 각각 쓰시오.

07 몸을 구성하는 주성분으로, 우리 몸의 약 66 %를 차지하는 영양소를 쓰시오.

08 대부분 체내에서 합성되지 않아 음식물로 섭취해야 하며, 부족 시 결핍증이 나타나는 영양소를 쓰시오.

C 소화 과정 > 소장에서의 소화 과정

[09-14] 그림은 소장에서 일어나는 영양소의 소화 과정을 나타낸 것이다.

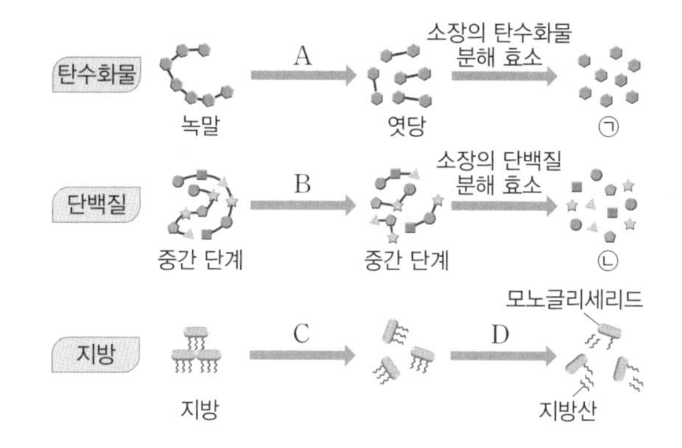

09 A와 같은 소화 작용을 일으키는 소화 효소와 그 소화 효소를 분비하는 기관을 각각 순서대로 쓰시오.

10 ㉠에 해당하는 최종 소화 산물의 이름을 쓰시오.

11 B와 같은 소화 작용을 일으키는 소화 효소와 그 소화 효소를 분비하는 기관의 이름을 각각 순서대로 쓰시오.

12 ㉡에 해당하는 최종 소화 산물의 이름을 쓰시오.

13 C와 같은 작용을 일으키는 소화액을 쓰시오.

14 D와 같은 소화 작용을 일으키는 소화 효소와 그 소화 효소를 분비하는 기관의 이름을 각각 순서대로 쓰시오.

문제로 복습하기

V. 동물과 에너지

01 소화

★ 정답과 해설 084쪽

A 동물의 구성 단계

01 그림은 동물의 구성 단계를 나타낸 것이다.

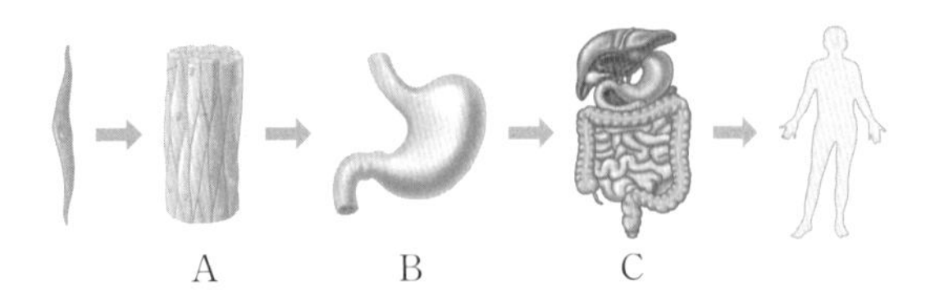

A~C에 해당하는 구성 단계를 각각 쓰시오.

02 그림은 사람의 여러 가지 기관계를 나타낸 것이다.

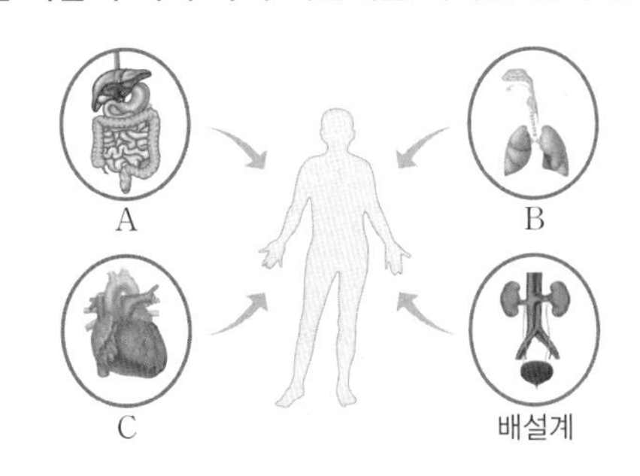

A~C를 각각 옳게 짝 지은 것은?

	A	B	C
①	순환계	호흡계	소화계
②	순환계	소화계	호흡계
③	소화계	순환계	호흡계
④	소화계	호흡계	순환계
⑤	호흡계	소화계	순환계

03 동물이 식물과 달리 기관계를 갖는 까닭으로 가장 옳은 것은?

① 수명이 길기 때문이다.
② 기능이 복잡하기 때문이다.
③ 구조가 간단하기 때문이다.
④ 기관의 수가 많기 때문이다.
⑤ 기관이 잘 발달되어 있지 않기 때문이다.

B 영양소

04 표는 영양소를 특징에 따라 2가지로 분류한 것이다.

(가)	탄수화물, 단백질, 지방
(나)	물, 무기염류, 바이타민

(가)와 (나) 무리에 대한 설명으로 옳은 것은?

① (가)는 적은 양이 필요하고, (나)는 많은 양이 필요하다.
② (가)는 에너지원으로 사용되고, (나)는 몸의 구성 성분으로 사용된다.
③ (가)는 몸의 구성 성분으로 사용되고, (나)는 에너지원으로 사용된다.
④ (가)는 에너지원으로 사용되고, (나)는 에너지원으로 사용되지 않는다.
⑤ (가)는 몸의 구성 성분으로 사용되고, (나)는 몸의 구성 성분으로 사용되지 않는다.

05 탄수화물이 섭취량에 비해 몸을 구성하는 비율이 매우 낮은 까닭으로 옳은 것은?

① 생리 작용에 관여하기 때문이다.
② 소화된 후 모두 흡수되기 때문이다.
③ 주로 에너지원으로 사용되기 때문이다.
④ 피부 아래에 저장되어 체온 조절을 하기 때문이다.
⑤ 섭취량에 비해 소화되는 비율이 매우 낮기 때문이다.

06 표는 어떤 음식물에 포함되어 있는 영양 성분표를 나타낸 것이다.

영양소	물	단백질	바이타민	칼슘
함량	20 g	4 g	2 mg	200 mg
영양소	지방	탄수화물	나트륨	마그네슘
함량	6 g	10 g	100 mg	10 mg

위 음식물을 모두 섭취했을 때 얻을 수 있는 에너지의 함량은 몇 kcal인지 쓰시오.

07 표는 여러 가지 음식물의 구성 성분을 나타낸 것이다.

(단위: %)

구분	물	A	B	C	무기 염류	기타
쌀밥	15.7	76.2	1.1	6.4	0.2	0.4
두부	81.5	3.7	4.6	9.6	0.5	0.1
식용유	0	0	100	0	0	0

A~C를 각각 옳게 짝 지은 것은?

	A	B	C
①	지방	단백질	탄수화물
②	단백질	지방	탄수화물
③	단백질	탄수화물	지방
④	탄수화물	지방	단백질
⑤	탄수화물	단백질	지방

08 다음은 어떤 음식물 속에 들어 있는 영양소를 분석하는 실험 과정과 결과를 나타낸 것이다.

(가) 4개의 시험관 A~D에 어떤 음식물의 희석액을 각각 5 mL씩 넣는다.

(나) A에는 베네딕트 용액을 넣은 후 가열하고, B에는 아이오딘-아이오딘화 칼륨 용액을, C에는 수단 Ⅲ 용액을, D에는 5 % 수산화 나트륨 용액과 1 % 황산 구리 용액을 넣는다.

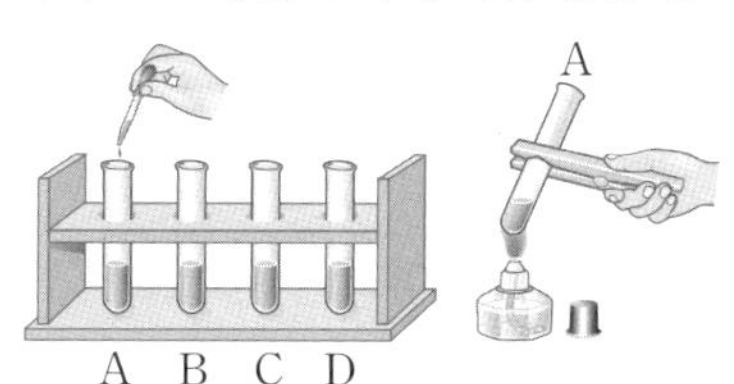

시험관	A	B	C	D
색깔	변화 없다.	변화 없다.	선홍색	보라색

이 음식물 속에 들어 있는 영양소를 모두 옳게 짝 지은 것은?

① 녹말, 지방 ② 녹말, 단백질 ③ 포도당, 녹말 ④ 포도당, 지방 ⑤ 지방, 단백질

C 소화 과정

09 다음 중 소화에 대한 설명으로 가장 옳은 것은?

① 소화 효소를 생성하고 분비한다.
② 작게 쪼개진 영양소를 흡수한다.
③ 흡수된 영양소를 조직 세포로 운반한다.
④ 영양소가 물에 녹을 수 있도록 작게 분해한다.
⑤ 영양소가 우리 몸에 흡수될 수 있도록 작은 크기로 분해한다.

[10-11] 다음은 침의 소화 작용에 대한 실험을 나타낸 것이다.

(가) 4개의 시험관 A~D에 녹말 용액을 각각 1 mL씩 넣는다.

(나) 그림과 같이 장치한 후 10분이 지나면 시험관 A~D의 용액을 덜어내어 아이오딘-아이오딘화 칼륨 용액을 떨어뜨린다.

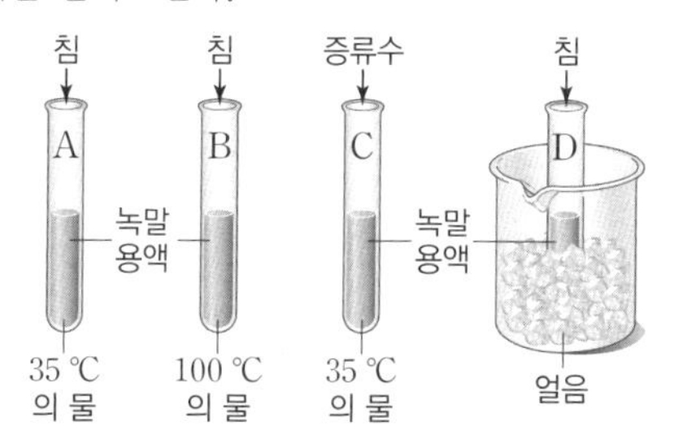

(다) 남아 있는 시험관의 용액에 베네딕트 용액을 떨어뜨린 후 알코올 램프로 가열한다.

10 위 실험에 대한 설명으로 옳은 것은?

① 시험관 A는 아이오딘 반응에 청람색을 나타낸다.
② 시험관 B에서는 소화 작용이 활발히 일어난다.
③ 시험관 C는 베네딕트 반응에서 황적색을 나타낸다.
④ 시험관 D는 아이오딘 반응에 청람색을 나타낸다.
⑤ 침은 온도와 관계없이 녹말을 소화시킨다.

11 침에 녹말을 분해하는 물질이 들어 있다는 것을 알기 위해 비교해야 하는 시험관끼리 옳게 짝 지은 것은?

① A, B ② A, C ③ A, D ④ B, C ⑤ C, D

12 그림은 사람의 소화 기관을 나타낸 것이다.

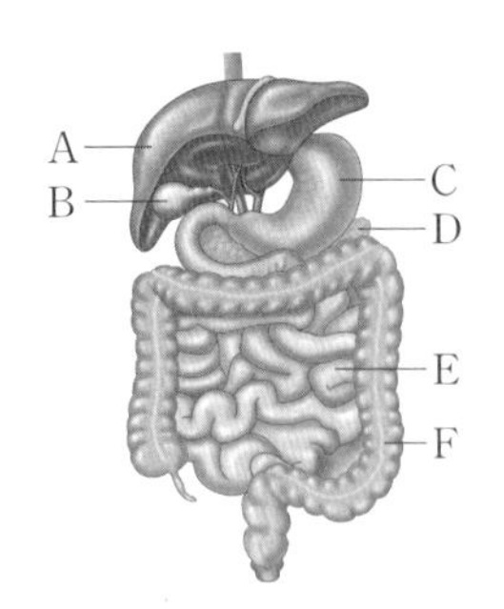

(가) 3대 영양소의 소화 효소를 모두 분비하는 곳과 (나) 3대 영양소의 소화가 모두 일어나는 곳을 각각 옳게 짝 지은 것은?

	(가)	(나)		(가)	(나)
①	A	C	②	B	F
③	D	C	④	D	E
⑤	E	F			

13 그림은 영양소 A가 입 → 위 → 소장을 거치면서 소화되는 과정을 나타낸 것이다.

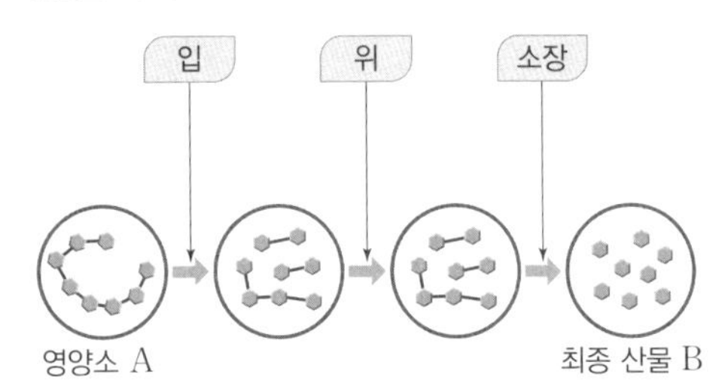

영양소 A와 최종 산물 B를 각각 옳게 짝 지은 것은?

	A	B		A	B
①	녹말	포도당	②	엿당	포도당
③	단백질	지방산	④	단백질	아미노산
⑤	지방	모노글리세리드			

14 그림은 단백질이 우리 몸에 흡수될 수 있는 상태로 최종 분해되는 과정 중 일부를 나타낸 것이다.

위액과 이자액에 포함된 소화 효소 A와 B를 각각 쓰시오.

D 영양소의 흡수와 이동

15 그림은 소장의 융털 구조를 나타낸 것이다. A로 흡수되는 영양소끼리 옳게 짝 지은 것은?

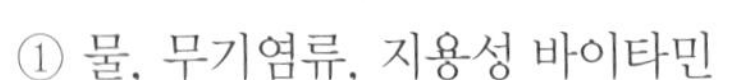

① 물, 무기염류, 지용성 바이타민
② 지방산, 무기염류, 모노글리세리드
③ 포도당, 아미노산, 수용성 바이타민
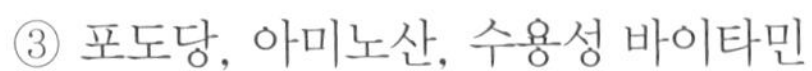
④ 포도당, 아미노산, 지용성 바이타민
⑤ 지방산, 모노글리세리드, 지용성 바이타민

16 그림은 소화된 영양소가 흡수되어 온몸으로 운반되는 과정을 나타낸 것이다.

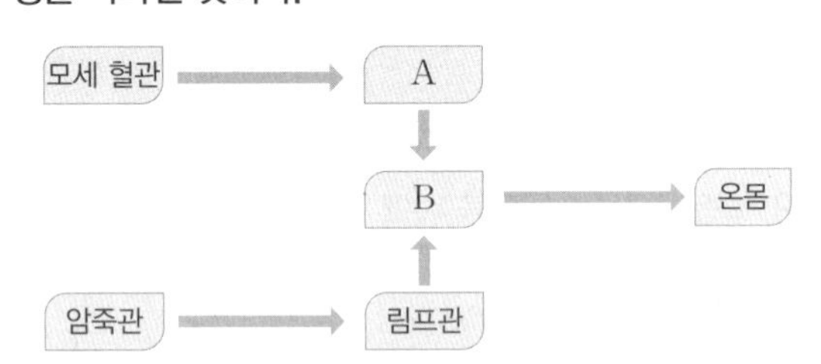

A와 B에 해당하는 기관을 각각 쓰시오.

17 그림은 각각 라디에이터, 수건의 표면, 접이식 부채를 나타낸 것이다.

▲ 라디에이터

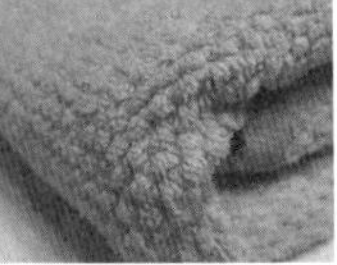
▲ 수건의 표면

▲ 접이식 부채

위와 같은 효과를 갖는 소화 기관의 구조를 쓰고, 이러한 구조들의 공통적인 특징을 서술하시오.

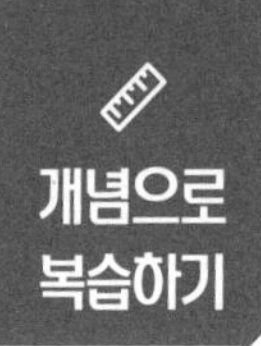

02 순환

★ 정답과 해설 085쪽

A 심장과 혈관

1. 심장: 사람의 심장은 2개의 심방과 2개의 심실로 이루어진다.

심방	우심방	온몸을 돌고 온 혈액을 받아들이는 곳으로, (❶)과 연결되어 있다.
	좌심방	폐를 돌고 온 혈액을 받아들이는 곳으로, (❷)과 연결되어 있다.
심실	우심실	혈액을 폐로 내보내는 곳으로, (❸)과 연결되어 있다.
	좌심실	혈액을 온몸으로 내보내는 곳으로, (❹)과 연결되어 있다.

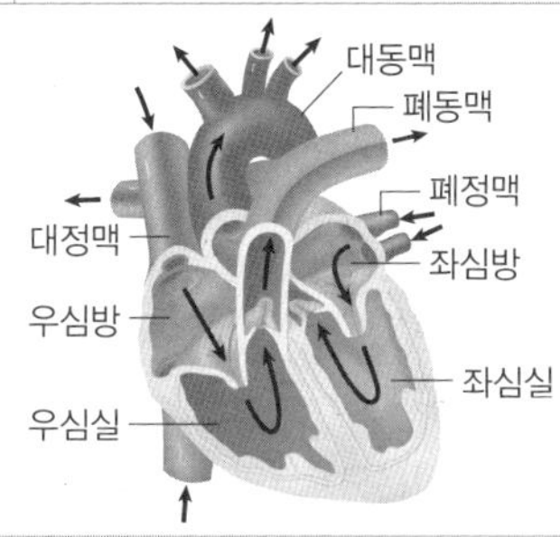

2. 혈관

(1) 혈관의 종류와 특징

(❺)	• 심장에서 나가는 혈액이 흐르는 혈관 • 주로 몸속 깊은 곳에 있다. • 혈관 벽이 두껍고, 탄력성이 커서 높은 혈압을 견딜 수 있다.
모세 혈관	• 동맥과 정맥을 연결하는 혈관 • 혈액과 조직 세포 사이에 물질 교환이 일어난다.
(❻)	• 심장으로 들어오는 혈액이 흐르는 혈관 • 주로 몸 표면에 있다. • 혈관 벽이 얇으며, 탄력성이 작고, 판막이 있다.

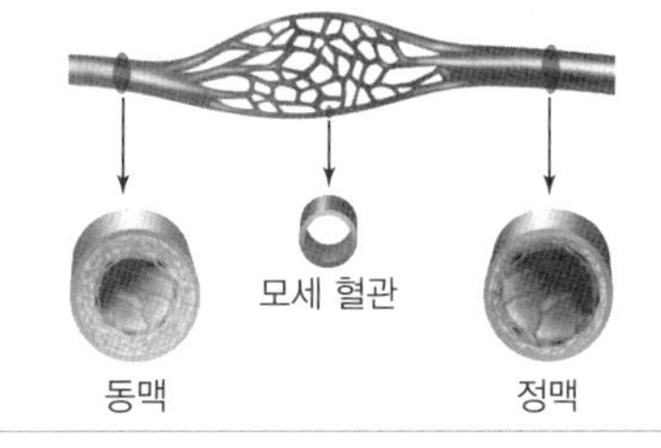

(2) 혈관의 비교

혈압	(❼)>모세 혈관>(❽)
총단면적	모세 혈관>정맥>동맥
혈류 속도	(❾)>정맥>(❿)
혈관 벽의 두께	동맥>정맥>모세 혈관

B 혈액과 혈액 순환

1. 혈액

(1) **혈액의 분리**: 혈액을 원심 분리하면 노란색의 액체 성분인 (⓫)과 붉은색의 고체 성분인 (⓬)로 분리된다.

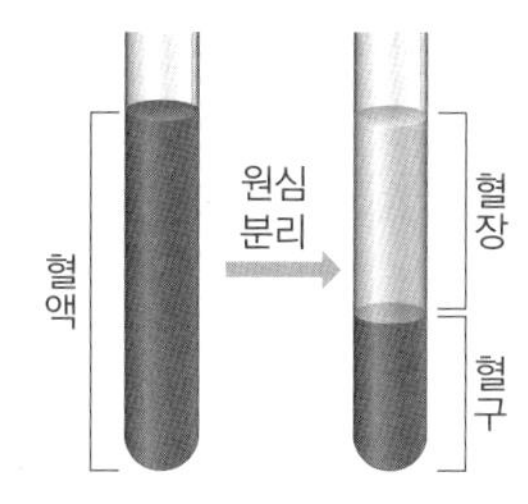

(2) **혈액의 구성**

① 혈구

적혈구	• 가운데가 오목한 원반형이고, 핵이 (⓭)다. • 혈구 중 수가 가장 많으며, (⓮)이라는 색소에 의해 붉은색을 띤다. • 기능: (⓯) 운반
백혈구	• 모양이 불규칙하며, 핵이 (⓰)다. • 적혈구보다 수가 훨씬 적으며, 색깔이 없기 때문에 염색을 하여 관찰한다. • 기능: (⓱) 작용
혈소판	• 모양이 불규칙한 세포 조각으로, 핵이 (⓲)다. • 기능: 출혈이 일어나면 상처 부위에서 혈액 (⓳) 작용을 하여 출혈을 멈추게 한다.

② 혈장

- 약 90 %가 (⓴)로 이루어져 있으며, 영양소를 비롯한 여러 가지 물질이 녹아 있고, 체온의 급격한 변화를 막아준다.
- 세포에 영양소를 운반해 주고, 세포에서 생긴 노폐물을 배설 기관으로 운반한다.

2. 혈액 순환

(1) (㉑) **순환**: 심장에서 나간 동맥혈이 온몸의 조직 세포에 산소와 영양소를 공급하고, 이산화 탄소와 노폐물을 받아 심장으로 돌아오는 순환 과정

(2) (㉒)**순환**: 심장에서 나간 정맥혈이 폐에서 이산화 탄소를 버리고 산소를 받아 심장으로 돌아오는 순환 과정

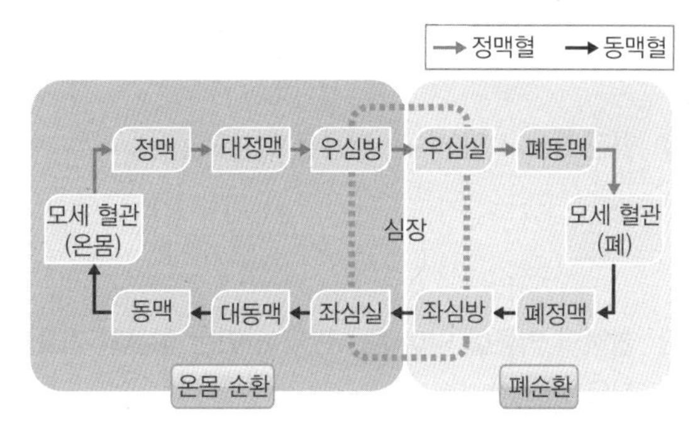

헷갈리는 내용 공략하기

Ⅴ. 동물과 에너지

02 순환

★ 정답과 해설 085쪽

A 심장과 혈관 > 심장과 혈관의 구조

[01-04] 그림은 사람의 심장 구조를 나타낸 것이다.

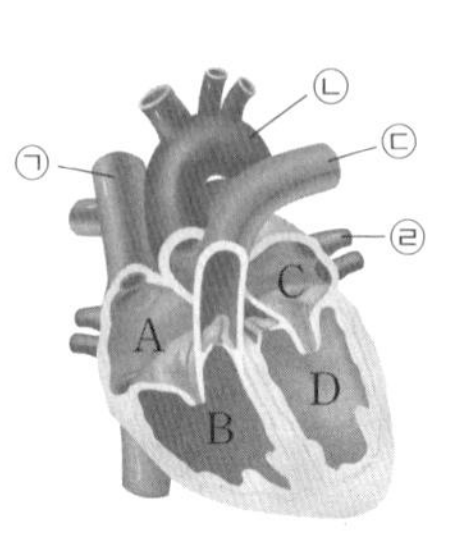

01 A~D의 이름을 각각 쓰시오.

02 혈관 ㉠~㉣의 이름을 각각 쓰시오.

03 A~D 중 심장으로 혈액이 들어오는 곳의 기호를 모두 쓰시오.

04 A~D 중 심장에서 혈액이 나가는 곳의 기호를 모두 쓰시오.

[05-08] 그림은 사람의 혈관 구조를 나타낸 것이다.

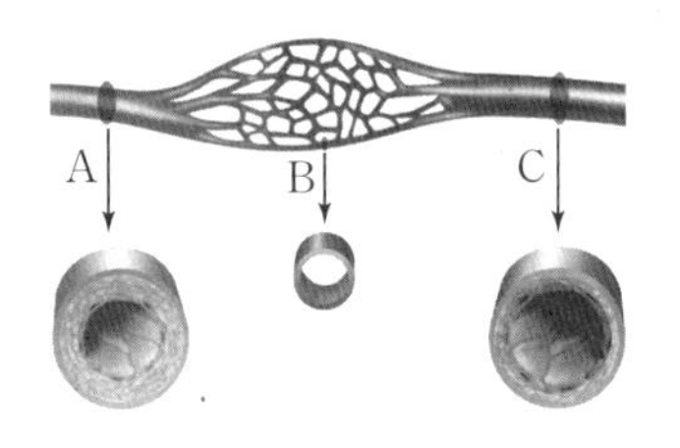

05 혈관 A~C의 이름을 각각 쓰시오.

06 몸속 깊은 곳에 분포하는 혈관의 기호를 쓰시오.

07 혈관 B에서 일어나는 작용을 쓰시오.

08 혈액의 역류를 막아주는 판막이 있는 혈관의 기호를 쓰시오.

B 혈액과 혈액 순환 > 혈액이 흐르는 경로

[09-12] 그림은 사람의 혈액 성분을 나타낸 것이다.

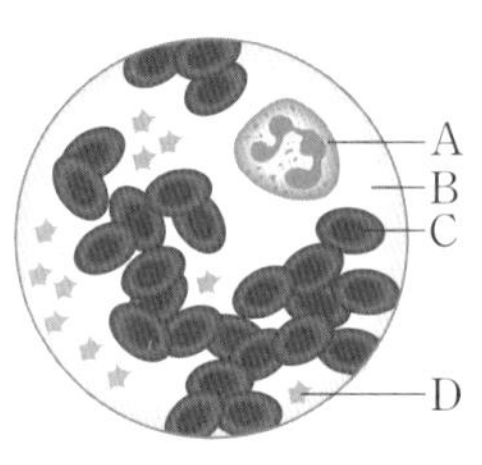

09 혈액의 고형 성분으로, 산소 운반 작용을 하는 성분의 기호와 이름을 쓰시오.

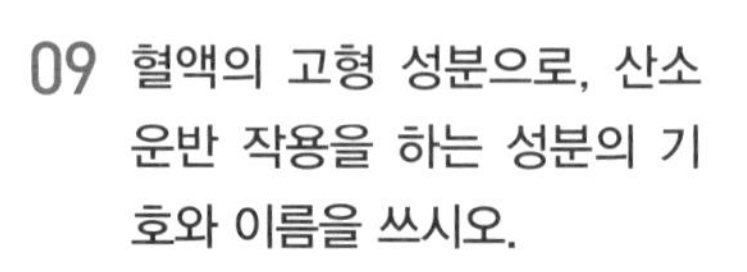

10 혈액의 고형 성분으로, 식균 작용을 하는 성분의 기호와 이름을 쓰시오.

11 혈액의 고형 성분으로, 혈액 응고 작용에 관여하는 성분의 기호와 이름을 쓰시오.

12 혈액의 액체 성분으로, 약 90 %가 물로 이루어져 있으며, 체온을 유지하고, 영양소와 노폐물을 운반하는 성분의 기호와 이름을 쓰시오.

[13-17] 그림은 사람의 혈액 순환 경로를 나타낸 것이다.

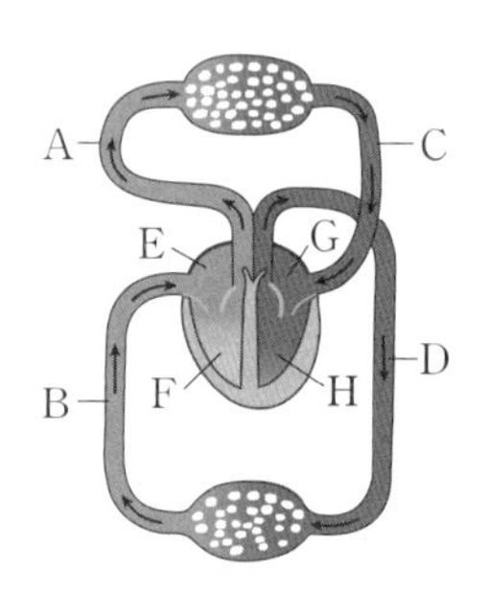

13 혈관 A~D의 이름을 쓰시오.

14 산소의 농도가 높은 동맥혈이 흐르는 혈관의 기호를 모두 쓰시오.

15 산소의 농도가 낮은 정맥혈이 흐르는 혈관의 기호를 모두 쓰시오.

16 온몸 순환이 일어나는 경로를 기호로 쓰시오.

17 폐순환이 일어나는 경로를 기호로 쓰시오.

문제로 복습하기

V. 동물과 에너지

02 순환

★ 정답과 해설 085쪽

A 심장과 혈관

[01-02] 그림은 심장의 구조를 나타낸 것이다.

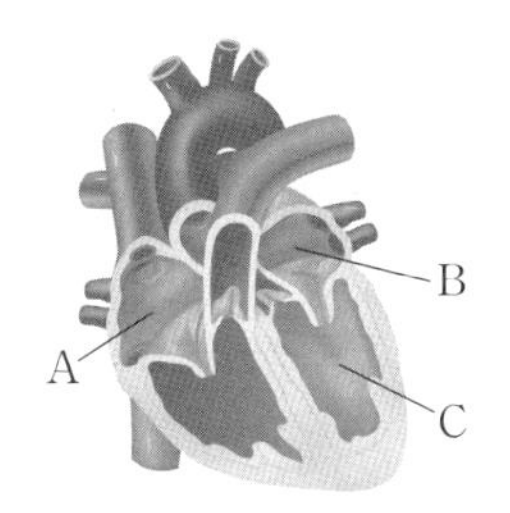

01 A와 B의 공통적인 특징으로 옳은 것은?

① 동맥과 연결되어 있다.
② 심실에 비해 크기가 크다.
③ 혈관을 통해 폐와 연결되어 있다.
④ 혈액이 심장으로 들어오는 곳이다.
⑤ 심장에서 혈액을 내보내는 곳이다.

02 C의 벽이 가장 두꺼운 까닭으로 옳은 것은?

① 팽창과 수축했을 때 부피의 차이가 크다.
② 심장의 압력이 낮아 터지기 쉽기 때문이다.
③ 폐에서 혈액을 받아들이기 위해 강한 힘이 필요하기 때문이다.
④ 온몸으로 혈액을 내보내기 위해 강한 힘이 필요하기 때문이다.
⑤ 온몸에서 혈액을 받아들이기 위해 강한 힘이 필요하기 때문이다.

03 그림은 심장의 단면 구조를 나타낸 것이다. A의 기능으로 옳은 것은?

〈등 쪽〉
A
〈배 쪽〉

① 혈액의 역류를 막아준다.
② 심장의 박동을 촉진한다.
③ 심방과 심실의 혈액이 잘 섞이도록 한다.
④ 심방의 혈액이 심실로 흘러가지 않도록 한다.
⑤ 심실의 혈액이 혈관으로 흘러가지 않도록 한다.

04 그림은 심장의 박동 과정에서 심방이 수축하고 심실이 이완하는 단계를 나타낸 것이다.
이 시기의 특징으로 옳은 것은?

심방 수축
심실 이완

① 혈액의 이동 방향은 '심실 → 동맥'이다.
② 혈액의 이동 방향은 '심실 → 심방'이다.
③ 온몸으로 혈액을 순환시킨다.
④ 심방과 심실 사이의 판막이 열린다.
⑤ 심실과 동맥 사이의 판막이 열린다.

[05-06] 그림은 사람의 혈관 구조를 나타낸 것이다.

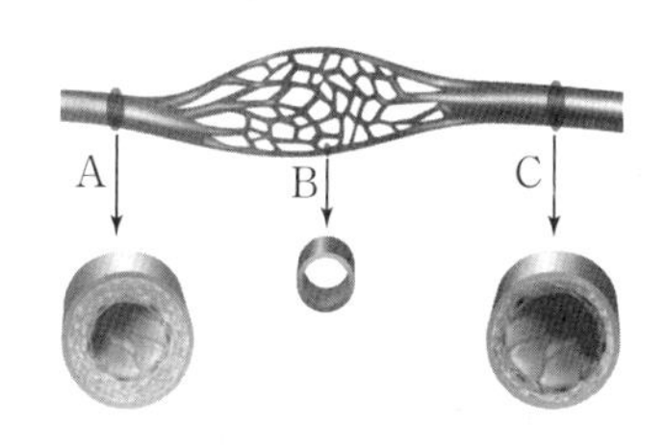

05 A~C의 특징으로 옳은 것은?

① A는 C보다 탄력성이 크다.
② B는 혈압이 가장 높다.
③ B는 혈류 속도가 가장 빠르다.
④ C는 혈관의 총단면적이 가장 넓다.
⑤ C는 주로 몸속 깊숙한 곳에 분포한다.

06 혈관 A의 이름과 A의 혈관 벽이 가장 두꺼운 까닭을 옳게 짝 지은 것은?

① 동맥, 혈류 속도가 빠르기 때문이다.
② 정맥, 혈류 속도가 빠르기 때문이다.
③ 동맥, 높은 혈압을 견디기 위해서이다.
④ 정맥, 높은 혈압을 견디기 위해서이다.
⑤ 동맥, 몸속 깊은 곳에 분포하기 때문이다.

07 동맥과 정맥의 특징을 비교한 것으로 옳은 것은?

	구분	동맥	정맥
①	혈압	낮다	높다
②	혈관 벽	얇다	두껍다
③	탄력성	약하다	강하다
④	판막	없다	있다
⑤	분포	몸 표면 쪽	몸속 깊은 곳

08 정맥에서의 혈액 흐름에 대한 설명으로 옳지 않은 것은?

① 정맥이 눌리면 판막이 열린다.
② 운동을 격렬하게 하면 판막이 닫힌다.
③ 판막이 열리면 혈액은 심장 쪽으로 이동한다.
④ 몸을 움직이면 주변 근육이 정맥을 눌러준다.
⑤ 혈액은 주로 정맥 주변의 근육 운동에 의해 이동한다.

09 그림은 혈관의 특징을 비교한 것이다.

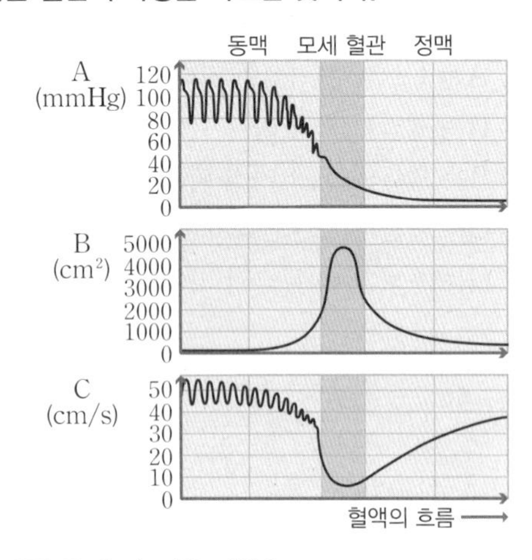

A~C를 옳게 짝 지은 것은?

	A	B	C
①	혈압	총단면적	혈류 속도
②	혈압	혈류 속도	총단면적
③	혈류 속도	혈압	총단면적
④	혈류 속도	총단면적	혈압
⑤	총단면적	혈류 속도	혈압

B 혈액과 혈액 순환

10 그림은 혈액을 시험관에 넣어 원심 분리한 후 관찰한 것이다.

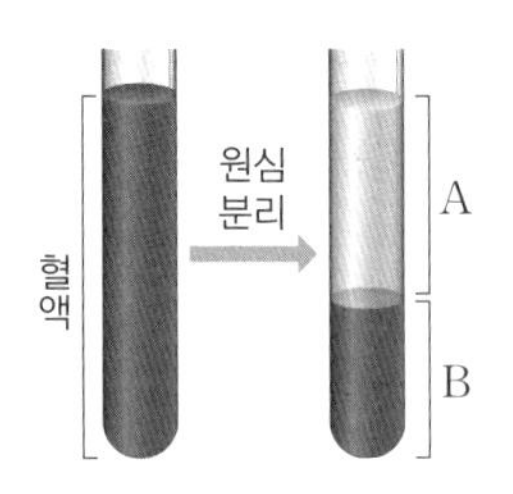

A와 B에 대한 설명으로 옳은 것은?

① A: 혈액의 고형 성분이다.
② A: 백혈구와 적혈구가 분포한다.
③ A: 체온의 급격한 변화를 막아준다.
④ B: 물이 대부분을 차지한다.
⑤ B: 영양소와 노폐물을 운반한다.

11 그림은 사람의 혈액 성분을 나타낸 것이다. A~D에 대한 설명으로 옳은 것은?

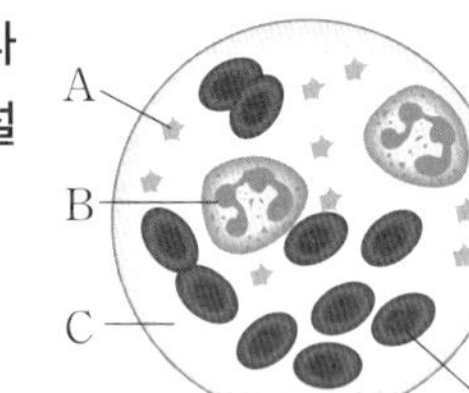

① A: 핵이 있다.
② B: 노폐물을 운반한다.
③ B: 혈구 중 수가 가장 많다.
④ C: 주변 환경에 따라 온도가 자주 바뀐다.
⑤ D: 헤모글로빈에 의해 붉은색을 띤다.

12 그림은 어떤 혈액 성분의 작용을 나타낸 것이다.

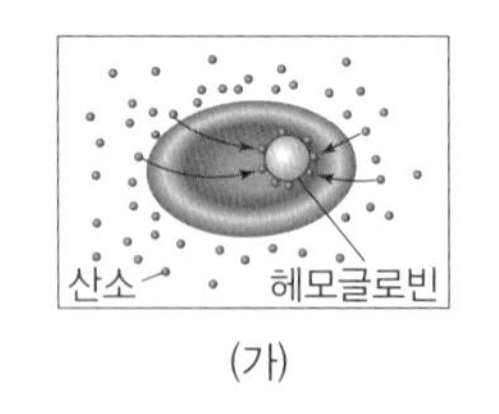

(가)

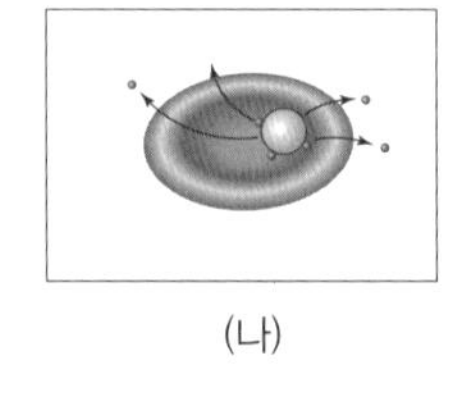
(나)

이 혈액 성분과 위와 같은 작용이 일어나는 기관을 옳게 짝 지은 것은?

	성분	(가)	(나)
①	혈장	심장	대동맥
②	백혈구	심장	조직 세포
③	백혈구	조직 세포	심장
④	적혈구	폐	조직 세포
⑤	적혈구	근육	조직 세포

13 그림은 혈액의 성분을 나타낸 것이다.
A에 대한 설명으로 옳지 않은 것은?

① 핵이 없다.
② 아메바 운동을 한다.
③ 모양이 일정하지 않다.
④ 혈구 중 수가 가장 적다.
⑤ 세균에 감염된 후에 수가 증가한다.

14 그림은 혈액의 응고 작용을 나타낸 것이다.
이 작용과 밀접한 관계가 있는 혈구의 특징으로 옳은 것은?

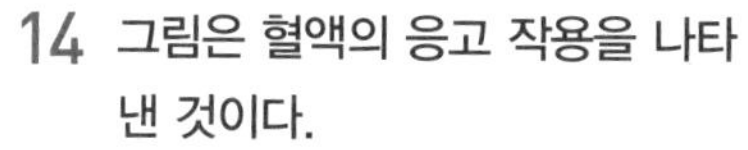

① 식균 작용을 한다.
② 아메바 운동을 한다.
③ 혈구 중 수가 가장 많다.
④ 가운데가 오목한 원반형이다.
⑤ 모양이 불규칙한 세포 조각이다.

15 표는 A와 B의 혈구 수를 조사하여 정상인과 비교한 것이다.

(단위: 개/mm^3)

구분	A	B	정상인
적혈구	750만	490만	450만~500만
백혈구	8천	2만	8000천~1만
혈소판	29만	30만	20만~30만

A와 B의 몸 상태나 살아가는 환경을 옳게 짝 지은 것은?

	A	B
①	병에 걸렸다.	고산 지대에 산다.
②	고산 지대에 산다.	세균에 감염되었다.
③	연탄가스에 중독되었다.	바닷가에 산다.
④	출혈이 자주 일어난다.	세균에 감염되었다.
⑤	출혈이 자주 일어난다.	고산 지대에 산다.

[16-17] 그림은 사람의 혈액 순환 경로를 나타낸 것이다.

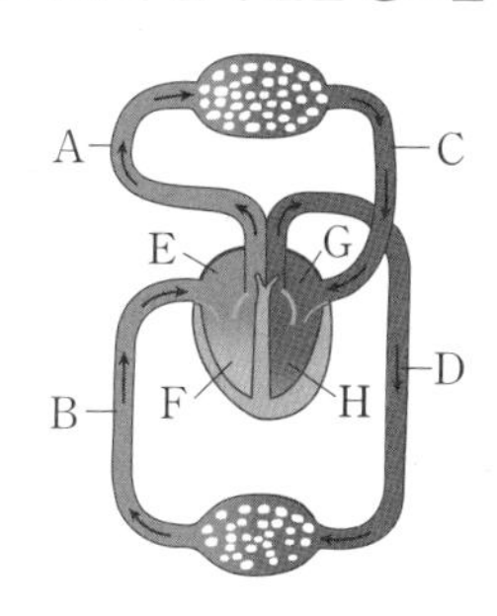

16 온몸의 조직 세포에 산소와 영양소를 공급하는 순환 경로로 옳은 것은?

① C → D → B → A
② E → A → C → H
③ F → A → C → G
④ G → C → A → F
⑤ H → D → B → E

17 (가) A와 B에 흐르는 혈액과 (나) C와 D에 흐르는 혈액의 특성으로 옳은 것은?

① (가)는 정맥혈이다.
② (가)는 산소의 농도가 높다.
③ (나)의 색깔이 암적색이다.
④ (나)는 이산화 탄소의 농도가 높다.
⑤ (가)는 정맥에 흐르는 혈액을 나타낸 것이다.

18 정맥혈이 동맥혈로 바뀌는 혈액 순환 과정의 이름을 쓰고, 그 경로를 서술하시오.

개념으로 복습하기

V. 동물과 에너지

03 호흡

★ 정답과 해설 086쪽

A 호흡

1. 호흡: 공기 중의 (❶)를 받아들이고 몸 안에서 생긴 (❷)를 내보내는 작용
➡ 생물이 산소를 이용해 (❸)를 분해하여 생활에 필요한 (❹)를 얻는 세포 호흡을 한다.

2. 호흡 기관

(1) **공기의 이동 경로**: 코 → 기관 → 기관지 → 폐

(2) **호흡 기관의 구조와 기능**

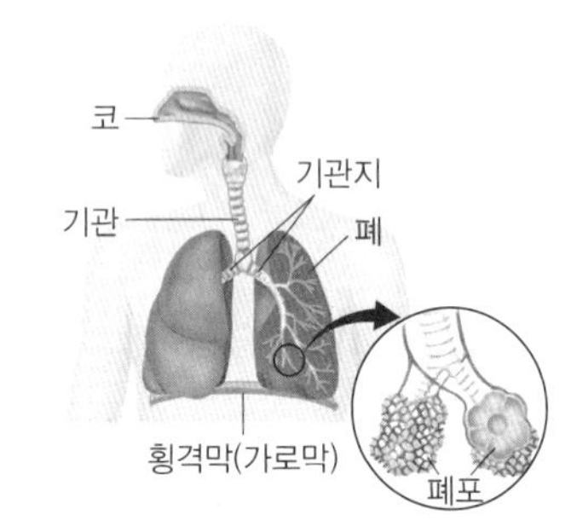

▲ 호흡 기관의 구조

구분	기능
(❺)	• 공기를 들이마시고 내보내는 통로 • 점액질과 코털로 먼지와 세균을 걸러 낸다. • 공기에 습기를 더해준다.
기관과 기관지	• (❻): 공기가 폐로 드나드는 통로 • 기관은 기관지로 갈라져 폐의 곳곳에 분포한다. • 안쪽에 섬모가 나 있어 먼지나 세균을 밀어낸다.
(❼)	• (❽)와 횡격막(가로막)으로 둘러싸여 있다. • 가슴 양쪽에 1개씩 존재한다. • 수많은 (❾)로 이루어져 있다. ➡ 표면적을 넓혀준다.
폐포	• 기관지 끝에 달린 주머니 ➡ 한 층의 세포로 이루어져 있다. • (❿)과의 사이에서 기체 교환이 일어난다.
횡격막(가로막)	• 근육으로 된 막 • 수축과 이완을 조절하면서 흉강 내 압력을 조절한다.

B 호흡 운동

1. 호흡 운동의 원리: 폐는 근육이 없기 때문에 스스로 운동하지 못하고, 갈비뼈와 (⓫)의 움직임으로 생기는 압력 변화에 의해 호흡 운동이 일어난다.

2. 들숨과 날숨 비교

구분	갈비뼈	횡격막(가로막)	흉강의 부피	흉강의 압력	공기의 이동	폐의 부피
들숨	위로	(⓬)	넓어진다.	(⓭)	외부 → 폐	커진다.
날숨	아래로	(⓮)	좁아진다.	(⓯)	폐 → 외부	작아진다.

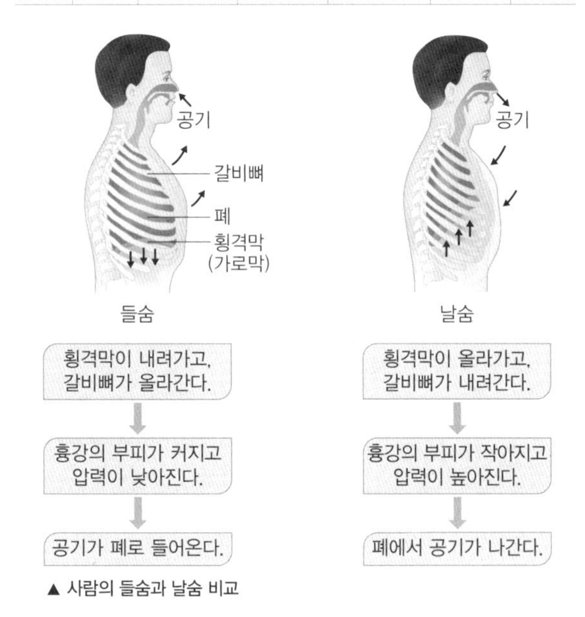

▲ 사람의 들숨과 날숨 비교

C 기체 교환

(⓰)	농도	폐포 > 모세 혈관 > 조직 세포
	이동 방향	폐포 → 모세 혈관 → 조직 세포
(⓱)	농도	조직 세포 > 모세 혈관 > 폐포
	이동 방향	조직 세포 → 모세 혈관 → 폐포

➡ 기체의 분압 차에 의한 (⓲)으로 폐포, 모세 혈관, 조직 세포 사이에서 산소와 이산화 탄소의 교환이 일어난다.

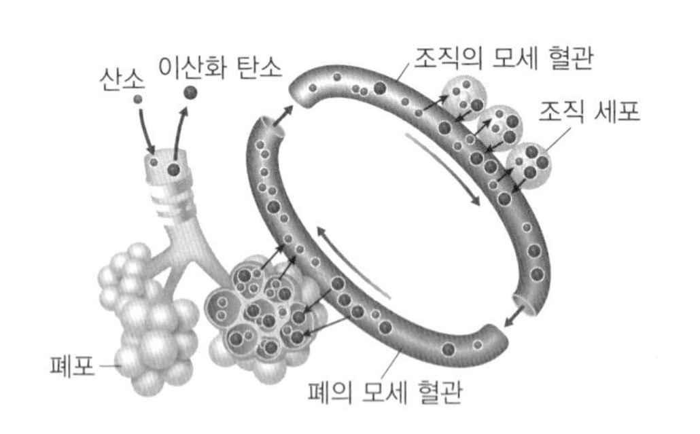

03 호흡

★ 정답과 해설 087쪽

B 호흡 운동 > 들숨과 날숨 비교

[01-04] 그림 (가)는 사람의 호흡 기관을, 그림 (나)는 호흡 기관을 모형화한 실험 장치를 나타낸 것이다.

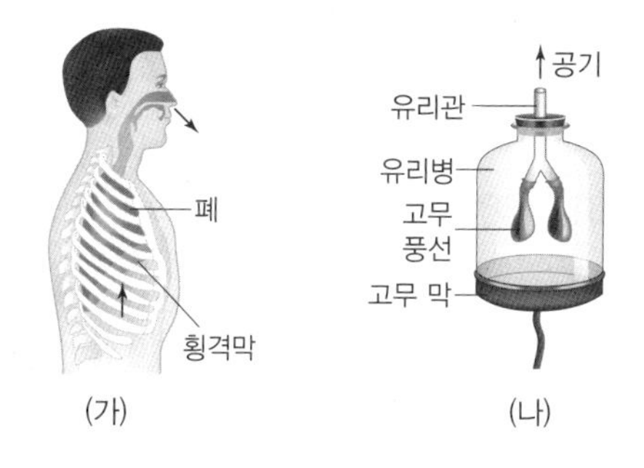

01 그림 (가)에서 숨을 들이쉴 때의 변화를 각각 쓰시오.

(1) 갈비뼈가 움직이는 방향
(2) 횡격막이 움직이는 방향
(3) 흉강의 부피 변화
(4) 흉강 내부의 압력 변화
(5) 공기가 이동하는 방향

02 고무 막이 나타내는 호흡 기관의 구조를 쓰시오.

03 고무 막을 잡아당기는 것은 들숨과 날숨 중 어느 것에 해당하는지 쓰시오.

04 그림 (나)에서 잡아당겼던 고무 막을 놓았을 때의 변화를 각각 쓰시오.

(1) 유리병의 부피 변화
(2) 유리병의 압력 변화
(3) 고무풍선의 상태

C 기체 교환 > 산소와 이산화 탄소의 이동

[05-09] 그림은 사람의 몸에서 일어나는 공기의 이동을 나타낸 것이다.

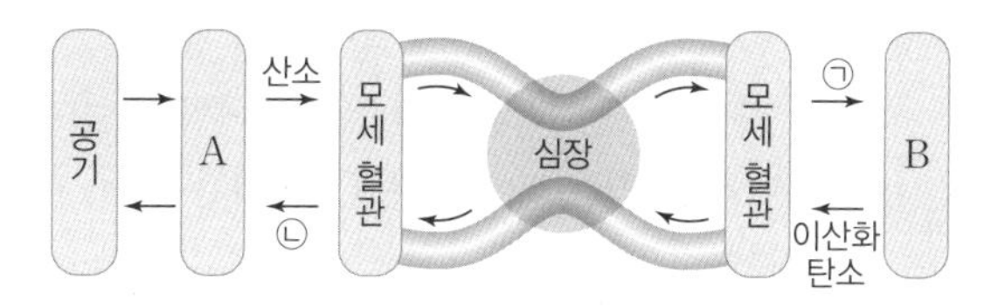

05 A와 B는 각각 조직 세포와 폐포 중 하나이다. A, B에 해당하는 구조를 각각 쓰시오.

06 ㉠과 ㉡에 해당하는 기체의 이름을 각각 쓰시오.

07 A, B, 모세 혈관의 산소 농도를 비교하여 나타내시오.

08 A, B, 모세 혈관의 이산화 탄소 농도를 비교하여 나타내시오.

09 ㉠을 운반하는 혈액 성분을 쓰시오.

V. 동물과 에너지

03 호흡

★ 정답과 해설 087쪽

A 호흡

01 사람의 호흡 기관에 대한 설명으로 옳지 않은 것은?

① 폐는 가슴 중앙 왼쪽에 분포한다.
② 폐는 갈비뼈와 횡격막으로 둘러싸여 있다.
③ 폐포 하나하나는 모세 혈관으로 둘러싸여 있다.
④ 들이마신 공기는 코 → 기관 → 기관지 → 폐로 들어간다.
⑤ 코에서 폐까지 공기가 드나드는 관의 안쪽 벽에는 많은 잔털이 나 있고 점액으로 덮여 있다.

02 그림은 사람의 호흡 기관 구조를 나타낸 것이다.

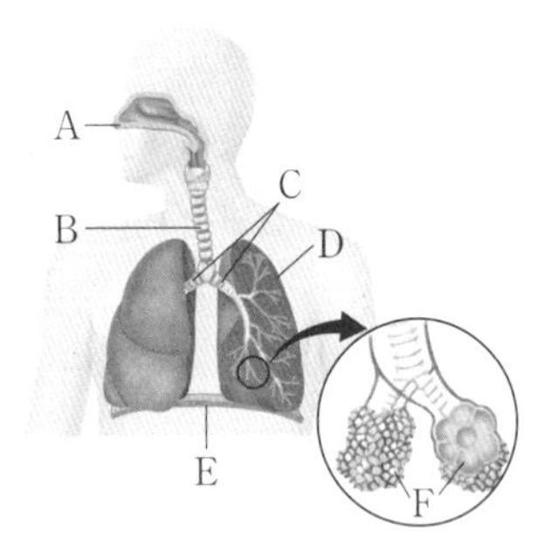

그림에서 다음과 같은 특징을 갖는 구조의 기호와 이름을 쓰시오.

- 공기에 일정한 습도를 제공한다.
- 공기를 체온과 비슷한 온도가 되게 한다.
- 점액과 털이 있어서 공기 속의 먼지를 제거한다.

03 그림은 사람의 호흡 기관 중 일부분을 확대한 것이다. 이에 대한 설명으로 옳은 것은?

① 폐의 표면적을 넓혀준다.
② 호흡 운동이 일어날 수 있게 한다.
③ 산소와 이산화 탄소의 교환이 일어난다.
④ 코에서 걸러지지 않은 미세한 이물질을 걸러낸다.
⑤ 공기의 온도가 체온과 같아질 수 있도록 데워준다.

04 그림은 우리 몸의 일부분을 확대한 것이다.

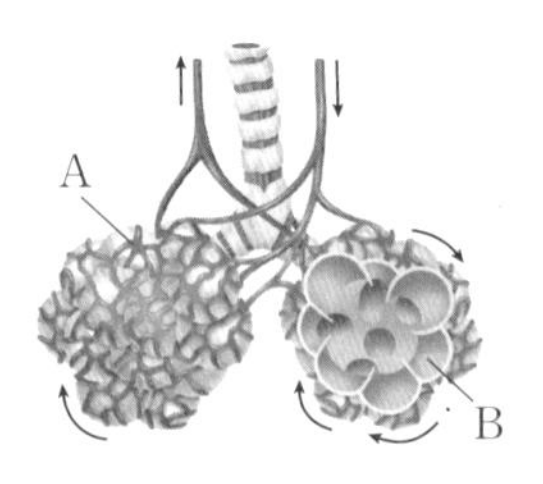

A와 B 사이에서 일어나는 작용으로 옳은 것은?

① 에너지의 생산
② 영양소의 흡수
③ 공기와 수분의 교환
④ 영양소와 노폐물의 교환
⑤ 산소와 이산화 탄소의 교환

[05-06] 그림은 어떤 호흡 기관의 구조적 특징을 알아보기 위한 실험을 나타낸 것이다. 지름이 같은 원통을 3개 준비한 후 (나)와 (다)에는 여러 개의 작은 원통을 채웠다.

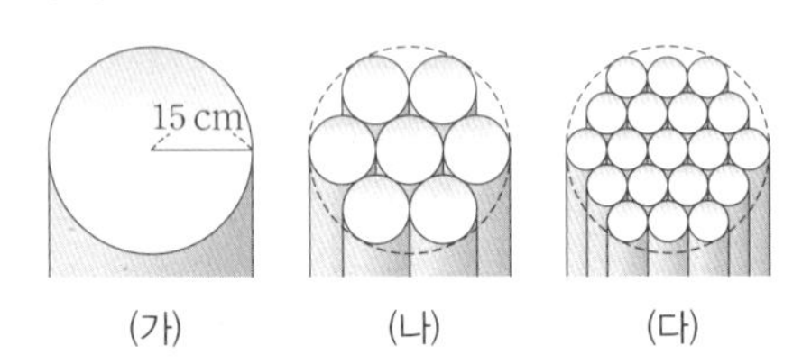

05 원통 내부의 표면적이 넓은 것부터 순서대로 기호를 쓰시오.

06 이 구조와 관계 있는 호흡 기관의 특징으로 옳은 것은?

① 기관의 안쪽 벽에는 점액이 있다.
② 코와 기관에는 많은 털이 나 있다.
③ 폐포의 주위에는 모세 혈관이 둘러싸고 있다.
④ 폐의 내부는 폐포로 이루어져 있어 표면적이 넓다.
⑤ 폐포와 모세 혈관 사이에서는 기체 교환이 일어난다.

B 호흡 운동

07 폐는 스스로 운동하지 못하고 갈비뼈와 횡격막에 의해 호흡 운동이 일어난다. 그 까닭으로 옳은 것은?

① 폐는 세포로 되어 있지 않기 때문이다.
② 폐에는 신경이 분포하지 않기 때문이다.
③ 폐는 탄력성이 없어 크기를 조절할 수 없기 때문이다.
④ 폐는 근육이 없는 얇은 막으로 이루어져 있기 때문이다.
⑤ 폐의 세포에서는 산소를 모세 혈관으로 제공하여 스스로 에너지를 생성할 수 없기 때문이다.

08 숨을 내쉴 때 나타나는 현상끼리 옳게 짝 지은 것은?

	횡격막	갈비뼈	흉강의 부피
①	위로	아래로	커진다.
②	위로	아래로	작아진다.
③	위로	아래로	변화 없다.
④	아래로	위로	커진다.
⑤	아래로	위로	작아진다.

09 그림은 사람의 호흡 운동을 설명하기 위한 모형을 나타낸 것이다.
이에 대한 설명으로 옳은 것은?

① A가 위로 올라가면 폐의 부피가 커진다.
② A가 위로 올라가면 폐의 압력이 높아진다.
③ B는 호흡 운동 시 움직임이 없다.
④ B의 움직임은 폐의 부피와 관련이 없다.
⑤ B가 아래로 내려가면 흉강의 부피가 작아진다.

10 그림은 정상인과 기흉 환자의 폐를 나타낸 것으로 기흉은 폐에 구멍이 생겨 흉강 내부로 공기가 들어가는 현상이다.

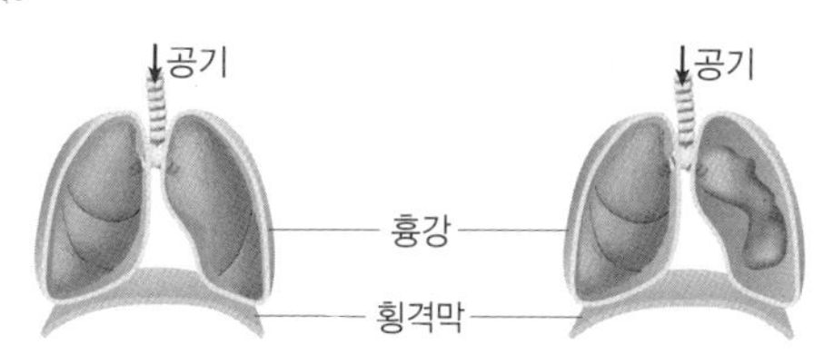

한쪽 폐에 구멍이 뚫린 기흉 환자의 호흡에 대한 설명으로 옳은 것만을 보기에서 모두 고른 것은?

보기
ㄱ. 숨을 쉬기 어렵다.
ㄴ. 폐활량이 정상인보다 작다.
ㄷ. 정상인보다 폐의 압력 변화가 크다.
ㄹ. 폐가 2개이기 때문에 호흡에 큰 지장을 받지 않는다.

① ㄱ, ㄴ ② ㄴ, ㄷ ③ ㄷ, ㄹ
④ ㄱ, ㄴ, ㄷ ⑤ ㄱ, ㄷ, ㄹ

[11-12] 그림과 같은 실험 장치를 준비하고, 고무 막을 당겼다가 놓으면서 유리병 내부의 변화를 살펴보았다.

11 이 실험을 통해 확인할 수 있는 것은?

① 호흡 운동의 원리
② 들숨과 날숨의 성분
③ 호흡과 에너지의 관계
④ 산소와 이산화 탄소의 교환
⑤ 외부 공기에 수분이 공급되는 원리

12 당겼던 고무 막을 놓았을 때 고무풍선의 변화와 (A)쪽 수면의 높이 변화를 옳게 짝 지은 것은?

	고무풍선의 변화	(A) 수면의 높이
①	수축한다.	높아진다.
②	수축한다.	낮아진다.
③	팽창한다.	높아진다.
④	팽창한다.	낮아진다.
⑤	팽창한다.	변화 없다.

C 기체 교환

13 그림과 같이 장치한 후 날숨과 들숨을 불어 넣었다.

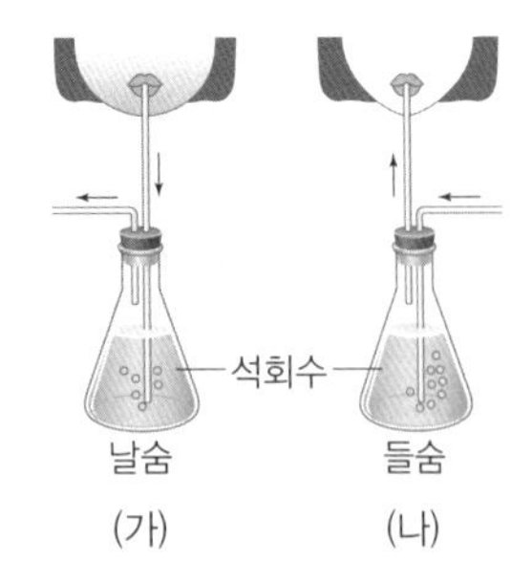

석회수가 흐려지는 플라스크와 석회수가 흐려지는 까닭을 옳게 짝 지은 것은?

① (가), 산소가 많이 들어 있기 때문이다.
② (가), 이산화 탄소가 많이 들어 있기 때문이다.
③ (나), 산소가 많이 들어 있기 때문이다.
④ (나), 질소가 많이 들어 있기 때문이다.
⑤ (나), 이산화 탄소가 많이 들어 있기 때문이다.

[14-16] 그림은 사람의 폐포 구조를 나타낸 것이다.

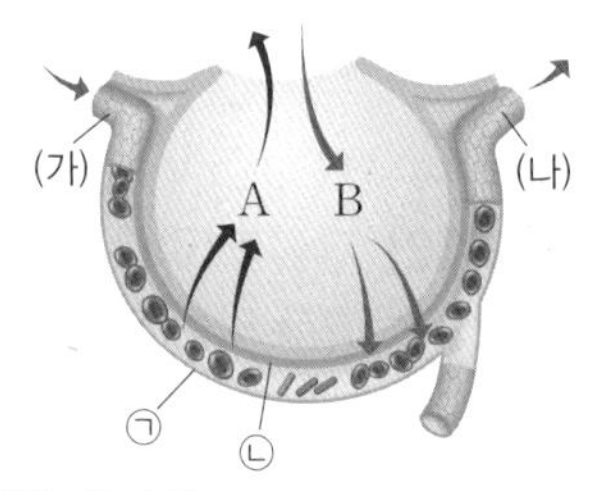

14 기체 A와 B는 무엇인지 각각 쓰시오.

15 ㉠와 ㉡ 사이에서 일어나는 기체 교환의 원리로 옳은 것은?

① ㉠와 ㉡ 사이의 온도 차이
② ㉠과 ㉡ 사이의 기체 분압 차이
③ (가)와 (나)를 흐르는 혈액의 압력 차이
④ (가)와 (나)를 흐르는 혈액의 속도 차이
⑤ (가)와 (나)를 흐르는 혈액의 적혈구 농도 차이

16 위 그림에 대한 설명으로 옳지 않은 것은?

① (가)는 폐동맥과 연결되어 있다.
② (나)는 폐정맥과 연결되어 있다.
③ (나)에는 암적색 혈액이 흐른다.
④ (가)를 흐르는 혈액은 (나)를 흐르는 혈액보다 A의 농도가 높다.
⑤ B의 농도는 폐포가 모세 혈관보다 높다.

[17-18] 그림은 우리 몸에서 일어나는 기체 교환 과정을 나타낸 것이다.

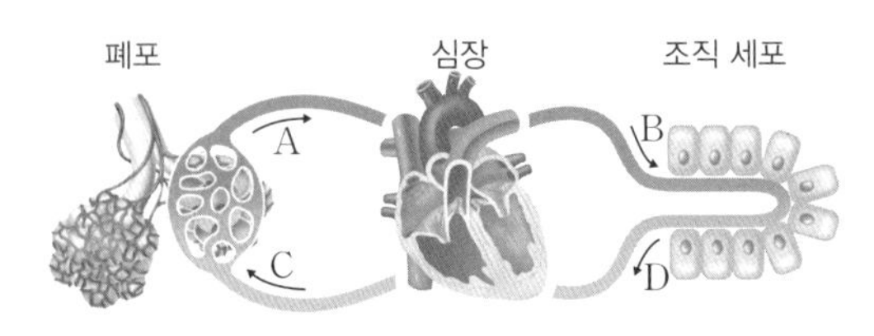

17 이에 대한 설명으로 옳은 것은?

① A와 B는 이산화 탄소이다.
② C와 D는 산소이다.
③ 폐에서 일어나는 호흡 결과 에너지가 발생한다.
④ 호흡량이 많을 때는 공기 중에 있는 질소가 소모된다.
⑤ 조직 세포는 모세 혈관에서 산소를 얻고, 모세 혈관으로 이산화 탄소를 내보낸다.

18 위 그림의 각 구조에서 이산화 탄소의 분압 관계를 옳게 나타낸 것은?

① 폐포 > 모세 혈관 > 조직 세포
② 폐포 > 조직 세포 > 모세 혈관
③ 조직 세포 > 모세 혈관 > 폐포
④ 조직 세포 > 폐포 > 모세 혈관
⑤ 모세 혈관 > 폐포 > 조직 세포

19 우리 몸에서 일어나는 기체 교환 과정 중에서 조직 세포에서 산소를 받아들인 후 일어나는 작용을 다음 단어를 모두 포함하여 서술하시오.

산소 　 영양소 　 에너지

개념으로 복습하기

04 배설

★ 정답과 해설 087쪽

A 노폐물의 생성과 배설

1. 배설: 영양소가 호흡을 통해 분해되는 과정에서 생성된 (❶)을 몸 밖으로 내보내는 과정

2. 노폐물의 생성과 배설

구분	이산화 탄소	물	암모니아
영양소	탄수화물, 지방, 단백질		단백질
배설 기관	(❷)	폐, 콩팥	(❸)
배설 형태	날숨	날숨, 오줌	(❹)에서 독성이 약한 (❺)로 전환되어 오줌으로 배설

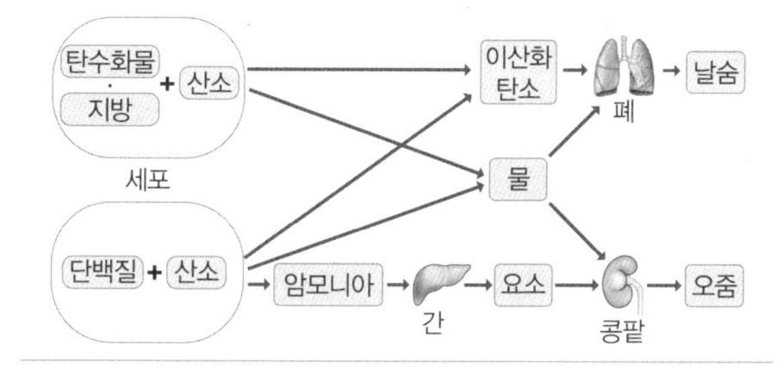

B 배설 기관의 구조와 기능

1. 배설 기관의 구조와 기능

(❻)	• 오줌을 생성한다. • 겉질, 속질, 콩팥 깔때기로 구성된다.
오줌관	콩팥에서 생성된 오줌을 방광으로 보내는 긴 관이다.
(❼)	오줌을 모아 두었다가 내보낸다.
요도	오줌이 몸 밖으로 빠져나가는 통로이다.

2. 콩팥의 구조

(❽)	• 콩팥의 겉부분이다. • (❾)와 보먼주머니가 분포한다.
콩팥 속질	• 콩팥의 안쪽 부분이다. • 세뇨관이 분포한다.
(❿)	• 깔때기 모양의 빈 공간이다. • 오줌을 잠시 저장했다가 오줌관으로 내보낸다.

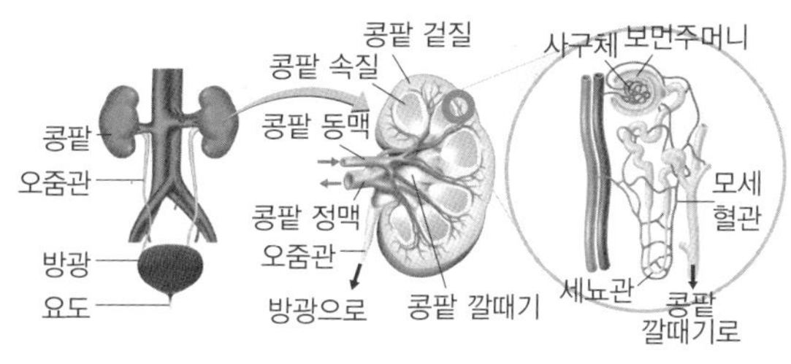

▲ 배설 기관의 구조

3. 오줌 생성 과정

과정	이동 방향	특징
여과	(⓫) ↓ (⓬)	• 사구체의 높은 (⓭)에 의해 작은 물질들이 걸러지는 과정 • 크기가 큰 물질은 여과되지 못한다.
(⓮)	세뇨관 ↓ (⓯)	• 우리 몸에 필요한 영양소와 물 등이 재흡수되는 과정 • 포도당과 아미노산은 100 % 재흡수된다.
(⓰)	(⓱) ↓ 세뇨관	미처 여과되지 않은 노폐물이 분비되는 과정

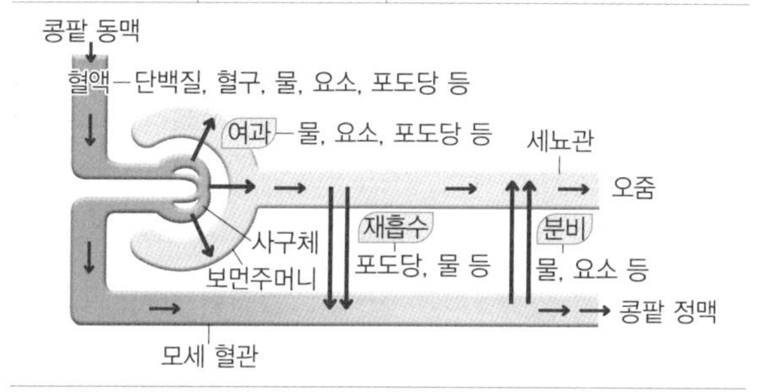

C 소화 · 순환 · 호흡 · 배설의 관계

(⓲)	섭취한 음식물 속의 영양소를 체내에서 흡수할 수 있도록 분해한다.
호흡계	(⓳)를 흡수하고, (⓴)를 몸 밖으로 내보낸다.
(㉑)	영양소와 산소를 온몸의 세포로 운반하고, 세포 호흡 결과 생성된 이산화 탄소는 호흡계로, 노폐물은 배설계로 운반한다.
배설계	요소를 물과 함께 걸러 (㉒)을 만들어 몸 밖으로 배설한다.

➡ **기관계의 상호 작용**: 우리 몸에서 일어나는 소화, 순환, 호흡, 배설 작용은 서로 밀접하게 연결되어 있다.

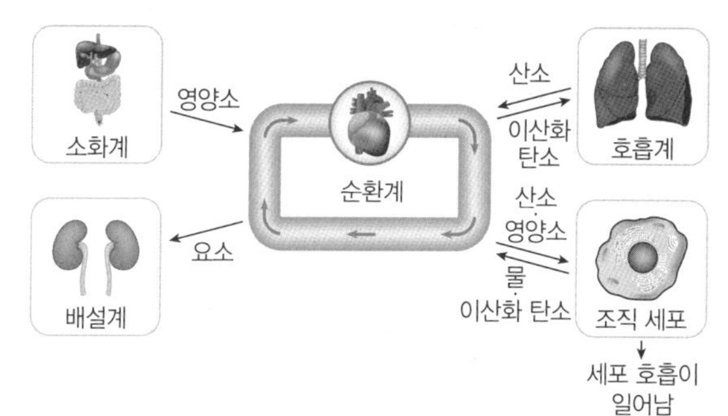

헷갈리는 내용 공략하기

V. 동물과 에너지

04 배설

★ 정답과 해설 088쪽

A 노폐물의 생성과 배설 > 노폐물의 종류

01 세포에 탄수화물의 산물이 이용될 경우 생성되는 노폐물을 모두 쓰시오.

02 세포에 단백질의 산물이 이용될 경우 생성되는 노폐물을 모두 쓰시오.

03 세포에 지방의 산물이 이용될 경우 생성되는 노폐물을 모두 쓰시오.

B 배설 기관의 구조와 기능 > 오줌 생성 과정

[04-09] 그림은 콩팥에서 오줌이 생성되는 과정을 나타낸 것이다.

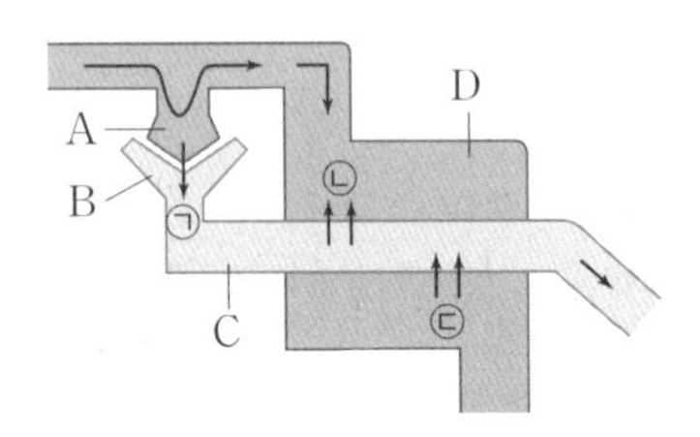

04 A와 B 구조의 이름을 각각 쓰시오.

05 ㉠과 같이 이동하는 물질을 3가지만 쓰시오.

06 혈액에 포함되어 있는 물질 중 크기가 커서 ㉠과 같이 이동하지 못하는 물질을 2가지만 쓰시오.

07 C와 D 구조의 이름을 각각 쓰시오.

08 C에서 D로 이동할 때 100 % 이동하는 물질을 2가지만 쓰시오.

09 ㉠~㉢과 같이 물질이 이동하는 과정을 각각 무엇이라고 하는지 쓰시오.

[10-13] 표는 건강한 사람의 혈관, 여과액, 오줌의 성분을 비교하여 나타낸 것이다.

(단위: %)

구분	A	B	요소	아미노산
콩팥 동맥	8.0	0.1	0.03	0.05
여과액	0	0.1	0.03	0.05
콩팥 정맥	8.0	0.1	소량	0.05
오줌	0	0	2.0	0

10 콩팥 동맥에는 있지만 여과액에 포함되지 않은 물질은 무엇이 일어나지 않은 것인지 쓰시오.

11 다음 중 A에 해당하는 물질을 모두 찾아 쓰시오.

> 물, 요소, 혈구, 포도당, 단백질, 지방, 무기염류

12 물질 A가 여과액에 포함되지 않은 까닭을 쓰시오.

13 물질 B가 오줌에 포함되어 있지 않은 까닭을 쓰시오.

04 배설

★ 정답과 해설 088쪽

A 노폐물의 생성과 배설

01 배설에 해당하는 예를 보기에서 모두 고른 것은?

보기
ㄱ. 기관에서 걸러진 이물질을 가래로 내보낸다.
ㄴ. 여분의 물을 수증기의 형태로 바꾸어 내보낸다.
ㄷ. 세포 호흡에서 발생된 노폐물을 오줌으로 내보낸다.

① ㄱ ② ㄴ ③ ㄱ, ㄴ
④ ㄴ, ㄷ ⑤ ㄱ, ㄴ, ㄷ

[02-04] 그림은 노폐물의 생성과 배설 경로를 나타낸 것이다.

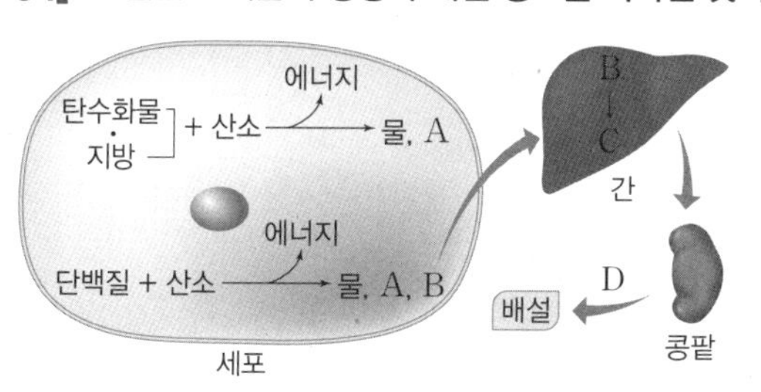

02 A와 B에 해당하는 물질을 옳게 짝 지은 것은?

	A	B
①	요소	암모니아
②	요소	이산화 탄소
③	암모니아	요소
④	이산화 탄소	요소
⑤	이산화 탄소	암모니아

03 다음은 위 과정 중 일부에 대한 설명이다.

단백질의 분해 결과 생성된 노폐물인 B는 간에서 C로 바뀐 후 콩팥에서 D 성분에 포함되어 배설된다.

C, D에 해당하는 물질을 각각 쓰시오.

04 B→C 과정이 일어나는 까닭으로 옳은 것은?

① 요소가 물에 잘 녹기 때문이다.
② 암모니아는 독성이 강하기 때문이다.
③ 암모니아는 혈관에 쌓이기 때문이다.
④ 암모니아는 물에 잘 녹지 않기 때문이다.
⑤ 콩팥에서는 요소만 받아들일 수 있기 때문이다.

05 그림과 같이 물이 든 비커 A~C에 금붕어를 넣은 다음 A에는 암모니아, B에는 요소를 일정량 넣고 관찰하였다.

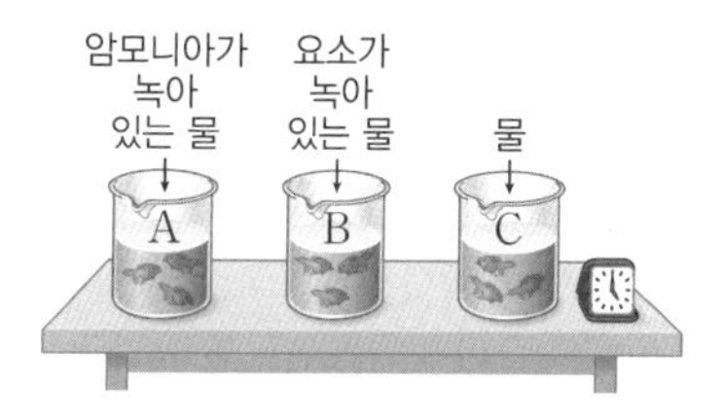

다른 조건을 모두 일정하게 하였을 때 금붕어가 오래 살 것으로 예상되는 순서대로 옳게 나열한 것은?

① A – B – C ② A – C – B
③ B – C – A ④ C – A – B
⑤ C – B – A

B 배설 기관의 구조와 기능

06 그림은 사람의 배설 기관의 구조를 나타낸 것이다.

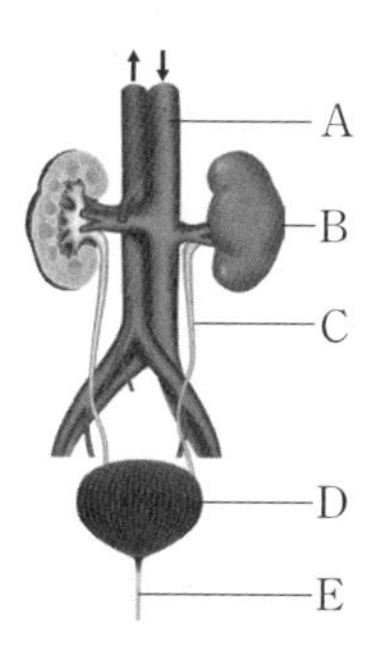

이에 대한 설명으로 옳지 않은 것은?

① A는 콩팥 동맥이다.
② B는 혈액 속의 영양소를 저장한다.
③ C는 B에서 생성된 오줌을 D로 운반한다.
④ D는 오줌이 몸 밖으로 나가기 전까지 저장한다.
⑤ E는 오줌이 몸 밖으로 나가는 통로이다.

07 그림은 사람의 배설 기관 중 콩팥의 구조를 나타낸 것이다.

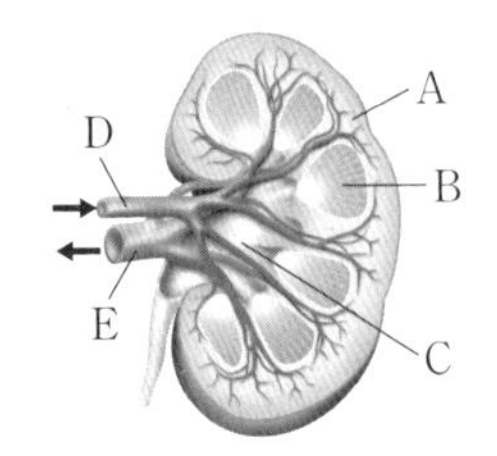

이에 대한 설명으로 옳은 것은?

① A는 겉질로, 세뇨관이 분포한다.
② B는 속질로, 보먼주머니가 분포한다.
③ C는 노폐물이 걸러지는 작용이 일어난다.
④ D는 콩팥 동맥이며, 노폐물을 콩팥으로 운반한다.
⑤ E는 노폐물의 농도가 높은 혈액이 흐른다.

[08-09] 그림은 콩팥의 구조 중 일부분을 나타낸 것이다.

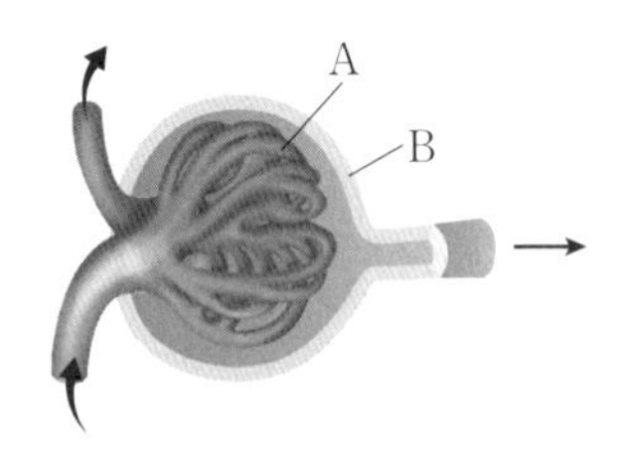

08 A와 B의 이름을 각각 쓰시오.

09 A에 대한 설명으로 옳지 않은 것은?

① 콩팥 겉질에 속한다.
② 다른 혈관에 비해 혈압이 높다.
③ 들어가는 입구보다 나가는 입구가 좁다.
④ 모세 혈관이 실타래처럼 뭉쳐진 덩어리이다.
⑤ 우리 몸에 필요한 물질을 재흡수되는 곳이다.

10 그림은 콩팥의 구조 중 일부분을 나타낸 것이다.
이에 대한 설명으로 옳은 것만을 보기에서 모두 고른 것은?

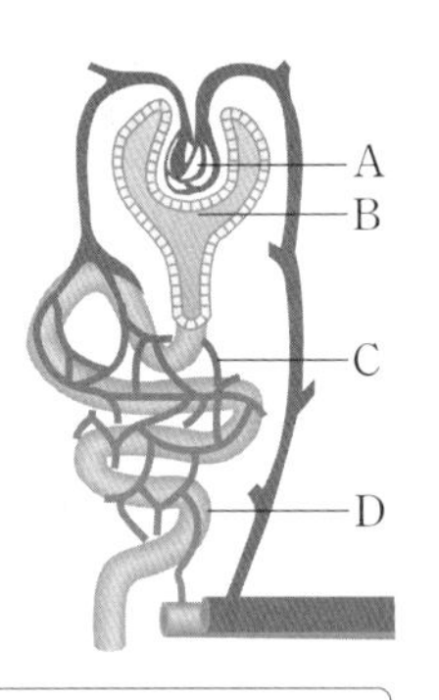

보기
ㄱ. A는 혈관의 압력이 다른 곳에 비해 낮다.
ㄴ. 혈액 속의 크기가 작은 물질이 B로 이동한다.
ㄷ. D에 있는 몸에 필요한 물질은 C로 이동한다.

① ㄱ ② ㄴ ③ ㄷ
④ ㄱ, ㄴ ⑤ ㄴ, ㄷ

[11-12] 그림은 사람의 배설 기관의 구조를 나타낸 것이다.

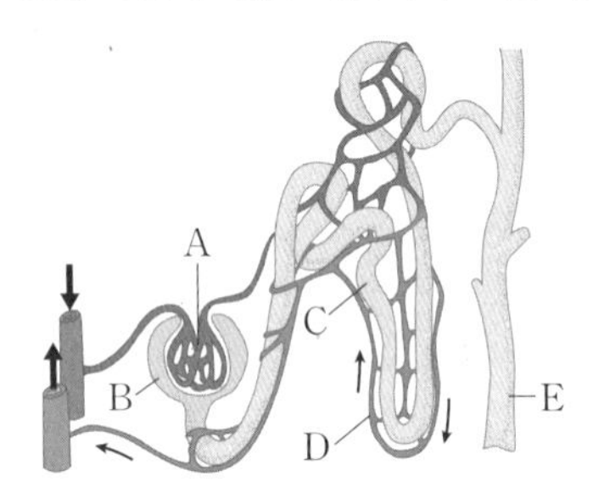

11 다음 설명에 해당하는 구조를 그림에서 모두 찾아 기호와 이름을 쓰시오.

- 네프론을 구성한다.
- 오줌을 생성하는 기본 단위이다.

12 각 구조에 대한 설명으로 옳지 않은 것은?

① A는 콩팥 동맥과 연결되어 있다.
② B는 A에서 여과되는 물질을 받아들인다.
③ C와 D 사이에서 재흡수와 분비가 일어난다.
④ E는 콩팥 깔때기로 연결되는 부분이다.
⑤ A, B, C, D는 모두 콩팥의 겉질에 위치한다.

[13-16] 그림은 사람의 콩팥에서 노폐물이 걸러지는 과정을 나타낸 것이다.

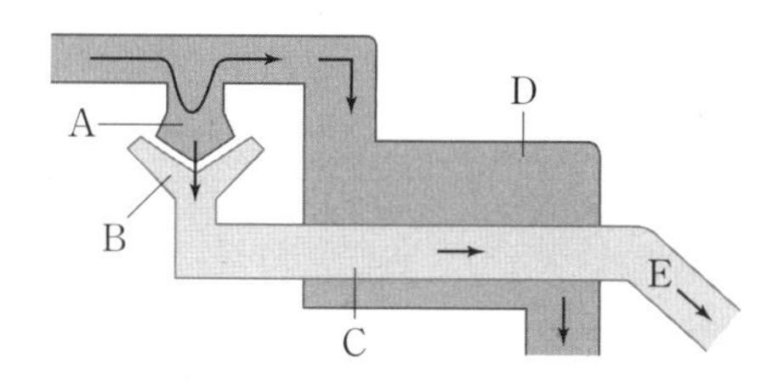

13 A에서 B로 이동하는 물질로만 옳게 짝 지은 것은?

① 물, 적혈구 ② 혈구, 요소
③ 포도당, 요소 ④ 지방, 아미노산
⑤ 무기염류, 단백질

14 그림의 오줌 생성 과정 중 재흡수가 일어나는 방향으로 옳은 것은?

① A → B ② B → A ③ C → D
④ D → C ⑤ C → E

15 그림에서 100 % 재흡수되는 물질들로만 옳게 짝 지은 것은?

① 물, 요소
② 포도당, 아미노산
③ 물, 포도당, 요소
④ 혈구, 단백질, 요소
⑤ 물, 아미노산, 포도당, 무기염류

16 A에서 B로 미처 여과되지 않은 노폐물에 대한 설명으로 옳은 것은?

① D에서 C로 분비된다.
② 걸러질 때까지 A에 머문다.
③ 신체의 특정 부위에 저장된다.
④ 세포에서 다른 물질로 분해된다.
⑤ 혈액을 따라 온몸을 계속 순환한다.

C 소화 · 순환 · 호흡 · 배설의 관계

17 그림은 여러 가지 기관들의 작용을 간단히 나타낸 것이다.

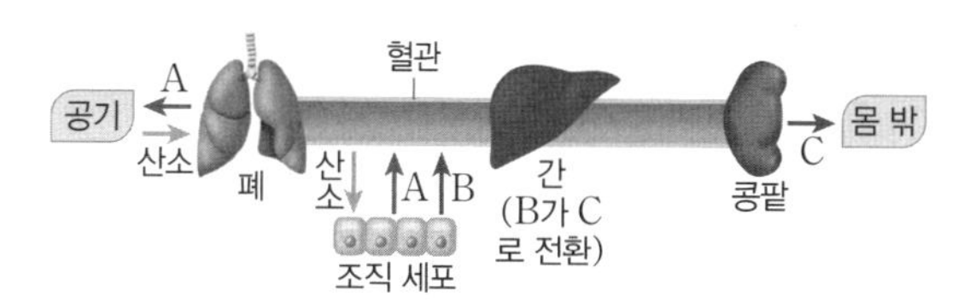

위 그림에 대한 설명으로 옳지 않은 것은? (단, 물의 이동은 나타내지 않았다.)

① A는 이산화 탄소이다.
② B는 암모니아이고, C는 요소이다.
③ 폐는 순환 기관, 콩팥은 배설 기관이다.
④ 폐로 들어온 산소는 혈액을 따라 조직 세포로 이동한다.
⑤ 조직 세포의 세포 호흡을 위해 여러 기관계가 협동한다.

18 그림은 소화계, 순환계, 호흡계, 배설계에서 물질의 이동 경로를 나타낸 것이다.

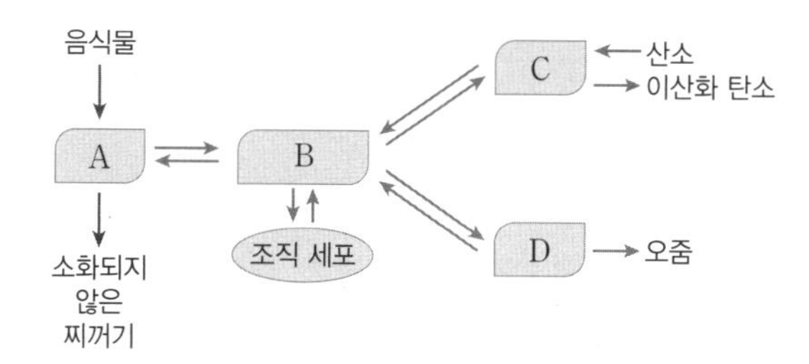

이에 대한 설명으로 옳지 않은 것은?

① A에 속하는 기관에는 위, 기관지, 소장, 대장 등이 있다.
② B는 영양소와 산소를 온몸의 세포로 운반한다.
③ C에서는 기체 교환이 일어나 세포 호흡에 필요한 산소를 얻는다.
④ D에서는 요소를 물과 함께 걸러 오줌을 만든다.
⑤ A, B, C, D는 서로 밀접하게 연관되어 작용한다.

01 물질의 특성(1)

★ 정답과 해설 089쪽

A 순물질과 혼합물

1. 물질의 분류

원소	(❶)		(❷)	
정의	1가지의 물질로만 이루어진 물질		2가지 이상의 순물질이 섞여 있는 물질	
성질	녹는점, 끓는점, 밀도 등이 일정함		혼합 비율에 따라 녹는점, 끓는점, 밀도 등이 다름	
종류	원소	화합물	균일 혼합물	불균일 혼합물
	1가지 원소로만 이루어진 순물질	2가지 이상의 원소로 이루어진 순물질	성분 물질이 고르게 섞여 있는 혼합물	성분 물질이 고르지 않게 섞여 있는 혼합물

2. 물질의 (❸): 물질의 여러 가지 성질 중 다른 물질과 구별되는 고유한 성질

(1) 물질의 종류에 따라 다르다.

(2) 물질의 양이 변해도 물질의 특성은 변하지 않는다.

예 겉보기 성질, 끓는점, 녹는점(어는점), 밀도, 용해도 등

3. 순물질과 혼합물의 구별

구분	어는점 비교	끓는점 비교
특징	온도(℃) 8, 4, 0, −4, −8, −12 / 물, 소금물 / 냉각 시간(분)	온도(℃) 104, 102, 100, 98, 96, 0 / 소금물, 물 / 가열 시간(분)

B 녹는점과 어는점

1. 녹는점과 어는점

구분	(❹)	(❺)
정의	물질이 융해하는 동안 일정하게 유지되는 온도	물질이 응고하는 동안 일정하게 유지되는 온도
특징	• 녹는점(어는점)은 물질의 종류에 따라 다름 • 같은 물질인 경우 물질의 양에 관계없이 일정함 • 한 물질의 녹는점과 어는점은 서로 (❻)	

온도 / 가열 곡선 / 냉각 곡선 / 0℃ / 고체 / 고체+액체 / 액체 / 액체+고체 / 고체 / 시간

▲ 물의 가열 · 냉각 곡선

2. 녹는점을 이용한 예

녹는점이 높은 물질	방화복, 조리 기구, 전구의 필라멘트
녹는점이 낮은 물질	땜납, 퓨즈, 온도계의 수은

C 끓는점

1. (❼): 물질이 기화하는 동안 일정하게 유지되는 온도

물질의 종류와 끓는점의 관계	물질의 양과 끓는점의 관계
온도(℃) 100, 56, 0 / 물, 아세톤 / 가열 시간(분)	온도(℃) 100, 0 / 물 10 mL, 물 20 mL / 가열 시간(분)
끓는점은 물질의 종류에 따라 다름 ➡ 물질의 특성	같은 물질인 경우 양에 관계없이 끓는점 일정 ➡ 양이 많을수록 끓는점에 늦게 도달함

2. 끓는점과 압력의 관계

압력이 높아지면 끓는점이 높아짐	압력이 낮아지면 끓는점이 낮아짐
압력 밥솥으로 밥을 하면 밥이 빨리 됨 ➡ 압력 밥솥은 내부 압력이 높아서 물이 100 ℃보다 (❽) 온도에서 끓기 때문	높은 산에서 밥을 하면 쌀이 설익음 ➡ 높은 산은 평지보다 기압이 낮으므로 물이 100 ℃보다 (❾) 온도에서 끓기 때문

3. 끓는점을 이용한 예

(1) 식용유는 물보다 끓는점이 높아 튀김을 만들 때 이용

(2) 액체 질소는 끓는점이 매우 낮아 세포나 조직 등 생체 시료의 냉동 보관에 이용

(3) 암모니아는 기체 중에서 끓는점이 비교적 높아 액화시키기 쉬우므로 얼음 공장에서 냉매로 이용

(4) 뷰테인은 기체 중에서 끓는점이 비교적 높아 겨울철 야외에서 기화되기 어려우므로 끓는점이 더 낮은 아이소뷰테인을 포함하여 연료로 이용

4. 녹는점, 끓는점과 물질의 상태

(❿)	액체	(⓫)
실온<녹는점	녹는점<실온<끓는점	끓는점<실온

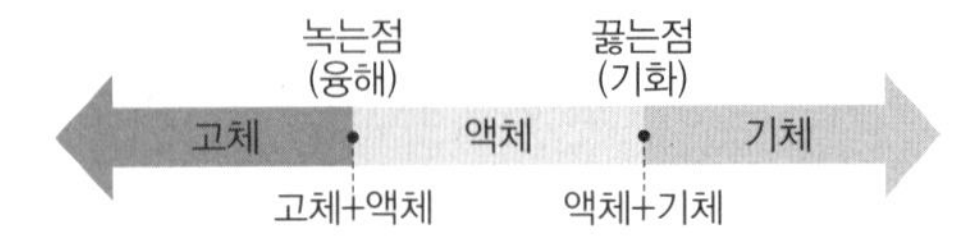

▲ 녹는점, 끓는점과 물질의 상태

헷갈리는 내용 공략하기

01 물질의 특성(1)

★ 정답과 해설 089쪽

A 순물질과 혼합물

[01-06] 보기는 우리 주변의 여러 가지 물질을 나타낸 것이다. 다음 물음에 알맞은 물질을 보기에서 골라 쓰시오.

보기		
금	은	철
물	간장	공기
구리	수소	산소
식초	암석	우유
주스	바닷물	사이다
설탕물	흙탕물	암모니아
다이아몬드	염화 나트륨	이산화 탄소

01 순물질을 모두 골라 쓰시오.

02 혼합물을 모두 골라 쓰시오.

03 순물질 중에서 원소를 모두 골라 쓰시오.

04 순물질 중에서 화합물을 모두 골라 쓰시오.

05 혼합물 중에서 균일 혼합물을 모두 골라 쓰시오.

06 혼합물 중에서 불균일 혼합물을 모두 골라 쓰시오.

[07-12] 보기는 우리 주변의 여러 가지 물질을 나타낸 것이다. 다음 물음에 알맞은 물질을 보기에서 골라 쓰시오.

보기		
금	납	철
물	간장	공기
구리	수소	식초
암석	우유	주스
바닷물	사이다	소금물
에탄올	흙탕물	암모니아
다이아몬드	염화 칼륨	이산화 탄소

07 녹는점, 끓는점, 밀도가 일정한 물질을 모두 골라 쓰시오.

08 녹는점, 끓는점, 밀도가 일정하지 않은 물질을 모두 골라 쓰시오.

09 1종류의 원소로만 이루어진 물질을 모두 골라 쓰시오.

10 2가지 이상의 원소들이 결합하여 이루어진 순 물질을 모두 골라 쓰시오.

11 2가지 이상의 순물질이 고르게 섞여 있는 물질을 모두 골라 쓰시오.

12 2가지 이상의 순물질이 고르지 않게 섞여 있는 물질을 모두 골라 쓰시오.

문제로 복습하기

01 물질의 특성(1)

★ 정답과 해설 089쪽

A 순물질과 혼합물

01 그림은 몇 가지 물질을 분류하는 과정을 나타낸 것이다.

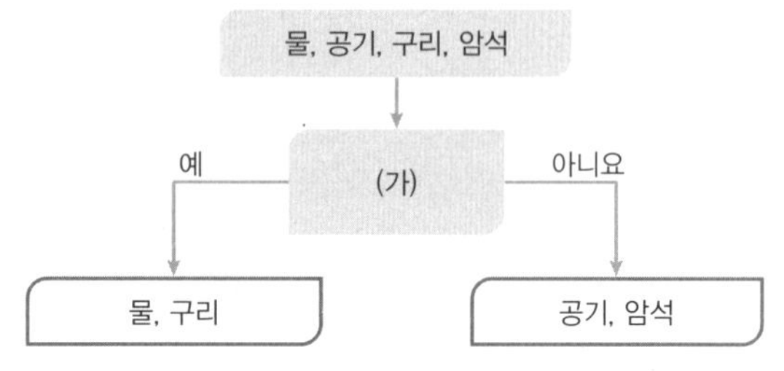

(가)에 들어갈 수 있는 기준으로 옳은 것은?

① 상온에서 액체 상태인가?
② 모양과 부피가 일정한가?
③ 녹는점과 어는점이 일정한가?
④ 분별 증류로 분리할 수 있는가?
⑤ 1종류의 원소로 구성되어 있는가?

02 그림은 여러 가지 물질을 모형으로 나타낸 것이다.

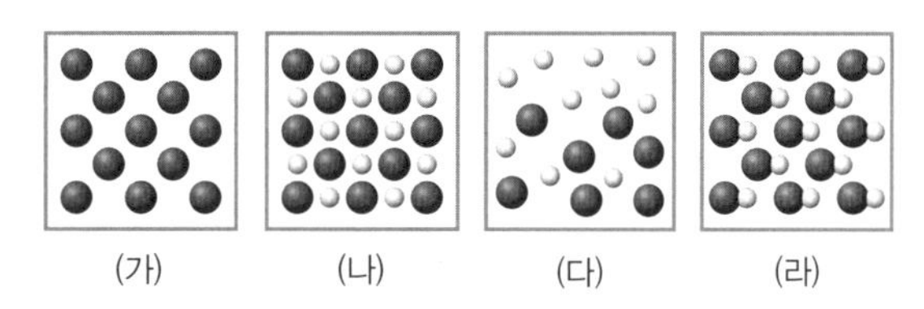

위 모형에 해당하는 물질을 옳게 짝 지은 것은?

	(가)	(나)	(다)	(라)
①	물	산소	공기	우유
②	공기	물	우유	산소
③	산소	우유	물	공기
④	산소	공기	우유	물
⑤	우유	물	산소	공기

03 물질을 구별하기 위한 방법으로 옳지 않은 것은?

① 철의 색을 관찰한다.
② 구리의 질량을 측정한다.
③ 물의 끓는점을 측정한다.
④ 식용유의 밀도를 측정한다.
⑤ 암모니아의 냄새를 맡아 본다.

04 2개의 비커에 각각 물과 염화 나트륨 수용액이 들어 있다. 두 액체를 구별할 수 있는 방법으로 적절하지 않은 것은?

① 액체의 색을 관찰한다.
② 가열하여 끓는점을 측정한다.
③ 냉각시켜 어는점을 측정한다.
④ 불꽃 반응으로 나타나는 색을 관찰한다.
⑤ 증발접시에서 액체를 증발시켜 남는 물질을 관찰한다.

05 그림은 물과 소금물의 가열 곡선을 나타낸 것이다.

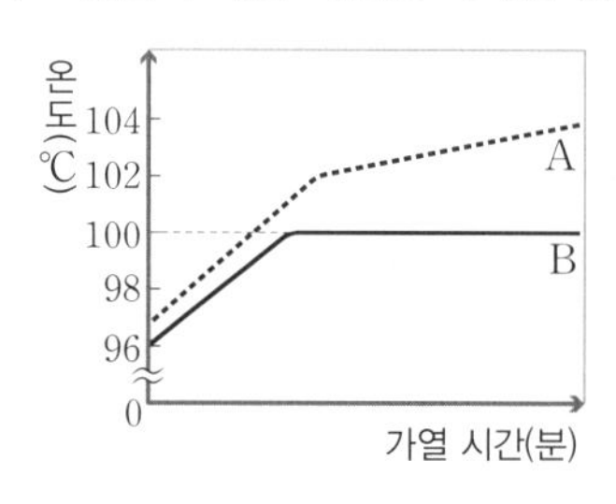

이에 대한 설명으로 옳지 않은 것은? (4점)

① A는 물, B는 소금물의 가열 곡선이다.
② A의 농도는 온도가 높아질수록 진해진다.
③ A는 끓기 시작한 후 온도가 계속 올라간다.
④ B의 끓는점은 물질의 양과 관계없이 일정하다.
⑤ 이 가열 곡선으로 순물질과 혼합물을 구분할 수 있다.

06 다음의 현상이 나타나는 까닭을 끓는점과 관련지어 서술하시오.

> • 달걀을 삶을 때 소금을 넣으면 더 빨리 익는다.
> • 라면 스프를 넣고 물을 끓인 후 면을 넣으면 면이 더 빨리 익는다.

B 녹는점과 어는점

07 녹는점과 어는점에 대한 설명으로 옳지 않은 것은?

① 녹는점에서 고체와 액체가 공존한다.
② 같은 물질은 녹는점과 어는점이 같다.
③ 물질이 어는 동안 열에너지를 흡수한다.
④ 물질의 양이 많아져도 녹는점은 변하지 않는다.
⑤ 불꽃의 세기를 강하게 하면 녹는 시간이 단축된다.

08 그림은 어떤 고체 물질의 가열 곡선을 나타낸 것이다.

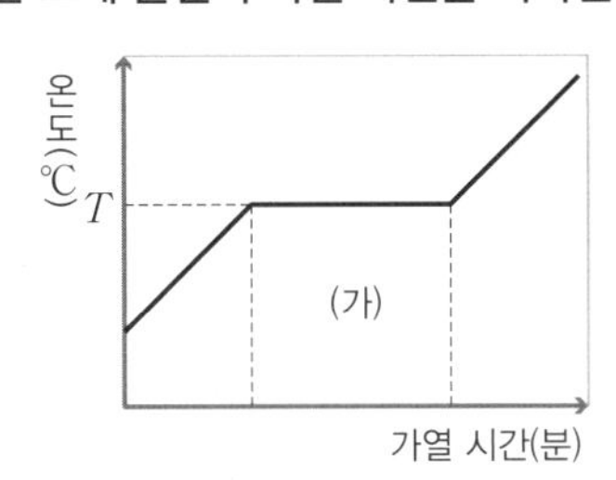

이에 대한 설명으로 옳은 것만을 보기에서 모두 고른 것은?

보기
ㄱ. 온도 T는 고체의 끓는점이다. ㄴ. (가) 구간에서 열에너지를 흡수한다. ㄷ. (가) 구간에서 고체와 액체가 공존한다.

① ㄱ ② ㄷ ③ ㄱ, ㄴ
④ ㄴ, ㄷ ⑤ ㄱ, ㄴ, ㄷ

09 녹는점이 44 ℃인 로르산 10 g과 20 g을 각각 가열할 때, 로르산의 가열 곡선으로 옳은 것은?

①
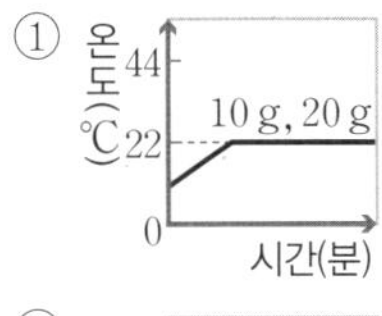

②
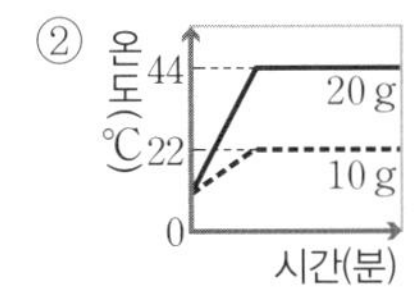

③
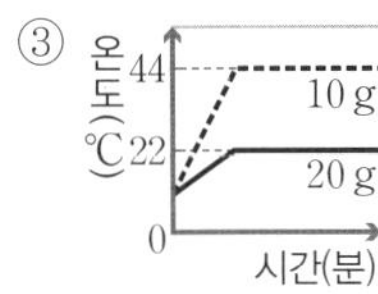

④
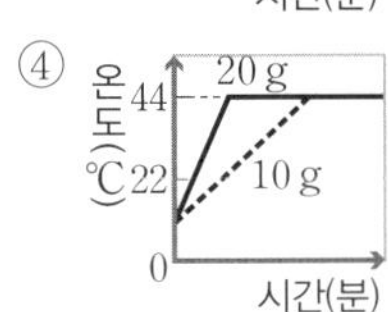

⑤
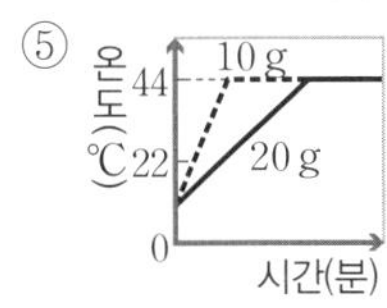

10 그림은 물질의 어떤 특성을 용도에 따라 변화시켜 생활 속에서 이용한 예를 나타낸 것이다.

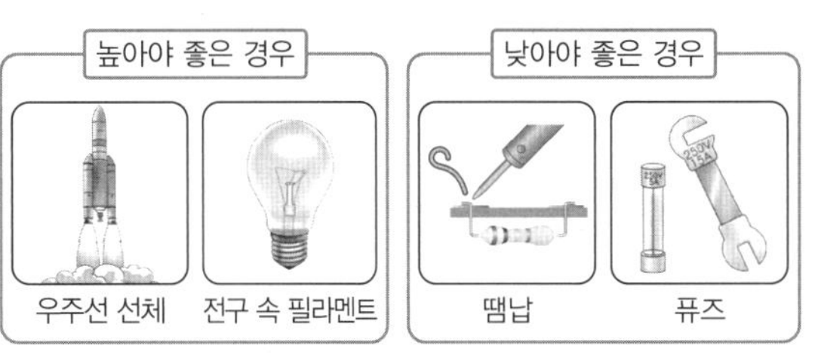

이와 관련된 물질의 특성으로 옳은 것은?

① 밀도 ② 농도 ③ 녹는점
④ 용해도 ⑤ 끓는점

11 그림은 나프탈렌의 가열과 냉각 곡선을 나타낸 것이다.

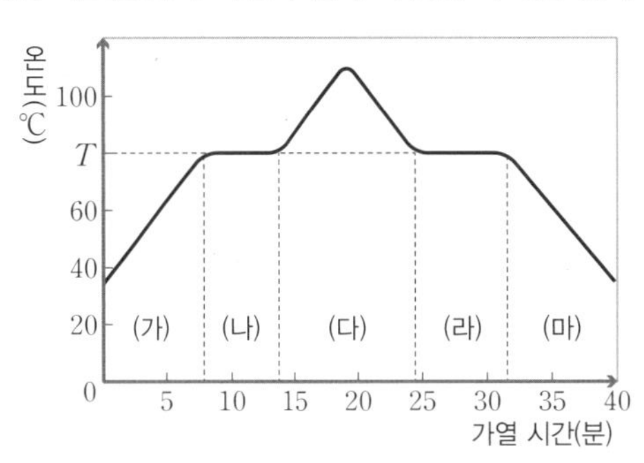

이에 대한 설명으로 옳지 않은 것은?

① 나프탈렌은 순물질이다.
② 나프탈렌의 녹는점과 어는점은 T ℃이다.
③ 불꽃의 세기를 세게 하면 (나) 구간이 짧아진다.
④ 물질의 양을 늘리면 (라) 구간의 온도가 올라간다.
⑤ (나) 구간에서 융해, (라) 구간에서 응고가 일어난다.

12 그림은 고체 물질 A~D의 가열 곡선이다.

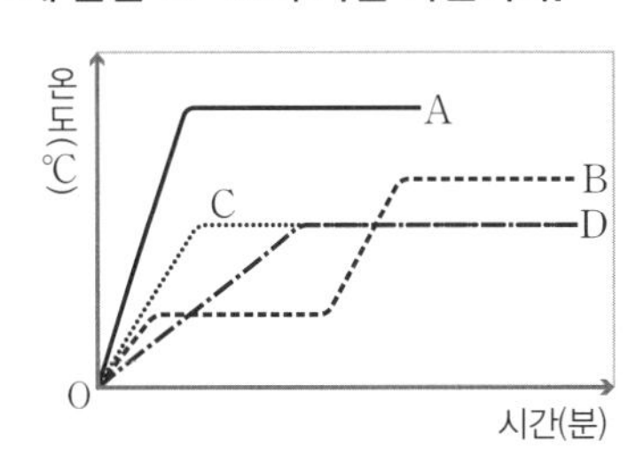

종류가 같은 물질을 고르고, 그 까닭을 서술하시오.

C 끓는점

13 끓는점에 대한 설명으로 옳은 것은?

① 외부 압력에 관계없이 일정하다.
② 물질을 구별하는 데 이용할 수 있다.
③ 물질의 양이 많을수록 끓는점이 높아진다.
④ 불꽃의 세기가 강할수록 끓는점이 높아진다.
⑤ 융해하는 동안 일정하게 유지되는 온도이다.

14 그림과 같이 감자를 끓는 물보다 끓는 식용유에 넣었을 때 더 빨리 익는 현상과 관련된 물질의 특성을 쓰시오.

15 그림 (가)는 같은 양의 메탄올과 에탄올의 가열 곡선을, (나)는 둘 중 한 물질의 양을 다르게 할 때의 가열 곡선을 나타낸 것이다.

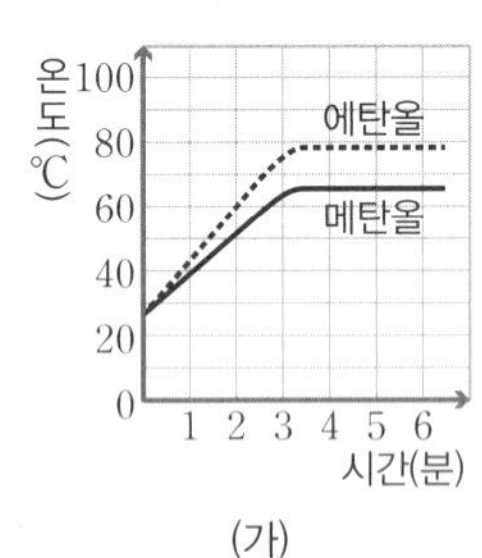

(가)

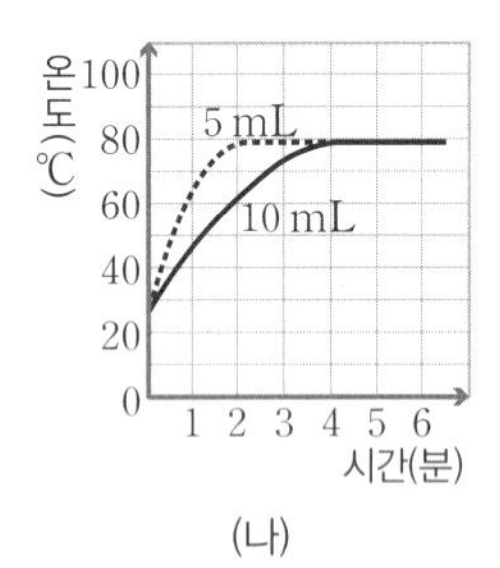

(나)

(가), (나)에 대한 설명으로 옳은 것만을 보기에서 모두 고른 것은?

보기
ㄱ. 에탄올은 메탄올보다 끓는점이 높다.
ㄴ. (나)는 에탄올의 가열 곡선이다.
ㄷ. 물질의 양에 관계없이 끓는점까지 도달하는 데 걸리는 시간이 같다.

① ㄱ ② ㄷ ③ ㄱ, ㄴ
④ ㄴ, ㄷ ⑤ ㄱ, ㄴ, ㄷ

16 액체의 끓는점에 영향을 주는 요인만을 보기에서 모두 고른 것은?

보기
ㄱ. 기압 ㄴ. 질량 ㄷ. 불꽃의 세기

① ㄱ ② ㄷ ③ ㄱ, ㄴ
④ ㄴ, ㄷ ⑤ ㄱ, ㄴ, ㄷ

17 그림과 같이 온도가 90 ℃ 정도의 뜨거운 물을 감압 용기에 넣고 공기를 뺐더니 물 속에서 기포가 발생하였다. 이에 대한 설명으로 옳은 것은?

① 용기 속 공기를 압축하면 물이 끓는다.
② 용기 속 공기를 빼면 수증기가 액화된다.
③ 물의 끓는점은 압력에 관계없이 일정하다.
④ 용기 속의 공기를 빼면 물의 온도가 높아진다.
⑤ 용기 속 압력이 낮아지면 물의 끓는점이 낮아진다.

18 표는 1기압에서 납, 산소, 아세트산의 녹는점과 끓는점을 순서 없이 나타낸 것이다.

구분	X	Y	Z
녹는점(℃)	−218	17	328
끓는점(℃)	−183	118	1749

X~Z에 대한 설명으로 옳은 것만을 보기에서 모두 고른 것은?

보기
ㄱ. 25 ℃에서 X는 기체 상태이다.
ㄴ. 25 ℃에서 Y는 물과 같은 상태이다.
ㄷ. Z는 공기의 구성 성분이며, 물질의 연소에 쓰인다.

① ㄱ ② ㄷ ③ ㄱ, ㄴ
④ ㄴ, ㄷ ⑤ ㄱ, ㄴ, ㄷ

19 높은 산에서 밥을 하면 쌀이 설익는 까닭을 끓는점과 관련지어 서술하시오.

02 물질의 특성(2)

★ 정답과 해설 090쪽

A 밀도

1. (❶): 단위 부피당 물질의 질량

> 밀도$=\frac{질량}{부피}$ (단위: g/cm^3, g/mL, kg/m^3 등)

(1) 밀도는 물질의 종류에 따라 다르며, 물질의 양이 변해도 일정하다.
(2) 밀도가 (❷) 물질은 아래로 가라앉고, 밀도가 (❸) 물질은 위로 뜬다.
(3) 같은 물질일 때 밀도의 크기는 일반적으로 고체>액체>기체 순 [예외] 물의 밀도 비교: 물>얼음>수증기
(4) 질량-부피 그래프에서 밀도 비교

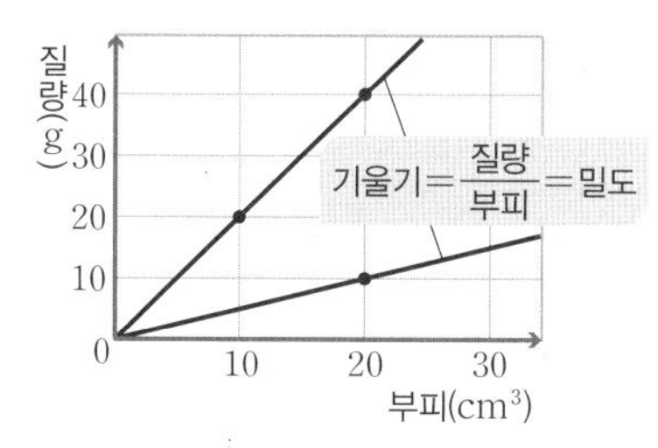

➡ 그래프의 기울기는 밀도를 의미하므로 기울기가 클수록 밀도가 큰 물질이다.

2. 밀도 변화

구분	고체	액체	기체
온도	온도가 높아지면 부피가 약간 증가함 ➡ 밀도 약간 감소		온도가 높아지면 부피가 크게 증가함 ➡ 밀도 (❹)
압력	압력의 영향을 거의 받지 않음		압력이 증가하면 부피가 크게 감소함 ➡ 밀도 (❺)
상태	• 일반적인 물질의 부피: 고체<액체≪기체 ➡ 밀도: 기체≪액체<고체 • 물의 부피: 물(액체)<얼음(고체)≪수증기(기체) ➡ 밀도: 수증기(기체)≪얼음(고체)<물(액체)		

3. 혼합물의 밀도 변화: 성분 물질의 혼합 비율에 따라 혼합물의 밀도가 달라진다.

4. 밀도와 관련된 현상
(1) 대류 현상이 일어난다.
(2) 빙하가 바닷물 위에 뜬다.
(3) 오래된 달걀은 소금물에서 뜬다.
(4) 구명조끼를 입으면 몸이 물에 뜬다.
(5) 유조선이 바다에 침몰하면 기름이 바닷물 위에 뜬다.
(6) 열기구 속의 공기를 가열하면 공기의 부피가 커져 밀도가 작아지므로 열기구가 공중에 뜬다.

B 용해도

1. 용해: 한 물질이 다른 물질에 녹아 고르게 섞이는 현상

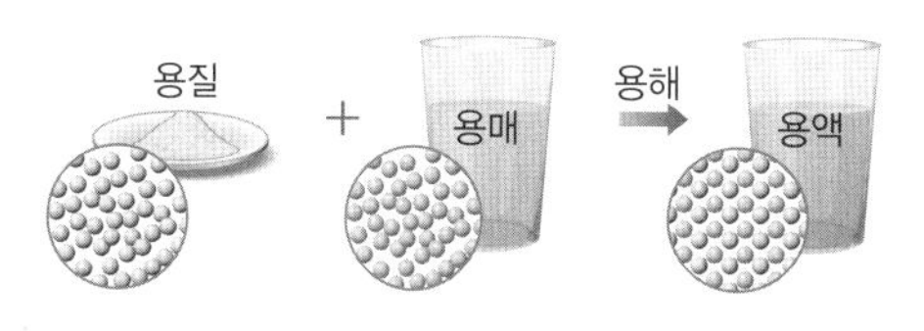

2. 농도: 용액의 진한 정도

> 퍼센트 농도(%)$=\frac{용질의\ 질량(g)}{용액의\ 질량(g)}\times 100$

3. 용해도
(1) (❻): 일정한 온도에서 용매 100 g에 최대로 녹일 수 있는 용질의 g 수
(2) 용매와 온도가 일정할 때 물질에 따라 고유한 용해도를 갖는다.

불포화 용액	용매에 용질이 더 녹을 수 있는 용액
(❼) 용액	용매에 용질이 최대로 녹아 있는 용액
과포화 용액	용해도 이상으로 용질이 녹아 있는 용액

4. 고체의 용해도
(1) 대부분의 고체 물질은 온도가 높을수록 용해도가 크다.
(2) 압력의 영향을 거의 받지 않는다.
(3) (❽): 온도에 따른 물질의 용해도를 나타낸 그래프

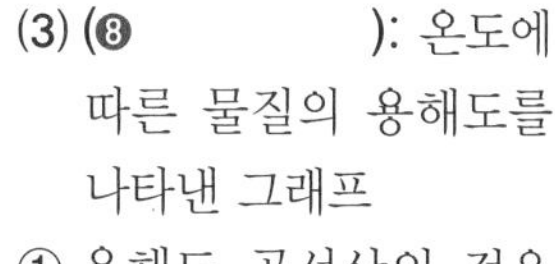

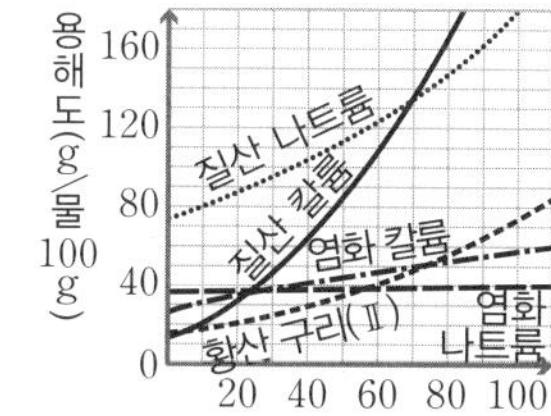

① 용해도 곡선상의 점은 그 온도에서 포화 상태
② 용질의 석출: 용액을 냉각하면 용해도가 감소하므로 냉각한 온도에서의 용해도 이상으로 녹아 있던 용질이 석출

> 석출량=처음 온도의 용질의 질량−냉각 온도의 용질의 용해도

③ 포화 용액 만들기: 온도 하강 또는 용질 추가

5. 기체의 용해도

구분	온도	압력
용해도	온도가 (❾) 기체의 용해도 증가	압력이 (❿) 기체의 용해도 증가
현상	수돗물을 끓이면 소독약 냄새가 사라진다.	탄산음료의 뚜껑을 열면 거품이 생긴다.

헷갈리는 내용 공략하기

02 물질의 특성(2)

★ 정답과 해설 090쪽

B 용해도

[01-11] 다음 물음에 알맞은 말을 보기에서 골라 쓰시오.

보기		
석출	용매	용액
용질	용해	포화 용액
과포화 용액	불포화 용액	용해도
용해도 곡선	퍼센트 농도	

01 한 물질이 다른 물질에 녹아 고르게 섞이는 현상을 의미하는 용어를 찾아 쓰시오.

02 용해 과정에서 녹는 물질을 의미하는 용어를 찾아 쓰시오.

03 용해 과정에서 녹이는 물질을 의미하는 용어를 찾아 쓰시오.

04 용매와 용질이 고르게 섞여 있는 물질을 의미하는 용어를 찾아 쓰시오.

05 용액 100 g에 녹아 있는 용질의 질량을 백분율로 나타낸 것을 의미하는 용어를 찾아 쓰시오.

06 일정한 온도에서 용매 100 g에 최대로 녹일 수 있는 용질의 g 수를 의미하는 용어를 찾아 쓰시오.

07 용매에 용질이 더 녹을 수 있는 용액을 의미하는 용어를 찾아 쓰시오.

08 용매에 용질이 최대로 녹아 있는 용액을 의미하는 용어를 찾아 쓰시오.

09 용해도 이상의 용질이 녹아 있는 용액을 의미하는 용어를 찾아 쓰시오.

10 용액에 녹아 있는 용질이 온도가 낮아지면서 녹지 못하고 고체로 분리되는 현상을 의미하는 용어를 찾아 쓰시오.

11 온도에 따른 물질의 용해도를 나타낸 그래프를 의미하는 용어를 찾아 쓰시오.

[12-14] 그림은 어떤 고체의 용해도 곡선이다. 물음에 답하시오.

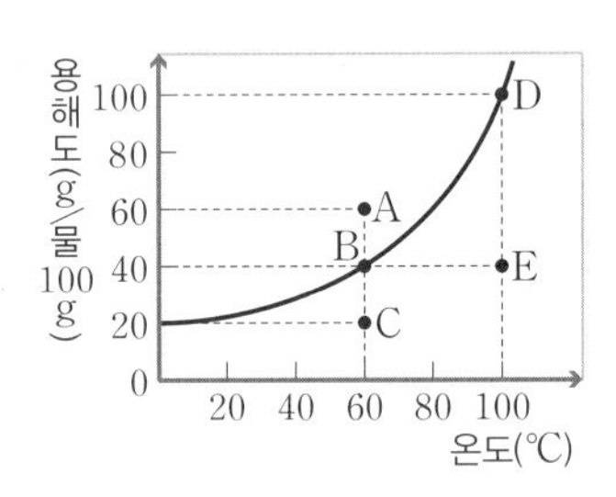

12 A~E 중 포화 용액을 모두 고르시오.

13 A~E 중 불포화 용액을 모두 고르시오.

14 A~E 중 과포화 용액을 모두 고르시오.

02 물질의 특성(2)

★ 정답과 해설 090쪽

A 밀도

01 부피에 대한 설명으로 옳지 않은 것은?

① 물질의 특성이다.
② 단위는 cm^3, mL, L 등이 있다.
③ 물질이 차지하고 있는 공간의 크기이다.
④ 눈금실린더나 부피 플라스크로 측정한다.
⑤ 고체 물질은 그 물질을 녹이지 않는 액체를 이용하여 부피를 측정한다.

02 밀도에 대한 설명으로 옳지 않은 것은?

① 단위 부피에 대한 물질의 질량이다.
② 물보다 밀도가 큰 물질은 물속에 가라앉는다.
③ 기체의 밀도는 온도와 압력의 영향을 받는다.
④ 같은 물질인 경우 기체 상태일 때 밀도가 가장 작다.
⑤ 두 물질의 부피가 같을 때 밀도가 클수록 질량이 작다.

03 그림과 같이 질량이 7.5 g인 고체를 10 mL의 물이 들어 있는 눈금실린더에 넣었더니 수면이 올라갔다. 이 고체의 밀도(g/mL)를 구하시오.

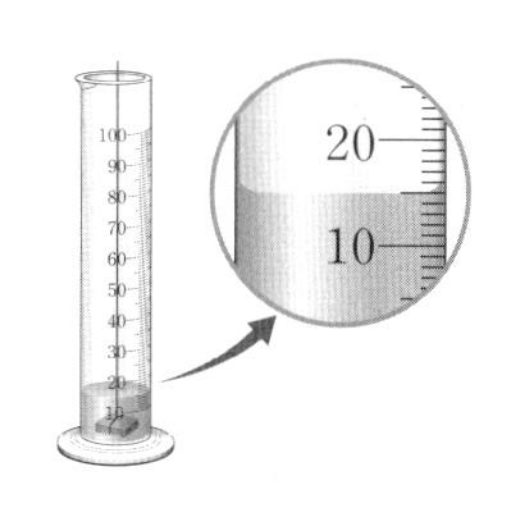

04 같은 종류의 물질에 대해서 질량이 일정할 때 부피와 밀도 관계를 나타낸 그래프로 옳은 것은?

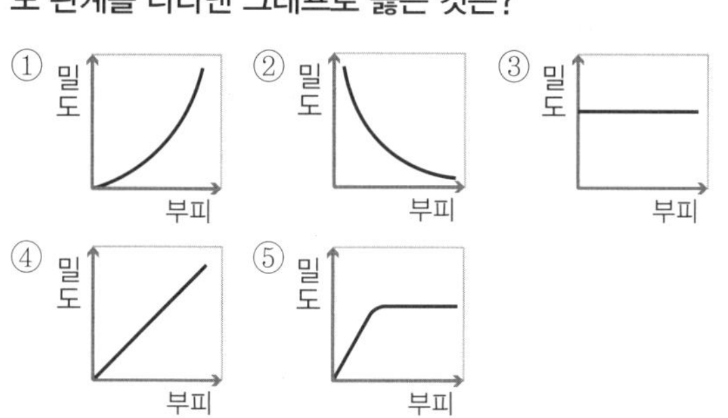

05 표는 여러 가지 고체 물질의 질량과 부피를 측정한 것이다.

물질	A	B	C	D
질량(g)	85.0	75.0	75.0	6.5
부피(cm^3)	100.0	5.0	50.0	10.0

A~D 중 물에 넣었을 때 물에 뜨는 것을 모두 고르시오. (단, 물의 밀도는 1 g/cm^3이다.)

06 그림은 몇 가지 고체 물질의 질량과 부피 관계를 나타낸 것이다. A~E 중 같은 종류의 물질끼리 옳게 짝 지은 것은?

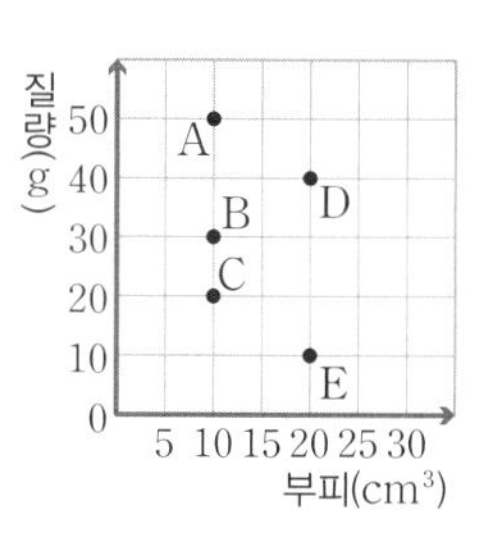

① A, B ② B, C ③ C, D
④ C, E ⑤ D, E

07 다음은 가정에서 가스가 누출되었을 때 대처법을 나타낸 것이다.

> [가스 누출 시 대처법]
> - 콕과 중간 밸브를 잠그고 창문을 연다.
> - LNG 가스일 경우 위쪽의 공기를 밖으로 몰아내고, LPG 가스일 경우 빗자루나 방석을 이용하여 아래쪽의 공기를 쓸어 내듯이 밖으로 몰아낸다.

이에 대한 설명으로 옳은 것만을 보기에서 모두 고른 것은?

> 보기
> ㄱ. LNG 가스는 LPG보다 밀도가 작다.
> ㄴ. LNG 가스는 공기보다 밀도가 크다.
> ㄷ. LPG 가스는 공기보다 밀도가 크다.

① ㄱ ② ㄴ ③ ㄱ, ㄷ
④ ㄴ, ㄷ ⑤ ㄱ, ㄴ, ㄷ

08 다음은 밀도에 대한 설명이다.

> • 헬륨이 든 고무풍선이 공기 중에서 위로 올라가려고 하는 까닭은 헬륨의 밀도가 공기의 밀도보다 (㉠) 때문이다.
> • 이산화 탄소 소화기를 사용하면 이산화 탄소가 가라앉아 물질과 산소의 접촉을 차단한다. 이러한 원리로 불을 끌 수 있는 까닭은 이산화 탄소의 밀도가 공기의 밀도보다 (㉡) 때문이다.

㉠, ㉡에 들어갈 알맞은 말을 쓰시오.

09 그림 (가)는 고체 X와 액체 A~D의 부피에 따른 질량을, (나)는 25 ℃, 1기압에서 서로 섞이지 않는 액체 A~D를 비커에 담은 모습을 나타낸 것이다.

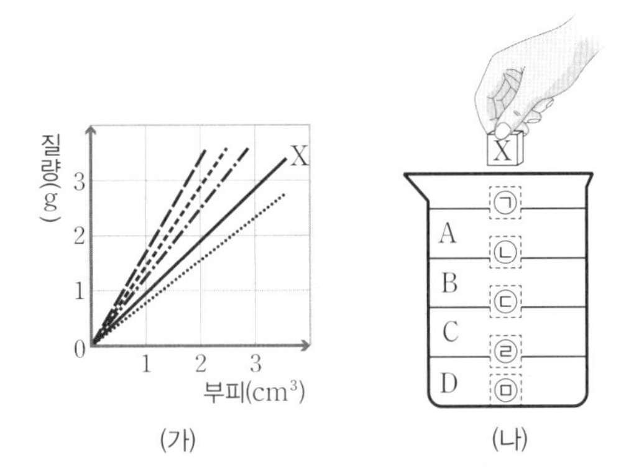

(가) (나)

X를 (나)의 비커에 넣었을 때 멈추는 위치로 옳은 것은?

① ㉠ ② ㉡ ③ ㉢
④ ㉣ ⑤ ㉤

10 다음과 같은 현상이 나타나는 까닭을 밀도와 관련지어 서술하시오.

> • 에어컨은 위쪽, 난방기는 아래쪽에 설치한다.
> • 열기구 안의 공기를 데우면 열기구가 떠오른다.

B 용해도

11 다음은 염화 나트륨을 물에 녹이는 과정이다.

> 염화 나트륨(㉠) + 물(㉡) —㉢→ 염화 나트륨 수용액(㉣)

㉠~㉣에 해당하는 용어를 옳게 짝 지은 것은?

	㉠	㉡	㉢	㉣
①	용질	용매	용해	용액
②	용질	용매	융해	용액
③	용질	용액	용해	용매
④	용매	용질	용해	용액
⑤	용매	용질	융해	용액

12 10 % 설탕물 100 g을 5 % 설탕물로 만들기 위해 더 넣어 주어야 하는 물의 질량으로 옳은 것은?

① 40 g ② 60 g ③ 80 g
④ 100 g ⑤ 120 g

13 용해도에 대한 설명으로 옳지 <u>않은</u> 것은?

① 온도와 용매의 종류를 함께 나타내야 한다.
② 기체의 용해도는 압력이 높을수록 증가한다.
③ 고체의 용해도는 대체로 온도가 높을수록 증가한다.
④ 온도에 따른 용해도의 차는 물질의 종류에 따라 다르다.
⑤ 일정한 온도에서 용액 100 g에 최대로 녹을 수 있는 용질의 g 수이다.

14 그림은 어떤 고체 물질의 용해도 곡선이다. A~E 중 퍼센트 농도가 가장 큰 용액인 것은?

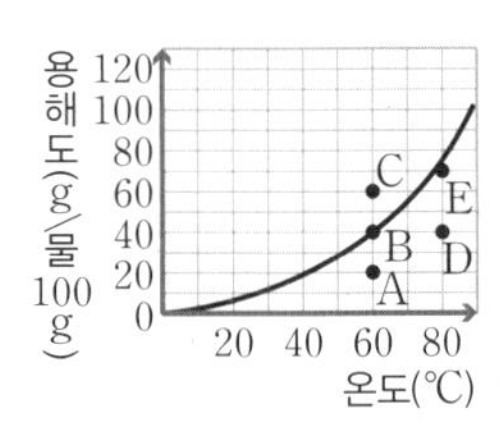

① A ② B ③ C
④ D ⑤ E

15 그림은 질산 칼륨의 용해도 곡선을 나타낸 것이다.

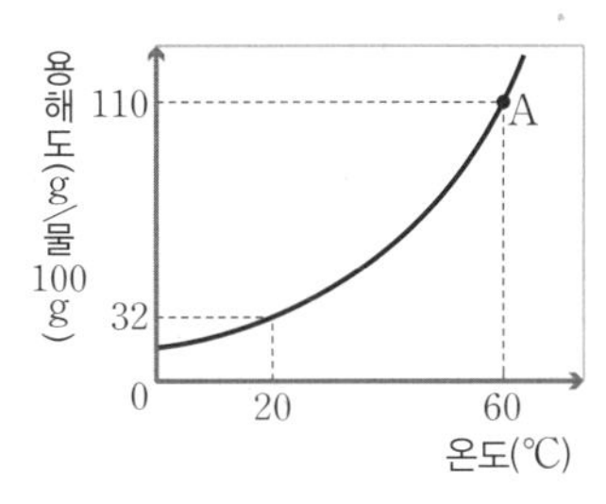

이에 대한 설명으로 옳은 것만을 보기에서 모두 고른 것은?

> 보기
> ㄱ. 20 ℃보다 60 ℃에서 용해도가 크다.
> ㄴ. A에서 질산 칼륨 수용액의 농도는 100 %이다.
> ㄷ. 60 ℃ 포화 수용액 210 g을 20 ℃로 낮추면 질산 칼륨 78 g이 석출된다.

① ㄱ ② ㄴ ③ ㄱ, ㄷ
④ ㄴ, ㄷ ⑤ ㄱ, ㄴ, ㄷ

16 표는 질산 나트륨의 물에 대한 용해도를 나타낸 것이다.

온도(℃)	20	40	60	80
용해도(g/물100 g)	88	104	127	148

80 ℃ 질산 나트륨 포화 용액 248 g을 20 ℃로 냉각시켰을 때 석출되는 질산 나트륨의 양은?

① 20 g ② 30 g ③ 40 g
④ 50 g ⑤ 60 g

17 그림은 어떤 고체 물질의 물에 대한 용해도 곡선을 나타낸 것이다. A 용액의 온도를 40 ℃로 낮추었을 때의 변화를 옳게 설명한 것은?

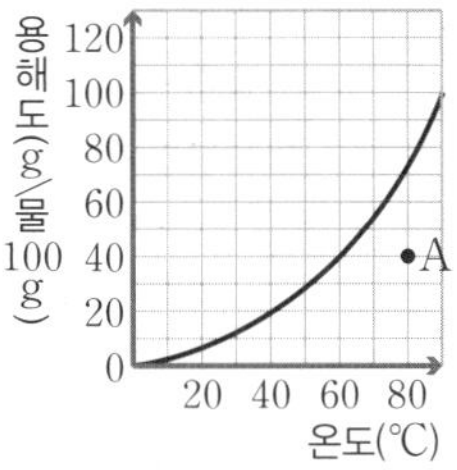

① 고체가 석출된다.
② 용해도가 증가한다.
③ 불포화 용액이 된다.
④ 농도가 100 %가 된다.
⑤ 물이 얼어서 고체 물질만 남는다.

18 기체의 용해도 차가 생긴 까닭이 나머지와 다른 것은?

① 수돗물을 끓이면 염소 냄새가 사라진다.
② 탄산음료의 병뚜껑을 열면 거품이 올라온다.
③ 탄산음료는 차가울수록 톡 쏘는 맛이 강하다.
④ 여름철에 물고기가 수면 위로 올라와 뻐끔거린다.
⑤ 뜨거워진 냉각수를 하천으로 배출하면 수중 생물들이 호흡하기 어렵다.

19 그림과 같이 같은 양의 탄산음료를 A~D 시험관에 나누어 담은 후 30초 동안 발생하는 기포 수를 측정하여 기록하였다.

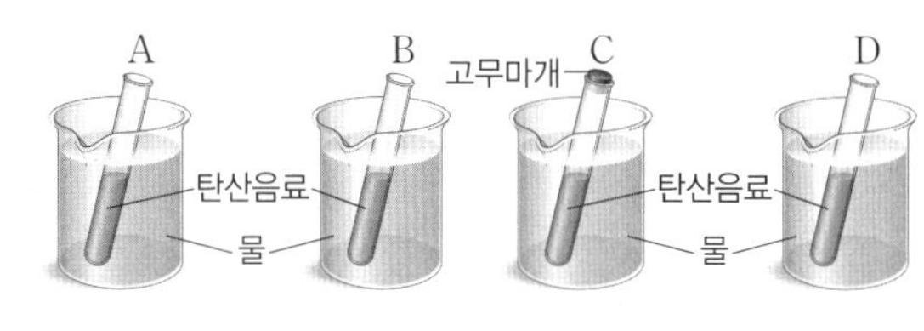

시험관	A	B	C	D
기포 수(개)	90	58	(가)	23

이에 대한 설명으로 옳은 것만을 보기에서 모두 고른 것은? (단, 시험관 B, C가 담긴 물의 온도는 같다.)

> 보기
> ㄱ. (가)는 58보다 많다.
> ㄴ. 시험관 D가 담긴 비커의 물 온도가 가장 낮다.
> ㄷ. 시험관 A에 이산화 탄소가 가장 조금 녹아 있다.

① ㄱ ② ㄴ ③ ㄱ, ㄷ
④ ㄴ, ㄷ ⑤ ㄱ, ㄴ, ㄷ

20 그림과 같이 사이다를 넣은 컵을 감압 용기 안에 넣고 공기를 빼냈을 때 사이다에서 나타나는 변화를 쓰고, 그 까닭을 기체의 용해도와 관련지어 서술하시오.

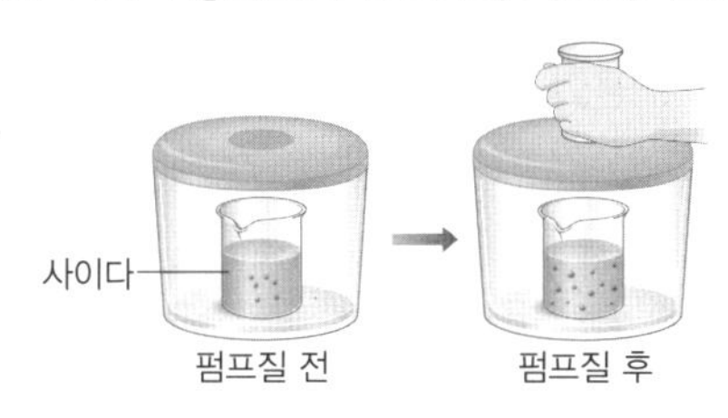

03 혼합물의 분리

★ 정답과 해설 091쪽

A 끓는점 차를 이용한 분리

1. (❶): 액체 혼합물을 가열할 때 끓어 나오는 기체를 냉각하여 순수한 액체를 얻는 방법

예) 소줏고리로 맑은 소주 만들기, 바닷물에서 식수 얻기

2. 원유의 분리: (❷) 위쪽에서 끓는점이 낮은 성분부터 먼저 증류되어 나온다.

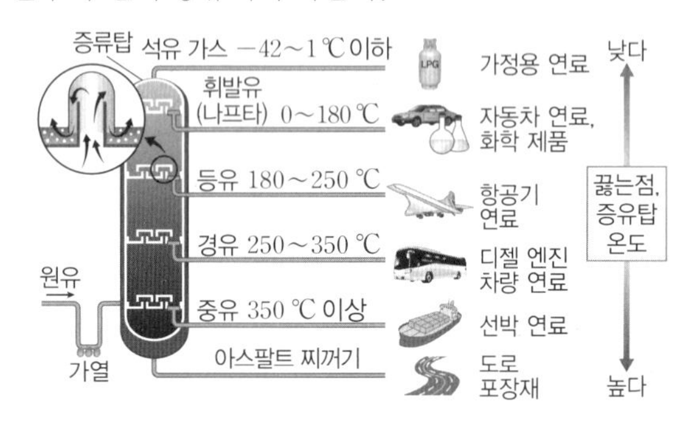

B 밀도 차를 이용한 분리

1. 고체 혼합물의 분리: 고체를 녹이지 않고 두 고체 물질의 중간 밀도를 가진 액체에 두 고체를 넣어 한 물질은 액체 위에 뜨고 다른 물질은 아래에 가라앉게 하여 분리한다.

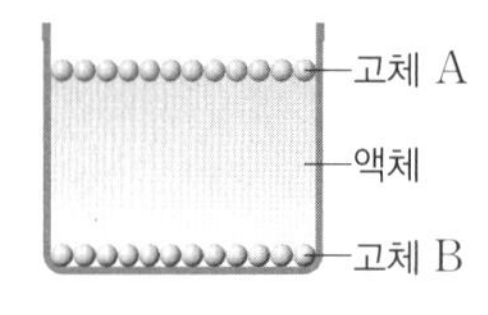

2. 서로 섞이지 않는 액체 혼합물의 분리: 혼합물을 (❸)나 시험관에 넣으면 밀도가 큰 액체는 가라앉고, 밀도가 작은 액체는 떠올라서 층을 이룬다.

구분	액체의 양이 적을 때	액체의 양이 많을 때
실험 장치	스포이트 밀도가 작은 액체 밀도가 큰 액체	분별 깔때기 밀도가 작은 액체 밀도가 큰 액체 꼭지

3. 밀도 차를 이용한 분리의 예

구분	원리	밀도 비교
사금 채취	사금이 섞인 모래를 그릇에 담아 물 속에서 흔들면 모래는 씻겨 나가고, 사금이 남음	물 < 모래 < 사금
볍씨 고르기	볍씨를 소금물에 넣으면 속이 찬 좋은 볍씨는 아래로 가라앉고, 쭉정이는 위에 뜸	쭉정이 < 소금물 < 좋은 볍씨

C 용해도 차를 이용한 분리

1. 용매에 대한 용해도 차를 이용한 분리

(1) (❹): 고체 혼합물에서 용매에 녹지 않는 물질을 거름 장치로 걸러서 분리하는 방법

예) 모래와 염화 나트륨 혼합물

① 용매에 녹는 성분: 작은 알갱이로 나누어져 거름종이의 미세 구멍을 통과한다.

② 용매에 녹지 않는 성분: 알갱이가 커서 거름종이를 통과하지 못하므로 거름종이 위에 남는다.

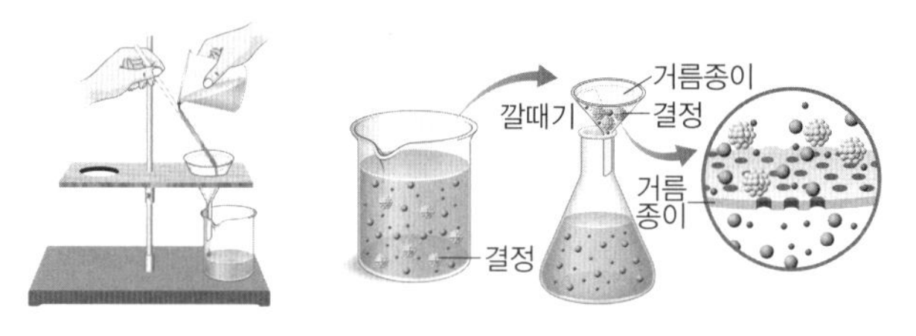

(2) (❺): 혼합물에서 특정 물질을 잘 녹이는 용매를 사용하여 물질을 분리하는 방법

예) 녹차 우려내기, 한약 달이기

(3) **기체 혼합물의 분리:** 기체 혼합물에서 용매에 녹는 물질을 분리하는 방법

예) 화장실에서 암모니아 냄새 없애기

2. 온도에 따른 용해도 차이를 이용한 분리

(1) (❻): 적은 양의 불순물이 섞여 있는 물질을 용매에 녹인 후 온도에 따른 용해도 차를 이용하여 불순물을 제거하고 순수한 결정을 얻는 방법

예) 천일염에서 정제 소금 얻기, 순수한 결정 만들기

D 이동 속도 차를 이용한 분리

1. (❼): 혼합물의 각 성분 물질이 용매를 따라 이동하는 속도 차를 이용하여 혼합물을 분리하는 방법

예) 사인펜 잉크 색소 분리, 도핑 테스트

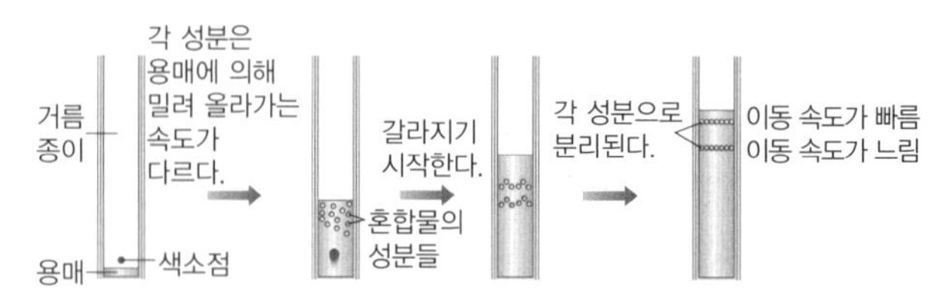

(1) 매우 적은 양의 혼합물도 분리할 수 있다.

(2) 분리 방법이 간단하고, 걸리는 시간이 짧다.

(3) 성질이 비슷하거나 복잡한 혼합물도 분리할 수 있다.

(4) 용매의 종류에 따라 분리되는 성분 물질의 수 또는 이동한 거리가 달라진다.

Ⅵ. 물질의 특성

03 혼합물의 분리

★ 정답과 해설 091쪽

B 밀도 차를 이용한 분리

[01-06] 그림과 같은 장치로 혼합물을 분리하려고 한다. 물음에 답하시오.

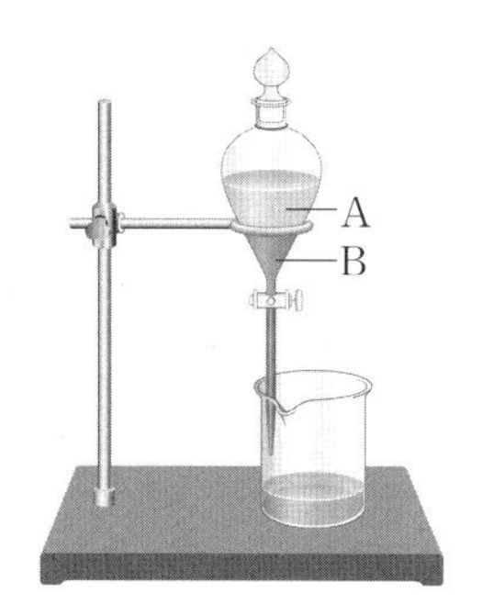

01 물과 식용유의 혼합물에서 A층에 위치하는 물질을 쓰시오.

02 물과 식용유의 혼합물에서 B층에 위치하는 물질을 쓰시오.

03 간장과 참기름의 혼합물에서 A층에 위치하는 물질을 쓰시오.

04 간장과 참기름의 혼합물에서 B층에 위치하는 물질을 쓰시오.

05 물과 사염화 탄소의 혼합물에서 A층에 위치하는 물질을 쓰시오.

06 물과 사염화 탄소의 혼합물에서 B층에 위치하는 물질을 쓰시오.

[07-11] 표는 밀도 차를 이용하여 혼합물을 분리한 예를 나타낸 것이다. 물음에 답하시오.

구분		원리
(가)	사금 채취	사금이 섞인 모래를 그릇에 담아 물속에서 흔들면 모래는 씻겨 나가고, 사금이 남는다.
(나)	볍씨 고르기	볍씨를 소금물에 넣으면 속이 찬 좋은 볍씨는 아래로 가라앉고, 쭉정이는 위에 뜬다.
(다)	달걀 고르기	달걀을 소금물에 넣으면 신선한 달걀은 아래로 가라앉고, 오래된 달걀은 위에 뜬다.
(라)	혈액 분리	혈액을 원심 분리기에 넣고 회전시키면 혈구는 아래로, 혈장은 위로 분리된다.
(마)	키질	불순물이 섞인 곡물을 키에 넣고 까부르면 쭉정이는 날아가거나 앞쪽에 남고, 돌은 안쪽에 모인다.

07 (가)에서 물, 모래, 사금의 밀도를 부등호로 비교하시오.

08 (나)에서 소금물, 쭉정이, 좋은 볍씨의 밀도를 부등호로 비교하시오.

09 (다)에서 소금물, 신선한 달걀, 오래된 달걀의 밀도를 부등호로 비교하시오.

10 (라)에서 혈구와 혈장의 밀도를 부등호로 비교하시오.

11 (마)에서 돌, 곡물, 쭉정이의 밀도를 부등호로 비교하시오.

03 혼합물의 분리

★ 정답과 해설 091쪽

A 끓는점 차를 이용한 분리

01 바닷물을 증발시켜 얻은 수증기를 액화하여 순수한 물을 얻는 과정에서 사용된 혼합물의 분리 방법과 물질의 특성을 옳게 짝 지은 것은?

① 증류 – 끓는점
② 추출 – 용해도
③ 재결정 – 용해도
④ 분별 깔때기 – 밀도
⑤ 크로마토그래피 – 이동 속도

02 그림과 같은 장치로 혼합물을 분리할 때 이용하는 물질의 특성으로 옳은 것은?

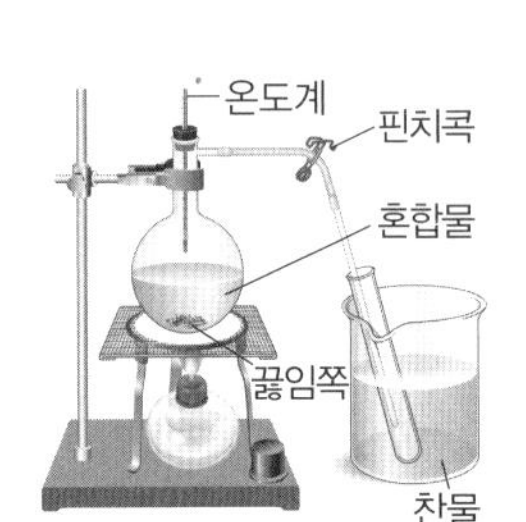

① 밀도
② 끓는점
③ 녹는점
④ 어는점
⑤ 용해도

03 그림은 소줏고리의 구조를 나타낸 것이다.

이에 대한 설명으로 옳은 것만을 보기에서 모두 고른 것은?

보기
ㄱ. 소주가 발효주보다 에탄올 농도가 높다.
ㄴ. 거름 장치로 혼합물을 분리하는 원리와 같다.
ㄷ. 에탄올 증기가 찬물이 들어 있는 그릇 표면에서 액화된다.

① ㄱ ② ㄴ ③ ㄱ, ㄷ
④ ㄴ, ㄷ ⑤ ㄱ, ㄴ, ㄷ

04 그림은 원유를 분리하는 증류탑 모형을 나타낸 것이다. A~E 중 (가) 가장 먼저 끓어 나오는 물질과 (나) 가장 끓는점이 높은 물질을 옳게 짝 지은 것은?

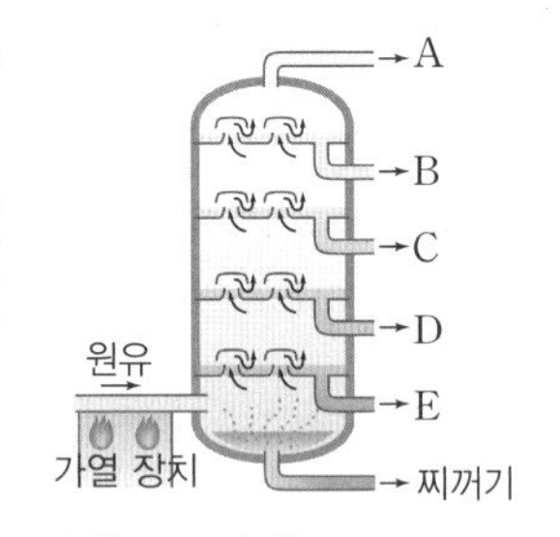

	(가)	(나)		(가)	(나)
①	A	A	②	A	E
③	B	C	④	C	D
⑤	E	A			

05 그림은 물과 에탄올 혼합물의 가열 곡선을 나타낸 것이다.

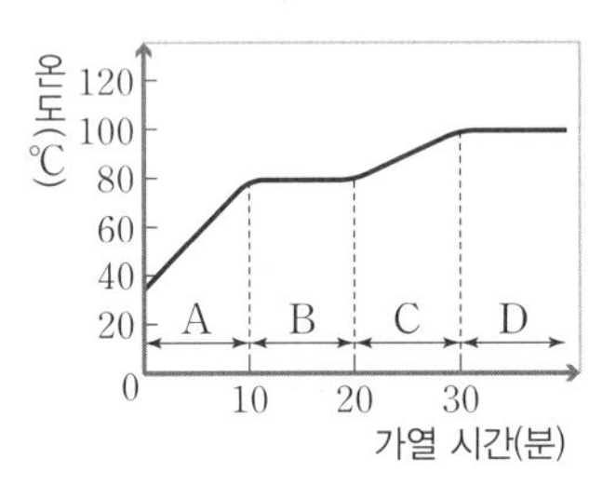

이에 대한 설명으로 옳지 않은 것은?

① B 구간에서는 주로 에탄올이 끓어 나온다.
② 물과 에탄올의 끓는점 차를 이용하여 분리한다.
③ B 구간의 온도는 에탄올의 끓는점보다 약간 낮다.
④ A 구간에서 물과 에탄올은 모두 액체 상태로 존재한다.
⑤ B와 D 구간의 온도 차가 클수록 혼합물이 잘 분리된다.

06 표는 A와 B의 특성을 조사한 것이다.

물질	녹는점(℃)	끓는점(℃)	용해성
A	−114	78	B와 섞임
B	0	100	A와 섞임

A와 B를 분리할 수 있는 방법을 쓰고, 그 까닭을 서술하시오.

B 밀도 차를 이용한 분리

07 서로 섞이지 않는 액체를 분리할 수 있는 실험 장치로 가장 적절한 것은?

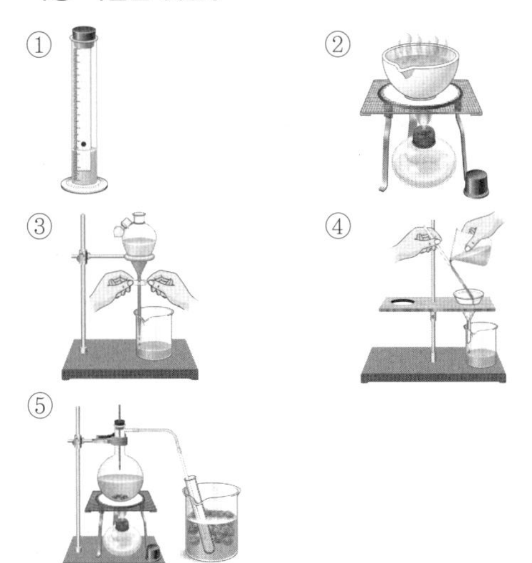

08 밀도 차를 이용하여 혼합물을 분리하는 예가 아닌 것은?

① 바다에 유출된 기름을 제거한다.
② 사인펜의 잉크 색소를 분리한다.
③ 모래에 섞여 있는 사금을 골라낸다.
④ 곡물에서 불순물을 고르기 위해 키질을 한다.
⑤ 원심 분리기를 이용하여 혈액의 혈구를 분리한다.

09 그림과 같이 소금물을 이용하여 오래된 달걀과 신선한 달걀을 분리하였다.

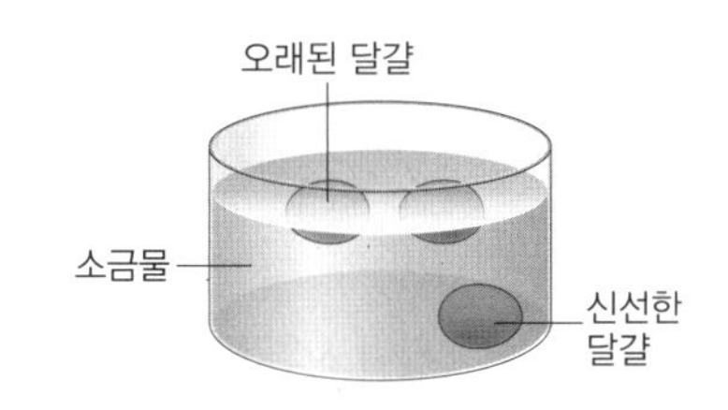

이에 대한 설명으로 옳지 않은 것은?

① 밀도 차를 이용하여 분리한다.
② 오래된 달걀은 소금물보다 밀도가 작다.
③ 신선한 달걀은 소금물보다 밀도가 크다.
④ 달걀이 오래될수록 수분이 빠져나가 밀도가 작아진다.
⑤ 같은 원리를 이용하여 바닷물에서 식수를 얻을 수 있다.

10 그림은 볍씨를 소금물에 넣었을 때 알찬 볍씨와 쭉정이가 분리된 모습을 나타낸 것이다.

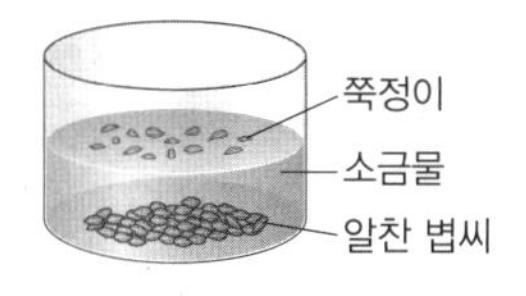

쭉정이와 알찬 볍씨가 모두 소금물 바닥에 가라앉아 분리되지 않을 때 둘을 분리하는 방법을 쓰고, 그 까닭을 밀도와 관련지어 서술하시오.

____

____

C 용해도 차를 이용한 분리

11 다음과 같이 혼합물을 분리할 때 공통적으로 이용하는 분리 방법은?

> • 에테르를 이용하여 콩에서 기름 성분만 분리한다.
> • 나물을 삶아 찬물에 담가 두면 쓴맛을 내는 성분이 우러난다.
> • 드라이 클리닝은 기름을 잘 녹이는 용매를 사용하여 기름때를 제거한다.

① 거름 ② 증류 ③ 증발
④ 추출 ⑤ 재결정

12 그림은 불순물이 포함된 붕산을 뜨거운 물에 녹인 후 냉각시켜 거른 다음 순수한 붕산을 얻는 과정을 나타낸 것이다.

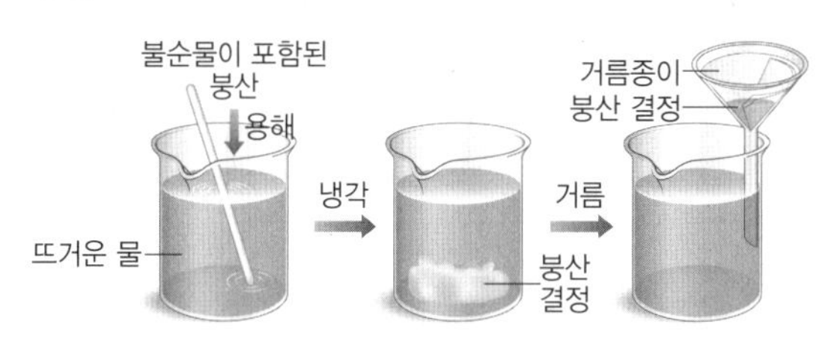

이에 대한 설명으로 옳은 것만을 보기에서 모두 고른 것은?

> 보기
> ㄱ. 이 과정을 반복하면 붕산의 순도를 높일 수 있다.
> ㄴ. 이와 같은 혼합물의 분리 방법을 증류라고 한다.
> ㄷ. 냉각시켰을 때 불순물보다 붕산의 용해도가 더 작다.

① ㄱ ② ㄴ ③ ㄱ, ㄷ
④ ㄴ, ㄷ ⑤ ㄱ, ㄴ, ㄷ

13 그림과 같은 장치로 분리할 수 있는 혼합물로 옳은 것은?

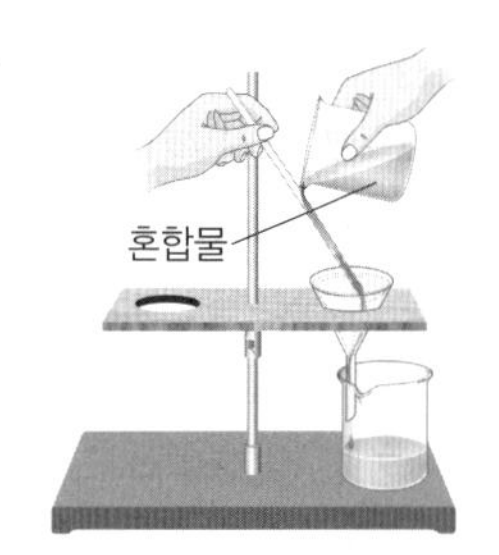

① 소금과 설탕
② 물과 식용유
③ 물과 에탄올
④ 소금과 나프탈렌
⑤ 모래와 스타이로폼

14 그림은 모래, 소금, 나프탈렌의 혼합물을 분리하는 과정을 나타낸 것이다.

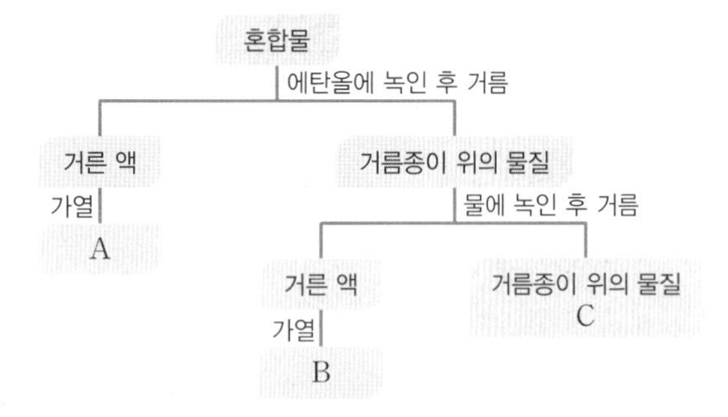

A~C에 해당하는 물질을 옳게 짝 지은 것은?

	A	B	C
①	모래	소금	나프탈렌
②	소금	모래	나프탈렌
③	소금	나프탈렌	모래
④	나프탈렌	모래	소금
⑤	나프탈렌	소금	모래

15 그림은 공기와 암모니아의 혼합 기체를 물이 나오는 관에 통과시켜 분리하는 장치를 나타낸 것이다.

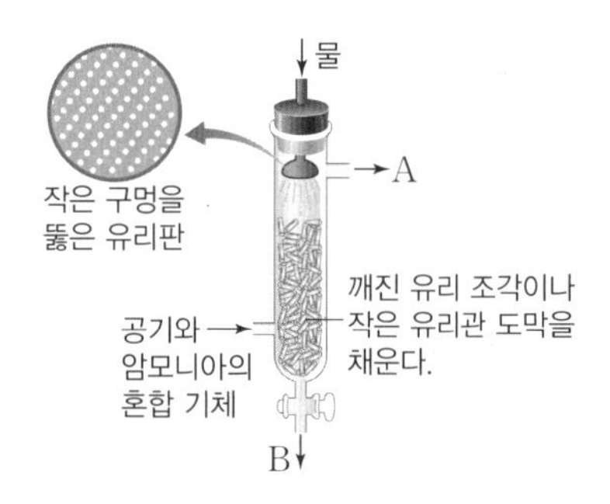

암모니아가 나오는 통로를 A와 B 중에서 선택하고, 이러한 분리 과정에 이용된 암모니아의 특성에 대해 서술하시오.

D 이동 속도 차를 이용한 분리

16 크로마토그래피를 이용한 혼합물의 분리가 아닌 것은?

① 도핑 테스트
② 농약 성분 검사
③ 식물의 색소 분리
④ 혈액의 성분 검출
⑤ 콩 속의 지방 분리

17 그림은 크로마토그래피를 이용하여 물질을 분리한 결과를 나타낸 것이다.

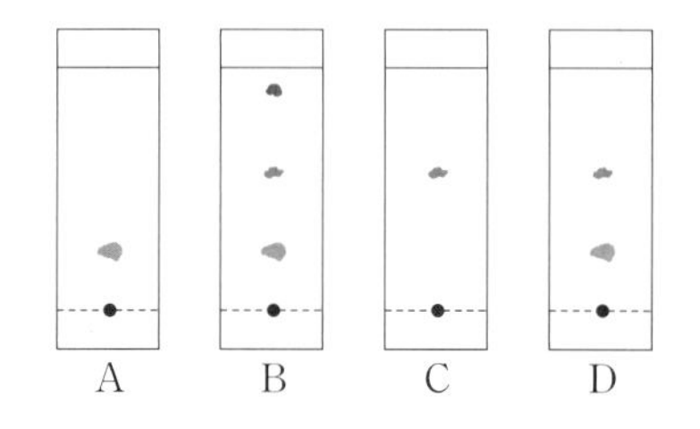

A~D 중에서 혼합물을 모두 고른 것은?

① A, B
② A, C
③ B, C
④ B, D
⑤ B, C, D

18 그림은 수성 사인펜의 색소를 분리하는 실험 장치를 나타낸 것이다. 이에 대한 설명으로 옳은 것만을 보기에서 모두 고른 것은?

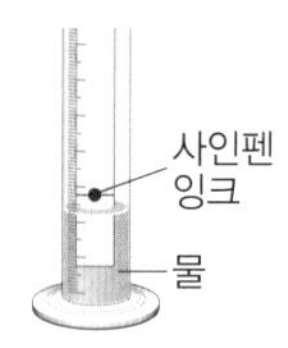

보기

ㄱ. 찍은 점이 물에 잠기도록 장치한다.
ㄴ. 물 대신 벤젠을 사용해도 실험 결과가 같다.
ㄷ. 용매를 따라 이동하는 속도 차를 이용하여 분리한다.

① ㄱ
② ㄷ
③ ㄱ, ㄴ
④ ㄴ, ㄷ
⑤ ㄱ, ㄴ, ㄷ

19 그림은 분필을 이용하여 사인펜 잉크를 분리하는 실험을 나타낸 것이다.

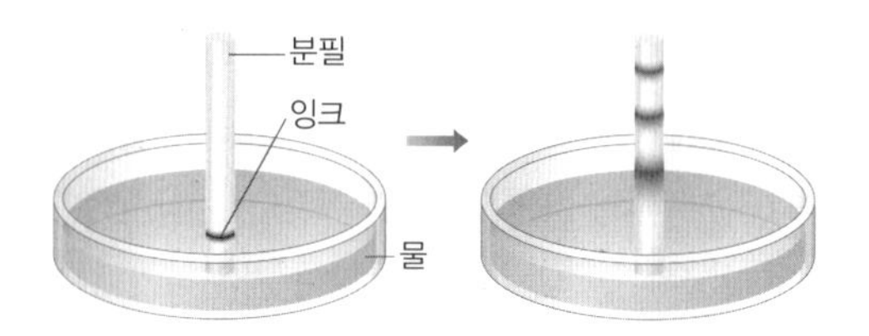

이러한 혼합물 분리 방법의 장점을 2가지만 서술하시오.

01 수권과 해수의 성질

★ 정답과 해설 092쪽

A 수권의 분포와 특징

1. 수권의 분포: 수권의 물은 크게 해수와 육수로 나눌 수 있으며, 해수가 대부분을 차지함

2. 수권을 구성하는 물의 특징

(1) **해수(바닷물):** 여러 가지 염류가 포함되어 있음

(2) **육수:** (❶)가 가장 많으며, 강과 호수의 물은 수자원으로 많이 활용됨

(3) **대기 중의 수증기:** 아주 적은 양이지만, 기상 현상을 일으키는 중요한 역할을 함

B 우리나라의 수자원

1. (❷): 지구상의 물 중 이용 가능한 물로서, 생활용수, 공업용수, 농업용수, 유지용수로 분류

2. 우리나라의 수자원 용도: 현재 (❸)로 가장 많이 활용하고 있지만, 생활 수준의 향상으로 (❹)의 사용량이 급격히 증가

3. 수자원의 가치

(1) 우리가 마시는 물부터 농업용수, 공산품 및 전기 생산 등 우리 생활에서 중요한 가치를 지님

(2) (❺)는 강이나 호수보다 더 많은 양이 분포하고 있으며, 빗물을 통해서 지속적으로 채워져 수자원으로서 중요한 가치를 지님

(3) 바로 활용할 수 있는 물은 매우 적으므로 오염을 방지하고, 저수 시설을 통해 물 부족에 대비하여야 함

C 해수의 온도

1. 표층 해수의 수온 분포: 저위도에서 고위도로 갈수록 해수면에 도달하는 (❻) 에너지의 양이 줄어들기 때문에 저위도 지방에서는 높고 고위도 지방으로 갈수록 낮음

2. 해수의 연직 수온 분포: 3개의 층을 이룸

(1) (❼): 바람의 영향으로 해수면 부근에 나타나는 수온이 일정한 층, 바람이 강할수록 두껍게 나타남

(2) (❽): 깊이 들어갈수록 태양 복사 에너지를 적게 받아 수온이 급격히 내려가는 층, 혼합층과 심해층 사이의 열과 물질 전달을 억제함

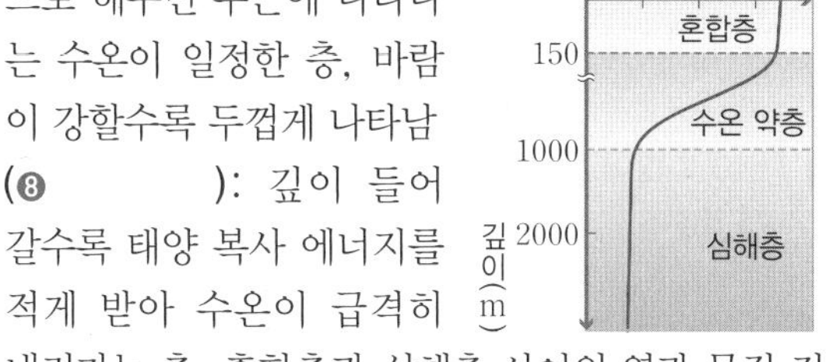

(3) (❾): 태양 복사 에너지가 도달하지 않아 계절이나 위도에 따라 수온 변화가 거의 없는 층

D 염류와 염분

1. (❿): 해수에 녹아 있는 여러 가지 물질로, 염화 나트륨이 가장 많고, 염화 마그네슘이 두 번째로 많음

2. (⓫): 해수 1 kg 중에 녹아 있는 염류의 총량을 g 수로 나타낸 것

(1) **염분의 단위:** psu나 천분율인 ‰(퍼밀)을 사용

(2) **전 세계 해수의 평균 염분:** 약 35 psu

3. 염분의 변화

(1) **염분의 변화 요인**

염분 변화 요인	염분이 (⓬) 곳	염분이 (⓭) 곳
증발량과 강수량	증발량 > 강수량	증발량 < 강수량
강물의 유입량	강물이 흘러들지 않는 바다	강물이 흘러드는 바다
해수의 결빙과 해빙	해수가 어는 바다	빙하가 녹는 바다

(2) **위도에 따른 염분 분포**

① 적도 지방: 흐리고 비가 오는 날이 많아 염분이 낮음

② 중위도 지방: 연중 날씨가 맑으므로 증발량이 많아 염분이 높음

③ 고위도 지방: 눈이 많이 내리고, 빙하가 녹는 양이 많아 염분이 낮음

4. 우리나라 주변 바다의 염분 분포

염분 분포	원인
황해 < 동해	황해는 동해보다 강물의 유입량이 많기 때문
여름철 < 겨울철	여름철은 겨울철보다 강수량이 많기 때문
해안에서 가까운 바다 < 먼 바다	해안 가까운 바다는 강물이 유입되기 때문

E 염분비 일정 법칙

1. (⓮): 지역이나 계절에 따라 해수의 염분은 변하지만, 각 염류 간의 질량비는 어느 바다에서나 일정함

2. 염분비가 일정한 까닭: 해수가 항상 움직이면서 서로 섞이기 때문

01 수권과 해수의 성질

★ 정답과 해설 092쪽

C 해수의 온도 › 해수의 수온 분포

[01-06] 다음 설명의 알맞은 용어를 보기에서 골라 쓰시오.

보기
혼합층 수온 약층 심해층

01 깊이에 따라 수온이 급격히 내려가는 층

02 계절이나 위도에 따른 수온 변화가 거의 없는 냉수층

03 해수면 부근에 나타나는 수온이 일정한 층

04 바람이 강할수록 두껍게 나타나는 층

05 태양 복사 에너지가 거의 도달하지 않는 층

06 대류가 일어나지 않아 물질과 에너지 전달을 차단하는 층

[07-09] 저위도의 특징에 해당하는 것은 '저', 중위도의 특징에 해당하는 것은 '중', 고위도의 특징에 해당하는 것은 '고'라고 쓰시오.

07 해수면과 수심이 깊은 곳의 온도 차이가 커서 수온 약층이 가장 뚜렷하다.

08 바람이 강해서 혼합층이 두껍게 발달한다.

09 해수면과 수심이 깊은 곳의 온도 차이가 없어 해수의 층상 구조가 거의 나타나지 않는다.

D 염류와 염분 › 해수의 염분 분포

[10-15] 염분이 높아지는 곳은 '높', 염분이 낮아지는 곳은 '낮'이라고 쓰시오.

10 (증발량－강수량)의 값이 커지는 지역

11 (증발량－강수량)의 값이 작아지는 지역

12 강물이 흘러들고 있는 바다

13 강물이 흘러들지 않는 바다

14 빙하가 녹고 있는 바다

15 해수가 얼고 있는 바다

[16-18] 저위도의 특징에 해당하는 것은 '저', 중위도의 특징에 해당하는 것은 '중', 고위도의 특징에 해당하는 것은 '고'라고 쓰시오.

16 흐리고 비 오는 날이 많아 강수량이 많기 때문에 염분이 낮다.

17 눈이 많이 내리고, 빙하가 녹는 양이 많기 때문에 염분이 낮다.

18 연중 날씨가 맑아서 증발량이 많기 때문에 염분이 높다.

문제로 복습하기

Ⅶ. 수권과 해수의 순환

01 수권과 해수의 성질

✱ 정답과 해설 092쪽

A 수권의 분포와 특징

01 수권을 구성하는 물에 대한 설명으로 옳지 않은 것은?

① 수권의 물 중에서 해수의 양이 가장 많다.
② 육지의 물 중에서 지하수의 양이 가장 많다.
③ 대기 중의 수증기는 육지의 물보다 양이 적다.
④ 육지의 물 중 강과 호수가 수자원으로 가장 많이 활용된다.
⑤ 대기 중의 수증기는 기상 현상을 일으키는 중요한 역할을 한다.

02 그림은 지구상의 물의 분포를 나타낸 것이다.

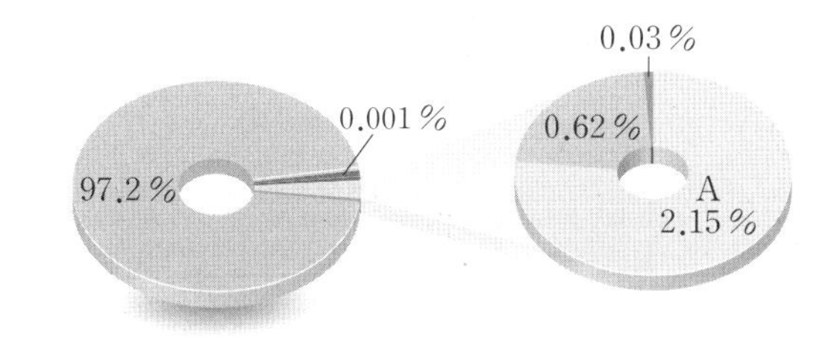

A에 해당하는 내용으로 옳은 것은?

① 액체 상태로 존재한다.
② 여러 가지 염류가 포함되어 있다.
③ 극지방이나 고산 지대에 분포한다.
④ 수자원으로 가장 많이 이용하고 있다.
⑤ 기상 현상을 일으키는 중요한 역할을 한다.

B 우리나라의 수자원

03 그림은 우리나라의 월평균 강수량을 나타낸 것이다. 이에 대한 설명으로 옳은 것만을 보기에서 모두 고른 것은?

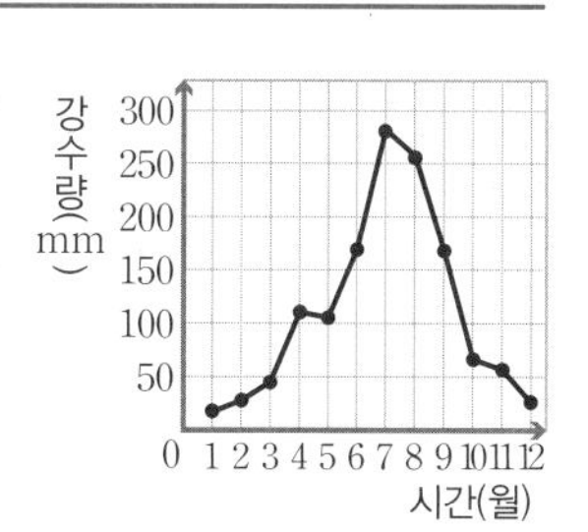

보기
ㄱ. 강수량은 여름철에 집중되어 있다.
ㄴ. 월별 강수량은 지역에 관계없이 일정하다.
ㄷ. 계절에 따라 이용 가능한 물의 양이 다르다.

① ㄱ ② ㄴ ③ ㄱ, ㄷ
④ ㄴ, ㄷ ⑤ ㄱ, ㄴ, ㄷ

04 수권을 구성하는 물 중에서 바로 활용이 가능하며, 지속적으로 채워져 계속 활용 가능하여 수자원으로서 가치가 높은 물은?

① 해수 ② 빙하 ③ 지하수
④ 수증기 ⑤ 강, 호수

C 해수의 온도

05 전 세계 해수의 표층 수온 분포에 대한 설명으로 옳은 것만을 보기에서 모두 고른 것은?

보기
ㄱ. 표층 수온의 분포는 대체로 위도와 나란하다.
ㄴ. 표층 수온은 적도에서 극으로 갈수록 낮아진다.
ㄷ. 저위도에서 고위도로 갈수록 태양 복사 에너지를 많이 흡수한다.

① ㄱ ② ㄷ ③ ㄱ, ㄴ
④ ㄴ, ㄷ ⑤ ㄱ, ㄴ, ㄷ

06 다음은 해수를 연직 수온 분포에 따라 3개의 층으로 구분할 때 각 층의 특징을 설명한 것이다.

(가) 수온이 낮고 연중 변화가 없는 층이다.
(나) 바람의 영향으로 수온이 일정하게 나타나는 층이다.
(다) 깊게 들어갈수록 수온이 급격하게 감소하는 층이다.

해수면에서 가까운 층부터 순서대로 옳게 배열한 것은?

① (가)−(나)−(다) ② (가)−(다)−(나)
③ (나)−(가)−(다) ④ (나)−(다)−(가)
⑤ (다)−(가)−(나)

07 그림은 해수의 연직 수온 분포를 나타낸 것이다. B층에 대한 설명으로 옳지 않은 것은?

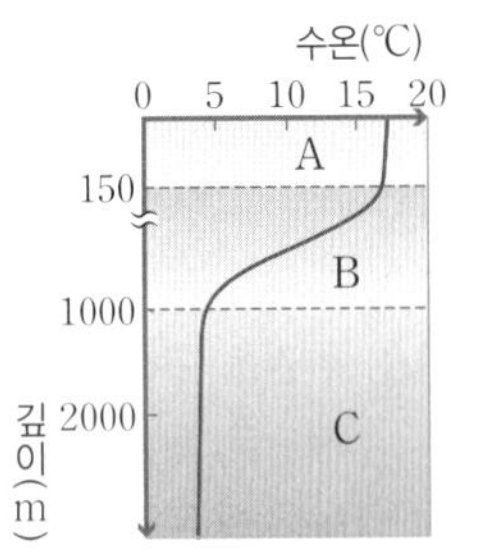

① 수온 약층이라고 한다.
② 수심이 깊어질수록 태양 복사 에너지가 적게 도달한다.
③ 계절이나 지역에 따라 두께가 다르다.
④ 대류가 일어나지 않는 안정된 층이다.
⑤ A층과 C층 사이에서 열과 물질의 교환을 도와준다.

08 계절에 따른 해수의 층상 구조 변화에 대한 설명으로 옳은 것만을 보기에서 모두 고른 것은?

ㄱ. 바람이 강한 계절에는 혼합층이 두꺼워진다.
ㄴ. 여름철에는 표층과 심층의 온도 차이가 커지므로 수온 약층이 두껍게 발달한다.
ㄷ. 계절에 따라 태양 복사 에너지와 바람의 세기가 달라지므로 해수의 연직 수온 분포가 변한다.

① ㄱ ② ㄷ ③ ㄱ, ㄴ
④ ㄴ, ㄷ ⑤ ㄱ, ㄴ, ㄷ

09 그림 (가)는 해수의 연직 수온 분포를 알아보기 위한 실험 장치이고, (나)는 전등을 켜기 전(㉠), 전등을 켜고 10분 후(㉡), 그리고 수면 위에 작은 선풍기를 틀었을 때(㉢)의 깊이에 따른 수온 분포를 각각 측정하여 나타낸 것이다.

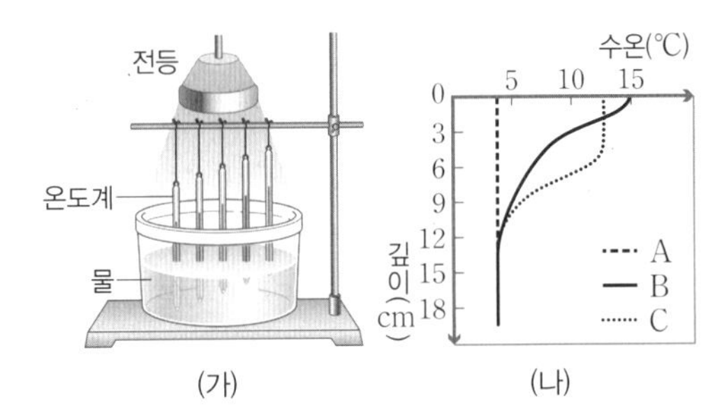

(가) (나)

(1) 그림 (나)의 A, B, C는 각각 어떤 경우인지 쓰시오.

(2) 실험 결과를 바탕으로 심해층의 온도 분포에 대해 서술하시오.

10 그림은 위도별 수온의 연직 분포를 나타낸 것이다. 이에 대한 설명으로 옳은 것은?

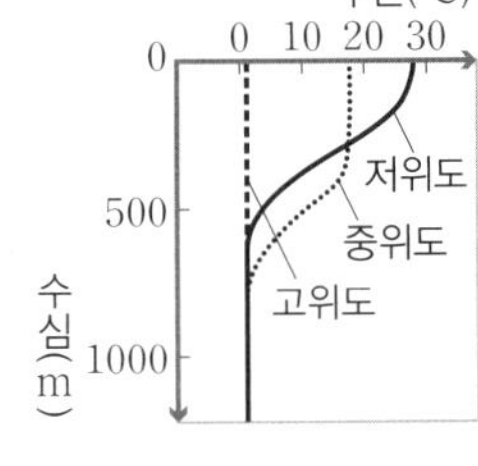

① 저위도에서는 심해층이 나타나지 않는다.
② 저위도의 수온 약층에서는 혼합 작용이 활발하다.
③ 중위도에서 혼합층이 가장 두껍다.
④ 중위도에서만 혼합층이 발달한다.
⑤ 고위도에서 표층과 심해의 수온 차가 가장 크다.

D 염류와 염분

11 그림은 바닷물 속에 녹아 있는 염류의 질량비를 나타낸 것이다.

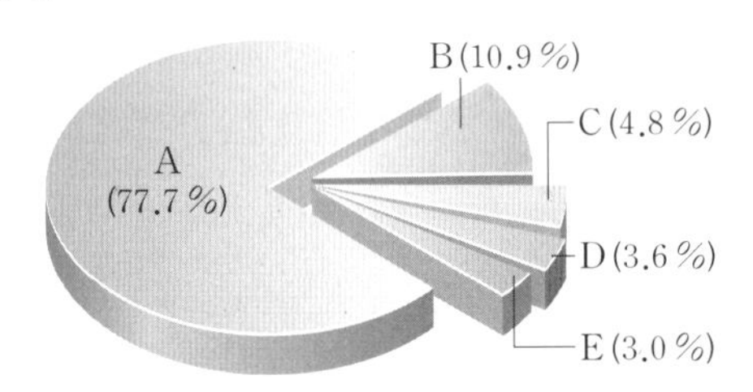

A~E 중 짠맛이 나며 소금의 주성분을 이루는 염류는?

① A ② B ③ C
④ D ⑤ E

12 다음 설명의 ㉠, ㉡에 들어갈 알맞은 값을 옳게 짝 지은 것은?

전 세계 바닷물의 평균 염분은 약 35 psu인데, 이것은 바닷물 1 kg에 물 (㉠) g과 염류 (㉡) g이 포함되어 있다는 의미이다.

	㉠	㉡		㉠	㉡
①	965	35	②	1000	35
③	965	350	④	1000	350
⑤	350	35			

13 염분의 변화에 직접적인 영향을 주는 요인이 아닌 것은?

① 강수량 ② 증발량
③ 강물의 유입량 ④ 해수의 온도
⑤ 빙하의 녹는 양

14 전 세계 해양의 표층 염분 분포에 대한 설명으로 옳은 것은?

① 태평양은 대서양에 비해 염분이 높다.
② 중위도 지방은 강수량이 많아 염분이 높다.
③ 적도 지방은 강물의 유입량이 많아 염분이 높다.
④ 극지방은 바닷물이 어는 양이 많아 염분이 낮다.
⑤ 대륙의 주변부는 대양의 중앙부보다 강물의 유입량이 많아 염분이 낮다.

15 위도에 따른 해수의 표층 염분 분포를 옳게 나타낸 것은?

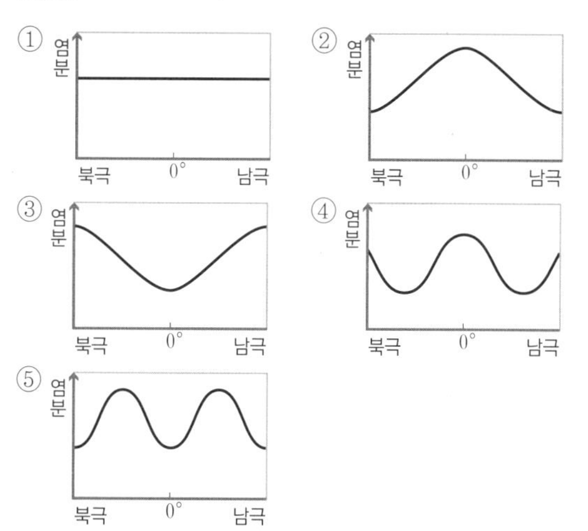

16 다음 설명의 ㉠, ㉡에 들어갈 알맞은 말을 옳게 짝 지은 것은?

영수는 우리나라 주변 바다의 염분 분포를 알아보기 위해 여름철과 겨울철에 A~D 네 지점에서 바닷물을 채취하여 염분을 측정해 보았다. 이때 (㉠)철의 (㉡) 지점에서 채취한 바닷물의 염분이 가장 높았다.

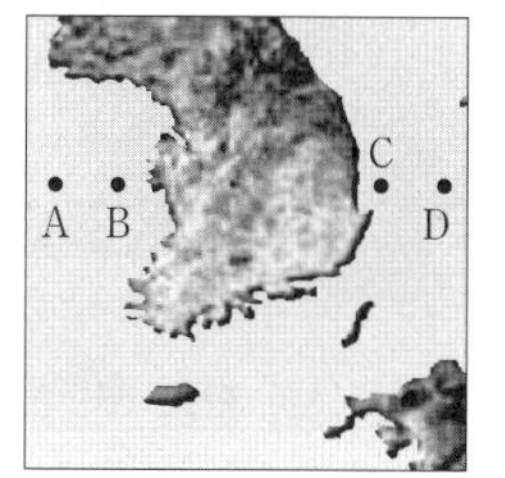

	㉠	㉡		㉠	㉡
①	여름	B	②	여름	D
③	겨울	A	④	겨울	C
⑤	겨울	D			

17 염분이 30 psu인 해수 2 kg과 염분이 40 psu인 해수 3 kg을 혼합하였다. 혼합한 해수의 염분을 구하고, 구하는 과정도 함께 서술하시오.

E 염분비 일정 법칙

18 염분이 32 psu인 바닷물 1 kg 속에 염화 나트륨이 24 g 포함되어 있다. 염분이 40 psu인 바닷물 1 kg 속에 포함된 염화 나트륨의 양은?

① 30 g　② 32 g　③ 40 g
④ 64 g　⑤ 76 g

19 표는 어떤 해수 1 kg 속에 녹아 있는 염류의 성분을 분석하여 나타낸 것이다.

염류	해수 1 kg에 녹아 있는 양(g)
(가)	27.1
(나)	3.8
황산 마그네슘	1.7
기타	2.4

이에 대한 설명으로 옳은 것만을 보기에서 모두 고른 것은?

보기
ㄱ. 염류 (가)는 짠맛, (나)는 쓴맛이 난다.
ㄴ. 이 바닷물의 염분은 세계 평균보다 낮다.
ㄷ. 어느 바닷물이나 1 kg 속에 포함된 염류의 양은 위의 표와 같다.
ㄹ. 어느 바닷물이나 염류 (가) : (나)의 비율은 위의 표와 같다.

① ㄱ, ㄴ　② ㄱ, ㄹ　③ ㄴ, ㄷ
④ ㄱ, ㄷ, ㄹ　⑤ ㄴ, ㄷ, ㄹ

20 바다에 따라 염분과 염류 사이의 질량비는 어떻게 변하는지 쓰고, 그 까닭에 대해 서술하시오.

개념으로 복습하기

VII. 수권과 해수의 순환

02 해수의 순환

★ 정답과 해설 093쪽

A 해류

1. (❶): 해수가 일정한 방향으로 지속적으로 흐르는 것

2. 해류의 발생 원인: 지속적으로 부는 바람

3. 해류의 종류: 저위도에서 고위도로 흐르는 난류와 고위도에서 저위도로 흐르는 한류로 구분한다.

구분	수온	염분	영양 염류	색깔
(❷)	높다	높다	적다	검푸른색
(❸)	낮다	낮다	많다	녹색

4. 우리나라 주변의 해류

구분		특징	
난류	근원	(❹)	우리나라 주변을 흐르는 난류의 근원
	지류	황해 난류	쿠로시오 해류에서 갈라져 나와 황해로 흐르는 해류
		동한 난류	쿠로시오 해류에서 갈라져 나와 동해로 흐르는 해류
한류	근원	연해주 한류	오호츠크해에서 아시아 대륙을 따라 남하하는 해류
	지류	(❺)	연해주 한류에서 갈라져 나와 동해로 흐르는 해류

➡ 동한 난류는 황해 난류보다 육지 가까이에서 흘러 겨울철 동해안이 같은 위도의 서해안보다 기온이 상대적으로 높다.

5. (❻): 난류와 한류가 만나는 곳

(1) 영양 염류와 플랑크톤이 풍부하여 좋은 어장이 형성된다.

(2) 우리나라 주변은 (❼)난류와 (❽) 한류가 만나는 곳이 조경 수역이다.

(3) 겨울철에는 북한 한류의 세력이 강해져 남하하고, 여름철에는 동한 난류의 세력이 강해져 북상한다.

B 조석 현상

1. (❾): 밀물과 썰물에 의해 해수면이 주기적으로 높아졌다 낮아지는 현상

➡ 바닷가에서는 해수가 육지 쪽으로 밀려 들어오는 (❿)과 해수가 바다 쪽으로 빠져나가는 (⓫)이 주기적으로 나타난다.

(1) 원인: 달과 태양의 (⓬)

(2) (⓭): 밀물과 썰물의 흐름

(3) 조석 주기: 만조~만조, 간조~간조까지 걸리는 시간 ➡ 약 12시간 25분

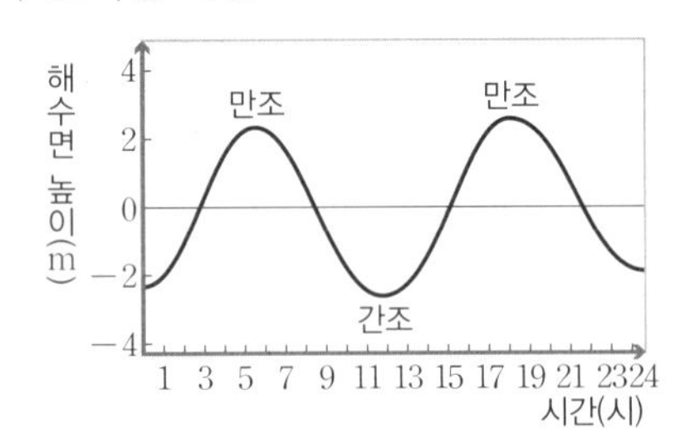

2. 만조와 간조

(1) (⓮): 밀물에 의해 해수면이 가장 높아진 때

(2) (⓯): 썰물에 의해 해수면이 가장 낮아진 때

(3) 우리나라에서 만조와 간조는 하루에 각각 2번 정도 생긴다.

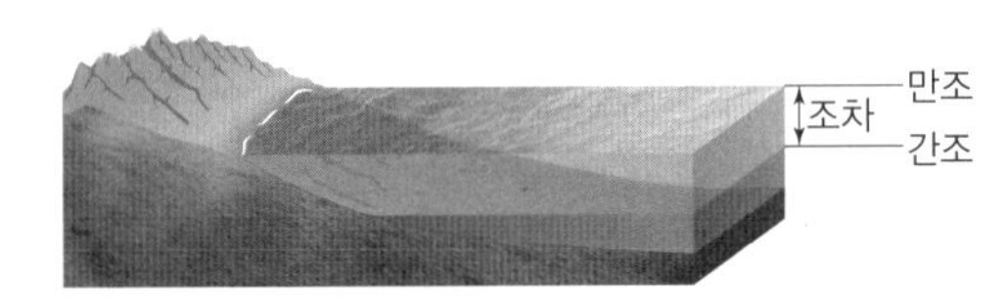

▲ 만조 때의 모습

▲ 간조 때의 모습

(4) 실생활 활용 예: 고기잡이배가 바다로 나가거나 들어 올 때, 갯벌에서 조개를 캘 때 등

3. (⓰): 만조와 간조 때 해수면의 높이 차이로 위치에 따라 다르게 나타난다.

(1) 사리: 한 달 중 조차가 가장 크게 나타나는 시기

(2) 조금: 한 달 중 조차가 가장 작게 나타나는 시기

(3) 우리나라 주변 바다에서 조차는 황해에서 가장 크고, 동해에서 가장 작다.

헷갈리는 내용 공략하기

02 해수의 순환

★ 정답과 해설 093쪽

A 해류 > 해류의 종류

[01-05] 한류의 특징에 해당하는 것은 '한', 난류의 특징에 해당하는 것은 '난'이라고 쓰시오.

01 수온이 낮다.

02 염분이 높다.

03 저위도에서 고위도로 흐른다.

04 영양 염류가 많이 포함되어 있다.

05 검푸른색을 띤다.

[06-09] 다음 설명에 알맞은 용어를 보기에서 골라 쓰시오.

보기	
쿠로시오 해류	북한 한류
동한 난류	황해 난류

06 우리나라 주변을 흐르는 난류의 근원이 되는 해류

07 쿠로시오 해류에서 갈라져 나와 황해로 흐르는 해류

08 쿠로시오 해류에서 갈라져 나와 동해로 흐르는 해류

09 우리나라 주변에서 만나 조경 수역을 형성하는 해류

B 조석 현상 > 조석 현상과 주기

[10-13] 다음 설명에 알맞은 용어를 보기에서 골라 쓰시오.

보기	
밀물	썰물
만조	간조

10 바닷가에서 해수가 육지 쪽으로 밀려오는 흐름

11 바닷가에서 해수가 바다 쪽으로 빠져나가는 흐름

12 밀물에 의해 해수면이 가장 높아진 때

13 썰물에 의해 해수면이 가장 낮아진 때

[14-16] 그림은 인천 앞바다에서 어느 날 하루 동안 해수면 높이 변화를 나타낸 것이다. 각 내용과 관계 있는 것을 그림에서 골라 기호를 쓰시오.

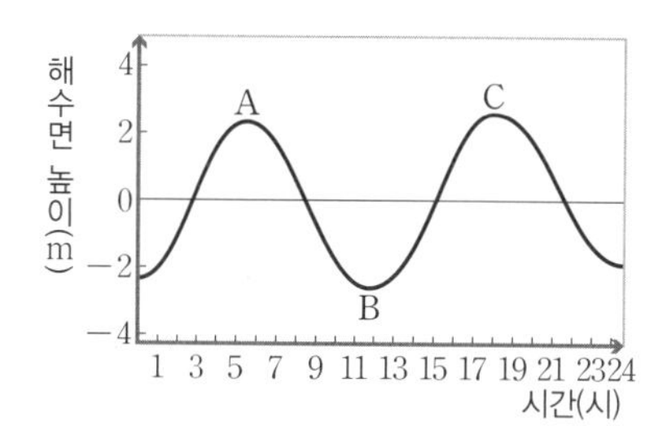

14 밀물에 의해 해수면의 높이가 가장 높아진 때

15 썰물에 의해 해수면의 높이가 가장 낮아진 때

16 조석 주기에 해당하는 구간

문제로 복습하기

02 해수의 순환

★ 정답과 해설 093쪽

A 해류

01 해류에 대한 설명으로 옳은 것은?

① 염분 차이에 의해 주로 발생한다.
② 계절에 따라 흐르는 방향이 변한다.
③ 난류는 저위도에서 고위도로 흐른다.
④ 겨울에는 한류, 여름에는 난류가 흐른다.
⑤ 한류는 상대적으로 따뜻한 바닷물의 흐름이다.

02 표면에서 흐르는 해류는 주로 어떤 원인에 의해 발생하는가?

① 달의 인력 때문에 생기는 힘
② 지구의 자전 때문에 생기는 힘
③ 지구의 중력 때문에 생기는 힘
④ 해수면 부근에서 부는 지속적인 바람
⑤ 수온과 염분 차에 의한 해수의 밀도 차이

03 해류의 역할에 대한 설명으로 옳지 않은 것은?

① 배의 이동 경로로 이용될 수 있다.
② 해안 지방의 기후에 영향을 미친다.
③ 밀물과 썰물을 주기적으로 발생시킨다.
④ 저위도의 남는 열을 고위도로 전달한다.
⑤ 난류와 한류가 만나는 곳에는 좋은 어장이 형성된다.

04 난류와 한류의 특징을 옳게 비교한 것은?

	구분	난류	한류
①	염분	낮다	높다
②	수온	높다	낮다
③	영양 염류	많다	적다
④	색깔	녹색	검푸른색
⑤	이동 방향	고위도→저위도	저위도→고위도

[05-06] 그림은 우리나라 주변을 흐르는 해류를 나타낸 것이다.

05 위 그림에서 한류인 것은?

① A ② B ③ C
④ D ⑤ A, B, D

06 A~D에 대한 설명으로 옳은 것은?

① A는 쿠로시오 해류, C는 동한 한류이다.
② B 해류는 수온이 상대적으로 낮고, 영양 염류가 많다.
③ C와 D는 성격이 같은 해류이다.
④ B와 C가 만나는 곳은 좋은 어장이 형성된다.
⑤ B의 영향으로 겨울철에 동해안의 기온이 같은 위도의 서해안보다 더 낮게 나타난다.

07 그림은 우리나라 주변의 해류를 나타낸 것이다.

이에 대한 설명으로 옳은 것만을 보기에서 모두 고른 것은?

보기

ㄱ. A 해류는 B 해류와 D 해류의 근원이다.
ㄴ. B 해류의 영향으로 겨울철 동해안이 같은 위도의 서해안보다 따뜻하다.
ㄷ. C는 겨울철에 세력이 강해져 북상한다.

① ㄱ ② ㄴ ③ ㄷ
④ ㄱ, ㄴ ⑤ ㄱ, ㄴ, ㄷ

08 해류는 저위도의 남는 열을 고위도로 이동시키는 역할을 한다. 만약 해류가 흐르지 않는다면, 적도 지방 기온의 변화를 옳게 예측한 것은?

① 현재보다 높아질 것이다.
② 현재보다 낮아질 것이다.
③ 기온의 변화는 없을 것이다.
④ 기온의 변화를 예측할 수 없다.
⑤ 기온이 높아졌다 낮아졌다 계속 반복될 것이다.

09 조경 수역을 형성하는 두 해류의 명칭을 쓰고, 조경 수역의 위치가 계절에 따라 어떻게 변하는지 서술하시오.

B 조석 현상

10 조류에 대한 설명으로 옳지 않은 것은?

① 일정한 주기를 갖는다.
② 해수가 빠져나갈 때가 썰물이다.
③ 해수가 밀려 들어올 때가 밀물이다.
④ 만조는 해수면이 가장 낮아진 때이다.
⑤ 만조와 간조는 하루에 대략 2번씩 나타난다.

11 그림은 어느 바닷가의 해수면 높이를 하루 동안 관측한 결과를 나타낸 것이다.

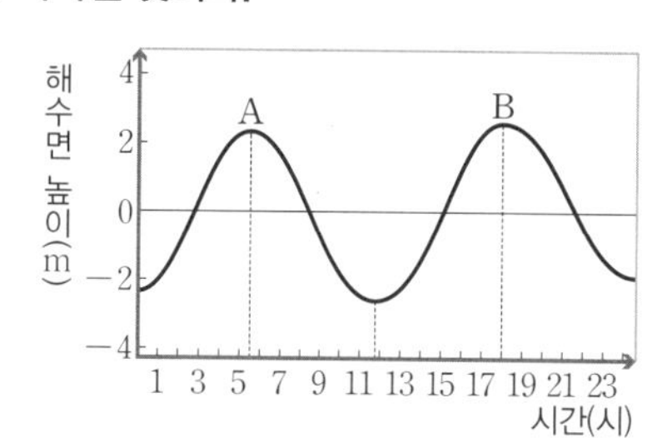

이에 대한 설명으로 옳은 것은?

① A일 때 간조이다.
② 해수면의 높이 차이는 최대 약 2 m이다.
③ 약 12시경에 해수면의 높이가 가장 낮다.
④ 하루에 1번씩 해수면이 높아졌다 낮아진다.
⑤ A에서 B까지 걸리는 시간은 약 18시간이다.

12 다음 글의 ㉠~㉢에 들어갈 알맞은 말을 옳게 짝 지은 것은?

(㉠)은(는) 만조와 간조 때 해수면의 높이 차이로, 한 달 중 (㉠)가 가장 크게 나타나는 시기를 (㉡), 가장 작게 나타나는 시기를 (㉢)(이)라고 한다.

	㉠	㉡	㉢
①	조차	조금	사리
②	조차	사리	조금
③	조금	사리	조차
④	조금	조차	사리
⑤	사리	조금	조차

13 조석 현상에 대한 설명으로 옳지 않은 것은?

① 해수면이 주기적으로 높아졌다 낮아지는 현상이다.
② 조석 주기는 약 12시간 25분이다.
③ 갯벌에서 조개를 캐는 것은 만조일 때가 좋다.
④ 조차는 만조와 간조일 때 해수면의 높이 차이이다.
⑤ 우리나라는 서해안이 동해안보다 조차가 크게 나타난다.

[14-15] 그림은 어느 날 군산 앞바다에서 하루 동안 해수면의 높이 변화를 조사한 것이다.

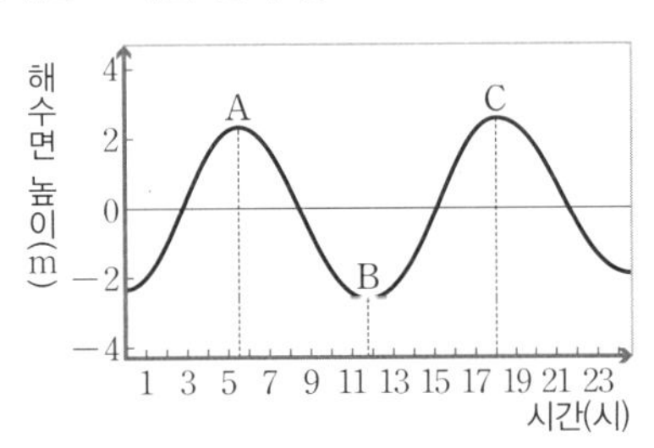

14 위 그림에 대한 설명으로 옳은 것만을 보기에서 모두 고른 것은?

보기
ㄱ. A일 때는 간조, B일 때는 만조이다. ㄴ. 이 현상은 주로 태양의 인력 때문에 생긴다. ㄷ. A에서 C까지 걸리는 시간을 조석 주기라고 한다.

① ㄱ ② ㄷ ③ ㄱ, ㄴ
④ ㄴ, ㄷ ⑤ ㄱ, ㄴ, ㄷ

15 오전 9경에 군산 앞바다의 바닷물의 흐름을 쓰시오.

16 우리나라의 서해안은 조력 발전소를 건설하기에 적당한 조건을 갖추고 있다. 그 까닭을 옳게 설명한 것은?

① 조차가 크기 때문이다.
② 파도가 강하기 때문이다.
③ 해류가 빠르게 흐르기 때문이다.
④ 바닷물의 염분이 높기 때문이다.
⑤ 바닷물의 수온이 높기 때문이다.

17 그림 (가)와 (나)는 어느 해안 지역에서 하루 중 해수면이 가장 높을 때와 낮을 때의 모습을 나타낸 것이다.

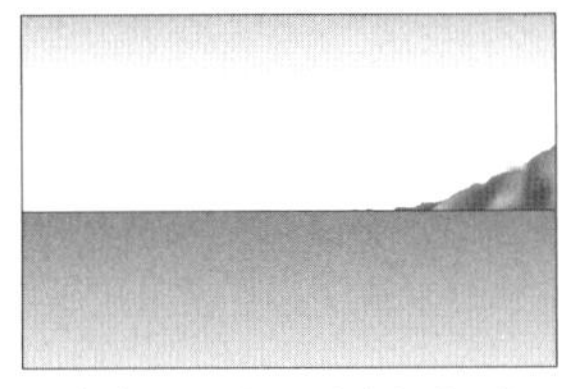
(가) 해수면이 가장 높을 때

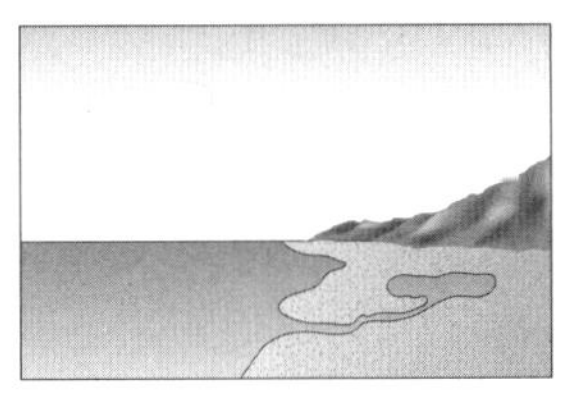
(나) 해수면이 가장 낮을 때

이와 같이 해수면의 높이가 변하는 주된 원인은 무엇인가?

① 바람 ② 염분
③ 달의 인력 ④ 태양의 인력
⑤ 지구의 공전

18 바다에서 나타나는 조류와 해류의 흐름 방향에 대해 서술하시오.

Ⅷ. 열과 우리 생활

01 온도와 열

✱ 정답과 해설 094쪽

A 온도와 입자 운동

1. 온도

(1) (❶): 물체를 이루고 있는 입자의 활발한 정도를 나타낸 것

(2) **단위:** ℃(섭씨도), K(켈빈) 등

(3) 사람의 감각만으로는 온도를 정확히 알 수 없으므로 물체의 온도를 정확하게 알기 위해 (❷)를 이용하여 온도를 측정한다.

(4) **여러 가지 온도계:** 알코올 온도계, 적외선 온도계, 열화상 카메라

2. 온도와 입자 운동

(1) 고체, 액체, 기체 모두 온도가 높을 때 입자의 운동이 활발하다.

온도가 높을 때	온도가 낮을 때

입자의 운동이 (❸).	입자의 운동이 (❹).

(2) 물체를 두드리거나 튕길 때에도 입자의 운동이 활발해지면서 온도가 (❺).

B 열과 열평형

1. 열

(1) (❻): 온도가 다른 두 물체가 접촉했을 때 온도가 높은 물체에서 낮은 물체로 이동하는 에너지

(2) **열량**

① 온도가 다른 두 물체 사이에서 이동하는 열의 양

② 단위: cal(칼로리), kcal(킬로칼로리), J(줄) 등

2. 열평형

(1) (❼): 온도가 다른 두 물체가 접촉해 있을 때 두 물체의 온도가 같아져 일정한 상태

(2) 온도가 높은 물체는 열을 (❽) 입자 운동이 둔해지고, 온도가 낮은 물체는 열을 (❾) 입자 운동이 활발해진다.

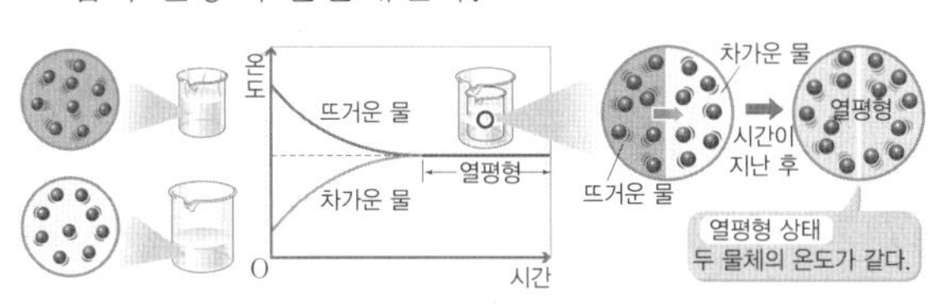

(3) **열평형의 이용:** 뜨거운 달걀을 찬물에 넣어 식히기, 얼음이 든 아이스박스에 음료수 병 넣어 차갑게 유지하기, 온도계로 물체의 온도 측정하기 등

C 열의 이동

1. 전도, 대류, 복사

(1) (❿)

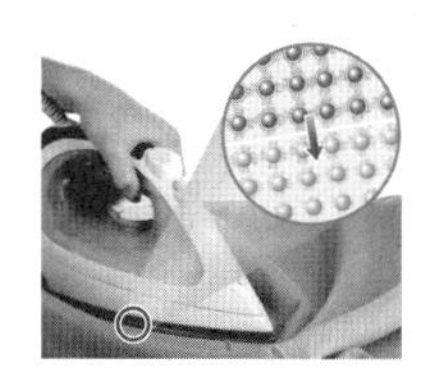

① 물질을 이루고 있는 입자의 운동이 이웃한 입자에 차례로 전달되어 열이 이동하는 현상

② 전도의 예

- 주전자 바닥을 가열하면 전체가 뜨거워진다.
- 전기장판 위에 누우면 몸이 따뜻해진다.

(2) 대류

① 열을 얻은 액체나 기체 입자가 (⓫) 이동하여 열이 이동하는 현상

② 대류의 예

- 난로에 데워진 따뜻한 공기는 위로 이동한다.
- 에어컨에서 나온 찬 공기는 아래로 이동하여 방 전체의 온도를 낮춘다.

(3) (⓬)

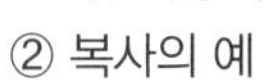

① 열이 다른 물질의 도움 없이 직접 이동하는 현상

② 복사의 예

- 햇빛 아래에 있으면 따뜻함을 느낀다.
- 난로를 켜면 떨어진 곳에서도 따뜻함을 느낀다.

(4) **효율적인 냉난방**

① 냉난방기는 (⓭)로 열을 전달한다.

② 냉방기는 위쪽에, 난방기는 아래쪽에 설치해야 방 전체를 냉난방할 수 있다.

2. 단열

(1) **단열:** 열의 (⓮)을 막는 것

(2) **보온병에서의 효율적인 단열**

① 공기층으로 (⓯)에 의한 열의 이동을 막는다.

② 진공으로 전도와 (⓰)에 의한 열의 이동을 막는다.

③ 금속판으로 (⓱)에 의한 열의 이동을 막는다.

(3) **이용:** 부엌용 장갑, 음식 배달 가방, 스타이로폼 박스

헷갈리는 내용 공략하기

Ⅷ. 열과 우리 생활

01 온도와 열

★ 정답과 해설 094쪽

A 온도와 입자 운동 > 일상생활 사례 분류하기

01 일상생활에서 볼 수 있는 보기의 여러 가지 물체에서 입자 운동이 활발해지는 것을 모두 찾아 기호를 쓰시오.

보기
가. 삐끗한 발목에 대고 있는 얼음 팩
나. 박수 치는 손
다. 양궁 선수가 쏘는 활의 활시위
라. 경기장에서 두드리는 북
마. 겨울철 손 안의 핫팩

02 일상생활에서 볼 수 있는 보기의 여러 가지 물체에서 입자 운동이 둔해지는 것을 모두 찾아 기호를 쓰시오.

보기
가. 냉장고 속에 넣은 우유
나. 냄비에서 데워지는 물
다. 찻잔 속에 담긴 따뜻한 차
라. 냉장고에서 꺼낸 음료수
마. 얼음에 넣은 음료수

[03-04] 다음은 온도가 다른 물 입자의 운동을 관찰하는 실험 과정이다. 다음 물음에 알맞은 것을 쓰시오.

보기
1. 뜨거운 물과 찬물에 각각 코코아 가루를 동시에 한 순가락씩 넣는다.
2. 뜨거운 물과 찬물에서 코코아 가루가 녹는 모습을 관찰한다.
3. 뜨거운 물과 찬물에서 물 입자가 운동하는 모습을 그린 다음 설명한다.

03 위 결과를 바탕으로 뜨거운 물과 찬물에 각각 잉크를 한 방울씩 떨어뜨렸을 때 잉크가 빨리 퍼지는 것은 어느 쪽인지 쓰시오.

04 그림은 뜨거운 물과 찬물에서의 입자 운동 모습을 순서 없이 나타낸 것이다. 각각 어느 물에 해당하는지 쓰시오.

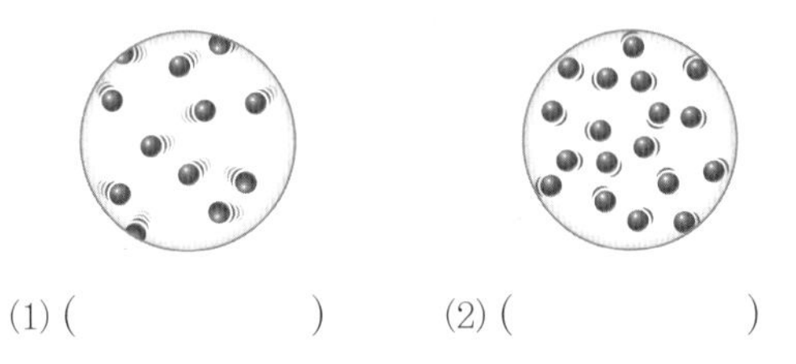

(1) (　　　　　)　　(2) (　　　　　)

C 열의 이동 > 일상생활 사례 분류하기

[05-07] 일상생활에서 열의 이동에 대한 모습을 보고, 물음에 알맞은 것을 보기에서 모두 찾아 기호를 쓰시오.

보기
가. 뜨거운 커피를 보온병에 보관한다.
나. 프라이팬에서 달걀을 익힌다.
다. 해수욕장에서 일광욕을 한다.
라. 집을 만들 때 이중창으로 설치한다.
마. 소방관이 방열복을 입고 화재를 진압한다.
바. 바닥에 놓인 난방기를 켜면 방 전체가 따뜻해진다.
사. 전기장판에 누우면 등이 따뜻해진다.
아. 국을 끓이면 국 전체가 뜨거워진다.

05 전도에 해당하는 것을 보기에서 모두 찾아 기호를 쓰시오.

06 대류에 해당하는 것을 보기에서 모두 찾아 기호를 쓰시오.

07 복사에 해당하는 것을 보기에서 찾아 기호를 쓰시오.

문제로 복습하기

01 온도와 열

★ 정답과 해설 094쪽

A 온도와 입자 운동

01 가장 온도가 높은 것은?

① −273 ℃ ② 0 K ③ 273 K
④ 물의 어는점 ⑤ 물의 끓는점

02 온도와 입자 운동에 대한 설명으로 옳은 것은?

① −300 ℃는 존재한다.
② 25 ℃와 295 K는 같은 온도이다.
③ 절대 온도와 섭씨온도의 눈금 간격은 다르다.
④ 물체의 온도가 높을수록 입자의 운동이 활발하다.
⑤ 고체는 온도가 높을수록, 액체와 기체는 온도가 낮을수록 입자의 운동이 활발하다.

03 그림은 목욕탕에서의 모습이다. 이에 대한 설명으로 옳은 것은?

① 사람의 감각은 정확하다.
② 사람들의 감각은 모두 같다.
③ 10 ℃ 이하의 온도에서만 감각을 느낄 수 있다.
④ 40 ℃ 이상의 온도는 사람의 감각으로 느낄 수 없다.
⑤ 사람의 감각만으로는 온도를 정확히 알 수 없다.

04 여러 가지 온도계 중 온도를 측정하는 원리가 다른 것의 기호를 쓰시오.

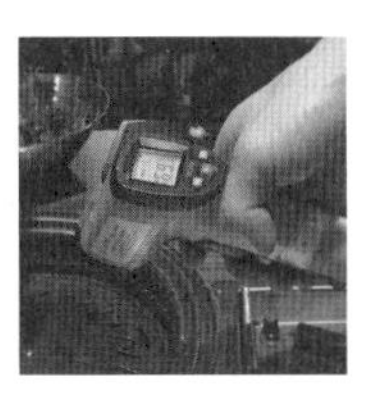
(가) 적외선 온도계

(나) 알코올 온도계

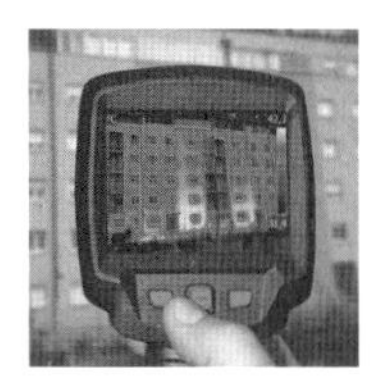
(다) 열화상 카메라

05 여러 가지 행동에서 입자의 운동을 활발하게 하는 행동으로 옳지 않은 것은?

①

우유를 냉장고에 넣기

②

북치기

③
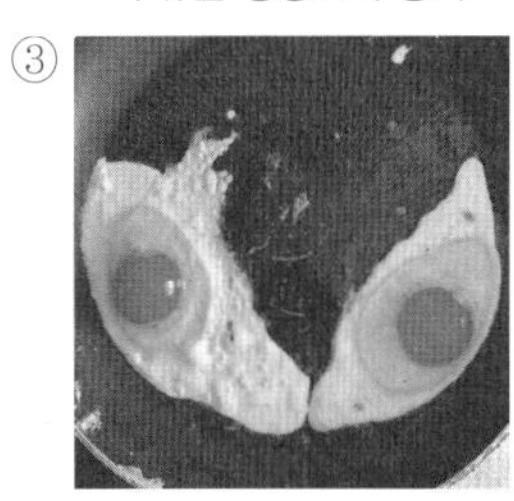
뜨거운 프라이팬에 달걀 익히기

④

기타 연주하기

⑤
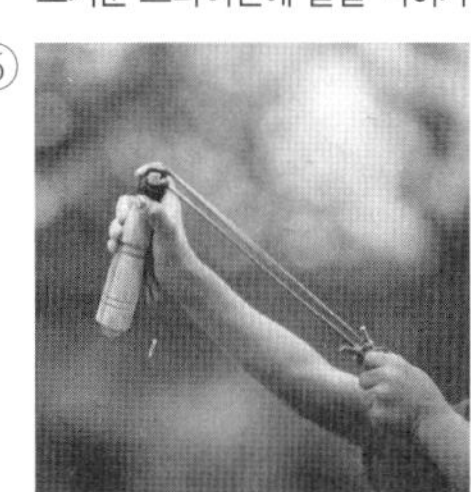
새총 쏘기

06 고무줄을 여러 번 잡아 당겼다가 놓으면 고무줄이 뜨거워지는 까닭은 무엇인지 서술하시오.

B 열과 열평형

07 온도와 열에 대한 설명으로 옳지 않은 것은?

① 열은 온도를 변화시키는 원인이다.
② 물체가 열을 얻으면 온도가 올라간다.
③ 물체가 열을 잃으면 온도가 내려간다.
④ 열은 항상 온도가 낮은 곳에서 높은 곳으로 이동한다.
⑤ 온도는 물체를 이루고 있는 입자의 활발한 정도를 나타낸다.

08 열량에 대한 설명으로 옳지 않은 것은?

① 가열한 시간이 길수록 물체가 받는 열량은 많아진다.
② 1 cal는 물 1 g의 온도를 1 ℃ 높이는 데 필요한 열량이다.
③ 열량은 온도가 다른 두 물체 사이에서 이동하는 열의 양이다.
④ 물 100 g의 온도를 1 ℃ 높이는 데 필요한 열량은 1 kcal이다.
⑤ 물 10 g의 온도를 1 ℃ 높이는 데 필요한 열량은 물 5 g의 온도를 1 ℃ 높이는 데 필요한 열량의 두 배이다.

09 열량의 단위로 알맞은 것은 보기에서 모두 골라 쓰시오.

보기

℃	J	cal
K	kg	g
kcal	m	cm

10 그림은 뜨거운 물과 찬물을 접촉시켰을 때 시간에 따른 온도 변화를 나타낸 그래프이다.

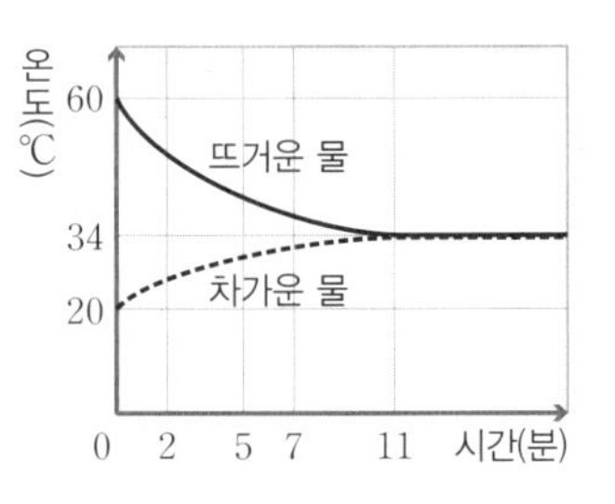

열평형이 된 온도와 시간으로 옳은 것은?

	온도	시간		온도	시간
①	32 ℃	5분	②	33 ℃	7분
③	34 ℃	11분	④	34 ℃	13분
⑤	35 ℃	2분			

11 그림은 두 물체 A와 B를 접촉시켰을 때 시간에 따른 물체의 온도 변화를 나타낸 그래프이다.

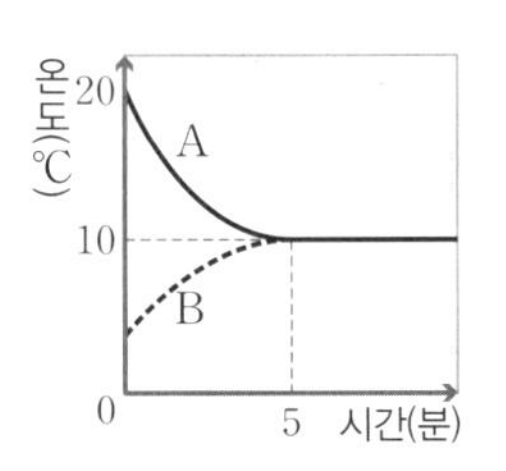

이에 대한 설명으로 옳지 않은 것은?

① 처음에는 A의 온도가 B보다 높았다.
② 처음에는 B에서 A로 열이 이동하였다.
③ 시간이 지난 후 두 물체는 열평형에 도달하였다.
④ A가 잃은 열에너지의 양은 B가 얻은 열에너지의 양과 같다.
⑤ 시간이 지남에 따라 A와 B의 온도는 점점 비슷해지다가 나중에는 같아졌다.

12 겨울철 바깥 기온을 가장 잘 측정하는 방법은?

① 온도계를 들고 밖에 나가자마자 다시 들어온다.
② 밖에 나가서 온도계의 구부를 손으로 잡고 기다린다.
③ 온도계를 들고 나가서 온도가 내려가는 도중에 다시 들어온다.
④ 온도계를 바깥 그늘에 매달아 두고 들어온 후 한참 후에 다시 나가 온도를 확인한다.
⑤ 온도계를 햇빛이 잘 드는 마당에 내려놓고 들어온 후 한참 후에 다시 나가 온도를 확인한다.

C 열의 이동

13 열의 이동 방법에 대한 설명으로 옳은 것은?

① 열의 이동을 막는 것을 단열이라고 한다.
② 입자가 직접 이동하여 열을 전달하는 방법은 복사이다.
③ 열은 전도, 대류, 복사 중 한 가지 방법으로만 이동한다.
④ 열이 다른 물질의 도움 없이 직접 이동하는 방법은 전도이다.
⑤ 입자의 운동이 이웃한 입자에 전달되어 열이 이동하는 방법은 대류이다.

14 그림은 음식을 가열하는 부분은 금속, 손잡이는 플라스틱으로 만든 프라이팬이다. 각각의 재질이 다른 까닭으로 옳은 것은?

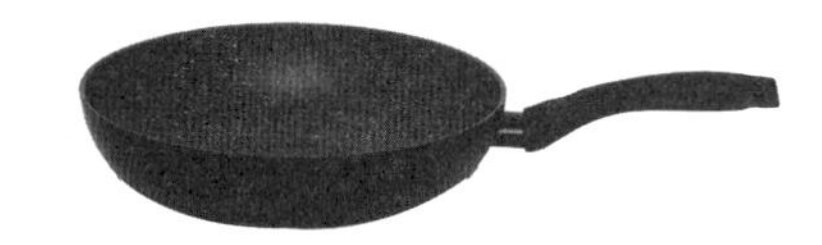

① 플라스틱이 금속보다 단단하기 때문에
② 플라스틱이 금속보다 값이 싸기 때문에
③ 플라스틱에서는 대류가 일어나지 않기 때문에
④ 플라스틱이 금속보다 열이 느리게 전도되기 때문에
⑤ 플라스틱을 이루는 입자는 운동을 하지 않기 때문에

15 물속에 톱밥을 넣고 그릇의 한쪽을 가열하였을 때 톱밥의 흐름으로 옳은 것은?

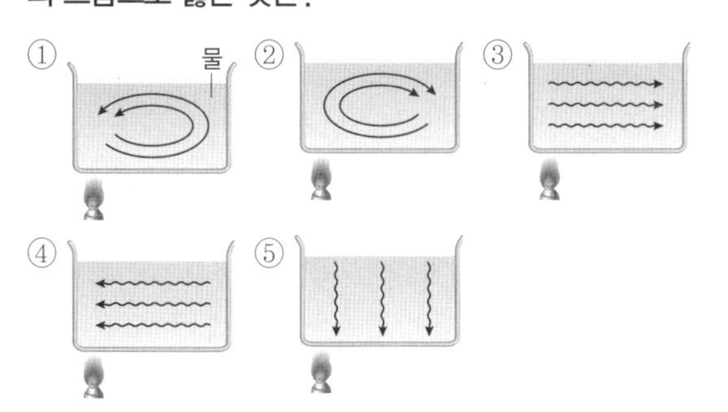

16 그림은 캠핑장에서 요리를 하는 모습이다.

(가), (나), (다)에서 음식 조리에 주로 이용한 열의 이동 방법을 옳게 짝 지은 것은?

① (가) − 전도　　② (가) − 대류
③ (나) − 전도　　④ (나) − 복사
⑤ (다) − 복사

17 그림은 보온병의 내부 모습이다. 이에 대한 설명으로 옳은 것은?

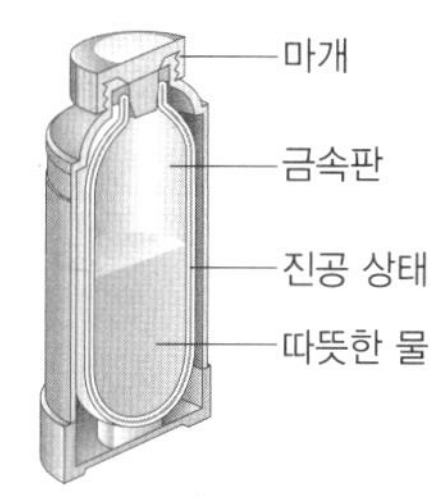

① 마개는 복사에 의한 열의 이동을 막는다.
② 금속판은 전도에 의한 열의 이동을 막는다.
③ 금속판으로는 복사에 의한 열의 이동을 막을 수 없다.
④ 진공 상태는 복사에 의한 열의 이동도 막는다.
⑤ 진공 상태는 전도뿐만 아니라 대류에 의한 열의 이동을 막을 수 있다.

18 그림은 이중창의 구조를 나타낸 것이다. 이중창이 단열이 잘되는 까닭을 서술하시오.

02 비열과 열팽창

★ 정답과 해설 095쪽

A 비열

1. 물체의 온도 변화와 열량

(1) 열량과 질량이 다를 때 물의 온도 변화

① 질량이 같으면 가한 열량이 많을수록 온도가 (❶   ) 올라간다.

② 가한 열량이 같으면 질량이 (❷   )수록 온도가 (❸   ) 올라간다.

2. 비열

(1) **비열**: 어떤 물질 (❹   )의 온도를 1 ℃ 올리는 데 필요한 열량

① 단위: kcal/(kg·℃)

② 비열(kcal/(kg·℃)) $= \dfrac{\text{열량(kcal)}}{\text{질량(kg)} \times \text{(온도 변화(℃))}}$

질량이 같은 두 물체의 비열 비교하기

〈과정 및 결과〉

(1) 두 개의 비커에 물과 식용유를 각각 100 g씩 넣는다.

(2) 두 비커를 핫플레이트 위에 올려놓고 온도계로 처음 온도를 측정한다.

(3) 두 비커를 가열하면서 5분 동안 두 액체의 온도를 1분 간격으로 측정한다.

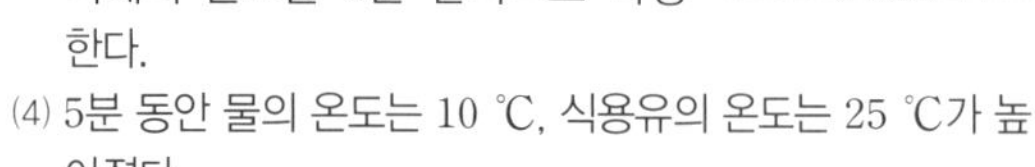

(4) 5분 동안 물의 온도는 10 ℃, 식용유의 온도는 25 ℃가 높아졌다.

〈결론〉

• 물질의 (❺   )에 따라 온도를 높이는 데 필요한 (❻   )이 다르다.

3. 비열과 우리 생활

(1) **바닷가**: 물의 비열이 모래의 비열보다 커서 낮에는 바다에서 육지로 (❼   )이 불고, 밤에는 육지에서 바다로 (❽   )이 분다.

(2) **물의 비열**

• 다른 물질보다 비열이 (❾   ) 물은 온도가 잘 변하지 않아 오랫동안 따뜻하거나 차가운 상태를 유지할 수 있다.

• 물의 비열을 이용한 예: 자동차 냉각제, 찜질팩

(3) **비열을 이용한 조리 도구**

• **뚝배기**: 오랫동안 따뜻한 상태를 유지하는 음식을 조리할 때 사용한다.

• **금속 냄비**: 빨리 끓여야 하는 음식을 조리할 때 사용한다.

B 열팽창

1. 열팽창

(1) (❿   ): 온도가 높아질 때 길이나 부피가 늘어나는 현상

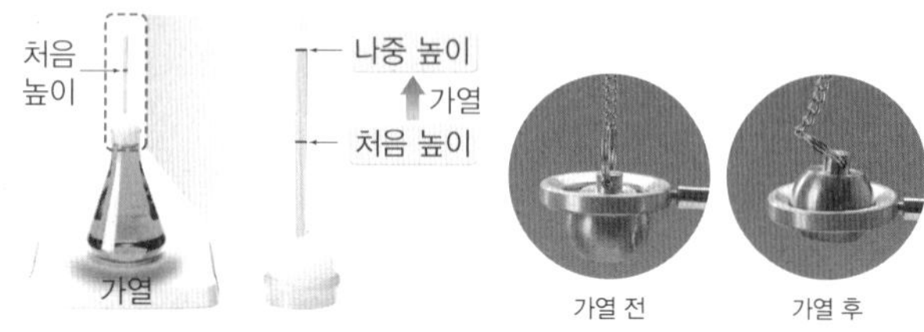

▲ 액체의 열팽창
액체의 온도가 높아져 액체의 부피가 늘어나 유리관 속 액체의 높이가 높아진다.

▲ 고체의 열팽창
고체의 온도가 높아져 고체의 부피가 늘어나 금속 구가 금속 고리를 통과하지 못한다.

2. 열팽창과 입자 운동

입자 운동이 활발하지 않아 입자 사이의 거리가 가깝다.

〈온도가 낮을 때〉

⬇

입자 운동이 활발해져 입자들 사이의 거리가 멀어진다.

〈가열할 때〉

⬇

입자들이 차지하는 공간이 늘어나 부피가 팽창한다.

〈온도가 높을 때〉

3. 열팽창의 이용

(1) **고체의 열팽창**

① 여름철 선로가 휘어지지 않도록 선로 사이에 틈을 둔다.

② 가스관을 ㄷ자형으로 만든다.

③ 다리 상판 사이에 간격을 둔다.

(2) **바이메탈**

① 원리: 온도가 올라가면 열팽창 정도가 작은 금속 쪽으로 휘어져 전류를 차단해 온도를 조절한다.

② 이용: 전기다리미, 토스터 등

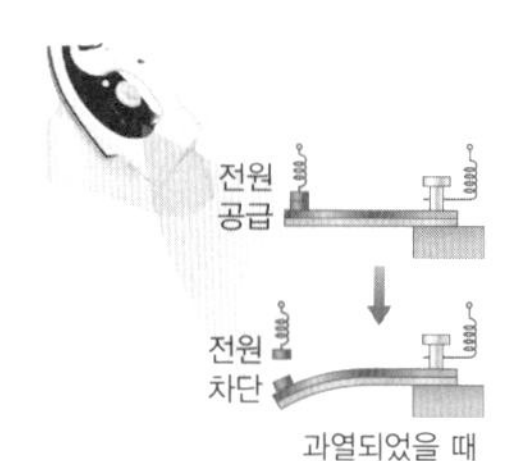

(3) **액체의 열팽창**

① 온도계: 온도에 따라 알코올의 부피가 일정하게 팽창하는 성질을 이용

② 음료수 병: 액체가 열팽창으로 병이 깨지는 것을 방지하기 위해서 병에 액체를 가득 채우지 않는다.

02 비열과 열팽창

★ 정답과 해설 095쪽

A, B 비열과 열팽창 > 비열과 열팽창에 관련된 사례 알기

[01-02] 우리 생활 속 여러 가지 모습이다. 다음 물음에 알맞은 기호를 보기에서 골라 쓰시오.

보기

가. 보일러에 물을 넣는다.
나. 사막은 일교차가 크다.
다. 바닷가 지역은 일교차가 작다.
라. 자동차 냉각제로 물을 사용한다.
마. 양은냄비에 라면을 끓여 먹는다.
바. 낮에 바닷가에서 모래찜질을 한다.
사. 뚝배기에 된장찌개를 끓여 먹는다.
아. 난방용 배관으로 구리관을 사용한다.
자. 뜨거운 물을 찜질팩에 넣어 온찜질을 한다.

01 비열이 큰 경우를 활용한 예를 보기에서 모두 찾아 기호를 쓰시오.

02 비열이 작은 경우를 활용한 예를 보기에서 모두 찾아 기호를 쓰시오.

[03-08] 바닷가의 모습에서 (　　) 안에 들어갈 알맞은 말을 보기에서 찾아 쓰시오.

보기

가. 해풍	나. 육풍
다. 빨리 식음	라. 천천히 식음
마. 빨리 데워짐	바. 천천히 데워짐

[03~05]

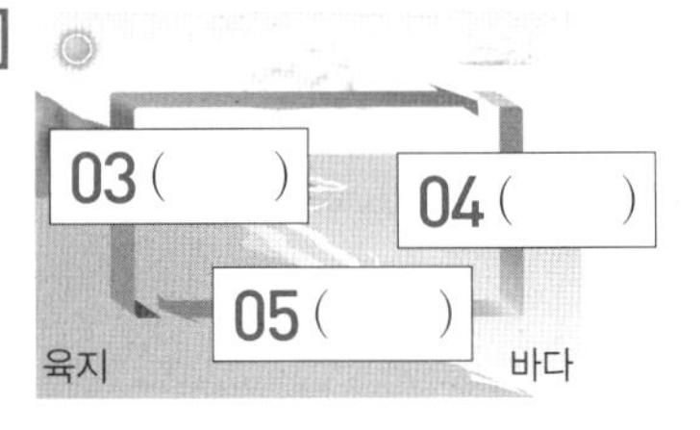

[06~08]

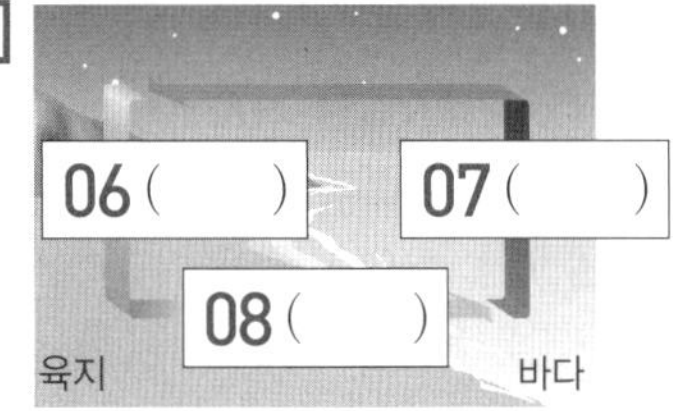

[09-16] 우리 생활 속에서 볼 수 있는 모습을 보고, 여름과 겨울 중 어느 계절의 모습인지 쓰시오.

09

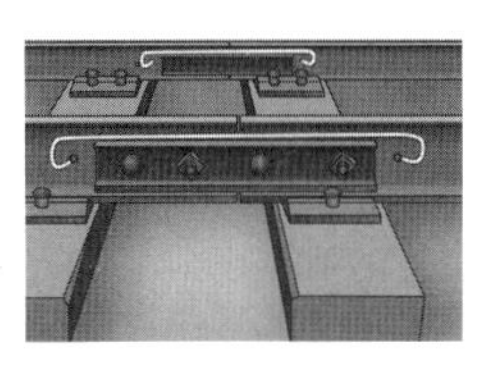

(　　　　)

10

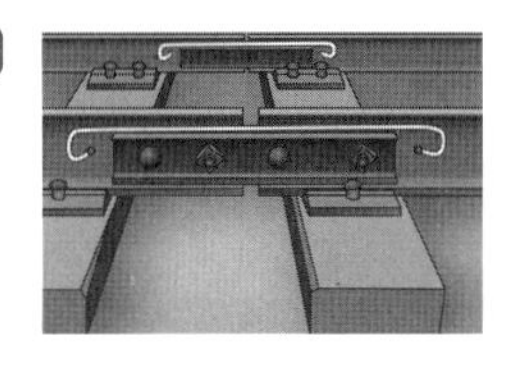

(　　　　)

11

(　　　　)

12

(　　　　)

13

(　　　　)

14

(　　　　)

15

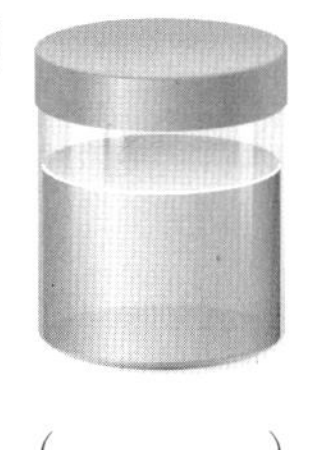

(　　　　)

16

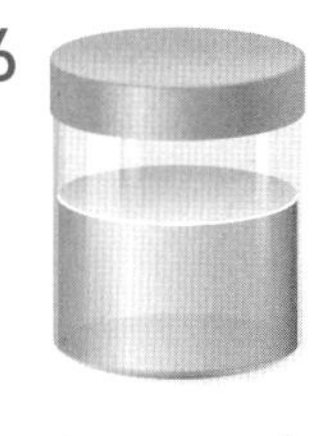

(　　　　)

02 비열과 열팽창

★ 정답과 해설 095쪽

A 비열

01 그림은 질량 100 g의 물과 식용유에 같은 열량을 가한 실험 모습이다. 이 실험에 대한 결과 그래프로 옳은 것은?(단, 물의 비열은 1.0 kcal/(kg·℃), 식용유의 비열은 0.4 kcal/(kg·℃)이다.)

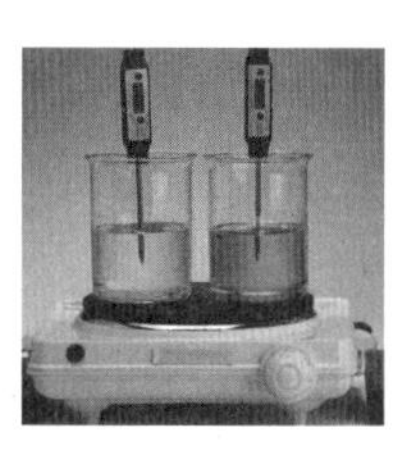

①
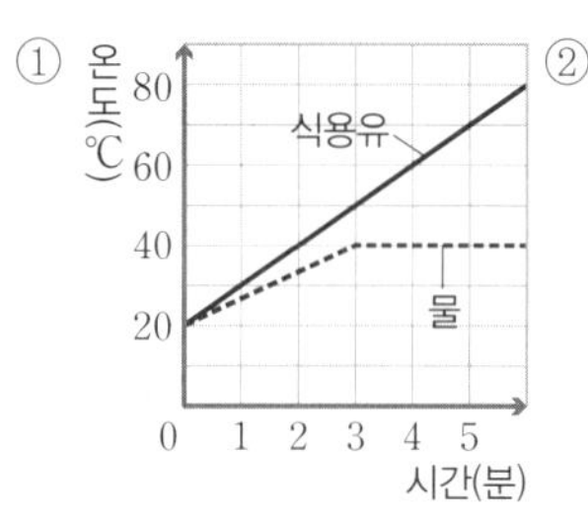

②
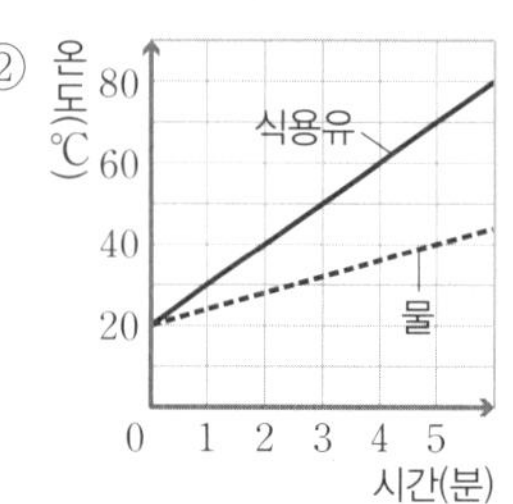

③
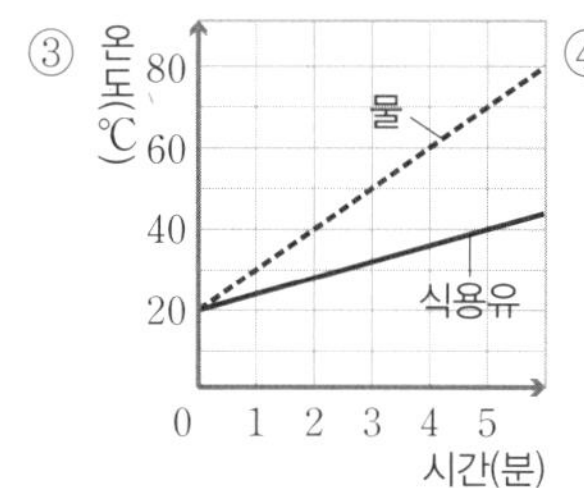

④
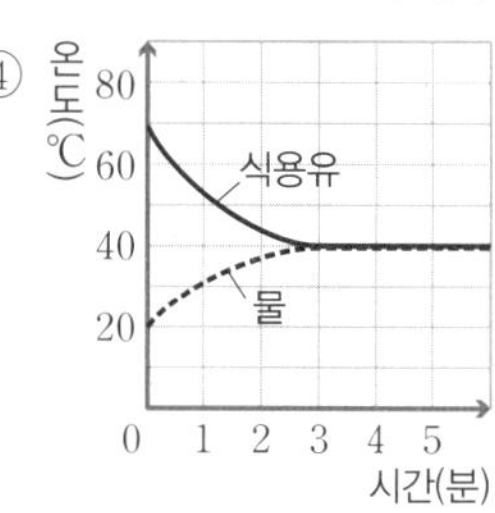

⑤
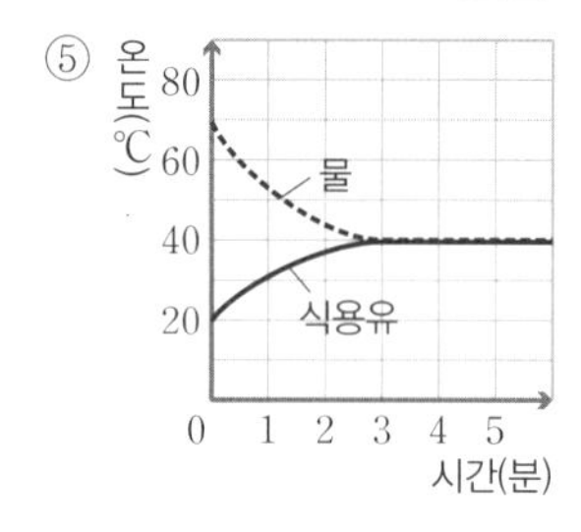

02 그림은 물체 A~C의 질량과 비열을 나타낸 것이다. A~C를 같은 가열 장치로 같은 시간 동안 가열할 때 온도 변화의 관계를 부등호로 나타낸 것으로 옳은 것은?

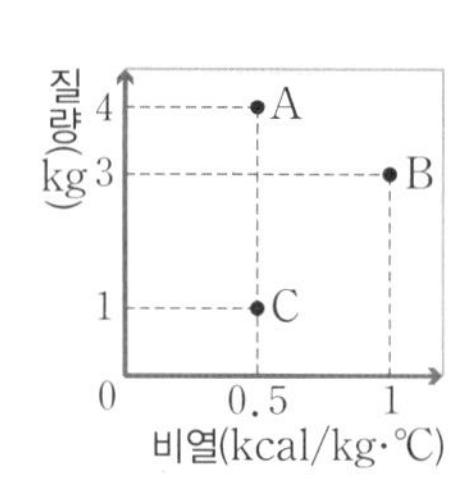

① A>B>C ② A=B>C ③ B>C=A
④ C>A>B ⑤ C=A>B

03 물체 A~E의 질량과 비열을 나타낸 것이다.

구분	A	B	C	D	E
질량(kg)	300	400	600	600	300
비열(kcal / (kg·℃))	0.1	0.3	0.2	0.3	0.5

이들 중 같은 물질을 옳게 짝 지은 것은?

① A – B ② A – C ③ B – D
④ C – D ⑤ D – E

04 그림은 질량이 같은 물체 A~C를 동일하게 가열하였을 때 시간에 따른 온도 변화를 나타낸 그래프이다. 이에 대한 설명으로 옳은 것은?(단, 가한 열량은 모두 온도 변화에만 쓰인다.)

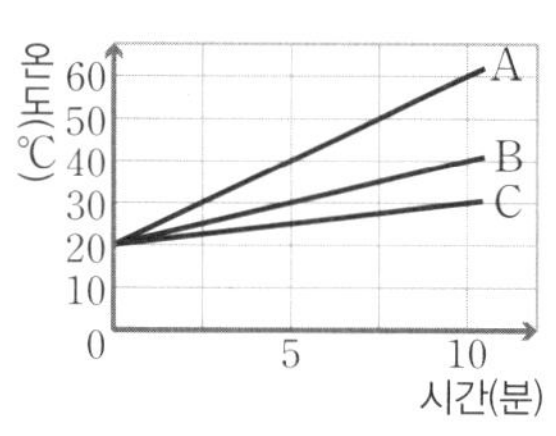

① A는 C보다 비열이 크다.
② B와 C는 서로 다른 물질이다.
③ A가 가장 많은 열량을 흡수하였다.
④ 같은 시간 동안 B의 온도 변화가 가장 크다.
⑤ 가열한지 5분까지는 C가 가장 많은 열량을 흡수하였다.

05 그림은 처음 온도가 20 ℃이고, 질량이 같은 유리 그릇, 쇠 그릇, 은 그릇에 같은 양의 갓 지은 뜨거운 밥을 담아 놓았을 때의 열평형 온도이다.

(가) 유리 그릇

(나) 쇠 그릇

(다) 은 그릇

(가)~(다)의 비열이 큰 순서대로 나열한 것으로 옳은 것은?

① (가)>(나)>(다) ② (가)>(다)>(나)
③ (나)>(다)>(가) ④ (다)>(가)>(나)
⑤ (다)>(나)>(가)

06 그림은 질량이 같은 물과 모래를 가열한 결과를 나타낸 것이다. 이를 통해 알 수 있는 것으로 옳지 않은 것은?

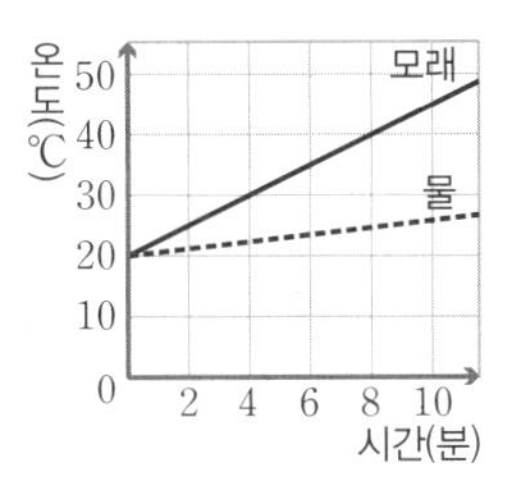

① 낮에는 해풍이 분다.
② 밤에는 육풍이 분다.
③ 밤에는 육지가 더 빨리 식는다.
④ 낮에는 모래보다 바닷물이 더 온도가 낮다.
⑤ 밤에는 모래보다 바닷물이 더 온도가 낮다.

07 그림은 나무와 흙으로 지은 한옥과 금속으로 지은 컨테이너 하우스이다.

(가) 한옥

(나) 컨테이너 하우스

두 집의 낮과 밤의 실내 온도를 비교한 것으로 옳은 것은?(단, 냉난방은 하지 않는다고 가정한다.)

	낮	밤
①	(가)>(나)	(가)>(나)
②	(가)>(나)	(가)<(나)
③	(가)<(나)	(가)>(나)
④	(가)<(나)	(가)<(나)
⑤	(가)=(나)	(가)>(가)

08 그림은 요리를 할 때 사용하는 뚝배기와 금속 냄비의 모습이다.

(가) 뚝배기

(나) 금속 냄비

물을 끓여 달걀을 삶을 때 더 빠르게 삶을 수 있는 것의 기호를 쓰고, 그 까닭을 서술하시오.

B 열팽창

09 그림은 액체의 열팽창 실험 장치의 모습이다. 가열했을 때 나타나는 각각의 변화를 옳게 짝 지은 것은?

	액체의 온도	삼각 플라스크 부피	액체의 높이
①	증가	증가	증가
②	증가	증가	감소
③	증가	감소	증가
④	감소	감소	감소
⑤	감소	변화 없음	변화 없음

10 열팽창에 대한 설명으로 옳은 것만을 보기에서 모두 고른 것은?

보기
ㄱ. 고체와 액체에서만 일어난다.
ㄴ. 액체보다 고체의 열팽창 정도가 더 크다.
ㄷ. 온도가 높아지면 입자가 차지하는 공간이 커지면서 부피나 길이가 늘어난다.

① ㄱ ② ㄴ ③ ㄷ
④ ㄱ, ㄴ ⑤ ㄴ, ㄷ

11 그림은 온도에 따른 입자의 운동 모습이다. 상황에 맞는 모습을 옳게 짝 지은 것은?

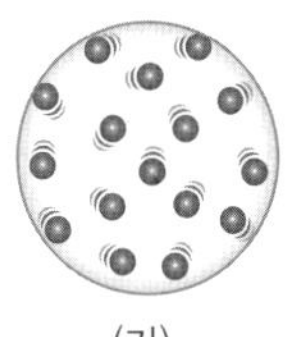
(가)

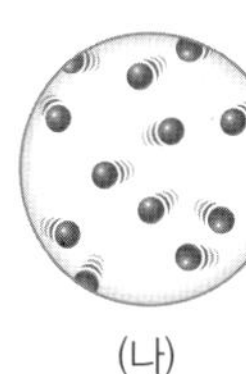
(나)

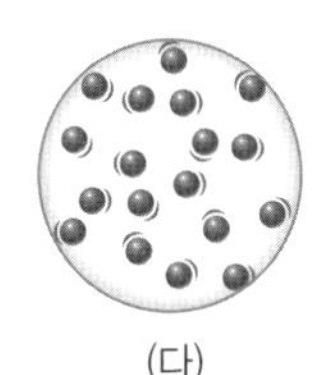
(다)

	온도가 낮을 때	가열할 때	온도가 높을 때
①	(가)	(나)	(다)
②	(나)	(가)	(다)
③	(나)	(다)	(가)
④	(다)	(가)	(나)
⑤	(다)	(나)	(가)

12 생활 속 여러 상황들을 설명한 글이다. (   ) 안에 공통으로 들어갈 알맞은 것은?

- 건물을 지을 때 철근은 시멘트와 (   )이/가 비슷하여 온도가 변하더라도 서로 떨어지지 않아 건물을 잘 지탱한다.
- 실험 기구를 내열 유리로 만들면 일반 유리보다 (   )이/가 작아 뜨거운 물을 담았을 때 잘 파손되지 않는다.
- 충치 치료할 때 넣는 충전재는 치아와 (   )이/가 비슷한 재료를 사용하여 뜨거운 음식이나 찬 음식을 먹을 때 치아와 충전재가 떨어지지 않게 한다.

① 열량 ② 비열 ③ 열팽창 정도
④ 열전도 정도 ⑤ 온도 변화 정도

13 뜨거운 물을 유리병에 부을 때 갑자기 금이 가거나 깨지는 경우가 있다. 그 까닭으로 옳은 것은?

① 유리병의 두께가 너무 얇기 때문에
② 뜨거운 물이 직접 닿은 곳의 유리가 녹았기 때문에
③ 유리병의 유리 속에 있던 작은 기포가 팽창하였기 때문에
④ 뜨거운 물이 직접 닿은 곳만 온도가 상승하여 유리가 팽창하였기 때문에
⑤ 유리병에 있던 미세한 틈 사이로 뜨거운 물이 들어가 팽창하였기 때문에

14 그림의 쇠고리를 전체적으로 고르게 가열하였을 때 쇠고리의 바깥쪽 원과 안쪽 원의 변화로 옳은 것은?

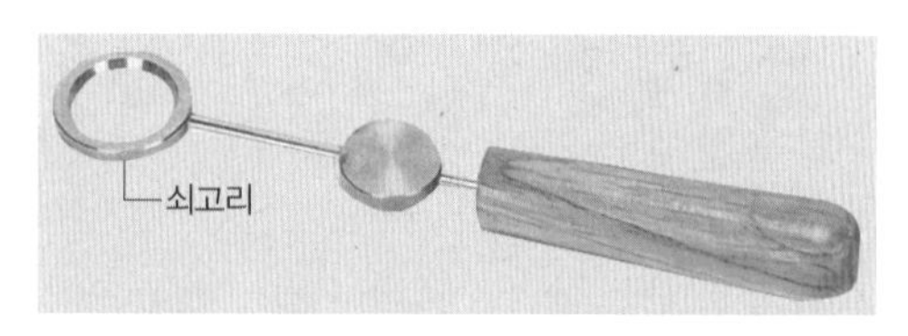

① 바깥쪽 원과 안쪽 원 모두 줄어든다.
② 바깥쪽 원과 안쪽 원 모두 늘어난다.
③ 바깥쪽 원은 줄어들고, 안쪽 원은 늘어난다.
④ 바깥쪽 원은 늘어나고, 안쪽 원은 줄어든다.
⑤ 바깥쪽 원과 안쪽 원 모두 변함없다.

15 그림은 나무 손잡이에 딱 맞게 금속 날을 끼운 도끼의 모습이다. 나무 손잡이가 빠지지 않도록 금속 날을 끼우는 방법으로 가장 적절한 것은?

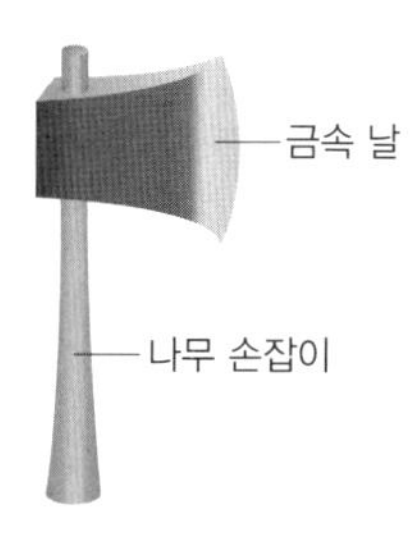

① 금속 날을 냉각시켜 끼운 뒤 가열한다.
② 금속 날을 가열하여 끼운 뒤 냉각시킨다.
③ 나무 손잡이를 냉각시켜 끼운 뒤 가열한다.
④ 나무 손잡이를 가열하여 끼운 뒤 냉각시킨다.
⑤ 금속 날과 나무 손잡이를 동시에 냉각시켜 끼운다.

16 금속 A~D의 금속선에 추를 매달고 금속선을 가열하기 전과 후 추의 높이를 측정하여 정리하였다.

금속	A	B	C	D
가열 전 추의 높이(cm)	10.0	9.5	10.5	9.7
가열 후 추의 높이(cm)	9.8	9.3	9.8	9.5

A~D의 금속으로 바이메탈을 만들 때 사용할 수 있는 금속을 옳게 짝 지은 것을 모두 고르시오.(정답 2개)

① A − B ② A − C ③ A − D
④ B − C ⑤ B − D

17 그림은 세 금속 A~C를 이용하여 바이메탈을 만든 후 가열하였을 때의 모습이다.

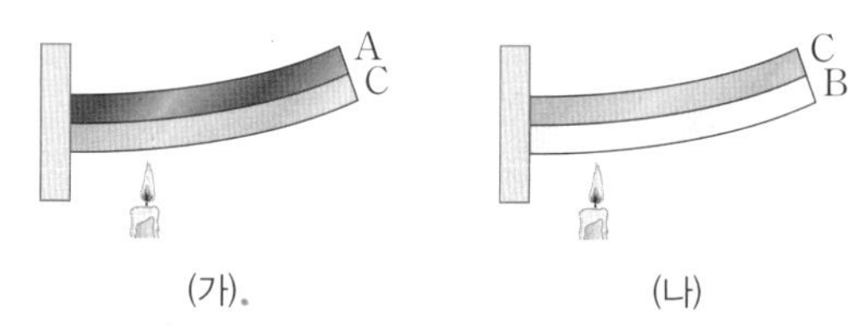

(가) (나)

금속 A~C의 열팽창 정도를 부등호로 나타내시오.

18 그림은 긴 다리가 뒤틀리는 것을 방지하기 위해 다리의 곳곳에 있는 틈으로, 여름철이 되면 틈이 좁아진다. 이와 같이 여름철 열팽창에 의해 일어날 수 있는 현상을 3가지 이상 쓰시오.

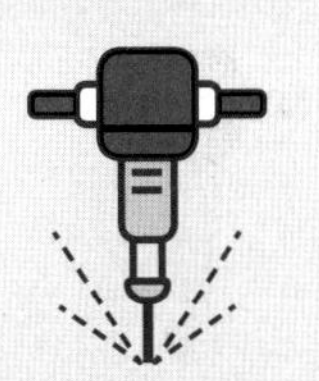

집중

미로 게임

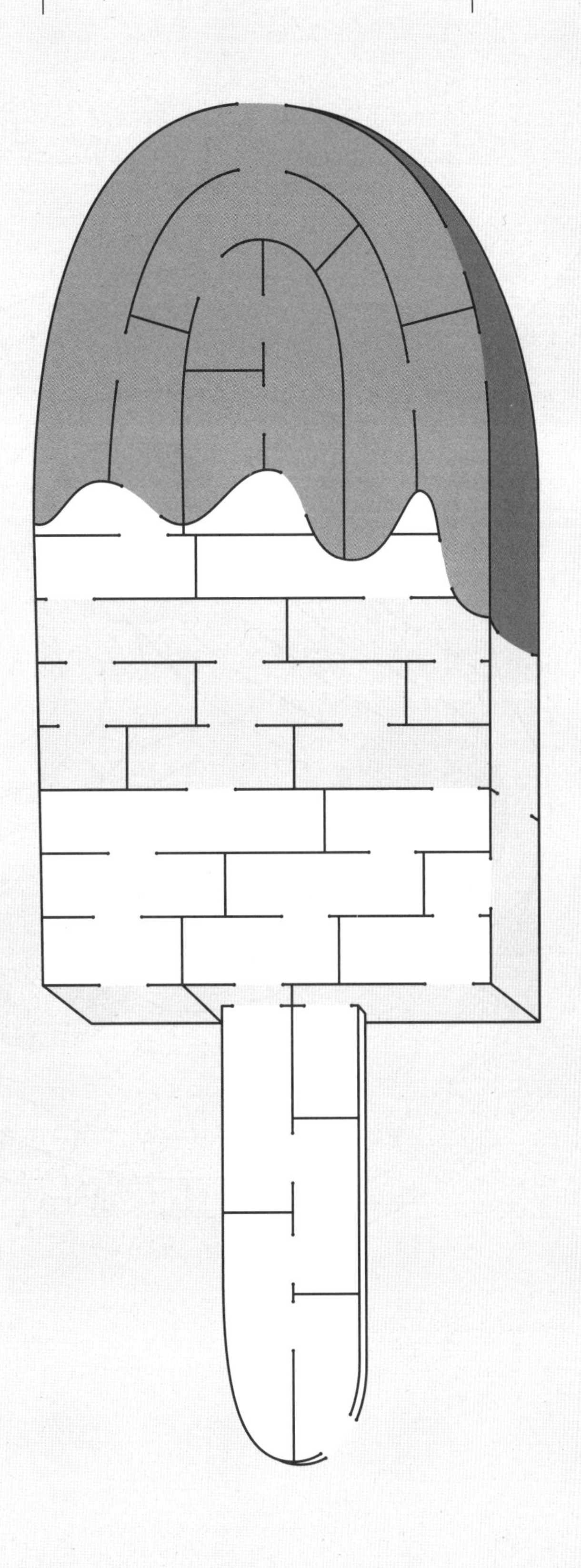

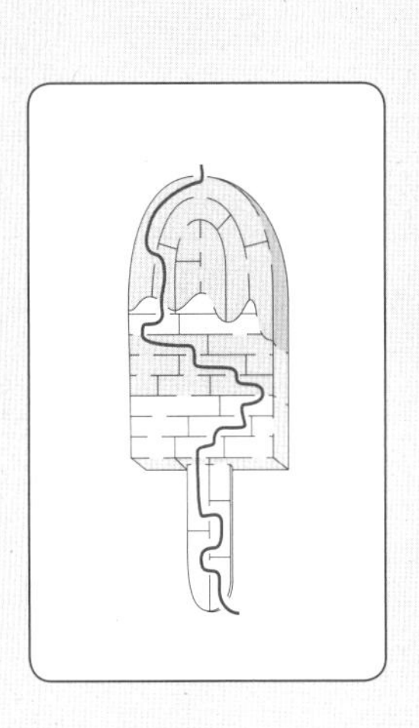

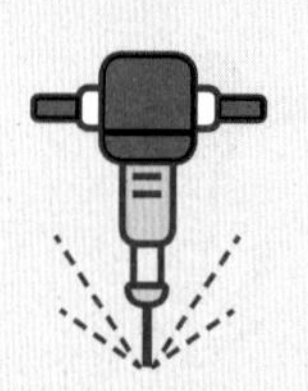

집중

미로 게임

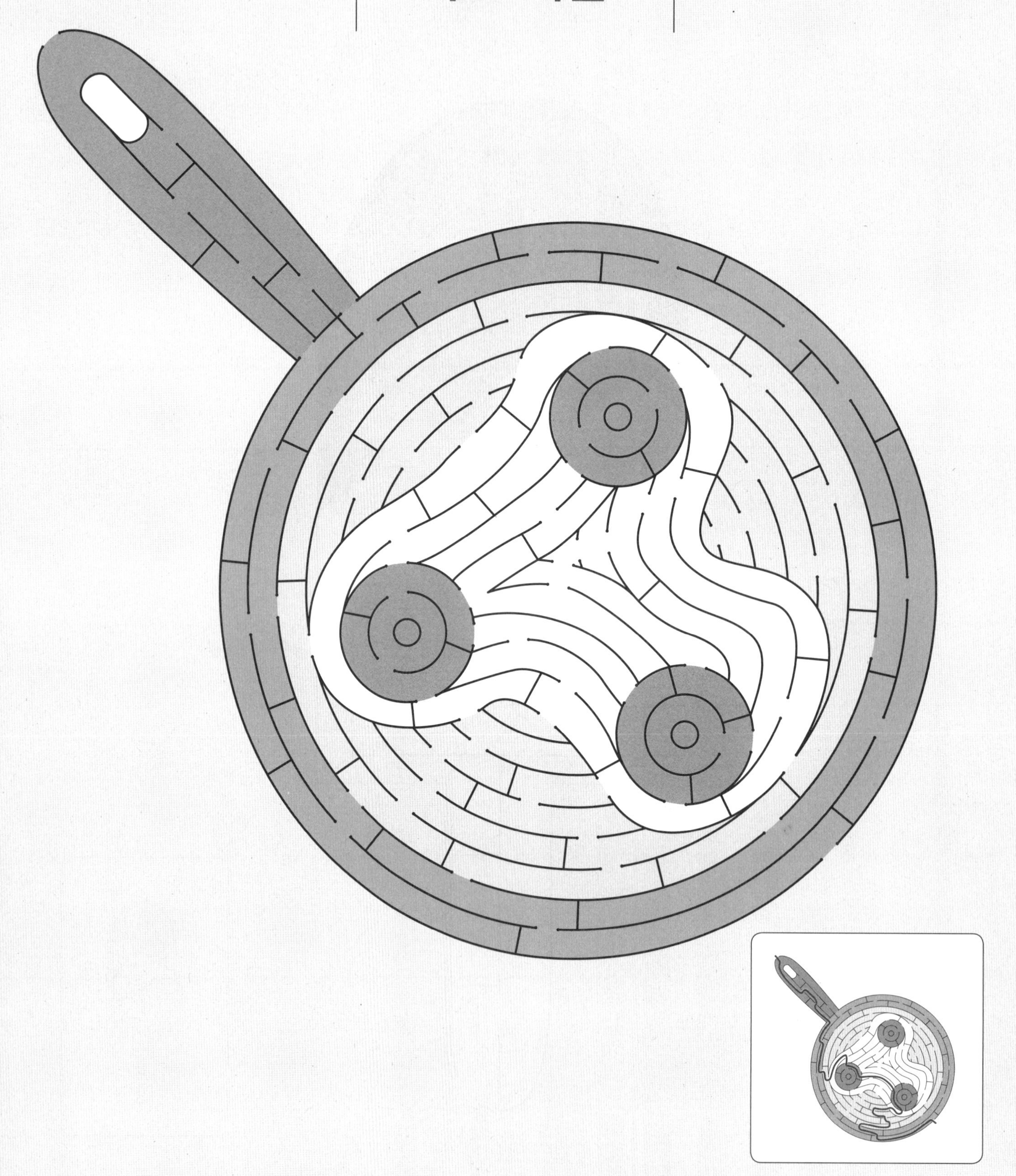

개념풀 특강

중학 과학 2

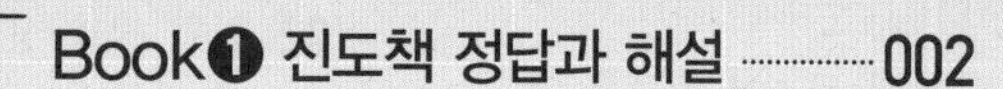

Book ❸ 정답과 해설

진도책 정답과 해설

I 물질의 구성

01 물질의 기본 성분

개념 다지기 1단계

진도책 011쪽, 013쪽

01 (1) 탈레스 (2) 라부아지에 (3) 보일 (4) 아리스토텔레스
02 (1) × (2) ○ (3) ○ (4) × 03 (1) ○ (2) ○ (3) × (4) × (5) × 04 (1) 수소 (2) 철 (3) 금 (4) 산소

05 (1) 불꽃 반응 (2) 연속 스펙트럼 (3) 선 스펙트럼 06 ㉠ 빨간색, ㉡ 칼슘, ㉢ 나트륨, ㉣ 빨간색, ㉤ 보라색, ㉥ 구리 07 (1) × (2) × (3) × (4) ○ 08 (1) 빨간색 (2) 주황색 (3) 보라색 (4) 황록색 (5) 노란색 (6) 청록색 (7) 빨간색 09 (1) ○ (2) × (3) × (4) × 10 ㉠ 불꽃색, ㉡ 선 스펙트럼 분석

02 (1) 물이 분해되면 산소 기체와 수소 기체가 발생한다.
(2), (3) 물이 수소와 산소로 분해되므로 물을 이루는 성분은 수소 원소와 산소 원소이고, 물은 원소가 아님을 알 수 있다.
(4) 물질을 이루는 기본 성분에 대한 아리스토텔레스의 주장이 옳지 않음을 증명하였다.

03 (1), (2) 원소는 더 이상 다른 물질로 분해되지 않으면서 물질을 이루는 기본 성분이다.
(3), (4) 현재까지 알려진 원소의 종류는 120여 가지이며, 90여 가지는 자연에서 발견된 것이고, 나머지는 인공적으로 만든 것이다.
(5) 우리 주위에 있는 모든 물질은 원소로 이루어져 있으며, 1가지 원소로 이루어진 것도 있고, 여러 가지 원소로 이루어진 것도 있다.

05 일부의 금속 원소를 포함한 물질을 불꽃에 넣었을 때 포함된 금속 원소의 종류에 따라 특유의 불꽃색이 나타나는 반응을 불꽃 반응이라 하고, 빛을 분광기로 관찰할 때 색이 나누어져 나타나는 여러 가지 색의 띠를 스펙트럼이라고 한다. 햇빛은 연속 스펙트럼, 특정 원소는 선 스펙트럼이 나타난다.

07 (1) 불꽃색은 모든 원소에서 나타나는 것이 아니며, 일부 금속 원소에서만 나타난다. 따라서 일부 금속 원소만 확인할 수 있다.
(2) 물질의 양이 적어도 그 속에 포함된 원소의 종류를 알아낼 수 있다.
(3) 불꽃색은 금속 원소에 의해 나타나므로 염화 칼슘의 불꽃색은 칼슘에 의해 주황색이다.
(4) 불꽃색은 일부 금속 원소에 의해 나타나므로 물질의 종류가 달라도 같은 금속 원소를 포함하면 불꽃색이 같다.

08 불꽃색은 물질에 포함된 금속 원소에 의해 나타나며, 각 금속 원소의 불꽃색은 리튬은 빨간색, 칼슘은 주황색, 칼륨은 보라색, 바륨은 황록색, 나트륨은 노란색, 구리는 청록색, 스트론튬은 빨간색이다.

09 (2) 햇빛을 분광기로 관찰하면 연속 스펙트럼이 나타난다.
(3) 금속 원소가 포함된 물질의 불꽃을 분광기로 관찰하면 선 스펙트럼이 나타난다.
(4) 물질에 몇 가지 원소가 섞여 있으면 모든 원소의 스펙트럼이 합쳐져서 나타난다.

10 불꽃색이 비슷한 원소도 선 스펙트럼의 선의 색깔, 위치, 개수, 굵기가 다르게 나타나므로 선 스펙트럼 분석으로 구별할 수 있다.

공략 확인 문제

진도책 014쪽

01 수소, 산소 02 원소 03 (1) × (2) × (3) ○ (4) ○ (5) × (6) ○

01 물을 전기 분해하면 (+)극에서는 산소 기체, (−)극에서는 수소 기체가 발생한다.

02 원소는 더 이상 분해되지 않는 물질을 이루는 기본 성분인데, 물은 수소와 산소로 분해되므로 원소가 아니다.

03 (1), (2), (4) (+)극에서는 산소 기체, (−)극에서는 수소 기체가 발생하며, 수소 기체가 산소 기체보다 더 많이 발생한다.
(3) 물은 수소와 산소로 분해되므로 물을 이루는 성분은 수소 원소와 산소 원소이다.
(5) 산소 기체는 꺼져가는 향불을 가까이 했을 때 향불이 다시 타오르는 것으로 확인할 수 있다. 석회수가 뿌옇게 흐려지는 것으로 확인할 수 있는 기체는 이산화 탄소이다.
(6) 수소 기체는 공기 중에서 불꽃을 만나면 폭발하는 성질이 있으므로 성냥불을 가까이 하면 '퍽'하는 소리를 내면서 탄다.

공략 확인 문제

진도책 015쪽

01 (가) 나트륨, (나) 리튬, (다) 칼륨, (라) 스트론튬
02 구리 03 (1) × (2) × (3) × (4) ○ (5) ○ (6) ○

01 불꽃색은 금속 원소에 의해 나타난다.

02 실험 결과 청록색의 불꽃색이 나타나는 물질은 구리 원소를 공통으로 포함하므로, 물질 X의 수용액으로 불꽃 반응 실험을 했을 때 청록색의 불꽃색이 나타났다면 물질 X에 포함된 금속 원소는 구리이다.

03 (1) 불꽃 반응은 실험 과정이 비교적 쉽고 간단하다.
(2) 불꽃색이 보라색인 물질은 칼륨 원소를 포함하고 있다.

(3) 염화 리튬과 염화 스트론튬은 불꽃색이 빨간색으로 비슷하므로 불꽃 반응 실험으로 구별하기 어렵다.
(4), (5), (6) 불꽃색은 금속 원소에 의해 나타난다. 따라서 염화 구리(Ⅱ)와 질산 구리(Ⅱ)의 불꽃색은 구리에 의해 나타나고, 탄산 나트륨 수용액의 불꽃색은 나트륨에 의해 노란색이 나타나며, 불꽃 반응으로 물질에 포함된 일부 금속 원소의 종류를 알 수 있다.

실력 올리기 2단계

진도책 016~018쪽

01 ④ 02 ② 03 ④ 04 ③ 05 해설 참조 06 ④
07 ③, ④ 08 ㉠ 09 ② 10 ③ 11 ⑤ 12 ②
13 해설 참조 14 ②, ④ 15 ② 16 ③
17 4가지 18 ⑤ 19 ③ 20 해설 참조

01 ④ 보일은 물질을 이루는 기본 물질은 원소이고, 원소는 더 이상 분해할 수 없다고 주장하였다.

오답 분석
① 탈레스, ② 라부아지에, ③ 보일, ⑤ 아리스토텔레스의 주장이다.

이 문제에 적용되는 개념

물질을 이루는 기본 성분에 대한 학자들의 주장
- 탈레스: 모든 물질의 근원은 물이다.
- 엠페도클레스: 만물의 근원은 물, 불, 흙, 공기의 4원소이다.
- 데모크리토스: 만물은 더 이상 쪼개지지 않는 입자(원자)로 이루어져 있다.
- 아리스토텔레스: 모든 물질은 물, 불, 흙, 공기의 4원소로 이루어져 있고, 이들 원소는 4가지 성질(차가움, 따뜻함, 건조함, 습함)에 의해 서로 변환될 수 있다.
- 중세의 연금술사: 수은, 소금, 황을 적당한 비율로 섞으면 납과 같은 값싼 금속도 금으로 변한다.
- 보일: 물질을 이루는 기본 성분으로서 더 이상 분해되지 않는 물질을 원소라고 하였다.
- 라부아지에: 물을 수소와 산소로 분해하여 물이 원소가 아님을 밝혔으며, 33종의 원소를 발표하였다.

02 ② 기체 (가)는 물이 분해되어 발생한 수소이다.

오답 분석
① 물이 분해되어 발생한 산소가 주철관의 철과 결합하여 주철관 안에 녹이 슨다.
③, ④, ⑤ 물이 분해되면 수소와 산소가 생성되므로 물을 이루는 성분은 수소와 산소이다.

03 라부아지에는 물 분해 실험을 통해 물이 수소와 산소로 분해되는 것을 확인하여 물은 물질의 기본 성분인 원소가 아님을 증명하였다.

04 ③ 순수한 물은 전류가 흐르지 않으므로 수산화 나트륨을 조금 녹여 물에 전류가 잘 흐르게 한다.

오답 분석
① (−)극인 A에 모인 기체는 수소이고, (+)극인 B에 모인 기체는 산소이다.
② (+)극에서 발생한 산소 기체보다 (−)극에서 발생한 수소 기체의 양이 더 많다.
④ A에 모인 수소는 성냥불을 가까이 하면 '퍽' 소리가 나면서 타게 한다.
⑤ B에 모인 산소는 꺼져가는 향불을 가까이 하면 다시 타오르게 한다.

05 **모범 답안** 물은 원소가 아니다. 원소는 더 이상 다른 물질로 분해되지 않아야 하는데, 물은 수소와 산소로 분해되기 때문이다.
해설 실험 결과 물이 수소 기체와 산소 기체로 분해되므로 물이 물질을 이루는 기본 성분인 원소가 아님을 알 수 있다.

채점 기준	배점
물이 원소인지의 판단과 그 까닭을 모두 옳게 서술한 경우	100 %
물이 원소인지의 판단만 옳게 서술한 경우	40 %

06 ④ 현재까지 알려진 원소는 120여 가지이며, 이 중에서 90여 가지는 자연에서 발견된 것이고, 나머지는 인공적으로 만든 것이다.

오답 분석
①, ③ 원소는 더 이상 다른 물질로 분해되지 않는, 물질을 이루는 기본 성분이다.
② 원소는 종류에 따라 성질이 다르고, 일상생활에서 다양하게 이용된다.
⑤ 우리 주위에 있는 모든 물질은 원소로 이루어져 있으며, 1가지 원소로 이루어진 것도 있고, 여러 가지 원소로 이루어진 것도 있다.

07 ③, ④ 마그네슘, 산소는 더 이상 다른 물질로 분해되지 않으면서 물질을 이루는 기본 성분인 원소이다.

오답 분석
①, ⑤ 물과 염화 나트륨은 2가지 원소로 이루어진 물질이다.
② 공기는 질소, 산소 등이 섞여 있는 물질이다.

08 ㉠ 알루미늄 포일은 알루미늄 원소로만 이루어진 물질이고, 나머지는 모두 2가지 이상의 원소로 이루어진 물질이다.

오답 분석
㉡ 소금: 나트륨, 염소로 이루어져 있다.
㉢ 설탕: 탄소, 수소, 산소로 이루어져 있다.
㉣ 나무: 탄소, 수소, 산소 등으로 이루어져 있다.
㉤ 물: 수소와 산소로 이루어져 있다.

09 지구 대기 성분의 약 21 %를 차지하고, 생물의 호흡과 물질의 연소에 이용되는 원소는 산소이다.

10 ㄱ. 금은 산소, 물과 반응하지 않아 광택이 유지되므로 장신구의 재료로 이용된다.
ㄴ. 지구 중심핵에 가장 많이 존재하며, 단단하므로 기계, 건축 재료로 이용되는 것은 철이다.
ㅁ. 다른 물질과 잘 반응하지 않아 과자 봉지 등의 충전 기체로 이용되는 것은 질소이다.

오답 분석

ㄷ. 수소에 대한 설명이고, 헬륨은 비행선의 충전 기체로 이용된다.

ㄹ. 염소에 대한 설명이고, 규소는 반도체 소자에 이용된다.

11 ⑤ 불꽃색은 금속 원소에 의해 나타나므로 같은 금속 원소를 포함하면 같은 불꽃색이 나타난다.

오답 분석

① 불꽃색이 비슷한 물질은 불꽃 반응으로 구별할 수 없으며, 선 스펙트럼 분석으로 구별한다.

② 물질의 양이 적어도 그 속에 포함된 금속 원소의 불꽃색이 나타난다.

③ 불꽃색은 금속 원소에 의해 나타나므로 염화 리튬은 리튬 원소에 의해 빨간색의 불꽃색이 나타난다.

④ 일부의 금속 원소만 불꽃색으로 구별할 수 있다.

12 ② 염화 바륨은 금속 원소인 바륨에 의해 황록색의 불꽃색이 나타난다.

오답 분석

① 리튬에 의해 빨간색, ③ 칼슘에 의해 주황색, ④ 칼륨에 의해 보라색, ⑤ 스트론튬에 의해 빨간색의 불꽃색이 나타난다.

13 **모범 답안** 염화 나트륨과 질산 나트륨은 모두 금속 원소인 나트륨을 공통으로 포함하고 있기 때문이다.

해설 불꽃색은 금속 원소에 의해 나타나므로 같은 금속 원소를 포함한 물질은 같은 불꽃색이 나타난다.

채점 기준	배점
나트륨을 공통으로 포함하고 있다고 옳게 서술한 경우	100 %
같은 금속 원소를 포함하고 있다고만 서술한 경우	50 %

14 ② (가)는 니크롬선에 묻은 불순물을 묽은 염산으로 씻는 과정이다.

④ 겉불꽃은 속불꽃보다 온도가 높고, 무색이므로 불꽃색을 관찰하기 쉽다.

오답 분석

① 구리선은 구리 원소에 의해 청록색의 불꽃색이 나타나므로 니크롬선 대신 구리선을 사용하면 시료의 불꽃색에 구리의 불꽃색이 섞인다. 따라서 니크롬선 대신 구리선을 사용할 수 없다.

③ 시료가 니크롬선에 남아 있으면 그 시료의 불꽃색이 새로운 시료의 불꽃색과 섞이므로 시료를 바꿀 때마다 (가) 과정을 거쳐야 한다.

⑤ 리튬과 스트론튬은 불꽃색이 빨간색으로 비슷하므로 불꽃 반응으로 구별하기 어렵다.

15 염화 바륨의 불꽃색이 염소에 의해 나타나는지, 바륨에 의해 나타나는지 알아보기 위해서는 염소 원소를 포함하는 물질과 바륨 원소를 포함하는 물질의 불꽃색을 확인해야 한다. 따라서 염소 원소를 포함한 염화 칼륨과 바륨 원소를 포함한 질산 바륨의 불꽃색을 확인해야 한다.

16 ③ 보라색은 칼륨의 불꽃색이므로 염화 칼륨의 불꽃은 (다)와 같다.

오답 분석

①, ④ 빨간색은 리튬이나 스트론튬의 불꽃색이며, 질산 구리(Ⅱ)의 불꽃색은 구리 원소에 의해 청록색이다.

② 노란색은 나트륨의 불꽃색이다.

⑤ 염화 칼슘의 불꽃색은 주황색, 염화 나트륨의 불꽃색은 노란색이다.

17 보라색(칼륨), 빨간색(리튬), 주황색(칼슘), 청록색(구리)을 관찰할 수 있다.

18 ⑤ 원소의 종류에 따라 스펙트럼에 나타나는 선의 위치, 색깔, 굵기, 개수 등이 다르게 나타난다.

오답 분석

①, ② 햇빛은 연속 스펙트럼, 나트륨과 같은 원소는 선 스펙트럼이 나타난다.

③ 리튬과 스트론튬 같이 불꽃색이 비슷한 원소도 선 스펙트럼이 다르므로 선 스펙트럼으로 구별할 수 있다.

④ 여러 가지 원소가 섞여 있는 물질은 각 원소의 선 스펙트럼이 모두 나타난다.

19 자료 분석

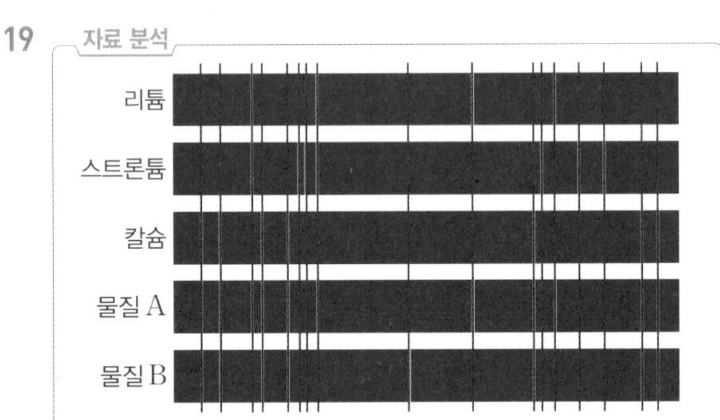

- 물질 A의 선 스펙트럼에 나타난 선에서 위로 점선을 그었을 때 선의 위치가 점선과 모두 일치하는 원소는 물질 A에 포함된 원소이다. 물질 B도 마찬가지이다.
- 리튬과 칼슘의 선은 모두 물질 A의 선과 일치한다.
- 칼슘의 선은 모두 물질 B의 선과 일치한다.

물질에 여러 가지 원소가 들어 있는 경우 각 원소의 선 스펙트럼이 모두 나타난다. 물질 A에는 리튬과 칼슘의 선 스펙트럼이 모두 나타나고, 물질 B에는 칼슘의 선 스펙트럼이 나타나므로 물질 A에는 리튬과 칼슘이 포함되어 있고, 물질 B에는 칼슘이 포함되어 있다.

20 **모범 답안** 물질 A의 선 스펙트럼에 리튬과 칼슘의 선 스펙트럼이 모두 나타나고, 물질 B의 선 스펙트럼에 칼슘의 선 스펙트럼이 나타나기 때문이다.

채점 기준	배점
물질 A와 B에 대해 모두 옳게 서술한 경우	100 %
여러 가지 원소가 들어 있는 경우 각 원소의 선 스펙트럼이 모두 나타나기 때문이라고만 서술한 경우	40 %

만점 도전하기 3단계

진도책 019쪽

01 ③, ⑤ **02** ② **03** 탄산수소 나트륨, 탄산 나트륨, 나트륨 **04** ③ **05** ①

01 ③, ⑤ 산화 수은을 가열하면 산소와 수은으로 분해되므로 산화 수은을 이루는 원소는 산소와 수은이다.

오답 분석

① 산화 수은은 산소와 수은으로 분해되므로 원소가 아니다.
② 산소와 수은은 원소이므로 더 이상 분해되지 않는다.
④ 산화 수은을 가열하면 산소와 수은으로 분해되므로 산화 수은은 산소와 수은이 섞여 있는 물질이 아니라 원소인 산소와 수은으로 이루어진 물질이다.

02 자료 분석

- 탄산수소 나트륨을 가열하면 탄산 나트륨, 물, 이산화 탄소로 분해된다.
  → 탄산 나트륨, 물, 이산화 탄소는 분해되므로 원소가 아니다.
- 탄산 나트륨을 분해하면 탄소, 산소, 나트륨으로 나누어진다.
  → 탄산 나트륨을 구성하는 원소는 탄소, 산소, 나트륨이다.
- 이산화 탄소를 분해하면 탄소와 산소로 나누어진다.
  → 이산화 탄소를 구성하는 원소는 탄소, 산소이다.
- 물을 분해하면 수소와 산소로 나누어진다.
  → 물을 구성하는 원소는 수소, 산소이다.
- 탄소, 수소, 나트륨, 산소는 더 이상 분해되지 않는다.
  → 탄소, 수소, 나트륨, 산소는 원소이다.

② 탄소, 수소, 나트륨, 산소는 더 이상 분해되지 않으므로 물질을 구성하는 기본 성분인 원소이다.

오답 분석

① 이산화 탄소를 분해하면 탄소와 산소로 나누어지므로 이산화 탄소를 구성하는 원소는 탄소와 산소이다.
③ 탄산 나트륨을 분해하면 탄소, 산소, 나트륨으로 나누어지므로 탄산 나트륨을 구성하는 원소는 탄소, 산소, 나트륨이다.
④ 탄산 나트륨을 구성하는 원소는 탄소, 산소, 나트륨이고, 이산화 탄소를 구성하는 원소는 탄소, 산소이며, 물을 구성하는 원소는 수소, 산소이므로 3물질을 구성하는 공통 원소는 산소이다.
⑤ 탄산 나트륨, 물, 이산화 탄소는 분해되므로 원소가 아니며, 탄산수소 나트륨을 구성하는 원소는 탄소, 수소, 나트륨, 산소이다.

03 같은 금속 원소를 포함한 물질은 불꽃색이 같다. 나트륨 원소로 이루어진 탄산수소 나트륨, 탄산 나트륨, 나트륨은 모두 노란색의 불꽃색이 나타난다.

04 ㄴ. 불꽃색은 금속 원소에 의해 나타나므로 염화 나트륨의 불꽃색 (가)는 질산 나트륨과 같은 노란색이며, 탄산 나트륨의 불꽃색도 (가)와 같은 노란색이다.
ㄹ. (나)는 불꽃색이 빨간색이므로 스트론튬 원소를 포함하는 물질이다. 따라서 질산 스트론튬과 탄산 스트론튬이 (나)에 속할 수 있다.

오답 분석

ㄱ. 염화 칼륨과 질산 칼륨의 불꽃색은 모두 보라색이므로 보라색은 2물질에 공통으로 들어 있는 원소인 칼륨 원소의 불꽃색이다.
ㄷ. 염화 구리(Ⅱ)와 질산 구리(Ⅱ)의 불꽃색이 청록색이므로 구리를 포함한 탄산 구리(Ⅱ)의 불꽃색은 청록색일 것이다.

05 자료 분석

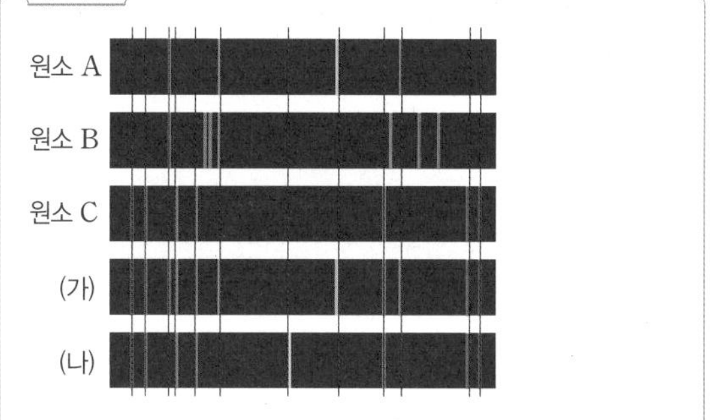

- 원소 A와 C의 선은 모두 물질 (가)의 선과 일치한다.
- 원소 C의 선은 모두 물질 (나)의 선과 일치한다.

ㄱ. A, B, C는 선 스펙트럼이 다르므로 모두 다른 원소이다.

오답 분석

ㄴ. 물질 (가)에는 원소 A와 C가 포함되어 있으므로 불꽃색은 빨간색과 주황색이 섞여 있다.
ㄷ. 물질 (나)에는 원소 C가 포함되어 있고 원소 A나 B는 포함되어 있지 않으므로 불꽃색은 빨간색이 나타나지 않고 주황색이 나타난다.
ㄹ. 원소 A와 B는 불꽃색이 같지만 선 스펙트럼이 다르다. 따라서 불꽃색이 같은 원소가 선 스펙트럼이 같다고 할 수 없다.

02 물질의 구성 입자(원자와 분자)

개념 다지기 1단계

진도책 021쪽, 023쪽

01 (1) 아리스토텔레스 (2) 데모크리토스
02 A: 전자, B: 원자핵 **03** (1) B (2) A (3) B (4) A (5) B
04 (1) × (2) ○ (3) × (4) ○ (5) × **05** (1) 물 (2) 2 (3) ㉠ 산소, ㉡ 1, ㉢ 2

06 (1) 돌턴 (2) 베르셀리우스 (3) 연금술사 **07** (1) ㉠ 첫, ㉡ 대문자 (2) ㉠ 중간, ㉡ 소문자 **08** ㉠ H, ㉡ Al, ㉢ 질소, ㉣ 칼슘, ㉤ O, ㉥ K, ㉦ 나트륨(소듐), ㉧ 구리
09 (1) 이산화 탄소 (2) 3 (3) 1 (4) 2 (5) 3 (6) 6 (7) 9
10 ㉠ H_2, ㉡ HCl, ㉢ 질소, ㉣ 암모니아, ㉤ H_2O, ㉥ CH_4, ㉦ 일산화 탄소, ㉧ 오존

03 (1), (3), (5) (+)전하를 띠고, 원자의 중심에 있으며, 원자 질량의 대부분을 차지하는 것은 원자핵(B)이다.
(2), (4) (−)전하를 띠고, 원자핵 주위에서 움직이고 있는 것은 전자(A)이다.

04 (1) 물질의 성질을 나타내는 가장 작은 입자는 분자이다.
(2) 원자의 종류에 따라 원자핵의 (+)전하량이 다르다.
(3) 원자의 원자핵의 (+)전하량과 전자의 총 (−)전하량은 같다.

(4) 분자가 원자로 나누어지면 물질의 성질을 잃는다.
(5) 일산화 탄소, 이산화 탄소와 같이 같은 종류의 원자로 이루어진 분자라도 그 분자를 이루는 원자의 개수나 배열이 다르면 다른 분자이다.

05 제시된 모형은 물 분자의 모형으로, 물 분자는 산소 원소와 수소 원소로 이루어져 있으며, 산소 원자 1개와 수소 원자 2개가 결합한 물질이다.

06 자신만이 알아볼 수 있는 복잡한 그림으로 원소를 나타낸 것은 중세의 연금술사들이고, 원 안에 알파벳과 그림을 넣어 원소를 나타낸 것은 돌턴이며, 원소 이름의 알파벳을 이용하여 원소를 나타낸 것은 베르셀리우스이다.

09 (2) 분자식 앞의 숫자 3이 분자의 총 개수를 나타낸다.
(3), (4) 각 원자의 개수는 원소 기호의 오른쪽 아래에 있는 작은 숫자로 표현하며, 1개일 때는 1을 생략한다.
(5), (6) 원자의 총 개수는 탄소가 3×1개=3개, 산소가 3×2개=6개이다.
(7) 3×(C 1개+O 2개)=9개

실력 올리기 2단계

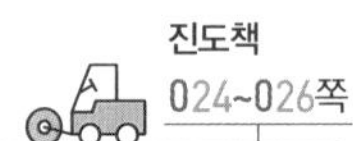

진도책 024~026쪽

01 ① 02 ② 03 ③ 04 ③ 05 ④ 06 (가)<(다)<(나) 07 해설 참조 08 ④ 09 ② 10 ④ 11 해설 참조 12 ⑤ 13 ④ 14 ③ 15 ⑤ 16 ③ 17 ④ 18 ⑤ 19 ④ 20 ⑤ 21 ②, ⑤

01 ① 물질을 계속 쪼개면 더 이상 쪼갤 수 없는 입자가 남는다는 데모크리토스의 주장은 모든 물질은 더 이상 쪼갤 수 없는 입자인 원자로 이루어져 있다는 돌턴의 원자설로 발전하였다.

오답 분석

②, ④ 아리스토텔레스는 물질은 무한히 연속적으로 쪼갤 수 있고, 물질 속에는 빈 공간이 없다고 주장하였다.
③, ⑤ 데모크리토스는 물질을 계속 쪼개면 더 이상 쪼갤 수 없는 입자가 남고, 물질의 입자 사이에는 빈 공간이 있다고 주장하였다.

이 문제에 적용되는 개념

물질을 이루는 입자에 대한 학자들의 주장(본교재 020쪽)

구분	아리스토텔레스	데모크리토스
내용	• 물질은 연속적이므로 계속 쪼갤 수 있고, 물질을 쪼개다 보면 나중에는 없어진다. • 빈 공간(진공)이 존재하지 않는다.	• 물질을 쪼개다 보면 더 이상 나눌 수 없는 입자에 도달하며, 물질은 이와 같은 입자로 이루어져 있다. • 입자들 사이에 빈 공간(진공)이 존재한다.
공기의 압축에 대한 설명	피스톤을 누르면 순간적으로 공기가 진해지고, 피스톤을 놓으면 공기가 연해지는 것이다.	피스톤을 누르면 공기입자 사이의 빈 공간이 감소하여 공기의 부피가 줄어드는 것이다.

02 ② 원자의 종류에 따라 원자핵의 (+)전하량과 전자의 개수가 다르다.

오답 분석

① 원자 질량의 대부분을 차지하는 것은 원자핵이며, 전자의 질량은 원자핵에 비해 무시할 정도로 작다.
③ 원자는 매우 작아서 눈으로 볼 수 없기 때문에 모형을 사용하여 나타낸다.
④ 원자핵과 전자는 원자의 크기에 비해 매우 작기 때문에 원자의 내부는 대부분 빈 공간이다.
⑤ 원자의 중심에 원자핵이 있고, 그 주위를 전자가 움직이고 있다.

03 원자는 (+)전하를 띠는 원자핵과 (−)전하를 띠는 전자로 이루어져 있으며, 원자핵의 (+)전하량과 전자의 총 (−)전하량이 같으므로 전기적으로 중성이다.

04 자료 분석

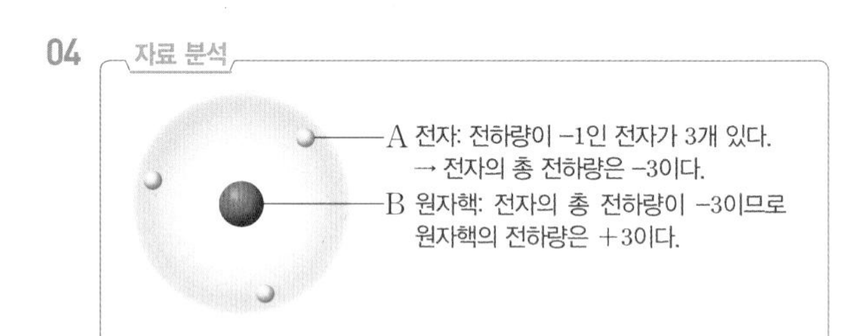

③ A는 전자이고, B는 원자핵이다. 전자 1개의 전하량이 −1이며, 전자가 3개 있으므로 전자(A)의 총 전하량은 −3이다.

오답 분석

① A는 (−)전하를 띠는 전자이다.
② B는 (+)전하를 띠는 원자핵이다.
④, ⑤ 원자는 원자핵의 (+)전하량과 전자의 총 (−)전하량이 같아 전기적으로 중성이다. 따라서 원자핵(B)의 전하량은 +3이다.

05 원자는 전자의 총 전하량의 크기가 원자핵의 크기와 같아지는 개수만큼 전자가 존재한다. 따라서 ㉠은 3, ㉡은 6, ㉢은 12이므로 ㉠~㉢의 값을 모두 합하면 3+6+12=21이다.

06 원자는 전자의 총 전하량의 크기가 원자핵의 크기와 같아지는 개수만큼 전자가 존재한다. 원자핵의 전하량이 (가)는 +2, (나)는 +11, (다)는 +7이므로 필요한 파란색 자석의 개수는 (가) 2개, (나) 11개, (다) 7개이므로 (가)<(다)<(나)이다.

07 **모범 답안** (다), 원자핵의 전하량이 +9인데 전자는 10개로 전자의 총 전하량이 −10이므로 원자핵의 (+)전하량과 전자의 총 (−)전하량이 다르기 때문이다.

채점 기준	배점
모형을 옳게 고르고, 그 까닭을 옳게 서술한 경우	100 %
모형만 옳게 고른 경우	40 %

08 ④ 물질의 상태가 변해도 물질을 이루는 분자의 배열이 달라질 뿐 분자의 종류는 변하지 않는다. 얼음, 물, 수증기는 모두 물 분자로 이루어진 물질이다.

오답 분석

①, ③ 분자는 독립된 입자로 존재하여 물질의 성질을 나타내는 가장 작은 입자로, 원자로 나누어지면 물질의 성질을 잃는다.

② 분자는 대부분 2개 이상의 원자로 이루어져 있지만 헬륨, 네온과 같이 원자 1개로 이루어진 분자도 있다.

⑤ 같은 원자로 이루어진 분자라도 그 분자를 이루는 원자의 개수나 배열이 다르면 서로 다른 분자이다. 수소 원자와 산소 원자로 이루어진 물질에는 물과 과산화 수소가 있으며, 이들은 서로 다른 물질이다.

09 (가)는 수소 분자, (나)는 암모니아 분자, (다)는 오존 분자의 모형이다.

10 자료 분석

④ 산소 분자가 3개이므로 산소 원자의 총 개수는 6개이다.

오답 분석

①, ②, ③, ⑤ 수소 분자는 4개, 산소 분자는 3개, 수소 원자의 총 개수는 8개, 산소 원자의 총 개수는 6개이며, 분자의 전체 개수는 7개, 원자의 전체 개수는 14개이다.

11 **모범 답안** 공통점: 같은 종류의 원자로 이루어져 있다.(탄소 원자와 산소 원자로 이루어져 있다.) 차이점: 분자를 이루는 원자의 개수가 다르다.

해설 같은 원자로 이루어진 분자라도 그 분자를 이루는 원자의 개수나 배열이 다르면 서로 다른 분자이다.

채점 기준	배점
공통점과 차이점을 모두 옳게 서술한 경우	100 %
공통점과 차이점 중 1가지만 옳게 서술한 경우	50 %

12 ⑤ 원소 이름의 첫 글자가 같을 때는 중간 글자를 택하여 첫 글자 다음에 소문자로 나타낸다.

13 오답 분석

① 수소-H, He-헬륨

② 칼륨-K, Ca-칼슘

③ 질소-N, Ne-네온

⑤ 알루미늄-Al, Ag-은

14. ③ 전류를 잘 흐르게 하는 성질이 있어 전선에 이용되는 원소는 구리(Cu)이다.

오답 분석

①은 염소(Cl), ②는 산소(O), ④는 탄소(C), ⑤는 금(Au)에 대한 설명이다.

15 ⑤ 분자식은 분자를 이루는 원자의 종류를 원소 기호로 나타낸 것이다. 구리는 입자들이 연속해서 규칙적으로 배열되어 있는 물질로, 분자로 존재하지 않으므로 원자의 개수를 정해서 나타낼 수 없고, 원소 기호인 Cu로 나타낸다.

16 오답 분석

① 질소-N_2, H_2-수소

② 염소-Cl_2, HCl-염화 수소

④ 과산화 수소-H_2O_2, H_2O-물

⑤ 일산화 탄소-CO, CO_2-이산화 탄소

17 자료 분석

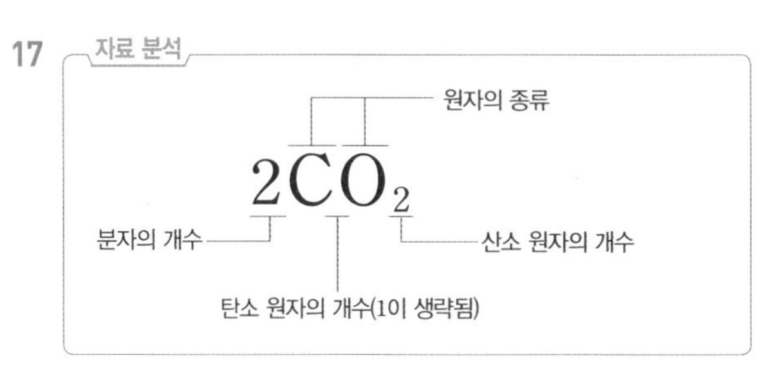

④ 분자 1개를 이루는 원자의 개수는 탄소(C) 원자 1개와 산소 원자(O) 2개를 합하여 3개이다.

오답 분석

① 분자의 개수는 2개이다.

② 원자의 총 개수는 탄소 원자(C) 2개와 산소 원자(O) 4개를 합하여 6개이다.

③ 분자를 이루는 원소의 종류는 탄소(C)와 산소(O)의 2가지이다.

⑤ 분자를 이루는 산소 원자의 총 개수는 4개이다.

18 ⑤ CH_4은 2종류의 원자로 이루어져 있고, 그 중 한 원자는 1개, 나머지 원자는 4개가 결합한 모형으로 나타낼 수 있다.

오답 분석

①, ③ 같은 종류의 원자 2개로 이루어진 모형으로 나타내야 한다.

② 서로 다른 종류의 원자 1개씩으로 이루어진 모형으로 나타내야 한다.

④ 2종류의 원자로 이루어져 있고, 그 중 한 원자는 1개, 나머지 원자는 2개가 결합한 모형으로 나타내야 한다.

19 수소 원자(H) 2개와 산소 원자(O) 2개로 이루어진 과산화 수소(H_2O_2) 분자 3개를 나타내므로 $3H_2O_2$로 나타낼 수 있다.

20 분자를 이루는 원자의 총 개수는 $4H_2$는 8개, 3HCl은 6개, NH_3는 4개, $2CH_4$는 10개, $2CO_2$는 6개, $3H_2O_2$는 12개이므로 $3H_2O_2$가 가장 많다. 분자의 개수는 $4H_2$는 4개, 3HCl은 3개, NH_3는 1개, $2CH_4$는 2개, $2CO_2$는 2개, $3H_2O_2$는 3개이므로 $4H_2$가 가장 많다.

21 ② 염화 나트륨은 나트륨과 염소의 개수비가 1 : 1이므로 나트륨과 염소의 원소 기호를 사용하여 NaCl로 나타낸다.

⑤ 구리와 염화 나트륨은 모두 독립된 분자를 이루지 않고 입자들이 연속해서 규칙적으로 배열되어 있는 물질이다.

오답 분석

① 구리는 구리 원자 1종류만으로 이루어져 있으므로 구리의 원소 기호인 Cu로 나타낸다.

③ 구리와 염화 나트륨은 분자로 존재하지 않는다.

④ 구리는 1가지 원소로 이루어져 있고, 염화 나트륨은 2가지 원소로 이루어져 있다.

만점 도전하기 3단계 진도책 027쪽

01 ③ 02 ④ 03 ③ 04 ③ 05 $2C_2H_4$ 06 ①

01 물과 에탄올 같이 서로 다른 두 액체 물질을 섞었을 때 전체 부피가 각 부피의 합보다 작은 것을 통해 각 물질은 입자로 이루어져 있고, 크기가 큰 입자 사이의 빈 공간에 크기가 작은 입자가 끼어들어간다는 것을 알 수 있다.

02 ④ 전자의 개수는 (가)<(다)<(나)이므로 전자의 총 전하량의 크기도 (가)<(다)<(나)이다.

오답 분석

① 전자의 개수는 (가) 4개<(다) 6개<(나) 8개이다.

②, ③ 원자핵의 전하량의 크기는 (가)+4<(다)+6<(나)+8로 모두 다르므로 (가)~(다)는 서로 다른 종류의 원자이다.

⑤ 원자핵의 전하량과 전자의 총 (−)전하량의 합은 모두 0으로 같다.

03 ③ 제시된 설명은 이산화 탄소(CO_2)의 특징이다.

오답 분석

① 1종류의 원자로 이루어져 있으며, 산소의 분자 모형이다.

② 2종류 원자의 개수비가 1 : 1이며, 일산화 탄소의 분자 모형이다.

④ 2종류 원자의 개수비가 1 : 2이지만 물의 분자 모형이다.

⑤ 2종류 원자의 개수비가 1 : 3이며, 암모니아의 분자 모형이다.

04 자료 분석

(가) 인듐(Indium): 라틴어로 청람색을 뜻하는 'Indigo blue'에서 유래하였다.
→ Indium의 첫 글자인 I는 아이오딘의 원소 기호이므로 중간 글자인 n을 택하여 I 뒤에 소문자로 나타낸다.
(나) 스칸듐(Scandium): 지역명 스칸디나비아인 'Scandinavia'에서 유래하였다.
→ Scandium에서 첫 글자인 S는 황의 원소 기호이므로 중간 글자인 c를 택하여 S 뒤에 소문자로 나타낸다.
(다) 크로뮴(Chromium): 그리스어로 색을 뜻하는 'Chroma'에서 유래하였다.
→ Chromium에서 첫 글자인 C는 탄소의 원소 기호이므로 중간 글자인 r을 택하여 C 뒤에 소문자로 나타낸다.

(나) 스칸듐은 Scandium에서 첫 글자인 S는 황의 원소 기호이므로 중간 글자인 c를 택하여 S 뒤에 소문자로 붙여 Sc로 나타낸다.

오답 분석

(가), (다) 인듐은 In, 크로뮴은 Cr로 나타낸다.

05 분자를 구성하는 원소는 탄소(C)와 수소(H)이며, 개수비가 1 : 2인데 원자의 총 개수가 6개이므로 탄소 2개와 수소 4개로 이루어져 있다. 따라서 C_2H_4인데 분자의 개수가 2개이므로 $2C_2H_4$이다.

06 ㄱ. 철과 염화 나트륨은 분자로 존재하지 않고, 암모니아와 염화 수소는 분자로 존재하므로 분류 기준 ㉠으로 '분자로 존재하는가?'를 이용할 수 있다.

오답 분석

ㄴ. 구리는 분자로 존재하지 않으므로 (나)로 분류된다.

ㄷ. 헬륨은 원자 1개로 이루어진 분자이므로 (가)로 분류된다.

03 전하를 띠는 입자(이온)

개념 다지기 1단계 진도책 029쪽, 031쪽

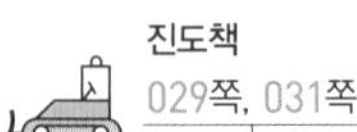

01 (1) 이온 (2) ㉠ 잃어, ㉡ 양이온 (3) ㉠ 얻어, ㉡ 음이온 (4) 음이온 02 ㉠ +8, ㉡ −10, ㉢ 2, ㉣ 얻 03 (1) ㉡ (2) ㉠ (3) ㉢ 04 ㉠ H^+, ㉡ Cl^-, ㉢ 칼슘 이온, ㉣ 산화 이온, ㉤ NH_4^+, ㉥ NO_3^- 05 ㉠ (−)극, ㉡ (+)극

06 앙금 07 AgCl, $CaCO_3$, PbI_2 08 ㉠ 염화 이온(Cl^-), ㉡ 은 이온(Ag^+), ㉢ 염화 은(AgCl) 09 (1) × (2) ○ (3) × 10 (1) ○ (2) × (3) ○ (4) × (5) ○ (6) ○

02 원자핵의 전하량이 +8이므로 원자 상태일 때 전자 수는 8개이다. 이온은 전자 수가 10개이므로 원자가 전자 2개를 얻고 형성되었다.

03 (1) 원자핵의 (+)전하량>전자의 총 (−)전하량이므로 양이온이다.

(2) 원자핵의 (+)전하량=전자의 총 (−)전하량이므로 원자이다.

(3) 원자핵의 (+)전하량<전자의 총 (−)전하량이므로 음이온이다.

05 이온이 들어 있는 수용액에 전류를 흘려 주면 양이온은 (−)극으로, 음이온은 (+)극으로 이동한다. 양이온은 ㉠ 쪽으로 이동하고, 음이온은 ㉡ 쪽으로 이동하므로, ㉠은 (−)극이고, ㉡은 (+)극이다.

07 AgCl과 $CaCO_3$은 흰색 앙금이고, PbI_2은 노란색 앙금이다.

08 염화 이온(Cl^-)과 은 이온(Ag^+)이 만나 염화 은(AgCl)의 흰색 앙금을 생성하고, 나트륨 이온(Na^+)과 질산 이온(NO_3^-)은 이온 상태로 녹아 있다.

09 칼슘 이온(Ca^{2+})과 탄산 이온(CO_3^{2-})이 만나 흰색 앙금인 탄산 칼슘($CaCO_3$)을 생성한다.

10 (1) 염화 이온과 은 이온이 반응하여 흰색 앙금인 염화 은을 생성한다.
(3) 바륨 이온과 탄산 이온이 반응하여 흰색 앙금인 탄산 바륨을 생성한다.
(5) 구리 이온과 황화 이온이 반응하여 검은색 앙금인 황화 구리를 생성한다.
(6) 아이오딘화 이온과 납 이온이 반응하여 노란색 앙금인 아이오딘화 납을 생성한다.

공략 확인 문제

진도책 032쪽

01 (가) 황산 이온, 구리 이온, (나) 과망가니즈산 이온, 칼륨 이온 02 ㉠ (−), ㉡ (+) 03 (1) × (2) ○ (3) × (4) × (5) ○

01 황산 구리(Ⅱ)는 수용액에서 황산 이온과 구리 이온으로 나누어지고, 과망가니즈산 칼륨은 수용액에서 과망가니즈산 이온과 칼륨 이온으로 나누어진다.

02 같은 종류의 전하 사이에는 밀어내는 힘이 작용하고, 다른 종류의 전하 사이에는 끌어당기는 힘이 작용한다.

03 (1) 황산 구리(Ⅱ) 수용액의 파란색이 (−)극 쪽으로 이동하므로 파란색을 띠는 성분은 양이온인 구리 이온이다.
(3), (4) 색을 띠지 않는 이온도 눈으로 확인할 수는 없지만 양이온은 (−)극 쪽으로, 음이온은 (+)극 쪽으로 이동한다. 따라서 질산 칼륨 수용액에 들어 있는 질산 이온은 (+)극 쪽으로, 칼륨 이온은 (−)극 쪽으로 이동한다.

공략 확인 문제

진도책 033쪽

01 과정 ❷: 은 이온(Ag^+), 염화 이온(Cl^-), 과정 ❸: 칼슘 이온(Ca^{2+}), 탄산 이온(CO_3^{2-}) 02 미지 수용액 B 03 (1) × (2) ○ (3) × (4) ×

01 과정 ❷에서는 염화 이온과 은 이온이 반응하여 흰색 앙금인 염화 은이 생성되고, 과정 ❸에서는 탄산 이온과 칼슘 이온이 반응하여 흰색 앙금인 탄산 칼슘이 생성된다.

02 염화 칼륨 수용액은 염화 이온이 있으므로 질산 은 수용액과 반응하여 흰색 앙금을 생성하지만, 탄산 이온과 앙금을 생성하는 이온이 없으므로 탄산 나트륨 수용액과는 반응하지 않는다.

03 (1) 과정 ❷에서 생성된 앙금은 모두 염화 은이고, 과정 ❸에서 생성된 앙금은 모두 탄산 칼슘이므로 서로 다르다.
(3), (4) 탄산 이온은 칼슘 이온과 반응하여 흰색 앙금을 생성하므로 탄산 나트륨 수용액으로 미지 수용액 속의 양이온을 확인할 수 있다.

실력 올리기 2단계

진도책 034~036쪽

01 ⑤ 02 ③ 03 ② 04 ① 05 ⑤ 06 ③ 07 ㄴ
08 해설 참조 09 ④ 10 ② 11 ③ 12 ②, ④
13 크로뮴산 이온(CrO_4^{2-}) 14 ③ 15 ③, ⑤
16 ② 17 ②, ③ 18 ⑤ 19 ⑤ 20 해설 참조
21 ①

01 ⑤ 음이온은 원자가 전자를 얻고 형성되므로 원자핵의 (+)전하량이 전자의 총 (−)전하량보다 작다.
오답 분석
① 이온은 원자가 전자를 잃거나 얻어서 (+)전하나 (−)전하를 띠는 입자이다.
②, ③ 원자가 전자를 잃으면 양이온, 전자를 얻으면 음이온이 된다.
④ 양이온은 원자핵의 (+)전하량이 전자의 총 (−)전하량보다 크다.

02 ③ 원자 A는 전자 1개를 잃고 양이온이 되므로 원자 A가 이온보다 전자가 1개 더 많다.
오답 분석
①, ② 원자 A는 전자 1개를 잃고 양이온이 되고, 원자 B는 전자 2개를 얻고 음이온이 된다.
④ 원자가 이온이 되어도 원자핵의 전하량은 변하지 않는다. 따라서 원자 B와 원자 B에서 형성된 이온의 원자핵의 전하량은 같다.
⑤ 원자 B에서 형성된 이온은 음이온이므로 원자핵의 (+)전하량이 전자의 총 (−)전하량보다 작다.

03 원자 A는 전자 1개를 잃고 양이온이 되므로 형성된 이온의 이온식이 A^+이고, 원자 B는 전자 2개를 얻고 음이온이 되므로 이온식이 B^{2-}이다.

04 오답 분석
② $Na \longrightarrow Na^+ + ⊖$
③ $Cl + ⊖ \longrightarrow Cl^-$
④ $Ba \longrightarrow Ba^{2+} + 2⊖$
⑤ $Cu \longrightarrow Cu^{2+} + 2⊖$

05 자료 분석

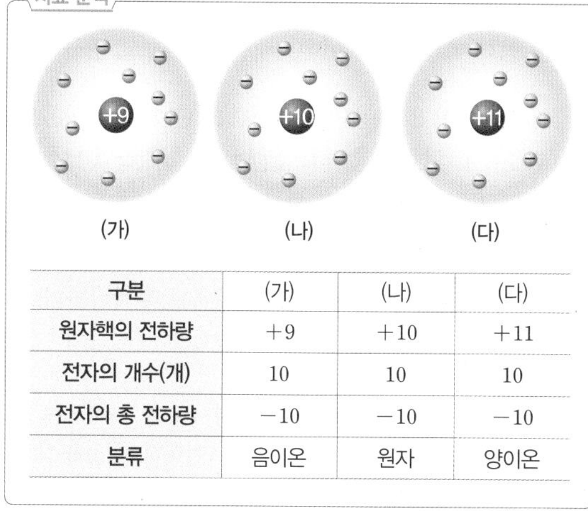

구분	(가)	(나)	(다)
원자핵의 전하량	+9	+10	+11
전자의 개수(개)	10	10	10
전자의 총 전하량	−10	−10	−10
분류	음이온	원자	양이온

⑤ (가)는 원자핵이 +9이고 전자가 10개이므로 원자가 전자 1개를 얻어서 형성된 음이온이고, (다)는 원자핵이 +11이고 전자가 10개이므로 원자가 전자 1개를 잃어서 형성된 양이온이다. 따라서 (가)와 (다)는 원자가 같은 개수(1개)의 전자를 얻거나 잃어서 형성된 이온이다.

오답 분석

①, ②, ③ (가)는 원자핵의 (+)전하량 < 전자의 총 (−)전하량이므로 음이온, (나)는 원자핵의 (+)전하량 = 전자의 총 (−)전하량이므로 중성 원자, (다)는 원자핵의 (+)전하량 > 전자의 총 (−)전하량이므로 양이온이다.

④ (가)~(다)는 모두 원자핵의 (+)전하량이 다르므로 다른 종류의 원자로 이루어져 있다.

06 원자가 전자를 2개 잃고 형성된 이온은 원소 기호 오른쪽 위에 '2+'라고 나타낸다.

07 Li^{+}은 전자 1개, Al^{3+}은 전자 3개, Mg^{2+}과 Ba^{2+}은 전자 2개를 잃고 형성되고, O^{2-}은 전자 2개, Cl^{-}은 전자 1개를 얻고 형성된 이온이다.

08 **모범 답안** 양이온: (가), (다), 음이온: (나), (라), (가)와 (다)는 원자핵의 (+)전하량이 전자의 총 (−)전하량보다 크고, (나)와 (라)는 원자핵의 (+)전하량이 전자의 총 (−)전하량보다 작기 때문이다.

해설 양이온은 원자핵의 (+)전하량 > 전자의 총 (−)전하량이고, 음이온은 원자핵의 (+)전하량 < 전자의 총 (−)전하량이다.

채점 기준	배점
양이온과 음이온으로 옳게 분류하고, 그 까닭을 옳게 서술한 경우	100 %
양이온과 음이온으로 분류만 옳게 한 경우	40 %

09 ④ 양이온이므로 원자핵의 (+)전하량이 전자의 총 (−)전하량보다 크다.

오답 분석

①, ②, ③ 원자가 전자 2개를 잃고 형성된 양이온인 칼슘 이온이다.

⑤ 양이온이므로 수용액에 전류를 흘려 주면 (−)극 쪽으로 이동한다.

10 ② Pb^{2+}은 납 이온이다.

오답 분석

① 염화 이온, ③ 은 이온, ④ 질산 이온, ⑤ 황산 이온

11 염화 나트륨은 수용액에서 전하를 띤 입자인 이온으로 나누어진다. 따라서 전류를 흘려 주면 양이온인 나트륨 이온은 (−)극 쪽, 음이온인 염화 이온은 (+)극 쪽으로 이동하므로 전기가 통한다.

12 ② 보라색은 (+)극 쪽으로 이동하므로 과망가니즈산 칼륨 수용액의 보라색 성분은 음이온인 과망가니즈산 이온이다.

④ 색을 띠는 이온의 이동으로 양이온은 (−)극 쪽으로 이동하고, 음이온은 (+)극 쪽으로 이동하는 것을 알 수 있으며, 이를 통해 이온이 전하를 띠는 것을 알 수 있다.

오답 분석

① 파란색은 (−)극 쪽으로 이동하므로 황산 구리(Ⅱ) 수용액의 파란색 성분은 양이온인 구리 이온이다.

③ 질산 이온과 칼륨 이온은 색을 띠지 않지만 각각 (+)극과 (−)극 쪽으로 이동한다.

⑤ 전극의 극을 반대로 바꾸면 파란색과 보라색도 반대 방향으로 이동한다.

13 노란색이 (+)극 쪽으로 이동하므로 노란색을 나타내는 성분은 음이온인 크로뮴산 이온(CrO_4^{2-})이다.

14 질산 칼슘 수용액과 탄산 나트륨 수용액을 혼합하면 탄산 칼슘($CaCO_3$)의 흰색 앙금이 생성되고, 나트륨 이온(Na^{+})과 질산 이온(NO_3^{-})이 이온 상태로 존재한다.

15 ③ 염화 나트륨 수용액과 질산 은 수용액을 혼합하면 나트륨 이온과 질산 이온은 이온 상태로 존재한다.

⑤ 염화 나트륨 수용액 대신 염화 칼륨 수용액을 사용해도 염화 이온이 은 이온과 반응하여 염화 은 앙금을 생성한다.

오답 분석

① 흰색의 염화 은 앙금이 생성된다.

② 혼합 용액에는 나트륨 이온과 질산 이온이 있으므로 전류가 흐른다.

④ 염화 나트륨 수용액 속의 염화 이온과 반응하여 염화 은 앙금을 생성하는 이온은 은 이온이므로 질산 칼슘 수용액을 사용하면 염화 은 앙금이 생성되지 않는다.

16 B에서 염화 칼슘 수용액과 탄산 나트륨 수용액이 반응하면 탄산 칼슘의 흰색 앙금이 생성되고, E에서 염화 칼슘 수용액과 황산 칼륨 수용액이 반응하면 황산 칼슘의 흰색 앙금이 생성된다.

17 B에서 칼슘 이온과 탄산 이온이 반응하여 탄산 칼슘 앙금이 생성되므로 칼슘 이온과 탄산 이온은 서로를 검출할 수 있고, E에서 칼슘 이온과 황산 이온이 반응하여 황산 칼슘 앙금이 생성되므로 칼슘 이온과 황산 이온은 서로를 검출할 수 있다.

18 오답 분석

① 염화 은 − 흰색, ② 황화 납 − 검은색, ③ 황화 구리 − 검은색, ④ 황산 칼슘 − 흰색

19 반응 결과 앙금이 생성되면 반응이 일어난 것을 눈으로 확인할 수 있다.

ㄴ. 황화 구리의 검은색 앙금 생성

ㄷ. 아이오딘화 납의 노란색 앙금 생성

ㄹ. 아이오딘화 은의 노란색 앙금 생성

이 문제에 적용되는 개념

앙금을 생성하는 이온(본교재 030쪽)

일반적으로 앙금을 생성하는 이온	일반적으로 앙금을 생성하지 않는 이온
칼슘 이온(Ca^{2+}), 바륨 이온(Ba^{2+}), 은 이온(Ag^{+}), 납 이온(Pb^{2+}), 황산 이온(SO_4^{2-}), 탄산 이온(CO_3^{2-}) 등	나트륨 이온(Na^{+}), 칼륨 이온(K^{+}), 암모늄 이온(NH_4^{+}), 질산 이온(NO_3^{-}) 등

20 **모범 답안** 황화 나트륨 수용액을 떨어뜨려 황화 납의 검은색 앙금이 생성되는지 확인한다. 아이오딘화 칼륨 수용액을 떨어뜨려 아이오딘화 납의 노란색 앙금이 생성되는지 확인한다. 등

채점 기준	배점
수용액과 앙금의 종류, 색깔을 포함하여 방법을 옳게 서술한 경우	100 %
수용액만 포함하여 방법을 서술한 경우	40 %

21 보라색의 불꽃색을 나타내므로 칼륨 이온을 포함하며, 질산 은 수용액을 떨어뜨렸을 때 흰색 앙금이 생성되었으므로 염화 이온이나 탄산 이온이 포함되어 있다. 그러나 질산 바륨 수용액을 떨어뜨렸을 때 앙금이 생성되지 않았으므로 탄산 이온을 포함하지 않는다. 따라서 이 물질은 염화 칼륨으로 예상할 수 있다.

만점 도전하기 3단계

진도책 037쪽

01 ㉡, ㉢, ㉣, 10 02 ⑤ 03 ③ 04 ① 05 ②

01 ㉠ Li^+은 원자핵의 전하량이 +3이므로 Li의 원자핵의 전하량도 +3이고 전자는 3개이다. Li^+은 Li 원자가 전자 1개를 잃어 형성되므로 전자의 개수는 2개이다.
㉡ Mg^{2+}은 원자핵의 전하량이 +12이므로 Mg의 원자핵의 전하량도 +12이고 전자는 12개이다. Mg^{2+}은 Mg 원자가 전자 2개를 잃어 형성되므로 전자의 개수는 10개이다.
㉢ O^{2-}은 원자핵의 전하량이 +8이므로 O의 원자핵의 전하량도 +8이고 전자는 8개이다. O^{2-}은 O 원자가 전자 2개를 얻어 형성되므로 전자의 개수는 10개이다.
㉣ F^-은 원자핵의 전하량이 +9이므로 F의 원자핵의 전하량도 +9이고 전자는 9개이다. F^-은 F 원자가 전자 1개를 얻어서 형성되므로 전자의 개수는 10개이다.

02 ⑤ 원자에서 형성될 때 잃은 전자의 개수는 (가) 2개<(나) 3개이다.

오답 분석

① 원자에서 형성될 때 잃은 전자의 개수는 (가)<(나)이므로 이온의 전자의 개수는 (가)>(나)이다.
② 같은 원자에서 형성된 이온이므로 원자핵의 전하량은 같다.
③, ④ 두 이온 모두 양이온이므로 원자핵의 (+)전하량>전자의 총 (−)전하량이다.

03 전류를 흘려 주면 양이온은 (−)극 쪽으로 이동하고, 음이온은 (+)극 쪽으로 이동하므로 X 수용액의 음이온과 Y 수용액의 양이온이 만나 노란색 앙금을 생성해야 한다.
③에서 아이오딘화 이온과 납 이온이 만나 아이오딘화 납의 노란색 앙금이 생성된다.

오답 분석

① 염화 이온과 은 이온이 만나 염화 은의 흰색 앙금이 생성된다.
⑤ 탄산 이온과 칼슘 이온이 만나 탄산 칼슘의 흰색 앙금이 생성된다.

04 황산 나트륨에는 나트륨 이온(Na^+)과 황산 이온(SO_4^{2-})이 들어 있으므로 염화 바륨 수용액을 넣으면 바륨 이온(Ba^{2+})이 황산 이온(SO_4^{2-})과 반응하여 황산 바륨($BaSO_4$) 앙금이 생성된다. 따라서 반응이 일어나는 동안 시험관의 수용액에서 황산 이온(SO_4^{2-})이 감소하고, 염화 이온(Cl^-)이 증가한다.

05 자료 분석

염화 나트륨, 염화 바륨, 질산 칼슘
질산 은 수용액을 떨어뜨린다.
(가) 흰색 앙금 생성 염화 은 → A, B (염화 나트륨 수용액, 염화 바륨 수용액)
변화 없음 → C (질산 칼슘 수용액)
(나) 탄산 나트륨 수용액을 떨어뜨린다.
(다) 흰색 앙금 생성 탄산 바륨 → A (염화 바륨 수용액)
변화 없음 → B (염화 나트륨 수용액)

ㄱ. (가)는 질산 은 수용액의 은 이온과 염화 나트륨 수용액, 염화 바륨 수용액의 염화 이온이 만나 생성된 염화 은 앙금이다.

$Ag^+ + Cl^- \longrightarrow AgCl\downarrow$

따라서 A와 B는 각각 염화 나트륨 수용액과 염화 바륨 수용액 중 하나이다.
ㄹ. A는 탄산 나트륨 수용액과 반응하여 앙금을 생성하므로 염화 바륨 수용액이고, B는 탄산 나트륨 수용액과 반응하여 앙금을 생성하지 않으므로 염화 나트륨 수용액이다. C는 질산 은 수용액과 반응하여 앙금을 생성하지 않으므로 질산 칼슘 수용액이다.

오답 분석

ㄴ. (나)에서 질산 나트륨 수용액을 사용하면 염화 나트륨 수용액과 염화 바륨 수용액 모두와 앙금을 생성하지 않으므로 탄산 나트륨 수용액 대신 사용할 수 없다.
ㄷ. (다)는 탄산 나트륨 수용액의 탄산 이온과 염화 바륨 수용액의 바륨 이온이 만나 생긴 탄산 바륨 앙금이다.

$Ba^{2+} + CO_3^{2-} \longrightarrow BaCO_3\downarrow$

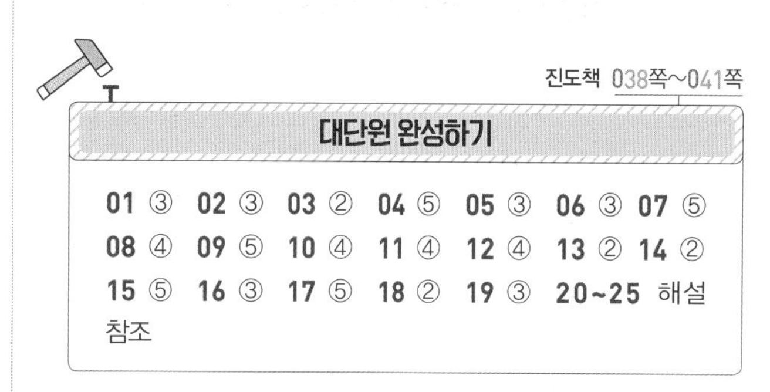

진도책 038쪽~041쪽

대단원 완성하기

01 ③ 02 ③ 03 ② 04 ⑤ 05 ③ 06 ③ 07 ⑤
08 ④ 09 ⑤ 10 ④ 11 ④ 12 ④ 13 ② 14 ②
15 ⑤ 16 ③ 17 ⑤ 18 ② 19 ③ 20~25 해설 참조

01 (가)는 탈레스, (나)는 보일, (다)는 라부아지에가 주장한 것이다.

02 A는 (−)극에서 발생하므로 수소 기체이고, B는 (+)극에서 발생하므로 산소 기체이다.
ㄴ. 수소 기체는 성냥불을 가까이 대어 보면 '퍽' 소리를 내면서 타는 것으로 확인한다.
ㄷ. 산소 기체는 꺼져가는 향불을 가까이 대어 보면 다시 타오르는 것으로 확인한다.

오답 분석
ㄱ. 석회수에 통과시키는 것은 이산화 탄소 기체의 확인법으로, 석회수에 이산화 탄소를 통과시키면 석회수가 뿌옇게 흐려진다.
ㄹ. 푸른색 염화 코발트 종이는 물(수분)의 확인법으로, 물을 푸른색 염화 코발트 종이에 묻히면 염화 코발트 종이가 붉은색으로 변한다.

03 제시된 설명은 원소의 특징이며, 산소, 금, 수소, 철, 탄소, 알루미늄은 원소이고, 물, 암모니아, 설탕, 염화 수소는 2가지 이상의 원소로 이루어진 물질이다.

04 니크롬선에 불순물이 묻어 있으면 시료의 불꽃색을 정확하게 관찰할 수 없기 때문에 니크롬선을 묽은 염산으로 씻어 불순물을 제거한다.

05 같은 금속 원소를 포함한 물질의 불꽃색은 같다. 탄산 칼슘(ㄴ)과 질산 칼슘(ㅁ)은 모두 칼슘 원소를 포함하므로 주황색의 불꽃색이 나타난다.

오답 분석
ㄱ. 염화 바륨은 바륨에 의해 황록색의 불꽃색이 나타난다.
ㄷ. 질산 칼륨은 칼륨에 의해 보라색의 불꽃색이 나타난다.
ㄹ. 탄산 나트륨은 나트륨에 의해 노란색의 불꽃색이 나타난다.
ㅂ. 염화 스트론튬은 스트론튬에 의해 빨간색의 불꽃색이 나타난다.

06 자료 분석

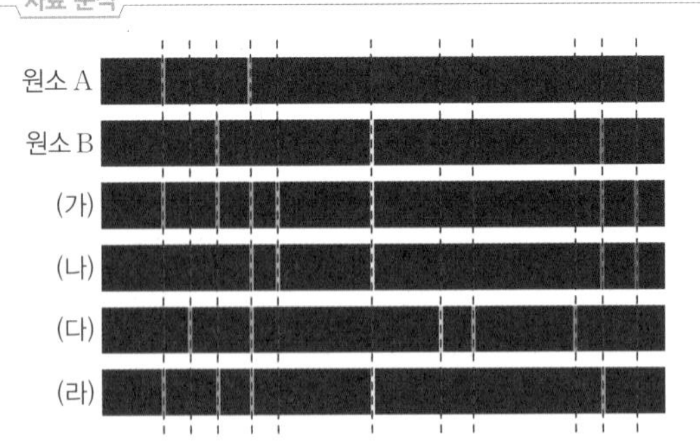

• 물질 (가)~(라)의 선 스펙트럼에 나타난 선에서 위로 점선을 그었을 때 선의 위치가 점선과 모두 일치하는 원소는 각 물질에 포함된 원소이다.
• 원소 A의 선은 모두 물질 (가)와 (라)의 선과 일치한다.
• 원소 B의 선은 모두 물질 (가)와 (라)의 선과 일치한다.

③ 물질 (나)의 선 스펙트럼에는 원소 A와 B의 스펙트럼 중 완전히 일치하는 것은 없으므로 물질 (나)는 원소 A와 B를 모두 포함하지 않는다.

오답 분석
① 모두 선 스펙트럼이다.
②, ④, ⑤ 물질 (가)와 (라)는 원소 A와 B를 모두 포함하고 있고, 물질 (다)는 원소 A와 B를 모두 포함하지 않는다.

07 ⑤ 원자의 종류에 따라 원자핵의 (+)전하량과 전자의 개수는 다르다.

08 원자핵의 전하량은 +8이고, 전하량이 −1인 전자가 8개 있으므로 전자의 총 전하량은 −8이며, 원자의 총 전하량은 +8+(−8)=0이다.

09 ⑤ 3가지 원자는 모두 원자핵의 (+)전하량과 전자의 총 (−)전하량의 합이 0으로 같다.

오답 분석
①~④ 3가지 원자는 모두 전자와 원자핵으로 이루어져 있고, 전자의 개수와 원자핵의 전하량이 다르며, 원자핵의 (+)전하량과 전자의 총 (−)전하량의 합이 0이므로 전기적으로 중성이다.

10 오답 분석 ①, ③ 분자는 물질의 성질을 나타내는 가장 작은 입자로, 원자로 나눌 수 있다.
②, ⑤ 원소는 물질을 이루는 기본 성분이고, 원자는 물질을 이루는 기본 입자이다.

11 ④ 분자를 이루는 수소 원자의 개수는 수소 분자 2개, 메테인 분자 4개로 메테인 분자가 더 많다.

오답 분석
① 수소 분자는 1가지 원소로 이루어져 있다.
② 일산화 탄소 분자는 탄소 원자와 산소 원자로 이루어져 있다.
③ 분자를 이루는 원자의 종류가 같은 것은 일산화 탄소 분자와 이산화 탄소 분자로, 탄소 원자와 산소 원자로 이루어져 있다.
⑤ 분자를 이루는 원자의 총 개수는 수소 분자 2개, 메테인 분자 5개, 일산화 탄소 분자 2개, 이산화 탄소 분자 3개로 메테인 분자가 가장 많다.

12 (가)는 철(Fe), (나)는 질소(N)에 대한 설명이다.

13 ② 암모니아 분자 3개를 나타내므로 $3NH_3$로 나타낸다.

오답 분석
① 암모니아 분자의 모형이 3개이므로 분자의 개수는 3개이다.
③ 분자를 이루는 원자의 종류는 수소와 질소 2가지이다.
④, ⑤ 제시된 분자를 이루는 원자는 질소 원자 3개, 수소 원자 9개이므로 총 개수는 12개이다.

14 자료 분석

구분	원자핵의 전하량	전자의 개수(개)	전자의 총 전하량	분류
A	+3	2	−2	양이온
B	+8	10	−10	음이온
C	+9	10	−10	음이온
D	+10	10	−10	원소
E	+11	10	−10	양이온

A, E는 원자핵의 (+)전하량>전자의 총 (−)전하량이므로 양이온이다.

<u>오답 분석</u>

B, C는 원자핵의 (+)전하량<전자의 총 (−)전하량이므로 음이온이며, D는 원자핵의 (+)전하량=전자의 총 (−)전하량이므로 원자이다.

15 ⑤ Y는 음이온이므로 원자핵의 (+)전하량이 전자의 총 (−)전하량보다 작다.

<u>오답 분석</u>

①, ② X가 전자 2개를 얻고 Y가 되므로 Y는 (−)전하를 띤 음이온이다.

③, ④ X가 전자를 얻고 Y가 되므로 Y는 X보다 전자의 개수가 많다. 그리고 원자에서 이온이 형성될 때 전자의 개수가 변하고, 원자핵의 (+)전하량은 같다.

16 <u>오답 분석</u>

ㄴ. 칼륨 이온−K^+, Ca^{2+}−칼슘 이온

ㅁ. F^-−플루오린화 이온

ㅂ. NH_4^+−암모늄 이온

17 (+)극 쪽으로 이동하는 이온은 (−)전하를 띠는 음이온이다. 이때 질산 칼륨 수용액을 이루는 음이온인 질산 이온도 (+)극 쪽으로 이동한다.

18 ② 혼합 용액인 (다)에 나트륨 이온(Na^+)이 있는데 (가)에는 없으므로 나트륨 이온은 (나)에 들어 있다. 또한 (다)에 생성된 탄산 칼슘($CaCO_3$) 앙금을 이루는 칼슘 이온(Ca^{2+})과 탄산 이온(CO_3^{2-}) 중 칼슘 이온은 (가)에 들어 있지만 탄산 이온은 (가)에 없으므로 (나)에 들어 있다.

<u>오답 분석</u>

① (가)에는 칼슘 이온, (나)에는 나트륨 이온이 들어 있으므로 (가)와 (나)의 불꽃색은 다르며, (가)는 주황색, (나)는 노란색의 불꽃색이 나타난다.

③, ④ (다)에는 이온이 들어 있으므로 전류가 흐르고, 생성된 탄산 칼슘은 흰색 앙금이다.

⑤ (나)에는 탄산 이온이 이온 상태로 들어 있고, (다)에는 탄산 이온이 앙금을 생성하므로 탄산 이온의 개수는 (나)>(다)이다.

19 ③ Ba^{2+}과 Cl^-은 앙금을 생성하지 않으므로 $CaCl_2$ 수용액으로는 Ba^{2+}을 검출할 수 없다.

<u>오답 분석</u>

①은 AgCl의 흰색 앙금, ②는 $CaCO_3$의 흰색 앙금, ④는 PbI_2의 노란색 앙금, ⑤는 CuS의 검은색 앙금이 생성되므로 각 이온을 검출할 수 있다.

20 **모범 답안** 물은 수소와 산소로 분해되었으므로 원소가 아니다.

채점 기준	배점
물이 수소와 산소로 분해되었기 때문이라고 옳게 서술한 경우	100 %
물이 분해되었기 때문이라고만 서술한 경우	50 %

21 **모범 답안** 찌개에 들어 있는 소금에 노란색 불꽃색을 나타내는 나트륨이 포함되어 있기 때문이다.

해설 노란색 불꽃은 나트륨 원소에 의해 나타난다.

채점 기준	배점
노란색 불꽃색을 나타내는 나트륨이 포함되어 있다고 옳게 서술한 경우	100 %
노란색 불꽃색을 나타내는 원소가 포함되어 있다고만 서술한 경우	50 %

22 **모범 답안** 원자는 원자핵의 (+)전하량과 전자의 총 (−)전하량이 같아 전기적으로 중성이 될 수 있을 만큼의 전자가 필요한데, 원자핵의 전하량이 +6이므로 전자가 6개 필요하기 때문이다.

채점 기준	배점
전자를 옳게 나타내고, 그 까닭을 옳게 서술한 경우	100 %
전자만 옳게 나타낸 경우	50 %

23 **모범 답안** 분자를 구성하는 원자의 종류는 같지만 원자의 개수와 배열이 달라 다른 종류의 분자이기 때문이다.

채점 기준	배점
원자의 개수와 배열이 달라 분자의 종류가 다르다고 옳게 서술한 경우	100 %
원자의 개수와 배열이 다르다고만 서술한 경우	70 %

이 문제에 적용되는 개념

같은 종류의 원자로 이루어진 서로 다른 분자(본교재 021쪽)
분자를 구성하는 원자의 종류가 같더라도 원자의 개수나 배열이 다르면 서로 다른 분자이고, 성질도 다르다.

예 일산화 탄소(CO)와 이산화 탄소(CO_2), 물(H_2O)과 과산화 수소(H_2O_2), 산소(O_2)와 오존(O_3)

구분	O_2	O_3
원자의 종류	산소(O)	산소(O)
산소 원자 수(개)	2	3

24 **모범 답안** 노란색 앙금이 생긴다. 아이오딘화 이온이 (+)극 쪽으로 이동하고, 납 이온이 (−)극 쪽으로 이동하여 만나 아이오딘화 납의 노란색 앙금이 생성되기 때문이다.

해설 양이온은 (−)극 쪽으로 이동하고, 음이온은 (+)극 쪽으로 이동한다. 따라서 질산 이온과 아이오딘화 이온은 (+)극 쪽으로, 칼륨 이온과 납 이온은 (−)극 쪽으로 이동한다.

채점 기준	배점
일어나는 현상과 그 까닭을 모두 옳게 서술한 경우	100 %
일어나는 현상만 옳게 서술한 경우	40 %

25 **모범 답안** 염화 칼슘 수용액, 질산 바륨 수용액 / 염화 칼슘 수용액을 떨어뜨려 탄산 칼슘의 흰색 앙금이 생성되는지 확인한다. 질산 바륨 수용액을 떨어뜨려 탄산 바륨의 흰색 앙금이 생성되는지 확인한다.

해설 탄산 이온은 칼슘 이온이나 바륨 이온이 포함된 수용액을 이용하여 확인할 수 있다.

채점 기준	배점
2가지 물질을 모두 골라 생성되는 앙금의 이름과 색깔을 이용하여 확인 방법을 옳게 서술한 경우	100 %
1가지 물질만 골라 생성되는 앙금의 이름과 색깔을 이용하여 확인 방법을 옳게 서술한 경우	50 %

Ⅱ 전기와 자기

01 전기

개념 다지기 1단계

진도책 045쪽, 047쪽

01 A: (+)전하, B: (−)전하 02 (1) 전자 (2) ㉠ 전기력, ㉡ 밀어내는, ㉢ 끌어당기는 03 (1) ㉢ (2) ㉡ (3) ㉠
04 ←, A: (−)전하, B: (+)전하

05 (1) ○ (2) × (3) ○ 06 (1) ㉠ 전류, ㉡ A (2) ㉠ 전압, ㉡ V (3) ㉠ 전자, ㉡ 원자 07 10 Ω

01 전자를 잃으면 (+)전하가 (−)전하보다 많으므로 (+)전하를 띠고, 전자를 얻으면 (−)전하가 (+)전하보다 많으므로 (−)전하를 띤다.

02 (1) 서로 다른 두 물체를 마찰하면 전자가 이동하여 물체가 전기를 띠게 된다.
(2) 같은 전하를 띤 물체 사이에는 서로 밀어내는 방향으로 전기력이, 다른 종류의 전하를 띤 물체 사이에는 서로 끌어당기는 방향으로 전기력이 작용한다.

03 원자는 중성, 원자의 중심에 있는 원자핵은 (+)전하, 원자핵 주위에 있는 전자는 (−)전하를 띤다.

04 금속 막대 내의 전자가 (+)전하를 띠는 유리 막대로부터 끌어당기는 방향으로 전기력을 받으므로 전자는 A 쪽으로 이동한다. 따라서 A는 (−)전하, B는 (+)전하를 띤다.

05 (1) 원자는 이동하지 않는 P이고, 이동하는 Q는 전자이다.
(2) 전자의 이동 방향은 전류의 이동 방향과 반대 방향이므로 전류는 B에서 A 쪽으로 흐른다.
(3) 전자는 (−)극에서 (+)극으로 이동하므로 A는 전지의 (−)극, B는 전지의 (+)극에 연결되어 있다.

06 전류는 전하의 흐름, 전압은 전류가 흐르게 하는 능력, 저항은 전류의 흐름을 방해하는 정도이다.

07 옴의 법칙에 적용하면 저항 $R=\frac{V}{I}=\frac{0.3\text{ V}}{0.3\text{ A}}=10\ \Omega$이다.

공략 확인 문제

진도책 048쪽

01 전류계: 직렬연결, 전압계: 병렬연결 02 4.5 V
03 (1) ○ (2) ○ (3) × (4) ×

01 회로에 흐르는 전류와 전압을 측정할 때 전류계는 회로에 직렬로 연결하고, 전압계는 회로에 병렬로 연결한다.

02 저항이 일정할 때 전류의 세기는 전압에 비례한다. 그래프에서 전압이 3 V일 때 0.2 A의 전류가 흐르므로 0.3 A의 전류가 흐르기 위해서는 3 V : 0.2 A $=x$: 0.3 A에서 x는 4.5 V이다.

03 (3) 니크롬선의 길이에 따라 저항이 다르므로 같은 전압일 때 흐르는 전류의 세기는 다르다.
(4) 전압은 전류에 비례하므로 니크롬선에 걸리는 전압이 2배, 3배가 되면, 니크롬선에 흐르는 전류의 세기는 2배, 3배가 된다.

실력 올리기 2단계

진도책 049~052쪽

01 ① 02 ② 03 ③ 04 ⑤ 05 ② 06 ② 07 ③
08 ① 09 ② 10 ④ 11 ② 12 해설 참조 13 ③
14 ② 15 ③ 16 ② 17 ④ 18 ③ 19 ④ 20 ②
21 ① 22 ③ 23 ⑤ 24 ③ 25 해설 참조

01 ① 손바닥을 비볐을 때 발생하는 열은 마찰에 의해 분자 운동이 활발해져 열이 발생하는 것이다.
오답 분석
②, ④, ⑤ 서로 다른 두 물체가 마찰하여 전기가 생기는 현상이다.
③ 마찰로 인해 랩이 전기를 띠고 정전기 유도 현상에 의해 랩과 그릇이 다른 종류의 전하를 띠어 랩이 그릇에 달라 붙는다.

02 ㄱ. 전기력은 전기를 띤 두 물체의 접촉 여부와 관계없이 작용한다.
ㄷ. 같은 종류의 전하를 띤 물체 사이에는 척력, 다른 종류의 전하를 띤 물체 사이에는 인력이 작용한다.
오답 분석
ㄴ. 같은 종류의 전하를 띤 물체 사이에는 척력이 작용하고, 다른 종류의 전하를 띤 물체 사이에는 인력이 작용한다.
ㄹ. 나침반 바늘의 N극이 북쪽을 가리키는 것은 자기력에 의한 현상이다.

03 이 문제에 적용되는 개념

방전
전기를 띤 물체는 계속 해서 전기를 띨 수는 없다. 전기를 띤 물체는 공기와 대전체 사이에 전자의 이동으로 대전체는 전하를 잃게 된다. (+)대전체는 공기 중에서 전자를 얻어 전하를 잃게 되고, (−)대전체는 공기 중으로 전자를 방출하여 전하를 잃게 된다. 대전체와 공기와의 전자의 이동은 건조한 날보다 습한 날 잘 일어난다.

ㄱ. A와 B는 서로 끌어당기는 전기력이 작용하므로 다른 종류의 전하를 띤다.
ㄷ. 전기를 띤 물체는 시간이 지나면 전하를 잃고 전기를 띠지 않게 된다. 따라서 시간이 지날수록 A와 B가 띠는 전하의 양은 점점 줄어들어 두 물체 사이에 작용하는 전기력이 약해지므로 두 물체 사이의 거리는 점점 멀어진다.
오답 분석
ㄴ. 같은 물체로 마찰하면 A와 B는 같은 전하를 띠어야 하므로, A와 B는 각각 다른 물체로 마찰한 것이다.

04 자료 분석

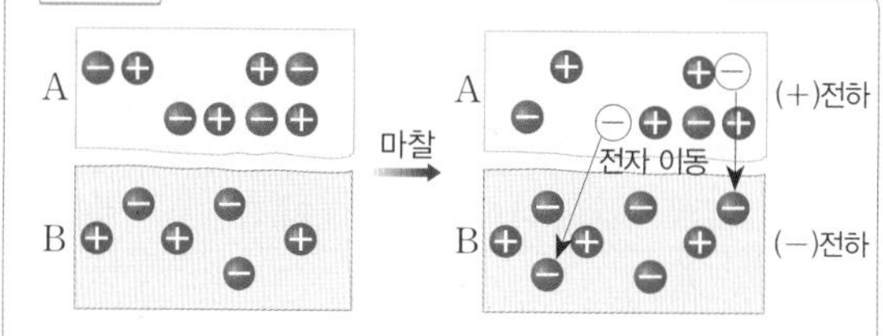

⑤ 두 물체를 마찰하면 A는 전자를 잃고, B는 전자를 얻는다.

오답 분석

① 마찰하기 전에는 A와 B는 (+)전하와 (−)전하의 양이 같으므로 A와 B 모두 전기를 띠지 않는다.
② 마찰 후 A와 B가 띠는 전하의 종류가 다르므로 A와 B 사이에는 인력이 작용한다.
③ 물체를 마찰하면 A는 전자를 잃어 (+)전하를 띠고, B는 전자를 얻어 (−)전하를 띤다.
④ A와 B를 마찰할 때 전자가 A에서 B로 이동하므로 B는 A에 비해 전자를 얻기 쉬운 물체이다.

05 털가죽과 플라스틱 빨대를 마찰하면 털가죽은 전자를 잃어 (+)전하를 띠고, 플라스틱 막대는 전자를 얻어 (−)전하를 띤다.

06 ㄱ. 털가죽에서 빨대로 전자가 이동하여 털가죽은 (+)전하를, 빨대는 (−)전하를 띤다.
ㄹ. 빨대와 털가죽은 서로 다른 종류의 전하를 띠므로 빨대와 털가죽 사이에는 인력이 작용한다.

오답 분석

ㄴ, ㄷ. 털가죽과 플라스틱 빨대를 마찰하면 털가죽에서 빨대로 전자가 이동한다. 이때 원자는 이동하지 않는다.
ㅁ. 두 물체가 띠는 전하의 종류가 다르면 인력, 같으면 척력이 작용한다.

07 자료 분석

A가 (−)전하를 띠므로 전자는 척력을 받아 C쪽으로 이동
(−)전하
A
금속 막대
고무 풍선
B
C
D
에보나이트 막대
(+)전하
(−)전하
(+)전하
C와 D 사이에 인력 작용
→ C와 D는 다른 종류의 전하를 띤다.

털가죽으로 문지른 에보나이트 막대는 (−)전하를 띤다. (−)전하를 띠는 에보나이트 막대를 B 부분에 가까이 하면 정전기 유도 현상에 의해 에보나이트 막대와 가까운 쪽(B 지점)의 금속 막대는 (+)전하가 유도되고, 먼 쪽(C 지점)은 (−)전하가 유도된다. 고무풍선이 금속 막대 쪽으로 끌려오므로 고무풍선은 C 부분이 띠는 전하와 다른 종류인 (+)전하를 띤다.

08 털가죽으로 문지른 고무풍선은 (−)전하를 띤다. (−)전하를 띠는 고무풍선을 검전기의 금속판에 가까이 하면 전자가 척력을 받아 금속박 쪽으로 이동하므로 금속판은 (+)전하, 금속박은 (−)전하를 띤다.

09 자료 분석

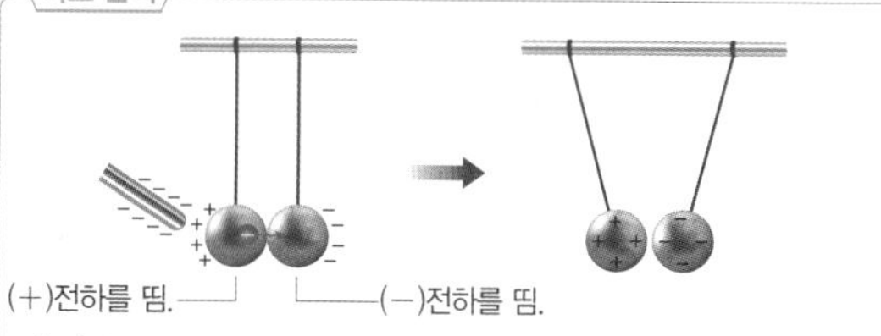

(−)대전체를 가까이 하면 정전기 유도에 의해 왼쪽 금속구의 전자가 척력을 받아 오른쪽 금속구 쪽으로 이동한다.

(−)대전체를 금속구에 가까이 하면 왼쪽 금속구에는 (+)전하, 오른쪽 금속구에는 (−)전하가 유도된다. 이때 두 금속구를 떼어 놓으면 (+)전하와 (−)전하를 띠는 두 금속구 사이에는 인력이 작용한다.

10 ㄴ, ㄹ. (+)전하로 대전된 유리 막대를 검전기의 금속판에 가까이 하면 금속박의 전자가 금속판으로 이동한다. 따라서 금속판은 (−)전하, 금속박은 (+)전하를 띤다.

오답 분석

ㄱ. 금속판 쪽으로 전자가 모이므로 금속판은 (−)전하를 띤다.
ㄷ. 금속박은 (+)전하를 띠므로 두 금속박 사이에는 척력이 작용하여 벌어진다.

11 (−)대전체를 검전기의 금속판에 가까이 하면 전자가 금속박으로 밀려나면서 금속박이 (+)전하로 대전된 정도가 약해져 금속박은 오므라든다.

12 **모범 답안** (+)전하, B 부분은 대전체와 같은 종류의 전하를 띠고, B 부분이 (+)전하를 띠어서 금속박에 (+)전하가 대전된 정도가 더 커져야 금속박이 더 벌어진다. 따라서 대전체는 B 부분과 같은 (+)전하를 띠어야 한다.

해설 금속 막대에 대전체를 가까이 하면 정전기 유도 현상에 의해 대전체와 먼 B 부분은 대전체와 같은 전하를 띤다. 그리고 금속박이 더 벌어졌다는 것은 (+)전하가 대전된 정도가 커졌다는 것이므로 금속박의 전자가 금속판으로 이동했다는 의미이다. 따라서 B는 (+)전하를 띤다.

채점 기준	배점
대전체가 띠는 전하를 (+)전하로 쓰고, 정전기 유도를 이용하여 까닭을 옳게 서술한 경우	100 %
대전체가 띠는 전하만 (+)전하라 쓰고, 그 까닭은 옳게 서술하지 못한 경우	50 %

13 ③ 전류의 방향은 전자의 이동 방향과 반대 방향이므로 (나)에서 전류는 왼쪽으로 흐른다.

오답 분석

① (가)는 전자가 불규칙한 방향으로 움직이므로 전류가 흐르지 않는다.
② 전류가 흐르지 않을 때나 흐를 때나 도선 속의 원자는 움직이지 않는다.
④ (나)에서 전자가 오른쪽으로 이동하므로 오른쪽이 전지의 (+)극, 왼쪽이 전지의 (−)극에 연결되어 있다.
⑤ 전지를 연결하면 전자가 전지의 (−)극에서 (+)극 방향으로 움직인다.

14 ② 전류계를 전원에 직접 연결하면 매우 센 전류가 흘러 전류계가 고장 날 수 있다.

오답 분석

① 전류계는 전류의 세기를 측정하고자 하는 전기 회로에 직렬로 연결한다.

③ 회로에 전류계를 연결할 때 (+)단자는 전원의 (+)극, (−)단자는 전원의 (−)극 쪽에 연결한다.

④, ⑤ 전류계에 허용된 값의 전류를 넘는 전류가 흐르면 전류계가 고장 날 수 있다. 따라서 측정하려는 전류의 값을 모를 때에는 (−)단자 중 가장 큰 값의 단자에 연결해야 한다.

15 자료 분석

연결된 단자에 해당하는 눈금을 읽는다.

(−)단자를 500 mA 단자에 연결했으므로 전류계의 눈금에서 최댓값이 500 mA인 부분의 눈금을 읽으면 된다. 따라서 전류의 세기는 150 mA이다.

16 ② 전압은 수압, 전자는 물에 비유할 수 있다.

오답 분석

① 전류는 전하의 흐름이므로, 물의 흐름에 비유할 수 있다.

③ 전지는 전압을 생기게 해 주므로 수압을 생기게 해 주는 펌프에 비유할 수 있다.

④ 전류가 흐르면 전구가 켜지는 것처럼 물이 흐르면 물레방아가 돌아간다.

⑤ 스위치로 전기가 흐르게 하거나 끊을 수 있는 것처럼 밸브로 물의 흐름을 끊을 수 있다.

17 ④ 전압계는 전압을 측정하고자 하는 부분에 병렬로 연결한다.

오답 분석

① 전압의 단위는 V(볼트)이고, 전류의 단위는 A(암페어)이다.

② 전류의 세기는 전압에 비례하므로, 전압이 클수록 전류의 세기는 크다.

③ 물이 흐르는 장치에서 물의 높이 차 또는 수압이 전압을 의미한다. 펌프는 전지에 비유할 수 있다.

⑤ 전압을 모를 때 전압계의 (−)단자를 큰 값의 단자부터 차례로 연결한다.

18 ㄱ, ㄴ, ㄷ. 전기 저항은 도선을 이루는 물질의 종류에 따라 다르다. 또 도선의 저항은 길이, 단면적의 크기(굵기)에 따라 다르다.

오답 분석

ㄹ. 도선에 전압을 걸었을 때 흐르는 전류를 측정하여 도선의 저항을 구할 수 있지만 전압에 따라 도선의 전기 저항이 달라지지는 않는다.

19 ④ 도선 내의 전자가 원자와 충돌하는 횟수가 많을수록 저항이 크다.

오답 분석

① 전류의 흐름을 방해하는 정도를 전기 저항이라고 한다.

② 전기 저항은 전류가 흐를 때 전자와 원자의 충돌 때문에 생긴다.

③ 물질의 종류에 따라 원자 배열이 달라서 저항값이 달라진다.

⑤ 1 V의 전압이 걸릴 때 1 A의 전류가 흐르면 저항은 1 Ω이다.

20 옴의 법칙 $V=IR$이므로 저항은 $R=\frac{V}{I}=\frac{2\ \mathrm{V}}{1\ \mathrm{A}}=2\ \Omega$이다.

21 자료 분석

그래프의 기울기는 $\frac{전류}{전압}$이므로 기울기의 역수가 저항과 같다.

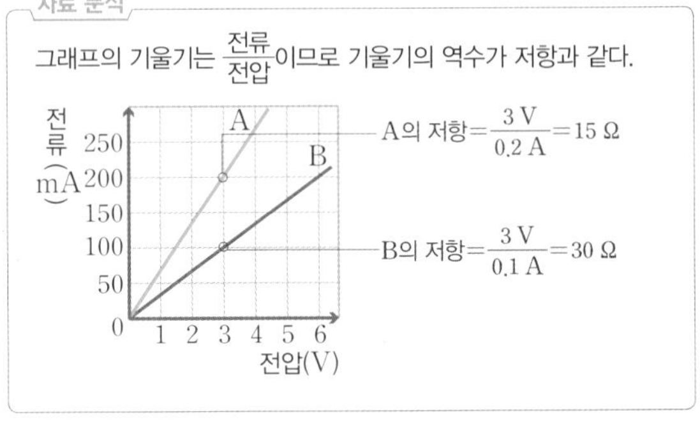

① A의 저항은 15 Ω, B의 저항은 30 Ω이므로 B의 저항은 A의 2배이다.

오답 분석

② B에 걸리는 전압이 3 V일 때 0.1 A의 전류가 흐르므로 옴의 법칙에서 저항은 $R=\frac{V}{I}=\frac{3\ \mathrm{V}}{0.1\ \mathrm{A}}=30\ \Omega$이다.

③ B의 저항이 A의 2배이고, 재질과 길이가 같으면 저항은 단면적에 반비례하므로, A의 단면적이 B보다 크다.

④ 같은 전압을 걸어 줄 때, 저항이 작은 A에 흐르는 전류가 B에 흐르는 전류보다 세다.

⑤ A를 연결한 회로에 3 V의 전압을 걸어 주면 0.2 A의 전류가 흐른다. 전류는 전압에 비례하므로 30 V의 전압을 걸어 주면 2 A의 전류가 흐른다.

22 ㄱ. 직렬연결된 두 저항에는 전류가 한 경로로 흐르므로 각 저항에 흐르는 전류의 세기가 같다.

ㄷ. 전류가 흐르는 경로가 하나이므로 저항 한 개가 끊어지면 나머지 저항에도 전류가 흐르지 않는다.

오답 분석

ㄴ. 각 저항에 걸리는 전압=전류×저항이고, 두 전기 기구가 직렬연결된 경우 전류는 같지만 저항은 같지 않다. 따라서 두 저항에 걸리는 전압은 같지 않다.

23 자료 분석

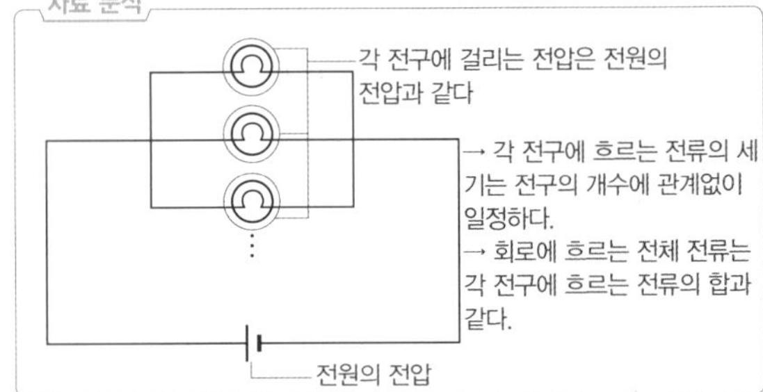

⑤ 저항을 병렬연결하면 각 전구에 흐르는 전류의 합은 전체 전류와 같고, 각 전구에 걸리는 전압은 전원의 전압과 같다. 따라서 연결한 전구가 많아질수록 회로에 흐르는 전류는 세지고, 전체 저항은 회로에 흐르는 전류에 반비례하므로 작아진다.

오답 분석

① 전류가 흐르는 경로가 여러 개이므로 전체 전류가 각 전구에 나뉘어 흐른다.
② 병렬로 연결된 각 저항에 걸리는 전압은 전원의 전압과 같다.
③ 병렬로 연결한 전구의 개수가 많아질수록 전체 회로에 흐르는 전류가 세어진다.
④ 각 전구는 전원에 연결되어 있으므로 한 전구가 끊어져도 나머지 전구에는 전류가 흘러 불이 꺼지지 않는다.

24 ㄱ. 퓨즈는 회로에 직렬로 연결하여 과전류가 흐를 때 퓨즈가 끊어져 전기 기구가 고장나는 것을 막는다.
ㄹ. 직렬연결된 장식용 전구는 불이 함께 켜지고 꺼진다.

오답 분석

ㄴ. 가로등은 한 개가 고장 나도 나머지 가로등에는 불이 켜지므로 병렬로 연결되어 있다.
ㄷ. 멀티탭에 연결된 전기 기구는 따로 켜고 끌 수 있고, 각 전기 기구에 220 V의 전압이 걸리므로 병렬로 연결되어 있다.

25 
자료 분석

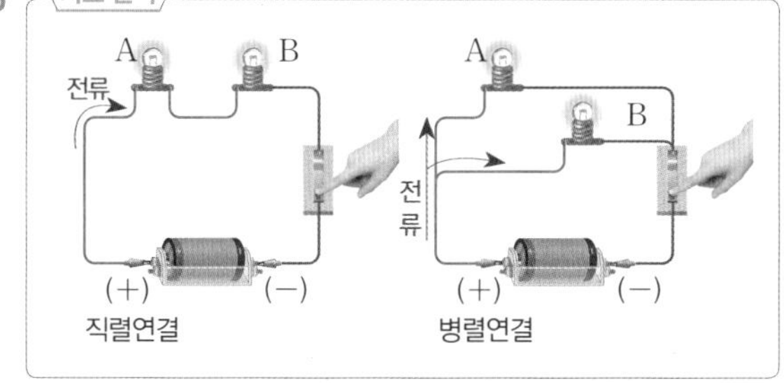

모범 답안 (가)에서는 전류가 하나의 도선을 따라 흐르므로 B가 꺼지고, (나)에서는 여러 개의 도선을 따라 전류가 나뉘어 흐르므로 B가 꺼지지 않는다.

채점 기준	배점
A는 꺼지고 B는 꺼지지 않는다는 것과 전류가 흐르는 도선이 하나인지 여러 개인지로 까닭을 옳게 서술한 경우	100 %
A는 꺼지고 B는 꺼지지 않는다는 것만 서술한 경우	50 %

만점 도전하기 3단계

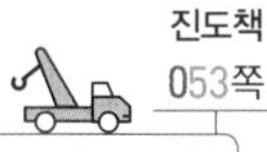
진도책 053쪽

01 ㄴ, ㄷ 02 ③ 03 ④ 04 10 Ω 05 ④ 06 ①

01 ㄴ. A와 B는 모두 털가죽으로 문질렀으므로 같은 종류의 전하를 띤다.
ㄷ. 털가죽은 (+)전하를 띠므로 털가죽을 A에 가까이 하면 A가 끌려온다.

오답 분석

ㄱ. 고무풍선을 털가죽으로 문지르면 고무풍선은 (−)전하를 띠므로, A와 B 모두 (−)전하를 띤다.

02 이 문제에 적용되는 개념

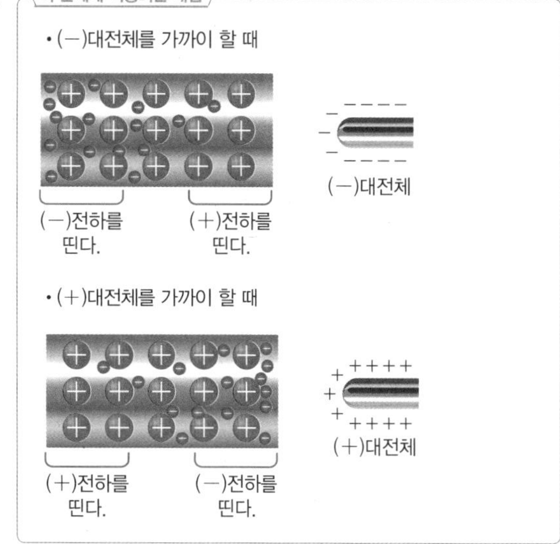

③ B 부분은 (+)전하를 띠므로 (+)전하를 띠는 고무풍선은 B로부터 밀어내는 방향의 힘을 받는다.

오답 분석

①, ② (+)전하를 띤 유리 막대를 대전되지 않은 금속 막대의 A 쪽에 가까이 하면 금속 막대 내에서 전자는 B에서 A로 이동하므로 금속 막대의 A 부분은 (−)전하를 띠고 B 부분은 (+)전하를 띤다.
④ (−) 전하를 띤 대전체를 A 쪽에 가까이 하면 A 부분은 (+) 전하를 띠고 B 부분은 (−)전하를 띠므로 (+) 전하를 띤 고무풍선이 끌려온다.
⑤ (+)전하를 띤 유리 막대를 1개 더 A에 가까이 하면 대전체의 전하량이 더 많아져 전자가 더 많이 이동하므로 B에 대전되는 전하량도 많아진다. 따라서 전기력이 더 크게 작용하므로 풍선에 작용하는 힘이 더 커진다.

03 이 문제에 적용되는 개념

검전기
검전기의 금속판에 대전체를 가까이 하면 전자가 전기력을 받아 이동한다. 따라서 금속판에는 대전체와 다른 종류의 전하가 유도되고, 금속박에는 대전체와 같은 종류의 전하가 유도되는 정전기 유도 현상이 일어난다. 이때 두 금속박에 유도된 같은 종류의 전하 사이에는 밀어내는 방향으로 전기력이 작용하므로 금속박이 벌어진다.

(−)전하로 대전된 검전기의 금속판에 대전체를 가까이 했을 때 금속박이 더 벌어졌다면 금속판의 전자가 금속박으로 이동하여 금속박이 띠는 (−)전하량이 더 늘어난 것이다. 이는 대전체가 (−)전하일 때 일어나는 현상이므로 대전체와 금속박은 같은 종류의 전하를 띤다.

04 전류계의 (−)단자는 500 mA 단자에 연결하였으므로 회로에 흐르는 전류의 세기는 300 mA이며, 전압계의 (−)단자는 5 V 단자에 연결하였으므로 전압의 크기는 3 V이다. 따라서 니크롬선의 저항은 $\frac{3\text{ V}}{0.3\text{ A}}=10\ \Omega$이다.

05 ④ 그래프에서 니크롬선 ㉠의 저항은 5 Ω이고, 니크롬선 ㉡의 저항은 10 Ω이다. 따라서 ㉠에 1.5 V의 전압을 걸면 0.3 A의 전류가 흐른다.

오답 분석

①, ② ㉠의 저항은 $\frac{1\ V}{0.2\ A}=5\ \Omega$, ㉡의 저항은 $\frac{2\ V}{0.2\ A}=10\ \Omega$이므로 두 니크롬선은 저항은 다르다.

③ 니크롬선의 저항은 ㉠이 ㉡보다 작다.

⑤ 전압이 같다면 전기 회로에 연결된 저항에 따라 흐르는 전류의 세기가 달라진다.

06 ① 멀티탭에 연결된 전기 기구들은 모두 병렬로 연결되어 있으므로 모두 같은 전압이 걸린다. 따라서 전기 기구를 많이 연결할수록 전체 전류의 세기도 증가하므로, 많은 전기 기구를 동시에 사용하면 전선에 지나치게 센 전류가 흘러 위험하므로 주의해야 한다.

오답 분석

②, ③, ⑤ 병렬연결되어 있으므로 각 전기 기구에 걸리는 전압은 같고, 각 전기 기구를 따로 켜고 끌 수 있다.

④ 멀티탭은 병렬연결되어 있으므로 각 전기 기구에 흐르는 전류의 세기는 다르다.

02 자기

개념 다지기 1단계

진도책 055쪽, 057쪽

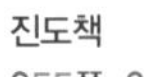

01 자기장 02 (1) ○ (2) ○ (3) × 03 A: 전류의 방향, B: 자기장의 방향 04 (1) ○ (2) × (3) ○

05 (1) ㉢ (2) ㉠ (3) ㉡ 06 (1) C (2) A 07 ㄱ, ㄴ 08 (1) ○ (2) × (3) ×

01 주어진 글은 모두 자기장에 대한 설명이다.

02 (1) 자기장은 자석의 N극에서 S극 방향이므로 자기력선은 자석의 N극에서 나와 S극으로 들어간다.

(2) 자기력선은 도중에 서로 교차하지 않는다.

(3) 자기력선의 간격이 좁을수록 자기장이 세다.

03 전류가 흐르는 직선 도선에서 오른손 엄지손가락을 전류의 방향으로 하여 일치시킬 때 나머지 네 손가락이 감아쥐는 방향이 자기장의 방향이다.

04 (1) 전류가 흐르는 직선 도선에서 오른손 엄지손가락을 전류의 방향으로 하여 일치시킬 때 나머지 네 손가락이 감아쥐는 방향이 자기장의 방향이므로, 도선에 흐르는 전류의 방향이 바뀌면 자기장의 방향도 바뀐다.

(2) 도선에 흐르는 전류의 세기가 클수록 도선 주위에 생기는 자기장의 세기도 커진다.

(3) 코일에 전류가 흐르면 코일의 안쪽에는 코일의 축에 나란한 직선 방향으로 자기장이 생기고, 코일의 바깥쪽에는 막대자석 주위에 생기는 자기장의 모양과 비슷하게 자기장이 생긴다.

05 오른손의 엄지손가락을 전류의 방향으로, 네 손가락을 자기장의 방향으로 향했을 때 손바닥이 향하는 방향이 도선이 받는 힘의 방향이다.

06 오른손의 엄지손가락을 전류의 방향으로, 네 손가락을 자기장의 방향으로 향했을 때 손바닥이 향하는 방향이 도선이 받는 힘의 방향이다.

07 ㄱ, ㄴ. 자기장에서 전류가 받는 힘은 전류가 셀수록, 자기장이 셀수록 크고, 전류와 자기장의 방향이 수직일 때 가장 크다.

오답 분석

ㄷ. 전류의 방향과 자기장의 방향이 나란하면 도선은 힘을 받지 않는다.

08 (1) 전류의 방향이 바뀌면 도선의 각 부분이 받는 힘의 방향이 반대가 되어 코일의 회전 방향이 반대로 바뀐다.

(2) 코일에 흐르는 전류가 셀수록 코일이 받는 힘이 세져서 코일이 빠르게 회전한다.

(3) 자석의 극이 바뀌면 도선의 각 부분이 받는 힘의 방향이 반대가 되어 코일의 회전 방향이 반대로 바뀐다.

공략 확인 문제

진도책 058쪽

01 ㉠: ←, ㉡: ← 02 ㉠: →, ㉡: → 03 (1) ○ (2) ○ (3) × (4) ○ (5) × (6) ×

01 코일 주위에 생기는 자기장의 방향은 오른손의 네 손가락을 전류의 방향으로 감아쥘 때 엄지손가락이 가리키는 방향이다. 따라서 ㉠과 ㉡에서 나침반 바늘의 N극은 모두 왼쪽을 가리킨다.

02 코일에 흐르는 전류의 방향을 반대로 바꾸면 자기장의 방향이 바뀐다. 따라서 ㉠과 ㉡에서 나침반 바늘의 N극은 모두 오른쪽을 가리킨다.

03 (3) 코일에 흐르는 전류의 방향이 바뀌면 자기장의 방향도 변한다.

(5) 나침반 바늘이 N극이 향하는 방향이 자기장의 방향이다.

(6) 전류가 흐르는 코일 내부에는 코일의 축에 나란한 방향으로 자기장이 생긴다.

실력 올리기 2단계

진도책 059~062쪽

01 ① 02 ④ 03 A: S극, B: N극, C: N극, D: S극
04 ① 05 ③ 06 ⑤ 07 ② 08 ④ 09 ② 10 ④
11 ① 12 해설 참조 13 ① 14 ② 15 ② 16 ③
17 ⑤ 18 ㄴ, ㄷ 19 ④ 20 ⑤ 21 ② 22 ⑤
23 ③ 24 해설 참조

01 ① 자기장은 전류가 흐르는 도선 주위에도 생긴다.

오답 분석

②, ③ 자기력선의 방향은 나침반 바늘의 N극이 가리키는 방향으로, 자기력선은 도중에 갈라지거나 끊어지지 않고 자기력선끼리 서로 만나거나 교차하지 않는다.

④ 자기력선은 자기장의 방향을 시각적으로 표현하여 나타낸 것이다.

⑤ 도선에 흐르는 전류의 세기가 클수록 도선 주위에 생기는 자기장의 세기는 커진다.

02 이 문제에 적용되는 개념

자기력선의 방향

N S

• 자기력선은 N극에서 나와 S극으로 들어간다.
• 막대자석 주위에 철 가루를 뿌려 보면 자기력선의 모양을 알 수 있다.

자기력선은 N극에서 나와 S극으로 들어가므로, ㉠은 S극, ㉡, ㉢, ㉣은 N극이다.

03 지표면 근처에서 나침반 바늘의 N극이 북쪽을 가리키므로 지구의 북쪽이 거대한 자석의 S극이 된다.

04 자료 분석

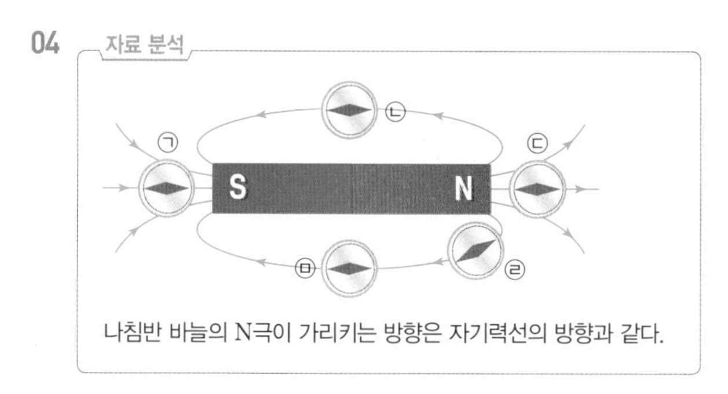

나침반 바늘의 N극이 가리키는 방향은 자기력선의 방향과 같다.

나침반 바늘의 N극이 가리키는 방향은 자기력선의 방향과 같고, 자기력선은 자석의 N극에서 나와서 S극으로 들어간다.

오답 분석

②, ③, ④, ⑤ 나침반 바늘의 N극이 향하는 방향은 ㉠, ㉢이 오른쪽이고, ㉡, ㉤은 왼쪽, ㉣은 왼쪽 아래를 향한다.

05 자료 분석

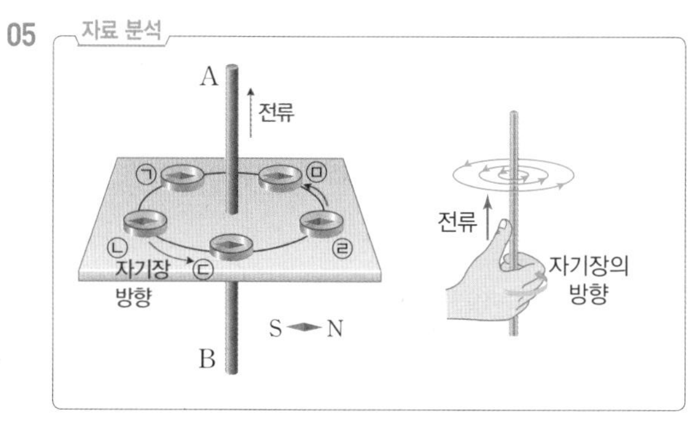

전류가 B에서 A로 흐르므로 직선 도선 주위에 생기는 자기장은 반시계 방향이다. 나침반 바늘의 N극은 반시계 방향을 향한다.

06 ⑤ 자기장의 모양은 직선 도선을 중심으로 동심원 모양으로 나타난다.

오답 분석

① 자기력선은 서로 교차하지 않는다.
② 주어진 자료만으로는 전류의 방향을 알지 못하므로 자기장의 방향을 알 수 없다.
③ 자기장의 방향과 전류의 방향은 서로 수직이다.
④ 도선으로부터 거리가 멀수록 자기장의 세기가 작다.

07 ② 전류의 방향은 자기장의 방향에는 영향을 주지만 자기장의 세기에는 영향을 주지 않는다.

오답 분석

① 자기장이 셀수록 자기력선의 간격이 좁다.
③, ⑤ 도선에 흐르는 전류의 세기가 클수록, 도선으로부터의 거리가 가까울수록 자기장의 세기가 크다.
④ 옴의 법칙에 의해 전류의 세기는 전압에 비례하므로 전압이 커지면 자기장도 세진다.

08 자료 분석

전류 A B (+)극 자기장의 방향 전류의 방향 오른손

전류는 전지의 (+)극에서 (−)극으로 흐르므로 도선의 위에서 아래 방향으로 흐른다.

앙페르 법칙에 의해 엄지손가락을 전류의 방향으로 향하게 하고 나머지 네 손가락으로 직선 도선을 감아쥐면 자기장은 직선 도선을 중심으로 시계 방향이다. 따라서 A점에 놓인 나침반 바늘의 N극은 북쪽을, B점에 놓인 나침반의 N극은 남쪽을 가리킨다.

09 자료 분석

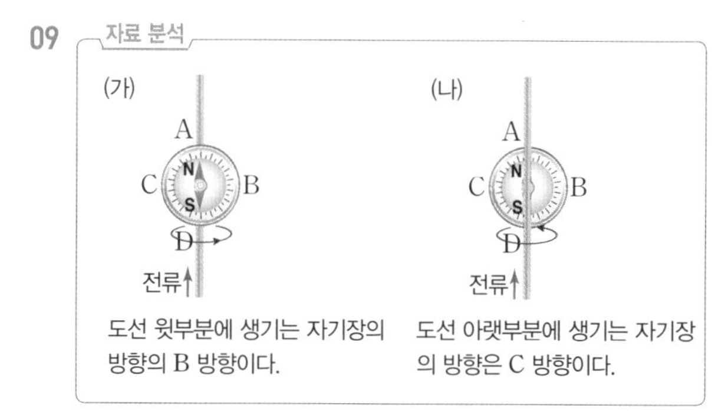

도선 윗부분에 생기는 자기장의 방향의 B 방향이다.

도선 아랫부분에 생기는 자기장의 방향은 C 방향이다.

오른손 엄지손가락을 전류의 방향으로 향하게 한 후 나머지 네 손가락으로 직선 도선을 감아쥐면 (가)에서 나침반 바늘의 N극은 B 방향, (나)에서 나침반 바늘의 N극은 C 방향을 향한다.

10 ④ 코일에 전류가 흐르면 코일 내부에 생기는 자기장이 코일 주위에 생기는 자기장보다 세다.

오답 분석

① 코일 주위에 생기는 자기장은 막대자석 주위의 자기장과 모양이 비슷하다.
② 코일에 전류가 흐를 때에만 코일 주위에 자기장이 생기고, 전류가 흐르지 않을 때에는 자기장이 없어진다.
③ 코일 속에 철심을 넣으면 자기장이 더 세어져서 전자석을 만들 수 있다.
⑤ 코일에 전류가 흐르는 방향으로 오른손의 네 손가락을 감아쥐면 엄지손가락이 향하는 쪽이 N극을 띠고, 반대쪽이 S극을 띤다. 코일 주위에 생기는 자기력선은 코일의 N극을 띠는 쪽 끝에서 나와서 S극을 띠는 쪽 끝으로 들어가는 모양이다.

11 코일에 흐르는 전류의 방향으로 오른손의 네 손가락을 감아쥐면 엄지손가락이 향하는 방향이 N극이다. 자기력선은 N극에서 나가서 S극으로 들어오는 방향이다.

12 모범 답안

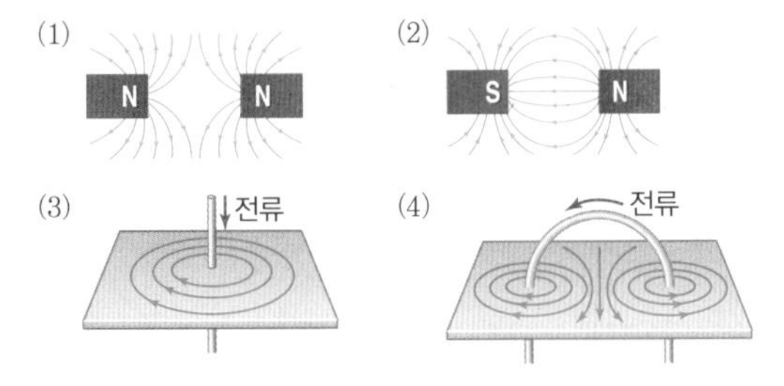

해설 (1), (2) 자기력선은 자석의 N극에서 나와 S극으로 들어간다.
(3), (4) 앙페르 법칙에서 엄지손가락의 방향을 전류의 방향으로, 나머지 네 손가락이 도선을 감아쥐는 방향이 자기장의 방향이다.

채점 기준	배점
자기장의 모양을 네 가지 모두 옳게 그린 경우	100 %
자기장의 모양을 옳게 그린 한 가지 당	25 %

13 자료 분석

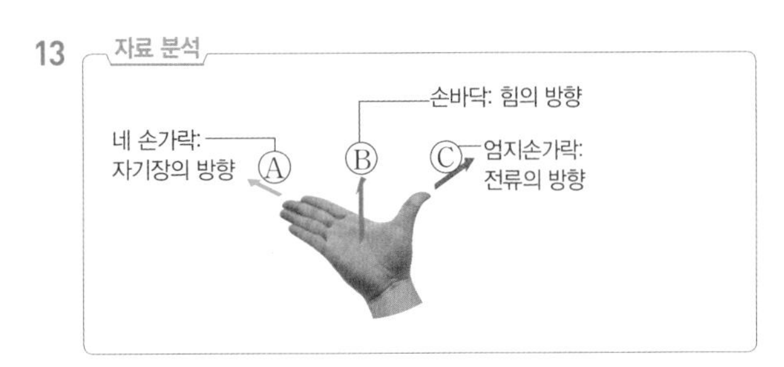

오른손을 폈을 때 엄지손가락은 전류의 방향을, 나머지 네 손가락은 자기장의 방향을 나타낸다. 이때 손바닥이 향하는 방향은 도선이 받는 힘의 방향을 의미한다.

14 ㄱ. 오른손을 폈을 때 엄지손가락은 전류의 방향을, 나머지 네 손가락은 자기장의 방향을 나타내므로 도선이 받는 힘의 방향은 c이다.
ㄴ. 자석의 N극과 S극의 위치를 바꾸면 자기장의 방향이 바뀌므로 도선은 처음과 반대 방향인 a 방향으로 힘을 받는다.
오답 분석
ㄷ. 전류의 방향이 바뀌면 자기력의 방향이 반대로 바뀌고, 자기장의 방향이 바뀌면 도선이 받는 힘의 방향이 반대로 바뀌므로 전류와 자기장이 모두 바뀌면 힘의 방향은 처음과 같은 방향이다.

15 오른손 엄지손가락을 전류의 방향인 지면으로 들어가는 방향으로, 나머지 네 손가락을 N극에서 S극을 향하는 자기장의 방향으로 하면 도선은 손바닥이 향하는 왼쪽으로 힘을 받는다.

16 오른손을 이용하면 사각형 코일이 받는 힘의 방향을 알 수 있다. (가)는 말굽자석의 바깥쪽으로 힘을 받고, (가)와 전류, 자기장이 각각 반대 방향인 (나)와 (라)는 안쪽으로 힘을 받는다.
오답 분석
전류와 자기장의 방향이 모두 바뀌는 (다)는 (가)와 같이 바깥쪽으로 힘을 받는다.

17 ⑤ 실험을 통해 자석 사이에서 전류가 흐르는 알루미늄 막대가 받는 힘의 방향을 알 수 있다.
오답 분석
① 저항이 클수록 전류의 세기가 작아지므로 알루미늄 막대의 움직임은 작아진다.
② 오른손을 이용하면 전류가 흐르는 알루미늄 막대는 오른쪽으로 움직인다.
③ (+)극과 (−)극을 바꾸면 전류의 방향이 바뀌어 도선이 받는 힘의 방향이 반대로 바뀌므로 알루미늄 막대는 왼쪽으로 움직인다.
④ N극과 S극이 바뀌면 자기장의 방향이 바뀌어 도선이 받는 힘의 방향이 바뀌므로 알루미늄 막대는 왼쪽 방향으로 움직인다.

18 ㄴ. 말굽자석을 더 센 것으로 바꾸면 자기장이 세지므로 알루미늄 막대가 받는 힘이 더 커져서 알루미늄 막대가 더 빠르게 굴러간다.
ㄷ. 전압을 높이면 알루미늄 막대에 흐르는 전류가 세지므로 알루미늄 막대가 받는 힘이 더 커져서 알루미늄 막대가 더 빠르게 굴러간다.
오답 분석
ㄱ. 니크롬선을 더 길게 하면 저항이 커져서 알루미늄 막대에 흐르는 전류가 약해져 자기력의 크기가 작아지므로 알루미늄 막대는 더 느리게 굴러간다.

19 ㄱ, ㄹ. 자기장의 세기가 클수록, 도선에 흐르는 전류의 세기가 셀수록 자기력은 크다.
ㅁ. 도선과 자기장의 방향이 수직일 때 자기력이 가장 크고, 나란하면 자기력이 작용하지 않는다.
오답 분석
ㄴ, ㄷ. 자기장의 방향과 전류의 방향은 자기력의 방향에는 영향을 주지만 자기력의 크기와는 관계없다.

20 자료 분석

오른손을 이용하면 두 도선이 받는 힘의 방향을 알 수 있다.

전류 / 자기장 / 힘 / 회전 / N / S / A / B / C / D / E / F / G / H / ㉠ / ㉡

오른손 엄지손가락을 전류의 방향, 나머지 네 손가락을 자기장의 방향으로 하면 코일의 ㉠ 부분은 아래 방향으로, ㉡ 부분은 위방향으로 힘을 받아 사각 코일은 반시계 방향으로 회전한다.

21 이 문제에 적용되는 개념

전동기의 회전 원리

AB 부분 CD 부분

B 자기장 N S C A 정류자 브러시 D (−) (+) 전류

오른손 엄지손가락을 전류의 방향, 나머지 네 손가락을 자기장의 방향으로 할 때 손바닥이 가리키는 방향이 힘의 방향이다.

AB 부분은 위쪽으로, CD 부분은 아래쪽으로 힘을 받아 사각 코일은 시계 방향으로 회전한다.

ㄱ, ㄷ, ㄹ. AB는 위쪽으로, CD는 아래쪽으로 힘을 받아 사각 코일은 시계 방향으로 회전한다.

오답 분석

ㄴ. BC는 자기장과 전류의 방향이 나란하므로 힘을 받지 않는다.

22 ㄷ, ㄹ, ㅁ. 자기력이 강한 자석일수록, 코일을 더 많이 감을수록, 전류가 세게 흐를수록(전압이 높을수록) 코일이 받는 힘이 커지므로 빠르게 회전한다.

오답 분석

ㄱ, ㄴ. 전류의 방향과 자기장의 방향은 코일이 받는 힘의 방향에는 영향을 주지만 힘의 크기와는 관계없으므로 코일이 회전하는 빠르기에 영향을 주지 않는다.

23 ③ 전동기는 자기장 속에 놓인 도선이 받는 힘을 이용하여 전기 에너지를 코일이 회전하는 운동 에너지로 전환한다. 형광등은 전기를 이용하여 빛을 얻는 장치이므로 전동기를 이용하지 않는다.

오답 분석

①, ②, ④, ⑤ 선풍기, 전기 자동차, 세탁기, 엘리베이터는 전류가 흐를 때 움직임이 있으므로 전동기를 이용한다.

24 **모범 답안** (1) 자석의 안쪽, 자기장이 위 방향이고 전류가 지면에서 나오는 방향이므로 도선 그네는 자석의 안쪽으로 힘을 받는다.

(2) 자석의 안쪽, 자기장이 아래 방향이고 전류가 지면으로 들어가는 방향이므로 도선 그네는 자석의 안쪽으로 힘을 받는다.

해설 오른손을 이용할 때 엄지손가락은 전류의 방향으로, 나머지 네 손가락은 N극에서 S극을 향하게 펴면 손바닥이 향하는 방향이 그네가 움직이는 방향이다.

	채점 기준	배점
(1)	도선 그네가 움직이는 방향과 그 까닭을 모두 옳게 서술한 경우	50 %
	도선 그네가 움직이는 방향만 옳게 서술한 경우	30 %
(2)	도선 그네가 움직이는 방향과 그 까닭을 모두 옳게 서술한 경우	50 %
	도선 그네가 움직이는 방향만 옳게 서술한 경우	30 %

만점 도전하기 3단계

진도책 063쪽

01 ③ 02 ④ 03 ③ 04 ②, ④ 05 ③

01 자료 분석

직선 도선 주위의 자기장

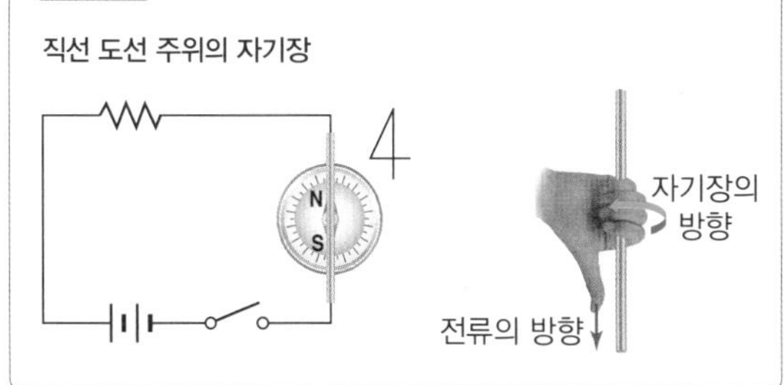

직선 도선에 전류가 흐를 때 자기장의 방향은 오른손 엄지손가락을 전류의 방향으로 할 때 네 손가락이 감아쥐는 방향이다. 따라서 그림에서 도선에 전류가 아래로 흐르므로 도선 아래에서 자기장의 방향은 동쪽이고, 도선 위에서 자기장의 방향은 서쪽이다.

02 이 문제에 적용되는 개념

코일 주위의 자기장

전류가 흐르는 코일 주위에 생기는 자기장은 막대자석이 만드는 자기장과 모양이 비슷하다. 즉, 코일 주위에는 코일의 한쪽에서 나와 다른 쪽으로 들어가는 모양의 자기장이 생긴다. 코일의 내부에는 축에 나란하고 세기가 균일한 자기장이 생기며, 이 자기장의 방향은 오른손의 네 손가락을 전류의 방향으로 감아쥘 때 엄지손가락이 가리키는 방향이다.

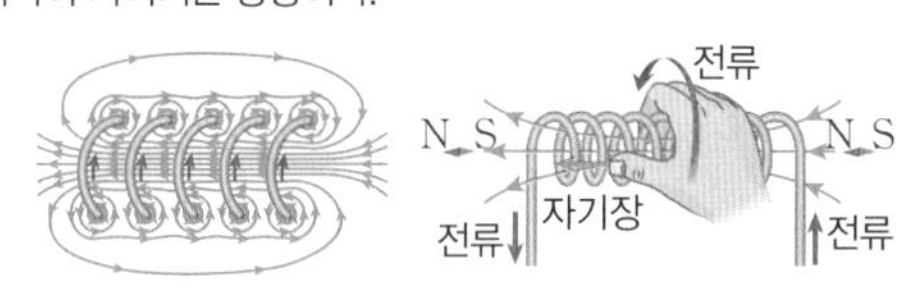

④ 코일에 전류가 흐르면 막대자석 주위와 비슷한 모양의 자기장이 생긴다. 이때 ㉠과 ㉢에서 자기장의 방향은 같고, ㉡에서와는 반대 방향이다.

오답 분석

①, ②, ③ ㉠과 ㉢에서 나침반 바늘의 방향은 같으며, ㉠과 ㉡에서 나침반 바늘의 방향과 ㉡과 ㉢에서 나침반 바늘의 방향은 반대이다.

⑤ 전류의 방향에 따라 나침반 바늘의 방향도 바뀐다.

03 자료 분석

직선 도선 주위의 자기장

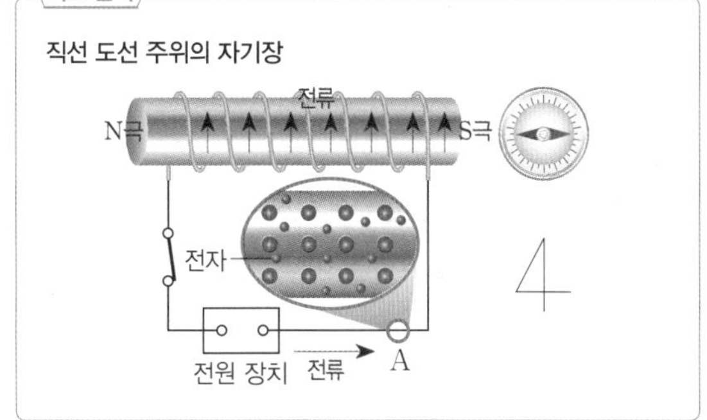

철심에 코일을 감고 전원 장치에 연결한 후 스위치를 닫았더니 나침반 바늘의 N극이 서쪽을 가리켰다면 코일에는

앞에서 뒤로 전류가 흐른다. 즉 코일의 오른쪽은 S극, 왼쪽은 N극이 된다. 따라서 도선 A지점에는 전류가 오른쪽으로 흐르므로 A 지점에서 움직이는 것은 전자이며, 움직이는 방향은 전류의 방향과 반대 방향인 왼쪽이다.

04 이 문제에 적용되는 개념

자기장 속에서 전류가 받는 힘의 방향

자기장 속에서 전류가 흐르는 도선은 전류와 자기장의 방향에 각각 수직인 방향으로 힘을 받는다. 이때 도선이 받는 힘의 방향은 오른손을 이용하여 찾을 수 있다.

② 고무 자석의 위쪽 면이 S극이면 자기장은 수직 아래 방향이므로 구리선은 A 방향으로 힘을 받는다.
④ 고무 자석의 위쪽 면이 N극이고, 전지 극을 바꾸면 ②와 전류의 방향이 반대이고, 자기장의 방향도 반대이다. 따라서 구리선이 받는 힘의 방향은 ②와 같은 A 방향이다.

오답 분석
① 그림에서 고무 자석의 위쪽 면이 N극이면 구리선은 B 방향으로 힘을 받으므로 B 방향으로 움직인다.
③ 전지의 전압이 높은 것으로 바꾸면 구리선이 받는 힘이 커지므로 구리선은 빠르게 움직인다. 이때 힘의 방향은 알 수 없다.
⑤ 고무 자석의 위쪽 면이 S극일 때 전지의 극을 바꾸어 연결하면 구리선은 B 방향으로 움직인다.

05 이 문제에 적용되는 개념

자기장 속에서 전류가 받는 힘의 크기

자기장 속에서 전류가 흐르는 도선이 받는 힘의 크기는 자기장의 세기와 전류의 세기에 각각 비례한다. 또한, 자기장의 방향과 전류의 방향이 수직일 때 도선이 받는 힘이 가장 크며, 평행할 때는 도선이 힘을 받지 않는다.

ㄱ. 전류와 자기장이 수직에 가까울수록 더 큰 힘을 받으므로 (나)의 경우 가장 큰 힘을 받는다.
ㄴ. 자기장 속에 전류가 흐르는 도선이 이루는 각이 평행일 때 도선은 힘을 받지 않는다.

오답 분석
ㄷ. (가)의 경우 전류와 자기장이 이루는 각이 30 °이고 (라)의 경우 전류와 자기장이 이루는 각이 60 °이므로 직각에 가까운 (라)가 (가)보다 더 큰 힘을 받는다.

진도책 064쪽~067쪽

대단원 완성하기

01 ① **02** ③ **03** ⑤ **04** ⑤ **05** ③ **06** ① **07** ①
08 ⑤ **09** ② **10** ④ **11** ② **12** ② **13** ③ **14** ①
15 ① **16** (가) →, (나) ←, (다) ←, (라) → **17** ①
18 ③ **19** ② **20** 해설 참조 **21** 해설 참조
22 해설 참조 **23** 해설 참조 **24** 해설 참조

01 물체 A는 전자를 잃어 (+)전하를 띠고, B는 전자를 얻어 (−)전하를 띤다.

02 이 문제에 적용되는 개념

물체를 검전기의 금속판에 가까이 했을 때 금속박이 벌어지면 물체는 대전된 상태이다.

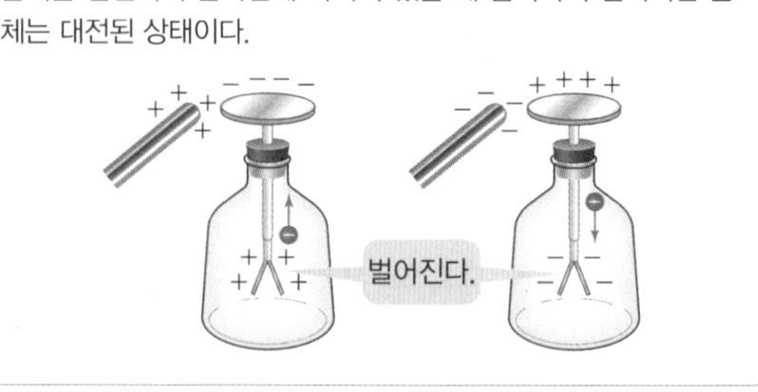

(+)대전체를 가까이 하면 금속박에 있던 전자들이 금속판으로 이동하여 금속판은 (−)전하를, 금속박은 (+)전하를 띤다.

03 털가죽으로 고무풍선을 문지르면 털가죽에서 고무풍선으로 전자가 이동하여 고무풍선은 (−)전하를 띠며, 같은 전하끼리는 밀어내는 힘인 척력이 작용하므로 두 고무풍선은 서로 밀어낸다.

04 자료 분석

금속 막대에 (+)대전체를 가까이 하면 금속 막대에 있던 전자가 인력을 받아 B에서 A쪽으로 이동한다.

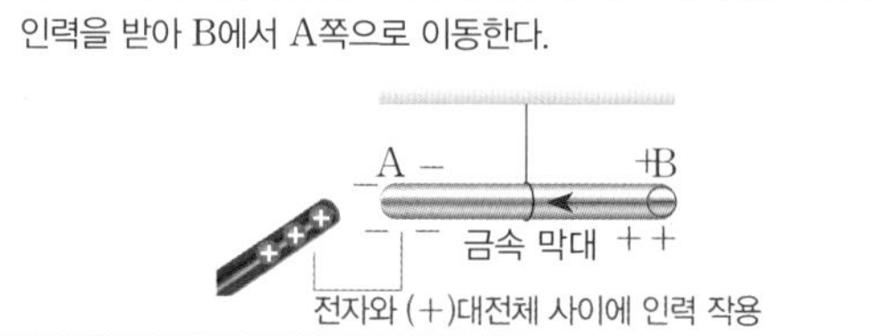

⑤ 대전체를 치우면 전자가 되돌아가서 금속 막대는 대전되기 전의 원래 상태로 돌아온다.

오답 분석
① 대전체가 접촉하지 않아도 정전기가 유도된다.
②, ③ B에 있던 전자가 (+)대전체 근처인 A로 이동하여 A는 (−)전하, B는 (+)전하로 대전된다.
④ A 부분이 정전기 유도에 의해 (−)전하로 대전되므로 (+)대전체와 금속 막대 사이에 인력이 작용한다. 따라서 금속 막대는 대전체 쪽으로 끌려오는 힘을 받는다.

05 

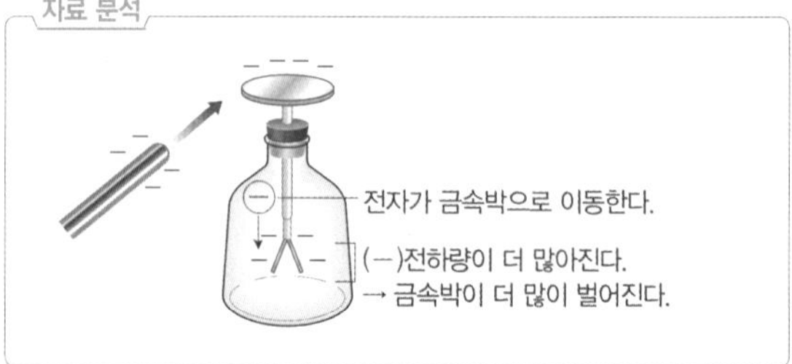

ㄴ, ㅁ. (−)대전체를 금속판 가까이 가져가면 금속판에 있던 전자가 척력에 의해 금속박으로 이동하여 (−)전하로 대전되어 벌어져 있던 금속박이 더 많이 벌어지게 된다.

오답 분석
ㄱ, ㄷ. 금속박에는 (−)전하가 더 많아져서 더 벌어진다.
ㄹ, ㅂ, ㅅ. 금속판의 전자가 (−)대전체로부터 척력을 받아 금속박으로 이동한다. 이때 원자핵은 이동하지 않는다.

06 ① (가)는 전류계로, 전기 회로에 직렬로 연결한다.
오답 분석
② (나)는 저항으로, 저항이 클수록 회로에 흐르는 전류의 세기는 작다.
③ 저항은 물질의 종류, 길이, 단면적에 따라 값이 달라진다. 이때 길이가 길수록, 단면적이 작을수록 저항이 크다.
④ (다)는 전구로, 전기 에너지를 빛에너지로 전환한다.
⑤ 전류계, 저항, 전구만으로 구성된 회로에는 전류를 흐르게 할 수 있는 전원 장치나 전지가 없으므로 전류가 흐르지 않는다.

07 ① (가)와 (나)에서 원자는 움직이지 않는다.
오답 분석
② (가)는 전자가 불규칙하게 움직이므로 회로의 스위치를 연 상태이다.
③ (나)는 전자가 오른쪽으로 움직이므로 왼쪽으로 전류가 흐르는 상태이다.
④ 전자는 (−)극에서 (+)극 쪽으로 이동하므로 (나)에서 전지의 (+)극은 오른쪽에 연결되어 있다.
⑤ 제시된 그림만으로는 저항 값을 비교할 수 없다.

08 자료 분석

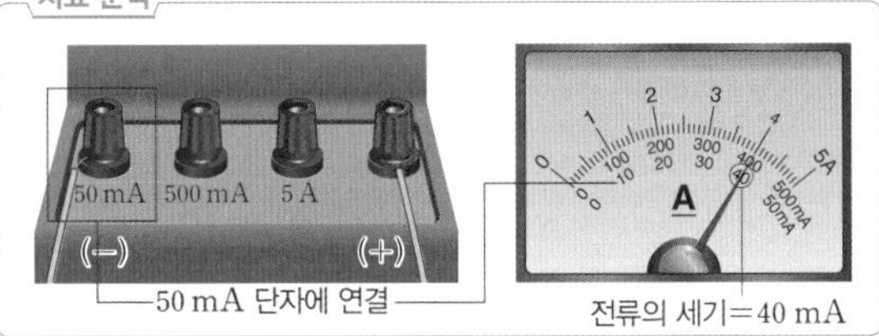

전류계의 (−)단자가 50 mA에 연결되어 있으므로 흐르는 전류의 세기는 40 mA=0.04 A이다.

09 저항이 일정하므로 전류는 전압에 비례하여 다음과 같은 비례식이 성립한다.
110 V : 5 A=220 V : I에서 I=10 A이다.

10 저항=$\frac{전압}{전류}$이고, 주어진 그래프의 기울기는 $\frac{전류}{전압}$이므로 그래프의 기울기가 클수록 저항이 작다. 따라서 세 저항의 크기는 C>B>A 순이다.

11 전압계는 측정하고자 하는 부분에 병렬로, 전류계는 직렬로 연결한다. 이때 전지의 (+)극 쪽에는 전압계와 전류계의 (+)단자를, (−)극 쪽에는 전압계와 전류계의 (−)단자를 연결한다.

12 ㄱ. 멀티탭에 연결된 전기 기구는 서로 병렬연결되어 있다.
ㄷ. 병렬연결된 전기 기구에는 같은 세기의 전압이 걸린다.
오답 분석
ㄴ. 전기 기구가 병렬연결되어 있을 때 전기 기구 한 개를 꺼도 다른 것은 꺼지지 않는다.
ㄹ. 전기 기구를 많이 연결할수록 전체 저항이 작아져서 전체 전류의 세기가 커진다.

13 전류가 A에서 B로 흐르므로 오른손의 엄지손가락을 전류의 방향으로 하고, 네 손가락을 감아쥐면 자기장의 방향은 반시계 방향이다. 동심원 모양과 일치하는 ㉢은 자침의 방향이 거의 변하지 않는다.

14 자료 분석

코일의 양 끝의 자석과 코일 사이에는 인력이 작용하고, 자기력선의 모양은 다음과 같다.

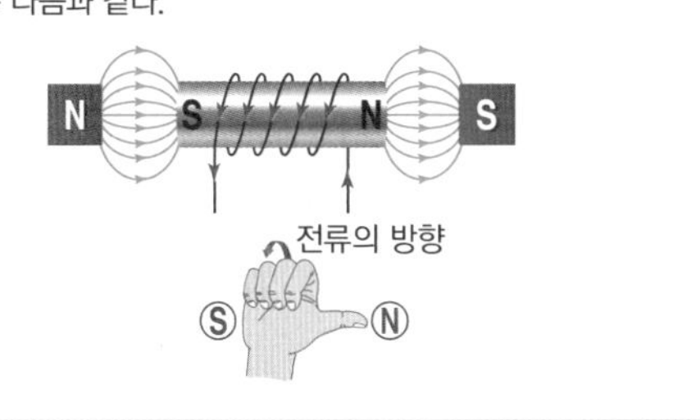

코일의 전류의 방향으로 오른손의 네 손가락을 감아쥐면 엄지손가락이 가리키는 방향이 N극이 된다. 자기력선은 N극에서 나와 S극으로 들어가는 방향으로 생긴다.

15 오른손으로 전류의 방향을 향하도록 코일을 감아쥐면 엄지손가락이 가리키는 방향인 왼쪽이 N극, 오른쪽이 S극이 된다. 따라서 나침반 ㉠의 N극은 A 방향, 나침반 ㉡의 N극은 C 방향을 향한다.

16 오른손 엄지손가락은 전류의 방향을 향하고, 나머지 네 손가락은 N극에서 S극을 향하는 자기장의 방향으로 일치시키면 손바닥이 향하는 방향이 힘의 방향이 된다.

17 자료 분석

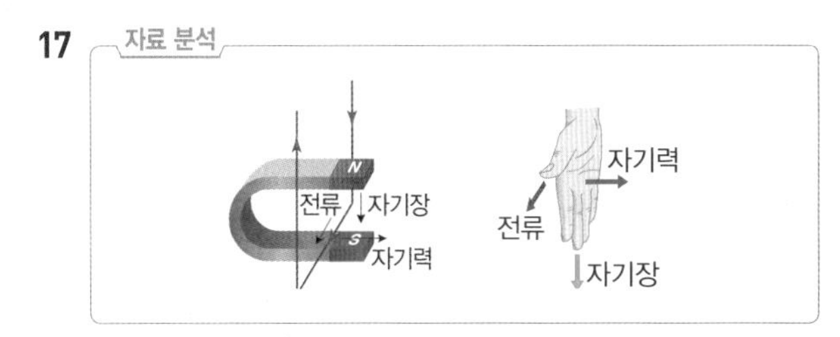

오른손 엄지손가락이 전류의 방향을 향하게 하고, 나머지 네 손가락이 자기장의 방향을 향하게 했을 때 손바닥이 향하는 방향(A 방향)이 자기력의 방향이다.

18 ㄱ, ㄹ. 전류의 방향을 바꾸거나 자석의 N극과 S극의 위치를 바꾸면(자기장의 방향을 바꾸면) 구리 도선이 받는 힘의 방향이 바뀐다.
오답 분석
ㄴ, ㄷ. 더 센 말굽자석을 사용하거나 전압을 높여 주면 자기력의 세기가 커져 도선의 움직임이 커진다. 이때 자기력의 방향은 변하지 않는다.

19 ㄴ, ㄷ, ㅂ, ㅅ. 니크롬선의 길이를 변화시키면 저항의 크기가 달라지고 저항의 크기가 달라지면 전류의 세기도 달라진다. 전류의 세기가 달라지면 도선이 받는 힘의 크기도 달라지게 되어 도선이 움직인 거리가 달라지게 된다.
오답 분석
ㄱ, ㅇ. 힘의 방향은 전류의 방향이나 자기장의 방향이 바뀔 때 바뀐다. 도선이 움직이는 방향은 힘의 방향과 같다.
ㄹ. 전류의 방향은 (+)극과 (−)극을 반대로 연결할 때 바뀐다.
ㅁ. 자기장의 방향은 N극과 S극의 방향을 바꿀 때 바뀐다.

20 (1) 고무풍선: (−)전하, 털가죽: (+)전하

(2) **모범 답안** 털가죽과 고무풍선을 문지르면 털가죽에 있던 전자가 고무풍선으로 이동하여 털가죽은 (+)전하가 더 많고, 고무풍선은 (−)전하가 더 많기 때문이다.

채점 기준	배점
전자의 이동 및 방향과 각 물체에 더 많은 전하가 무엇인지를 옳게 서술한 경우	100 %
전자의 이동 및 방향만 옳게 서술한 경우	50 %
전자가 이동하기 때문이라고만 서술한 경우	20 %

21 (1) 깡통이 대전체 쪽으로 끌려온다.

(2) **모범 답안** (−)대전체를 가까이 하면 깡통의 전자는 대전체로부터 척력을 받아 대전체에서 먼 곳으로 이동하고 깡통의 대전체와 가까운 부분은 (+)전하를 띠기 때문이다.

채점 기준	배점
전자의 이동으로 인해 깡통에서 대전체와 가까운 부분이 대전체와 다른 전하를 띠기 때문이라고 서술한 경우	100 %
정전기 유도 현상 때문이라고만 서술한 경우	50 %

22 **모범 답안** (나), 전자가 한쪽 방향으로 이동하기 때문이다.

채점 기준	배점
(나)를 쓰고, 전자가 한 방향으로 이동한다고 서술한 경우	100 %
(나)만 쓰고 그 까닭을 옳게 서술하지 못한 경우	50 %

23 (1) **모범 답안** (가)는 전구가 병렬연결되어 있으므로 각 전구에 걸리는 전압이 전원의 전압과 같고, (나)는 전구가 직렬연결되어 있으므로 전원의 전압보다 작은 전압이 걸리린다. 따라서 전구에 걸리는 전압은 (가)가 (나)보다 크다.

(2) **모범 답안** (가)는 회로의 전체 저항이 작아져서 전류계에 흐르는 전류가 세지고, (나)는 회로의 전체 저항이 커져서 전류계에 흐르는 전류가 약해지므로 전류계에 흐르는 전류의 세기는 (가)가 (나)보다 크다.

	채점 기준	배점
(1)	(가)와 (나)에서 전구의 연결 방법과 각 전구에 걸리는 전압의 크기를 비교하여 (가)가 (나)보다 크다고 서술한 경우	50 %
	(가)가 (나)보다 크다고만 서술한 경우	20 %
(2)	(가)와 (나)에서 전체 저항에 따라 전체 전류의 변화를 서술하고 (가)가 (나)보다 크다고 서술한 경우	50 %
	(가)가 (나)보다 크다고만 서술한 경우	20 %

24 (1) **모범 답안** AB는 아래 방향으로, BC는 전류와 자기장의 방향이 나란하므로 힘을 받지 않으며, CD는 위 방향으로 힘을 받아 사각 코일은 반시계 방향으로 회전한다.

(2) **모범 답안** 전류의 방향을 반대로 하거나 자석의 N극과 S극을 바꾼다.

	채점 기준	배점
(1)	AB와 CD 부분이 받는 힘의 방향을 옳게 쓰고, BC는 힘을 받지 않으며 반시계 방향으로 회전한다고 서술한 경우	50 %
	AB와 CD 부분이 받는 힘의 방향만 옳게 쓴 경우	25 %
(2)	전류의 방향이나 자석의 극 또는 자기장의 방향을 반대로 바꾼다고 쓴 경우	50 %
	전류나 자기장 중 한 가지만 옳게 쓴 경우	25 %

Ⅲ 태양계

01 지구와 달의 크기와 운동

개념 다지기 1단계

진도책 071쪽, 073쪽

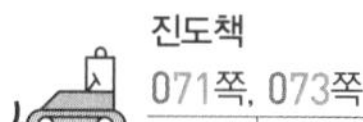

01 ㉠ $2\pi R$, ㉡ 7.2° 02 (1) ○ (2) × (3) × (4) ○
03 ㄱ, ㄹ, ㅁ 04 l

05 (1) × (2) ○ (3) ○ (4) × 06 (1) 공전 (2) 공전, 자전
(3) 달 (4) 월식, 망

01 알렉산드리아와 시에네 사이의 거리는 호의 길이(l)에 해당하고, 알렉산드리아에 세운 막대와 막대의 그림자 끝이 이루는 각도(7.2°)는 중심각(θ)과 엇각으로 같다. 따라서 $2\pi R$: 360° = 925 km : 7.2°의 비례식이 성립한다.

02 에라토스테네스는 원에서 호의 길이는 중심각의 크기에 비례한다는 원리를 이용하여 지구의 크기를 측정하였다. 따라서 원의 성질을 이용하기 때문에 지구는 완전한 구형이어야 하고, 엇각의 원리를 이용하기 때문에 햇빛은 지구에 평행하게 들어와야 한다.

03 관측자의 눈과 구멍의 지름이 이루는 삼각형과 관측자의 눈과 달의 지름이 이루는 삼각형의 닮음비를 이용하여 달의 크기를 측정할 수 있다. 이때 직접 측정해서 알아야 하는 값은 구멍의 지름과 관측자와 종이 사이의 거리이고, 미리 알고 있어야 하는 값은 달까지의 거리이다.

04 관측자의 눈과 구멍의 지름이 이루는 삼각형은 관측자의 눈과 달의 지름이 이루는 삼각형과 닮은꼴이므로, 구멍의 지름(d)의 대응변은 달의 지름(D)이고, 구멍까지의 거리(l)의 대응변은 달까지의 거리(L)이다.

05 오답 분석

(1) 지구는 서쪽에서 동쪽으로 1시간에 15°씩 자전한다.
(4) 별들이 지구의 자전축을 중심으로 1시간에 15°씩 회전하는 것은 지구의 자전 때문에 나타나는 현상이다.

06 (1) 달의 모양이 매일 조금씩 달라져서 한 달 후에 다시 같아지는 까닭은 달이 공전하기 때문이다.
(2) 달은 공전 주기와 자전 주기가 같아서 지구에서는 항상 달의 한쪽 면만 볼 수 있다.
(3) 일식은 태양－달－지구의 순서로 위치할 때, 태양이 달에 의해 가려지는 현상이다.
(4) 월식은 달이 지구의 그림자에 의해 가려지는 현상으로, 달이 망의 위치에 있을 때 관측할 수 있다.

공략 확인 문제

진도책 074쪽

01 ㄱ 02 ⑤

01 ㄱ. 일식은 달의 위상이 삭일 때 일어난다.

오답 분석

ㄴ. 달은 지구 주위를 서쪽에서 동쪽으로 공전하므로, 일식이 일어날 때는 태양의 오른쪽부터 가려진다.
ㄷ. A는 달의 본그림자에 위치하므로 개기 일식이 일어나고, B는 달의 반그림자에 위치하므로 부분 일식이 일어난다.

02 ⑤ 개기 월식은 달 전체가 지구의 본그림자 속에 들어갈 때 관측할 수 있다.

오답 분석

①, ② 개기 월식은 달의 위상이 망일 때 일어나므로, 이날은 음력 15일경이다.
③ 달은 지구 주위를 서쪽에서 동쪽으로 공전하므로, 월식이 일어날 때는 달의 왼쪽부터 가려진다.
④ 월식은 달이 지구의 본그림자 속으로 들어가 가려질 때 관측할 수 있다.

실력 올리기 2단계

진도책 075~078쪽

01 ② 02 ② 03 ㄷ, ㄹ, ㅁ 04 ⑤ 05 18 cm
06 6720 km 07 ③ 08 ③ 09 ② 10 (나) – (라) – (다) – (가) 11 ③ 12 ③ 13 해설 참조 14 ②
15 ③ 16 ⑤ 17 C – ⓔ 18 달의 공전 19 A: 상현, B: 망, C: 하현, D: 삭 20 해설 참조 21 ②
22 ⑤ 23 ④ 24 부분 일식: B, 부분 월식: E 25 ②

01 ② 시에네와 알렉산드리아는 거의 같은 경도 상에 있으므로 경도 차는 약 0°이다.

오답 분석

시에네와 알렉산드리아 사이의 중심각 θ와 7.2°는 엇각으로 크기가 같다. 또한 이 값은 두 지역 사이의 위도 차와 같은데, 두 지역의 위도 차는 북극성의 고도 차나 태양의 남중 고도 차와 같다.

02 알렉산드리아와 시에네 사이의 거리는 호의 길이(925 km)에 해당하고, 알렉산드리아에 세운 막대와 막대의 그림자 끝이 이루는 각도(7.2°)는 엇각으로 같은 중심각(θ)에 해당한다. 따라서 $2\pi R$: 360° = 925 km : 7.2°의 비례식이 성립한다.

03 지구는 적도 반지름이 극 반지름보다 조금 더 길고, 시에네와 알렉산드리아는 같은 경도 상에 있지 않으며, 시에네와 알렉산드리아의 거리를 정확히 측정하지 못했기 때문에 실제 지구의 크기에 비해 오차가 생겼다.

04 두 막대는 경도가 같고 위도가 다른 두 지점에 세워야 한다.

05 원에서 호의 길이는 중심각의 크기에 비례하므로 다음과 같은 비례식을 이용하여 지구 모형의 반지름을 구할 수 있다.

$$2\pi R : 360° = 9.42\text{ cm} : 30°$$

$$\therefore R = \frac{360° \times 9.42\text{ cm}}{2 \times 3.14 \times 30°} = 18\text{ cm}$$

06 A, B 두 지역에서 북극성의 고도 차는 $60°-35°=25°$인데, 이 값은 두 지역 사이의 중심각과 같다. 또, 두 지역 사이의 거리가 2800 km이므로 다음과 같은 비례식이 성립한다.

$$2\pi R : 360° = 2800\ \text{km} : 25°$$

$$\therefore R=\frac{360°\times 2800\ \text{km}}{2\times 3\times 25°}=6720\ \text{km}$$

07 눈과 동전의 지름이 이루는 삼각형은 눈과 달의 지름이 이루는 삼각형과 닮은꼴이므로 동전의 지름(d)의 대응변은 달의 지름(D)이고, 동전까지의 거리(l)의 대응변은 지구에서 달까지의 거리(L)이다. 따라서 $d : D = l : L$의 비례식이 성립한다.

➡ $D=\frac{d\times L}{l}$ ➡ $2R=\frac{d\times L}{l}$ ➡ $R=\frac{d\times L}{2l}$

08 자료 분석

각지름을 이용한 달의 크기 측정

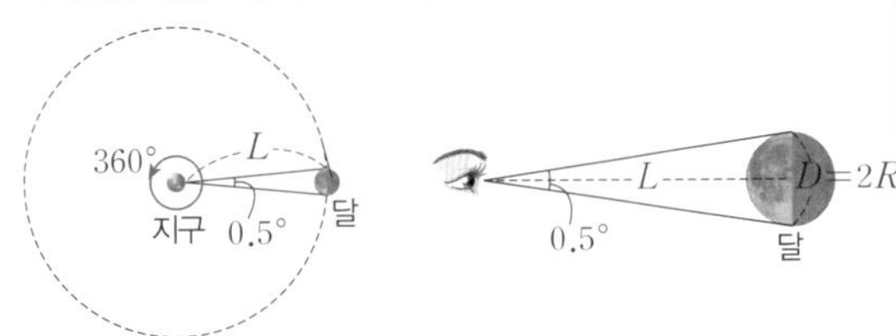

달의 지름은 직선이고, 호의 길이는 곡선이므로 서로 다른 값으로 생각하기 쉽다. 그러나 달까지의 거리(L)에 비해 달의 지름(D)은 아주 작은 값이므로 직선으로 취급할 수 있다.
이때 달의 지름 D를 구하는 것이 아니라 달의 반지름 R을 구하는 것이므로, D 대신 $2R$을 대입하여 문제를 풀어야 한다.

각지름을 이용한 달의 크기 측정 방법에서 달의 각지름(0.5°)을 중심각으로 하는 호의 길이는 달의 지름(D)에 해당한다. 따라서 다음과 같은 비례식으로 달의 반지름(R)을 구할 수 있다.

$$360° : 0.5° = 2\pi L : 2R \quad \therefore R=\frac{0.5°\pi L}{360°}$$

09 ② 별의 일주 운동은 지구의 자전으로 인한 상대적인 운동으로, 지구의 자전 방향과 별의 일주 운동 방향은 서로 반대이다.

오답 분석

① 북극성은 지구의 자전축 위에 있으므로 별들은 북극성을 중심으로 회전한다.
③, ④ 별의 일주 운동 모습은 위도나 관측 방향에 따라 이동 경로가 다르게 보인다.
⑤ 별의 일주 운동은 실제 운동이 아니라 지구의 자전 때문에 나타나는 겉보기 운동이다.

10 우리나라와 같은 중위도 지방에서는 별의 일주 운동 모습이 북쪽 하늘에서는 동심원 모양을 그리고, 동쪽 하늘에서는 사선 방향으로 올라가며, 서쪽 하늘에서는 사선 방향으로 내려가고, 남쪽 하늘에서는 수평으로 움직이는 모습이다. 또 별은 동쪽에서 떠서 남쪽을 지나 서쪽으로 지므로, 우리나라의 남쪽 하늘을 볼 때 별이 시계 방향으로 돈다.

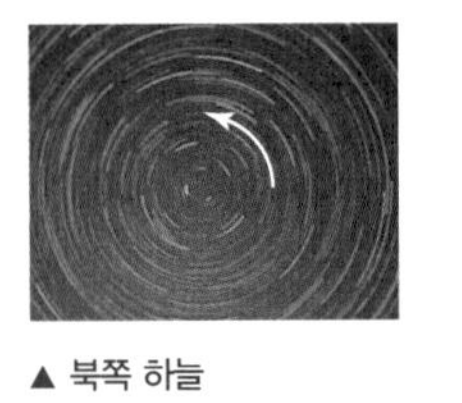
▲ 북쪽 하늘

▲ 동쪽 하늘

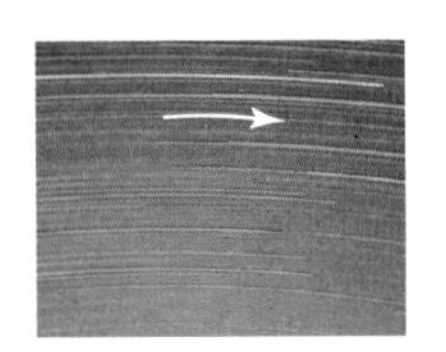
▲ 남쪽 하늘

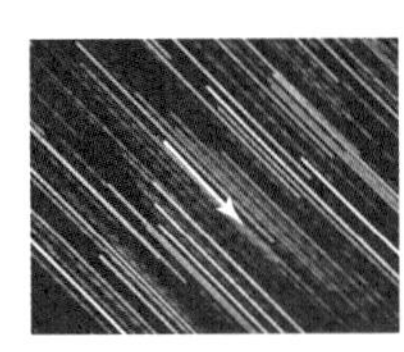
▲ 서쪽 하늘

11 해시계는 태양이 일주 운동을 하는 동안 막대의 그림자가 가리키는 방향이 달라지는 현상을 이용하여 시각을 측정한 기구이다.

12 우리나라와 같은 북반구의 중위도 지방에서는 ③과 같이 별이 남쪽으로 조금 치우쳐서 동쪽에서 떠서 서쪽으로 진다.

오답 분석

①은 남반구의 중위도 지방, ②는 적도 지방, ④는 북극 지방에서의 별의 일주 운동 모습이다.

13 **모범 답안** 한 달에 약 1°씩 → 하루에 약 1°씩, 동쪽에서 서쪽으로 공전 → 서쪽에서 동쪽으로 공전, 별의 일주 운동 → 별의 연주 운동

해설 별의 연주 운동은 지구의 공전에 의해 나타나는 겉보기 운동으로, 지구의 공전 방향과는 반대로 동쪽에서 서쪽으로 이동한다. 따라서 매일 밤 같은 시각에 관측되는 별자리의 위치는 동쪽에서 서쪽으로 이동한다.

채점 기준	배점
잘못된 부분 3곳을 모두 옳게 고쳐 쓴 경우	100 %
잘못된 부분 중 2곳만 옳게 고쳐 쓴 경우	70 %
잘못된 부분 중 1곳만 옳게 고쳐 쓴 경우	30 %

14 지구가 A 위치에 있을 때 태양은 황소자리 근처를 지나며, 이때 한밤중에 보이는 별자리는 태양의 반대쪽에 있는 전갈자리이다.

오답 분석

관측자가 지구에 서 있다고 생각하고 태양을 바라볼 때 태양이 있는 방향에 있는 별자리가 현재 태양이 지나는 별자리이다. 또 지구를 사이에 두고 태양의 반대 방향에 있는 별자리가 한밤중에 남쪽 하늘에서 보인다.

15 A는 춘분점, B는 하지점, C는 추분점, D는 동지점이다. 11월 15일은 추분(9월 23일경)과 동지(12월 22일경) 사이이므로 태양은 추분점과 동지점 사이를 지난다.

16 지구의 자전축이 공전 궤도면과 기울어져 있으므로 날짜에 따라 태양이 뜨고 지는 위치와 시각, 태양의 남중 고도 등이 달라진다.

17 자료 분석

계절에 따라 태양이 뜨고 지는 위치

태양은 춘·추분 때에는 정동쪽에서 떠서 정서쪽으로 진다. 또 하지 때에는 북쪽으로 치우쳐서 뜨고 지며, 동지 때에는 남쪽으로 치우쳐서 뜨고 진다.

우리나라에서 낮의 길이가 가장 길 때는 하짓날로, 그림 (가)의 C, 그림 (나)의 ㉢에 해당한다.

18 달은 스스로 빛을 내는 천체가 아니므로 공전 궤도 상의 위치에 따라 모양이 변한다.

19 달이 A 위치에 있을 때는 오른쪽 반달이 보이는 상현, B 위치에 있을 때는 보름달이 보이는 망이다. 또, C 위치에 있을 때는 왼쪽 반달이 보이는 하현, D 위치에 있을 때는 달이 보이지 않는 삭이다.

20 **모범 답안** 달의 자전 주기와 공전 주기가 같기 때문이다.
해설 달은 지구 주위를 공전하면서 자전도 하는데, 달의 자전 주기는 약 27.3일로 공전 주기와 같다. 따라서 달은 항상 같은 면이 지구를 향하여 같은 무늬가 보인다.

채점 기준	배점
모범 답안과 같이 옳게 서술한 경우	100 %
그 외의 경우	0 %

21 자료 분석

달의 모양 변화

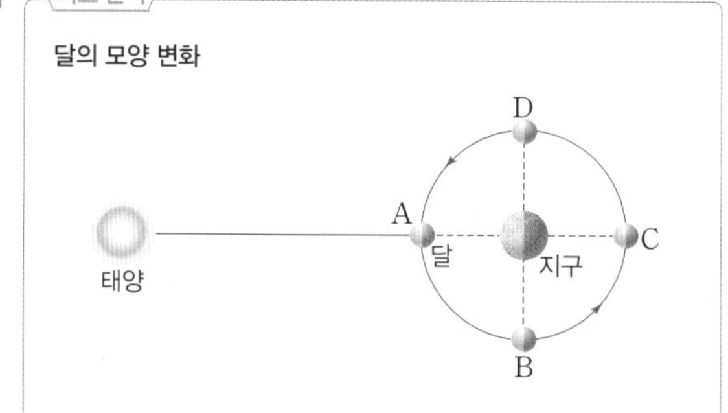

위치	날짜(음력)	위상	달의 모양
A	1일	삭	보이지 않음
B	7~8일	상현	오른쪽이 둥근 반달 모양
C	15일	망	보름달 모양
D	22~23일	하현	왼쪽이 둥근 반달 모양

달이 B 위치에 있을 때는 오른쪽 반달 모양의 상현달이다. 상현달은 음력 7~8일경에 나타난다.

22 달이 C에 있을 때는 보름달로, 이때 달은 초저녁에 동쪽 하늘에서 떠올라 자정 무렵에 남중한다.

23 ㄴ. 일식은 태양이 달에 의해 가려지는 현상으로, 달이 삭의 위치에 있을 때 관측된다.
ㄷ. 월식은 태양 – 지구 – 달의 순서로 위치할 때 달이 지구의 그림자에 가려지는 현상이다.
오답 분석
ㄱ. 달은 지구 주위를 서쪽에서 동쪽으로 공전하므로 일식이 일어날 때는 태양의 오른쪽부터 가려진다.

24 B는 달의 반그림자가 생기는 지역으로 부분 일식을 볼 수 있고, E는 달의 일부분이 지구의 본그림자에 가려지므로 달이 E의 위치에 있으면 부분 월식이 일어난다.

25 일식이 일어나는 원리를 알아보기 위한 실험에서 전등은 태양, 스타이로폼 공은 달, 사람의 눈은 지구에 해당한다.

만점 도전하기 3단계

진도책 079쪽

01 ② **02** ① **03** ② **04** ② **05** ③

01 ② 알렉산드리아와 시에네는 거의 같은 경도 상에 있으므로 경도 차는 0°이며, 두 도시의 위도 차가 7.2°이다.
오답 분석
① 에라토스테네스는 지구의 크기를 측정할 때 지구는 완전한 구형이며, 햇빛은 지구상의 어디에서나 평행하다고 가정하였다.
③ 두 도시와 지구 중심 사이의 각도는 직접 측정할 수 없으므로, 알렉산드리아에 세운 막대와 막대 그림자 끝이 이루는 각도를 측정하여 간접적인 방법으로 구하였다.
④, ⑤ 원에서 호의 길이는 중심각의 크기에 비례하므로 $2\pi R : 360° = 925\ \text{km} : 7.2°$의 비례식이 성립한다.

02 속초와 대구 사이의 거리인 280 km에 해당하는 중심각은 두 지점 사이의 위도 차인 2.5°와 같으므로 다음과 같은 비례식이 성립한다.

$$2\pi R : 360° = 280\ \text{km} : 2.5°$$
$$\therefore\ R = \frac{280\ \text{km}}{2\pi} \times \frac{360°}{2.5°}$$

이 문제에 적용되는 개념

지구의 크기 측정

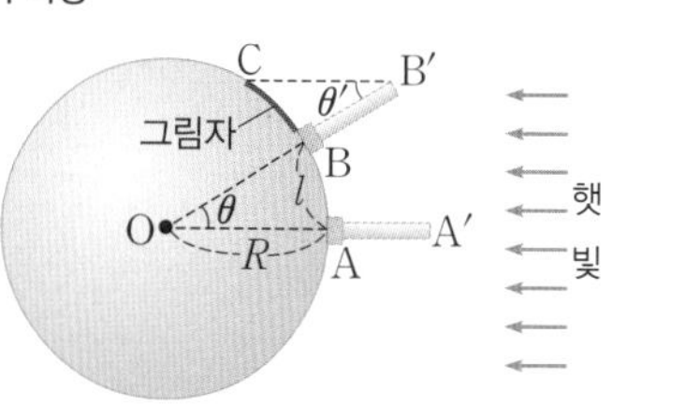

에라토스테네스의 방법으로 지구의 크기를 구할 때 중심각 θ는 다음의 여러 값과 크기가 같다.
θ = ∠BB′C(엇각)
= 두 지점 사이의 위도 차
= 두 지점 사이의 북극성의 고도 차

03 ② 관측자와 동전의 지름이 이루는 삼각형(⊿AOB)과 관측자와 달의 지름이 이루는 삼각형(⊿A′OB′)의 닮음비를 이용하여 달의 크기를 측정할 수 있다.

오답 분석

① 동전과 달의 시지름은 같다.
③ 동전의 모습이 달과 완전히 겹쳐지도록 거리를 조정하여 실험해야 정확하게 달의 크기를 측정할 수 있다.
④ 지구에서 달까지의 거리는 미리 알고 있어야 하는 값이다.
⑤ 크기가 더 작은 동전을 사용하면 관측자로부터 동전까지의 거리는 가까워진다.

04 ② 태양은 별자리 사이를 한 달에 1궁씩 지나 1년 후에 원래의 위치로 되돌아온다.

오답 분석

① 태양이 연주 운동을 할 때 지나는 길목에 있는 12개의 별자리를 황도 12궁이라고 한다.
③ 지구가 A 위치에 있을 때 태양을 보면 그 뒤에 물병자리가 있다. 따라서 이때 태양이 지나는 별자리는 물병자리이다.
④ 지구가 B 위치에 있을 때 지구를 사이에 두고 태양의 반대 방향에 있는 전갈자리가 한밤중에 남쪽 하늘에서 나타난다.
⑤ 태양의 연주 운동 방향은 서 → 동이며, 별의 연주 운동 방향은 동 → 서이다.

05 자료 분석

달의 모양과 위치 변화

• 달은 하루에 약 13°씩 서 → 동으로 공전한다. 그 결과 달의 위치는 하루에 약 13°씩 서 → 동으로 이동한다.
• 해가 진 직후 보름달은 동쪽 지평선에서 떠오르는데, 보름달 이후에는 매일 달이 뜨는 시각이 50분 정도씩 늦어진다.
• 달의 모양과 위치가 변하는 까닭은 달의 공전 때문이다.

보름달은 초저녁에 동쪽 하늘에서 떠올라 자정 무렵에 남중하며 새벽에 서쪽 지평선 아래로 진다. 따라서 보름달은 밤새도록 관측할 수 있다.

02 태양과 태양계 행성

개념 다지기 1단계

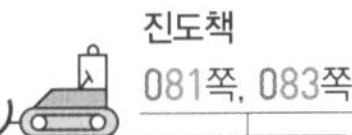

진도책 081쪽, 083쪽

01 (1) ○ (2) × **02** (1) 천왕성 (2) 화성 (3) 토성 **03** 수성, 금성 **04** (1) 목 (2) 지 (3) 목 (4) 지

05 (1) ㉡ (2) ㉢ (3) ㉣ (4) ㉠ **06** (1) ○ (2) × (3) ○ (4) ○ **07** (1) A, 대물렌즈 (2) C, 보조 망원경(파인더) (3) D, 접안렌즈

01 (2) 태양계 전체 질량의 대부분을 차지하는 천체는 태양이다.

02 (1) 천왕성은 대기를 이루는 메테인 가스로 인해 청록색으로 보이며, 자전축이 공전 궤도면과 거의 평행하다.
(2) 물이 흐른 흔적이 발견된 행성은 화성으로, 표면은 붉은색의 산화 철을 포함한 암석으로 인해 붉게 보인다.
(3) 토성은 크고 아름다운 고리를 가지고 있으며, 태양계 행성 중에서 크기가 2번째로 크다.

03 수성과 금성은 지구보다 안쪽 궤도에서 태양 주위를 공전하는 내행성이다.

04 지구형 행성은 질량과 반지름이 작고 평균 밀도가 크다. 반면 목성형 행성은 질량과 반지름이 크고 평균 밀도가 작다. 지구형 행성은 암석형 행성이며, 고리는 없고, 위성도 없거나 적다. 목성형 행성은 기체형 행성이며, 고리가 있고, 위성을 많이 가지고 있다.

05 (1) 채층은 광구 바로 위의 붉은색의 얇은 대기층이다.
(2) 홍염은 채층 위로 수십만 km까지 솟아오르는 거대한 불기둥이다.
(3) 코로나는 채층 위로 넓게 퍼져 있는 진주색의 가스층이다.
(4) 플레어는 흑점 주변에서 에너지가 일시에 방출되어 폭발하는 현상이다.

06 (2) 태양의 활동이 활발해지면 태양 표면의 흑점 수가 많아지고 태양 대기의 코로나가 커지며, 홍염과 플레어가 자주 발생한다.

07 A는 대물렌즈, B는 경통, C는 보조 망원경(파인더), D는 접안렌즈, E는 균형추이다. 대물렌즈는 빛을 모으는 역할을 하고, 접안렌즈는 상을 확대하는 역할을 한다. 보조 망원경(파인더)은 시야가 넓어서 관측하고자 하는 천체를 찾을 때 사용하는 소형 망원경이다.

공략 확인 문제

진도책 084쪽

01 (다), (라) **02** ②

01 (가)는 화성, (나)는 수성, (다)는 토성, (라)는 목성이다. 목성형 행성은 기체형 행성으로 평균 밀도가 작으며, 위성

을 많이 가지고 있다. 목성형 행성에는 목성, 토성, 천왕성, 해왕성이 있다.

02 A는 질량이 작고 크기가 작은 지구형 행성(수성, 금성, 지구, 화성)이다. 지구형 행성은 평균 밀도가 크다.

실력 올리기 2단계

진도책 085~088쪽

01 ⑤ 02 ② 03 G, 천왕성 04 해설 참조
05 ㉢, ㉤ 06 ④ 07 ③ 08 ③ 09 ⑤ 10 ①
11 ③ 12 ⑤ 13 ④ 14 ⑤ 15 ⑤ 16 ④ 17 ①
18 ㉠ 빠르다, ㉡ 기체 19 ⑤ 20 ③ 21 ④
22 해설 참조 23 (가) 굴절 망원경 (나) 반사 망원경
24 ⑤ 25 ①, ⑤

01 태양계는 스스로 빛을 내는 별인 태양을 중심으로 지구를 비롯한 8개의 행성과 위성, 소행성, 왜소 행성, 혜성, 유성 등으로 구성되어 있다. 행성 중 수성과 금성은 위성이 없으며, 태양계 내에서 별은 태양이 유일하므로 밤하늘의 별들은 모두 태양계 밖에 있다.

02 B는 금성으로, 밤하늘에서 달을 제외하고 가장 밝으므로 흔히 샛별이라고 불린다. 금성은 두꺼운 이산화 탄소의 대기로 덮여 있어서 표면 온도가 매우 높다. 그러나 이와 같은 두꺼운 대기의 영향으로 표면에 운석 구덩이가 거의 없다.

03 청록색을 띠며 자전축이 공전 궤도면과 거의 평행한 행성은 천왕성이다.

04 **모범 답안** 대기의 소용돌이로 생긴 것이다.
해설 목성은 태양계에서 크기가 가장 큰 행성으로 지름이 지구의 11배 정도이며, 수소와 헬륨이 주성분이다. 또한 커다란 대기의 소용돌이인 대적점과 적도와 나란한 가로 줄무늬가 나타나며, 희미한 고리와 많은 위성을 거느리고 있다.

채점 기준	배점
모범 답안과 같이 옳게 서술한 경우	100 %
그 외의 경우	0 %

05 소행성은 모양이 불규칙하며, 토성은 태양계에서 2번째로 큰 행성이다.

06 왜소 행성은 태양 둘레를 공전하는데, 공전 궤도 주변의 천체에 지배적인 역할을 하지 못하며, 세레스, 에리스, 구명왕성 등이 이에 해당한다.
오답 분석
ㄴ. 왜소 행성은 자체 중력에 의해 구형의 형태를 유지한다.

07 ③ 혜성이 태양 가까이 오면 얼음이 녹아 꼬리가 길어진다.
오답 분석
① 혜성은 얼음과 먼지로 이루어져 있다.
② 혜성의 핵은 보통 지름이 수 km 이하인 작은 천체이다.
④ 태양풍의 영향으로 혜성의 꼬리는 항상 태양의 반대쪽을 향한다.
⑤ 혜성은 태양의 둘레를 긴 타원 궤도나 포물선 궤도를 그리며 돈다.

08 A는 혜성과 왜소 행성, B는 위성, C는 목성형 행성, D는 수성, 금성, 화성, E는 지구이다.

09 행성 중 표면이 암석으로 되어 있는 것은 지구형 행성인 수성, 금성, 지구, 화성이다.

10 목성, 토성, 천왕성, 해왕성은 목성형 행성으로 모두 고리를 가지고 있다. 목성형 행성은 지구형 행성보다 질량과 반지름이 크고, 위성의 수가 많다. 또 수소, 헬륨 등 가벼운 기체로 이루어져 있다. 지구보다 안쪽 궤도에서 공전하는 행성은 내행성(수성, 금성)이다.

11 A~D는 질량과 반지름이 작고 평균 밀도가 큰 지구형 행성이고, E~H는 질량과 반지름이 크고 평균 밀도가 작은 목성형 행성이다.

12 A는 질량이 작고 밀도가 큰 지구형 행성이며, B는 질량이 크고 밀도가 작은 목성형 행성이다. 지구형 행성은 자전 속도가 느리므로 자전 주기는 목성형 행성보다 길다. 예를 들어, 금성의 자전 주기는 약 243일이고, 목성의 자전 주기는 약 10시간이다.

13 태양은 기체 상태이므로 표면에서 운석 구덩이를 볼 수 없다.

14 쌀알무늬는 태양 표면 아래의 대류 현상 때문에 생기는 것으로, 대류가 솟아오르는 곳은 온도가 높아 밝고 대류가 가라앉는 곳은 온도가 낮아 어둡다.

15 흑점은 주위보다 온도가 낮아 검게 보이는 것으로, 크기가 다양하며 새로 생겨나거나 없어지기도 한다. 흑점의 수는 약 11년을 주기로 증감하는데, 태양 활동이 활발할 때 그 수가 많아진다.

16 ④ 그림의 코로나는 채층 위로 넓게 퍼져 있는 100만 ℃ 이상의 고온의 가스층이다.
오답 분석
①, ② 코로나는 평소에는 햇빛이 너무 강해 볼 수 없으나, 개기 일식이 일어나 광구가 가려지면 볼 수 있다.
③ 코로나는 희박한 가스층으로, 밀도가 작다.
⑤ 태양 활동이 활발할수록 코로나의 크기가 커진다.

17 자료 분석

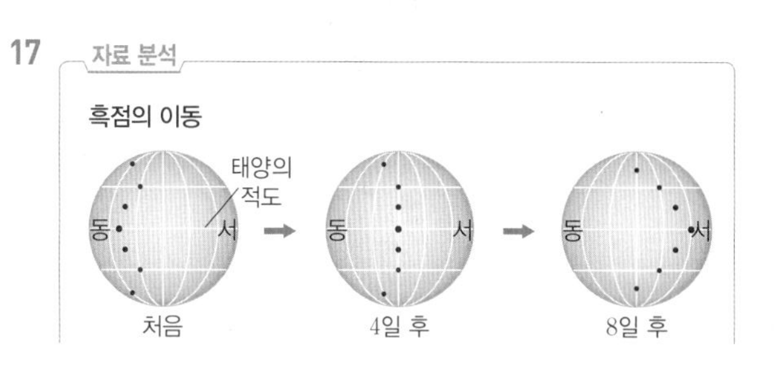

- 흑점이 동 → 서로 이동하는 것처럼 관측된다. ➡ 태양이 서 → 동으로 자전하기 때문
- 흑점의 이동 속도는 적도 쪽이 극 쪽보다 빠르다. ➡ 태양의 표면이 기체로 이루어져 있기 때문

지구에서 관측할 때 흑점이 동 → 서로 이동하는 것은 태양이 서 → 동으로 자전하기 때문이다. 태양의 자전 방향은 천구의 북극에서 내려다 본 방향으로 서 → 동이다. 그런데 우리가 남쪽 하늘을 보았을 때 왼쪽이 동쪽, 오른쪽이 서쪽이므로 왼쪽에서 오른쪽으로 움직이는 태양 흑점의 이동 방향은 동 → 서로 보이게 된다.

18 흑점의 이동 속도는 극 쪽보다 적도 쪽이 빠르다. 이와 같이 위도에 따라 흑점의 이동 속도가 다른 것으로 보아 태양 표면은 기체 상태임을 알 수 있다.

19 흑점 주변에서 에너지가 일시에 방출되는 폭발 현상은 플레어이다. 홍염은 채층 위로 수십만 km까지 솟아오르는 거대한 불기둥이다.

20 태양의 활동이 활발할 때 플레어가 발생하면 태양풍이 강해져 지구에서는 오로라가 많이 관측되고, 무선 통신 장애가 나타난다.

21 (가)는 거대한 불기둥인 홍염, (나)는 진주색의 가스층인 코로나, (다)는 붉은색의 얇은 대기층인 채층이다.

22 **모범 답안** 극지방에서 오로라가 자주 발생한다, 무선 통신이 두절되는 현상이 나타난다, 자기 폭풍이 일어난다. 등
해설 태양의 활동이 활발해지면 지구로 들어오는 태양풍이 강해진다. 이로 인해 지구에서는 자기 폭풍, 무선 통신 두절 현상, 오로라 등이 자주 일어난다.

채점 기준	배점
지구에서 일어날 수 있는 현상 2가지를 모두 옳게 서술한 경우	100 %
지구에서 일어날 수 있는 현상 중 1가지만 옳게 서술한 경우	50 %

23 굴절 망원경은 대물렌즈로 볼록 렌즈를 사용하며, 반사 망원경은 오목 거울을 사용한다.

24 망원경으로 천체를 관측할 때는 저배율에서 고배율 순으로 관측해야 한다.

25 자료 분석

천체 망원경의 구조

경통
대물렌즈
파인더
접안렌즈
가대
초점 조절 나사
균형추
삼각대

A는 대물렌즈로 희미한 빛을 모으는 역할을 하며, E는 균형추로 망원경의 균형을 잡아주는 역할을 한다.

오답 분석

②, ③, ④ B는 경통으로 대물렌즈와 접안렌즈를 둘러싸는 통이며, C는 파인더로 관측 대상을 찾을 때 사용한다. 또, D는 접안렌즈로 상을 확대하는 역할을 한다.

만점 도전하기 3단계

진도책 089쪽

01 ㄷ, ㄹ, ㅂ 02 ㄱ－ㄹ－ㄴ－ㄷ 03 ㄴ, ㄷ, ㄹ 04 ④ 05 ③

01 ㄷ. F는 토성으로, 행성 중 밀도가 가장 작고 여러 겹으로 된 아름다운 고리가 있다.
ㄹ. G는 천왕성으로, 자전축이 공전 궤도면과 거의 평행하다.
ㅂ. 지구형 행성(I 집단)은 목성형 행성(II 집단)보다 자전 주기가 길고 자전 속도가 느리다.

오답 분석

ㄱ. 행성 중 밝게 보이는 것은 금성(B)이다.
ㄴ. B는 금성으로, 고리가 없으며 극관도 나타나지 않는다. 양극에 극관이 있는 것은 화성(D)이다.
ㅁ. I 집단은 지구형 행성(A, B, C, D)이고, II 집단은 목성형 행성(E, F, G, H)이다.

이 문제에 적용되는 개념

지구형 행성과 목성형 행성의 비교

구분	지구형 행성	목성형 행성
크기	작다.	크다.
질량	작다.	크다.
평균 밀도	크다.	작다.
표면 성분	단단한 암석	가벼운 기체
자전 속도	느리다.	빠르다.
고리	없다.	있다.
위성 수	없거나 적다.	많다.

02 ㄱ. 태양계의 행성 중 크기가 가장 작은 것은 수성이다.
ㄴ. 태양계에서 두 번째로 큰 행성은 토성이다.
ㄷ. 표면에서 대흑점이 관측되는 행성은 해왕성이다.
ㄹ. 표면이 붉은색의 사막으로 되어 있으며, 말라붙은 강 자국이 있는 행성은 화성이다.
태양에서 가까운 행성부터 나열하면 ㄱ－ㄹ－ㄴ－ㄷ의 순이다.

03 (가)는 흑점, (나)는 플레어, (다)는 쌀알무늬이다. 태양 표면의 온도는 태양의 색깔로 알아내며, 흑점의 이동 속도로부터 태양의 자전 속도를 알아낼 수 있다.

04 대물렌즈의 지름이 클수록 더 밝은 상을 볼 수 있다. 물체를 더 크게 보려면 접안렌즈의 초점 거리가 더 작은 것을 사용해야 한다.

05 천체를 관측할 때 접안렌즈로 관측하기 전에 파인더를 이용하여 관측할 천체를 먼저 찾아야 한다.

이 문제에 적용되는 개념

천체 망원경의 설치 순서
① 편평한 곳에 망원경을 설치한다.
② 균형추를 움직여 망원경의 균형을 잡는다.
③ 경통을 관측 대상이 있는 방향으로 맞춘다.
④ 파인더로 보면서 십자선 중앙에 관측 대상이 오도록 조절한다.
⑤ 접안렌즈로 관측 대상을 보면서 초점을 조절한다.
⑥ 초점 거리가 짧은 접안렌즈로 배율을 높여 가며 관측한다.

진도책 090쪽~093쪽

대단원 완성하기

01 ③ **02** ㉠ 925 km, ㉡ 7.2° **03** ㄱ, ㄹ, ㅁ **04** ④ **05** ③ **06** ② **07** ② **08** ② **09** 큰 스타이로폼 공: 지구, 작은 스타이로폼 공: 달 **10** ⑤ **11** ③ **12** ①, ⑤ **13** ②, ⑤ **14** ③ **15** ④ **16** 태양풍 **17** ① **18** ④ **19** ④ **20~25** 해설 참조

01 에라토스테네스는 '원에서 호의 길이는 중심각의 크기에 비례한다'는 원리를 이용하여 지구의 크기를 구하였다.

02 원에서 호의 길이는 중심각의 크기에 비례하는데, 에라토스테네스의 측정값에서 중심각이 7.2°, 호의 길이가 925 km이므로 $2\pi R$: 360°=925 km : 7.2°의 비례식이 성립한다.

03 이 실험에서 비례식을 이용하여 달의 크기를 구할 수 있다. 이때 비례식을 세우려면 달까지의 거리 L을 미리 알고 있어야 하고, 구멍의 지름 d와 눈에서 종이까지의 거리 l을 직접 측정해야 한다.

04 ④ 별의 일주 운동 사진에서 나타나는 원호는 별들이 움직인 자취이다.

오답 분석
① 별은 1시간에 15°씩 일주 운동을 하므로, 2시간에는 30°를 이동한다. 따라서 중심각 θ는 30°이다.
② 북쪽 하늘에서 별의 일주 운동 방향은 시계 반대 방향인 B이다.
③ 별들이 일주 운동을 할 때 중심이 되는 별 P는 북극성이다.
⑤ 별의 일주 운동은 지구의 자전 때문에 나타나는 겉보기 운동이다.

05 자료 분석

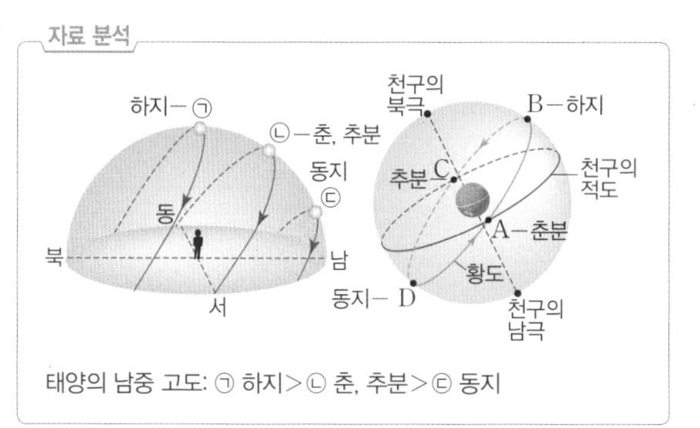

태양의 남중 고도: ㉠ 하지 > ㉡ 춘, 추분 > ㉢ 동지

춘분날 태양의 남중 고도는 하지(㉠)와 동지(㉢)의 중간이며, 태양은 천구의 적도를 남에서 북으로 지나는 A 위치에 있다.

06 달의 모양 변화는 달의 모습이 보이지 않는 삭의 위치에서 출발하여 오른쪽부터 조금씩 달의 모습이 보이다가 오른쪽 반달인 상현달, 다음으로 완전히 둥근 보름달이 보인다. 이후 다시 오른쪽부터 달의 모습이 사라지면서 왼쪽 반달인 하현달이 되고, 그 이후 삭의 위치로 돌아온다.

오답 분석
ㄱ, ㄴ. 달의 공전 방향은 서 → 동이며, 달의 실제 공전 주기는 약 27.3일이다.

07 A 위치는 하현달이 뜨는 하현, B 위치는 달의 모습이 보이지 않는 삭, C 위치는 상현달이 보이는 상현, D 위치는 보름달이 보이는 망의 위치이다. 음력 1일경에 달의 모양은 삭이다.

08 달이 D의 위치에 있을 때는 보름달이 관측된다. 보름달은 음력 15일경에 관측되며, 초저녁에 동쪽에서 떠올라 한밤중에 남중하며 새벽에 지므로 관측할 수 있는 시간이 가장 길다.

09 월식이 일어나는 원리를 알아보기 위한 실험에서 전등은 태양, 큰 스타이로폼 공은 지구, 작은 스타이로폼 공은 달에 해당한다.

10 그림은 아름다운 고리를 가진 토성이다. 토성은 태양계 행성 중 가장 납작한 모양을 하고 있다.

오답 분석
① 태양계의 행성 중 대기가 없는 것은 수성뿐이다. 토성은 수소와 헬륨 등으로 된 대기를 가지고 있다.
② 태양계에서 가장 큰 행성은 목성이고, 토성은 2번째로 크다.
③ 토성은 평균 밀도가 0.7 g/cm^3 정도로, 태양계 행성 중 평균 밀도가 가장 작다.
④ 토성은 수소와 헬륨 등으로 이루어져 있다. 과거에 강물이 흘렀던 흔적이 발견되는 행성은 화성이다.

11 청록색의 행성으로 자전축이 공전 궤도면과 거의 평행한 행성은 천왕성이다. 화성은 붉은색으로 보이는 행성이다.

12 화성의 양극에서 관측되는 극관은 물과 이산화 탄소가 얼어붙은 것이다. 따라서 여름에는 녹아서 크기가 작아지고, 겨울에는 얼어서 크기가 커진다.

13 지구형 행성은 목성형 행성보다 위성의 수가 적으며, 크기와 질량도 작다. 또 철과 같이 무거운 성분이 많아 평균 밀도가 크다.

14 태양은 고온의 기체 덩어리이므로 운석이 충돌해도 구덩이가 생기지 않는다.

이 문제에 적용되는 개념

태양의 물리적 특성

지름	표면 온도	구성 물질	질량
지구의 약 109배	약 6000 ℃	주로 수소와 헬륨	태양계 전체의 약 99.8 %

15 그림과 같이 채층 위로 수백만 km까지 높이 퍼져 있는 진주색의 희박한 가스층을 코로나라고 하는데, 온도는 100만 ℃ 이상이다.

오답 분석

④ 흑점 주변에서 일어나는 폭발 현상은 플레어이다.

16 태양 표면에서 방출되는 전기를 띤 입자의 흐름을 태양풍이라고 한다. 태양 활동이 활발해지면 플레어가 자주 발생하므로 태양풍이 강해져 정전이나 무선 통신의 장애를 일으키기도 한다.

17 태양 활동이 활발해지면 흑점 수가 많아지고 홍염과 플레어가 자주 발생한다. 그 결과 태양풍이 강해지므로 지구에서는 무선 통신이 두절되는 델린저 현상이 나타나고, 오로라가 자주 발생하며 오로라의 발생 지역이 넓어진다.

18 천체 망원경은 불빛이 없고 시야가 넓은 곳에 설치해야 하며, 천체를 관측할 때는 먼저 저배율로 관측한 후 점차 고배율로 관측하는 것이 좋다.

오답 분석

ㄷ. 천체의 상이 희미하게 보일 때는 대물렌즈의 구경이 큰 것으로 보아야 밝은 상을 얻을 수 있다.

19 D는 균형추로, 경통부의 무게 균형을 맞춘다. 접안렌즈를 움직여 초점을 맞출 때는 초점 조절 나사를 이용한다.

20 **모범 답안** 두 막대 사이의 거리가 너무 멀면 막대 BB′의 그림자가 지구 모형 밖으로 나가기 때문이다.

해설 막대 하나는 그림자가 생기지 않도록 세우고, 다른 막대는 그림자가 생기도록 세우면 중심각을 구할 수 있다. 이때 막대 하나는 그림자가 지구 모형 밖으로 나가지 않도록 해야 한다.

채점 기준	배점
모범 답안과 같이 서술한 경우	100 %
그 외의 경우	0 %

21 **모범 답안** 북극성은 지구의 자전축 상에 있는 별이기 때문이다.

해설 북쪽 하늘의 별의 일주 운동을 관측하면 모든 별들이 북극성을 중심으로 시계 반대 방향으로 하루에 한 바퀴씩 회전한다. 이는 북극성이 지구의 자전축 상에 있는 별이기 때문이다.

채점 기준	배점
모범 답안과 같이 서술한 경우	100 %
그 외의 경우	0 %

22 **모범 답안** 달이 지구 둘레를 공전하기 때문이다.

해설 달은 백도를 따라 하루에 약 13°씩 서쪽에서 동쪽으로 지구 둘레를 공전하므로, 매일 해가 진 직후 달을 관측해 보면 달의 위치와 모양이 변한다.

채점 기준	배점
달의 공전을 포함하여 옳게 서술한 경우	100 %
그 외의 경우	0 %

23 **모범 답안** 대기와 물이 없어 풍화·침식 작용이 일어나지 않는다.

해설 수성과 달에는 대기와 물이 없어 풍화·침식 작용이 일어나지 않기 때문에 표면에 운석 구덩이가 많다.

채점 기준	배점
대기와 물, 풍화·침식 작용을 모두 포함하여 옳게 서술한 경우	100 %
대기와 물, 풍화·침식 작용 중 1가지만 포함하여 서술한 경우	50 %

24 **모범 답안** A 집단은 B 집단보다 질량이 작고, 평균 밀도가 크며, 자전 속도가 느리다.

해설 수성, 금성, 지구, 화성은 지구형 행성에 속하고, 목성, 토성, 천왕성, 해왕성은 목성형 행성에 속한다. 지구형 행성은 목성형 행성에 비해 질량이 작고, 평균 밀도가 크며, 자전 속도가 느리다.

채점 기준	배점
질량, 평균 밀도, 자전 속도를 모두 옳게 비교하여 서술한 경우	100 %
질량, 평균 밀도, 자전 속도 중 2가지만 옳게 비교하여 서술한 경우	70 %
질량, 평균 밀도, 자전 속도 중 1가지만 옳게 비교하여 서술한 경우	30 %

25 **모범 답안** 동에서 서로 자전 → 서에서 동으로 자전, 표면이 고체 상태 → 표면이 기체 상태

해설 태양은 서에서 동으로 자전하며, 태양 표면이 기체 상태이기 때문에 위도에 따라 흑점의 이동 속도가 다르다.

채점 기준	배점
잘못된 부분 2군데를 모두 옳게 고쳐 서술한 경우	100 %
잘못된 부분 중 1군데만 옳게 고쳐 서술한 경우	50 %

IV 식물과 에너지

01 광합성

개념 다지기 1단계

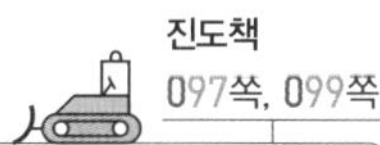

진도책 097쪽, 099쪽

01 (1) × (2) × (3) ○ (4) ○ (5) ○ (6) × (7) ○ 02 (1) A: 이산화 탄소, B: 포도당, C: 산소 (2) 엽록체 (3) 녹말 03 (1) ○ (2) ○ (3) × (4) × (5) ○ (6) ○ 04 (1) 황색 (2) 청색 (3) 황색 05 (1) × (2) × (3) ○ (4) ○ (5) ×

06 ㄱ, ㄴ, ㅁ 07 (1) × (2) ○ 08 A: 기공, B: 공변세포, C: 표피 세포, B 09 (1) ○ (2) ○ (3) ×

01 (1) 광합성은 엽록체가 있는 식물 세포에서만 일어난다.
(2) 식물은 빛이 있을 때만 광합성을 한다.
(6) 광합성은 빛에너지를 이용하여 물과 이산화 탄소로 양분(포도당)을 만드는 과정이다.

02 (1) 광합성은 이산화 탄소(A)와 물을 이용하여 포도당(B)과 산소(C)를 만드는 과정이다.
(3) 광합성 결과 생성된 최초의 양분인 포도당(B)은 잎에 녹말(F) 형태로 잠시 저장된다.

03 (3) 광합성 과정은 빛이 있을 때만 일어나는 반응이다.
(4) 물은 뿌리에서 흡수되어 물관을 통해 잎까지 이동한다.

04 (1) A: 검정말 없이 그대로 두었으므로 황색을 유지한다.
(2) B: 검정말의 광합성 결과 이산화 탄소가 소모되므로 BTB 용액이 염기성으로 변하여 청색이 된다.
(3) C: 검정말이 빛을 받지 못해 광합성이 일어나지 않으므로 BTB 용액은 황색을 유지한다.

05 (1) 날숨에는 이산화 탄소가 포함되어 있다.
(2) 날숨의 이산화 탄소에 의해 BTB 용액이 산성이 된다.
(5) C는 빛을 받지 못해 광합성이 일어나지 않고, 호흡만 일어나 이산화 탄소의 농도가 증가한다.

06 광합성에 영향을 미치는 요인에는 온도(ㄱ), 빛의 세기(ㄴ), 이산화 탄소의 농도(ㅁ)가 있다.

07 (1) 이산화 탄소의 농도가 증가할수록 광합성량이 증가하지만 일정 농도 이상이 되면 광합성량이 더 이상 증가하지 않고 일정해진다.

08 A는 기공, B는 공변세포, C는 표피 세포이다. 공변세포(B)는 표피 세포가 변해서 된 것으로, 표피 세포와 달리 엽록체가 있어 광합성이 일어난다.

09 (3) 잎의 기공을 통해 물이 수증기로 증발하면서 주변의 열을 흡수하므로 식물체와 식물 주변의 온도가 높아지지 않게 한다.

공략 확인 문제

진도책 100쪽

01 ④ 02 ④ 03 엽록체

01 A 부분은 빛을 받아 광합성을 하여 녹말이 생성되었으므로 아이오딘 반응 결과 청람색으로 변한다. B 부분은 빛이 차단되어 광합성을 하지 못하였으므로 녹말이 생성되지 않아 변화가 없다.

02 ④ 빛을 받은 A에서만 광합성이 일어나 녹말이 생성된다. 따라서 이 실험은 광합성에는 빛이 필요하며, 광합성 결과 녹말이 생성된다는 것을 확인할 수 있는 실험이다.
오답 분석
① B 부분에 엽록체가 있지만, 광합성이 일어나지 않아 녹말이 생성되지 않은 것이다.
② B 부분은 알루미늄 포일로 가려져 있어 광합성이 일어나지 않았다.
③ 아이오딘 반응에서 색깔 변화를 정확하게 알아보기 위해 식물의 잎을 탈색시킨 것이다.
⑤ A와 B의 색깔 변화를 비교하여 광합성은 빛이 있을 때 일어남을 알 수 있다.

03 광합성이 일어나는 세포 소기관은 엽록체이다.

실력 올리기 2단계

진도책 101~104쪽

01 ④ 02 ①, ③ 03 ② 04 ⑤ 05 ⑤ 06 ⑤ 07 해설 참조 08 해설 참조 09 ④ 10 ⑤ 11 ② 12 ④ 13 ④ 14 해설 참조 15 해설 참조 16 ② 17 ④ 18 ① 19 ② 20 ② 21 (1) A>B>C (2) 해설 참조 22 해설 참조

01 녹색 식물에서 광합성으로 포도당이 만들어지는 과정에는 물과 이산화 탄소가 이용되며, 그 결과 포도당과 산소가 생성된다. 따라서 A는 이산화 탄소, B는 산소이다.

02 ①, ③ 광합성은 엽록체에서 일어나며, 빛이 강한 낮에 활발하게 일어난다.
오답 분석
② 물은 뿌리에서 흡수되어 물관을 통해 잎까지 이동한다.
④ 광합성 결과 최초로 생성되는 양분은 포도당이며, 포도당은 곧바로 녹말로 전환되어 잎에 잠시 저장된다.
⑤ 광합성 결과 생성된 양분은 체관을 통해 이동한다.

03 검정말의 잎에서 관찰되는 녹색 알갱이는 엽록체이다. 엽록체는 빛을 흡수하여 광합성을 하며, 그 결과 포도당이 합성된다.

04 (가)는 체관, (나)는 물관이며, A는 포도당, B는 녹말이다. 광합성 결과 생성된 산소는 잎의 기공을 통해 밖으로 방출된다.

05 식물이 심어진 화분을 하루 동안 어둠 상자 안에 두는 까닭은 잎에 이미 만들어져 있던 녹말을 다른 곳으로 이동시키기 위한 것이다. 잎을 에탄올에 넣고 물중탕하는 까닭은 엽록소를 제거하여 아이오딘 반응의 색깔 변화를 정확히 알아보기 위함이다.

06 표본병에 입김을 불어 넣으면 이산화 탄소가 공급되며, 이 과정 대신 탄산수소 나트륨 수용액을 넣어주어도 된다. 실험 결과 검정말에서 광합성이 일어나 산소가 발생하며, 산소는 꺼져 가는 성냥 불씨를 가까이 대어 보면 잘 타오르는 것을 보고 확인할 수 있다.
석회수에 통과시켰을 때 석회수가 뿌옇게 흐려지는 기체는 이산화 탄소이다.

07 **모범 답안** B, 시험관 B에서는 검정말이 광합성을 하여 이산화 탄소를 소모하므로 석회수가 뿌옇게 흐려지지 않는다.
해설 탄산수소 나트륨 수용액이 든 시험관 A에는 이산화 탄소가 녹아 있으므로 석회수가 뿌옇게 흐려진다.

채점 기준	배점
시험관의 기호를 정확히 쓰고, 그 까닭이 광합성으로 인해 이산화 탄소를 소모하였기 때문이라고 서술한 경우	100 %
시험관의 기호만 정확하게 적은 경우	30 %

08 **모범 답안** 산소, 성냥 불씨가 다시 잘 탄다.
해설 실험 결과 발생한 기체는 산소이므로 꺼져 가는 성냥 불씨에 산소가 공급되면 불씨가 다시 잘 탄다.

채점 기준	배점
산소와 성냥 불씨가 잘 탄다고 서술한 경우	100 %
산소만 쓴 경우	30 %

09 광합성은 온도, 빛의 세기, 이산화 탄소의 농도의 영향을 받는다.

10 ⑤ 빛의 세기가 증가할수록 광합성량은 증가하지만, 일정 세기 이상이 되면 광합성량은 더 이상 증가하지 않고 일정해진다.
오답 분석
①, ② 광합성량은 빛의 세기에 비례하다가 일정 세기 이상이 되면 광합성량은 더 이상 증가하지 않고 일정해진다.
③ 검정말에서 발생하는 기포는 산소이다.
④ 검정말에서 발생하는 기포 수가 많을수록 광합성량은 많다.

11 탄산수소 나트륨은 이산화 탄소를 공급하는 역할을 한다. 이산화 탄소의 농도가 높아지면 광합성량이 증가하므로 산소가 더 많이 발생하게 되어 더 많은 기포가 올라오는 것을 관찰할 수 있다.

12 빛의 세기와 이산화 탄소의 농도가 증가할수록 광합성량이 증가하지만, 일정 수준을 넘어서면 광합성량이 더 이상 증가하지 않고 일정하게 유지된다. 또한, 온도가 높아지면 광합성량이 증가하지만 약 40 ℃ 이상이 되면 광합성량은 급격하게 감소한다.

13 ④ 전기스탠드의 수를 늘리면 빛의 세기가 강해져서 광합성량이 증가하므로 발생하는 기포 수가 증가한다.
오답 분석
① 표본병에 얼음을 넣어 온도가 낮아지면 광합성량은 감소한다.
②, ③ 표본병에 물을 더 넣거나 산소를 넣어주는 것은 광합성량에 영향을 주지 못한다.
⑤ 전기스탠드를 멀리 떨어뜨리면 빛의 세기가 감소하여 광합성량이 감소하므로 기포 수가 감소한다.

14 **모범 답안** 광합성량, 기포 발생 수, 산소 발생량
해설 빛의 세기에 따른 광합성량의 변화를 알아보기 위한 실험이므로 y축에는 광합성량이나 광합성량과 비례하는 기포 발생 수, 산소 발생량이 들어가는 것이 적합하다.

채점 기준	배점
광합성량, 기포 발생 수, 산소 발생량 중 2가지 이상 쓴 경우	100 %
1가지만 옳게 쓴 경우	50 %

15 **모범 답안** 온도가 높아질수록 광합성량이 증가하므로 한반도의 평균 기온이 높아짐에 따라 약 40 ℃까지는 식물의 광합성이 활발해질 것이다.

채점 기준	배점
온도와 관련되어 광합성량이 증가한다는 것을 옳게 서술한 경우	100 %
광합성량이 증가한다고만 쓴 경우	30 %

16 A는 공변세포, B는 기공, C는 표피 세포이다. 공변세포는 엽록체가 있어 광합성이 일어나지만, 표피 세포는 엽록체가 없어 광합성이 일어나지 않는다.

17 ④ 공변세포(A)의 세포벽 두께는 기공(B)과 접하는 부분이 반대쪽보다 두껍다. 따라서 공변세포가 팽창할 때 활처럼 휘어지므로 기공이 열리게 된다.
오답 분석
① (가)는 기공이 열려 증산 작용이 일어나는 상태이며, (나)는 기공이 닫힌 상태이다.
② (가)와 같이 기공이 열린 것은 주로 낮에, (나)와 같이 기공이 닫힌 것은 주로 밤에 관찰된다.
③ 공변세포(A)에서 광합성이 활발히 일어나면 포도당이 생성되어 주위 세포에서 공변세포로 물이 흡수되어 팽창하므로 기공(B)이 열리게 된다.
⑤ 낮 12시쯤에는 공변세포(A)의 광합성으로 포도당이 생성되어 내부 농도가 주위 세포보다 높아진다.

18 증산 작용이 활발하게 일어나는 조건은 바람이 불 때, 빛이 강할 때, 온도가 높을 때, 습도가 낮을 때이며, 이 조건은 빨래가 잘 마르는 조건과 같다.

19 기공에서의 산소와 이산화 탄소의 출입은 증산 작용의 영향을 받지 않는다.

20 식물에서 물의 상승 원리 중 가장 중요한 원동력은 증산 작용이다. 그 외에도 물 분자의 응집력과 모세관 현상, 뿌리에서 흡수한 물을 밀어올리는 힘 등도 뿌리에서 줄기 끝에 달린 잎까지 물이 상승할 수 있도록 하는 원동력이 된다.

21 (1) 잎이 많을수록, 습도가 낮을수록 기공을 통한 증산 작용이 활발하게 일어난다.
(2) **모범 답안** • 증산 작용은 식물의 잎에서 일어난다. • 증산 작용은 습도가 낮을 때 더 잘 일어난다.
해설 A와 C의 비교를 통해 증산 작용은 식물의 잎에서 일어난다는 것을 알 수 있으며, A와 B의 비교를 통해 증산 작용은 습도가 낮을 때 더 잘 일어난다는 것을 알 수 있다.

채점 기준	배점
실험을 통해 알 수 있는 사실 2가지를 옳게 서술한 경우	100 %
1가지만 옳게 서술한 경우	50 %

22 **모범 답안** 사람도 더우면 땀을 흘린다. 땀이 증발하면서 열을 빼앗아 체온을 낮추어 주므로 땀을 흘리는 것과 증산 작용은 같은 원리이다.

채점 기준	배점
모범 답안과 같이 예와 원리를 옳게 서술한 경우	100 %
땀과 같은 원리라고만 서술한 경우	50 %

만점 도전하기 3단계

진도책 105쪽

01 ② 02 ③ 03 ② 04 ④ 05 ③

01 식물은 빛이 있을 때 광합성을 하여 산소를 방출한다. 밀폐된 곳에 있는 쥐는 산소가 없어서 호흡을 못해 죽었으나 식물과 함께 빛이 있는 곳에 있는 쥐는 식물이 광합성을 하여 산소를 방출하기 때문에 호흡하여 살 수 있게 된다.

02 B의 수산화 칼륨은 이산화 탄소를 흡수하므로 B에서는 이산화 탄소가 없어 광합성이 일어나지 않는다. A에서는 광합성이 일어나기 때문에 이산화 탄소의 농도는 점점 감소한다. 또한, A에서 광합성 결과 생성된 포도당이 녹말로 저장되므로 녹말 검출 반응이 일어난다.

03 광합성에 영향을 미치는 요인 중 하나인 온도의 경우 일정 온도 이상에서는 광합성량이 급격하게 떨어지게 된다. 그 까닭은 광합성에 관여하는 효소가 40 ℃ 이상의 온도에서 변형이 일어나 광합성이 잘 일어나지 않기 때문이다.

04 약한 빛일 때는 광합성량이 온도 변화에 따라 크게 영향을 받지 않지만, 강한 빛일 때는 광합성량이 온도 변화에 따라 크게 달라진다.

05 0시에서 4시 사이, 20시에서 24시 사이에는 증산 작용이 거의 일어나지 않는다. 따라서 증산 작용은 밤 동안에 거의 일어나지 않는다. 밤과 낮의 가장 큰 차이는 햇빛의 양이므로 증산 작용은 햇빛의 영향을 받는다.

02 식물의 호흡

개념 다지기 1단계

진도책 107쪽

01 (1) × (2) × (3) ○ 02 (1) B (2) 이산화 탄소
03 (1) ○ (2) × (3) ○ 04 (1) ㉠ 포도당, ㉡ 녹말, ㉢ 설탕

01 (1) 식물의 호흡은 세포의 미토콘드리아에서 일어난다.
(2) 식물의 호흡은 밤낮 구분 없이 항상 일어난다.

02 (1) 시금치를 넣은 비닐봉지에서만 호흡이 일어나므로 B에서만 이산화 탄소가 생성되어 석회수가 뿌옇게 흐려진다.
(2) 식물의 호흡 결과 이산화 탄소가 발생한다.

03 (2) 광합성은 빛이 있는 낮에만 일어나지만, 호흡은 밤낮 구분 없이 항상 일어난다.

04 식물의 광합성 결과 만들어지는 최초의 산물은 포도당이며, 포도당은 바로 물에 잘 녹지 않는 녹말의 형태로 전환되어 잎에 저장되었다가 밤이 되면 물에 잘 녹는 형태인 설탕으로 전환되어 체관을 통해 각 기관으로 이동한다.

실력 올리기 2단계

진도책 108~110쪽

01 A: 산소, B: 이산화 탄소 02 ⑤ 03 ④ 04 ③ 05 ② 06 ① 07 ① 08 ③ 09 (가) 산소, (나) 이산화 탄소 10 해설 참조 11 ③ 12 ④ 13 ④ 14 ⑤ 15 ② 16 ⑤ 17 ② 18 ② 19 해설 참조

01 식물은 호흡 과정에서 산소를 이용하여 포도당을 분해하며, 그 결과 물과 이산화 탄소와 에너지가 생성된다.

02 생물은 호흡 과정에서 양분(포도당)을 분해하여 생활에 필요한 에너지를 얻는다.

03 시금치는 빛이 없을 때 호흡만 하므로 이산화 탄소가 방출된다.

04 ③ 식물은 호흡 작용을 통해 산소를 흡수하고, 이산화 탄소를 방출한다.
오답 분석
① 식물의 호흡은 낮과 밤의 구분 없이 항상 일어난다.
② 식물의 호흡은 모든 세포에서 일어난다.
④ 식물의 줄기에서도 호흡이 일어난다.
⑤ 빛이 강한 낮에는 광합성이 호흡보다 활발하게 일어난다.

05 싹튼 콩에서는 호흡 작용이 일어난다. 호흡 결과 에너지가 방출되므로 (가)에서는 온도가 상승하게 된다. 보온병 안에는 빛이 없어 광합성은 일어나지 않으며, 삶은 콩에서는 생명 활동이 일어나지 않아 아무런 반응도 나타나지 않는다.

06 낮에는 광합성량이 호흡량보다 많아 이산화 탄소를 흡수하고, 산소를 방출하며, 밤에는 호흡만 일어나므로 산소를 흡수하고, 이산화 탄소를 방출한다.

07 (가)는 낮, (나)는 밤, (다)는 아침과 저녁에 일어나는 기체 교환을 나타낸 것이다. (가)에서는 광합성량이 호흡량보다 많다.

08 아침·저녁에는 광합성량과 호흡량이 같아 광합성을 통해 생성된 산소는 모두 호흡에, 호흡을 통해 생성된 이산화 탄소는 모두 광합성에 사용되는 시기가 나타난다. 이때는 외관상 기체의 출입이 없다.

09 그래프에서 호흡량은 하루 종일 일정하게 유지되지만 광합성량은 빛이 강할 때 많아진다. A 시점에서는 호흡량이 광합성량보다 많으므로 산소를 흡수하고, 이산화 탄소를 방출한다.

10 **모범 답안** 낮에는 광합성이 호흡보다 활발하게 일어나 호흡으로 발생하는 이산화 탄소의 양보다 광합성에 필요한 이산화 탄소의 양이 많고, 호흡에 필요한 산소의 양보다 광합성으로 발생하는 산소의 양이 많기 때문이다.

채점 기준	배점
낮에 광합성과 호흡이 모두 일어나지만, 광합성량이 호흡량보다 많다는 내용을 포함하여 서술한 경우	100 %
낮에 광합성량이 많다고만 서술한 경우	50 %

11 ③ 광합성에는 물과 이산화 탄소가 필요하며, 호흡에는 포도당과 산소가 필요하다.

오답 분석

① 광합성은 빛이 있는 낮에 일어나며, 호흡은 낮과 밤의 구분 없이 항상 일어난다.

② 광합성은 엽록체가 있는 식물 세포에서 일어나며, 호흡은 모든 세포에서 일어난다.

④ 광합성은 양분을 합성하는 과정이며, 호흡은 양분을 분해하는 과정이다.

⑤ 광합성은 에너지를 저장하는 작용이며, 호흡은 양분을 분해해 에너지를 방출하는 작용이다.

12 식물은 호흡을 통해 양분을 분해하여 에너지를 방출함으로써 생활에 필요한 에너지를 얻는다.

13 (가)는 광합성, (나)는 호흡이다. 광합성은 빛이 있는 낮에 엽록체에서 일어난다. 호흡은 밤낮에 관계없이 항상 일어나며, 싹이 트거나 꽃이 필 때 특히 왕성하게 일어난다.
광합성(가)에 해당하는 것은 ㄱ, ㅁ이며, 호흡(나)에 해당하는 것은 ㄴ, ㄷ, ㄹ이다.

14 시험관 A에는 생명체가 없으므로 호흡이 일어나지 않는다. 시험관 D에서는 광합성과 호흡이 모두 일어나며, 광합성이 호흡보다 활발하게 일어나 이산화 탄소를 소모하므로 BTB 용액의 색깔이 청색으로 변한다.
싹튼 콩, 물고기, 빛이 차단된 검정말이 들어 있는 시험관에서는 호흡만 일어나 이산화 탄소의 양이 증가하므로 BTB 용액의 색깔이 황색으로 변한다.

15 싹튼 콩은 잎이 존재하지 않으므로 광합성이 일어나지 않으며, 호흡만 활발히 일어난다.

16 광합성이 활발한 낮에 생성된 포도당은 바로 녹말 형태로 전환되어 잎에 저장되었다가 밤이 되면 설탕으로 전환되어 식물의 각 기관으로 이동한다.

17 감자와 양파는 광합성 결과 만들어진 양분을 줄기에 저장하며, 감자는 녹말 형태로, 양파는 포도당의 형태로 양분을 저장한다.

18 벼, 보리는 양분을 녹말 형태로 저장하며, 땅콩은 지방 형태로 저장한다. 양파와 붓꽃은 포도당의 형태로 저장한다.

19 **모범 답안** D, 검정말이 빛을 받지 못해 호흡만 하므로 이산화 탄소가 방출되어 BTB 용액 속의 이산화 탄소 농도가 높아지므로 BTB 용액의 색깔이 황색으로 변한다.
해설 A는 가열로 인해 이산화 탄소가 공기 중으로 날아가므로 BTB 용액이 청색으로 변하며, B는 그대로 두었으므로 아무런 변화 없이 녹색을 유지한다. C에서는 광합성이 호흡보다 활발히 일어나므로 이산화 탄소가 소모되어 BTB 용액이 청색으로 변한다.

채점 기준	배점
시험관과 색깔이 변하는 까닭을 모두 옳게 서술한 경우	100 %
이산화 탄소 농도가 높아 BTB 용액이 황색으로 변한다고만 서술한 경우	50 %
시험관만 정확하게 쓴 경우	30 %

만점 도전하기 3단계

진도책 111쪽

01 ① 02 ② 03 ④ 04 ⑤

01 삶은 콩에서는 생명 활동이 일어나지 않는다. 따라서 삶은 콩에서는 호흡이 일어나지 않기 때문에 열이 발생하지 않아 온도가 상승하지 않는다.

02 A의 식물은 광합성을 하므로 이산화 탄소를 흡수하고, 산소를 방출한다. B의 식물은 빛을 받지 못해 광합성을 하지 못하고 호흡만 하므로 산소를 흡수하고, 이산화 탄소를 방출한다. C는 수산화 나트륨 수용액에 의해 이산화 탄소가 흡수되어 식물이 광합성을 하지 못하고 호흡만 하므로 산소를 흡수하고, 이산화 탄소를 방출한다.

03 시험관 A~D의 조건을 나타내면 다음 표와 같다.

시험관	A	B	C	D
넣은 생물	송사리	송사리	송사리, 물풀	송사리, 물풀
환경 조건	햇빛	암실	햇빛	암실

햇빛이 있을 때 물풀이 광합성을 하면 산소가 발생하므로 C의 송사리는 A보다 오래 살 수 있다. 햇빛이 없을 때에는 물풀도 호흡을 하여 산소를 소비하므로 D의 송사리는 B보다 오래 살 수 없다.

04 주어진 자료에서 오후 3시에는 잎에 녹말이 많이 존재하고, 오후 9시에는 줄기에 설탕이 많이 존재한다. 따라서 낮에 잎에 저장되어 있던 녹말이 밤에 설탕으로 전환되어 줄기의 체관을 통해 식물의 각 기관으로 이동함을 알 수 있다.

진도책 112쪽~115쪽

대단원 완성하기

01 ⑤ **02** ① **03** ④ **04** ① **05** ⑤ **06** ④ **07** ⑤
08 ② **09** ⑤ **10** ① **11** ① **12** ④ **13** ② **14** ⑤
15 ⑤ **16** ③ **17** 해설 참조 **18** (1) 해설 참조
(2) 해설 참조 **19** 해설 참조 **20** (1) B>C>A
(2) 해설 참조 **21** (가) 호흡, (나) 이산화 탄소
22 해설 참조

01 광합성은 빛에너지를 이용하여 물과 이산화 탄소를 원료로 포도당과 산소를 생성하는 과정이다. 또한 광합성 결과 생성된 포도당은 잎에 녹말 형태로 잠시 저장된다. 따라서 A는 이산화 탄소, B는 산소, C는 녹말이다.

02 알루미늄 포일로 싸지 않은 부분에서는 광합성이 일어나 녹말이 생성되었으므로 아이오딘-아이오딘화 칼륨 용액을 떨어뜨리면 청람색으로 변한다.

03 ④ 시험관 D에서는 광합성이 활발하게 일어나므로 이산화 탄소의 농도가 감소한다.

오답 분석
① 시험관 A의 BTB 용액은 가열로 인해 색깔이 황색에서 청색으로 변한다.
② 시험관 B는 아무 처리도 하지 않았으므로 BTB 용액의 색깔이 변하지 않고 황색을 유지한다.
③ 시험관 C에서는 호흡으로 인해 이산화 탄소가 증가하였으므로 BTB 용액은 산성을 유지한다.
⑤ 시험관 D의 BTB 용액의 색깔은 광합성으로 인해 감소한 이산화 탄소의 농도에 의해 결정된다.

04 ① 시험관 윗부분에 모아진 기체는 산소로, 꺼져 가는 성냥 불씨를 갖다 대면 성냥 불씨가 다시 잘 탄다.

오답 분석
② 광합성이 활발하면 산소 발생량이 많아지므로 기포 발생량이 증가한다.
③ 물에 이산화 탄소가 녹아 들어가게 하기 위해서 입김을 불어 넣는다.
④ 석회수를 이용하여 검출할 수 있는 기체는 이산화 탄소이다.
⑤ 입김을 불어 넣은 물 대신 황색 BTB 용액이나 탄산수소 나트륨 수용액을 사용할 수 있다.

05 빛의 세기와 이산화 탄소의 농도가 증가할수록 광합성량이 증가하다가 어느 이상에서는 일정해지며, 온도는 약 40 ℃ 이상이 되면 광합성량이 급격히 감소한다.

06 빛의 세기가 광합성에 미치는 영향을 알아보려면 빛의 세기는 다르지만 그 외에 광합성에 영향을 미치는 요인인 온도와 이산화 탄소의 농도가 동일한 실험을 비교해야 한다. 따라서 (다), (마)를 비교하면 빛의 세기가 광합성에 미치는 영향을 알아볼 수 있다.

07 빛의 세기가 증가할수록 광합성량이 증가하지만 어느 세기 이상에서는 일정해진다.

08 식물의 기공은 기체가 출입하는 구멍이다. 기공은 2개의 공변세포로 둘러싸여 있으며, 낮에 주로 열리고, 밤에 닫힌다.

09 (가)는 기공이 열렸을 때, (나)는 기공이 닫혔을 때이다. 증산 작용이 활발해지는 조건에서는 기공의 상태가 (나)에서 (가)로 된다.

10 증산 작용은 온도가 높고, 습도가 낮을 때 활발하다.

11 식물은 호흡을 통해 산소를 이용해 포도당을 분해하여 물, 이산화 탄소, 에너지를 생성한다. 따라서 호흡에 필요한 물질은 포도당과 산소이며, 방출하는 기체는 이산화 탄소이다.

오답 분석
② 호흡은 낮과 밤 구분 없이 항상 일어난다.
③ 호흡은 모든 세포에서 일어나며, 세포 소기관 중 미토콘드리아에서 호흡이 일어난다.
④ 호흡은 산소를 흡수하고, 이산화 탄소를 방출한다.
⑤ 호흡은 싹이 틀 때나 꽃이 필 때와 같이 많은 에너지가 필요할 때 활발하게 일어난다.

12 낮에는 광합성량이 호흡량보다 많아 이산화 탄소를 흡수하고, 산소를 방출한다.

13 B는 빛이 없는 밤에 일어나는 기체 교환이다.

14 광합성은 빛이 있는 낮에만 일어나지만, 호흡은 하루 동안 거의 일정하게 일어난다.

15 ⑤ 시험관 C는 광합성 결과 이산화 탄소가 감소하여 청색으로 변하고, 시험관 D는 호흡 결과 이산화 탄소가 증가하여 황색을 유지한다.

오답 분석
①, ② 시험관 A의 싹튼 콩에서는 호흡이 활발하게 일어나므로 이산화 탄소의 양이 증가하여 BTB 용액이 황색을 유지한다.
③ 시험관 B의 금붕어도 호흡을 하므로 이산화 탄소의 양이 증가하여 BTB 용액이 황색을 유지한다.
④ 시험관 C의 검정말에서는 광합성이 일어나 이산화 탄소를 흡수하므로 이산화 탄소의 양이 감소한다.

16 ③ 대부분의 식물은 광합성 산물을 주로 녹말의 형태로 저장하지만 양파와 붓꽃은 광합성 산물을 포도당의 형태로 저장한다.

오답 분석

① 광합성 산물은 주로 체관을 통해 이동한다.
② 무, 당근 등은 광합성 산물을 뿌리에 저장한다.
④ 광합성 산물은 주로 밤에 식물체 각 부분으로 이동한다.
⑤ 잎에서 녹말 형태로 저장되었던 양분은 저장 기관으로 이동할 때 설탕으로 전환된다.

17 **모범 답안** 물+이산화 탄소 ⟶ 포도당+산소, 광합성에서는 빛에너지를 이용하여 물과 이산화 탄소로부터 양분(포도당)을 합성한다.

채점 기준	배점
광합성 과정 식과 의미를 모두 정확하게 서술한 경우	100 %
광합성 과정 식만 정확하게 서술한 경우	50 %
광합성의 의미만 정확하게 서술한 경우	50 %

18 (1) **모범 답안** 산소, 산소는 다른 물질의 연소를 돕는 성질이 있어 꺼져 가는 불씨를 가져가면 다시 잘 타오른다.

채점 기준	배점
기포와 기포의 성질, 확인 방법을 모두 옳게 서술한 경우	100 %
위의 사항들 중 2가지만 옳게 서술한 경우	50 %
위의 사항들 중 1가지만 옳게 서술한 경우	20 %

(2) **모범 답안** 물의 온도를 높인다. 빨대를 이용하여 물속에 입김을 더 불어 넣는다. 전기스탠드를 검정말 쪽으로 가까이한다.

채점 기준	배점
모범 답안과 같이 2가지 이상을 옳게 서술한 경우	100 %
1가지만 옳게 서술한 경우	50 %

19 **모범 답안** 약 40 ℃까지는 온도가 높을수록 광합성량이 증가한다. 따라서 여름철이 겨울철보다 온도가 높으므로 사철나무의 광합성량이 더 많다.

채점 기준	배점
온도와 광합성량의 관계를 옳게 서술한 경우	100 %
여름철이 온도가 높기 때문이라고만 서술한 경우	50 %

20 (1) A~C에 남아 있는 물의 양을 비교하면 B>C>A이다.
(2) **모범 답안** 물의 표면에서 자연적으로 물이 증발되는 것을 막기 위해서이다.

채점 기준	배점
모범 답안과 같이 서술한 경우	100 %
증발을 막기 위해서라고만 서술한 경우	50 %

21 (가)는 호흡, (나)는 이산화 탄소이다. 시금치의 호흡 결과 이산화 탄소가 발생하였다.

22 **모범 답안** D, 검정말의 광합성량이 호흡량보다 더 많아 이산화 탄소가 감소하므로 BTB 용액이 염기성으로 변하여 청색을 나타낸다.

채점 기준	배점
시험관의 기호와 색 변화 까닭을 모두 옳게 서술한 경우	100 %
시험관의 기호만 정확하게 쓴 경우	40 %

V 동물과 에너지

01 소화

개념 다지기 1단계

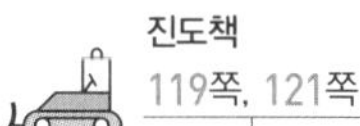

진도책 119쪽, 121쪽

01 ㉠ 조직, ㉡ 기관, ㉢ 기관계 **02** (1) 지방 (2) 단백질 (3) 탄수화물 **03** (1) ○ (2) × (3) × **04** (1) 야맹증 (2) 각기병 (3) 괴혈병 (4) 구루병

05 (1) (가): C, 위 (나): D, 소장 (2) D, 소장 **06** (1) ○ (2) × (3) × (4) ○ **07** (1) (가) (2) (나) (3) (가) (4) (나) **08** (1) × (2) ○ (3) ○

01 동물의 구성 단계는 식물의 구성 단계와는 달리 조직계가 없고, 기관 다음에 기관계 단계가 있다. 동물의 구성 단계는 '세포 → 조직 → 기관 → 기관계 → 개체' 순이다.

02 (1) 지방은 1 g당 9 kcal의 열량을 내며, 에너지원인 3대 영양소 중 가장 많은 열량을 낸다.
(2) 세포, 근육, 효소, 호르몬, 항체 등의 구성 성분은 단백질이며, 단백질의 기본 단위는 아미노산이다.

03 (1) 탄수화물은 많이 섭취하지만 주로 에너지원으로 사용되므로 몸을 구성하는 비율이 낮다.
(2) 단백질은 아미노산의 결합에 따라 매우 다양한 종류가 있다. 단당류, 이당류, 다당류는 탄수화물의 종류이다.
(3) 바이타민은 우리 몸을 구성하지 않는 영양소이다.

04 바이타민은 대부분 체내에서 합성되지 않아 반드시 음식물로 섭취해야 하며, 부족 시 결핍증이 나타난다.

05 (1) 단백질의 소화는 위(C)에서 펩신에 의해 최초로 일어나고, 지방의 소화는 소장(D)에서 라이페이스에 의해 최초로 일어난다.
(2) 소장(D)은 3대 영양소의 소화가 모두 일어나는 곳이다. 이자액에 3대 영양소의 소화 효소가 모두 포함되어 있다.

06 (2) 단백질은 위에서 펩신에 의해 중간 산물로 분해되며, 소장에서 단백질 분해 효소에 의해 아미노산으로 최종 분해된다.
(3) 쓸개즙은 간에서 생성되어 쓸개에 저장되었다가 십이지장으로 분비되어 지방의 소화를 돕는다.

07 포도당, 아미노산은 수용성 영양소이고, 지방산, 바이타민 A는 지용성 영양소이다. 수용성 영양소의 흡수 및 이동 경로는 소장 융털의 모세 혈관 → 간 → 심장 → 온몸이고, 지용성 영양소의 흡수 및 이동 경로는 소장 융털의 암죽관 → 림프관 → 심장 → 온몸이다.

08 (1) 단백질이 최종적으로 분해되는 장소는 소장이다. 소장의 상피 세포에 들어 있는 소화 효소에 의해 단백질이 아미노산으로 최종 분해된다.

공략 확인 문제

진도책 122쪽

01 (1) × (2) ○ (3) × (4) ○
02 A: 청람색, B: 변화 없음, C: 청람색

01 (1) 시험관 A는 녹말을 분해하는 효소가 없어 녹말이 분해되지 않는다.
(2), (3) 녹말이 분해되어 엿당이 존재하는 시험관 B는 베네딕트 반응 결과 황적색으로 색이 변한다.
(4) 시험관 A에는 녹말 용액과 증류수를 넣고, B에는 녹말 용액과 침 희석액을 넣고 각각 아이오딘 반응과 베네딕트 반응을 시킨 결과 B에서만 베네딕트 반응 시 황적색으로 색깔 변화가 나타났다. 그러므로 시험관 A와 B를 비교하면 침 희석액 속에 녹말을 분해하는 효소가 들어 있음을 알 수 있다.

02 시험관 A는 온도가 너무 낮아 소화 효소가 작용하지 못하고, C는 소화 효소가 열에 의해 변성되어 작용을 하지 못해 녹말이 분해되지 않으므로 아이오딘 반응이 일어난다.

실력 올리기 2단계

진도책 123~126쪽

01 ④ **02** ③ **03** ② **04** ② **05** ① **06** ③ **07** ⑤ **08** 물 **09** ② **10** 해설 참조 **11** ① **12** ㄱ, ㅁ **13** ③ **14** 해설 참조 **15** ① **16** ③, ⑤ **17** ⑤ **18** (가) E, (나) D **19** ① **20** ③ **21** A: 변화 없다. B: 변화 없다. **22** 해설 참조 **23** ④ **24** ② **25** 해설 참조 **26** ④

01 동물에서 여러 기관이 모여 통일된 기능을 담당하는 단계는 기관계이다. 조직계는 식물의 구성 단계에만 있는 단계이다.

02 ③ 통도 조직은 식물에서 볼 수 있는 조직이다.
오답 분석
① 혈액, 뼈 등은 결합 조직이다.
② 골격근, 내장근 등은 근육 조직이다.
④ 피부는 상피 조직이다.
⑤ 운동 신경, 감각 신경 등은 신경 조직이다.

03 동물은 세포 → 조직 → 기관 → 기관계 → 개체 순으로 구성된다. 조직계는 식물에만 있는 구성 단계로, 식물은 세포 → 조직 → 조직계 → 기관 → 기체 순으로 구성된다.

04 자료 분석

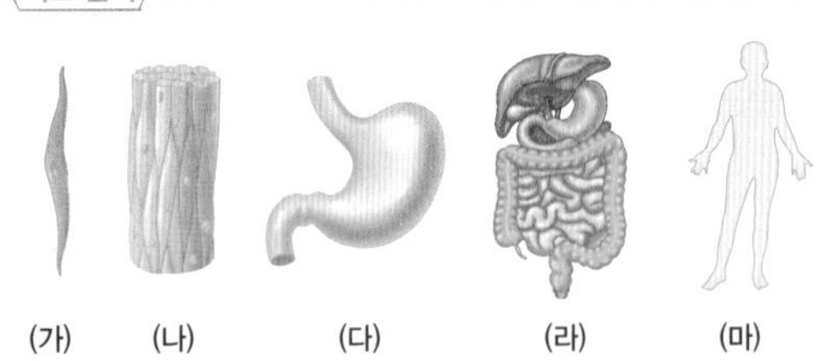

- (가)는 근육 세포(세포), (나)는 근육 조직(조직), (다)는 위(기관), (라)는 소화계(기관계), (마)는 사람(개체)이다.
- 동물의 구성 단계는 세포(가) → 조직(나) → 기관(다) → 기관계(라) → 개체(마) 순이다.

(가)는 세포, (나)는 조직, (다)는 기관, (라)는 기관계, (마)는 개체이다. 모양과 기능이 비슷한 세포들이 모인 구성 단계는 조직이다.

05 에너지원으로 사용되는 영양소는 3대 영양소로, 탄수화물, 단백질, 지방이다. 물, 무기염류, 바이타민은 에너지원으로 사용될 수 없다. 탄수화물과 단백질은 1 g당 4 kcal, 지방은 1 g당 9 kcal의 열량을 낼 수 있다.

06 탄수화물의 구성 성분은 탄소, 수소, 산소이며, 단백질의 구성 성분에는 탄소, 수소, 산소 외에 질소가 포함된다.

07 ⑤ 무기염류와 바이타민는 우리 몸의 여러 가지 생리 작용을 조절한다.

오답 분석

① 무기염류는 우리 몸을 구성하지만, 바이타민은 우리 몸을 구성하지 않는다.
② 무기염류와 바이타민은 우리 몸에서 합성되지 않기 때문에 음식물을 통해 섭취해야 한다.
③ 무기염류와 바이타민은 에너지원으로 사용되지 않는다.
④ 탄소, 수소, 산소로 구성된 영양소는 탄수화물, 단백질, 지방이다. 단백질에는 탄소, 수소, 산소 외에 질소도 포함된다.

08 물은 우리 몸을 구성하는 주성분으로, 우리 몸의 약 66 %를 차지한다.

09 그림은 골다공증 환자의 뼈로, 골다공증은 칼슘 부족으로 인해 뼈를 구성하는 칼슘이 감소하여 뼈가 쉽게 골절되는 질환이다.

10 **모범 답안** 초콜릿은 사과나 달걀흰자에 비해 탄수화물과 지방의 함량이 높아 에너지를 많이 내는 식품이다. 지방은 과다하게 섭취할 경우 몸에 축적되므로 비만이 될 수 있다.

채점 기준	배점
초콜릿에 지방과 탄수화물의 함량이 높다는 것과 지방의 과다 섭취 시 몸에 축적될 수 있다는 것을 모두 포함하여 옳게 서술한 경우	100 %
지방이 많이 들어 있기 때문이라고만 서술한 경우	40 %

11 수단 Ⅲ 반응은 지방을 검출하는 반응이다. 수단 Ⅲ 반응에 선홍색으로 색 변화가 나타났으므로 음식물 속에는 지방이 들어 있다.

12 아이스크림은 우유로 만들기 때문에 단백질, 지방, 젖당 등이 들어 있지만 녹말은 많이 포함되어 있지 않다. 녹말은 아이오딘-아이오딘화 칼륨 용액으로, 지방은 수단 Ⅲ 용액으로 검출할 수 있다.

13 탄수화물과 단백질은 1 g당 4 kcal의 열량을 내고, 지방은 1 g당 9 kcal의 열량을 낸다. 나트륨은 무기염류로 에너지원이 되지 못한다. 따라서 발아현미밥을 섭취했을 때 얻을 수 있는 에너지의 총량은 $(66 \times 4)+(6 \times 4)+(1 \times 9)=297$ kcal이다.

14 **모범 답안** 단백질을 검출하기 위한 뷰렛 반응이며, A는 보라색을 나타낸다.

해설 달걀흰자에는 단백질이 들어 있으므로 뷰렛 반응을 실시하면 검출 반응 결과 보라색을 나타낸다.

채점 기준	배점
영양소, 반응의 이름, 색 변화를 모두 포함하여 옳게 서술한 경우	100 %
영양소, 반응의 이름, 색 변화 중 2가지만 포함하여 옳게 서술한 경우	60 %
영양소, 반응의 이름, 색 변화 중 1가지만 포함하여 옳게 서술한 경우	30 %

15 분절 운동은 음식물과 소화액을 섞는 과정이고, 꿈틀 운동은 음식물을 이동시키는 과정이다. 따라서 분절 운동과 꿈틀 운동은 화학적 소화가 아니라 기계적 소화이다.

16 ③, ⑤ 위(A)는 단백질의 소화가 최초로 일어나고, 위액에는 염산(위산)이 포함되어 있어 산성을 띤다.

오답 분석

① 탄수화물의 소화는 입과 소장에서 일어난다.
② 소화액과 음식물이 섞이는 분절 운동은 위에서도 일어난다.
④ 지방의 소화는 소장에서 일어난다.

17 위액 속에 포함된 염산이 직접 단백질을 분해하는 것은 아니다. 단백질을 분해하는 효소인 펩신을 활성화시켜 단백질의 소화를 돕는다.

18 자료 분석

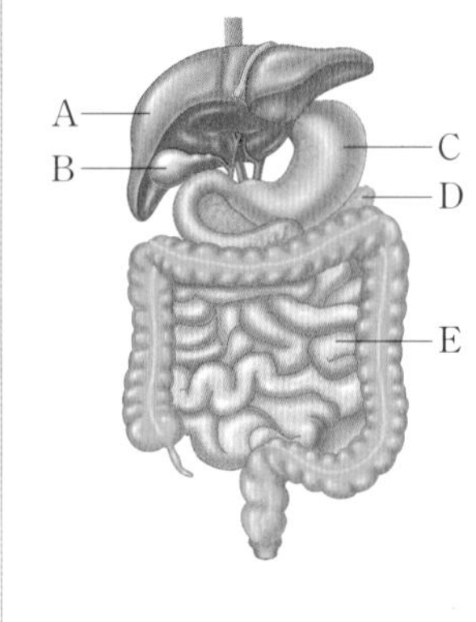

- A — 간: 지방의 소화를 돕는 쓸개즙을 생성한다.
- B — 쓸개: 쓸개즙을 저장한다.
- C — 위: 단백질이 펩신에 의해 중간 산물로 분해된다.
- D — 이자: 아밀레이스, 트립신, 라이페이스 등 3대 영양소의 분해 효소를 모두 분비한다.
- E — 소장: 3대 영양소가 몸속으로 흡수될 수 있는 상태인 최종 소화 산물로 분해된다.

이자(D)는 3대 영양소의 소화 효소를 모두 분비하지만, 소화는 소장(E)에서 일어난다.

19 ① 쓸개즙은 간(A)에서 생성되어 쓸개(B)에 저장된다.

오답 분석

② 쓸개즙은 지방의 소화를 돕지만 소화 효소는 없다. 지방을 분해하는 소화 효소는 이자(D)에서 분비된다.
③ 위(C)에서는 단백질의 소화만 일어난다.
④ 쓸개즙은 쓸개(B)에 저장된다.
⑤ 아밀레이스는 침샘과 이자(D)에서, 트립신은 이자(D)에서 분비된다.

20 녹말은 침과 이자액 속의 아밀레이스에 의해 입과 소장에서 엿당으로 분해된 후, 소장에서 탄수화물 분해 효소에 의해 포도당으로 분해된다.

21 시험관 A와 B 모두 35~40 ℃의 따뜻한 물에 넣어 효소가 잘 작용할 수 있는 조건을 갖추었다. 시험관 A에서는 1 %의 녹말 용액과 침이 들어 있으므로 침 속의 아밀레이스에 의해 녹말의 소화가 일어나 엿당이 된다. B는 이미 포도당이 들어 있으므로 침에 의한 소화가 더 진행되지 않는다. 그러므로 시험관 A와 B 모두 아이오딘 반응이 일어나지 않는다.

22 **모범 답안** 시험관 B, 침 희석액에 들어 있는 소화 효소가 체온 정도의 온도인 35 ℃에서 활발하게 작용하여 녹말을 분해하고 엿당을 생성했기 때문이다.

해설 침 속에 들어 있는 소화 효소인 아밀레이스는 35~40 ℃의 온도에서 활발하게 작용하여 녹말을 엿당으로 분해한다. 온도가 너무 낮거나 너무 높으면 효소인 아밀레이스가 잘 작용할 수 없다.

채점 기준	배점
황적색으로 변하는 시험관을 쓰고, 까닭을 옳게 서술한 경우	100 %
황적색으로 변하는 시험관만 옳게 쓴 경우	30 %

23 포도당과 아미노산은 수용성 영양소이다. 수용성 영양소는 융털의 모세 혈관으로 흡수된 후 간을 지난 다음 심장으로 간다.

24 A는 암죽관이므로 지용성 영양소가 흡수되며, B는 모세 혈관이므로, 수용성 영양소가 흡수된다. 바이타민 B군, C는 수용성이고, 바이타민 A, D, E, K는 지용성이다.

25 **모범 답안** 소장 내벽의 수많은 융털은 소화된 음식물과 접하는 표면적을 넓히므로 영양소를 효율적으로 흡수할 수 있다.

채점 기준	배점
표면적이 넓어진다는 것과 효율적으로 영양소를 흡수한다는 것을 모두 포함하여 옳게 서술한 경우	100 %
표면적이 넓어진다고만 서술한 경우	40 %

26 ④ 대장에서는 소화 효소가 분비되지 않아 화학적 소화는 일어나지 않지만, 기계적 소화인 꿈틀 운동은 일어난다.

오답 분석

① 대장에서는 소화액이 분비되지 않아 화학적 소화는 일어나지 않고 주로 수분의 흡수가 일어난다.
② 대장에는 소화샘이 없어 소화액이 분비되지 않고, 소화 효소가 없다.
③ 대장은 소장과 항문을 연결하는 소화관이다.
⑤ 대장은 소장에서 소화되지 않은 음식물 찌꺼기에서 물을 흡수하여 단단하게 만든 후 대변으로 배출한다.

만점 도전하기 3단계

진도책 127쪽

01 ③ 02 ⑤ 03 ⑤ 04 ① 05 ④

01 우리 몸에서 가장 많은 양을 차지하는 A는 물이고, 물은 에너지원으로 사용되지 않는 부영양소이다.

02 ⑤ 세포막도 셀로판 막과 같이 크기가 큰 물질을 통과시키지 못하므로 녹말이 세포막을 통과하여 몸속으로 흡수되려면 크기가 작은 포도당으로 분해되어야 한다.

오답 분석

①, ③ 녹말은 셀로판 주머니를 통과하지 못하므로 A는 색깔 변화가 나타나지 않는다.
②, ④ 포도당은 셀로판 주머니를 통과하므로 B는 황적색이 된다.

03 ⑤ 지방의 소화 효소인 라이페이스는 이자액에 포함되어 있다.

오답 분석

①, ② 쓸개즙(A)은 간에서 생성되며, 쓸개에 저장되었다가 십이지장으로 분비된다.
③, ④ 쓸개즙은 지방을 작은 알갱이로 만들어 라이페이스가 작용하기 쉽게 할 뿐이며, 소화 효소는 포함하고 있지 않다.

04 ① 영양소 (가)는 단백질이고, A는 모세 혈관, B는 암죽관이다. 단백질의 최종 소화 산물인 아미노산은 수용성 영양소이므로, 모세 혈관(A)으로 흡수된다.

오답 분석

② 입에서 가장 먼저 화학적으로 소화되는 영양소는 녹말이다.
③ 탄수화물과 단백질은 1 g당 4 kcal, 지방은 9 kcal의 에너지를 낸다.
④ 대장에는 소화 효소가 없어 화학적 소화 작용이 일어나지 않는다.
⑤ 아밀레이스에 의해 화학적으로 소화되는 영양소는 녹말이다.

05 ④ 단백질은 위에서 펩신의 작용으로 중간 산물로 분해되었다가 소장에서 트립신과 단백질 분해 효소의 작용으로 아미노산으로 분해된다.

오답 분석

① 융털은 영양소와 접촉하는 표면적을 넓혀주어 영양소를 효율적으로 흡수할 수 있다.
② 녹말은 아밀레이스의 작용으로 엿당으로 분해된다.
③ 쓸개즙은 지방의 소화를 돕지만 소화 효소로 작용하지는 않는다. 지방은 라이페이스의 작용으로 지방산과 모노글리세리드로 분해된다.
⑤ 모든 소화가 일어난 영양소는 소장으로 흡수되어 심장을 거쳐 온몸으로 이동한다.

02 순환

개념 다지기 1단계

진도책 129쪽

01 (1) 우심실, 좌심방 (2) 좌심실 (3) 정맥 (4) 모세 혈관
02 (1) C, 적혈구 (2) A, 백혈구 **03** ㉠ 대동맥, ㉡ 우심방

01 (1) 사람의 심장은 2개의 심방과 2개의 심실로 이루어져 있으며, 심장으로 혈액이 들어오는 곳은 심방, 심장에서 혈액을 내보내는 곳은 심실이다.
(2) 좌심실은 심장에서 가장 두꺼운 근육으로 되어 있어 높은 혈압을 견뎌 온몸으로 혈액을 내보낼 수 있다.
(3) 정맥은 심장으로 들어오는 혈액이 흐르는 혈관으로, 대정맥과 폐정맥이 있다.
(4) 모세 혈관은 동맥과 정맥을 연결하는 혈관으로 혈액과 조직 세포 사이에 물질 교환이 일어난다.

02 (1) 적혈구에는 헤모글로빈이 있어 혈액에서 산소 운반 기능을 한다.
(2) 혈액에서 식균 작용을 하여 병원체를 제거하는 기능을 하는 혈구는 백혈구이다.

03 온몸 순환은 심장에서 나간 동맥혈이 온몸의 조직 세포에 산소와 영양소를 공급하고, 이산화 탄소와 노폐물을 받아 심장으로 돌아오는 순환 과정이다.

공략 확인 문제

진도책 130쪽

01 고정 **02** 적혈구 **03** ①

01 메탄올은 혈액 속 세포들을 살아 있는 것과 같은 상태로 고정한다.

02 실험 결과 가장 많이 관찰되는 혈구 성분은 붉은색을 띠며 가운데가 오목한 원반 모양인 적혈구이다. 즉, 혈구 중 가장 많은 것은 적혈구이다. 적혈구는 혈액 1 mm^3당 약 450만~500만 개가 있다.

03 ① 혈액이 붉게 보이는 까닭은 적혈구에 들어 있는 헤모글로빈 때문이다.
오답 분석
② 백혈구는 핵이 있으므로, 김사액에 의해 핵이 보라색으로 염색된다.
③ 적혈구는 가운데가 오목한 원반 모양으로, 핵이 없는 세포이다.
④ 혈소판은 공기 중에 노출되면 파괴되므로 잘 관찰되지 않는다.
⑤ 혈액을 얇게 펼 때 덮개 유리를 혈액이 있는 방향으로 밀면 혈구가 깨질 수 있으므로 덮개 유리를 혈액이 있는 반대 방향으로 밀어야 혈구가 깨지는 것을 방지할 수 있다.

실력 올리기 2단계

진도책 131~132쪽

01 ④ **02** ② **03** ③ **04** ① **05** 판막
06 (가) 동맥, (나) 모세 혈관, (다) 정맥 **07** 해설 참조
08 ① **09** ④ **10** ⑤ **11** ④ **12** ⑤ **13** (가) 온몸 순환, (나) 폐순환 **14** 해설 참조

01 폐동맥에는 정맥혈, 폐정맥에는 동맥혈이 흐른다. 정맥혈은 산소가 적은 혈액, 동맥혈은 산소가 많은 혈액을 의미한다.

02 A는 우심방, B는 우심실, C는 좌심방, D는 좌심실이다. 심방은 심장으로 들어오는 혈액을 받는 곳이다.

03 C는 좌심방, D는 좌심실이다. 좌심방은 폐정맥을 흐르는 혈액이 들어오는 곳이고, 좌심실은 대동맥으로 혈액을 밀어내는 곳이다.

04 A는 동맥, C는 판막이 있는 것으로 보아 정맥이고, 그 사이를 연결해 주는 B는 모세 혈관이다. 정맥은 동맥에 비해 혈류 속도가 느리고 혈압이 낮아 혈액이 거꾸로 흐르는 것을 방지하기 위해 판막이 존재한다. 동맥은 혈압이 높고, 혈류 속도가 빨라서 동맥이 몸 표면에 있으면 다쳤을 경우 혈액이 바로 흘러 나와 과도한 출혈의 위험성이 있기 때문에 몸 깊은 곳에 존재한다.

더 알아보기

혈관의 특성 비교
- 혈압의 세기: 동맥 > 모세 혈관 > 정맥
- 혈관의 총단면적: 모세 혈관 > 정맥 > 동맥
- 혈류 속도: 동맥 > 정맥 > 모세 혈관
- 혈관 벽의 두께: 동맥 > 정맥 > 모세 혈관

05 가슴에 귀를 대어보면 쿵쾅거리는 소리를 들을 수 있는데, 이 소리는 심장에서 혈액이 이동할 때 판막이 열리거나 닫히면서 나는 소리이다.

06 (가)는 혈압이 가장 높은 동맥, (나)는 모세 혈관, (다)는 혈압이 가장 낮은 정맥이다.

07 **모범 답안** 동맥은 높은 혈압을 견디기 위해 두꺼운 근육층으로 되어 있다.
해설 동맥은 혈관 중에서 가장 혈압이 높다. 따라서 높은 혈압을 견뎌야 하기 때문에 동맥은 두꺼운 근육층으로 되어 있다.

채점 기준	배점
모범 답안과 같이 옳게 서술한 경우	100 %
혈압이 높기 때문이라고만 서술한 경우	50 %

08 ㄱ. 적혈구는 산소를 운반한다.
ㄴ. 혈장은 이산화 탄소, 영양소, 노폐물 등을 운반한다.
오답 분석
ㄷ. 상처가 났을 때 혈액을 응고시키는 것은 혈소판이다.
ㄹ. 백혈구는 체내에 침입한 세균을 잡아먹는 역할을 한다.

09 우리 몸의 적혈구 수가 정상보다 부족하면 산소 운반이 제대로 되지 않아 빈혈이 나타나게 된다.

10 혈소판은 상처가 났을 때 혈액을 응고시키는 역할을 한다. 혈소판 수가 부족하면 혈액 응고가 잘 되지 않는다.

11 사람의 혈액 순환에서 폐순환은 폐에서 산소와 이산화 탄소를 교환하는 역할을 한다.

12 온몸을 돌고 우심방으로 들어가는 혈액이 흐르는 A는 대정맥이며, 우심실에서 폐로 나가는 혈액이 흐르는 B는 폐동맥이다. 폐를 돌고 좌심방으로 들어가는 혈액이 흐르는 C는 폐정맥이며, 좌심실에서 온몸으로 나가는 혈액이 흐르는 D는 대동맥이다. 폐정맥(C)과 대동맥(D)에는 산소가 많은 혈액이 흐르며, 대정맥(A)과 폐동맥(B)에는 산소가 적은 혈액이 흐른다.

13 (가)는 온몸에 산소와 영양소를 공급하고 이산화 탄소와 노폐물을 받아오는 온몸 순환이고, (나)는 폐에서 이산화 탄소를 버리고 산소를 받아오는 폐순환이다.

14 **모범 답안** 폐정맥을 흐르는 혈액은 산소가 많은 동맥혈이고, 대정맥을 흐르는 혈액은 산소가 적은 정맥혈이다.
해설 폐정맥은 폐를 돌고 나서 좌심방으로 들어오는 혈액이 흐르는 혈관으로 폐정맥을 흐르는 혈액은 산소가 많은 동맥혈이다. 대정맥은 온몸을 돌고 나서 우심방으로 들어오는 혈액이 흐르는 혈관으로, 대정맥을 흐르는 혈액은 산소가 적은 정맥혈이다.

채점 기준	배점
모범 답안과 같이 서술한 경우	100 %
각각 동맥혈과 정맥혈이라고만 쓴 경우	50 %

만점 도전하기 3단계

진도책 133쪽

01 ④ 02 ⑤ 03 ④ 04 ① 05 해설 참조

01 ④ ㉠은 우심실과 연결되어 있는 폐동맥으로, 정맥혈이 흐른다. ㉡은 좌심방과 연결되어 있는 폐정맥으로, 동맥혈이 흐른다.
오답 분석
① 우심방(A)과 우심실(B)에는 정맥혈이 흐른다.
② 심방과 심실 사이에는 판막이 있다.
③, ⑤ B와 D는 심실이다. 심실은 수축하여 혈액을 동맥으로 보내야 하기 때문에 혈관 벽이 두꺼워야 한다.

02 운동을 하면 조직 세포에 산소와 영양소를 더 많이 공급하고, 이산화 탄소를 빨리 제거하기 위해 맥박 수가 증가한다. 그러나 운동을 멈추면 조직 세포에서 필요로 하는 산소와 영양소의 양과 생성되는 이산화 탄소의 양이 줄어들어 맥박 수도 감소하게 된다. 맥박 수는 심장 박동 수와 같다.

03 서 있다가 걷게 되면 다리 정맥 주변의 근육이 수축하여 혈액을 심장으로 보낸다.

04 ① 혈액은 동맥에서 나와 모세 혈관을 거쳐 정맥으로 흐르므로 일정한 방향으로만 흐른다.
오답 분석
②, ③ 혈액은 혈구와 혈장이 함께 흐르며, 혈액이 흐르는 속도가 항상 일정하지는 않다.
⑤ 붕어의 꼬리지느러미는 몸의 말단부로, 주로 모세 혈관이 분포하고 있다. 모세 혈관은 적혈구가 하나씩 줄지어 지나갈 정도로 가느다란 혈관이다.

05 **모범 답안** (가)는 동맥이고, 심장에서 나오는 혈액이 흐르지 못하기 때문에 심장 쪽이 부풀어 올랐다. (나)는 정맥이며, 심장으로 들어가는 혈액이 흐르지 못하기 때문에 심장의 반대쪽이 부풀어 오른 것이다.

채점 기준	배점
(가)와 (나)의 혈관 이름을 쓰고, 부풀어 오른 부분이 서로 다른 까닭을 모두 옳게 서술한 경우	100 %
(가)와 (나)의 혈관 이름만 옳게 쓴 경우	30 %

03 호흡

개념 다지기 1단계

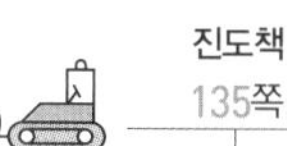

진도책 135쪽

01 호흡 02 (1) × (2) × (3) ○ (4) ○ 03 ㉠ 올라가고, ㉡ 내려가면, ㉢ 넓어져서, ㉣ 낮아진다 04 (1) 산소 (2) 이산화 탄소

01 사람은 폐로 공기를 들이마시고 내보내는 호흡이 일어난다. 호흡의 궁극적인 목적은 산소를 이용해 영양소를 분해하여 생활에 필요한 에너지를 얻는 것이다.

02 (1) 사람의 입은 호흡 기관에 속하지 않는다.
(2) 폐는 근육이 없어서 갈비뼈와 횡격막의 상하 운동에 의해 호흡 운동이 일어난다.

03 숨을 들이쉴 때(들숨 시) 갈비뼈가 올라가고 횡격막이 내려가면 흉강이 넓어져서 흉강의 압력이 낮아진다. 그 결과 바깥의 공기가 폐로 들어온다.

04 폐포와 모세 혈관 사이의 기체 교환에서 폐포 쪽으로 이동하는 기체는 이산화 탄소, 모세 혈관 쪽으로 이동하는 기체는 산소이다.

실력 올리기 2단계

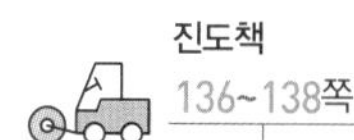

진도책 136~138쪽

01 ③ 02 ㄴ, ㄷ 03 ② 04 ② 05 ⑤
06 A → B → D → C 07 해설 참조 08 ④ 09 ⑤
10 ③ 11 ② 12 (가) 들숨, (나) 날숨 13 해설 참조
14 ① 15 ⑤ 16 (가) 이산화 탄소, (나) 산소 17 ④
18 A: 정맥혈, B: 동맥혈 19 해설 참조

01 호흡은 사람이 공기 중의 산소를 받아들이고 몸 안에서 생긴 이산화 탄소를 내보내는 작용으로, 산소를 이용해 영양소를 분해하여 생활에 필요한 에너지를 얻는 것이다.

02. ㄴ, ㄷ. 폐포는 한 층의 세포로 되어 있으며, 모세 혈관으로 둘러싸여 있다.
오답 분석
ㄱ. 기관은 코와 폐를 연결하여, 공기가 드나드는 통로이다.
ㄹ. 코는 내부가 점액질로 덮여 있어 폐로 들어가는 공기의 습도와 온도를 조절한다.

03 ② 폐는 산소와 이산화 탄소를 교환하는 곳이다. 산소를 이용해 영양소를 분해하는 곳은 조직 세포이다.
오답 분석
① 폐는 양쪽 가슴에 1개씩 있다.
③, ④, ⑤ 폐는 갈비뼈와 횡격막으로 둘러싸여 있으며, 근육이 없어 스스로 운동하지 못한다.

04 폐에는 근육이 없어 스스로 움직이지 못하며, 갈비뼈와 횡격막의 상하 운동에 의해 공기가 폐로 드나들게 된다.

05 호흡 과정에서 이산화 탄소의 양이 증가하면 이산화 탄소를 방출하기 위해 횡격막의 움직임이 빨라져 호흡이 빨라진다.

06 사람의 호흡 기관에서 숨을 들이쉴 때 공기의 이동 경로는 코(A) → 기관(B) → 기관지(D) → 폐(C) 순이다.

07 **모범 답안** 폐가 수많은 폐포로 이루어져 있어서 표면적이 매우 넓어 효율적으로 기체 교환이 이루어진다.
해설 폐는 수많은 폐포로 이루어져 있고, 폐포를 모세 혈관이 둘러싸고 있어 폐포와 모세 혈관의 접촉 면적이 넓어지게 되어 기체 교환이 효율적으로 일어나게 된다.

채점 기준	배점
모범 답안과 같이 서술한 경우	100 %
표면적이 넓어진다고만 서술한 경우	50 %

08 날숨일 때 갈비뼈는 내려가고 횡격막은 올라가며, 흉강의 부피는 작아지고 압력은 높아진다.

09 갈비뼈(A)가 올라가고 횡격막(B)이 내려가면 흉강이 넓어지면서 폐의 크기는 커지고 내부의 기압은 낮아지면서 공기가 몸 안으로 들어오는 들숨이 일어난다.

10 ㄴ, ㄷ. 갈비뼈가 내려가고 횡격막이 올라가면 흉강의 부피가 감소하고 흉강 내의 압력이 증가한다.
오답 분석
ㄱ. 날숨이 일어난다.
ㄹ. 외부의 압력보다 폐 속의 압력이 더 높아진다.

더 알아보기

공기는 상대적으로 압력이 높은 곳에서 낮은 곳으로 이동한다. 들숨과 날숨 시 공기가 이동하는 것은 흉강 내부의 압력과 외부 공기의 압력(대기압)이 차이가 나기 때문이다. 즉, 흉강 내부의 압력이 대기압보다 높아지면 폐 속의 공기가 밖으로 나가고, 흉강 내부의 압력이 대기압보다 낮아지면 외부의 공기가 폐 속으로 들어온다.

11 (나)와 같이 고무 막을 아래로 잡아당기면 페트병 속의 부피가 커져 페트병 속의 압력이 외부보다 낮아지므로 외부의 공기가 고무풍선 안으로 들어와 고무풍선이 부풀어 오른다. 반대로 (가)와 같이 고무 막을 놓으면 페트병 속의 부피가 작아져 페트병 속의 압력이 외부보다 높아지므로 고무풍선 속의 공기가 외부로 빠져나가 고무풍선이 오므라든다. 따라서 (가)는 날숨, (나)는 들숨에 해당한다.
② (가)는 페트병 속의 부피가 작아지므로 압력이 높아진다.
오답 분석
① (가)는 날숨, (나)는 들숨에 해당한다.
③ (나)는 고무풍선이 부풀어 오른다.
④ (나)는 페트병 속의 부피가 커진다.
⑤ 고무 막은 실제 호흡 기관의 횡격막에 해당한다.

12 (가)에 비해 (나)는 산소의 농도는 낮고, 이산화 탄소의 농도는 높다. 이산화 탄소의 농도가 높은 (나)는 우리가 내보내는 숨인 날숨을 의미하고, 산소의 농도가 높은 (가)는 우리가 들이마시는 보통 공기의 조성, 즉 들숨을 나타낸다.

13 **모범 답안** 들숨, 갈비뼈는 올라가고 횡격막은 내려가며, 흉강의 부피가 커지고 흉강의 압력은 낮아진다.

채점 기준	배점
들숨을 쓰고, 호흡 기관의 상태를 옳게 서술한 경우	100 %
들숨이라고만 쓴 경우	30 %

14 혈액은 폐포의 모세 혈관을 지나는 동안 폐포로부터 산소를 받고, 폐포로 이산화 탄소를 내보내어 산소가 많이 포함된 선홍색의 동맥혈이 된다.

15 (가)는 폐포와 모세 혈관 사이의 기체 교환, (나)는 모세 혈관과 조직 세포 사이의 기체 교환이다. 산소(A, B)는 폐포 → 모세 혈관 → 조직 세포 쪽으로 이동하고, 이산화 탄소(C, D)는 조직 세포 → 모세 혈관 → 폐포 쪽으로 이동한다.

16 조직 세포와 모세 혈관 사이에서 일어나는 기체 교환에서 모세 혈관에서 조직 세포 방향으로 이동하는 기체는 산소이다. 조직 세포에서 모세 혈관 방향으로 이동하는 기체는 이산화 탄소이다.

17 ㄱ, ㄴ, ㄷ. 산소 분압은 폐포 > 모세 혈관 > 조직 세포 순으로 높으며, 이산화 탄소 분압은 조직 세포 > 모세 혈관 > 폐포 순으로 높다. 따라서 산소는 폐포 → 모세 혈관 → 조직 세포 쪽으로 이동하며, 이산화 탄소는 조직 세포 → 모세 혈관 → 폐포 쪽으로 이동한다.
오답 분석
ㄹ. 폐포와 조직 세포에서 일어나는 기체 교환은 기체 분압 차에 따른 확산에 의해 일어나므로 에너지가 필요하지 않다.

18 A는 심장에서 나와 폐로 가는 혈관이므로 폐동맥과 연결되어 있는 부분으로, 산소가 적은 정맥혈이 흐른다. B는 폐에서 산소를 받아 심장으로 들어가는 폐정맥과 연결된 혈관으로, 산소가 많은 동맥혈이 흐른다.

19 **모범 답안** 산소는 폐포에서 모세 혈관으로 이동하고, 이산화 탄소는 모세 혈관에서 폐포로 이동한다.
해설 폐포 내의 산소 분압은 A보다 높고 B와 같으므로, 산소는 폐포에서 모세 혈관으로 확산된다. 반대로 폐포 내의 이산화 탄소 분압은 A보다 낮으므로 이산화 탄소는 모세 혈관에서 폐포로 확산된다.

채점 기준	배점
모범 답안과 같이 서술한 경우	100 %
두 기체 중 한 기체에 대해서만 옳게 서술한 경우	50 %

만점 도전하기 3단계

진도책 139쪽

01 ① 02 ② 03 ⑤ 04 해설 참조

01 A는 기관, B는 횡격막, C는 폐포이다.
① 기관(A)에는 섬모가 있어서 공기와 함께 들어온 이물질을 걸러낼 수 있다.
오답 분석
② 산소와 이산화 탄소의 교환은 폐포(C)에서 일어난다.
③ 횡격막(B)이 수축하면 아래로 내려가 흉강의 부피가 커져 폐로 공기가 들어온다.
④, ⑤ 폐포는 기체 교환이 일어나는 곳으로, 폐는 많은 수의 작은 폐포로 이루어져 있어서 기체 교환이 효율적으로 일어날 수 있다.

02 자료 분석

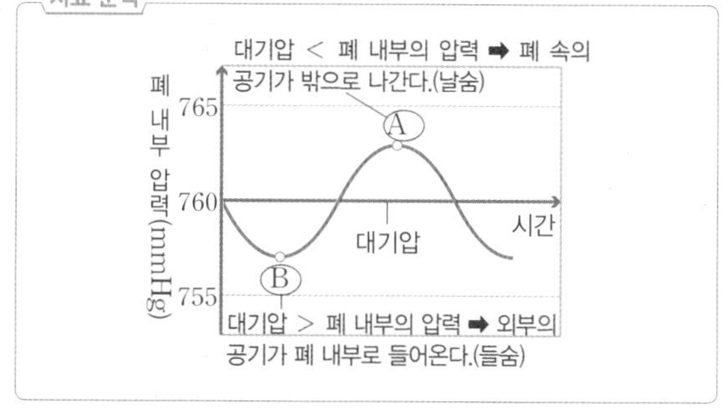

② B 시기에는 대기압이 폐 내부의 압력보다 크므로 외부의 공기가 폐 속으로 들어온다.(들숨)
오답 분석
① A 시기에는 폐 내부의 압력이 대기압보다 크므로 폐 속의 공기가 몸 밖으로 나간다.(날숨) 이때에는 횡격막이 위로 올라가고 갈비뼈가 아래로 내려와 흉강 내부의 압력이 높아진다.
③ B 시기에는 갈비뼈가 위로 올라가고 횡격막이 아래로 내려가 흉강 내부의 압력이 낮아진다.
④ 호흡 운동 모형과 실제 호흡 기관을 비교할 때 유리관은 기관, 고무풍선은 폐, 고무 막은 횡격막에 해당한다.
⑤ 들숨인 B 시기는 (나)와 같이 고무 막을 잡아 당길 때에 해당한다.

03 ㉠은 폐동맥, ㉡은 폐정맥과 연결된 혈관이며, A는 이산화 탄소, B는 산소이다.
⑤ 온몸을 돌고 온 정맥혈은 폐에서 기체 교환을 통해 산소를 받아들이고 이산화 탄소를 내보내어 동맥혈이 된다. 따라서 폐로 들어가는 혈관인 ㉠에는 정맥혈이, 폐에서 나오는 혈관인 ㉡에는 동맥혈이 흐른다.
오답 분석
① 폐포와 모세 혈관 사이의 기체 교환은 에너지를 이용하지 않는다.
② 모세 혈관에서 폐포로 확산되는 A는 이산화 탄소이고, 폐포에서 모세 혈관으로 확산되는 B는 산소이다.
③, ④ 산소의 농도는 폐정맥과 연결된 혈관인 ㉡이 ㉠보다 더 높고, 이산화 탄소의 농도는 폐동맥과 연결된 혈관인 ㉠이 ㉡보다 더 높다.

04 **모범 답안** 횡격막이 아래로 내려가면 정상인은 흉강 내부의 압력이 낮아지지만, 기흉 환자는 흉강 내부의 압력이 거의 변하지 않을 것이다.
해설 기흉은 폐에 생긴 구멍에 의해 공기가 새어 나가 흉강에 공기가 차는 질환이다. 기흉이 생기면 공기가 흉강을 채우고 있기 때문에 갈비뼈와 횡격막의 운동에 의해 흉강의 압력 변화가 거의 나타나지 않으므로 호흡 운동이 힘들어지게 된다.

채점 기준	배점
모범 답안과 같이 서술한 경우	100 %
정상인과 기흉 환자에서의 흉강 내부 압력 변화 중 1가지만 옳게 서술한 경우	50 %

04 배설

개념 다지기 1단계

진도책 141쪽

01 (1) 배설 (2) 암모니아 (3) 사구체 (4) 방광 (5) 여과
02 (1) ○ (2) ○ (3) ○ (4) ×

01 (2) 단백질은 탄소, 수소, 산소, 질소로 구성되어 있다. 단백질의 최종 산물인 아미노산이 세포에서 호흡에 의해 분해된 후 생성된 노폐물에는 암모니아가 포함된다. 암모니아는 간에서 독성이 적은 요소로 전환된다.

02 (4) 호흡계에 속하는 기관 중 폐에는 근육이 없다. 근육이 없어 스스로 운동하지 못하고, 갈비뼈와 횡격막의 상하 운동으로 흉강의 부피와 압력이 변하면서 기체가 교환된다.

실력 올리기 2단계

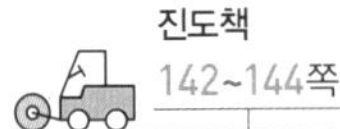

진도책 142~144쪽

01 ④	02 ①	03 ④	04 ②	05 ③	06 ③	07 ③
08 ②	09 ①	10 ②, ④		11 ③	12 ②	13 ②
14 해설 참조		15 ①	16 ③	17 ④	18 해설 참조	

01 배설은 세포에서 생긴 노폐물을 몸 밖으로 내보내는 과정이다.

02 3대 영양소는 탄소, 수소, 산소를 공통으로 가지고 있으므로 호흡에 이용되면 물과 이산화 탄소가 공통으로 생성된다. 단백질은 질소(N)를 가지고 있어 물과 이산화 탄소 외에 암모니아를 생성하며, 독성이 강한 암모니아는 간에서 독성이 약한 요소로 바뀐다.

03 생물의 체내에서 단백질이 분해되면 암모니아가 생성된다. 암모니아는 독성이 강한 물질이므로 간에서 독성이 약한 요소로 전환된다. 따라서 ㉠은 암모니아, ㉡은 요소, ㉢은 간이다.

04 ② B는 콩팥 깔때기로, 콩팥 겉질과 콩팥 속질에서 만들어진 오줌이 잠시 모이는 곳이다. 세뇨관은 주로 콩팥 속질에 분포해 있다.

오답 분석

① A는 콩팥 겉질로, 주로 사구체와 보먼주머니가 분포해 있다.

③ C는 오줌관으로, 콩팥에서 만들어진 오줌이 방광으로 이동하는 통로이다.

④ 방광(D)에 오줌이 일정량 이상 차면 요도(E)를 통해 오줌이 몸 밖으로 배설된다.

⑤ 혈액 속 요소는 콩팥에서 걸러져 오줌과 함께 배설되므로 콩팥 정맥의 혈액에는 콩팥 동맥의 혈액보다 요소의 농도가 낮다.

05 암모니아가 요소로 전환되는 곳은 콩팥이 아닌 간이다.

06 모세 혈관과 A 사이에서는 재흡수와 분비가 일어나므로 A는 세뇨관이다.

07 사구체에서 보먼주머니로 오줌이 여과되는 원리는 혈압 차에 의한 것이다.

08 A는 보먼주머니와 연결되어 있는 세뇨관이며, B는 모세 혈관이다. A에서 B 방향으로 물질이 이동하는 것은 재흡수 과정이다. 물, 포도당, 무기염류, 아미노산은 모두 재흡수가 되는 물질이다. 하지만 단백질은 여과 자체가 되지 않기 때문에 세뇨관(A)에서 모세 혈관(B)으로 재흡수되지 않는다.

09 B에서 A 방향으로 물질이 이동하는 것은 모세 혈관 속 노폐물을 세뇨관으로 분비하는 것이다. 미처 여과되지 못한 우리 몸에 필요 없는 요소 등의 노폐물을 분비한다. 암모니아는 이미 간에서 요소로 전환되기 때문에 B에 암모니아는 없다.

10 물질 A는 콩팥 동맥에는 있지만 세뇨관에는 없으므로 사구체에서 보먼주머니로 여과되지 않는 혈구나 단백질 등이 해당한다. 물질 B는 세뇨관에는 있지만 방광에는 없으므로 여과되지만 세뇨관에서 모두 재흡수되는 포도당이나 아미노산 등이 해당한다.

11 포도당과 아미노산은 세뇨관을 지나는 동안 모두 모세 혈관으로 재흡수되므로 건강한 사람의 오줌에는 들어 있지 않다.

12 짠 음식을 많이 먹으면 목이 마르다. 목이 마르다는 것은 우리 몸에 물이 부족하다는 것을 의미하므로 콩팥에서 물의 재흡수가 일어난다.

13 A는 사구체, B는 보먼주머니, C는 세뇨관, D는 모세 혈관, E는 세뇨관과 연결된 집합관이다.

② 사구체는 들어가는 혈관은 넓은데 나가는 혈관은 좁으므로 다른 모세 혈관에 비해 혈압이 높다.

오답 분석

① 콩팥 동맥에는 요소 등 노폐물이 많이 포함된 혈액이 흐르고, 콩팥 정맥에는 콩팥에서 노폐물이 걸러진 깨끗한 혈액이 흐른다.

③ 사구체(A)에서 보먼주머니(B)로 여과되는 물질 중에 단백질은 포함되지 않는다.

④ 물질이 모세 혈관(D)에서 세뇨관(C)으로 이동하는 것을 분비라고 하는데, 분비되는 물질은 요소 등의 노폐물이 있고, 포도당은 분비되지 않는다.

⑤ 혈액 내 염분 농도가 낮다는 것은 혈액 속에 물이 많이 들어 있다는 것을 의미하는데, 이때는 물의 재흡수를 억제해야 한다.

14 **모범 답안** 물의 섭취량이 증가하고, 오줌의 배설량이 줄어들어 몸에서 물이 빠져나가는 것을 줄인다.

채점 기준	배점
물의 섭취량과 오줌의 배설량 변화를 모두 옳게 서술한 경우	100 %
물의 섭취량 또는 오줌의 배설량 중 1가지만 옳게 서술한 경우	50 %

15 소화, 순환, 호흡, 배설 과정은 모두 조직 세포가 생활하는 데 필요한 에너지를 얻는 과정으로 연결되어 있다.

16 A는 음식물 속의 영양소를 작게 분해하여 체내로 흡수하고, 남은 음식물 찌꺼기를 대장을 통해 내보내는 작용을 하는 소화계이다. B는 기체의 농도 차이에 따른 확산에 의해 폐포와 모세 혈관 사이에서 산소와 이산화 탄소를 교환하는 호흡계이다. C는 세포 호흡 결과 발생한 노폐물을 혈액으로부터 걸러내 오줌을 만들어 몸 밖으로 내보내는 배설계이다.

17 자료 분석

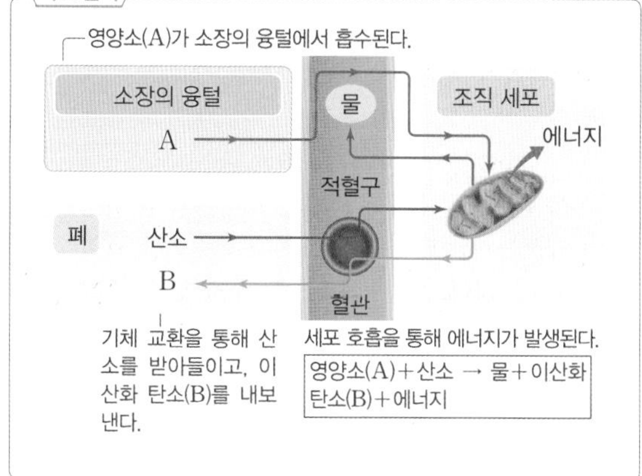

ㄱ. A는 소장의 융털에서 흡수되어 혈액을 통해 조직 세포로 운반되는 영양소이다.
ㄷ. 조직 세포에서는 영양소와 산소를 이용하여 에너지를 발생시키는 세포 호흡이 일어나며, 이 에너지는 생물이 살아가는 데 필요한 생활 에너지로 이용된다.
오답 분석
ㄴ. 조직 세포에서 세포 호흡 결과 만들어진 이산화 탄소(B)는 혈액을 통해 폐로 운반되어 날숨을 통해 몸 밖으로 나간다.

18 **모범 답안** 근육 세포는 수축에 필요한 에너지를 얻기 위해 영양소와 산소를 지속적으로 공급받고 노폐물을 지속적으로 내보내야 한다. 소화 기관에서는 영양소를 흡수하고, 호흡 기관에서는 기체 교환을 하며, 순환 기관을 통해 물질을 운반하고, 배설 기관을 통해 노폐물을 배설하는 활동이 동시에 일어난다.

채점 기준	배점
모범 답안과 같이 서술한 경우	100 %
서로 유기적으로 연결되어 있다고만 서술한 경우	40 %

만점 도전하기 3단계

진도책 145쪽

01 ④ 02 ② 03 ① 04 ② 05 ④

01 암모니아는 단백질이 분해될 때 생성되는 노폐물이다. 달걀흰자는 단백질로 이루어져 있으므로, 달걀흰자를 먹었을 때 가장 많은 암모니아가 생성된다.

02 ② C는 콩팥 겉질로, 주로 사구체와 보먼주머니가 분포하여 여과가 일어난다.
오답 분석
① 요소는 콩팥을 지나는 동안 농축되어 오줌을 통해 배설되므로, 콩팥 동맥(A)에 비해 콩팥 정맥(B)에는 요소의 농도가 낮은 혈액이 흐르게 된다.
③ D는 콩팥 속질로, 세뇨관이 분포하여 재흡수와 분비가 일어난다. 단백질의 분해 결과 생긴 암모니아가 요소로 전환되는 곳은 간이다.
④ E는 콩팥 깔때기로, 콩팥 겉질과 속질에서 만들어진 오줌이 일시적으로 모이는 곳이다.
⑤ 땀을 많이 흘리면 체내 수분량이 부족하기 때문에 세뇨관에서 물의 재흡수가 많이 일어나 오줌으로 나가는 물의 양을 줄인다.

03 A는 사구체, B는 보먼주머니, C는 세뇨관, D는 모세 혈관, E는 집합관이다.
① 크기가 작은 물질은 사구체(A)에서 보먼주머니(B)로 여과된다.
오답 분석
② 세뇨관(C)은 주로 콩팥 속질에 분포하며, 콩팥 겉질에는 주로 사구체와 보먼주머니가 분포한다.
③ 사구체(A)+보먼주머니(B)+세뇨관(C)을 합쳐서 네프론이라고 한다.
④ 요소는 세뇨관을 지나는 동안 농축되므로 요소의 농도는 E에서 가장 높다.
⑤ 여과액에 포함된 무기염류는 물과 함께 필요한 만큼만 모세 혈관으로 재흡수되므로 E에서도 무기염류가 검출된다.

04 요소는 오줌에서의 농도가 혈장에서의 농도보다 크게 증가하므로, 콩팥에서는 혈장 속의 요소를 걸러 내어 오줌을 통해 배설함을 알 수 있다.

05 ④ 세포 호흡에서 에너지의 생성이 정상적으로 일어나기 위해서는 호흡계, 소화계, 순환계, 배설계가 모두 유기적으로 작용해야 한다.
오답 분석
① 폐에서 기체 교환을 통해 들어온 산소는 (가)와 같이 혈액을 따라 좌심방 → 좌심실 → 대동맥을 거쳐 조직 세포로 운반된다.
② 세포 호흡 결과 발생한 이산화 탄소는 (나)와 같이 혈액을 따라 폐로 이동하여 날숨을 통해 몸 밖으로 나간다.
③ 소화계에서 분해·흡수되어 체내로 들어온 영양소는 혈액을 통해 조직 세포로 운반된다.
⑤ 배설계는 노폐물을 배설하고, 체내 수분량 및 무기염류의 양을 일정하게 유지시키는 작용을 한다.

대단원 완성하기

진도책 146쪽~149쪽

01 ④ 02 ④ 03 ③ 04 ⑤ 05 D, 이자 06 ⑤
07 ① 08 ② 09 ⑤ 10 ② 11 ③ 12 ④ 13 ②
14 ② 15 ④ 16 ① 17 ② 18 ⑤ 19 ③
20 ①, ⑤ 21 해설 참조 22 해설 참조
23 해설 참조 24 해설 참조 25 해설 참조

01 동물의 구성 단계 중 기관들이 모여 하나의 통일된 기능을 담당하는 단계는 기관계이다.

02 3대 영양소에는 탄소(C), 수소(H), 산소(O)가 포함되어 있다. 단백질에는 탄소, 수소, 산소 외에 질소(N)도 포함되어 있다.

03 밥을 오래 씹으면 단맛이 나는 까닭은 침 속의 아밀레이스에 의해 녹말이 엿당으로 분해되기 때문이다. 즉, 화학적 소화가 일어나는 것이다.

04 ⑤ 염산은 펩신의 작용을 돕고, 음식물 속의 세균을 죽여서 부패를 방지한다.

오답 분석

① 염산이 위벽을 보호하는 것이 아니라 뮤신이 위벽을 보호하는 점액이다. 또한, 위산이 너무 많으면 위에 많은 문제가 생긴다.

②, ③ 염산은 단백질의 소화에는 관여하지만, 지방이나 녹말의 소화에는 관여하지 않는다.

05 3대 영양소를 모두 소화시킬 수 있는 소화 효소는 이자에서 생성된다. 이자로 음식물이 지나가지 않으며, 이자액은 소장으로 분비된다.

06 ⑤ E는 소장이다. 영양소가 모두 소화된 후 소장에서 흡수가 일어나게 된다.

오답 분석

① 소장(E)으로 이자액이 분비되기 때문에 3대 영양소의 소화가 모두 일어나게 된다.

② 단백질의 소화가 시작되는 곳은 위(C)이다.

③ 탄수화물의 소화는 입에서부터 시작된다.

④ 소장 안쪽 벽의 상피 세포에는 탄수화물 분해 효소와 단백질 분해 효소가 들어 있다.

07 쓸개즙은 소화 효소는 없지만 지방의 소화를 돕는 소화액이다. 쓸개즙은 간에서 생성, 쓸개에 저장, 십이지장으로 분비된다.

08 A는 모세 혈관, B는 암죽관이다. 암죽관으로는 지용성 영양소(지방산, 모노글리세리드, 지용성 바이타민 등), 모세 혈관으로는 수용성 영양소(포도당, 수용성 바이타민 등)가 흡수된다.

09 A는 심실과 동맥 사이의 판막으로, 혈액의 역류를 방지한다. 심실과 동맥 사이에 있는 판막은 반월판이다. 우심방과 우심실 사이의 판막은 삼첨판이고, 좌심방과 좌심실 사이의 판막은 이첨판이다.

10 A는 동맥, B는 모세 혈관, C는 정맥이다.

② 모세 혈관은 한 겹의 세포층이므로 물질 교환이 잘 일어난다.

오답 분석

① A는 동맥으로, 혈관 벽이 두껍고 탄력성이 강하다.

③ C는 정맥으로, 혈압이 가장 낮다.

④ 심실과 연결된 혈관은 동맥, 심방과 연결된 혈관은 정맥이다.

⑤ 판막은 혈액의 역류를 막아주는 것일 뿐 혈액이 흐르는 속도를 조절하지는 않는다.

11 A는 적혈구, B는 혈장, C는 백혈구, D는 혈소판이다. 충수염은 몸에 염증이 생긴 것으로, 세균이 많이 생긴 것이다. 따라서 세균을 잡아먹기 위해 백혈구 수가 많이 증가한다.

12 온몸 순환은 온몸으로 혈액을 보내는 순환 과정이다. 좌심실에서는 대동맥을 통해 온몸의 조직으로 혈액을 보낸다. 혈액은 온몸을 돌고 대정맥을 통해서 우심방으로 들어오게 된다.

13 ② 혈관을 흐르는 혈액의 방향은 동맥 → 모세 혈관 → 정맥 → 심장이며, 혈액은 역류하지 않는다.

오답 분석

① 혈관의 굵기는 혈관의 종류에 따라 다르다.

③ 혈관의 백혈구나 혈소판의 수는 문제의 자료로는 확인할 수 없다.

④ 혈관의 종류에 따라 혈액이 흐르는 속도는 다르다. 혈액이 흐르는 속도는 동맥에서 가장 빠르고 모세 혈관에서 가장 느리다.

⑤ 판막은 혈관 중 정맥에 존재한다.

14 이산화 탄소는 모세 혈관에서 폐포로 이동해서 호흡을 통해 몸 밖으로 나간다.

15 폐는 근육이 없어서 스스로 움직일 수 없으므로 호흡 운동은 갈비뼈와 횡격막의 상하 운동에 의해 일어난다.

16 고무 막을 아래로 당기면 유리병 안쪽의 기압이 낮아져서 공기가 안으로 들어온다. 이때 우리 몸은 갈비뼈가 올라가고 횡격막이 내려가며 흉강이 넓어지게 된다. 이 과정을 들숨이라고 한다.

17 폐포를 지난 혈액이 흐르는 ㉡은 폐정맥이다. 폐정맥은 좌심방과 연결되어 있고, 동맥혈이 흐른다. 폐포에서의 기체 교환은 모세 혈관과 폐포에서의 기체의 분압 차에 의한 확산으로 이루어진다.

18 단백질의 분해 산물인 암모니아는 독성이 강해 간에서 독성이 약한 요소로 전환된 후 콩팥을 통해 오줌으로 배설된다.

19 A는 사구체 아래에 보먼주머니가 받치고 있는 부분으로, 여과가 일어난다. 단백질이나 혈구처럼 크기가 큰 물질은 여과되지 않는다.

20 ①, ⑤ 소화계, 호흡계, 배설계, 순환계는 통합적으로 작용한다. 순환계는 소화계로부터 영양소, 호흡계로부터 산소를 받아 조직 세포로 공급한다.

오답 분석

② 기관계들은 순서에 상관없이 복합적으로 작용한다.

③ 호흡계로 유입된 산소는 혈액을 통해 조직 세포로 운반되어 유기물을 분해하는 데 이용된다.

④ 요소는 배설계를 통해 몸 밖으로 내보낸다.

21 모범 답안 (가)는 이에 의한 기계적 소화 작용이고, (나)는 소화 효소(아밀레이스)에 의한 화학적 소화 작용이다.
해설 (가)는 이에 의해 음식물이 작게 부서지는 작용을 나타낸 것이고, (나)는 침 속의 아밀레이스에 의해 밥에 포함된 녹말이 엿당으로 분해되는 작용을 나타낸 것이다.

채점 기준	배점
기계적 소화와 화학적 소화를 바탕으로 (가)와 (나)의 차이점을 모두 옳게 서술한 경우	100 %
(가)와 (나)가 각각 어떤 소화 작용인지에 대해서만 서술한 경우	50 %

22 모범 답안 판막, 혈액의 역류를 막는다.
해설 A는 판막으로, 심장에서 혈액이 심방에서 심실쪽으로만 이동하게 하여 혈액의 역류를 막는 역할을 한다.

채점 기준	배점
판막을 쓰고, 기능을 옳게 서술한 경우	100 %
판막만 쓴 경우	30 %

23 모범 답안 A: 이산화 탄소, B: 산소, 기체 분압 차이에 따른 확산에 의해 기체가 교환된다.
해설 산소는 폐포에서 모세 혈관으로, 모세 혈관에서 조직 세포 쪽으로 이동하며, 이산화 탄소는 조직 세포에서 모세 혈관, 모세 혈관에서 폐포 쪽으로 이동한다. 따라서 A는 이산화 탄소, B는 산소이다.

채점 기준	배점
모범 답안과 같이 서술한 경우	100 %
기체 A, B의 종류만 옳게 쓴 경우	50 %

24 모범 답안 오줌양은 증가한다. 그 까닭은 세뇨관에서 모세 혈관으로 물이 재흡수되지 않기 때문이다.
해설 A는 세뇨관에서 모세 혈관으로 물질이 이동하는 재흡수 과정을 나타낸 것이다.

채점 기준	배점
모범 답안과 같이 서술한 경우	100 %
오줌양의 변화만 옳게 쓴 경우	50 %

25 모범 답안 A에서 소화·흡수된 영양소와 C에서 흡수된 산소는 B를 통해 조직 세포로 운반되고 세포 호흡에 이용되어 에너지가 생성된다. 세포 호흡 과정에서 만들어진 노폐물은 D를 통해 몸 밖으로 나간다.

채점 기준	배점
모범 답안과 같이 서술한 경우	100 %
기관계 중 일부만 포함하여 옳게 서술한 경우	50 %

VI 물질의 특성

01 물질의 특성(1)

개념 다지기 1단계

진도책 153쪽, 155쪽

01 (1) 금, 물, 산소, 다이아몬드, 염화 나트륨 (2) 간장, 공기, 암석, 우유, 소금물 02 ㄴ, ㄹ, ㅅ, ㅇ 03 (1) ○ (2) × (3) × 04 (1) ㉡ (2) ㉠

05 (1) ○ (2) × (3) × 06 ㉠ 낮아, ㉡ 높아 07 (1) ㉠ (2) ㉡ 08 A: 액체, B: 기체, C: 고체

01 순물질은 1가지의 물질로만 이루어져 있고, 혼합물은 2가지 이상의 물질이 섞여 있다. 예를 들어 공기는 질소, 산소 등의 기체들이 섞여 있다.

02 물질의 특성은 다른 물질과 구별되는 그 물질만의 고유한 성질로서, 양에 관계없이 일정하다.

03 (1) 같은 물질은 녹는 온도와 어는 온도가 같다. 예를 들어 얼음은 0 ℃에서 녹고, 물은 0 ℃에서 언다.
(2) 물질의 양이 많아지면 완전히 녹는 데 걸리는 시간이 길어질 뿐 녹는점은 일정하다.
(3) 고체가 액체로 변할 때 일정하게 유지되는 온도는 녹는점이다.

04 퓨즈는 많은 전류가 전기 기구에 흘러 열이 발생하면 쉽게 녹아 전류를 차단하는 역할을 하므로 녹는점이 낮은 물질로 만든다. 조리 기구는 고온에서 음식을 조리할 때 사용하므로 녹는점이 높은 물질로 만든다.

05 (1) 끓는점은 물질의 특성이므로 물질의 종류에 따라 끓는점이 다르다.
(2) 끓는점은 물질의 양에 관계없이 일정하다.
(3) 가열하는 불꽃의 세기가 강할수록 끓는점에 도달하는 시간은 단축되지만 끓는점은 변하지 않는다.

06 외부 압력이 높아지면 끓는점이 높아지고, 외부 압력이 낮아지면 끓는점이 낮아진다.

07 윤활유는 성분은 끓는점이 높아서 고온의 기계 속에서도 액체 상태로 존재할 수 있다. 액체 질소는 끓는점이 낮아서 시료를 냉동 보관하는 데 사용한다.

08 A는 끓는점이 실온보다 높고, 녹는점이 실온보다 낮으므로 액체이다. B는 끓는점과 녹는점이 모두 실온보다 낮으므로 기체이다. C는 끓는점과 녹는점이 모두 실온보다 높으므로 고체이다.

공략 확인 문제

진도책 156쪽

01 ③ 02 B와 C

01 같은 물질인 경우에 물질의 양을 늘려도 녹는점은 변하지 않는다.

02 같은 종류의 물질은 녹는점이 같다.

실력 올리기 2단계

진도책 157~160쪽

01 ⑤ 02 ① 03 ② 04 ⑤ 05 ④ 06 ③ 07 ①
08 ⑤ 09 해설 참조 10 ③ 11 ② 12 ③ 13 ④
14 ③ 15 ② 16 ③ 17 ⑤ 18 ⑤ 19 ③ 20 ①
21 ③ 22 ③ 23 ①

01 혼합물은 각 성분 물질의 성질을 그대로 지니고 있다.

02 물은 수소와 산소가 결합하여 만들어진 화합물로, 순물질이다. 수소는 원소이므로 순물질이다. 암석은 여러 성분이 고르지 않게 섞여 있는 불균일 혼합물이다. 설탕물은 설탕과 물이 고르게 섞여 있는 균일 혼합물이다.

03 (가)는 1가지 원소로만 이루어진 원소이다. (나)는 2종류의 물질이 고르게 섞여 있는 균일 혼합물이다. (다)는 2종류의 원소가 결합하여 만들어진 화합물이다.

04 물질의 특성은 물질의 양과 관계없이 일정하므로 무게, 모양, 질량, 부피는 물질의 특성이 아니다. 색, 맛, 냄새, 결정 모양 등의 겉보기 성질과 끓는점, 녹는점 등이 물질의 특성에 해당한다.

05 물질의 종류에 따라 물질의 특성이 다르므로 물질의 특성으로 물질을 구별한다.

오답 분석
① 물질의 특성에는 맛, 색, 냄새, 끓는점, 녹는점 등이 있다.
② 물질의 특성은 물질의 양에 관계없이 일정하다.
③ 물질의 특성 중 하나인 끓는점은 압력에 따라 변하므로 물질의 특성은 측정 장소에 따라 달라진다.
⑤ 겉보기 성질도 물질의 특성이다.

06 자료 분석

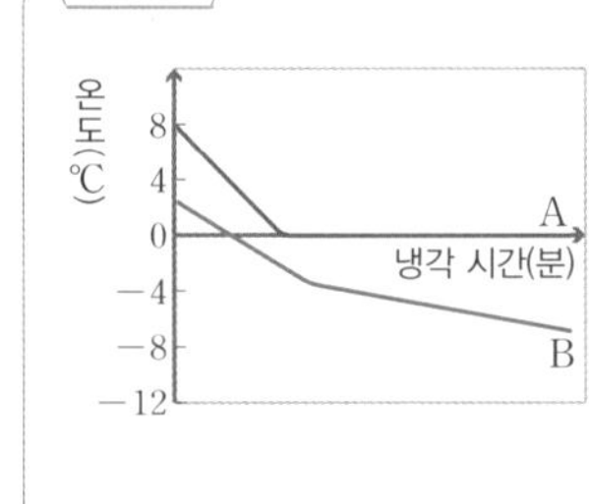

• A는 녹는점이 0 ℃로 일정하므로 순물질인 물의 냉각 곡선이다.
• B는 녹기 시작하는 온도가 0 ℃보다 낮고 녹는 동안에 온도가 계속 낮아지므로 혼합물인 소금물의 냉각 곡선이다.

오답 분석
ㄴ. 어는점은 물질의 양에 관계없이 일정하다.

07 자료 분석

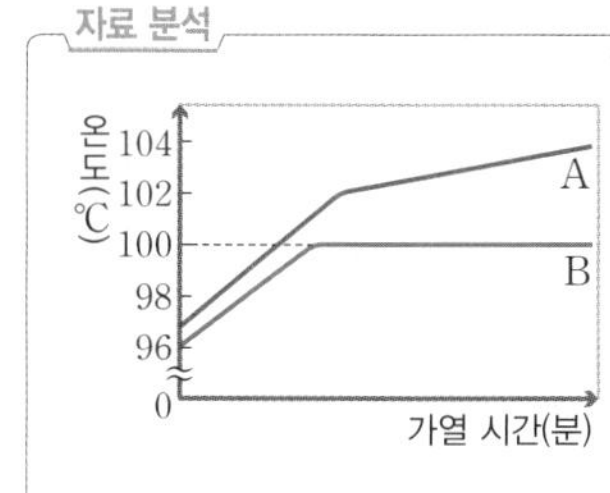

- A는 100 ℃보다 높은 온도에서 끓기 시작하며 끓는 동안 온도가 계속 높아지므로 소금물의 가열 곡선이다.
- B는 100 ℃에서 끓으며 끓는 동안 온도가 일정하므로 물의 가열 곡선이다.

끓는점은 물질의 양에 관계없이 일정하다.

08 혼합물은 순물질보다 끓기 시작하는 온도가 높고, 끓는 동안 온도가 계속 올라가므로 끓는점이 일정하지 않다. 라면 스프를 넣고 물을 끓이면 순수한 물보다 끓는점이 높아지므로 면이 더 빨리 익는다.

오답 분석

① 혼합물의 어는점이 순물질의 어는점보다 낮은 현상이다.
② 압력이 낮을수록 끓는점이 낮아지는 현상이다.
③ 온도가 높아질수록 기체의 부피가 커지는 현상이다.
④ 기체에 작용하는 외부 압력이 작아질수록 기체의 부피가 커지는 현상이다.

09 **모범 답안** 물의 어는점이 낮아지기 때문이다.

해설 물은 0 ℃에서 얼지만 물에 염화 칼슘을 섞으면 0 ℃보다 낮은 온도에서 언다. 따라서 염화 칼슘을 눈 위에 뿌리면 녹은 눈이 잘 얼지 않는다.

채점 기준	배점
어는점과 관련지어 옳게 서술한 경우	100 %
어는점에 대한 언급 없이 '눈이 잘 얼지 않는다'는 의미로 서술한 경우	50 %

10 물질의 양과 관계없이 녹는점과 어는점은 일정하다.

11 가설 (가)를 검증하기 위해서는 물질의 종류는 다르고 질량이 같은 A와 C 또는 B와 D를 비교해야 한다. 가설 (나)를 검증하기 위해서는 물질의 질량은 다르고 종류가 같은 A와 B 또는 C와 D를 비교해야 한다.

12 25 ℃일 때 고체인 물질은 녹는점이 25 ℃보다 높은 물질이므로 납만 해당된다.

오답 분석

① 같은 물질인 경우 녹는점과 어는점은 같다.
② 납의 녹는점은 물의 녹는점보다 높으므로 0 ℃에서 납은 고체이다.
④ 물질의 양과 관계없이 녹는점은 일정하다.
⑤ 녹는점에서 고체와 액체가 공존한다.

13 가열 곡선의 (가)에서 녹는점이 일정하고, 냉각 곡선의 (나)에서 어는점이 일정하므로 이 물질은 순물질이다.
④ 같은 물질인 경우 물질의 양에 관계없이 녹는점과 어는점은 일정하다×.

14 ㄱ. 녹는점이 일정하므로 X는 순물질이다.
ㄴ. 가열 곡선에서 고체가 녹는 동안 일정한 온도 t ℃는 X의 녹는점이다.

오답 분석

ㄷ. (가)에서는 고체와 액체가 공존한다.

15 땜납은 납과 주석의 혼합물로 두 물질의 녹는점보다 낮아 전기 회로의 납땜에 이용한다. 퓨즈는 전기 기구에 많은 전류가 흘러 열이 발생하면 쉽게 녹아 끊어져서 전류를 차단하므로 화재를 방지한다. 프라이팬과 필라멘트는 높은 온도를 견딜 수 있도록 녹는점이 높은 물질을 사용한다.

16 자료 분석

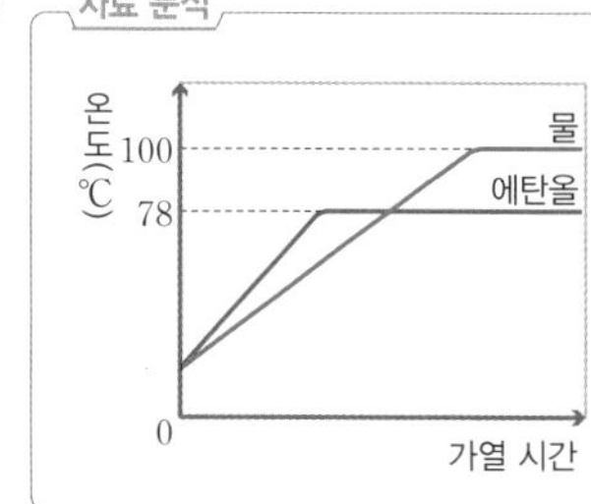

- 물의 끓는점은 100 ℃로 일정하고, 에탄올의 끓는점은 78 ℃로 일정하다.
→ 끓는점이 일정하므로 물과 에탄올은 순물질이다.
→ 물질의 종류에 따라 끓는점이 다르다.

ㄱ. 물과 에탄올의 끓는점이 일정하므로 물과 에탄올은 모두 순물질이다.
ㄷ. 끓는점은 물질의 특성이므로 끓는점을 비교하면 물질을 구별할 수 있다.

오답 분석

ㄴ. 끓는점은 물질의 양에 관계없이 일정하다.

17 끓는점은 에탄올의 양에 관계없이 일정하다. 그러나 에탄올의 양이 많을수록 끓는점에 도달하는 시간이 길어진다.

18 물질을 구성하는 입자 사이의 인력이 크면 입자 사이의 인력을 극복하고 기화하는 데 더 많은 열에너지를 흡수해야 하므로 끓는점이 높아진다.

19 자료 분석

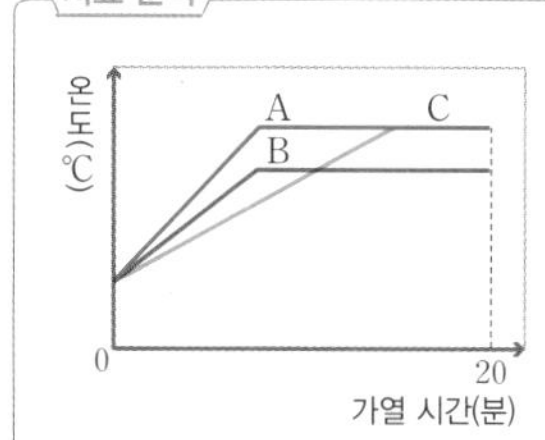

- 같은 물질이면 끓는점이 같다.
- 같은 물질인 경우 양이 많을수록 끓는점까지 도달하는 데 걸리는 시간이 길어진다.

ㄱ. A보다 C가 끓는점에 늦게 도달하므로 A보다 C의 양이 많다.
ㄴ. B보다 C의 끓는점이 높다.

오답 분석

ㄷ. A와 B의 끓는점이 다르므로 A와 B는 다른 물질이다.

20 뜨거운 물이 들어 있는 플라스크에 찬물을 부으면 플라스크 안의 공기가 냉각되면서 압력이 낮아진다. 플라스크 내부의 압력이 낮아지면 물이 기화하는 데 필요한 에너지가 작아지므로 끓는점이 내려간다.

21 ㄱ. 압력을 높이면 끓는점이 높아진다.
ㄷ. 불꽃의 세기가 강해지면 기화하는 데 걸리는 시간이 짧아진다.

오답 분석

ㄴ. 물의 양이 많아지면 끓는점에 도달하는 데 걸리는 시간이 길어지므로 AB 구간의 기울기가 작아진다.

22 감압 용기에서 공기를 빼면 뜨거운 물 주변의 압력이 낮아지므로 물의 끓는점이 낮아져서 100 ℃보다 낮은 온도에서 물이 끓는다. ③ 높은 산은 기압이 낮으므로 물의 끓는점이 낮아 쌀이 잘 익지 않는다.

오답 분석
① 증발과 관련된 현상이다.
② 땜납은 녹는점이 낮은 물질을 이용한 예이다.
④ 샤를 법칙과 관련된 현상이다.
⑤ 보일 법칙과 관련된 현상이다.

23 20 ℃에서 기체로 존재하는 물질은 녹는점과 끓는점이 모두 20 ℃보다 낮다.

만점 도전하기 3단계

진도책 161쪽

01 ② **02** ④ **03** ③ **04** ③

01 수소는 원소, 염화 나트륨은 화합물, 소금물은 균일 혼합물, 암석은 불균일 혼합물이다. 원소와 화합물은 순물질이므로 녹는점과 끓는점이 일정하다. 소금물은 성분 물질이 고르게 섞여 있다.

02 이 문제에 적용되는 개념

고체 혼합물의 가열 곡선

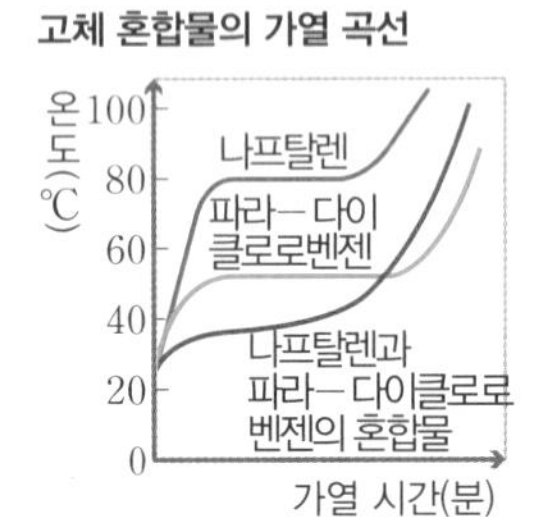

나프탈렌과 파라-다이클로로벤젠의 혼합물을 가열하면 각 순물질의 녹는점보다 낮은 온도에서 녹기 시작하고 녹는 동안 온도가 일정하지 않다.

고체 혼합물의 녹는점은 혼합물을 이루는 각 성분 물질의 녹는점보다 낮다.

오답 분석
① 압력이 낮으면 끓는점이 낮아지는 것과 관련된 현상이다.
② 압력이 높으면 끓는점이 높아지는 것과 관련된 현상이다.
③, ⑤ 혼합물은 순물질보다 끓는점이 높은 것과 관련된 현상이다.

03 녹는점은 고체 물질의 양에 관계없이 일정하다.

04 이 문제에 적용되는 개념

녹는점, 끓는점과 물질의 상태

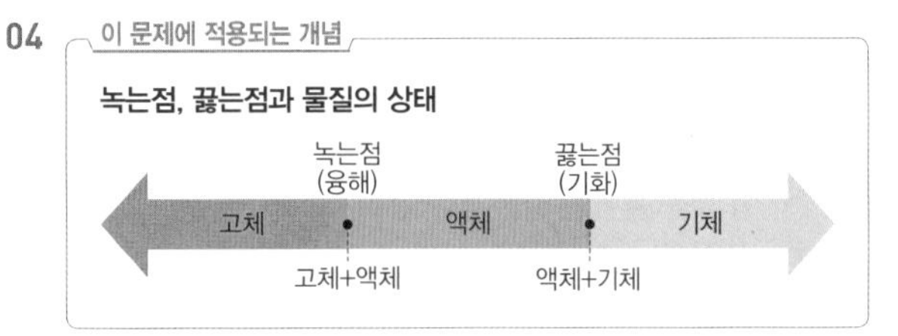

오답 분석
ㄷ. C의 녹는점은 A의 끓는점보다 높으므로 C가 액체인 온도에서 A는 기체로 존재한다.

02 물질의 특성(2)

개념 다지기 1단계

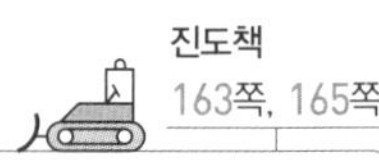

진도책 163쪽, 165쪽

01 (1) ○ (2) × (3) ○ **02** (1) ○ (2) × (3) ×
03 ㄱ, ㅁ, ㅂ **04** C
05 (1) 설탕 (2) 물 (3) 설탕물 **06** 20 % **07** B
08 (1) × (2) ○ (3) ○

01 (2) 부피는 눈금실린더 등을 이용하여 측정한다.

02 (2) 밀도는 질량을 부피로 나눈 값이다.
(3) 같은 물질이라도 물질의 상태에 따라 밀도가 다르다. 기체는 고체나 액체보다 분자 사이의 거리가 멀기 때문에 부피가 크므로 밀도가 작다.

03 밀도를 구하기 위해서 질량과 부피를 측정해야 한다. 질량을 측정하기 위해서 전자저울이 필요하고, 부피를 측정하기 위해서 눈금실린더와 물이 필요하다.

04 밀도가 큰 물질은 아래에 가라앉고, 밀도가 작은 물질은 위에 뜬다.

05 용질은 녹는 물질, 용매는 녹이는 물질이며 대부분 액체이다. 용액은 용매와 용질이 고르게 섞여 있는 물질이다.

06 퍼센트 농도(%)$=\dfrac{\text{용질의 질량(g)}}{\text{용액의 질량(g)}}\times 100$
$=\dfrac{25\text{ g}}{125\text{ g}}\times 100=20\ \%$

07 용해도 곡선상의 점은 포화 용액이다.

08 (1) 물질은 같은 용매와 온도에서 고유한 용해도를 가지므로 용해도는 물질의 특성이다.
(2) 불포화 용액은 포화 용액이 될 때까지 용질을 더 녹일 수 있다.
(3) 기체의 용해도는 온도와 압력의 영향을 받는다.

공략 확인 문제

진도책 166쪽

01 40 g **02** 120 g

01 90 ℃에서 물 50 g에 질산 나트륨이 80 g 녹아 있다.
10 ℃에서 물 100 g : 질산 나트륨 80 g=물 50 g : 질산 나트륨 40 g이므로 10 ℃에서 물 50 g에 질산 나트륨이 40 g 녹을 수 있다. 90 ℃ → 10 ℃ 냉각 시 석출량=80 g−40 g=40 g

02 80 ℃에서 물 100 g+용질 180 g=수용액 280 g
40 ℃에서 물 100 g에 최대로 녹을 수 있는 용질의 질량은 60 g이므로 석출량=180 g−60 g=120 g

실력 올리기 2단계

진도책 167~170쪽

01 ① 02 ⑤ 03 ⑤ 04 ⑤ 05 ② 06 ③ 07 ③
08 ② 09 ② 10 ③ 11 해설 참조 12 ② 13 ④
14 ③ 15 ⑤ 16 ⑤ 17 ③ 18 ③ 19 ④ 20 ③
21 ② 22 해설 참조

01 질량은 물질의 특성이 아니다.

02 질량이 일정할 때 밀도와 부피는 반비례한다.

오답 분석

① 밀도는 단위 부피에 대한 물질의 질량이다.
② 물보다 밀도가 작은 물질은 물 위에 뜬다.
③ 기체의 밀도는 온도와 압력에 따라 변한다.
④ 같은 물질인 경우 기체 상태일 때 밀도가 가장 작다.

03 자료 분석

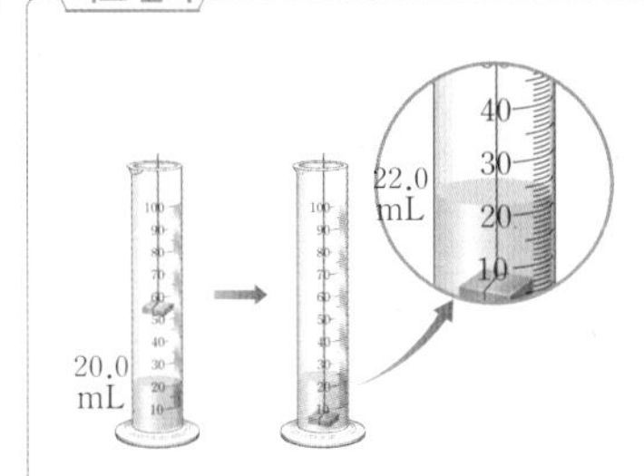

금속을 넣기 전 물의 부피가 20 mL인데 금속을 넣은 후 물의 부피가 22 mL로 늘어났다. 따라서 금속의 부피는 2 mL이다.

밀도$=\frac{질량}{부피}=\frac{16\text{ g}}{2\text{ mL}}=8\text{ g/mL}$

04 밀도가 큰 물질은 아래로 가라앉고, 밀도가 작은 물질은 위로 뜬다.

05 밀도$=\frac{질량}{부피}=\frac{12}{6}=2\text{ g/cm}^3$이므로 고체 X의 밀도는 2 g/cm^3이다.
밀도의 크기를 비교하면 D>X>A>B>C이므로 고체 X는 A와 D 사이에 위치한다.

06 ㄱ. 고체는 입자 사이의 간격이 좁기 때문에 단위 부피당 질량이 크다.
ㄷ. 같은 물질일 때 기체의 밀도가 가장 작다.

오답 분석

ㄴ. 같은 부피일 때 질량이 가장 큰 것은 고체이다.

07 자료 분석

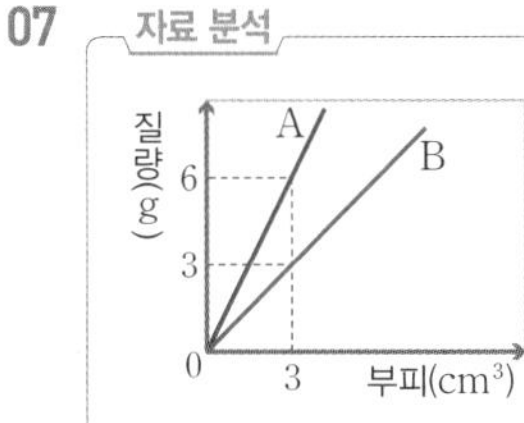

• 부피－질량 그래프에서 기울기는 밀도를 의미한다.
• A가 B보다 기울기가 크므로 A가 B보다 밀도가 크다.

ㄱ. 부피－질량 그래프에서 기울기는 밀도를 의미하며, A와 B의 기울기가 다르므로 둘은 서로 다른 물질이다.
ㄴ. A의 밀도는 2 g/cm^3, B의 밀도는 1 g/cm^3이다.

오답 분석

ㄷ. 질량이 같을 때 A의 부피는 B의 $\frac{1}{2}$배이다.

08 ㄴ. 소금물의 농도가 높을수록 달걀이 떠오른다.

오답 분석

ㄱ. 달걀이 물보다 밀도가 크므로 달걀이 물에 가라앉는다.
ㄷ. 이 실험에서 달걀의 밀도는 변하지 않는다.

09 ②는 압력이 낮으면 끓는점이 낮아지는 현상과 관련된 예이다. 나머지는 모두 밀도와 관련된 예이다.

10 뜨거운 물은 찬물보다 분자 사이의 거리가 멀어서 밀도가 작다. 따라서 (나)에서는 뜨거운 물은 위로, 찬물은 아래로 내려오면서 대류 현상이 일어난다.

11 **모범 답안** 기름은 물보다 밀도가 작으므로 물 위에 뜬다.
해설 기름은 물 위에 뜨기 때문에 물보다 밀도가 작은 스타이로폼을 이용하여 기름이 퍼지는 것을 방지한다.

채점 기준	배점
밀도와 관련지어 옳게 서술한 경우	100 %
밀도에 대한 언급 없이 '기름이 물 위에 뜬다'는 의미로 서술한 경우	50 %

12 설탕물의 농도는 $\frac{20}{120}\times100=16.67$ %이다.

오답 분석

① 대부분 고체는 용질, 액체는 용매이다.
③ 용해하는 동안 설탕 분자 사이에 물 분자가 끼어들면서 전체 부피가 작아진다.
④ 설탕물은 균일 혼합물이므로 모든 부분의 농도가 균일하다.
⑤ 용해하는 동안 분자가 없어지거나 새로 생기지 않는다.

13 소금의 양을 x라고 할 때 퍼센트 농도 구하는 공식에 대입하면, 농도$=\frac{용질의\ 질량}{용액의\ 질량}\times100$ ➡ $20\ \%=\frac{x}{200}\times100$
$\therefore x=40\text{ g}$

14 용해도는 물질의 특성이다.

오답 분석

① 포화 용액은 순물질이 아니므로 퍼센트 농도는 100 % 보다 작다.
② 기체는 압력이 높을수록 용매에 잘 녹는다.
④ 불포화 용액의 온도를 낮추면 포화 용액이 된다.
⑤ 대부분의 고체는 온도가 높을수록 용해도가 높다.

15 자료 분석

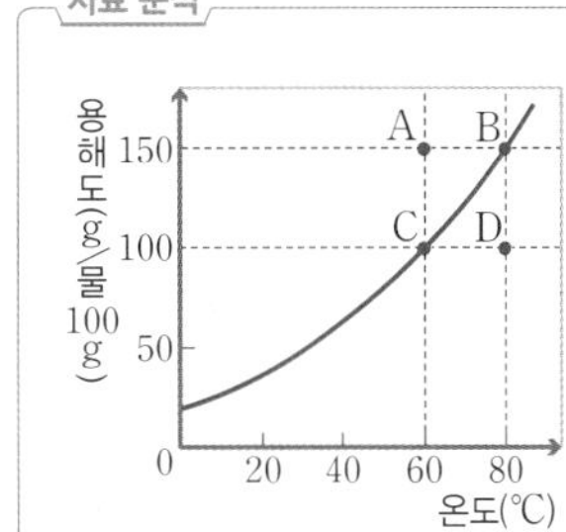

• 용해도 곡선에 있는 B와 C는 포화 용액이며, A는 과포화 용액, D는 불포화 용액이다.
• 용매 100 g당 녹은 용질의 질량이 같으면 퍼센트 농도가 같다.

용매 100 g당 녹은 용질의 질량이 같으면 퍼센트 농도가 같다. 따라서 A와 B 또는 C와 D의 퍼센트 농도는 같다.

16 80 ℃의 X 포화 수용액 220 g에는 물 100 g과 용질 120 g이 섞여 있다. 이 용액의 온도를 30 ℃로 낮추면 120－40＝80 g의 용질이 석출된다.

17 염화 나트륨은 온도에 따라 용해도의 차이가 거의 없다.
오답 분석
⑤ 40 ℃의 물 100 g에 고체 50 g을 녹였을 때 불포화 상태인 용액은 질산 나트륨 수용액과 질산 칼륨 수용액이다.

18 자료 분석

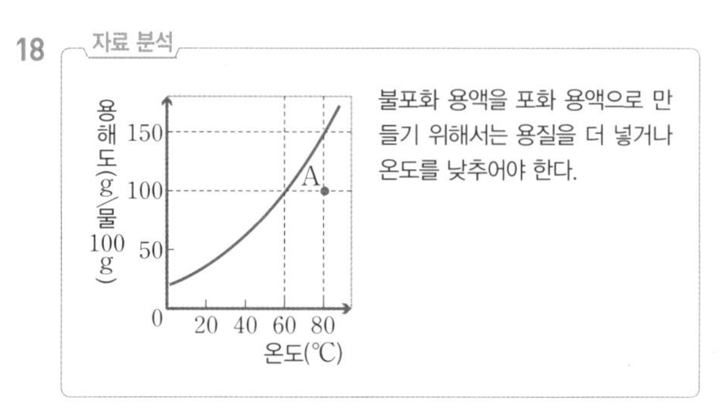

오답 분석
① 물을 더 넣어도 불포화 상태이다.
② 물 25 g을 증발시켜도 불포화 상태이다.
④ 온도를 높여도 불포화 상태이다.
⑤ 고체 25 g을 더 넣어도 불포화 상태이다.

19 ㄴ. 포화 상태부터 결정이 석출된다.
ㄷ. 온도가 높아질수록 질산 칼륨이 더 많이 녹는다.
오답 분석
ㄱ. 20 ℃에서 물 10 g에 질산 칼륨 3 g이 최대로 녹았으므로 물 100 g에 최대로 녹을 수 있는 질산 칼륨의 질량은 30 g이다.

20 65 ℃ 물 10 g에 질산 칼륨이 최대 12 g까지 녹으므로 물 100 g에는 최대 120 g까지 녹을 수 있고, 이때 질산 칼륨 수용액의 질량은 220 g이다. 이 용액을 20 ℃로 냉각하면 20 ℃ 물 100 g에는 최대 30 g까지 녹을 수 있으므로 120－30＝90 g이 석출된다.

21 온도가 높을수록 기포가 많이 발생하므로 기체의 용해도가 감소한다.

22 **모범 답안** 온도가 높을수록 기체의 용해도가 작아지기 때문이다.
해설 온도가 높을수록 물속에 녹아 있는 산소의 양이 줄어들기 때문에 물고기들이 호흡하기 어렵다.

채점 기준	배점
기체의 용해도와 관련지어 옳게 서술한 경우	100 %
기체의 용해도에 대한 언급 없이 '온도가 높을수록 물속의 산소가 줄어든다'는 의미로 서술한 경우	50 %

만점 도전하기 3단계

진도책 171쪽

01 ② 02 ② 03 ⑤ 04 ④

01 이 문제에 적용되는 개념

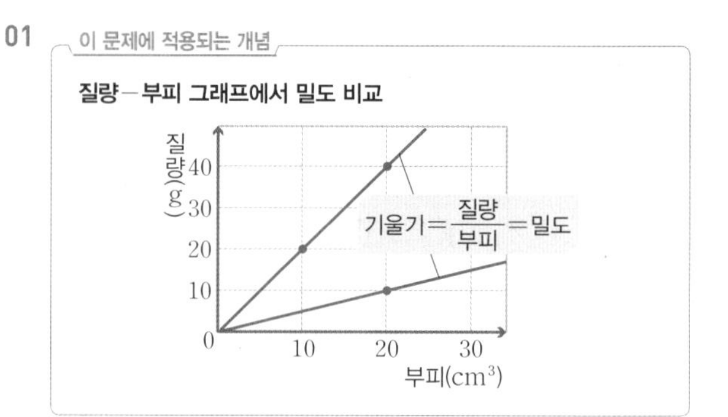

B와 C는 밀도가 같으므로 같은 물질이다.
오답 분석
① A가 B보다 밀도가 크다.
③ B보다 D의 밀도가 더 작다.
④ D의 밀도는 0.75이므로 물 위에 뜬다.
⑤ D를 반으로 잘라도 물질의 종류가 변하지 않으므로 밀도도 변하지 않는다.

02 이 문제에 적용되는 개념

밀도

밀도＝$\frac{질량}{부피}$ (단위: g/cm^3, g/mL, kg/m^3 등)

• 밀도는 물질의 종류에 따라 다르며, 물질의 양이 변해도 일정하다.
• 질량이 일정할 때 밀도는 부피와 반비례한다.

질량이 같을 때 부피가 클수록 밀도가 작고, 물이 든 항아리에 넣었을 때 물이 더 많이 넘친다.
ㄷ. 왕관이 순금이라면 같은 질량일 때 부피도 같아야 하므로 넘친 물의 양이 서로 같아야 한다.
오답 분석
ㄱ. 밀도의 크기는 B>A>C이므로 질량이 같을 때 부피가 큰 순서(C>A>B)로 물이 넘친다.
ㄴ. 왕관에는 순금보다 밀도가 작은 물질이 섞여 있어서 물이 든 항아리에 순금을 넣었을 때보다 물이 더 많이 넘친다.

03 이 문제에 적용되는 개념

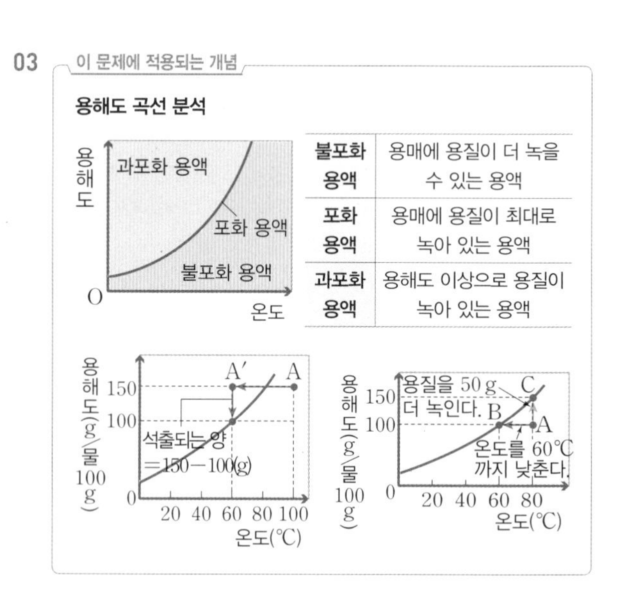
용해도 곡선 분석

불포화 용액	용매에 용질이 더 녹을 수 있는 용액
포화 용액	용매에 용질이 최대로 녹아 있는 용액
과포화 용액	용해도 이상으로 용질이 녹아 있는 용액

B 용액 250 g에는 물 100 g에 용질이 150 g 녹아 있다. 이것을 60 ℃로 낮추면 용질이 100 g 녹을 수 있으므로 50 g이 석출된다.

오답 분석

① A 용액은 과포화 용액이다.

② B 용액의 농도는 $\frac{150}{250}\times100=60$ %이다.

③ D 용액의 온도를 낮추면 포화 용액이 된다.

④ D 용액 100 g에는 25 g의 용질이 더 녹을 수 있다.

04 물이 들어 있는 스포이트를 눌렀을 때 나오는 물에 암모니아가 녹아 둥근바닥 플라스크 내부의 압력이 낮아진다. 외부와 내부의 압력이 같아질 때까지 플라스크 밖에서 안으로 물이 들어오면서 분수 현상이 일어난다.

03 혼합물의 분리

개념 다지기 1단계

진도책 173쪽, 175쪽

01 끓는점 **02** ㉠ 식용유, ㉡ 물, ㉢ 물, ㉣ 사염화 탄소
03 ㉠ 모래, ㉡ 소금, ㉢ 나프탈렌, ㉣ 소금, ㉤ 소금, ㉥ 나프탈렌 **04** 추출 **05** 용해도 **06** (1) × (2) ○ (3) ×

01 혼합물을 끓는점 차를 이용하여 분리하는 예이다.

02 물은 식용유보다 밀도가 커서 아래로 가라앉는다. 사염화 탄소는 물보다 밀도가 커서 아래로 가라앉는다.

03 용매에 녹는 물질은 거름종이를 통과하고, 용매에 녹지 않는 물질은 거름종이 위에 남는다. 소금은 물에 녹고 모래는 물에 녹지 않는다. 소금은 물에 녹고 나프탈렌은 물에 녹지 않는다. 나프탈렌은 에탄올에 녹고 소금은 에탄올에 녹지 않는다.

04 추출은 혼합물에서 특정한 성분만을 녹이는 용매를 사용하여 그 성분을 분리하는 방법이다.

05 혼합물을 구성하는 물질들의 물에 대한 용해도 차이를 이용하여 혼합물을 분리한다.

06 (1) 크로마토그래피는 용매에 따른 물질의 이동 속도 차를 이용하여 분리하는 방법이다.
(2) 크로마토그래피를 통해 여러 색깔로 나뉘면 여러 가지 색소를 포함한 혼합물이라는 것을 알 수 있다.
(3) 혼합물의 양이 적어도 크로마토그래피로 분리가 가능하다.

공략 확인 문제

진도책 176쪽

01 ④ **02** 붕산

01 설탕에서 불순물을 제거하는 방법을 재결정이라고 한다. 재결정은 용해도 차를 이용한 혼합물의 분리 방법이다.

02 냉각시켰을 때 온도에 따른 용해도의 차가 큰 물질이 고체로 석출된다.

실력 올리기 2단계

진도책 177~180쪽

01 ① **02** ③ **03** ③ **04** ⑤ **05** ① **06** ② **07** ②
08 ④ **09** ① **10** ① **11** ③ **12** ③ **13** ④ **14** ②
15 해설 참조 **16** ⑤ **17** ④ **18** ④ **19** ③ **20** ④
21 ④ **22** ① **23** ① **24** ④

01 증류는 액체 혼합물을 가열하여 끓는점이 낮은 물질부터 분리하는 방법이다.

02 증류 장치는 서로 섞이는 액체 혼합물을 끓는점 차이를 이용하여 분리할 때 사용한다.

오답 분석

① 거름 장치를 이용한다.

② 분별깔때기를 이용한다.

④ 물에 넣어 밀도 차를 이용하여 분리한다.

⑤ 재결정 장치로 분리한다.

03 자료 분석

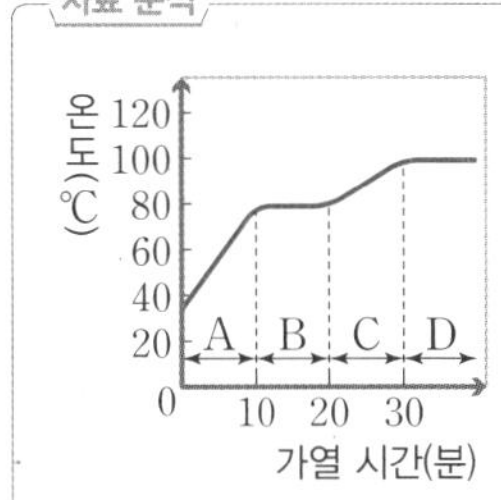

- A 구간은 물과 에탄올의 혼합물이 존재한다.
- B 구간은 에탄올이 끓어 나오는 구간이며 끓는 동안 온도가 계속 올라간다.
- C 구간은 대부분 물이 존재한다.
- D 구간은 물이 끓어 나온다.

B 구간에서는 끓는점이 낮은 에탄올이 끓어 나온다.

오답 분석

① 두 물질은 끓는점 차로 분리된다.

② A 구간에서 두 물질은 액체 상태로 존재한다.

④ C 구간에서는 물의 온도가 상승할 뿐 끓지 않는다.

⑤ D 구간에서는 끓는점이 높은 물이 기화된다.

04 자료 분석

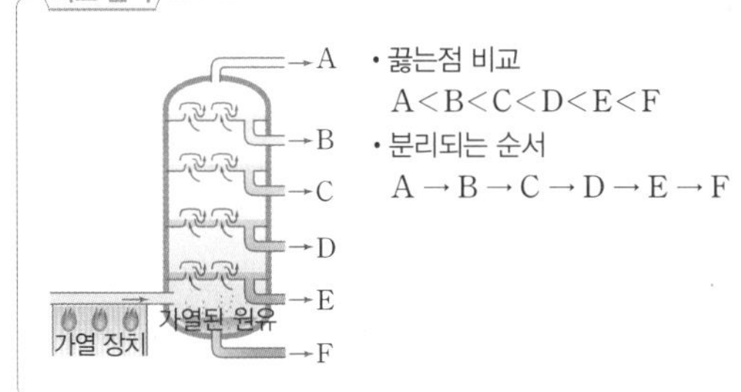

- 끓는점 비교
A < B < C < D < E < F
- 분리되는 순서
A → B → C → D → E → F

A → F 순서로 분리되므로 F는 가장 나중에 분리된다.
오답 분석
① 원유에 포함된 물질들의 끓는점 차를 이용하여 분리하는 방법이다.
② 증류탑의 높이가 높을수록 기화와 액화를 반복하여 순수한 물질을 분리할 수 있다.
③ 위로 갈수록 가열 장치에서 멀어지므로 온도가 낮아진다.
④ 끓는점이 낮은 물질일수록 증류탑 위에서 가장 먼저 분리된다.

05 기체 혼합물의 온도를 낮추면 끓는점이 높은 뷰테인이 먼저 액화되어 분리된다.
오답 분석
ㄱ. A는 프로페인, B는 뷰테인이다.
ㄷ. A와 B는 끓는점 차로 분리된다.

06 액체 상태의 기체 혼합물을 가열하면 끓는점이 낮은 물질이 먼저 끓어 나온다.

07 식초는 아세트산과 물의 혼합물이다. 물의 끓는점은 100 ℃, 아세트산의 끓는점은 117.9 ℃이므로 식초를 가열하면 끓는점이 낮은 물이 먼저 분리된다.

08 기름은 물보다 밀도가 작아서 물 위에 뜬다. 유출된 기름을 제거하는 것은 밀도 차를 이용하여 혼합물을 분리하는 예이다.

09 그림은 바닷물 속에 포함된 물과 소금의 끓는점 차를 이용하여 바닷물에서 물을 분리하는 방법이다.
① 물에 대한 용해도 차를 이용하여 분리하는 방법이다.
오답 분석
②~⑤ 혼합물 속 성분의 끓는점 차를 이용하여 혼합물을 분리하는 방법이다.

10 고체 물질의 밀도는 각각 A(0.5), B(2), C(1.5), D(1.5), E(0.75)이다. 이 중에서 물에 가라앉는 것은 B, C, D이고, 물에 뜨는 것은 A와 E이므로 물에 뜨는 것과 물에 가라앉는 것을 짝 지어 실험하면 각각을 분리할 수 있다.

11 고체 X보다 밀도가 크고, 고체 Y보다 밀도가 작은 액체를 선택해야 X는 액체 위에 뜨고 Y는 액체 아래에 가라앉으므로 X와 Y를 분리할 수 있다.

12 자료 분석

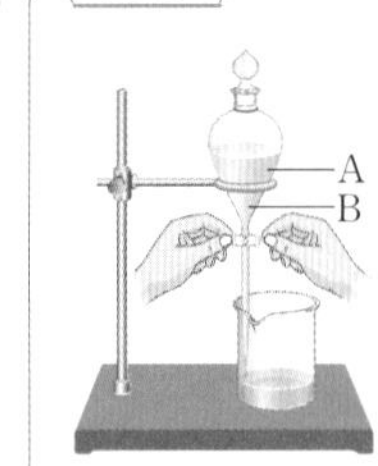

• 분별 깔때기는 섞이지 않는 액체 혼합물을 밀도 차로 분리할 때 사용하는 도구이다.
• A는 밀도가 작은 물질, B는 밀도가 큰 물질이다.

오답 분석
① 물은 식용유보다 밀도가 크다.
②, ④ 물과 에탄올은 섞이므로 분별 깔때기로 분리할 수 없다.
⑤ 사염화 탄소는 물보다 밀도가 크다.

13 쭉정이가 뜨지 않을 때는 소금을 더 넣어 소금물의 밀도를 더 크게 한다.

14 소금물에 달걀을 담갔을 때 신선한 달걀은 소금물 아래에 가라앉고 오래된 달걀은 소금물 위에 뜬다. 사금이 섞인 모래를 그릇에 담아 물속에서 흔들면 모래는 씻겨 나가고, 사금이 남는다. 기름은 물 위에 뜨기 때문에 오일 펜스를 설치하여 확산을 방지한다.

15 **모범 답안** 액체 A와 B는 서로 섞이지 않는다. 액체 A와 B는 밀도가 서로 다르다.
해설 이 두 조건을 만족하는 액체만 분별 깔때기로 분리할 수 있다.

채점 기준	배점
두 가지 조건을 모두 옳게 서술한 경우	100 %
두 가지 조건 중 한 가지만 옳게 서술한 경우	50 %

16 거름 장치는 용매에 녹는 물질과 녹지 않는 물질을 분리할 때 사용한다.

17 모래와 스타이로폼은 둘 다 물에 녹지 않는 고체이며 밀도가 다르므로 물에 넣어 밀도 차를 이용하여 분리한다. 나머지는 물에 대한 용해도 차를 이용하여 물질을 분리하는 방법이다.

18 자료 분석

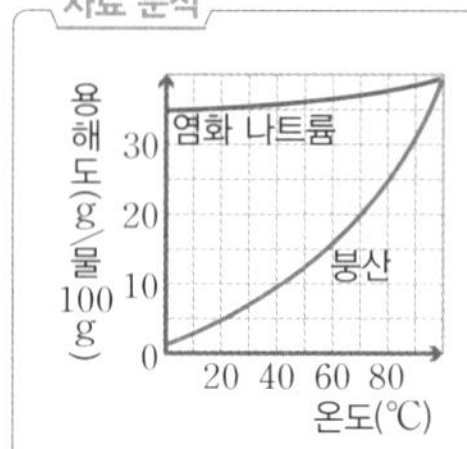

• 염화 나트륨과 붕산은 물에 대한 용해도 차가 크다.
• 불포화 상태의 혼합 용액의 온도를 낮추면 온도에 따른 용해도 차가 큰 붕산이 결정으로 석출된다.

염화 나트륨과 붕산은 온도에 따른 물에 대한 용해도 차가 크기 때문에 두 물질을 완전히 녹인 후 온도를 낮추어 붕산을 석출하여 거르면 거름종이에 붕산이 남는다. 이러한 방법을 재결정이라고 한다.

19 물에 녹지 않는 물질은 거름종이 위에 남고, 물에 녹는 물질은 거름종이를 통과한다.
오답 분석
① 거름종이 위에 나프탈렌이 남는다.
② 용해도 차를 이용한 분리 방법이다.
④ 소금과 나프탈렌 중 한 가지만 녹이는 용매를 사용한다.
⑤ 물 대신 에탄올을 사용하면 소금이 거름종이 위에 남고, 나프탈렌은 거름종이를 통과한다.

20 암모니아의 혼합 기체를 장치에 통과시키면 암모니아는 물에 녹아 암모니아수의 형태로 B를 통해 나오고, 나머지 공기는 A를 통해 나온다.
오답 분석
ㄴ. 물에 대한 용해도 차를 이용한 분리 방법이다.

21 혼합물을 모두 녹이는 액체를 용매로 사용해야 용매를 따라 혼합물을 이루는 성분들이 이동할 수 있다.

22 그림은 크로마토그래피 장치이다.
① 원유의 성분은 증류탑을 이용하여 분리한다.

23 크로마토그래피로 물질을 전개시켰을 때 2가지 이상으로 물질이 분리된 것은 2가지 이상의 물질이 섞여 있는 혼합물이다.

24 출발점에서 멀리 이동할수록 이동 속도가 빠르므로 용매를 따라 이동하는 속도는 C>A>E 순이다.

만점 도전하기 3단계

진도책 181쪽

01 ② 02 ⑤ 03 ④ 04 ②

01 이 문제에 적용되는 개념

끓는점 차를 이용한 분리

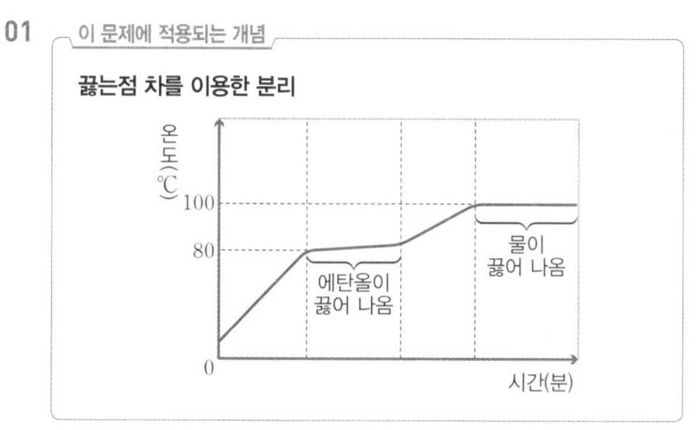

곡물로 만든 술을 가열하면 끓는점이 낮은 에탄올이 먼저 끓어 나오다가 찬물에 의해 냉각되어 액체(소주)로 모인다.
ㄷ. 에탄올이 먼저 분리되어 나오므로 맑은 술(소주)은 곡물로 만든 술보다 에탄올의 농도가 높다.

<u>오답 분석</u>
ㄱ. 이러한 분리 방법을 증류라고 한다.
ㄴ. 끓는점이 낮은 에탄올이 먼저 끓어 나온다.

02 이 문제에 적용되는 개념

액체에 녹지 않는 고체 혼합물의 분리

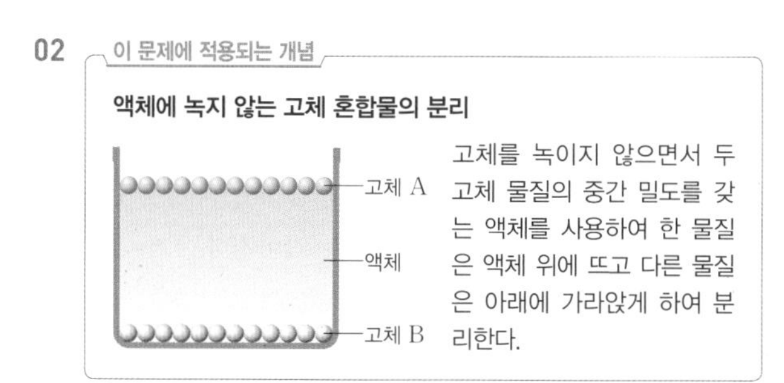

고체를 녹이지 않으면서 두 고체 물질의 중간 밀도를 갖는 액체를 사용하여 한 물질은 액체 위에 뜨고 다른 물질은 아래에 가라앉게 하여 분리한다.

에탄올보다 물의 밀도가 크므로 에탄올에 물을 넣으면 밀도가 커진다.

<u>오답 분석</u>
① 액체보다 밀도가 큰 물질과 액체보다 밀도가 작은 물질을 분리하는 방법이다.
② A와 B는 물과 에탄올의 혼합물보다 밀도가 작기 때문에 물보다 밀도가 작다.
③ 에탄올에 물을 넣을 때 밀도가 작은 물질 먼저 떠오른다.
④ 에탄올에 A~C를 넣었을 때 모두 가라앉았다.

03 ㉠ 용질이 용매에 녹는 현상은 용해도와 관련이 있다. ㉡ 물과 메틸렌 클로라이드는 서로 섞이지 않으며 물과 메틸렌 클로라이드는 밀도가 서로 다르다. ㉢ 메틸렌 클로라이드는 카페인보다 끓는점이 낮아서 쉽게 기화된다.

04 포화 상태를 초과하는 양만큼 결정으로 석출된다.

<u>오답 분석</u>
① 재결정이라고 한다.
③ 불순물의 함량이 적어진다.
④ 황산 구리(Ⅱ)는 뜨거운 물인 (가)에서 더 잘 녹는다.
⑤ (가) 용액에 녹아 있던 황산 구리(Ⅱ)가 석출되었으므로 (다) 용액은 (가) 용액보다 농도가 낮다.

진도책 182쪽~185쪽

대단원 완성하기

01 ① 02 ④ 03 ③ 04 ⑤ 05 ④ 06 ⑤ 07 ②
08 ④ 09 ⑤ 10 ④ 11 ② 12 ④ 13 ① 14 ⑤
15 ③ 16 ③ 17 ③ 18 ④ 19~23 해설 참조

01 (가)는 순물질, (나)는 혼합물, (다)는 균일 혼합물, (라)는 불균일 혼합물이다.

<u>오답 분석</u>
② (가)는 순물질이므로 1가지의 물질로만 이루어져 있다.
③ 혼합물은 물질의 특성이 일정하지 않다.
④ 공기는 질소, 산소, 이산화 탄소 등 2가지 이상의 물질이 균일하게 섞여 있다.
⑤ 흙탕물은 물과 흙이 고르지 않게 섞여 있다.

02 물질의 특성은 다른 물질과 구별되는 고유한 성질로, 양에 관계없이 일정하다. 냄새, 맛, 굳기, 결정 모양 등과 같은 겉보기 성질과 끓는점, 녹는점, 밀도, 용해도 등이 물질의 특성에 해당한다.

03 자료 분석

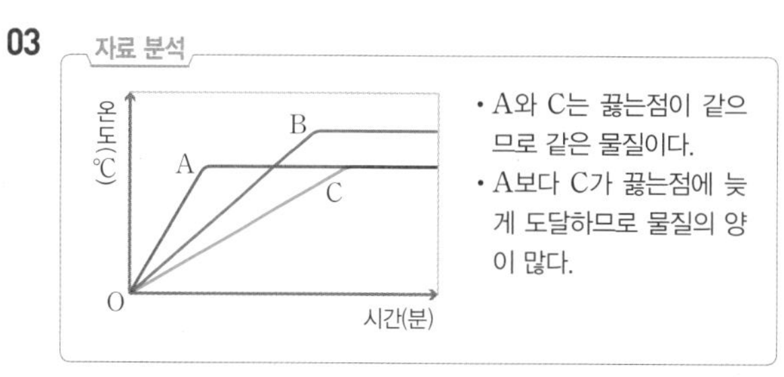

• A와 C는 끓는점이 같으므로 같은 물질이다.
• A보다 C가 끓는점에 늦게 도달하므로 물질의 양이 많다.

물은 에탄올보다 끓는점이 높다. 양이 많을수록 끓는점에 늦게 도달한다.
ㄱ. A는 B보다 끓는점이 낮으므로 에탄올이고, C보다 끓는점에 일찍 도달하므로 C보다 양이 적다는 것을 알 수 있다.
ㄷ. 끓기 시작하는 온도는 B가 셋 중에서 가장 높다.

<u>오답 분석</u>
ㄴ. B와 C는 끓는점이 다르므로 다른 물질이다.

04 자료 분석

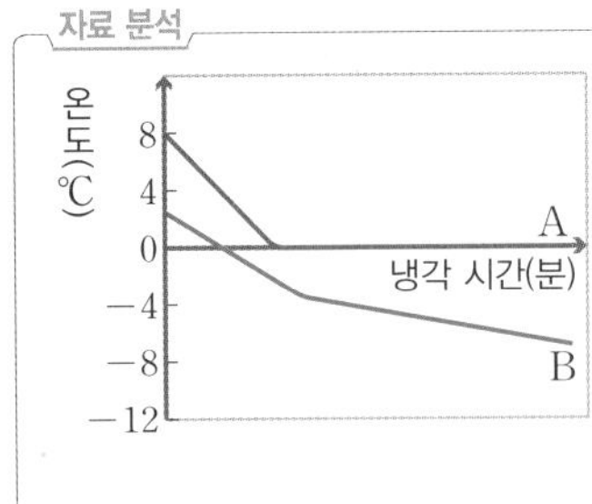

- A는 녹는점이 0 ℃로 일정하므로 물의 냉각 곡선이다.
- B는 녹기 시작하는 온도가 0 ℃보다 낮고 녹는 동안에 온도가 계속 낮아지므로 소금물의 냉각 곡선이다.

물은 순물질이고, 소금물은 혼합물이다. 순물질의 냉각 곡선에서는 어는점이 일정하고, 혼합물의 냉각 곡선에서는 어는점이 일정하지 않다.
⑤ 이 냉각 곡선으로 순물질과 혼합물을 구분할 수 있다.

05 뜨거운 물이 들어 있는 둥근바닥 플라스크를 막고 찬물을 부으면 플라스크 안에 있는 공기들이 수축하면서 압력이 낮아진다. 압력이 낮아지면 끓는점이 낮아지므로 물이 100 ℃보다 낮은 온도에서 끓는다.

06 25 ℃에서 A는 기체, B는 액체, C는 액체, D는 액체, E는 고체이다. 25 ℃에서 고체로 존재하는 물질은 녹는점과 끓는점이 모두 25 ℃보다 높다.

07 밀도$=\frac{\text{질량}}{\text{부피}}=\frac{146.5-100}{50}=0.93\text{ g/mL}$

08 자료 분석

구분	색깔	질량(g)	부피(cm^3)
순금	노란색	400	20.7
왕관	노란색	400	26.7

- 밀도는 물질의 특성이므로, 같은 물질인 경우 밀도가 같다.
- 순금의 밀도는 19.3 g/cm^3이고 왕관의 밀도는 15.5 g/cm^3이다.
➡ 왕관은 순금으로 만들어지지 않았다.

일정한 질량에 해당하는 부피(밀도)가 서로 다르므로 왕관은 순금으로 만들어지지 않았다는 것을 알 수 있다.

09 자료 분석

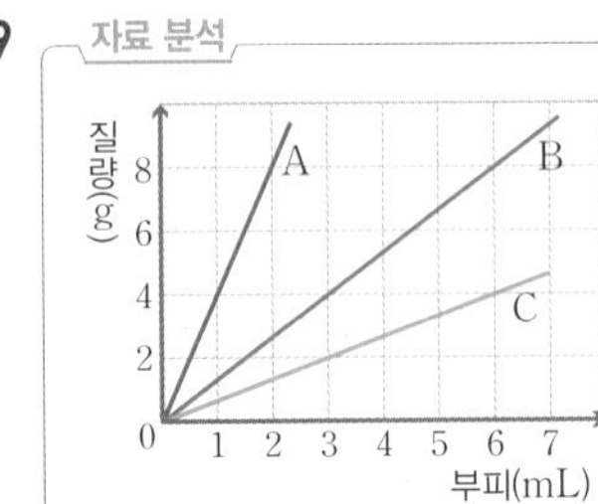

- 부피－질량 그래프에서 기울기는 밀도를 의미한다.
- 밀도 크기: A＞B＞C

⑤ 질량이 같을 때 B의 부피는 C의 $\frac{1}{2}$배이다.

10 퍼센트 농도$=\frac{\text{용질의 질량}}{\text{용액의 질량}}\times 100(\%)$이므로

(가) $\frac{50}{50+50}\times 100=50\ \%$

(나) $\frac{50}{150}\times 100=33.33\ \%$

(다) $\frac{x}{100}\times 100=20\ \%$이므로 $x=20\text{ g}$

$\frac{20+100}{100+100}\times 100=60\ \%$

11 자료 분석

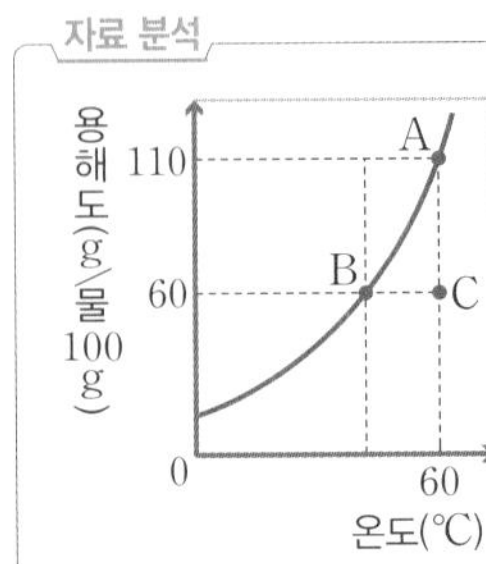

- A와 B는 포화 용액이다.
- A와 C는 같은 온도이다.
- B와 C의 퍼센트 농도는 같다.

ㄴ. B와 C는 용액에 들어 있는 용질의 비율이 같으므로 농도가 같다.

오답 분석

ㄱ. A점의 농도$=\frac{110}{210}\times 100=52.4\ \%$이다.

ㄷ. 60 ℃의 물 100 g에 이 고체를 110 g 녹여야 포화 용액이 된다.

12 자료 분석

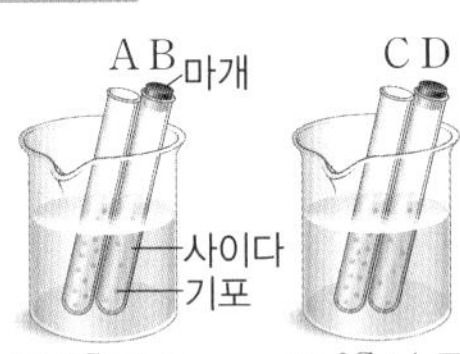

- 온도에 따른 기체의 용해도를 비교하기 위해서 A와 C 또는 B와 D를 비교한다.
- 압력에 따른 기체의 용해도를 비교하기 위해서 A와 B 또는 C와 D를 비교한다.

온도가 낮고 압력이 높을수록 기체의 용해도가 높다. 기체의 용해도가 높을수록 기포가 적게 발생한다.
ㄴ. 잠수병은 압력과 기체의 용해도의 관계로 설명할 수 있다.
ㄷ. A와 C 또는 B와 D는 압력은 같고 온도가 다르다.

오답 분석

ㄱ. 기포가 가장 많이 발생하는 시험관은 C이다.

13 온도가 높을수록 기체의 용해도는 작아진다.

14 소줏고리로 소주를 만드는 방법은 끓는점 차를 이용하여 에탄올을 분리하는 증류이다.

오답 분석

① 용해도 차를 이용한 추출이다.
②, ③, ④ 밀도 차를 이용하여 혼합물을 분리하는 방법이다.

15 A와 B는 실온에서 액체 상태이며 서로 섞이지 않는다. 그리고 밀도가 서로 다르므로 분별 깔때기를 이용하여 분리할 수 있다.

16 자료 분석

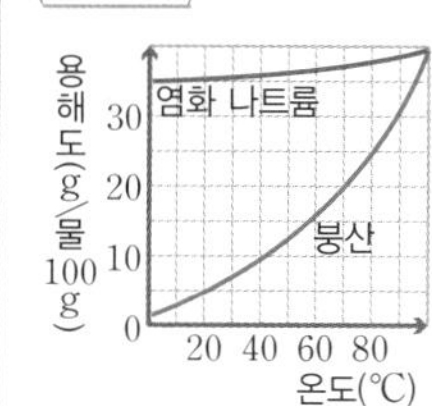

• 붕산은 염화 나트륨보다 온도에 따른 용해도 차이가 크다.
• 온도를 낮추었을 때 온도에 따른 용해도 차이가 큰 물질이 석출된다.

80 ℃의 물 100 g에 염화 나트륨 20 g과 붕산 20 g을 모두 녹인 후 20 ℃로 냉각시키면 붕산은 과포화 상태에 도달하여 용해도 이상 녹아 있는 용질이 석출되고 염화 나트륨은 여전히 불포화 상태이므로 석출되지 않는다.

오답 분석

ㄴ. 이러한 혼합물의 분리 방법은 재결정이다.

17 자료 분석

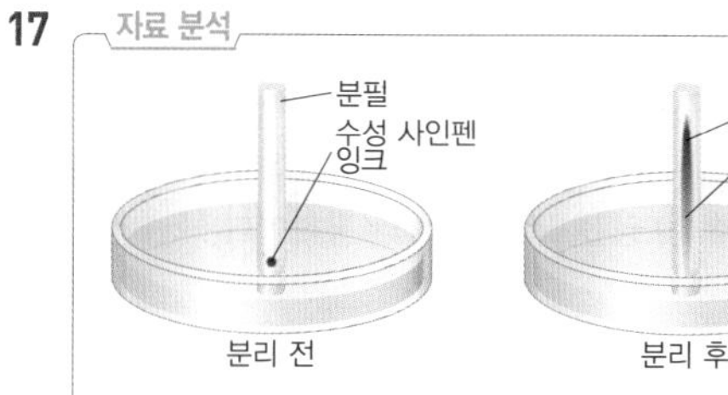

• 크로마토그래피 결과 여러 색소로 분리되었으므로 수성 사인펜 잉크는 혼합물임을 알 수 있다.
• A가 B보다 물을 따라 이동하는 속도가 빠르다.

ㄱ. 용매를 따라 물질이 이동하는 속도 차로 혼합물을 분리하는 방법을 크로마토그래피라고 한다.
ㄴ. 이동 속도가 빠를수록 출발점에서 더 멀리까지 전개된다.

오답 분석

ㄷ. 용매를 바꾸면 전개되는 결과도 달라진다.

18 ④ 용해도 차를 이용한 재결정

오답 분석

① 끓는점 차를 이용한 증류
② 이동 속도 차를 이용한 크로마토그래피
③ 용해도 차를 이용한 거름
⑤ 밀도 차를 이용

19 **모범 답안** 피스톤을 잡아당기면 주사기 안의 압력이 낮아져서 끓는점이 낮아지기 때문이다.

해설 압력이 낮아지면 끓는점이 낮아진다.

채점 기준	배점
압력과 끓는점의 관계로 옳게 서술한 경우	100 %
둘 중 하나에 대해서만 옳게 서술한 경우	50 %

20 **모범 답안** 고추기름의 밀도는 에탄올보다 크고 물보다 작기 때문이다.

해설 밀도의 크기는 물 > 고추기름 > 에탄올 순이다. 에탄올에 물을 섞으면 밀도가 커지므로 고추기름을 띄울 수 있다.

채점 기준	배점
고추기름의 밀도를 에탄올과 물에 비교하여 옳게 서술한 경우	100 %
고추기름의 밀도를 둘 중 하나와 비교하여 옳게 서술한 경우	50 %

21 **모범 답안** 온도를 60 ℃로 낮추거나 고체 X를 더 넣는다.

해설 물의 양이 일정한 상태에서 온도를 낮추거나 용질을 추가해서 더 녹이면 포화 용액이 된다.

채점 기준	배점
포화 용액을 만들 수 있는 방법 두 가지를 모두 옳게 서술한 경우	100 %
포화 용액을 만들 수 있는 방법 두 가지 중 한 가지만 옳게 서술한 경우	50 %

22 (1) **정답** A와 B 또는 C와 D 또는 E와 F

(2) **모범 답안** E, 온도가 높고 압력이 낮을수록 기체의 용해도가 낮아지기 때문이다.

해설 (1) 압력과 기체의 용해도의 관계를 설명하기 위해서는 다른 조건은 모두 일정하고 압력만 다른 시험관을 골라 결과를 비교해야 한다.

(2) 온도가 높고, 압력이 작을수록 기체의 용해도가 작아져서 기포가 많이 발생한다.

채점 기준	배점
해당 시험관을 고르고, 그 까닭을 온도와 압력과 관련지어 옳게 서술한 경우	100 %
해당 시험관과 까닭 중 하나만 옳게 서술한 경우	50 %

23 **모범 답안** (1) 분별 깔때기를 이용하여 분리한다. A와 B는 서로 섞이지 않고, 밀도가 서로 다른 액체이기 때문이다.

(2) 증류를 이용하여 분리한다. A와 C는 서로 섞이고 끓는점이 다르기 때문이다.

해설 (1) A와 B는 서로 섞이지 않고 액체이며 밀도가 다르다.

채점 기준	배점
방법과 까닭을 모두 옳게 서술한 경우	100 %
방법과 까닭 중 하나만 옳게 서술한 경우	50 %

(2) A와 C는 서로 섞이는 액체이며 끓는점이 다르다.

채점 기준	배점
방법과 까닭을 모두 옳게 서술한 경우	100 %
방법과 까닭 중 하나만 옳게 서술한 경우	50 %

VII 수권과 해수의 순환

01 수권과 해수의 성질

개념 다지기 1단계

진도책 189쪽, 191쪽

01 (1) ㄱ (2) ㄴ (3) ㄹ (4) ㅁ 02 (1) ○ (2) × (3) ○ (4) ×
03 (1) A: 염화 나트륨, B: 염화 마그네슘 (2) 35 psu
04 ㉠ 염분, ㉡ psu, ㉢ 35 psu 05 (1) ○ (2) × (3) ○
06 ㉠ 황해, ㉡ 강물의 유입량

01 (1), (2) 지구상에 분포하는 물의 양은 해수 > 빙하 > 지하수 > 강과 호수 > 대기 중의 수증기 순이다. 따라서 지구상의 물 중 가장 많은 양을 차지하는 것은 해수이며, 육지에 분포하는 물 중 가장 많은 양을 차지하는 것은 빙하이다.
(3), (4) 해수에는 여러 가지 염류가 포함되어 있으며, 육지에 분포하는 물 중에서는 강과 호수의 물이 수자원으로 많이 활용된다. 대기 중의 수증기는 아주 적은 양이지만, 구름이나 비 등의 기상 현상을 일으키는 중요한 역할을 한다.

02 수온 약층에서는 해수의 대류 운동이 일어나지 않으며, 바람이 강해 혼합층이 두껍게 발달하는 곳은 중위도 지방이다.

03 해수 속에 포함된 염류 중 가장 많은 것은 염화 나트륨이고, 두 번째로 많은 것은 염화 마그네슘이다. 염분은 해수 1 kg 속에 들어 있는 염류의 양이므로 35 psu이다.

04 염분의 단위로는 psu(실용염분단위) 또는 천분율인 ‰(퍼밀)을 사용하며, 전 세계 해수의 평균 염분은 약 35 psu이다.

05 증발량보다 강수량이 많고, 강물의 유입량이 많은 바다는 염분이 낮다.

06 우리나라 부근 바다의 염분 분포를 보면 황해가 동해보다 염분이 낮은데, 이는 황해에는 강물의 유입량이 많기 때문이다.

공략 확인 문제

진도책 192쪽

01 24 g 02 2000 g(2 kg) 03 4 g 04 16.5 g

01 주어진 염분과 해수의 양을 이용하여 비례식을 세우면 $1000\ g : 40\ g = 600\ g : x$이므로 $x = 24\ g$이다.

02 그릇에 남은 염류의 질량이 60 g이므로 비례식을 이용하면 $1000\ g : 30\ g = x : 60\ g$에서 $x = 2000\ g(2\ kg)$이다.

03 염분비 일정 법칙을 이용하여 비례식을 세우면 $27\ g : 3.6\ g = 30\ g : x$이므로 $x = 4\ g$이다.

04 구성 원소 사이에서도 염분비 일정 법칙이 성립하므로 다른 바다에서 채취한 해수에서도 염소가 약 55 %를 차지한다. 따라서 30 g의 염류 중에 약 55 %인 16.5 g의 염소가 녹아 있다.

실력 올리기 2단계

진도책 193~196쪽

01 ⑤ 02 ⑤ 03 C, 빙하 04 ④ 05 ② 06 ②
07 ④ 08 ① 09 ⑤ 10 ㉠ 낮아, ㉡ 두꺼워
11 ③ 12 ② 13 해설 참조 14 B, 염화 마그네슘
15 ④ 16 ① 17 32 psu 18 ② 19 ④ 20 ②
21 ⑤ 22 ③ 23 (1) 해설 참조 (2) 36 psu

01 지구상의 물 중 약 97.2 %는 염류가 포함된 해수이며, 육지의 물 중 약 80 %는 고체 상태의 빙하이다.

02 자료 분석

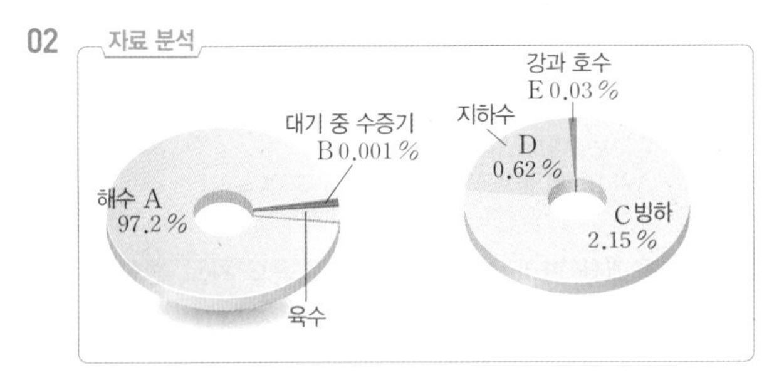

⑤ E는 강과 호수로 수자원으로 가장 많이 활용한다.

오답 분석
① A는 해수로 여러 가지 염류가 포함되어 있다.
② B는 대기 중의 수증기로 지상에서 증발량이 많은 곳이나 여름에는 그 양이 증가한다.
③ C는 빙하로 극지방이나 고산 지대에 분포한다.
④ D는 지하수이며, 눈, 비 등의 기상 현상을 일으키는 것은 대기 중의 수증기이다.

03 빙하(C)는 지구 온난화의 영향으로 그 양이 계속 줄어들고 있다.

04 ④ 수자원 총량에 대한 이용량의 비율은 계속 증가하고 있다.

오답 분석
① 농업용수의 이용량이 가장 많다.
② 생활 수준의 향상으로 생활용수의 이용량이 급격히 증가하고 있다.
③ 우리나라의 수자원 중 강이나 호수의 이용량이 가장 많다.
⑤ 유지용수는 하천의 기능을 정상적으로 유지하기 위해 필요한 물이다.

05 우리나라의 연강수량은 1277 mm 정도로, 세계 평균의 약 1.6배이다.

06 지하수는 육수 중에서 2번째로 많은 양을 차지하며, 빗물에 의해 지속적으로 채워져 수자원으로서 중요한 가치를 지닌다.

07 자료 분석

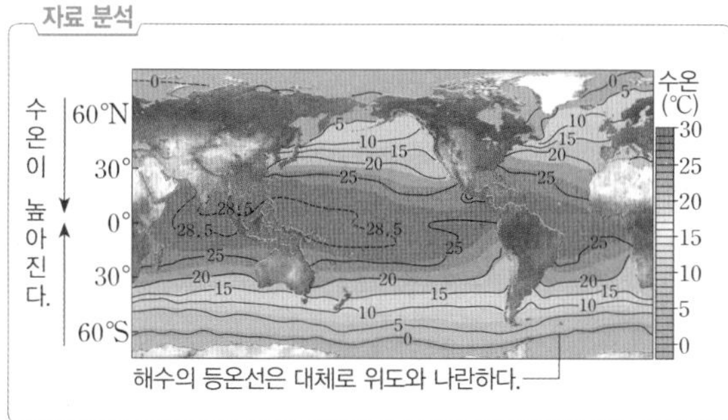

표층 해수의 수온은 태양 복사 에너지의 영향을 많이 받는다. 따라서 태양 복사 에너지의 양이 많은 저위도에서 고위도로 갈수록 대체로 수온이 낮아지며, 표층 해수의 등온선은 대체로 위도와 나란하게 나타난다.

08 저위도에서 고위도로 갈수록 그 값이 작아지는 것은 해수의 온도이다.

09 자료 분석

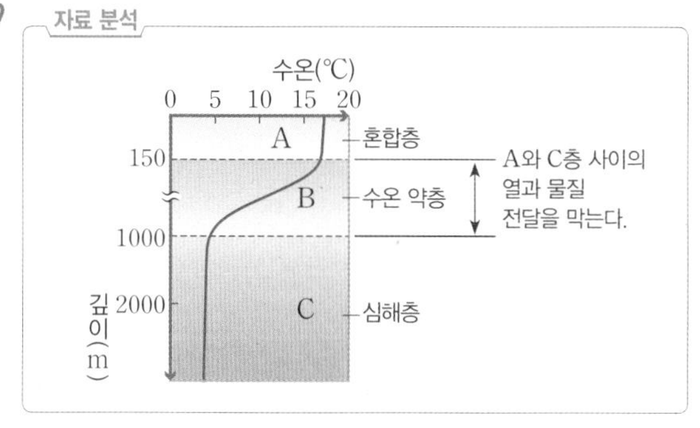

⑤ B층(수온 약층)은 대류가 일어나지 않아 A층(혼합층)과 C층(심해층) 사이의 열과 물질의 전달을 막아 준다.

오답 분석

① A는 혼합층, B는 수온 약층, C는 심해층이다.
② 깊이에 따라 A층(혼합층)의 온도가 일정한 까닭은 바람에 의해 해수가 섞이기 때문이다.
③ C층(심해층)은 태양 복사 에너지가 거의 도달하지 않아 계절이나 위도에 따라 수온 변화가 거의 없다.
④ A층(혼합층)은 바람이 강하게 불수록 두께가 두껍게 나타난다.

10 태양 복사 에너지가 적게 도달하면 혼합층의 온도는 낮아지고, 바람이 강하게 불면 혼합층의 두께는 두꺼워진다.

11 깊이에 따라 온도계를 설치하여 수온을 측정하는 이 실험을 통해 깊이에 따른 해수의 수온 분포에 대해 알 수 있다.

12 ㄱ. 이 실험에서 전등은 태양, 작은 선풍기를 작동시키는 것은 바람으로 가정한 것이다.
ㄷ. 작은 선풍기를 강하게 틀수록 해수의 혼합이 더 잘 일어나 혼합층(A)의 두께는 두꺼워진다.

오답 분석

ㄴ. 전등의 에너지는 수심이 깊어질수록 적게 도달한다.
ㄹ. 전등의 세기를 강하게 할수록 수온 약층(B)의 깊이에 따른 온도 차는 커진다.

13 **모범 답안** 대류 운동이 잘 일어나지 않기 때문이다.
해설 수온 약층은 아래로 내려갈수록 수온이 낮아지므로 대류 운동이 잘 일어나지 않는다. 따라서 열이나 물질의 전달이 거의 없는 안정된 층이다.

채점 기준	배점
까닭을 정확하게 서술한 경우	100 %
아래로 내려갈수록 수온이 낮아지기 때문이라고만 서술한 경우	50 %

14 염화 마그네슘은 콩물을 응고시키는 성질이 있어 두부를 만드는 데 이용된다.

15 ㄴ. 해수 속에 녹아 있는 염류는 대부분 이온 상태로 존재한다.
ㄷ. 염류 중 가장 많은 양을 차지하는 것은 염화 나트륨이다.

오답 분석

ㄱ. 해수 속의 염류는 대부분 지각의 물질이 강이나 지하수에 녹아 바다로 흘러들어간 것이다.

16 염분의 단위인 ‰은 천분율에 해당하며, 염분은 염류의 종류와는 관계가 없다.

17 해수의 질량은 해수가 담긴 증발 접시의 질량에서 증발 접시의 질량을 뺀 값이므로 381 g−331 g=50 g이다. 또, 염류의 질량은 물을 증발시킨 후 증발 접시와 흰 고체의 질량에서 증발 접시의 질량을 뺀 값이므로 332.6 g −331 g =1.6 g이다. 따라서 해수의 질량은 50 g이고, 염류의 질량은 1.6 g이므로 염분은 $\frac{1.6\ g}{50\ g}\times 1000=32$ psu이다.

18 염분이 30 psu인 소금물 500 g에 녹아 있는 소금의 양을 x라고 하면, 1000 g : 30 g=500 g : x에서 x=15 g의 염류가 녹아 있다.

19 ㄴ. 대륙 주변에서는 강물이 유입되거나 빙하가 녹아 들어가는 경우가 많으므로, 대륙 주변부는 대양의 한가운데보다 염분이 낮다.
ㄷ. 중위도(위도 30° 부근) 해역에서 염분이 높은 까닭은 강수량보다 증발량이 많기 때문이다.

오답 분석

ㄱ. 해수면의 온도는 적도 부근이 가장 높지만, 염분은 중위도 지역이 가장 높게 나타난다.

20 ㄱ. 동해는 강물의 유입량이 적어 황해보다 염분이 높다.
ㄷ. 해안에서 멀리 떨어진 바다는 강물의 유입량이 적어 염분이 높다.

오답 분석

ㄴ. 여름철은 강수량이 많아 겨울철보다 염분이 낮다.
ㄹ. 우리나라 주변 바다의 염분은 전 세계 해수의 평균 염분인 35 psu보다 낮다.

21 염분비 일정 법칙에 의하면 어느 바다에서나 염류 중 염화 나트륨이 차지하는 비율은 같다. 그러나 표층 수온 분포, 연직 수온 분포 및 염류의 총량이나 염류 중의 염화 나트륨이 차지하는 양은 바다에 따라 차이가 난다.

22 홍수가 나서 강물이 유입되면 염분은 낮아지지만, 염류 중 염화 마그네슘의 비율은 변하지 않는다.

23 (1) **모범 답안** 염류의 성분비가 어느 바다에서나 같기 때문이다.
해설 어느 바다에서나 염류 중 염화 이온의 비율은 같다.

채점 기준	배점
까닭을 정확하게 서술한 경우	100 %
염분비가 일정하다고 서술한 경우	50 %

(2) 염화 이온이 20 psu라면, 이 해수의 염분은 1.8×20 psu$=36$ psu이다.

만점 도전하기 3단계

진도책 197쪽

01 ⑤ 02 ① 03 ③ 04 ① 05 ③

01 ㄱ. 중위도 지방은 바람이 강하므로 다른 지방에 비해 혼합층의 두께가 두껍게 나타난다.
ㄴ. 적도 지방은 표층과 심층의 온도 차가 크다. 따라서 수온 약층이 비교적 두껍게 나타난다.
ㄷ. 고위도 지방은 태양 복사 에너지가 적게 도달하므로 표층의 온도가 낮다. 따라서 표층과 심층의 온도 차가 거의 없기 때문에 층이 구별되지 않는다.

이 문제에 적용되는 개념

해수의 연직 수온 분포
- 혼합층: 바람의 영향으로 해수가 섞여 수온이 일정한 층
- 수온 약층: 깊이 들어갈수록 태양 복사 에너지를 적게 받아 수온이 급격히 내려가는 층
- 심해층: 태양 복사 에너지가 거의 도달하지 않기 때문에 계절이나 위도에 따른 수온 변화가 거의 없는 층

02 ㄱ. 봄철에는 여름철보다 바람이 더 강하게 불기 때문에 혼합층의 두께가 더 두껍다.
오답 분석
ㄴ. 여름철에는 혼합층과 심해층 사이의 열과 물질 전달을 억제하는 수온 약층의 두께가 두껍다.
ㄷ. 여름철에는 혼합층이 거의 나타나지 않으므로 표층 해수의 혼합이 거의 일어나지 않는다.

03 ㄱ. 해수 속의 염류에 포함된 대부분의 원소는 지각의 물질이 녹아 들어간 것이다.
ㄷ. 염소와 황은 해저 화산 분출물이 바닷물 속에 녹아 들어간 것이다.
오답 분석
ㄴ. 염류가 침전되어 지각이 형성된 것이 아니라, 지각의 물질이 지하수나 강물에 녹아 바다로 흘러들어간 것이다.

04 증발량이 많고, (강물의 유입량+강수량)이 적을수록 염분이 높다. 따라서 그림에서 왼쪽 위에 위치한 A 해역의 염분이 가장 높다.

05 염분비 일정 법칙에 따라 염분이 달라도 염류를 구성하는 각 성분의 질량비는 일정하다. 따라서 36 psu인 해수 1 kg 속의 염화 나트륨 비율과 염분이 40 psu인 해수 1 kg 속의 염화 나트륨 비율은 같다. 이를 이용하여 비례식을 세우면 36 psu : 27 g=40 psu : x이므로 $x=30$ g이다.

02 해수의 순환

개념 다지기 1단계

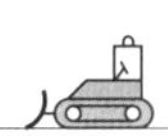

진도책 199쪽

01 (1) A, 쿠로시오 해류 (2) 해설 참조 02 (1) ○ (2) ○ (3) × (4) × (5) ×

01 (1) 우리나라 주변을 흐르는 해류에는 쿠로시오 해류에서 갈라져 나온 동한 난류와 황해 난류 및 연해주 한류에서 갈라져 나온 북한 한류가 있다.
(2)

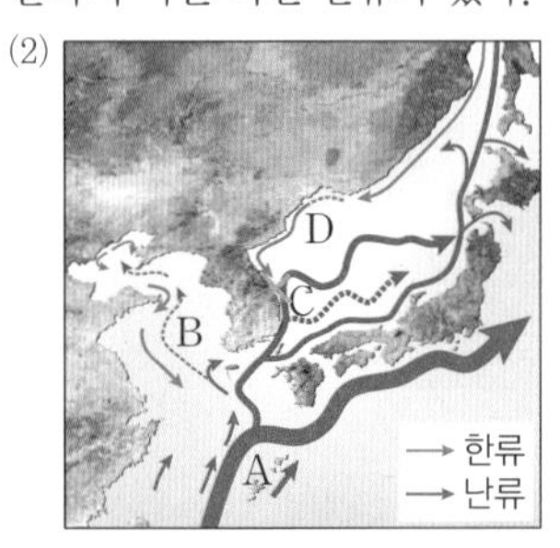

02 (3) 하루 중 해수면이 가장 높아진 때를 만조라고 하고, 가장 낮아진 때를 간조라고 한다.
(4) 한달 중 조차가 가장 큰 때를 사리라고 하고, 가장 작은 때를 조금이라고 한다.
(5) 조차가 큰 곳에서는 갯벌이 넓게 드러나는 곳이 많다.

실력 올리기 2단계

진도책 200~202쪽

01 ③ 02 ⑤ 03 ③ 04 ⑤ 05 ③ 06 ② 07 ⑤ 08 ② 09 ③ 10 ④ 11 ④ 12 ⑤ 13 ③ 14 ② 15 ① 16 해설 참조

01 해류는 주로 바람의 영향을 받아 나타나며, 곳곳에 위치한 대륙의 영향으로 대륙 주변을 따라 흐른다.

02 ⑤ 동해에서는 난류와 한류가 만나는 지역(조경 수역)이 나타난다.
오답 분석
① 황해에서는 황해 난류가 흐른다.
② 북한 한류는 동해의 북쪽에서 남쪽으로 흐른다.
③ 우리나라 주변에는 북한 한류, 동한 난류, 황해 난류 등이 있다.
④ 쿠로시오 해류는 저위도에서 고위도로 흐르는 난류이다.

03 북한 한류(B)와 동한 난류(C)가 만나는 지역에 조경 수역이 형성된다.

04 ㄷ. 동한 난류(C)는 육지 가까이에서 흐르므로 겨울철에 동해안은 같은 위도의 서해안보다 기온이 높다.
ㄹ. (가) 해역에서 유리병 속에 편지를 넣어 바다에 띄우면 동한 난류(C)나 쓰시마 해류(D)를 타고 흘러갈 수 있다.

오답 분석

ㄱ. 황해 난류(B)는 북한 한류(E)보다 수온이 높다.

ㄴ. 동한 난류(C)와 북한 한류(E)가 만나는 곳은 조경 수역으로, 물고기가 많이 잡힌다.

05 A는 쿠로시오 해류이다. 쿠로시오 해류는 난류로, 산소와 영양 염류가 적어 플랑크톤이 적다. 따라서 검푸른색을 띠므로 흑조라고도 한다.

06 지속적으로 바람이 불면 표면의 물은 바람의 방향을 따라 이동하게 되며, 실제 바다에서는 이와 같은 원리에 의해 연중 지속적인 해류가 나타나게 된다.

07 부산 앞바다에서는 동한 난류가 동해 쪽으로 흘러가기 때문에 기름띠는 이 난류를 따라 이동하게 된다.

08 동해를 따라 흐르는 따뜻한 난류인 동한 난류의 영향으로 동해안 지역은 같은 위도의 서해안 지역보다 겨울철에 따뜻한 경우가 많다.

09 조류는 달과 태양의 인력에 의해 해수의 방향이 주기적으로 변하는 해수의 흐름으로 일정한 주기를 가지고 있다. 밀물은 바닷물이 밀려 들어오는 현상이고, 썰물은 바닷물이 빠져나가는 현상이다.

10 바닷가에서 육지 쪽으로 해수가 밀려 들어오는 현상을 밀물이라고 하며, 하루 중 가장 해수면이 높아진 때를 만조라고 한다. 한편 바다 쪽으로 해수가 빠져나가는 현상을 썰물이라고 하며, 하루 중 해수면이 가장 낮아진 때를 간조라고 한다. 이러한 밀물과 썰물의 흐름을 조류라고 한다.

11 자료 분석

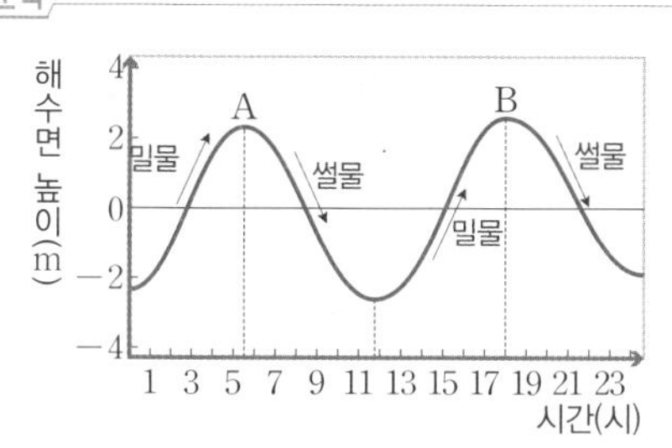

• 만조와 간조 때의 해수면의 높이 차이는 약 4 m이다.
• 만조와 간조는 하루에 대략 2회씩 나타나며, A에서 B까지의 주기는 약 12시간 25분이다.

④ 하루에 대략 2번씩 해수면이 높아졌다 낮아진다.

오답 분석

① 오전 7시경에 썰물이 되면서 해수면이 낮아진다.

② 최대 해수면의 높이 차이는 만조와 간조 때의 해수면의 높이 차이로 약 4 m이다.

③ 약 12시경에 해수면의 높이가 가장 낮은 간조가 된다.

⑤ A에서 B까지 걸리는 시간은 조석 주기로 약 12시간 25분이다.

12 해류는 주로 바람의 영향으로 형성되어 방향이 일정한 해수의 흐름이고, 조류는 태양과 달의 인력에 의해 해수의 방향이 주기적으로 변하는 해수의 흐름이다.

13 만조는 하루 중 해수면이 가장 높아진 때이고, 간조는 하루 중 해수면이 가장 낮아진 때이다. 만조와 간조 때 해수면의 높이 차이를 조차라고 하는데, 서해안과 같이 수심이 얕은 곳일수록 조차가 크게 나타난다.

14 밀물이 되어 하루 중 해수면이 가장 높아진 때를 만조라고 하고, 썰물이 되어 하루 중 해수면이 가장 낮아진 때를 간조라고 한다. (가)에서 (나) 사이에는 썰물을 볼 수 있고, (나)에서 (가) 사이에는 밀물을 볼 수 있다.

15 A 지역은 조류나 해파에 의한 에너지가 분산되는 지역으로 퇴적 작용이 활발하여 모래가 쌓이면서 해수욕장이 발달하기도 한다.

16 **모범 답안** B, 썰물에 의해 간조가 되는 때이기 때문이다.
해설 간조가 되어 갯벌이 많이 나타날 때 조개를 캐기 좋다.

채점 기준	배점
시기와 까닭을 옳게 설명한 경우	100 %
시기와 까닭 중 1가지만 옳게 설명한 경우	50 %

만점 도전하기 3단계

진도책 203쪽

01 ② 02 ④ 03 ⑤ 04 ②

01 ㄷ. 북태평양에서 우리나라 남해 쪽으로 올라오는 A 해역의 해류는 쿠로시오 해류이고, 이 해류에서 갈라져 나온 B 해역의 해류는 동한 난류이다.

오답 분석

ㄱ. A 해역의 해류는 대부분 일본 동쪽으로 흘러가고, 일부가 갈라져 나와 일본의 서쪽과 우리나라의 동해 쪽으로 흘러간다.

ㄴ. B 해역의 해류가 북상하는 것은 동한 난류이며, 북한 한류는 오호츠크해에서 남하하는 연해주 한류에서 갈라져 나온 것이다.

02 유조선이 침몰한 곳은 동한 난류가 흘러가는 곳이므로 기름의 확산을 막으려면 B 방향으로 오일펜스를 설치하는 것이 좋다.

03 여름철에는 동한 난류의 세력이 강해져 (가)와 같이 원산만 앞바다까지 북상하고, 겨울철에는 북한 한류의 세력이 강해져 (나)와 같이 포항 앞바다까지 영향을 준다.

04 황해 난류가 흐르는 지역(A)은 동한 난류가 흐르는 지역(B)보다 수온과 염분이 낮다. 또, 북한 한류가 흐르는 지역(C)은 수온이 가장 낮다.

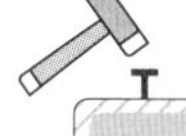

진도책 204쪽~207쪽

대단원 완성하기

01 ② 02 ④ 03 ③ 04 ④ 05 ③ 06 ② 07 ⑤
08 ③ 09 ⑤ 10 ④ 11 ① 12 ② 13 ④ 14 ④
15 ① 16 ② 17 해설 참조 18 해설 참조
19 해설 참조 20 해설 참조

01 (가) 고산 지대나 극지방에 분포하는 것은 빙하이다.
(나) 수자원으로 가장 많이 사용하고 있는 것은 강과 호수이다.
(다) 땅속이나 암석의 틈 사이로 흐르는 것은 지하수이다.

이 문제에 적용되는 개념

지구상의 물의 분포
지구상에 분포하는 물의 비율은 해수 > 빙하 > 지하수 > 강과 호수 > 대기 중의 수증기 순이다.

02 ④ 수자원의 양은 지역에 따라 크게 차이가 나며 계절에 따라서도 다르다.
오답 분석
① 수자원은 지구상의 물 중 이용 가능한 물을 의미한다.
② 우리가 사용하는 수자원은 주로 육지의 물(육수)이다.
③ 수자원은 대부분 강과 호수로부터 얻고 있다.
⑤ 산업의 발달에 따라 사용하는 수자원이 계속 늘어나고 있다.

03 해수의 표면 온도는 주로 태양 복사 에너지에 의해 결정된다. 따라서 고위도는 저위도보다 태양 복사 에너지가 적게 도달하므로 해수의 표면 온도가 낮다.

04 전등의 에너지는 수심이 얕은 곳에서 많이 흡수되므로 물속 깊이 들어갈수록 전등의 에너지는 적게 도달된다.

05 자료 분석

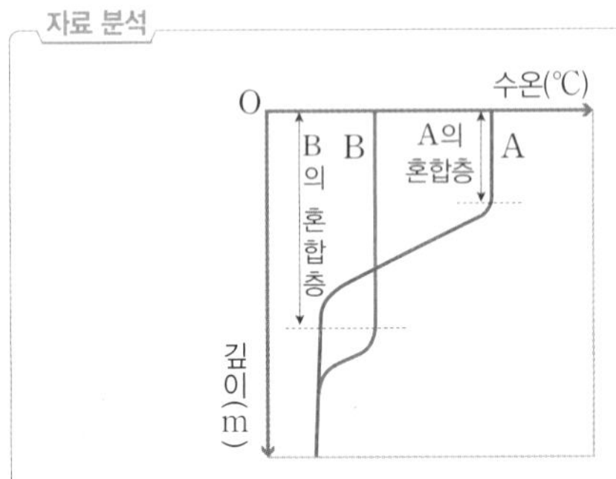

층상 구조가 A에서 B로 변하였을 때
- 표면 수온이 낮아졌다. ➡ 태양 복사 에너지의 입사량이 적어졌다.
- 혼합층의 두께가 두꺼워졌다. ➡ 바람이 강해졌다.

혼합층의 두께가 더 두꺼워졌으므로 바람의 세기가 강해졌음을 알 수 있다.

06 바람이 강한 중위도에서는 혼합층의 두께가 두껍게 발달하고, 해수면의 온도가 높은 저위도에서는 수온 약층에서 온도 변화가 급격하게 나타난다. 또, 고위도에서는 해수의 층상 구조가 잘 나타나지 않는다.

07 ㄷ. 해수의 염분은 증발량과 강수량에 가장 큰 영향을 받는다.
ㄹ. 해수 중의 염류는 대부분 지각의 물질이 바다로 녹아 들어간 것이다.
오답 분석
ㄱ. 바닷물이 얼 때 순수한 물만 얼고 염류는 빠져나오기 때문에 염분이 높아진다.
ㄴ. 해수의 염분은 염류의 종류와는 관계가 없다.

08 염분이 25 psu인 바닷물 1 kg에는 염류 25 g과 물 975 g이 섞여 있다. 따라서 염류 : 물=25 g : 975 g=1 : 39가 된다.

09 이 바닷물 1 kg에는 36 g, 즉 0.036 kg의 염류가 포함되어 있다. 따라서 염류가 36 psu인 바닷물을 증발시켜 염류 72 kg을 얻을 때 필요한 바닷물의 양(x)은 1 kg : 0.036 kg=x : 72 kg이므로 x=2000 kg이다.

10 염분에 가장 큰 영향을 미치는 요인은 증발량과 강수량이다. 문제의 그림을 보면 위도 30° 부근의 중위도 지방은 증발량이 강수량보다 많으므로 염분이 가장 높다.

11 ㄱ. 육지에 가까운 바다일수록 염분이 낮으므로 강물의 유입량이 많음을 알 수 있다.
오답 분석
ㄴ. 강물이 많이 유입될수록 염분은 낮아진다.
ㄷ. 그림에서 여름철의 염분이 겨울철보다 낮은 것으로 보아 이 해역은 겨울철보다 여름철에 강물의 유입량이 많음을 알 수 있다.

12 우리나라 주변 바다에서는 여름철에는 강수량이 많아 염분이 낮고, 황해는 강물의 유입량이 많아 염분이 낮다. 따라서 우리나라 주변의 여러 해역 중에서 여름철 황해의 바닷물이 염분이 가장 낮다.

이 문제에 적용되는 개념

우리나라 주변 바다의 염분 분포
- 황해의 염분이 동해보다 낮다. ➡ 황해는 강물의 유입량이 많기 때문
- 여름철의 염분이 겨울철보다 낮다. ➡ 여름철에는 강수량이 많기 때문

13 ④ 바닷물에 따라 염분은 다르므로 바닷물 1 kg 속에 포함된 염류의 양은 해역에 따라 다르다.
오답 분석
① 이 바닷물 1 kg에 들어 있는 전체 염류의 양이 27.2+3.8+1.7+2.3=35(g)이므로, 이 바닷물의 염분은 35 psu이다.
② 바닷물 속에 가장 많이 포함된 염류 (가)는 염화 나트륨으로 짠맛이 난다. 또 2번째로 많이 포함된 (나)는 염화 마그네슘으로 쓴맛이 난다.
③ 바닷물 속의 염류를 구성하는 원소 중 염소와 황은 해저 화산 분출물로부터 유래된 것이다.
⑤ 염분비 일정 법칙에 의해 어느 바닷물이나 염류 간의 성분비는 일정하므로, (가) : (나)의 비율은 항상 일정하다.

14 난류는 저위도에서 고위도로 흐르는 해류이고, 한류는 고위도에서 저위도로 흐르는 해류이다.

15 A는 황해 난류, B는 북한 한류, C는 동한 난류, D는 쓰시마 해류, E는 쿠로시오 해류이다.
① 겨울철에는 동한 난류(C)의 영향으로 동해안이 같은 위도의 서해안보다 더 따뜻하다. 황해 난류(A)는 해안에서 멀리 떨어져 흐르므로 겨울철 서해안의 기후에 큰 영향을 미치지는 않는다.

오답 분석

② 부산에서 북쪽으로 이동하는 경우 동한 난류(C)를 이용하면 좋다.
③ 북한 한류(B)와 동한 난류(C)가 만나는 곳은 조경 수역으로 좋은 어장이 된다.
④ (가) 해역에서 버려진 쓰레기는 동한 난류(C)와 쓰시마 해류(D)를 타고 이동할 수 있다.
⑤ 쿠로시오 해류(E)는 우리나라 근해를 흐르는 난류의 근원으로, 폭이 좁고 유속이 빠르다.

16 ② 조석 현상의 원인은 태양과 달의 인력이며, 달의 인력에 의한 영향이 크다.

오답 분석

① 주기적으로 나타나는 해수의 수평 흐름을 조류라고 한다.
③ 하루 중 해수면이 가장 낮아진 때를 간조라고 한다. 조금은 한 달 중 조차가 가장 작은 시기이다.
④ 해수면이 주기적으로 높아졌다 낮아지는 현상을 조석이라고 한다.
⑤ 조차는 만조와 간조 때 바닷물의 높이 차이이다.

17 **모범 답안** B, 지하수는 하천수나 호수보다 많은 양이 분포하며, 빗물을 통해 지속적으로 채워지기 때문에 수자원으로서의 가치가 높다.

채점 기준	배점
기호와 까닭을 모두 옳게 서술한 경우	100 %
까닭을 옳게 서술한 경우	60 %
기호만 옳게 쓴 경우	40 %

18 **모범 답안** 겨울철, 혼합층의 두께가 여름철보다 겨울철에 두껍기 때문이다.

해설 바람이 강하게 불수록 해수면에서 깊은 곳까지 바닷물이 섞이므로 혼합층의 두께가 두껍게 나타난다.

채점 기준	배점
계절과 까닭을 모두 옳게 서술한 경우	100 %
까닭을 옳게 서술한 경우	60 %
계절만 옳게 쓴 경우	40 %

19 **모범 답안** 겨울철, 겨울철이 여름철에 비해 강수량이 적기 때문이다.

채점 기준	배점
계절과 까닭을 모두 옳게 서술한 경우	100 %
까닭을 옳게 서술한 경우	60 %
계절만 옳게 쓴 경우	40 %

20 **모범 답안** 북쪽, 황해 난류를 따라 기름이 이동하기 때문이다.

채점 기준	배점
방향과 까닭을 모두 옳게 서술한 경우	100 %
까닭을 옳게 서술한 경우	60 %
방향만 옳게 쓴 경우	40 %

VIII 열과 우리 생활

01 온도와 열

개념 다지기 1단계

진도책 211쪽, 213쪽

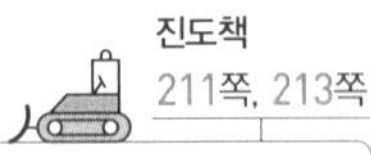

01 ② 02 (1) ○ (2) × (3) ○ 03 ㉠ 높은 ㉡ 낮은
04 ④

05 (1) × (2) ○ (3) × (4) × (5) ○ (6) ○ (7) ×
06 (1) ㉡ (2) ㉠ (3) ㉢ 07 ㉠ 대류 ㉡ 위쪽 ㉢ 아래쪽
08 복사 09 ④ 10 (1) 복사 (2) 전도, 대류 11 단열

01 온도는 물체를 이루고 있는 입자의 활발한 정도를 나타낸다.

02 (2) 물체를 두드리면 입자의 운동이 활발해지면서 물체의 온도가 올라간다.

03 온도가 다른 두 물체가 접촉해 있을 때 온도가 높은 물체에서 온도가 낮은 물체로 이동하는 에너지를 열이라고 한다.

04 온도가 높은 물체에서 온도가 낮은 물체로 열이 이동하여 열평형이 된다.

05 (1), (2), (3) 전도는 고체에서, 대류는 기체와 액체에서 나타나는 열의 이동이다. (4) 복사는 열이 다른 물질의 도움 없이 직접 이동하는 현상이다. (7) 열은 한번에 2~3가지의 방법으로 이동하는 경우가 많다.

06 (1) 전기장판의 열선(고체)에서 발생한 열이 장판의 입자에 이동하고 다시 몸으로 이동하여 몸이 따뜻해진다. (2) 난로에 데워진 따뜻한 공기(기체)가 직접 위로 올라간다. (3) 햇빛의 복사열이 물질의 도움 없이 이동하여 따뜻함을 느낀다.

07 냉난방기는 대류로 공기를 이동시켜 열을 전달한다. 냉방기는 위쪽에 설치해야 찬 공기는 아래로 내려오고 더운 공기는 위로 올라가면서 방 전체가 시원해진다. 난방기는 아래쪽에 설치해야 더운 공기는 위로 올라가고 찬 공기는 아래로 내려오면서 방 전체가 따뜻해진다.

08 열화상 카메라를 이용하면 사람의 몸이나 건물 등 여러 가지 물체에서 방출되는 복사열을 찍을 수 있다.

09 문풍지, 이중 창문, 스타이로폼 등을 이용하여 집 안의 열이 밖으로 이동하는 것을 막아 효율적으로 집을 지을 수 있다.

10 금속판으로 열을 반사시키면 복사에 의한 열의 이동을 막을 수 있다. 진공 상태는 전도뿐만 아니라 대류에 의한 열의 이동을 막을 수 있다.

자료 분석

마개: 전도에 의한 열의 이동을 막는다.

금속판: 복사에 의한 열의 이동을 막는다.

진공: 전도와 대류에 의한 열의 이동을 막는다.

11 뜨거운 냄비를 잡을 때 부엌용 장갑을 사용하면 냄비의 열이 손으로 전도되는 것을 막을 수 있다. 음식 배달 가방은 속이 알루미늄 소재로 되어 있어 복사로 열이 빠져 나가는 것을 막는다. 스타이로폼 박스는 박스 밖의 열이 내부로 전도되어 들어오는 것을 막아 생선을 오랫동안 차갑게 유지시킨다.

공략 확인 문제

진도책 214쪽

01 ㄷ, ㄹ, ㄴ, ㄱ 02 해설 참조 03 (1) × (2) ○ (3) ○
(4) ○ (5) ○

01 열량계에 찬물을 넣고, 뜨거운 물을 금속 캔에 넣어 금속 캔을 찬물이 담긴 열량계에 넣는다. 열량계의 뚜껑을 닫고, 뜨거운 물과 찬물에 각각 디지털 온도계를 꽂은 다음, 금속 캔과 열량계 속 물의 온도를 2분 간격으로 측정하여 표에 기록한다.

02 **모범 답안** 금속 캔은 전도가 잘되는 물체로, 실험 결과가 빠르게 나온다.

채점 기준	배점
금속 캔이 전도가 잘 됨을 쓰고, 실험 결과가 빠르게 나타난다고 서술한 경우	100 %
금속 캔이 전도가 잘 되는 사실만 서술한 경우	50 %

03 (1) 온도계를 꽂을 때는 온도계가 열량계와 금속 캔의 바닥이나 벽에 닿지 않도록 주의해야 한다.

실력 올리기 2단계

진도책 215~218쪽

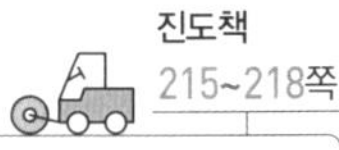

01 ⑤ 02 온도계 03 ② 04 ⑤ 05 ③ 06 ④ 07 ④
08 ④ 09 ④ 10 ③ 11 ④ 12 ⑤ 13 (1) B → A
(2) 해설 참조 14 ⑤ 15 ⑤ 16 D → A 17 ④
18 ④ 19 ① 20 ③ 21 ⑤ 22 해설 참조 23 대류
24 ④ 25 ③ 26 ⑤ 27 (가) 복사 (나) 전도 (다) 대류

01 온도는 물체를 이루고 있는 입자의 활발한 정도를 나타낸 것으로, 물체의 차고 뜨거운 정도를 나타낸다.

오답 분석

② 두 물체가 접촉할 때 이동하는 에너지는 열이다.

③ 온도는 끝없이 높아질 수는 있지만, −273 ℃(0 K) 아래로는 낮아질 수 없다.

④ 사람의 감각만으로는 얼마나 차고 뜨거운지 정확히 알 수 없다.

02 사람의 감각만으로는 물체의 온도를 정확히 알 수 없으므로 물체의 온도를 정확하게 알기 위해 온도계를 이용하여 물체의 온도를 측정한다.

03 절대 온도=섭씨온도+273이므로 절대 온도 300 K는 섭씨온도 27 ℃이다.

04 오답 분석
ㄱ. 입자들이 멈춰 있는 온도는 절대 온도 0 K이다.

05 같은 물질이고 질량이 같은 경우, 물체의 온도가 높을수록 열에너지가 크고 입자의 움직임이 빠르며, 온도가 낮을수록 열에너지가 작고 입자의 움직임이 둔하다. 즉, 입자의 움직임 이 가장 빠른 (가)의 온도가 가장 높고, 입자의 움직임이 가장 느린 (나)의 온도가 가장 낮다.

06 온도가 가장 높은 (가)와 가장 낮은 (나)를 서로 접촉시키면, 온도가 높은 (가)는 열을 잃어 입자 운동이 둔해지고, 온도가 낮은 (나)는 열을 얻어 입자 운동이 활발해진다.

07 고무줄을 여러 번 당겼다 놓으면 고무줄을 이루고 있는 입자 운동이 활발해지면서 온도가 올라간다.

08 물속에서 코코아가 퍼지는 현상은 입자 운동에 의해 일어나는 현상으로, 물의 온도가 높을수록 열에너지가 커서 입자 운동이 활발하고 코코아가 빨리 퍼진다.

09 열은 온도가 높은 물체에서 온도가 낮은 물체로 이동한다. 열은 뜨거운 코코아에서 컵으로 이동하고 컵이 뜨거워지면 컵에서 손으로 열이 이동한다.

10 물에 가한 열량이 같은 경우 온도 변화는 질량에 반비례한다.

11 온도계와 물은 열평형을 이루기 때문에 온도계로 온도를 측정할 수 있다.

12 자료 분석

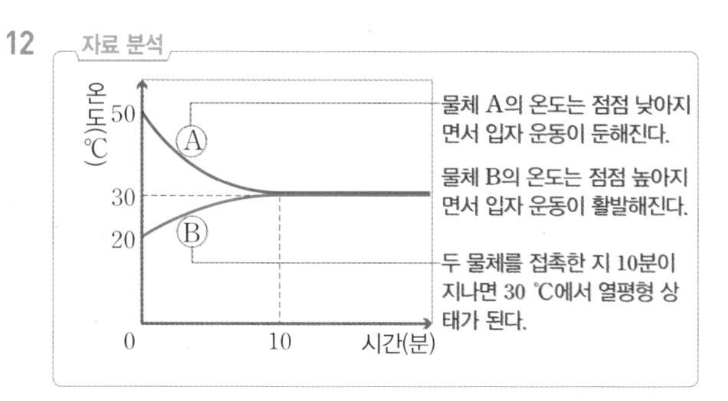

열평형은 온도가 다른 두 물체가 접촉해 있을 때 두 물체의 온도가 더는 변하지 않고 일정해지는 상태이므로 열평형에 도달하는 데 걸린 시간은 10분이다.

13 **모범 답안** (1) B ⇒ A (2) 열은 온도가 높은 쪽에서 낮은 쪽으로 이동하므로, 입자 운동이 활발한 B에서 입자 운동이 둔한 A로 열이 이동한다.

채점 기준	배점
열이 이동하는 방향을 옳게 쓰고, 그 까닭을 입자 운동과 관련지어 옳게 서술한 경우	100 %
열이 이동하는 방향은 틀리고, 열이 이동하는 까닭만을 입자 운동과 관련지어 서술한 경우	60 %
열이 이동하는 방향은 옳게 쓰고, 그 까닭은 틀린 경우	30 %

14 열평형에 도달하면 찬물과 뜨거운 물의 입자 운동이 서로 같아진다.

15 열은 항상 온도가 높은 물체에서 온도가 낮은 물체로 이동하므로 D>B>C>A 순서로 온도가 높다.

16 D의 온도가 A의 온도보다 높으므로 열은 D에서 A로 이동한다.

17 A가 B보다 입자의 운동이 활발하므로 A의 온도가 더 높다. 두 물체를 접촉시켜 놓으면 A에서 B로 열이 이동하면서 A의 온도는 낮아지고, B의 온도는 높아진다.
오답 분석
ㄷ. A에서 B로 열이 이동하면서 B의 온도가 높아지므로 시간이 지날수록 B의 입자 운동은 활발해진다.

18 (나)에서 열은 뜨거운 물에서 한약으로 이동한다. 이때 뜨거운 물은 열을 잃어 온도가 내려가고, 한약은 열을 얻어 온도가 올라간다.

19 뜨거운 물의 열이 금속 숟가락으로 이동한 다음 전도에 의해 금속 숟가락의 입자의 운동이 이웃한 입자에 차례로 전달되어 금속 숟가락의 손잡이까지 열이 이동한다.

20 뜨거운 코코아에 숟가락을 담그면 코코아 입자들이 활발하게 움직이며 숟가락 입자들과 충돌한다. 이로 인해 숟가락 입자들의 운동은 점점 활발해지고, 코코아 입자들의 운동은 점점 둔해진다. 즉, 입자의 충돌에 의해 열이 전달되어 숟가락이 뜨거워진다.

21 에어컨을 틀면 방 안이 전체적으로 시원해지는 것은 대류와 관련된 현상이다.

22 **모범 답안** 플라스틱은 열을 잘 전도하지 않기 때문이다.

채점 기준	배점
플라스틱이 열을 잘 전도하지 않는다고 쓴 경우	100 %
플라스틱이 열을 잘 전도하지 않는다고 쓰지 않은 경우	0 %

23 국이나 죽이 식는 현상은 대류와 관련이 있다. 국물이 많은 국은 대류 현상이 활발히 일어나지만 국물이 적은 죽은 대류 현상이 느리게 일어나 위쪽만 잘 식는다.

24 알코올램프로 가열한 쪽의 톱밥이 따뜻해진 물과 함께 위로 올라가고 그 자리는 주변의 물이 흘러들어온다. 위쪽으로 올라간 물이 식으면 다시 아래로 내려온다.

25 복사에 의한 열의 이동을 나타낸 것으로, 열이 전자기파의 형태로 전달된다. 열은 물질이 아니라 에너지의 일종이다.

26 이중창 속에는 공기가 들어 있어 전도에 의한 열의 이동을 막는다. 뜨거운 냄비를 만질 때 주방용 장갑을 사용하는 것도 전도에 의한 열의 이동을 막는 것이다.
오답 분석
① 복사에 의한 현상이다.
②, ④ 대류에 의한 현상이다.
③ 물이 끓으면서 올라온 수증기가 냄비 뚜껑을 밀어내어 뚜껑이 움직인다.

27 (가)는 공이 공중에서 다른 학생의 도움 없이 이동하였으므로 복사의 모습과 닮았고, (나)는 학생을 한 명 한 명 거쳐 이동하였으므로 전도의 모습과 닮았다. (다)는 학생이 직접 공을 전달하는 모습이므로 대류의 모습과 닮았다.

만점 도전하기 3단계

진도책 219쪽

01 물속에 있는 부분 02 ② 03 ④ 04 ③ 05 ①

01 물체의 온도가 높을수록 입자의 운동이 활발하고, 물체의 온도가 낮을수록 입자의 운동이 둔하다. 숟가락보다 뜨거운 물의 온도가 더 높으므로 뜨거운 물속에 있는 부분의 입자 운동이 더 활발하다.

02 뜨거운 물의 열이 숟가락으로 이동하면서 물의 온도는 낮아지므로 물 입자의 운동이 처음보다 둔해진다.
오답 분석
ㄱ. 열은 온도가 높은 물체에서 온도가 낮은 물체로 이동하므로 뜨거운 물에서 숟가락으로 이동한다. ㄷ. 시간이 지나면 물의 온도와 숟가락의 온도는 서로 같아져 열평형 상태가 된다.

03 작은 비커의 물에 비해 넓은 실험실을 가득 채우고 있는 공기의 질량이 매우 크기 때문에 열평형에 도달할 때까지 공기의 온도 변화는 없는 것이다.

04 우유가 위쪽에 있고 열을 잘 전도하는 금속판 위에 있는 (나)의 우유가 가장 빠르게 골고루 데워진다. (가)는 금속판보다 나무판이 열을 잘 전도하지 않으므로 느리지만 골고루 우유를 데운다. (다)는 우유가 찜질팩의 아래쪽에 있기 때문에 대류가 잘 일어나지 않아 우유의 위쪽만 데워진다.

05 주변의 온도가 체온보다 높으므로 단열이 잘되는 재질로 방열복을 만든다. 금속 재질은 전도가 잘되는 물질로, 방열에는 효과가 좋지 않다.

02 비열과 열팽창

개념 다지기 1단계

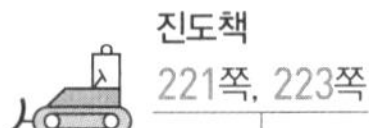

진도책 221쪽, 223쪽

01 (1) ○ (2) × (3) ○ (4) ○ 02 (1) 클수록 (2) 1 ℃
03 ←

04 (1) ○ (2) × (3) ○ (4) ○ 05 ㄱ, ㄹ, ㄴ, ㄷ
06 (1) 열팽창 (2) 활발 (3) 높을 07 ㉠ 다른 ㉡ 작은
08 A > B 09 (가) 여름 (나) 겨울

01 (2) 비열의 단위는 kcal/(kg·℃)이다.

02 (1) 같은 양의 열을 가했을 때 질량에 따라 온도 변화의 정도가 다르다.

03 낮에는 육지가 바다보다 먼저 데워져 육지의 따뜻한 공기가 위로 올라간다. 그 빈자리로 찬 공기가 밀려들어오면서 바다에서 육지로 해풍이 분다.

04 (2) 일반적으로 물체가 열팽창하면 입자 운동이 활발해지고 입자들이 차지하는 공간이 커져 물질의 길이나 부피가 늘어난다.

05 일반적으로 열팽창 정도는 액체가 고체보다 크다. 액체에서는 에탄올이 글리세린보다 열팽창 정도가 크고, 고체에서는 철이 유리보다 열팽창 정도가 크다.

06 온도가 낮을 때 입자 운동이 활발하지 않아 입자 사이의 거리가 가깝지만 온도가 높아지면 입자 운동이 활발해져 입자들 사이의 거리가 멀어진다. 따라서 입자들이 차지하는 공간이 늘어나 부피가 팽창하는데 이러한 현상을 열팽창이라고 한다.

07 바이메탈은 열팽창 정도가 다른 두 금속을 붙여 놓은 것이다. 바이메탈의 온도가 올라가면 열팽창 정도가 작은 금속 쪽으로 휘어진다.

08 바이메탈은 열팽창 정도가 다른 두 개의 금속을 붙여 놓은 것으로, 온도가 오르면 열팽창 정도가 작은 금속 쪽으로 휘어진다.

09 더운 여름에는 선로의 온도가 올라가기 때문에 길이가 늘어나 틈이 좁아지고, 추운 겨울에는 선로의 온도가 내려가기 때문에 길이가 줄어들어 틈이 넓어진다.

공략 확인 문제

진도책 224쪽

01 ④ **02** 해설 참조 **03** (1) × (2) ○ (3) ○ (4) × (5) ○

01 물과 에탄올이 열을 받아 열팽창하면서 각각의 열팽창 정도가 다름을 관찰하는 실험이다.

02 **모범 답안** 물질의 종류에 따라 열팽창 정도가 다른데, 에탄올의 열팽창 정도가 물의 열팽창 정도보다 크기 때문이다.

채점 기준	배점
물질의 종류에 따라 열팽창 정도가 다름을 쓰고, 에탄올의 열팽창 정도가 물의 열팽창 정도보다 크다고 서술한 경우	100 %
물질의 종류에 따라 열팽창 정도가 다르기 때문이라고만 쓴 경우	50 %

03 (1) 수조에 따뜻한 물 대신 찬물을 넣으면 삼각 플라스크 속 액체의 온도가 낮아져 입자 운동이 둔해진다. 따라서 입자 사이의 거리가 가까워지므로 입자들이 차지하는 공간이 줄어들어 액체의 높이는 낮아질 것이다. (4) 글리세린의 열팽창 정도는 에탄올에 비해 작지만 물보다는 크므로 글리세린의 높이 변화가 물의 높이 변화보다 클 것이다.

실력 올리기 2단계

진도책 225~228쪽

01 ② **02** ① **03** ③ **04** ④ **05** ② **06** ⑤ **07** ③
08 104 ℃ **09** ① **10** ① **11** ③ **12** 해설 참조
13 ⑤ **14** ① **15** ③ **16** ③ **17** ③ **18** (가), (나)
19 ⑤ **20** ⑤ **21** ② **22** ④ **23** ② **24** ④
25 해설 참조

01 ㄴ. 식용유의 온도 변화는 60－20＝40 ℃이고, 물의 온도 변화는 40－20＝20 ℃이므로 식용유가 물보다 온도가 빠르게 변화하였다.

오답 분석

ㄱ. 식용유의 온도 변화가 물보다 크므로 식용유의 비열은 물보다 작다. ㄷ. 비열이 더 작은 식용유의 온도를 1 ℃ 높이는 데 필요한 열량이 더 작다.

02 물을 끓이는 데 걸리는 시간을 줄이려면 온도를 빠르게 올려야 한다. 온도 변화를 빠르게 하려면 열량은 크게 하고, 물체의 질량은 작게 해야 한다.

03 비열은 물질마다 고유한 값을 갖는다. 따라서 물질의 질량이 변한다고 해서 비열이 변하는 것이 아니다. 물질의 질량이 커지면 물질의 온도를 높이는 데 더 많은 열량이 필요하다.

04 비열이 클수록 같은 열량을 가하였을 때 온도 변화가 작다. A의 온도 변화는 23 ℃, B의 온도 변화는 13 ℃, C의 온도 변화는 11 ℃이므로 C＞B＞A의 순으로 비열이 크다.

05 자료 분석

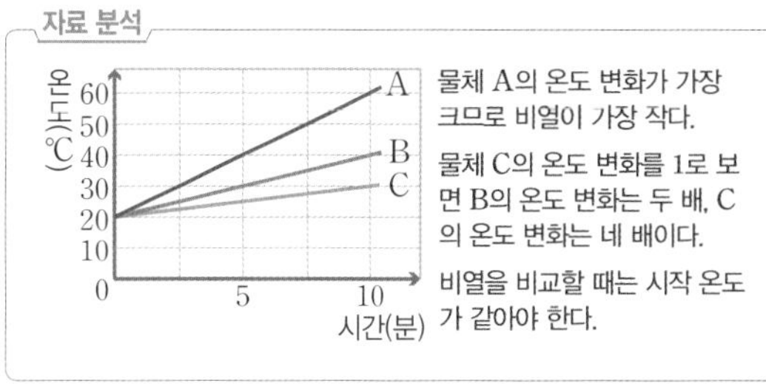

물체 A~C는 각각 40 ℃, 20 ℃, 10 ℃씩 온도가 변하였으므로 A : B : C$=\frac{1}{40}:\frac{1}{20}:\frac{1}{10}=$ 1 : 2 : 4이다.

06 온도를 20 ℃만큼 높이는 데 걸린 시간은 A가 1분 30초, B가 4분 30초이므로 A가 B보다 짧다.

오답 분석

① A와 B를 동일하게 가열하였을 때 A의 온도 변화가 더 크므로 A는 B보다 비열이 작다.
② A와 B는 서로 다른 물질이다.
④ A와 B를 동일하게 가열하였으므로 A와 B는 동일한 열량을 얻었다.

07 질량과 가해진 열량이 같을 때 비열이 작을수록 온도가 더 많이 올라간다. 따라서 비열이 가장 작은 금의 온도 변화가 가장 크다.

08 가열한 알루미늄의 온도는 62－25＝37 ℃가 올랐다. 철의 비열은 알루미늄의 $\frac{1}{2}$이므로 같은 열량을 철에 공급한다면 철의 온도는 74 ℃가 오른다. 따라서 처음 온도인 30 ℃에 74 ℃를 더하면 104 ℃가 된다.

09 비열이 큰 물질일수록 온도 변화가 작기 때문에 비열을 고려하여 보온병을 만든다면 알루미늄으로 만들어야 병 안의 음료의 온도를 가장 잘 유지할 수 있다.

오답 분석

② 물은 비열이 1.00 kcal/(kg·℃)로 비열이 크기 때문에 온도 변화가 작다.
③ 유리의 비열이 철보다 크기 때문에 유리컵 속의 차는 철로 만든 컵 속의 차보다 더 천천히 식는다.
④ 에탄올의 비열이 물의 비열보다 작으므로 동일한 열량으로 가열하면 에탄올의 온도가 더 빨리 올라간다.
⑤ 알루미늄의 비열이 철보다 크므로 알루미늄으로 만든 숟가락이 더 천천히 데워지고 더 천천히 식는다.

10 돌은 놋쇠보다 비열이 크므로 돌솥은 질량이 같은 놋그릇보다 비열이 크다. 비열이 클수록 더 천천히 식는다.

11 물의 비열은 1.00 kcal/(kg·℃)로 모래의 비열인 0.19 kcal/(kg·℃)보다 크다. 따라서 비열이 물보다 작은 모래는 물보다 온도 변화가 크다.

12 **모범 답안** (가), 물이 모래보다 비열이 크기 때문에 물의 온도 변화가 모래의 온도 변화보다 작으므로 더 오랫동안 따뜻하게 사용할 수 있다.

채점 기준	배점
더 오랫동안 사용할 수 있는 찜질팩을 옳게 고르고, 그 까닭을 옳게 서술한 경우	100 %
더 오랫동안 사용할 수 있는 찜질팩은 틀리고, 비열을 활용하여 까닭을 옳게 서술한 경우	50 %
더 오랫동안 사용할 수 있는 찜질팩만 옳게 고른 경우	30 %

13 금속 막대를 가열하면 금속 막대의 입자들의 운동이 활발해지며 입자 사이의 거리가 멀어진다. 이에 따라 입자들이 차지하는 공간이 늘어나 부피가 팽창한다.

14 열팽창이 일어나면 길이, 넓이, 부피가 모두 증가한다.

15 금속 구를 냉각하여 금속 구의 부피를 줄이거나 금속 고리를 가열하여 금속 고리를 팽창시키면 금속 구가 금속 고리를 통과할 수 있다.

오답 분석

ㄴ, ㄷ 금속 구를 가열하면 금속 구의 부피가 늘어나고, 금속 고리를 냉각하면 금속 고리의 부피가 줄어들어 금속 구가 금속 고리를 통과할 수 없다.

16 유리보다 금속의 열팽창 정도가 커서 유리병을 뜨거운 물 속에 넣으면 금속 뚜껑이 팽창하여 헐거워지므로 쉽게 열 수 있다.

17 유리관 속 액체 높이가 가장 높은 에탄올의 열팽창 정도가 가장 크다.

오답 분석

①, ② 시간이 지난 후 뜨거운 물과 각각의 액체는 열평형 상태가 되므로 온도는 모두 같다.

④ 온도계에 사용할 액체로는 열팽창 정도가 큰 에탄올이 적합하다.

⑤ 뜨거운 물 대신 얼음물을 사용해도 열팽창 정도가 큰 에탄올의 높이가 가장 많이 변화한다.

18 (가) 금속 병이 유리 마개보다 팽창하는 정도가 더 크므로 마개가 잘 열린다.

(나) 금속 뚜껑이 유리병보다 팽창하는 정도가 더 크므로 뚜껑이 잘 열린다.

오답 분석

(다) 금속 마개가 유리병보다 팽창하는 정도가 더 크므로 마개가 열리지 않는다.

19 ㄴ. 열팽창 정도가 큰 물질은 온도가 올라갈 때도 잘 팽창하고 온도가 내려갈 때도 잘 수축한다. ㄷ. 온도가 높아지면 입자 운동이 활발해져서 입자가 차지하는 공간이 커지면서 팽창이 일어난다.

오답 분석

ㄱ. 일반적으로 고체보다 액체의 열팽창 정도가 더 크다.

20 치아와 열팽창 정도가 다른 물질을 충전재로 사용할 경우 입 속 온도 변화에 따라 치아와 충전재의 열팽창 정도가 달라 치아가 깨질 수도 있다.

21 바퀴에 끼울 수 없을 정도로 딱 맞는 금속 테를 가열하면 열팽창하여 부피가 늘어난다. 부피가 늘어난 금속 테를 나무 바퀴에 끼운 다음 냉각하면 금속 테가 수축하여 바퀴에 고정된다.

22 바이메탈은 가열되었을 때 열팽창에 따라 금속이 늘어나는 정도가 다른 원리를 이용한 것이다. 바이메탈이 B쪽으로 휘어진 것으로 보아 A의 열팽창 정도가 B보다 크다는 것을 알 수 있다.

오답 분석

ㄷ. 열팽창 정도는 A가 더 크기 때문에 온도가 낮아지면 A가 더 많이 수축한다.

23 바이메탈을 가열하면 열팽창 정도가 작은 쪽으로 휘어지므로 철 쪽으로 오목하게 휘어지게 된다.

24 온도계에 알코올이나 수은을 사용하는 까닭은 온도에 따라 열팽창하는 부피가 다른 액체보다 비교적 일정하게 변하기 때문이다.

25 **모범 답안** 아래쪽의 그릇을 따뜻한 물에 넣으면 그릇이 열팽창하여 부피가 늘어나고, 위쪽의 그릇에 찬물을 넣으면 수축하여 그릇을 쉽게 분리할 수 있다.

채점 기준	배점
뜨거운 물, 찬물의 위치를 옳게 쓰고, 열팽창과 관련지어 옳게 서술한 경우	100 %
뜨거운 물, 찬물의 위치만 옳게 쓴 경우	50 %

만점 도전하기 3단계

진도책 229쪽

01 ③ 02 ⑤ 03 ②, ⑤ 04 ①

01 비열이 작을수록 온도 변화가 더 크므로 온도가 더 빠르게 변화한 A가 식용유, B가 물이다.

02 (가)와 (나)를 비교하면 질량이 같을 때 가한 열량이 크면 온도 변화도 크다는 것을 알 수 있고, (나)와 (다)를 비교하면 가한 열량이 같으면 질량이 작을수록 온도 변화가 크다는 것을 알 수 있다. 따라서 비열$=\dfrac{\text{열량}}{\text{질량}\times\text{온도 변화}}$으로 나타낼 수 있다.

03 철선과 구리선을 가열하면 모두 열팽창하면서 길이가 늘어난다. 구리선의 높이가 더 낮아진 까닭은 구리선의 열팽창 정도가 더 커 구리선이 더 많이 늘어났기 때문이다.

04 금속 고리를 가열하면 고리의 반지름이 늘어나므로 고리의 틈도 넓어진다.

진도책 230쪽~233쪽

대단원 완성하기

01 ③ **02** ③ **03** ② **04** ㄱ, ㄴ **05** ⑤ **06** D, B
07 ⑤ **08** ④ **09** ③ **10** ③ **11** ② **12** ③ **13** ③
14 ② **15** ④ **16** 해설 참조 **17** 해설 참조
18 해설 참조 **19** 해설 참조 **20** 해설 참조
21 해설 참조

01 식탁 위에 올려놓은 뜨거운 국물은 주변으로 열을 잃기 때문에 서서히 온도가 내려간다. 어떤 물체의 온도가 내려가면 물체를 이루는 입자 운동이 둔해지고 입자 사이의 거리가 가까워지며 입자들이 차지하는 공간이 줄어든다.

02 물체의 질량은 온도와 관계없다.

03 물질의 온도가 높으면 물질을 이루고 있는 입자의 운동도 활발하다. 뜨거운 물 입자의 운동이 활발하기 때문에 색소와 더 활발하게 섞이므로 뜨거운 물에서 색소가 더 잘 퍼진다.

04 ㄱ. 손의 온도와 온도계 속 액체의 온도가 열평형 상태가 되었다. ㄴ. 찬물의 온도와 얼음의 온도가 열평형 상태가 되었다.

오답 분석

ㄷ. 가스레인지에서 물로 계속 열이 공급되고 있다. ㄹ. 방 안의 더운 공기에서 에어컨에서 나오는 찬 공기로 계속 열이 이동하고 있다.

05 ㄱ. 두 물체의 온도가 30 ℃에서 만나 더는 변하지 않으므로 30 ℃에서 열평형 상태가 되었다. ㄷ. 온도가 서로 다른 두 물체가 접촉하면 열평형이 될 때까지 온도가 높은 물체에서 온도가 낮은 물체로 열이 이동한다.

오답 분석

ㄴ. 두 물질의 질량을 알 수 없으므로 비열을 비교할 수 없다.

06 열은 온도가 높은 곳에서 온도가 낮은 곳으로 이동한다. 열의 이동 방향을 살펴보면 D → C → A → B로 이동한다는 것을 알 수 있다. 따라서 네 물체의 온도는 D>C>A>B이다.

07 대류는 열을 얻은 액체나 기체 입자가 직접 이동하여 열을 이동시키는 방법이다.

오답 분석

① 매질이 없는 곳에서도 일어나는 열의 이동은 복사이다.
③ 대류는 온도 차가 클수록 더 잘 일어난다.

08 양산이나 파라솔로 햇빛을 막으면 태양에서 오는 복사열을 차단하여 열의 이동을 막을 수 있다. 뜨거운 국의 열이 숟가락으로 이동하고 숟가락 손잡이 부분까지 열이 전도하여 이동한다.

09 냉난방기에서 나오는 공기는 기체이므로 대류에 의해 열이 이동한다. 따뜻한 공기는 위로 올라가고 찬 공기는 아래로 내려오므로 냉방기는 천장에 위치하고, 난방기는 의자 아래쪽에 위치해야 지하철 내부 전체가 골고루 냉난방이 된다.

10 보온병 안쪽의 금속판은 열을 반사시키면서 복사에 의한 열의 이동을 막을 수 있다. 나머지는 모두 전도에 의한 열의 이동을 막는 단열 방법이다.

11 ㄱ. 금속 A의 나중 온도가 금속 B의 나중 온도보다 높은 것으로 보아 금속 A의 비열이 금속 B의 비열보다 낮다는 것을 알 수 있다. 따라서 금속 A는 금속 B보다 빨리 식을 것이다. ㄴ. 금속 A와 금속 B에는 각각 10 kcal의 동일한 열량을 가하였다.

오답 분석

ㄷ. 나중 온도를 비교하면 금속 B의 온도가 더 낮으므로 금속 A보다 금속 B의 입자 운동이 더 둔하다.

12 뜨거운 물의 질량이 찬물의 질량의 $\frac{1}{3}$배이므로 처음에는 뜨거운 물의 온도가 빠르게 낮아지고, 찬물의 온도는 천천히 높아진다. 시간이 지나면 온도가 느리게 변하며 열평형 상태가 된다.

13

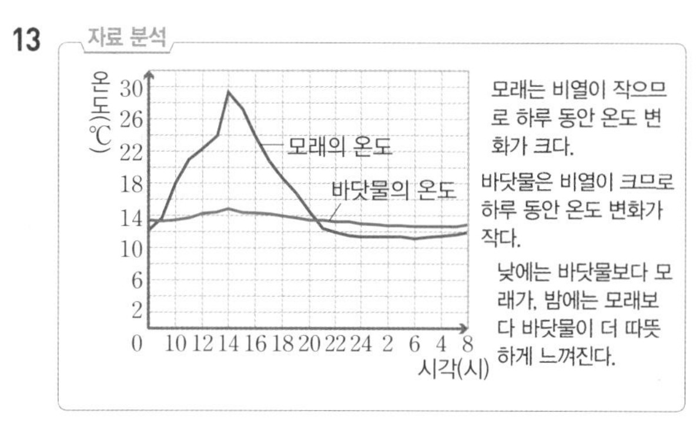

ㄱ, ㄷ 모래보다 비열이 큰 바닷물은 하루 동안 온도 변화가 작다.

오답 분석

ㄴ. 비열은 물질의 특성으로 물질마다 고유한 값을 가지므로 변하지 않는다.

14 구리선의 추의 높이가 철선의 추의 높이보다 낮아졌다면 구리선이 철선보다 더 많이 늘어난 것이다. 따라서 구리선이 철선보다 열팽창 정도가 더 크다.

15 ㄴ. 두 금속을 가열하였을 때 금속 A쪽으로 휘었으므로 금속 A의 열팽창 정도가 금속 B보다 작다. ㄷ. 열팽창 정도가 서로 다른 두 금속을 붙여서 바이메탈을 만들면 자동 온도 조절 장치로 사용할 수 있다.

오답 분석

ㄱ. 두 금속을 동시에 알코올램프로 가열하였으므로 금속 A와 금속 B의 온도는 같다.

16 **모범 답안** A, 물체의 온도 차이가 크기 때문이다.

채점 기준	배점
구간을 옳게 쓰고 까닭을 옳게 서술한 경우	100 %
구간만 옳게 쓴 경우	50 %

17 **모범 답안** 이중창 사이에 있는 공기층이 전도에 의한 열의 이동을 막는다.

채점 기준	배점
단열재와 열의 이동 방법을 들어 옳게 서술한 경우	100 %
막는 열의 이동 방법만 옳게 서술한 경우	50 %

18 **모범 답안** 낮에는 비열이 작은 육지가 빨리 데워져 육지의 따뜻한 공기가 위로 올라가고 빈자리를 바다의 공기가 채우면서 해풍이 분다. 밤에는 비열이 작은 육지가 빨리 식어 바다의 따뜻한 공기가 위로 올라가고 육지의 공기가 빈자리로 이동하여 육풍이 분다.

채점 기준	배점
비열과 온도 변화를 언급하여 공기의 이동을 옳게 서술한 경우	100 %
온도 변화만 언급하여 공기의 이동을 옳게 서술한 경우	50 %

19 **모범 답안** 햄 – 감자 – 당근 – 양파, '비열 × 질량' 값이 클수록 온도 변화가 작으므로 조리 시간이 오래 걸린다.

채점 기준	배점
조리 순서를 맞게 쓰고, 그 까닭을 옳게 서술한 경우	100 %
조리 순서만 맞게 쓴 경우	50 %
조리 순서의 까닭만 옳게 서술한 경우	30 %

20 **모범 답안** 사람의 체온이 쉽게 변하지 않는다, 보일러에 물을 넣는다, 해안 지방에서 낮에는 해풍, 밤에는 육풍이 분다 등

채점 기준	배점
현상이나 활용 예를 3가지 이상 옳게 서술한 경우	100 %
현상이나 활용 예를 2가지만 옳게 서술한 경우	60 %
현상이나 활용 예를 1가지만 옳게 서술한 경우	30 %

21 **모범 답안** 여름, 여름이 되어 온도가 올라가면 에펠탑을 만든 금속의 온도도 올라가 금속이 열팽창하여 부피가 늘어나 높이가 높아진다.

채점 기준	배점
계절을 맞게 쓰고, 그 까닭을 옳게 서술한 경우	100 %
계절만 맞게 쓰고, 그 까닭은 틀리게 서술한 경우	50 %
계절은 틀리고, 그 까닭은 옳게 서술한 경우	30 %

IX 재해 · 재난과 안전

01 재해 · 재난의 원인과 대처

개념 다지기 1단계

진도책 235쪽, 237쪽

01 (1) ○ (2) ○ (3) × 02 ㉠ 황사, ㉡ 미세먼지 03 (1) - ㉢, (2) - ㉡, (3) - ㉠ 04 (1) ㄱ, ㄴ, ㄷ (2) ㄹ, ㅁ, ㅂ

05 지진 06 (1) - ㉢, (2) - ㉡, (3) - ㉠ 07 (1) × (2) ○ (3) ○ (4) × (5) ○ 08 (1) ○ (2) ○ (3) ×

01 (3) 재해와 재난에는 자연 현상으로 발생하는 것과 인간 활동으로 발생하는 것이 있다.

02 미세먼지는 사람의 눈에 보이지 않을 정도의 작은 먼지 입자로, 주로 연료를 태우는 등의 인위적인 원인으로 발생하며, 호흡 과정에서 폐에 들어가 폐질환 등의 원인이 된다. 입자의 크기에 따라 미세먼지와 초미세먼지로 나누기도 한다.

03 유출된 화학 물질이 호흡기로 흡입되거나 피부로 흡수되어 인체에 피해가 생기거나 생태계를 파괴한다.

04 화학 물질 유출, 운송 수단 사고, 감염성 질병 확산 등은 사람의 부주의로 발생하는 재해·재난이다.

05 지진으로 땅이 흔들리는 동안은 튼튼한 책상 아래로 들어가 몸을 보호한다. 흔들림이 멈추면 전기와 가스를 차단하고, 건물 밖으로 나갈 때에는 계단을 이용한다. 건물 밖에서는 운동장이나 공원 등 넓은 공간으로 이동하고, 이때 차량을 이용하지 않도록 한다.

06 (1) 유출된 유독가스가 공기보다 밀도가 크면 높은 곳으로 대피해야 하며, 대피할 때에는 바람의 방향을 고려해야 한다.
(3) 감염성 질병이 발생하면 외출할 때에는 마스크를 착용하고, 사람이 많은 장소는 되도록 피한다. 또한 기침이나 재채기를 할 때에는 휴지, 손수건 등으로 코와 입을 가린다.

07 (1) 지진이 발생하면 계단을 이용한다.
(4) 화산이 폭발하면 실내에서는 창문과 문을 닫고 물을 묻힌 수건을 문의 빈틈이나 환기구에 두어 화산재가 들어오지 못하도록 한다.

08 (3) 개인은 재해·재난이 일어났을 때를 대비하여 평소에 비상 물품을 준비해 두고, 재해·재난별 대피 요령을 충분히 익혀 두어야 한다.

실력 올리기 2단계

진도책 238~239쪽

01 ④ 02 ④ 03 ④ 04 ③ 05 ⑤ 06 ②
07 ⑤ 08 ④ 09 ㄴ, ㄷ, ㄹ 10 ⑤ 11 해설 참조

01 ④ 낮 최고 기온이 33 ℃ 이상이면서 이 더위가 2일 이상 지속될 것으로 예상될 때 폭염 주의보, 낮 최고 기온이 35 ℃ 이상이면서 이 더위가 2일 이상 지속될 것으로 예상될 때 폭염 경보가 발령된다. 이와 같은 경우에는 햇볕을 쬐는 것만으로도 인체에 해가 될 수 있으므로 야외 활동을 자제하는 것이 좋으며 충분한 수분을 섭취한다.

오답 분석

① 가뭄: 오랫동안 비가 내리지 않는 현상으로 생물의 생장을 방해하며, 물 부족과 강이나 저수지가 마르는 환경적 피해뿐만 아니라 경제적인 피해도 일으킨다.
② 태풍: 강한 바람과 비를 동반하는 태풍과 단시간에 많은 비가 내리는 집중 호우는 하천 범람, 산사태, 홍수 등을 일으켜 인명과 재산에 피해를 준다.
③ 황사: 대기 중 모래 먼지인 황사와 입자 크기가 작은 먼지인 미세먼지는 호흡기 질환이나 피부 질환을 일으킨다.
⑤ 한파: 겨울철 기온이 갑자기 내려가면 농작물이 냉해를 입거나 수도 계량기가 얼어서 터지는 피해가 발생한다.

02 공장에서 유해 가스(플루오린화 수소) 저장 탱크를 옮기던 중 폭발 사고가 발생하여 유해 가스(플루오린화 수소)가 유출된 사고로 그림과 같이 농작물과 가축이 큰 피해를 입었다.

03 과학자들은 지진이 자주 발생하는 지역의 기록을 연구하여 예보 체계를 갖추려고 노력하고 있지만, 지진이 발생하는 시각을 정확하게 예측하는 것은 어렵다.

04 철도, 비행기, 선박 등의 운송 수단은 한 번에 많은 사람이나 화물을 빠르게 이동할 수 있어 편리하지만 사고가 일어나면 그 피해가 매우 크며 자체 결함으로 사고가 일어나기도 한다.

오답 분석

ㄴ. 운송 수단 사고는 자체 결함으로 사고가 일어나기도 한다.
ㄷ. 운송 수단 사고는 대부분 화재, 테러, 폭발 등에 의해 대형 사고로 이어져 피해가 크다.

05 운송 수단 사고는 화재, 테러, 폭발 등의 사고로 대규모 인명 피해가 생기며, 화학 물질이 유출되면 호흡기로 흡입되거나 피부로 흡수되어 인체에 피해가 생긴다. 감염성 질병은 세균, 바이러스가 피부 접촉이나 호흡기로 사람이나 동물에게 전염된다.

06 국민과 국가에 피해를 주는 것은 재난이고, 이로 인해 발생하는 피해를 재해라고 한다. 인구의 증가는 재해·재난 중 감염성 질병 확산의 원인과 관계가 있다.

07 오답 분석
① 화산 폭발이 일어나면 문이나 창문은 모두 닫는다.
② 화산 폭발이 일어나면 화산재에 노출되지 않도록 가능한 외출을 삼가도록 한다.
③ 화산 폭발이 일어나면 물을 묻힌 수건으로 문의 빈틈이나 환기구를 막아야 한다.
④ 화산이 폭발하면 화산 분출물을 피해 멀리 대피하도록 한다.

08 비행기를 탑승할 때 좌석에서는 반드시 안전띠를 착용해야 한다. 위험 물질을 수송하는 차량에서 사고가 발생하면 폭발이나 화재의 위험성이 있으므로 사고 지점에서 빠져나와 대피해야 한다.

09 오답 분석
ㄱ. 지진이 발생했을 때 가스나 전기는 차단하여 화재 등이 발생하지 않도록 하고, 출입문은 탈출을 대비하여 열어두도록 한다.
ㅁ. 건물 밖으로 나갈 때에는 계단을 이용하고 엘리베이터는 전기가 차단되면 갇힐 수 있으므로 이용하지 않는다.

10 독성이 있는 화학 물질이 유출되면 직접 피부에 닿지 않게 하고, 흡입하지 않게 옷이나 수건 등으로 코와 입을 감싸고 최대한 멀리 대피해야 한다.

11 **모범 답안** 수호: 엘리베이터 → 계단, 진희: 바람이 부는 방향 → 바람이 부는 반대 방향 또는 바람이 부는 방향과 직각 방향
해설 지진이 발생하여 건물 밖으로 대피할 때는 계단을 이용한다. 화학 물질 유출 사고 발생 지역으로 바람이 불 때는 바람을 안고(바람이 부는 반대 방향으로) 이동해야 한다. 만약, 사고 발생 지역에서 바람이 불어올 때는 바람이 불어오는 방향의 직각 방향으로 이동해야 한다.

채점 기준	배점
잘못된 부분을 모두 찾아 옳게 고친 경우	100 %
잘못된 부분을 둘 중 하나만 찾아 옳게 고친 경우	50 %
잘못된 부분을 찾기만 한 경우	20 %

만점 도전하기 3단계

진도책 240쪽

01 ④ 02 ⑤ 03 ② 04 ⑤ 05 ④

01 유조선의 충돌 사고 등으로 원유가 인근 해역으로 유출되면 바닷물이 혼탁해지고 용존 산소량이 줄어들면서 인근 양식장의 굴, 김, 바지락, 물고기 등의 어패류가 대량으로 폐사한다. 이러한 운송 수단 사고는 대부분 안전 관리 소홀, 안전 규정 무시 등이 원인이다.

02 지진이 발생하면 야외에서는 넓은 곳으로 대피하며, 실내에서는 흔들림이 멈출 때까지 튼튼한 책상이나 식탁 아래로 들어가 몸을 보호한다. 건물 밖으로 나올 때는 절대 엘리베이터를 이용하지 않도록 한다.
오답 분석
① 야외에 있을 때에는 건물이나 담장을 멀리 피해서 이동한다.
② 지진이 발생하면 처음 흔들림이 있는 동안에는 튼튼한 탁자 아래에서 몸을 보호하도록 한다.
③ 집 안에서는 가스와 전기를 차단하고 문은 탈출구 확보를 위해 열어두도록 한다.
④ 운전을 하고 있을 경우에는 비상등을 켜고 서서히 속도를 줄여 도로 오른쪽에 차를 세우고, 라디오의 정보를 잘 들으면서 열쇠를 꽂아 두고 대피한다.

03 감염성 질병은 감염자 접촉에 의해 감염되는 피해이다. 원인으로는 인구 이동, 무역 증가 등이 있다. 기상재해로 인해 홍수, 가뭄, 농경지 침수가 발생하며, 화산 폭발로 항공기 운항 제한의 피해 등을 입는다.

04 ⑤ 주어진 설명은 감염성 질병에 대한 대처 방안이다. 감염성 질병이 확산되는 원인으로는 병원체의 진화, 모기나 진드기와 같은 매개체의 증가, 인구 이동, 무역 증가 등이 있다.
오답 분석
① 짧은 시간 동안에 큰 피해가 발생할 수 있다. ➡ 화학 물질 유출
② 해저에서 발생하면 해일이 발생할 수도 있다. ➡ 지진
③ 안전 관리 소홀, 안전 규정 무시 등과 관련이 있다. ➡ 운송 수단 사고
④ 호흡기 질환을 일으키고, 항공과 운수 산업에 큰 피해를 주기도 한다. ➡ 황사

05 ④ 화학 물질 중 일부는 유출되면 사람이나 자연환경에 피해를 준다. 특히, 사고나 폭발로 화학 물질이 유출되면 짧은 시간 동안에 큰 피해가 발생할 수 있다. 독성이 있는 화학 물질이 유출되면 직접 피부에 닿지 않게 하고, 흡입하지 않게 옷이나 손수건 등으로 코와 입을 감싸고 최대한 멀리 대피한다.
오답 분석
① 식수는 끓인 물이나 생수를 사용해야 한다. ➡ 감염성 질병 확산
② 튼튼한 탁자 아래로 들어가 몸을 보호해야 한다. ➡ 지진
③ 건물과 거리를 두고 주위를 살피며 운동장과 같은 넓은 곳으로 대피한다. ➡ 지진
⑤ 안내 방송을 잘 듣고, 운송 수단의 종류에 따른 대피 방법을 미리 알아 두는 것이 좋다. ➡ 운송 수단 사고

복습책 정답과 해설

I 물질의 구성

01 물질의 기본 성분

개념으로 복습하기 복습책 003쪽

❶ 라부아지에 ❷ 수소 또는 산소 ❸ 산소 또는 수소 ❹ 원소 ❺ 수소 ❻ 산소 ❼ 철 ❽ 질소 ❾ 염소 ❿ 불꽃 반응 ⓫ 나트륨 ⓬ 선 스펙트럼

헷갈리는 내용 공략하기 복습책 004쪽

01 니크롬선에 묻은 불순물을 제거하기 위해서이다. **02** (1) 빨간색 (2) 청록색 (3) 노란색 (4) 청록색 (5) 빨간색 (6) 보라색 (7) 황록색 (8) 노란색 (9) 빨간색 **03** (가), (라) – 리튬 – 빨간색 / (나), (다) – 칼륨 – 보라색 **04** 염화 리튬과 염화 스트론튬의 불꽃색은 모두 빨간색으로 비슷하여 구별이 힘들다. 이 경우 불꽃색을 분광기로 관찰하여 나타나는 선 스펙트럼을 통해 쉽게 구별할 수 있다. **05** (가)의 스펙트럼은 무지개와 같이 연속 스펙트럼으로 나타나지만, (나)의 스펙트럼은 특정 부분만 밝은 불연속적인 선으로 나타난다. **06** 나트륨, 리튬 **07** (나)

문제로 복습하기 복습책 005쪽~007쪽

01 ⑤ **02** ⑤ **03** ② **04** ③ **05** ① **06** ⑤ **07** ① **08** 해설 참조 **09** ⑤ **10** ⑤ **11** ⑤ **12** ① **13** ① **14** ⑤ **15** ④ **16** ② **17** ① **18** ④ **19** 해설 참조

01 물이 뜨거운 주철관을 통과할 때 산소와 수소로 분해되는데, 이 결과로 물이 물질의 기본 원소가 아님을 알게 되었다.

02 물은 수소와 산소로 분해되므로 원소가 아니다.

03 원소는 물질을 이루는 기본 성분으로 더 이상 다른 종류의 물질로 분해되지 않아야 하므로 알루미늄, 산소, 금이 이에 해당한다.

04 원소는 물질을 이루는 기본 성분으로 더 이상 다른 종류의 물질로 분해되지 않아야 하므로 수소, 탄소가 이에 해당한다.

05 물질이 탈 때도 원소는 변하지 않고 그대로 보존된다. 물질을 이루고 있는 기본 성분을 원소라고 하며, 더 이상 다른 물질로 분해되지 않는다.

06 수산화 나트륨을 녹인 물에 전류를 흘려 주면 A의 (−)극에 모인 수소 기체는 꺼져가는 성냥불을 가까이하면 '퍽'하고 소리가 나면서 타게 하고, B의 (+)극에 모인 산소 기체는 꺼져가는 향불을 가까이하면 다시 타오르게 한다.

07 ① 구리는 전류를 잘 흐르게 하는 성질이 있어 전선에 이용된다.

오답 분석

② 반도체의 소자에 이용 – 규소
③ 귀금속에 이용 – 금
④ 우주 왕복선의 연료 – 수소
⑤ 수돗물의 소독약 – 염소

08 **모범 답안** 원소는 물질을 이루는 기본 성분으로 더 이상 분해되지 않는 물질인데 물은 수소와 산소로 분해되었으므로 원소가 아니다.

채점 기준	배점
'원소는 더 이상 분해되지 않는 물질인데 물은 수소와 산소로 분해되었으므로 원소가 아니다'라고 서술한 경우	100 %
단순히 '물이 분해되어서'라고 서술한 경우	50 %

09 불꽃 반응 실험을 할 때 니크롬선을 묽은 염산과 증류수로 씻으면 니크롬선에 묻은 불순물이 제거되어 불꽃색을 정확하게 관찰할 수 있다.

10 불꽃색은 금속 원소에 의해 나타나는 것이므로 금속 원소가 같은 질산 스트론튬과 염화 스트론튬의 불꽃색이 같다.

11 불꽃 반응이란 금속 원소나 금속 원소를 포함하고 있는 물질을 겉불꽃에 넣었을 때 금속 원소의 종류에 따라 독특한 불꽃색을 나타내는 현상이다.

12 니크롬선을 염산에 넣어 씻은 후 증류수로 헹구면 니크롬선에 묻은 불순물이 녹아 제거되므로 니크롬선에 묻힌 용액의 불꽃 반응에서 용액에 녹아 있는 원소의 불꽃색을 정확히 볼 수 있다.

13 불꽃색은 금속 원소에 의해 나타나는데, 각 금속 원소의 불꽃색은 칼륨 – 보라색, 구리 – 청록색, 스트론튬 – 빨간색, 나트륨 – 노란색이다.

14 질산 리튬과 질산 칼륨은 금속 원소가 리튬과 칼륨으로 서로 다르므로 불꽃색이 다르다.

15 불꽃색을 통해 물질에 포함된 금속 원소의 종류를 알 수 있으므로 (나)의 불꽃색이 청록색임을 통해 구리가 포함되어 있음을 알 수 있다.

16 염화 나트륨을 구성하는 원소인 나트륨과 염소를 각각 포함하고 있는 물질의 불꽃색을 비교하면 염화 나트륨의 불꽃색이 노란색으로 나타나는 까닭을 알 수 있다.

17 선 스펙트럼 관찰은 두 금속 원소의 불꽃색이 비슷할 때 원소를 정확하게 구별할 수 있는 방법으로, 원소의 종류에 따라 선 스펙트럼의 선의 위치, 색깔, 개수가 모두 다르게 나타난다.

오답 분석

③ 햇빛은 연속 스펙트럼으로 나타난다.
④ 선 스펙트럼은 원소의 종류에 따라 다르게 나타나므로 원소의 양에 관계없이 일정하다.

18 물질의 스펙트럼에 나타나는 선의 위치, 색깔, 굵기, 개수 등이 원소의 스펙트럼과 일치하면 그 원소가 포함되어 있다고 볼 수 있다.

19 **모범 답안** 불꽃색이 빨간색인 금속 원소는 리튬과 스트론튬이다. 물질의 불꽃색을 분광기로 관찰하면 선 스펙트럼이 나타나는데, 이를 리튬과 스트론튬의 선 스펙트럼과 비교하면 어떤 금속 원소인지 확인할 수 있다.

채점 기준	배점
리튬과 스트론튬을 언급하고, 불꽃색이 비슷한 원소의 경우 선 스펙트럼으로 구별할 수 있다는 내용을 서술한 경우	100 %
단순히 '선 스펙트럼으로 구별할 수 있다'는 내용만 서술한 경우	50 %

02 물질의 구성 입자(원자와 분자)

개념으로 복습하기 (복습책 008쪽)

❶ 원자 ❷ 원자핵 ❸ 전자 ❹ 원자핵 ❺ 전자 ❻ 원자핵 ❼ 전자 ❽ 중성 ❾ 분자 ❿ 1 ⓫ 2 ⓬ 대문자 ⓭ 소문자 ⓮ 분자식

헷갈리는 내용 공략하기 (복습책 009쪽)

01 B **02** A **03** B **04** A **05** B **06** +3 **07** 3 **08** −3 **09** 중성 **10** ㉠ 2, ㉡ 1, ㉢ 2, ㉣ 1, ㉤ 3, ㉥, 1, ㉦ 2 **11** ㉠ H, ㉡ 헬륨, ㉢ Cu, ㉣ C, ㉤ Na, ㉥ Fe, ㉦ Cl, ㉧ 산소, ㉨ K, ㉩ Au **12** (1) 물 (2) 3 (3) 2 (4) 3 (5) 3 (6) 수소 (7) 9 **13** (1) ㄴ, ㄷ (2) ㄱ. 은 − Ag, ㄹ. 염화 수소 − HCl, ㅁ. 칼슘 − Ca, ㅂ. 이산화 탄소 − CO_2, ㅅ. 망가니즈 − Mn, ㅇ. 산소 분자 − O_2

문제로 복습하기 (복습책 010쪽~012쪽)

01 ⑤ **02** ④ **03** ⑤ **04** +2, +9 **05** 해설 참조 **06** ① **07** ② **08** ⑤ **09** 3종류 **10** ③ **11** 해설 참조 **12** ④ **13** ③ **14** ① **15** ① **16** ② **17** ③ **18** ⑤ **19** ① **20** ④ **21** ⑤ **22** C_2H_4 **23** 해설 참조

01 원자는 물질을 이루는 기본 입자이며, 물질의 성질을 가진 가장 작은 입자는 분자이다.

02 전자의 수가 6개이므로 전자들의 (−)전하량의 총합은 −6이다.

03 원자는 전기적으로 중성이므로 원자핵의 (+)전하량과 전자의 (−)전하량의 총합은 같다. 그러므로 원자 모형을 그릴 때에는 원자 중심에 있는 원자핵의 전하량은 +3이고, 전자는 3개를 표시해야 한다.

04 원자핵은 (+)전하를 띠고, 원자핵의 전하량의 크기는 전자의 총 전하량의 크기와 같다.

05 **모범 답안** 산소 원자에서 원자핵의 전하량은 +8이고, −1의 전하를 띠는 전자가 8개이므로 전자의 전하량 총합도 −8이다. 따라서 전기적으로 중성이다.

채점 기준	배점
원자핵의 (+)전하량과 전자의 총 (−)전하량을 산소를 예로 들어 구체적으로 서술한 경우	100 %
원자핵의 전하량과 전자의 전하량 총합이 같다는 일반적인 사실만 서술한 경우	50 %

06 원소는 물질을 이루는 구성 성분의 종류를, 원자와 분자는 실제 입자를 뜻한다.

07 공기의 약 78 %를 차지하는 기체는 질소 기체로, 질소 원자 2개로 이루어져 있다.

08 메테인 분자 1개는 수소 원자 4개와 탄소 원자 1개로 이루어져 있다.

09 분자를 이루는 원소의 종류와 개수가 다르면 다른 분자이다.

10 메탄올과 에탄올 분자를 이루는 원소의 종류는 탄소, 수소, 산소로 같으나 탄소, 수소 원자의 수가 달라 다른 물질이다.

11 **모범 답안** 공통점: 일산화 탄소 분자와 이산화 탄소 분자는 모두 탄소 원자와 산소 원자로 이루어져 있다.
차이점: 일산화 탄소 분자는 탄소 원자 1개, 산소 원자 1개로 이루어져 있고, 이산화 탄소 분자는 탄소 원자 1개, 산소 원자 2개로 이루어져 있다.

채점 기준	배점
2분자를 구성하는 입자의 공통점과 차이점을 옳게 서술한 경우	100 %
2분자를 구성하는 원자의 종류와 수를 각각 단순 열거만 한 경우	50 %

12 첫 글자가 같을 경우 중간 글자를 하나 선택하여 첫 글자 다음에 소문자로 나타낸다.

13 오답 분석
나트륨 − Na, 마그네슘 − Mg, 칼슘 − Ca, 수은 − Hg이다.

14 오답 분석
연필심 − C, 풍선과 비행선의 충전 기체 − He, 수돗물의 소독약 − Cl, 우주 왕복선의 연료 − H이다.

15 물 분자는 수소 원자 2개, 산소 원자 1개로 이루어져 있다. 원자의 개수는 원소 기호의 오른쪽 아래에 작은 숫자로 표시하는데, 1은 생략한다.

16 암모니아 분자는 질소 원자 1개, 수소 원자 3개로 이루어져 있다. 원자의 개수는 원소 기호의 오른쪽 아래에 작은 숫자로 표시하는데, 1은 생략한다.

17 분자 1개를 이루는 원자의 개수는 CH_4이 5개로 가장 많다.

18 오답 분석
① N_2 ② HCl ③ H_2O ④ NH_3

19 물 분자의 수는 2개이다. 물 분자를 이루는 원소의 종류는 2종류이다. 물 분자 1개는 3개의 원자로 이루어졌으므로 물 분자 2개는 6개의 원자로 이루어져 있다.

20 분자를 이루는 원소는 탄소, 산소 2종류이다.

21 ⑤ 분자 1개를 이루는 산소 원자의 수는 (가)는 2개, (나)는 3개이다.
오답 분석
① (가)의 분자식은 $3O_2$이다.
② (나)의 분자식은 $2O_3$이다.
③ 분자를 이루는 산소 원자의 수가 다르므로 (가)와 (나)는 다른 분자이고 성질도 다르다.
④ 분자의 개수는 (가)는 3개, (나)는 2개이다.

22 탄소의 원소 기호는 C, 수소의 원소 기호는 H이고, C와 H의 개수비가 1 : 2이며 분자 1개를 이루는 원자의 개수가 6개인 분자는 C_2H_4이다.

23 **모범 답안** 메테인 분자의 개수는 3개이다. 메테인 분자 1개는 탄소 원자 1개, 수소 원자 4개로 이루어져 있다. 분자를 이루는 총 원자의 개수는 15개이다. 등

채점 기준	배점
3가지 모두 옳게 서술한 경우	100 %
2가지만 옳게 서술한 경우	70 %
1가지만 옳게 서술한 경우	40 %

03 전하를 띠는 입자(이온)

개념으로 복습하기 복습책 013쪽

❶ 이온 ❷ 잃어 ❸ 얻어 ❹ 이온식 ❺ (−)
❻ (+) ❼ 전하 ❽ 앙금 ❾ 이온

헷갈리는 내용 공략하기 복습책 014쪽

01 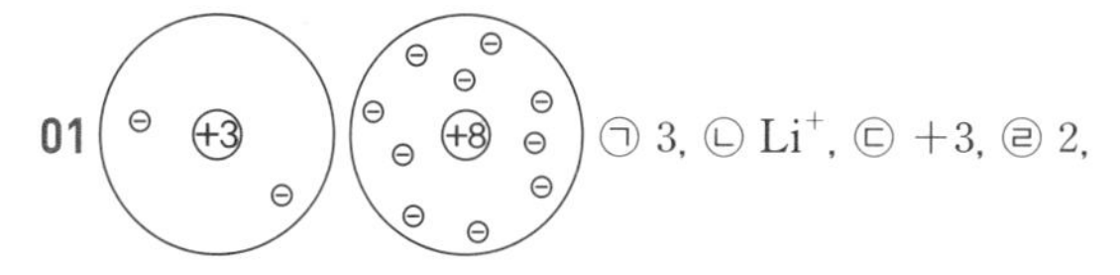

㉠ 3, ㉡ Li^+, ㉢ +3, ㉣ 2, ㉤ 8, ㉥ O^{2-}, ㉦ +8, ㉧ 10 **02** ㉠ 6, ㉡ 10, ㉢ +16, ㉣ 18
03 ㉠ 리튬 이온, ㉡ Mg^{2+}, ㉢ 알루미늄 이온, ㉣ 암모늄 이온, ㉤ 산화 이온, ㉥ 염화 이온, ㉦ 수산화 이온, ㉧ CO_3^{2-}
04 (1) ㉠ 잃음, ㉡ 얻음, ㉢ 양이온, ㉣ 음이온 (2) (가) 나트륨 이온, Na^+, (나) 플루오린화 이온, F^- **05** (가) ㄴ, (나) ㄹ
06 양이온: A, C, D, 음이온: B

문제로 복습하기 복습책 010쪽~012쪽

01 ⑤ 02 ⑤ 03 ① 04 ④ 05 ③ 06 ② 07 ⑤ 08 ③
09 ⑤ 10 ② 11 ② 12 해설 참조 13 해설 참조 14 ①
15 ② 16 ⑤ 17 ③ 18 ⑤ 19 ④ 20 해설 참조

01 원자 A가 이온이 될 때 원자핵인 (나)의 전하량은 변하지 않는다. 원자는 (가)인 전자를 얻거나 잃어 이온이 된다.

02 원자 A는 전자 1개를 잃어 양이온 A^+이 되고, 원자 B는 전자 2개를 얻어 음이온 B^{2-}이 된다.

03 원자핵의 전하량이 +12인 Mg 원자가 가지는 전자의 개수는 12개이다. Mg이 전자 2개를 잃어서 Mg^{2+}이 되므로 Mg^{2+}이 가지는 전자의 수는 12개−2개=10개이다.

04 (가)는 원자가 전자를 1개 얻어서 형성된 음이온, (나)는 원자, (다)는 원자가 전자를 1개 잃어서 형성된 양이온이다.

05 OH^-은 수산화 이온이다.

06 원소 기호가 Ca인 칼슘 원자가 전자 2개를 잃어서 형성된 양이온으로 칼슘 이온이라고 부른다.

07 원자는 전자를 얻어 음이온이 된다. 음이온의 (−)전하량이 클수록 전자를 많이 얻어 형성된 것이다.

08 C와 N는 중성 원자이므로 원자핵의 전하량과 전자의 총 전하량이 같다. 그러므로 ㉡은 6, ㉢은 +7이다. Li^+과 Na^+은 +1의 양이온이므로 각각 전자를 1개씩 잃었다. 그러므로 ㉠은 2, ㉤은 +11이다. O^{2-}은 −2의 음이온이므로 전자를 2개 얻었다. 그러므로 ㉣은 10이다.

09 수소 원자(H)가 전자 1개를 잃어 수소 이온(H^+)이 형성된 것을 표현한 것이다. H와 H^+은 원자핵의 전하량은 같으나 H^+의 전자의 개수가 1개 작다.

10 ② (가)와 (나)의 원자핵의 전하량이 +3으로 같다.
오답 분석
① (가)는 중성 원자, (나)는 +1의 전하를 띠는 양이온, (다)는 −2의 전하를 띠는 음이온이다.
③ (가)는 (+)전하량이 +3이고 (−)전하량이 −3이므로 전기적으로 중성이다.
④ (가)와 (나)의 원자핵의 전하량이 같은 것으로 보아 (가) 원자가 전자 1개를 잃으면 양이온인 (나)가 된다는 것을 알 수 있다.
⑤ 수용액에서 전류를 흘려 주었을 때 (나)는 (−)극으로, (다)는 (+)극으로 이동한다.

11 ㄴ. 전극 B로 이동하는 이온은 과망가니즈산 이온(MnO_4^-), 질산 이온(NO_3^-) 2종류이다.
오답 분석
ㄱ. 보라색 성분인 과망가니즈산 이온(MnO_4^-)이 전극 B 쪽으로 이동하였으므로 전극 B가 (+)극이다.
ㄷ. 질산 칼륨 수용액의 칼륨 이온(K^+)과 질산 이온(NO_3^-)도 전하를 띠므로 이동한다.

12 **모범 답안** 양이온: A, D, 음이온: B, C, 양이온은 중성인 원자가 전자를 잃어 생성된 이온이므로 '원자핵의 전하량>전자의 총 전하량'이고, 음이온은 중성인 원자가 전자를 얻어 생성된 이온이므로 '원자핵의 전하량<전자의 총 전하량'이기 때문이다.

채점 기준	배점
양이온과 음이온을 옳게 구분하고, 그 까닭을 옳게 서술한 경우	100 %
양이온과 음이온만 옳게 구분한 경우	50 %

13 **모범 답안** 황산 구리(Ⅱ) 수용액의 파란색 성분이 (−)극으로 이동하는 것으로 보아, 황산 구리(Ⅱ) 수용액에는 파란색을 띠는 양이온(Cu^{2+})이 있음을 알 수 있다.

채점 기준	배점
황산 구리(Ⅱ) 수용액에는 전하를 띠는 이온이 있고, 그 중 파란색 성분을 띠는 것이 양이온임을 서술한 경우	100 %
황산 구리(Ⅱ) 수용액에는 전하를 띠는 이온이 있다고만 서술한 경우	50 %

14 Ag^+과 염화 칼륨 수용액의 Cl^-이 반응하면 흰색 앙금인 $AgCl$이 생성된다.

15 $BaSO_4$은 흰색 앙금이다. Na^+, K^+, NO_3^-은 앙금을 만들지 않는 이온들이다.

16 앙금은 특정 양이온과 음이온이 반응하여 생성된다.
오답 분석
①과 ②에서 염화 은, ③에서 탄산 칼슘, ④에서 황산 바륨의 흰색 앙금이 생성된다.

17 앙금은 특정 양이온과 음이온이 반응하여 생성된다. 은 이온(ㄴ)은 염화 이온과 앙금을 생성하고, 탄산 이온(ㄷ)은 칼슘 이온과 앙금을 생성한다.

18 ㄱ. (가)의 염화 이온과 (나)의 은 이온이 반응하여 흰색의 염화 은 앙금이 생성되었다.

ㄴ. (가)와 (다)에는 모두 나트륨 이온이 존재하므로 불꽃색은 노란색으로 같다.

ㄷ. (가), (나), (다) 모두 이온이 존재하므로 전기가 통한다.

19 아이오딘화 이온이 혼합 용액 모형에 나타나지 않았으므로 앙금을 생성하는 이온은 아이오딘화 이온이다. 아이오딘화 이온과 앙금 생성 반응을 하는 것은 납 이온이고, 혼합 용액에 음이온으로 질산 이온이 존재하므로 물질 A는 질산 납으로 예상할 수 있다.

20 **모범 답안** 아이오딘화 칼륨(KI), 불꽃색이 보라색인 금속은 칼륨이고, 납 이온과 반응하여 노란색 앙금을 생성하는 이온은 아이오딘화 이온이기 때문이다.

채점 기준	배점
물질 X를 옳게 예상하고, 그 까닭을 옳게 서술한 경우	100 %
물질 X를 옳게 예상했지만, 까닭 설명이 미흡한 경우	50 %

Ⅱ 전기와 자기

01 전기

개념으로 복습하기 복습책 018쪽

❶ 마찰 전기 ❷ (+) ❸ (−) ❹ 다른 ❺ 같은 ❻ 검전기 ❼ 비례 ❽ 반비례 ❾ 작아진다 ❿ 커진다

헷갈리는 내용 공략하기 복습책 019쪽

01 직렬연결 02 병렬연결 03 직렬연결 04 병렬연결 05 병렬연결 06 직렬연결 07 병렬연결 08 병렬연결 09 직렬연결 10 병렬연결 11 직렬연결 12 병렬연결 13 직렬연결 14 병렬연결 15 병렬연결

문제로 복습하기 복습책 020쪽~022쪽

01 ③ 02 ② 03 A: (+)전하, B: (−)전하, C: (−)전하, D: (−)전하 04 ④ 05 ② 06 해설 참조 07 ④ 08 ⑤ 09 ⑤ 10 ② 11 ① 12 ② 13 ④ 14 ③ 15 ③ 16 ② 17 ② 18 해설 참조

01 면장갑은 (+)전하, 플라스틱 빨대는 (−)전하를 띠므로 면장갑은 (+)전하가 (−)전하보다 많고, 플라스틱 빨대는 (−)전하가 (+)전하보다 많다. 따라서 면장갑의 전자가 플라스틱 빨대로 이동한 것이다.

02 면장갑과 빨대는 서로 다른 종류의 전하를 띠므로 서로 끌어당기는 전기력이 작용하여 빨대는 면장갑에 끌려온다.

03 대전체를 가까이 가져가면 정전기 유도 현상이 일어나며, 대전체를 접촉할 경우 전자가 대전체에서 금속 막대로 이동하여 금속 막대 전체가 (−)전하를 띤다.

04 A를 검전기에 가까이 했을 때 금속박의 변화가 없는 것으로 보아 A는 전기를 띠지 않는다. B를 (+)전하로 대전된 검전기에 가까이 할 때 검전기가 더 벌어지는 것은 금속박의 전자가 금속판으로 이동했다는 것이므로 B는 (+)전하를 띤다. C를 (+)전하로 대전된 검전기에 가까이할 때 검전기가 오므라드는 것은 금속판의 전자가 금속박으로 이동했다는 것이므로 C는 (−)전하를 띤다.

05 (−)대전체를 가까이 하면 금속구 A 내부의 전자가 척력을 받아 B로 이동한다. 따라서 A는 (+)전하, B는 (−)전하로 대전된다.

06 **모범 답안** 정전기 유도 현상에 의해 (가)와 (나) 모두 물줄기가 대전체 쪽으로 끌려온다.

채점 기준	배점
정전기 유도 때문에 두 경우 모두 물줄기가 끌려온다고 서술한 경우	100 %
둘 중 하나만 끌려온다고 서술한 경우	0 %

07 전압계의 (−)단자는 전원 장치의 (−)극에, (+)단자는 전원 장치의 (+)극에 연결한다. 이때 전류계는 직렬연결, 전압계는 측정하고자 하는 기기에 병렬연결한다.

08 저항은 전류에 반비례한다. a : b : c$=\frac{1}{2}:\frac{1}{1}:\frac{1}{5}$이므로 세 저항의 비는 a : b : c=5 : 10 : 2이다.

09 강한 경련이 일어나는 전류의 세기가 20 mA(0.02 A)이고 150 V=0.02 A×R이므로 저항은 7500 Ω이다.

10 A의 저항은 B의 $\frac{1}{2}$배이므로, 재질과 길이가 같으면 저항이 작은 A의 단면적이 B보다 크다.

11 그래프의 가로축이 전류, 세로축이 전압이므로 기울기가 저항이다. 따라서 저항의 비는 A : B : C=6 : 3 : 2이다.

12 ② A, B의 합성 저항이 C의 저항보다 크므로 C에 흐르는 전류가 가장 세다. 따라서 C가 가장 밝다.
오답 분석
① A와 B는 직렬로 연결되어 있으므로 밝기는 서로 같다.
③ 전원의 전압을 V, 각 전구의 저항을 R라고 하면 A와 B에는 각각 $\frac{V}{2}$의 전압이 걸리고, C에는 V의 전압이 걸린다.
④ A가 끊어지면 B는 불이 켜지지 않는다.
⑤ A가 끊어져도 C에 걸리는 전압은 전원의 전압과 같으므로 밝기가 변하지 않는다.

13 전체 전류가 1.5 A이고 b에 흐르는 전류가 1 A이므로 저항 R에 흐르는 전류는 0.5 A이다. 저항 3 Ω에 걸리는 전압과 저항 R에 걸리는 전압은 같으므로 1 A×3 Ω=3 V이다. 옴의 법칙으로부터 저항 R는 $\frac{3\text{ V}}{0.5\text{ A}}=6\ \Omega$이고, 전체 저항은 $\frac{3\text{ V}}{1.5\text{ A}}=2\ (\Omega)$이다.

14 병렬연결된 저항에 걸리는 전압은 모두 같으므로 10 Ω의 저항에 흐르는 전류는 $\frac{4\text{ V}}{10\ \Omega}=0.4$ A이고, 20 Ω의 저항에 흐르는 전류는 $\frac{4\text{ V}}{20\ \Omega}=0.2$ A이다. 회로에 흐르는 전체 전류는 1 A이므로 저항 R에 흐르는 전류는 0.4 A가 된다.

15 저항 R에 걸리는 전합이 4 V이고, 흐르는 전류가 0.4 A이므로 저항 R는 $\frac{4\text{ V}}{0.4\text{ A}}=10\ \Omega$이다.

16 R_1에 연결된 전압계의 눈금이 2 V이므로 R_2에 걸리는 전압은 6 V−2 V=4 V이다.

17 전압이 4 V, 전류의 세기가 4 A이므로 저항 $R_2=\frac{4\text{ V}}{4\text{ A}}$=1 Ω이다.

18 **모범 답안** 전자가 검전기 A에서 B로 이동하여 B도 (−)전하로 대전되므로 금속박이 벌어진다.

채점 기준	배점
전자의 이동과 B가 대전되어 금속박이 벌어진다고 서술한 경우	100 %
B가 대전되어 금속박이 벌어진다고만 서술한 경우	50 %

02 자기

개념으로 복습하기 복습책 023쪽

❶ N ❷ 전류 ❸ 자기장 ❹ 막대자석 ❺ 전류
❻ 전자석 ❼ 전류 ❽ 자기장

헷갈리는 내용 공략하기 복습책 024쪽

01 a 02 c 03 c 04 c 05 c 06 a 07 a
08 a 09 a 10 d

문제로 복습하기 복습책 025쪽~027쪽

01 ②, ④ 02 ② 03 ④ 04 ④ 05 ① 06 ④
07 (나), (다), (라) 08 ① 09 ⑤ 10 ④
11 (가)−(나)−(다) 12 ② 13 ④ 14 ①
15 ①, ④ 16 해설 참조 17 ④ 18 해설 참조

01 자기력선은 N극에서 나와 S극으로 들어간다.

02 ② 자기장은 자석에 가까울수록, 자기력선이 조밀할수록 세다.
오답 분석
ㄷ. 자기장의 세기는 자석에서 가까울수록 크다.
ㅁ. 자기력선이 조밀할수록 자기장이 세고, 자기장이 세려면 자기력이 세어야 한다.

03 전류는 (+)극에서 (−)극 방향으로 흐르고, 전류의 방향으로 오른손의 엄지손가락을 향할 때 감아쥐는 네 손가락의 방향이 자기장의 방향이다.

04 ㄴ. 도선에 흐르는 전류가 셀수록 도선 주위의 자기장이 세진다.
ㄷ. 전압이 커지면 전류가 세지므로 도선 주위의 자기장이 세진다.
오답 분석
ㄱ. 전류의 방향을 바꾸어도 전류의 세기는 변함없으므로 자기장의 세기는 관계없다.
ㄹ. 저항이 커지면 전류가 약해지므로 자기장이 약해진다.

05 전류가 흐르는 방향으로 오른손 엄지손가락을 향하게 하고, 나머지 네 손가락으로 도선을 감아쥐는 방향이 자기장의 방향이다. 따라서 나침반 바늘의 N극은 위쪽을 가리킨다.

06 오른손의 네 손가락을 전류의 방향으로 코일을 감아쥐면 엄지손가락이 왼쪽을 가리키므로 코일의 왼쪽이 N극, 오른쪽이 S극이 된다. 이때 나침반 A와 B의 바늘의 N극은 모두 왼쪽 방향을 가리킨다.

07 (가) 원형 도선의 각 부분을 직선 도선으로 생각하면 원형 도선의 왼쪽 부분에서는 시계 방향으로 자기장이 생기고, 오른쪽 부분에서는 반시계 방향으로 자기장이 생긴다.

08 코일 주변의 나침반 바늘의 N극이 향하는 방향이 왼쪽에서 나와 오른쪽으로 들어가므로 코일의 왼쪽이 N극이다. 따라서 전류는 a 방향으로 흐른다.

09 코일에 흐르는 전류의 방향을 반대로 하면 전자석의 극도 반대가 된다.

10 자기장, 힘, 전류의 방향이 서로 수직을 이루고, 오른손을 이용하여 방향을 찾을 때 옳게 나타낸 것은 ④이다.

11 전류가 흐르는 도선이 자기장 속에서 받는 힘의 세기는 전류와 자기장의 세기가 일정한 경우 도선과 자기장의 각도가 수직에 가까울수록 크다.

12 오른손의 엄지손가락을 전류의 방향, 네 손가락을 자기장의 방향으로 향할 때 손바닥이 향하는 방향이 힘의 방향이다. 따라서 코일의 A 부분은 위쪽으로, B 부분은 아래쪽으로 힘을 받으므로 코일은 시계 방향으로 회전한다.

13 오른손 엄지손가락을 전류의 방향, 나머지 네 손가락을 자기장의 방향으로 향하게 하면 손바닥이 오른쪽을 향한다.

14 전동기를 이용한 세탁기, 전압계, 전류계 등은 도선이 자기장 속에서 받는 힘을 이용한 장치이다. 전자석은 코일 주변에 생기는 자기장으로 자석을 만드는 장치이다.

15 ①, ④ 전동기는 자기장 속에서 전류가 흐르는 도선이 받는 힘(자기력)을 이용한 장치로, 전류의 방향이나 자기장의 방향이 바뀌면 전동기의 회전 방향이 바뀐다.

오답 분석

② 전류가 세지면 전동기의 회전 방향은 변함없고, 회전 속력이 빨라진다.

⑤ 전동기는 선풍기, 세탁기 등에 이용되고, 전기 다리미는 전류의 열작용을 이용한 전기 기구이다.

16 **모범 답안** 전지의 극을 바꾸면 나침반 바늘의 N극은 위쪽을 향한다. 이로부터 자기장의 방향은 전류가 흐르는 방향에 따라 달라진다는 것을 알 수 있다.

채점 기준	배점
나침반 바늘의 N극이 향하는 방향이 변한다는 것과 전류의 방향에 따라 자기장의 방향이 달라진다는 것을 모두 서술한 경우	100 %
나침반 바늘의 N극이 향하는 방향이 변한다는 것과 전류의 방향에 따라 자기장의 방향이 달라진다는 것 중 한 가지만 서술한 경우	50 %

17 ④ 자기장의 방향과 전류의 방향이 모두 반대로 바뀌면 힘의 방향이 변하지 않는다.

오답 분석

①, ② 전류에 의한 자기장과 자석에 의한 자기장의 방향이 같으면 그 점의 자기장이 가장 세고, 방향이 서로 반대이면 그 점의 자기장이 가장 약하다.

18 **모범 답안** a, 전압을 높여 전류의 세기를 크게 한다. 센 자석으로 바꿔준다. 니크롬선의 길이를 짧게 하여 저항의 크기를 작게 한다.

채점 기준	배점
a를 쓰고, 전류의 세기, 센 자석, 니크롬선을 조정하는 것으로 세 가지를 모두 서술한 경우	100 %
a를 쓰고, 전류의 세기, 센 자석, 니크롬선을 조정하는 것 중 두 가지만 서술한 경우	60 %
a를 쓰고, 전류의 세기, 센 자석, 니크롬선을 조정하는 것 중 한 가지만 서술한 경우	30 %

III 태양계

01 지구와 달의 크기와 운동

개념으로 복습하기
복습책 028쪽

❶ 중심각 ❷ 구형 ❸ 닮음비 ❹ 동전까지의 거리(l) ❺ 15° ❻ 일주 운동 ❼ 15° ❽ 연주 운동 ❾ 동 → 서 ❿ 공전 ⓫ 상현달 ⓬ 그믐달 ⓭ 삭 ⓮ 망

헷갈리는 내용 공략하기
복습책 029쪽

01 서 → 동, 15°/시간 **02** 동 → 서, 15°/시간 **03** 서 → 동, 약 1°/일 **04** 서 → 동, 약 1°/일 **05** 동 → 서, 약 1°/일 **06** 낮과 밤의 반복, 별의 일주 운동, 인공위성 궤도의 서편 현상 **07** 별의 연주 운동, 계절의 변화, 태양의 연주 운동 **08** G **09** A **10** A, 보름달(망) **11** G, 상현달 **12** C, 하현달 **13** E, 삭 **14** A, 보름달(망)

문제로 복습하기
복습책 030쪽~032쪽

01 ② **02** 18 cm **03** ⑤ **04** ② **05** ④ **06** 해설 참조 **07** ② **08** ⑤ **09** ⑤ **10** ② **11** ⑤ **12** 해설 참조 **13** ④ **14** ⑤ **15** ③ **16** (가) 개기 월식 (나) 개기 일식 **17** ③, ④ **18** 해설 참조

01 막대 AA′과 BB′을 너무 멀리 세우면 막대 BB′의 그림자가 지구 모형 밖으로 나가므로 ∠BB′C를 측정할 수 없다.

02 원호의 길이는 중심각에 비례하므로 $2\pi R : 360° = 6.28\text{ cm} : 20°$의 비례식이 성립한다.

따라서 $R = \dfrac{360° \times 6.28\text{ cm}}{2 \times 3.14 \times 20°} = 18\text{ cm}$이다.

03 이 실험에서 지구의 크기를 구하기 위해서 호의 길이는 중심각의 크기에 비례한다는 수학적 원리를 이용한다.

04 관측자와 동전의 지름이 이루는 삼각형과 관측자와 달의 지름이 이루는 삼각형의 닮음비를 이용하여 달의 크기를 측정할 수 있다. 이때 직접 측정해야 하는 값은 동전의 지름과 관측자와 동전 사이의 거리이다.

05 $2\pi L : 360° = 2R : 0.5°$에서 $R = \dfrac{0.5°\pi L}{360°}$이다.

06 **모범 답안** 태양은 달에 비해 지구에서 약 400배 멀리 있기 때문이다.

채점 기준	배점
태양이 달에 비해 약 400배 멀리 있기 때문이라고 옳게 서술한 경우	100 %
태양이 달에 비해 멀리 있기 때문이라고만 서술한 경우	50 %

07 별의 일주 운동은 지구의 자전으로 인한 상대적인 운동으로, 지구의 자전 방향과 별의 일주 방향은 서로 반대이다.

08 인공위성도 별과 같이 1시간에 15°씩 서쪽으로 이동하므로 2시간 후에는 C 쪽으로 30° 떨어진 지점에서 관측된다.

09 그림은 별의 연주 운동을 나타낸 것으로, 태양을 기준으로 할 때 별자리는 동 → 서로 이동하며, 별자리를 기준으로 할 때 태양은 서 → 동으로 이동한다.

10 지구의 공전으로 인해 별의 연주 운동(계절에 따른 별자리의 변화), 태양의 연주 운동, 별의 시차, 계절의 변화, 낮과 밤의 길이 변화 등의 현상이 나타난다.

11 A는 동지 때 태양의 일주 운동 경로로, 이날은 1년 중 해가 가장 늦게 뜨며, 가장 남쪽으로 치우쳐서 뜨고 진다.

오답 분석

ㄱ, ㄴ. 1년 중 낮의 길이가 가장 긴 날은 하지(C) 때이며, 이때 태양의 남중 고도가 가장 높다.

12 **모범 답안** 지구의 자전축이 공전 궤도면과 약 66.5° 기울어져 공전하기 때문이다.

채점 기준	배점
모범 답안과 같이 서술한 경우	100 %
지구의 자전축이 기울어져 있기 때문이라고만 서술한 경우	50 %

13 달이 C 위치에 있을 때는 하현(음력 22일~23일경)으로, 이때 달은 왼쪽이 둥근 반달 모양이다.

14 ⑤ D는 삭으로, 달이 보이지 않는다. 달이 삭의 위치에 있을 때, 태양 – 달 – 지구의 순서로 위치하여 일식이 일어날 수 있다.

오답 분석

①, ②, ③ 음력 15일경에는 달이 B(망)에 위치하여 밤새 보름달을 볼 수 있다.

④ 초저녁에 서쪽 하늘에서 달을 볼 수 있는 위치는 D(삭)~A(상현) 사이이다.

15 달은 지구 둘레를 서쪽에서 동쪽으로 하루에 약 13°씩 공전하므로, 매일 같은 시각에 관측하면 서쪽에서 동쪽으로 약 13°씩 이동한 위치에서 관측된다.

16 (가)는 개기 월식으로 달 전체가 지구의 본그림자 속에 들어갈 때 관측할 수 있고, (나)는 개기 일식으로 달에 의해 태양이 전부 가려질 때 관측할 수 있다.

17 초승달은 초저녁에 서쪽 하늘에 나타나 잠시 후 진다. 또, 상현달은 해가 진 직후 남쪽 하늘에서 보이므로 서쪽으로 이동하다가 자정 무렵에 서쪽 하늘로 진다.

오답 분석

① 달은 스스로 빛을 내지 못한다.

② 달은 하루에 약 13°씩 서 → 동으로 공전한다.

⑤ 보름달은 초저녁에 떠서 자정 무렵에 남중한다.

18 **모범 답안** A, 달은 서쪽에서 동쪽으로 공전하므로 일식이 일어날 때는 태양의 오른쪽부터 가려지기 때문이다.

채점 기준	배점
일식의 진행 방향과 까닭을 모두 옳게 서술한 경우	100 %
일식의 진행 방향만 옳게 쓴 경우	30 %

02 태양과 태양계 행성

개념으로 복습하기 복습책 033쪽

❶ 행성 ❷ 운석 구덩이 ❸ 화성 ❹ 목성
❺ 대적점 ❻ 천왕성 ❼ 화성 ❽ 지구형 ❾ 목성형
❿ 낮기 ⓫ 쌀알무늬 ⓬ 채층 ⓭ 홍염 ⓮ 태양풍
⓯ 접안렌즈 ⓰ 파인더

헷갈리는 내용 공략하기 복습책 034쪽

01 수성 02 토성 03 금성 04 목성 05 천왕성
06 화성 07 화성 08 목성, 토성, 천왕성, 해왕성
09 채층 10 쌀알무늬 11 코로나 12 플레어 13 홍염
14 ㄱ, ㄹ, ㅂ 15 ㄴ, ㄷ, ㅁ, ㅅ

문제로 복습하기 복습책 035쪽~037쪽

01 ④ 02 ③ 03 ④ 04 ⑤ 05 ① 06 ② 07 ⑤
08 ④ 09 해설 참조 10 ① 11 플레어
12 ㄱ, ㄷ, ㄹ 13 ③ 14 해설 참조 15 ③ 16 ①
17 ㄱ – ㄷ – ㄹ – ㄴ 18 해설 참조

01 태양계는 태양, 행성, 소행성, 혜성, 위성, 왜소 행성 등으로 구성되어 있으며, 북극성은 태양계 밖의 천체이다.

02 (가)는 화성, (나)는 수성, (다)는 목성의 특징을 설명한 것이다.

03 목성이나 토성과 같은 목성형 행성은 표면이 수소와 헬륨 같은 가벼운 기체로 이루어져 있다.

04 적도 부근에 커다란 붉은 점이 있는 행성은 목성이다.

05 달과 수성은 대기와 물이 없으므로 풍화·침식 작용이 일어나지 않아 표면에 운석 구덩이가 많다.

06 목성은 태양계에서 크기가 가장 큰 행성으로, 수성보다 질량이 훨씬 크다.

07 지구형 행성은 목성형 행성에 비해 평균 밀도가 크고 자전 주기가 더 길다.

08 ④ F는 토성으로 물보다 밀도가 작으며, 뚜렷한 고리를 가지고 있다.
오답 분석
① 지구와 크기가 비슷한 행성은 금성(B)이다.
② 대기가 없어 표면에 운석 구덩이가 많은 행성은 수성(A)이다.
③ 표면에서 가로줄무늬와 대적점이 관측되는 행성은 목성(E)이다.
⑤ 청록색을 띠고, 자전축이 공전 궤도면과 거의 평행한 행성은 천왕성(G)이다.

09 **모범 답안** 빠른 자전으로 인한 대기의 대류에 의해 가로줄무늬가 생기며, 대기의 소용돌이로 인해 대적점이 생긴다.

채점 기준	배점
가로줄무늬와 대적점이 나타나는 까닭을 모두 옳게 서술한 경우	100 %
가로줄무늬와 대적점이 나타나는 까닭 중 1가지만 옳게 서술한 경우	50 %

10 (가)는 거대한 불기둥인 홍염, (나)는 진주색의 가스층인 코로나, (다)는 붉은색의 얇은 대기층인 채층이다.

11 태양의 흑점 주변에서 에너지가 일시에 방출되는 폭발 현상을 플레어라고 한다.

12 태양 활동이 활발해지면 오로라 발생 지역이 넓어진다.

13 적도 부근의 흑점이 극 부근의 흑점보다 빠르게 이동하는 것으로 보아 태양 표면은 기체 상태이며, 자전 속도는 극 부근보다 적도 부근에서 더 빠르다.
오답 분석
ㄴ. 지구에서 관측할 때 흑점의 이동 방향은 동 → 서이므로, 태양의 자전 방향은 서 → 동이다.

14 **모범 답안** 쌀알무늬, 광구 아래의 대류 현상으로 생긴 것이다.

채점 기준	배점
이름과 생성 원인을 모두 옳게 서술한 경우	100 %
이름만 옳게 쓴 경우	30 %

15 C는 보조 망원경(파인더)으로, 관측 대상을 쉽게 찾아주는 역할을 한다.

16 망원경으로 태양을 직접 보면 눈이 상할 우려가 있으므로 투영판에 태양의 상이 맺히도록 하여 본다.

17 망원경으로 천체를 관측할 때는 먼저 경통을 천체를 향하게 한 후 파인더로 관측 대상을 찾고 접안렌즈로 천체를 관측한다. 그 후 점차 배율을 높여 가며 천체를 관측한다.

18 **모범 답안** 대기의 영향을 적게 받기 위해서이다.

채점 기준	배점
대기의 영향을 적게 받기 위해서라고 서술한 경우	100 %
그 외의 경우	0 %

IV 식물과 에너지

01 광합성

개념으로 복습하기
복습책 038쪽

❶ 산소 ❷ 물 ❸ 이산화 탄소 ❹ 녹말 ❺ 기공 ❻ 빛 ❼ 녹말 ❽ 양분(포도당) ❾ 산소 ❿ 화학 에너지 ⓫ 증가 ⓬ 일정 ⓭ 감소 ⓮ 수증기 ⓯ 공변세포 ⓰ 열림 ⓱ 낮을 ⓲ 많을 ⓳ 물 상승 ⓴ 체온

헷갈리는 내용 공략하기
복습책 039쪽

01 ㉠ 황색, ㉡ 녹색, ㉢ 청색 **02** 이산화 탄소 **03** 검정말에 빛을 차단하기 위해서 **04** 청색 **05** 황색 **06** ㉠ 광합성, ㉡ 감소 **07** ㉠ 호흡, ㉡ 이산화 탄소 **08** 광합성에는 빛과 이산화 탄소가 필요하다. **09** A, D **10** 시험관 A는 가열에 의해, 시험관 D는 광합성에 의해 용액 속 이산화 탄소가 감소하였다.

문제로 복습하기
복습책 040쪽~042쪽

01 ③ **02** ① **03** ④ **04** ③ **05** ② **06** ⑤ **07** ④
08 ② **09** ③ **10** 해설 참조 **11** ⑤ **12** ③ **13** ②
14 ③ **15** ④ **16** ③ **17** ② **18** ① **19** ②
20 해설 참조

01 광합성은 빛에너지를 이용하여 물과 이산화 탄소로부터 포도당을 합성하는 과정이다.

02 A는 물, B는 이산화 탄소, C는 포도당, D는 녹말, E는 산소이다.
① 물(A)은 뿌리에서 흡수되어 잎까지 이동한다.
오답 분석
② 포도당(C)은 광합성 결과 잎에서 생성된다.
③ B는 이산화 탄소, E는 산소이다.
④ 녹말(D)은 광합성 결과 생성된 포도당이 곧바로 전환되어 생성된다.
⑤ 생성된 산소(E) 중 일부는 식물의 호흡에 사용되며, 나머지는 기공을 통해 방출된다.

03 광합성의 결과 생성된 녹말에 의해 엽록체가 청람색으로 관찰된다.

04 엽록소에 의해 나타나는 잎의 녹색으로 인해 아이오딘 반응에 의한 색깔 변화를 잘 관찰할 수 없기 때문에 엽록소를 제거하여 색깔 변화를 쉽게 볼 수 있게 한다. 에탄올과 같은 가연성 물질을 가열할 때는 온도의 급격한 변화를 막기 위해 물중탕을 한다.

05 녹색 알갱이가 아이오딘-아이오딘화 칼륨 용액에 의해 청람색으로 변하였으므로 엽록체에서 광합성을 통해 녹말이 생성되었음을 알 수 있다.

06 쥐는 식물의 광합성 산물인 산소가 있었기에 살 수 있었으며, 식물은 빛이 있을 때만 광합성을 할 수 있음을 알 수 있다.

07 광합성 결과 산소가 발생한다. 산소에 꺼져 가는 향의 불씨를 대어 보면 다시 잘 타오른다.

08 광합성 결과 산소가 발생함을 알 수 있다.

09 A는 그대로 두었으므로 황색을 유지하며, B는 알루미늄 포일에 의해 빛을 받지 못해 광합성이 일어나지 않기 때문에 황색을 유지한다. C는 광합성이 일어나면서 이산화 탄소를 소모하므로 BTB 용액이 청색이 된다.

10 **모범 답안** 검정말의 광합성에 의해 이산화 탄소가 소모되었기 때문이다.

채점 기준	배점
광합성 작용으로 이산화 탄소가 소모되었기 때문이라고 서술한 경우	100 %
이산화 탄소가 감소했기 때문이라고만 서술한 경우	70 %

11 빛의 세기와 이산화 탄소의 농도에 비례하여 광합성량이 증가하다가 일정량 이상이 되면 광합성량이 증가하지 않고 일정해진다.

12 전등이 가까워질수록 빛의 세기가 증가하면서 광합성량이 증가한다. 빛의 세기가 일정 세기 이상되면 광합성량은 더 이상 증가하지 않고 일정해진다.

13 오답 분석

ㄴ. 표본병과 전구와의 거리를 멀리 하면 빛의 세기가 감소하여 광합성량이 감소하므로 기포의 수가 감소한다.

ㄷ. 물에 얼음을 넣어 물의 온도가 내려가면 광합성량이 감소하여 기포의 수가 감소한다.

14 (가)는 기공이 닫힌 상태로 공변세포의 팽창이 일어나지 않은 상태이다. 공변세포가 팽창하면 활처럼 휘어지면서 (나)와 같이 기공이 열리게 된다.

15 (가)에서 (나)로 변하게 될 때는 공변세포가 팽창하여 기공이 열릴 때이다. 공변세포는 표피 세포와 달리 엽록체가 있어서 광합성을 한다. 광합성을 하면 세포 내 농도가 높아져 주위의 세포로부터 물이 흡수되어 팽창하게 된다.

16 A에서는 잎이 없어 증산 작용이 일어나지 않으며, B에서는 증산 작용을 통해 증발한 물이 비닐봉지에 닿아 응결되어 비닐봉지가 뿌옇게 된다.

17 증산 작용이 활발하게 일어나는 눈금실린더부터 순서대로 나열하면 C>A>D>B 순이다. 따라서 증산 작용이 가장 활발히 일어나는 눈금실린더는 C이며, 증산 작용이 일어나지 않는 눈금실린더는 B이다.

18 증산 작용은 기공을 통해 식물체 내의 물이 밖으로 빠져나가는 현상으로 호흡 조절과는 관계가 없다.

19 물의 상승에 가장 큰 영향을 주는 것은 증산 작용이다.

20 **모범 답안** 증산 작용은 햇빛이 강한 낮 동안에 활발히 일어나다가 빛의 양이 감소할수록 증산량도 감소한다.

채점 기준	배점
증산 작용과 빛의 양의 관계를 언급하여 옳게 서술한 경우	100 %
증산 작용은 낮에 잘 일어난다고만 서술한 경우	70 %

02 식물의 호흡

개념으로 복습하기

복습책 043쪽

❶ 산소 ❷ 에너지 ❸ 세포 ❹ 항상 ❺ 이산화 탄소 ❻ 이산화 탄소 ❼ 산소 ❽ 없다 ❾ 산소 ❿ 이산화 탄소 ⓫ 저장 ⓬ 방출 ⓭ 이산화 탄소 ⓮ 산소 ⓯ 엽록체 ⓰ 항상 ⓱ 산소 ⓲ 이산화 탄소 ⓳ 합성 ⓴ 분해 ㉑ 저장 ㉒ 방출 ㉓ 녹말 ㉔ 설탕 ㉕ 체관 ㉖ 뿌리 ㉗ 줄기

헷갈리는 내용 공략하기

복습책 044쪽

01 (가) 낮, (나) 밤 **02** 광합성, 호흡 **03** 광합성량이 호흡량보다 많기 때문 **04** 호흡만 일어나기 때문 **05** 아침과 저녁 **06** 광합성량과 호흡량이 같기 때문 **07** 빛이 있을 때 **08** 항상 **09** ㉠ 빛에너지, ㉡ 포도당(양분) **10** ㉢ 포도당(양분), ㉣ 에너지 **11** ㉠ 빛에너지, ㉡ 저장 **12** ㉠ 분해, ㉡ 에너지, ㉢ 산소, ㉣ 이산화 탄소

문제로 복습하기

복습책 045쪽~047쪽

01 ㉠ 산소, ㉡ 이산화 탄소 **02** ② **03** ② **04** ① **05** ④ **06** ④ **07** ③ **08** ⑤ **09** 해설 참조 **10** ③ **11** ⑤ **12** ① **13** ⑤ **14** ④ **15** ㄴ, ㄷ, ㅁ **16** ④ **17** ③ **18** ④ **19** 해설 참조

01 호흡은 생물이 산소를 이용해 양분(포도당)을 분해하여 생명 활동에 필요한 에너지를 얻는 과정이다.

02 호흡은 에너지를 생성하는 과정이며, 모든 세포에서 항상 일어난다.

03 호흡은 종자가 싹틀 때, 꽃이 필 때, 생장을 할 때와 같이 에너지가 많이 필요한 시기에 활발히 일어난다.

04 싹튼 콩이 호흡을 하면서 발생한 에너지의 일부가 열로 전환되어 (가)의 온도가 높아진다.

05 식물은 호흡을 통해 이산화 탄소를 발생시킨다. 이산화 탄소와 석회수가 만나면 석회수가 뿌옇게 흐려진다.

06 낮에는 광합성량이 호흡량보다 많아 이산화 탄소를 흡수하고 산소를 방출한다. 아침과 저녁에는 호흡량과 광합성량이 같은 시기가 나타나 외관상 기체 출입이 없다.

07 호흡량과 광합성량이 같아 호흡으로 발생한 이산화 탄소가 모두 광합성에 사용되고, 광합성으로 발생한 산소가 모두 호흡에 사용되므로 외관상 기체의 출입이 없다.

08 식물은 호흡할 때 산소를 흡수하고, 이산화 탄소를 방출한다.

09 **모범 답안** (가) 광합성량, (나) 호흡량, (가)는 빛이 있을 때 상댓값이 크므로 광합성량이고, (나)는 시간에 관계없이 일정한 양이 유지되므로 호흡량이다.

채점 기준	배점
(가)와 (나)를 정확히 쓰고, 그 까닭을 옳게 서술한 경우	100 %
(가)와 (나)만 정확히 쓴 경우	50 %

10 광합성과 호흡을 통해 빛에너지를 생물이 이용할 수 있는 생활 에너지로 바꿀 수 있다.

11 광합성은 빛에너지를 화학 에너지 형태로 바꾸어 양분에 저장하고, 호흡은 양분을 분해하면서 에너지를 발생시킨다.

12 싹튼 콩, 물고기에서는 호흡이 일어나 이산화 탄소가 발생하며, 알루미늄 포일로 싼 검정말에서도 호흡만 일어나 이산화 탄소가 발생하므로 BTB 용액이 산성이 되어 황색으로 변한다. B의 검정말에서는 광합성이 일어나 이산화 탄소를 소모하므로 BTB 용액이 청색으로 변한다.

13 알루미늄 포일로 싼 검정말은 빛이 차단되어 광합성을 하지 못하고 호흡만 한다. 그 결과 이산화 탄소의 농도가 높아지면서 BTB 용액이 황색으로 바뀐다.

14 광합성 결과 생성된 최초의 산물은 포도당이며, 곧바로 잎에 녹말로 저장된다. 밤이 되면 녹말은 물에 잘 녹는 설탕으로 전환되어 체관을 따라 각 기관으로 이동한다.

15 설탕은 분자량이 작아 운반에 유리하며, 물에 잘 녹는다. 설탕은 물에 녹은 상태로 체관을 따라 식물체의 다른 부분으로 운반된다.

16 쓰고 남은 양분은 식물의 각 기관에 저장한다.

17 벼와 옥수수는 녹말 형태로 양분을 저장한다. 식물에 따른 양분의 저장 형태에는 녹말(벼, 밀, 감자, 고구마, 옥수수), 설탕(사탕수수, 사탕무), 포도당(양파, 포도), 단백질(콩, 팥), 지방(깨) 등이 있다.

18 식물이 빛에너지를 생활 에너지로 직접 이용할 수 없기 때문에 화학 에너지로 바꾸어 양분의 형태로 저장한 후 양분을 분해하면서 생성되는 에너지를 생활 에너지로 이용한다.

19 **모범 답안** 검정말이 광합성을 하면서 산소가 발생되기 때문이다.

채점 기준	배점
검정말이 광합성을 하면서 산소가 발생되기 때문이라고 서술한 경우	100 %
검정말이 광합성을 하기 때문이라고 서술한 경우	50 %

V 동물과 에너지

01 소화

개념으로 복습하기

복습책 048쪽

❶ 세포 ❷ 조직 ❸ 기관계 ❹ 에너지원 ❺ 4
❻ 낮 ❼ 지방 ❽ 4 ❾ 9
❿ 에너지원 ⓫ 결핍증 ⓬ 녹말 ⓭ 청람색 ⓮ 지방
⓯ 단백질 ⓰ 뷰렛 ⓱ 엿당 ⓲ 단백질
⓳ 아밀레이스 ⓴ 라이페이스 ㉑ 간
㉒ 쓸개 ㉓ 지방 ㉔ 수분(물)

헷갈리는 내용 공략하기

복습책 049쪽

01 세포 02 기관 03 기관계 04 세포 → 조직 → 기관 → 기관계 → 개체 05 탄수화물, 단백질, 지방 06 탄수화물: 포도당, 단백질: 아미노산 07 물 08 바이타민 09 아밀레이스, 이자 10 포도당 11 트립신, 이자 12 아미노산 13 쓸개즙 14 라이페이스, 이자

문제로 복습하기

복습책 050쪽~052쪽

01 A: 조직, B: 기관, C: 기관계 02 ④ 03 ② 04 ④
05 ③ 06 110 kcal 07 ④ 08 ⑤ 09 ⑤ 10 ④
11 ② 12 ④ 13 ① 14 A: 펩신, B: 트립신 15 ③
16 A: 간, B: 심장 17 해설 참조

01 동물의 구성 단계는 세포 → 조직(A) → 기관(B) → 기관계(C) → 개체 순이다.

02 기관계는 기관들이 모여 하나의 통일된 기능을 담당하는 단계이다. 사람의 기관계에는 소화계, 순환계, 호흡계, 배설계, 생식계 등이 있다.

03 동물은 식물에 비해 구조가 복잡하고 다양한 기능을 수행하기 때문에 여러 기관이 모여 공통된 기능을 수행하는 기관계가 있다.

04 (가)는 에너지원으로 사용되고, (나)는 에너지원으로 사용되지 않는 영양소이다. 무기염류와 바이타민은 적은 양으로 몸의 생리 작용을 조절한다.

05 탄수화물은 주된 에너지원이기 때문에 섭취량의 대부분이 에너지원으로 사용되며, 일부는 몸을 구성하는 데 사용된다. 그러므로 섭취량에 비해 몸을 구성하는 비율이 매우 낮다.

06 탄수화물과 단백질은 각각 1 g당 4 kcal, 지방은 1 g당 9 kcal의 에너지를 낸다. 그러므로 $(4\times4)+(6\times9)+(10\times4)=110$이므로, 110 kcal이다.

07 탄수화물은 곡물류에 많이 들어 있다. 단백질이 많은 음식에는 달걀, 생선, 두부, 콩 등이 있으며, 지방이 많은 음식에는 식용유, 버터 등이 있다.

08 당분(포도당)은 베네딕트 반응 시 황적색을 나타낸다. 녹말은 아이오딘－아이오딘화 칼륨 용액과 반응하여 청람색을 나타내고, 지방은 수단 Ⅲ 용액과 반응하여 선홍색을 나타낸다. 단백질은 뷰렛 반응에서 보라색을 나타낸다.

09 우리가 섭취한 영양소는 소장의 융털로 흡수되는데, 융털로 흡수되기 위해서 영양소가 작게 분해되어야 한다. 이와 같이 영양소가 우리 몸에 흡수될 수 있도록 작게 분해되는 과정이 소화이다.

10 ④ D는 온도가 너무 낮아 효소가 작용하지 못하여 녹말이 소화되지 않고 그대로 남아 있다. 그러므로 D는 아이오딘 반응에 청람색을 나타낸다.

오답 분석

① A는 침에 의해 녹말이 소화되었기 때문에 아이오딘 반응에 변화가 없고, 베네딕트 반응에서 황적색을 나타낸다.
② B는 온도가 너무 높아 열에 의해 소화 효소가 변성되어 작용하지 않는다.
③ C는 녹말이 그대로 남아 있어 아이오딘 반응에서 청람색을 나타낸다.
⑤ 소화 효소는 단백질로 이루어져 있어 체온 정도에서 활발하게 작용한다. 소화 효소는 온도가 너무 높거나 낮으면 작용하지 않는다.

11 온도가 같은 조건(체온 정도의 범위)에서 각각 침과 증류수를 넣은 시험관을 비교해야 한다.

12 A는 간, B는 쓸개, C는 위, D는 이자, E는 소장, F는 대장이다. 대장(F)에서는 소화 작용이 일어나지 않고 수분의 흡수만 일어난다.

13 녹말은 침과 이자액에 들어 있는 아밀레이스에 의해 엿당으로 분해된 후 소장의 탄수화물 분해 효소에 의해 포도당으로 최종 분해된다.

14 단백질은 위액의 펩신과 이자액의 트립신에 의한 소화 과정을 거친 후 소장의 단백질 분해 효소에 의해 아미노산으로 최종 분해된다.

15 암죽관으로 지용성 영양소(지방산, 모노글리세리드, 지용성 바이타민)가 흡수되고, 모세 혈관(A)으로 수용성 영양소(물, 포도당, 아미노산, 무기염류, 수용성 바이타민)가 흡수된다.

16 융털의 모세 혈관과 암죽관으로 흡수된 영양소는 온몸으로 전달될 수 있도록 혈액을 통해 심장으로 운반된다.

17 **모범 답안** 소장의 융털, 표면적이 매우 넓다.
해설 소장의 융털, 라디에이터, 수건의 표면, 접이식 부채는 모두 표면적이 매우 넓다.

채점 기준	배점
소화 기관의 구조와 공통적인 특징을 옳게 서술한 경우	100 %
소화 기관의 구조만 옳게 쓴 경우	30 %

02 순환

개념으로 복습하기 복습책 053쪽

❶ 대정맥 ❷ 폐정맥 ❸ 폐동맥 ❹ 대동맥 ❺ 동맥
❻ 정맥 ❼ 동맥 ❽ 정맥 ❾ 동맥
❿ 모세 혈관 ⓫ 혈장 ⓬ 혈구 ⓭ 없
⓮ 헤모글로빈 ⓯ 산소 ⓰ 있 ⓱ 식균
⓲ 없 ⓳ 응고 ⓴ 물 ㉑ 온몸 ㉒ 폐

헷갈리는 내용 공략하기 복습책 054쪽

01 A: 우심방, B: 우심실, C: 좌심방, D: 좌심실 **02** ㉠ 대정맥, ㉡ 대동맥, ㉢ 폐동맥, ㉣ 폐정맥 **03** A, C **04** B, D **05** A: 동맥, B: 모세 혈관, C: 정맥 **06** A **07** 조직 세포와 물질 교환을 한다. **08** C **09** C, 적혈구 **10** A, 백혈구 **11** D, 혈소판 **12** B, 혈장 **13** A: 폐동맥, B: 대정맥, C: 폐정맥, D: 대동맥 **14** C, D **15** A, B **16** H → D → B → E **17** F → A → C → G

문제로 복습하기 복습책 055쪽~057쪽

01 ④ **02** ④ **03** ① **04** ④ **05** ① **06** ③ **07** ④
08 ② **09** ① **10** ③ **11** ⑤ **12** ④ **13** ① **14** ⑤
15 ② **16** ⑤ **17** ① **18** 해설 참조

01 A는 우심방, B는 좌심방이다.
④ 심방은 심장에서 혈액을 받아들이는 곳이고, 심실은 심장에서 혈액을 내보내는 곳이다.

오답 분석

① 동맥과 연결되어 있는 곳은 심실이다.
② 심실은 강한 힘이 필요하므로 심방에 비해 크기가 크다.
③ 우심방은 대정맥을 통해 온몸과 연결되어 있고, 좌심방은 폐정맥을 통해 폐와 연결되어 있다.
⑤ 심장에서 혈액을 내보내는 부분은 심실이다.

02 C는 좌심실이다. 심실은 혈액을 내보내기 위해 수축할 때 강한 힘이 필요하므로 심방에 비해 벽이 두껍다. 특히 좌심실(C)은 폐를 제외한 몸의 모든 부분에 혈액을 내보내야 하기 때문에 벽이 가장 두껍게 발달되어 있다.

03 A는 판막이다. 심장의 판막은 우심방과 우심실 사이, 좌심방과 좌심실 사이, 심실과 동맥 사이에 위치한다.

04 심방이 수축하고 심실이 이완하면 혈액이 심방에서 심실로 이동할 수 있도록 심방과 심실 사이의 판막이 열린다.

05 ① 동맥(A)은 정맥(C)보다 혈압이 높기 때문에 혈관이 터지지 않도록 혈관 벽이 두껍고 혈관의 탄력성이 크다.

오답 분석

② 혈압은 심실에서 가까운 동맥(A)에서 가장 높다.

③, ④ 모세 혈관(B)은 총단면적이 가장 넓기 때문에 혈류 속도가 가장 느리다.

⑤ 정맥(C)은 몸의 표면에 분포한다.

06 동맥(A)은 심장에서 나오는 혈액의 높은 압력에 견딜 수 있도록 혈관 벽이 두껍고 탄력성이 크다.

07 동맥과 정맥의 특징을 비교하면 표와 같다.

구분	동맥	정맥
혈압	높다	낮다
혈관 벽	두껍다	얇다
탄력성	강하다	약하다
판막	없다	있다
분포	몸속 깊은 곳	몸 표면 쪽

08 정맥은 혈압이 낮아서 혈액이 거꾸로 흐를 수 있기 때문에 판막을 통해 혈액의 역류를 막아준다. 주변 근육의 운동에 의해 혈액이 이동한다.

09 모세 혈관은 하나하나의 단면적은 가장 작지만 몸 전체에 퍼져 있기 때문에 총단면적은 가장 넓고, 총단면적이 가장 넓기 때문에 혈류 속도는 가장 느리다.

10 A는 혈장, B는 혈구이다.

③ 혈장은 대부분 비열이 높은 물로 이루어져 있어서 체온의 급격한 변화를 막아준다.

오답 분석

① 혈장(A)은 혈액의 액체 성분이다.

② 혈구(B)에 적혈구, 백혈구, 혈소판이 분포한다.

④ 혈장(A)은 물이 대부분을 차지한다.

⑤ 혈장(A)은 영양소와 노폐물을 운반한다.

11 A는 혈소판, B는 백혈구, C는 혈장, D는 적혈구이다.

⑤ 적혈구(D)는 헤모글로빈이 있어 붉은색을 띤다.

오답 분석

① 혈소판은 모양이 일정하지 않은 세포 조각으로, 핵이 없다.

②, ③ 백혈구는 혈액 1 mm^3 속에 약 6000~8000개가 들어 있고, 혈구 중 수가 가장 적다. 백혈구는 식균 작용을 한다.

④ 혈장의 주성분인 물은 비열이 커서 온도 변화가 작기 때문에 체온을 일정하게 유지한다.

12 헤모글로빈은 적혈구 속에 있는 붉은색 색소로, 산소가 많은 곳에서 산소와 결합하고 산소가 적은 곳에서 산소와 분리하는 방식으로 산소를 운반한다.

13 백혈구는 핵이 있으며, 김사액으로 염색하면 핵이 보라색으로 염색된다. 백혈구의 수는 혈액 1 mm^3 속에 약 6000~8000개로 혈구 중 수가 가장 적고, 식균 작용을 한다.

14 ⑤ 혈액의 응고 작용을 하는 혈구는 혈소판이다. 혈소판은 모양이 일정하지 않고 불규칙하게 생긴 세포 조각으로, 핵이 없으며, 혈구 중 크기가 가장 작다.

오답 분석

①, ② 백혈구는 아메바 운동을 하며, 식균 작용을 한다.

③ 혈소판은 혈액 1 mm^3 속에 약 20~30만 개로 수가 백혈구보다 많고, 적혈구보다 적다.

④ 가운데가 오목한 원반형인 혈구는 적혈구이다.

15 고산 지대에 사는 사람은 산소 운반 능력을 향상시키기 위해 적혈구 수가 많다. 세균에 감염되면 식균 작용을 위해 백혈구 수가 증가한다.

16 A는 폐동맥, B는 대정맥, C는 폐정맥, D는 대동맥, E는 우심방, F는 우심실, G는 좌심방, H는 좌심실이다. 온몸의 조직 세포에 산소와 영양소를 공급하는 순환은 온몸 순환이며, 그 경로는 좌심실 → 대동맥 → 동맥 → 온몸의 모세 혈관 → 정맥 → 대정맥 → 우심방 순이다.

17 (가)는 정맥혈, (나)는 동맥혈이다. 정맥혈은 산소의 농도가 낮고 색깔이 암적색이며, 동맥혈은 산소의 농도가 높고 색깔이 선홍색이다.

18 **모범 답안** 폐순환, 우심실의 수축으로 혈액이 폐동맥을 통해 심장에서 나가 폐의 모세 혈관에서 기체 교환을 하고 폐정맥을 거쳐 좌심방으로 들어온다.

채점 기준	배점
폐순환이라고 쓰고, 그 경로를 옳게 서술한 경우	100 %
폐순환이라고만 쓴 경우	30 %

03 호흡

개념으로 복습하기 복습책 058쪽

❶ 산소 ❷ 이산화 탄소 ❸ 영양소 ❹ 에너지 ❺ 코 ❻ 기관 ❼ 폐 ❽ 갈비뼈 ❾ 폐포 ❿ 모세 혈관 ⓫ 횡격막(가로막) ⓬ 아래로 ⓭ 낮아진다. ⓮ 위로 ⓯ 높아진다. ⓰ 산소 ⓱ 이산화 탄소 ⓲ 확산

헷갈리는 내용 공략하기 복습책 059쪽

01 (1) 위쪽으로 올라간다. (2) 아래쪽으로 내려간다. (3) 커진다. (4) 낮아진다. (5) 외부에서 폐로 이동한다. **02** 횡격막(가로막) **03** 들숨 **04** (1) 작아진다. (2) 높아진다. (3) 작아진다. **05** A: 폐포, B: 조직 세포 **06** ㉠ 산소, ㉡ 이산화 탄소 **07** A > 모세 혈관 > B **08** A < 모세 혈관 < B **09** 적혈구

문제로 복습하기 복습책 060쪽~062쪽

01 ① **02** A: 코 **03** ④ **04** ⑤ **05** (다) – (나) – (가) **06** ④ **07** ④ **08** ② **09** ① **10** ① **11** ① **12** ② **13** ② **14** A: 이산화 탄소, B: 산소 **15** ② **16** ③ **17** ⑤ **18** ③ **19** 해설 참조

01 폐는 갈비뼈와 횡격막으로 둘러싸여 가슴 좌우 양쪽에 1쌍이 있다.

02 A는 코, B는 기관, C는 기관지, D는 폐, E는 횡격막, F는 폐포이다. 코(A)는 공기가 드나드는 출입구이다.

03 기관지는 양쪽 벽이 섬모와 점액으로 덮여 있어서 코에서 걸러지지 않은 미세한 이물질을 걸러 낸다.

04 A는 모세 혈관, B는 폐포이다. 폐포(B)에서 모세 혈관(A)으로 산소가 이동하고, 모세 혈관(A)에서 폐포(B)로 이산화 탄소가 이동한다.

05 내부에 여러 개의 작은 원통이 가장 많은 (다)의 표면적이 가장 넓다.

06 폐 내부는 수많은 폐포로 이루어져 있어 표면적이 매우 넓다.

07 사람의 운동은 골격의 움직임이나 근육의 수축과 이완을 통해 일어난다. 그런데 폐는 근육이 없는 얇은 막으로 이루어져 있기 때문에 스스로 호흡 운동을 하지 못하고 갈비뼈와 횡격막의 상하 운동에 의해 호흡 운동이 일어난다.

08 횡격막이 올라가고 갈비뼈가 내려가면 흉강의 부피가 작아지고 압력이 높아져 폐 속의 공기가 외부로 나간다.

09 갈비뼈(A)가 올라가면 흉강의 부피가 커지고 압력이 낮아져 폐의 부피가 커진다.

10 ㄱ, ㄴ. 폐활량은 공기를 최대로 들이마신 다음 최대로 내쉴 때 폐에서 나오는 공기의 양으로, 기흉 환자는 폐에 압력을 충분히 가할 수 없기 때문에 밖으로 나오는 공기의 양이 적다.

오답 분석

ㄷ, ㄹ. 기흉 환자는 폐에 압력이 충분히 가해지지 않아 숨을 잘 내쉴 수 없다. 그렇기 때문에 공기가 들어오는 양보다 나가는 양이 적어 흉강 내부에 공기가 차게 된다. 따라서 정상인보다 폐의 압력 변화가 작다.

11 그림은 사람의 호흡 기관에서 일어나는 호흡 운동 원리를 알아보기 위한 실험 장치이다.

12 당겼던 고무 막을 놓으면 유리병 내부의 부피가 줄어들고 압력이 커지면서 고무풍선이 수축한다. 또한, 유리관의 물이 밖으로 밀려 나가면서 A의 수면 높이가 낮아진다.

13 석회수는 이산화 탄소와 만나면 뿌옇게 흐려진다. 날숨에는 들숨에 비해 이산화 탄소의 농도가 100배 이상 높다. (나)는 들숨으로 이산화 탄소가 포함되어 있지만 이산화 탄소의 비율이 매우 낮아 석회수를 흐려지게 하지 못한다.

14 이산화 탄소(A)는 모세 혈관에서 폐포로, 산소(B)는 폐포에서 모세 혈관으로 이동한다.

15 산소의 분압은 모세 혈관(㉠)보다 폐포(㉡)에서 높고, 이산화 탄소의 분압은 폐포(㉡)보다 모세 혈관(㉠)에서 높다.

16 (가)는 폐동맥에, (나)는 폐정맥에 연결되어 있다. (가)에는 산소(B)의 농도가 낮은 정맥혈(암적색)이 흐르고, (나)에는 산소(B)의 농도가 높은 동맥혈(선홍색)이 흐른다.

17 ⑤ 조직 세포는 모세 혈관으로부터 산소를 얻고, 모세 혈관으로 이산화 탄소를 내보낸다.

오답 분석

①, ② A와 B는 산소, C와 D는 이산화 탄소이다.

③ 세포 호흡 과정에서 에너지가 발생된다.

18 기체의 이동은 분압 차에 따른 확산 현상에 의해 나타난다. 이산화 탄소의 농도는 조직 세포 > 모세 혈관 > 폐포이며, 산소의 농도는 폐포 > 모세 혈관 > 조직 세포이다.

19 **모범 답안** 산소를 이용하여 영양소를 분해하고 생활에 필요한 에너지를 생성한다.

채점 기준	배점
제시된 단어를 모두 포함하여 옳게 서술한 경우	100 %
제시된 단어 중 2가지만 포함하여 옳게 서술한 경우	60 %

04 배설

개념으로 복습하기 복습책 063쪽

❶ 노폐물 ❷ 폐 ❸ 콩팥 ❹ 간 ❺ 요소 ❻ 콩팥 ❼ 방광 ❽ 콩팥 겉질 ❾ 사구체 ❿ 콩팥 깔때기 ⓫ 사구체 ⓬ 보먼주머니 ⓭ 혈압 ⓮ 재흡수 ⓯ 모세 혈관 ⓰ 분비 ⓱ 모세 혈관 ⓲ 소화계 ⓳ 산소 ⓴ 이산화 탄소 ㉑ 순환계 ㉒ 오줌

헷갈리는 내용 공략하기 복습책 064쪽

01 이산화 탄소, 물 **02** 이산화 탄소, 물, 암모니아 **03** 이산화 탄소, 물 **04** A: 사구체, B: 보먼주머니 **05** 물, 요소, 포도당, 아미노산, 무기염류 **06** 단백질, 혈구, 지방 **07** C: 세뇨관, D: 모세 혈관 **08** 포도당, 아미노산 **09** ㉠ 여과, ㉡ 재흡수, ㉢ 분비 **10** 여과 **11** 혈구, 단백질, 지방 **12** 크기가 커서 혈관 벽을 통과하지 못하기 때문이다. **13** 모두 재흡수되기 때문이다.

문제로 복습하기 복습책 065쪽~067쪽

01 ④ **02** ⑤ **03** C: 요소, D: 오줌 **04** ② **05** ⑤
06 ② **07** ④ **08** A: 사구체, B: 보먼주머니 **09** ⑤
10 ⑤ **11** A: 사구체, B: 보먼주머니, C: 세뇨관 **12** ⑤
13 ③ **14** ③ **15** ② **16** ① **17** ③ **18** ①

01 배설은 세포 호흡에서 발생된 노폐물을 몸 밖으로 내보내는 과정이다.

02 탄수화물과 지방은 탄소, 산소, 수소로 구성되어 있어서 세포 호흡에 이용되면 물과 이산화 탄소를 생성한다. 단백질은 탄소, 수소, 산소, 질소로 구성되어 있어서 세포 호흡에 이용되면 물, 이산화 탄소 외에 암모니아를 생성한다.

03 독성이 강한 암모니아는 간에서 독성이 약한 요소로 전환된 후 콩팥에서 오줌 성분에 포함되어 배설된다.

04 암모니아는 독성이 강해서 체내에 남아 있는 경우 세포에 피해를 주기 때문에 생성된 후 간에서 독성이 약한 요소로 전환된다.

05 암모니아는 독성이 강하기 때문에 생물체에 해롭다. 요소는 암모니아보다는 독성이 약하기 때문에 요소가 녹아 있는 물에 사는 금붕어는 암모니아가 녹아 있는 물에 사는 금붕어보다 오래 살 수 있을 것이다.

06 A는 콩팥 동맥, B는 콩팥, C는 오줌관, D는 방광, E는 요도이다. 콩팥(B)은 오줌을 생성하는 기관이다.

07 A는 콩팥 겉질, B는 콩팥 속질, C는 콩팥 깔때기, D는 콩팥 동맥, E는 콩팥 정맥이다.
④ 콩팥 동맥(D)을 통해 콩팥으로 들어온 혈액은 노폐물이 오줌으로 걸러진 후 콩팥 정맥(E)을 통해 콩팥을 빠져나간다.
오답 분석
① 콩팥 겉질(A)에는 사구체와 보먼주머니가 분포한다.
② 콩팥 속질(B)에는 세뇨관이 분포한다. 보먼주머니는 콩팥 겉질에 분포한다.
③ 콩팥 깔때기(C)는 콩팥의 가장 안쪽에 위치한 빈 공간으로, 오줌을 모아 오줌관으로 보낸다.
⑤ 콩팥 정맥(E)에는 콩팥을 지나 노폐물이 걸러진 혈액이 흐른다.

08 사구체(A)는 콩팥 동맥에 연결된 모세 혈관이 뭉친 덩어리이다.

09 사구체(A)는 혈액이 들어오는 부분보다 나가는 부분이 좁아서 압력이 높다. 물질의 재흡수는 세뇨관과 모세 혈관 사이에서 일어난다.

10 A는 사구체, B는 보먼주머니, C는 모세 혈관, D는 세뇨관이다.
ㄴ. 혈액 속에 들어 있는 크기가 작은 물질은 사구체(A)에서 보먼주머니(B)로 이동한다.
ㄷ. 세뇨관(D)에 있는 몸에 필요한 물질은 세뇨관을 둘러싸고 있는 모세 혈관(C)으로 이동한다.
오답 분석
ㄱ. 사구체(A)는 혈액이 들어오는 부분보다 나가는 부분이 좁아서 압력이 높다.

11 사구체(A), 보먼주머니(B), 세뇨관(C)을 합쳐 네프론이라고 하며, 네프론은 콩팥 한쪽에 100만 개 정도 분포한다.

12 A는 사구체, B는 보먼주머니, C는 세뇨관, D는 모세 혈관이다. 사구체(A)와 보먼주머니(B)는 콩팥 겉질에 위치하고, 세뇨관(C)과 모세 혈관(D)은 콩팥 속질에 위치한다.

13 사구체(A)의 높은 혈압에 의해 보먼주머니(B)로 물질이 여과되지만 크기가 큰 혈구, 단백질, 지방은 혈관 벽을 통과하지 못해 여과되지 않는다.

14 여과된 물질 중 우리 몸에 필요한 물질은 세뇨관(C)에서 모세 혈관(D)으로 재흡수된다.

15 사구체(A)에서 보먼주머니(B)로 걸러진 물질 중 포도당과 아미노산은 세뇨관(C)에서 모세 혈관(D)으로 100 % 재흡수된다.

16 미처 여과되지 않은 노폐물은 모세 혈관(D)에서 세뇨관(C)으로 분비된다.

17 폐는 호흡 기관이며, 콩팥은 배설 기관이다. 심장, 혈관 등이 순환 기관이다.

18 A는 소화계, B는 순환계, C는 호흡계, D는 배설계이다. 소화계(A)에 속하는 기관에는 위, 이자, 소장, 대장 등이 있으며, 기관지는 호흡계(C)에 속하는 기관이다.

VI 물질의 특성

01 물질의 특성(1)

개념으로 복습하기 (복습책 068쪽)

❶ 순물질 ❷ 혼합물 ❸ 특성 ❹ 녹는점 ❺ 어는점 ❻ 같음 ❼ 끓는점 ❽ 높은 ❾ 낮은 ❿ 고체 ⓫ 기체

헷갈리는 내용 공략하기 (복습책 069쪽)

01 금, 은, 철, 물, 구리, 수소, 산소, 암모니아, 다이아몬드, 염화 나트륨, 이산화 탄소 **02** 간장, 공기, 식초, 암석, 우유, 주스, 바닷물, 사이다, 설탕물, 흙탕물 **03** 금, 은, 철, 구리, 수소, 산소, 다이아몬드 **04** 물, 암모니아, 염화 나트륨, 이산화 탄소 **05** 간장, 공기, 식초, 바닷물, 사이다, 설탕물 **06** 암석, 우유, 주스, 흙탕물 **07** 금, 납, 철, 물, 구리, 수소, 에탄올, 암모니아, 다이아몬드, 염화 칼륨, 이산화 탄소 **08** 간장, 공기, 식초, 암석, 우유, 주스, 바닷물, 사이다, 소금물, 흙탕물 **09** 금, 납, 철, 구리, 수소, 다이아몬드 **10** 물, 에탄올, 암모니아, 염화 칼륨, 이산화 탄소 **11** 간장, 공기, 식초, 바닷물, 사이다, 소금물 **12** 암석, 우유, 주스, 흙탕물

문제로 복습하기 (복습책 070쪽~072쪽)

01 ③ **02** ④ **03** ② **04** ① **05** ① **06** 해설 참조
07 ③ **08** ④ **09** ⑤ **10** ③ **11** ④ **12** 해설 참조
13 ② **14** 끓는점 **15** ③ **16** ① **17** ⑤
18 ③ **19** 해설 참조

01 '예'로 분류된 물질은 순물질이고, '아니요'로 분류된 물질은 혼합물이다. 순물질은 물질의 특성이 일정하다.

02 (가)는 1가지 원소로 이루어진 물질이다. (나)는 2종류의 물질이 고르게 섞여 있으므로 균일 혼합물이다. (다)는 2종류의 물질이 고르지 않게 섞여 있으므로 불균일 혼합물이다. (라)는 2종류의 원소가 결합하여 만들어진 화합물이다.

03 질량은 물질의 특성이 아니다.

04 물은 순물질이고, 염화 나트륨 수용액은 혼합물이다. 색은 물질의 특성이지만 물과 염화 나트륨 수용액의 색은 무색으로 같다.
오답 분석
② 가열했을 때 물은 끓는점이 일정하고 염화 나트륨 수용액은 끓는점이 일정하지 않다.
③ 냉각했을 때 물은 어는점이 일정하지만 염화 나트륨 수용액은 어는점이 일정하지 않다.
④ 염화 나트륨 수용액은 노란색의 불꽃 반응을 나타낸다.
⑤ 증발시키면 물은 모두 증발하고, 염화 나트륨 수용액은 염화 나트륨 결정이 남는다.

05 물은 순물질이고, 소금물은 혼합물이다. ① 순물질의 가열 곡선에서는 끓는점이 일정하고, 혼합물의 가열 곡선에서는 끓는점이 일정하지 않다.

06 **모범 답안** 물의 끓는점이 높아지기 때문이다.
해설 물은 100 ℃에서 끓지만 소금과 같은 물질을 섞으면 100 ℃보다 높은 온도에서 끓는다. 따라서 소금이나 스프를 넣고 끓인 물에서 달걀이나 면이 더 빨리 익는다.

채점 기준	배점
끓는점과 관련지어 옳게 서술한 경우	100 %
끓는점에 대한 언급 없이 '물보다 높은 온도에서 끓는다'는 의미로 서술한 경우	50 %

07 물질이 어는 동안 열에너지를 방출한다.

08 온도 T는 융해하는 동안 일정하게 유지되는 온도이므로 녹는점이다.

09 로르산의 녹는점은 양에 관계없이 일정하다. 그러나 로르산의 양이 많을수록 녹는점에 도달하는 데 걸리는 시간이 길어진다.

10 우주선의 선체와 전구 속 필라멘트는 녹는점이 높으므로 고온을 견딜 수 있다. 땜납과 퓨즈는 녹는점이 낮으므로 저온에서 쉽게 녹는다.

11 가열과 냉각 곡선에서 녹는점과 어는점이 일정하므로 이 물질은 순물질이다. ④ 물질의 양에 관계없이 녹는점과 어는점은 일정하다.

12 **모범 답안** C와 D, 같은 물질은 녹는점이 같기 때문이다.
해설 녹는점은 물질의 특성이므로 같은 물질이면 녹는점이 같다.

채점 기준	배점
종류가 같은 물질을 고르고, 그 까닭을 녹는점과 관련지어 옳게 서술한 경우	100 %
종류가 같은 물질과 까닭 중 하나만 옳게 서술한 경우	50 %

13 끓는점은 물질의 특성이다.
오답 분석
① 외부 압력이 높아지면 끓는점도 높아진다.
③ 물질의 양에 관계없이 끓는점은 일정하다.
④ 불꽃의 세기와 관계없이 끓는점은 일정하다.
⑤ 끓는점은 기화하는 동안 일정하게 유지되는 온도이다.

14 식용유는 물보다 끓는점이 높으므로 끓는 식용유가 끓는 물보다 감자에 더 많은 열에너지를 공급할 수 있다.

15 끓는점은 물질의 특성이다.
ㄱ. 에탄올의 끓는점은 78.3 ℃, 메탄올의 끓는점은 64.7 ℃이다.
ㄴ. (나)의 두 그래프의 끓는점이 모두 78.3 ℃이므로 두 물질은 에탄올이다.
오답 분석
ㄷ. 물질의 양이 많을수록 끓는점까지 도달하는 데 걸리는 시간이 길다.

복습책

16 ㄱ. 기압이 높을수록 끓는점이 높아진다.
오답 분석
ㄴ. 질량은 끓는점에 영향을 주지 않는다.
ㄷ. 불꽃의 세기는 끓는 시간에 영향을 줄 뿐 끓는점에는 영향을 주지 않는다.

17 감압 용기에서 공기를 빼면 용기 내부의 압력이 낮아지면서 물의 끓는점이 낮아지므로 물이 100 ℃보다 낮은 온도에서 끓는다.

18 X는 산소이며 기체 상태, Y는 아세트산이며 액체 상태, Z는 납이며 고체 상태이다.

19 **모범 답안** 높은 산은 기압이 낮으므로 물의 끓는점이 낮아지기 때문에 밥이 설익는다.
해설 압력이 높아지면 끓는점도 높아지고, 압력이 낮아지면 끓는점도 낮아지기 때문이다.

채점 기준	배점
기압과 끓는점의 관계를 옳게 서술한 경우	100 %
끓는점이 낮아졌다고만 쓴 경우	50 %

02 물질의 특성(2)

개념으로 복습하기 복습책 073쪽

❶ 밀도 ❷ 큰 ❸ 작은 ❹ 감소 ❺ 증가 ❻ 용해도 ❼ 포화 ❽ 용해도 곡선 ❾ 낮을수록 ❿ 높을수록

헷갈리는 내용 공략하기 복습책 074쪽

01 용해 02 용질 03 용매 04 용액 05 퍼센트 농도 06 용해도 07 불포화 용액 08 포화 용액 09 과포화 용액 10 석출 11 용해도 곡선 12 B, D 13 C, E 14 A

문제로 복습하기 복습책 075쪽~077쪽

01 ① 02 ⑤ 03 1.5 g/mL 04 ② 05 A, D 06 ③ 07 ③ 08 ㉠ 작기, ㉡ 크기 09 ② 10 해설 참조 11 ① 12 ④ 13 ⑤ 14 ⑤ 15 ③ 16 ⑤ 17 ① 18 ② 19 ④ 20 해설 참조

01 부피는 물질의 특성이 아니다.

02 부피가 일정할 때 밀도와 질량은 비례한다.

03 밀도$=\frac{질량}{부피}$이므로 이 고체의 밀도는 $\frac{7.5}{5}=1.5$(g/mL)이다.

04 질량이 일정할 때 밀도와 부피는 반비례한다.

05 밀도$=\frac{질량}{부피}$이다. A의 밀도는 0.85 g/cm^3, B의 밀도는 15 g/cm^3, C의 밀도는 1.5 g/cm^3, D의 밀도는 0.65 g/cm^{3}이다.

06 부피−질량 그래프의 기울기는 밀도를 의미한다. 같은 종류의 물질은 밀도가 같으므로 부피−질량 그래프의 기울기가 같다.

07 밀도의 크기는 LNG<공기<LPG이다.

08 헬륨은 공기보다 밀도가 작아서 공기 중에 뜨고, 이산화 탄소는 공기보다 밀도가 커서 공기 중에서 가라앉는다.

09 부피−질량 그래프에서 기울기는 밀도를 의미한다. 밀도의 크기는 D>C>B>X>A이다. X의 밀도는 2번째로 작으므로 A와 B 사이에 위치한다.

10 **모범 답안** 뜨거운 공기는 찬 공기보다 밀도가 작기 때문이다.
해설 뜨거운 공기는 찬 공기보다 입자 사이의 거리가 멀어서 같은 부피일 때 질량이 작으므로 밀도가 작다.

채점 기준	배점
밀도와 관련지어 옳게 서술한 경우	100 %
밀도에 대한 언급 없이 까닭만을 옳게 서술한 경우	50 %

11 녹는 물질은 용질, 녹이는 물질은 용매, 용질과 용매가 섞이는 현상은 용해, 용해 과정으로 만들어진 물질을 용액이라고 한다.

12 10 % 설탕물 100 g에는 설탕 10 g과 물 90 g이 들어 있다. 퍼센트 농도$=\frac{용질의\ 질량}{용액의\ 질량}\times100$이므로 더 넣어 주어야 할 물의 질량을 미지수로 놓았을 때 $5\ \%=\frac{10}{100+x}\times100$이므로 $x=100$ g이다.

13 용해도는 일정한 온도에서 용매 100 g에 최대로 녹을 수 있는 용질의 g 수이다.

14 용액에 대한 용질의 비율이 높을수록 퍼센트 농도가 크다.

15 ㄱ. 온도가 높을수록 질산 칼륨의 용해도가 커진다.
ㄷ. 60 ℃ 포화 수용액 210 g에는 질산 칼륨 110 g과 물 100 g이 포함되어 있다. 이 용액의 온도를 20 ℃로 낮추었을 때 석출되는 질산 칼륨의 양은 110−32=78 g이다.
오답 분석
ㄴ. A의 농도$=\frac{용질의\ 질량}{용액의\ 질량}\times100=\frac{110}{210}\times100=52.38\ \%$이다.

16 80 ℃ 질산 나트륨 포화 용액 248 g에는 물 100 g, 질산 나트륨 148 g이 포함되어 있다. 이 용액을 20 ℃로 냉각했을 때 석출되는 양은 148−88=60 g이다.

17 불포화 용액의 온도를 낮추면 포화 상태를 초과하는 양만큼 용질이 석출된다.
오답 분석
② 이 고체 물질은 온도가 낮을수록 용해도가 작아진다.
③ 용액은 과포화 상태가 되고 초과된 용질은 석출된다.

④ 농도가 100 %인 물질은 순물질이다.
⑤ 고체 물질이 녹아 있는 용액은 혼합물이므로 녹는점이 0 ℃ 보다 낮다.

18 탄산음료의 병뚜껑을 열면 내부 압력이 작아지므로 탄산음료에 녹아 있던 기체가 밖으로 빠져나간다. 이것은 압력에 따른 기체의 용해도와 관련된 현상이다. 나머지는 모두 온도에 따른 기체의 용해도와 관련된 현상이다.

19 ㄴ. A, B, D를 비교하면 압력이 일정하므로 온도에 따른 기체의 용해도를 알 수 있다. 온도가 낮을수록 기체의 용해도가 크기 때문에 기포가 적게 발생한다.
ㄷ. A는 기포가 가장 많이 발생했으므로 기체의 용해도가 가장 작다.
오답 분석
ㄱ. B와 C가 담긴 물의 온도가 같고 C가 B보다 압력이 크기 때문에 기포가 더 적게 발생한다.

20 **모범 답안** 사이다에서 기포가 더 많이 발생한다. 압력이 낮아지면 기체의 용해도가 작아지기 때문이다.
해설 감압 용기에서 공기를 빼면 사이다 주변의 기압이 낮아지면서 사이다 속에 녹아 있던 기체들이 밖으로 빠져나간다.

채점 기준	배점
사이다에서 나타나는 변화와 그 까닭을 기체의 용해도와 관련지어 옳게 서술한 경우	100 %
사이다에서 나타나는 변화와 그 까닭 중에서 하나만 옳게 서술한 경우	50 %

03 혼합물의 분리

개념으로 복습하기 복습책 078쪽

❶ 증류 ❷ 증류탑 ❸ 분별 깔때기 ❹ 거름
❺ 추출 ❻ 재결정 ❼ 크로마토그래피

헷갈리는 내용 공략하기 복습책 079쪽

01 식용유 02 물 03 참기름 04 간장 05 물 06 사염화 탄소 07 물 < 모래 < 사금 08 쭉정이 < 소금물 < 좋은 볍씨 09 오래된 달걀 < 소금물 < 신선한 달걀 10 혈장 < 혈구 11 쭉정이 < 곡물 < 돌

문제로 복습하기 복습책 080쪽~082쪽

01 ① 02 ② 03 ③ 04 ② 05 ③ 06 해설 참조
07 ③ 08 ② 09 ⑤ 10 해설 참조 11 ④ 12 ③
13 ④ 14 ⑤ 15 해설 참조 16 ⑤ 17 ④ 18 ②
19 해설 참조

01 바닷물에 포함된 물과 소금의 끓는점 차를 이용하여 물을 분리하는 방법을 증류라고 한다.

02 증류 장치는 끓는점이 다른 물질을 분리할 때 사용한다.

03 소줏고리에 발효주를 넣고 가열하면 에탄올과 물 중에서 끓는점이 낮은 에탄올이 먼저 끓어 나와 분리된다.
오답 분석
ㄴ. 거름 장치는 용매에 대한 용해도의 차를 이용하여 혼합물을 분리하는 방법이다.

04 증류탑 위쪽에서 끓는점이 가장 낮은 물질부터 분리된다.

05 물과 에탄올의 혼합물을 가열했기 때문에 B 구간의 온도는 순수한 에탄올의 끓는점보다 약간 높다.

06 **모범 답안** 증류, 두 물질은 서로 섞이며, 끓는점이 다르기 때문이다.
해설 서로 섞이는 액체인 경우 끓는점 차를 이용하여 분리하는 증류로 혼합물을 분리한다.

채점 기준	배점
방법과 까닭을 모두 옳게 서술한 경우	100 %
방법과 까닭 중 하나만 옳게 서술한 경우	50 %

07 서로 섞이지 않는 액체는 분별 깔때기로 분리할 수 있다.
오답 분석
① 용매를 따라 이동하는 속도 차를 이용하여 혼합물을 분리할 때 사용한다.
② 끓는점 차를 이용하여 액체와 액체에 녹는 고체 혼합물을 분리할 때 사용한다.
④ 용해도 차를 이용하여 혼합물을 분리할 때 사용한다.
⑤ 끓는점 차를 이용하여 서로 섞이는 액체 혼합물을 분리할 때 사용한다.

08 사인펜의 잉크 색소는 혼합물의 각 성분이 용매를 따라 이동하는 속도 차를 이용하여 분리한다.

09 밀도 차를 이용하여 혼합물을 분리하는 방법이다. ⑤ 바닷물에서 식수를 얻는 것은 끓는점 차를 이용하여 혼합물을 분리하는 방법이다.

10 **모범 답안** 소금을 더 녹인다. 소금물의 농도가 진해지면 밀도가 커지기 때문이다.
해설 소금물의 밀도가 쭉정이보다 크고 알찬 볍씨보다 작도록 농도를 조절해야 쭉정이와 알찬 볍씨를 분리할 수 있다.

채점 기준	배점
방법과 까닭을 모두 옳게 서술한 경우	100 %
방법과 까닭 중 하나만 옳게 서술한 경우	50 %

11 혼합물에서 특정 물질을 잘 녹이는 용매를 사용하여 물질을 분리하는 방법을 추출이라고 한다.

12 불순물과 붕산의 온도에 따른 용해도 차를 이용한 혼합물의 분리 방법이다.
오답 분석
ㄴ. 이와 같은 혼합물의 분리 방법을 재결정이라고 한다.

13 거름 장치는 용매에 녹는 물질과 녹지 않는 물질을 분리할 때 사용한다.

14 나프탈렌은 에탄올에 녹아서 분리(A)된다. 소금은 물에 녹아서 분리(B)된다. 모래는 에탄올과 물에 모두 녹지 않으므로 거름종이 위에 남는다(C).

15 **모범 답안** B, 암모니아는 물에 대한 용해도가 크다.
해설 물에 대한 용해도 차를 이용하여 공기와 암모니아를 분리할 수 있다.

채점 기준	배점
암모니아가 나오는 통로와 암모니아의 특성을 모두 옳게 서술한 경우	100 %
암모니아가 나오는 통로와 암모니아의 특성 중 하나만 옳게 서술한 경우	50 %

16 콩 속에 들어 있는 지방을 녹이는 용매를 이용하여 지방을 분리하는 것은 용해도 차를 이용한 분리 방법이다.

17 크로마토그래피로 물질을 전개시켰을 때 2가지 이상으로 물질이 분리된 것은 2가지 이상의 물질이 섞여 있는 혼합물이다.

18 그림의 장치는 크로마토그래피이다.
오답 분석
ㄱ. 찍은 점이 물에 잠기지 않도록 한다.
ㄴ. 용매의 종류에 따라 색소가 분리되는 양상이 다르게 나타난다.

19 **모범 답안** 분리 방법이 간단하다. 매우 적은 양의 혼합물도 분리할 수 있다.
해설 크로마토그래피는 성질이 비슷하거나 복잡한 혼합물도 쉽게 분리할 수 있다.

채점 기준	배점
크로마토그래피의 장점을 2가지 이상 서술한 경우	100 %
크로마토그래피의 장점을 1가지만 서술한 경우	50 %

Ⅶ 수권과 해수의 순환

01 수권과 해수의 성질

개념으로 복습하기
복습책 083쪽

❶ 빙하 ❷ 수자원 ❸ 농업용수 ❹ 생활용수 ❺ 지하수 ❻ 태양 복사 ❼ 혼합층 ❽ 수온 약층 ❾ 심해층 ❿ 염류 ⓫ 염분 ⓬ 높은 ⓭ 낮은 ⓮ 염분비 일정 법칙

헷갈리는 내용 공략하기
복습책 084쪽

01 수온 약층 02 심해층 03 혼합층 04 혼합층 05 심해층 06 수온 약층 07 저 08 중 09 고 10 높 11 낮 12 낮 13 높 14 낮 15 높 16 저 17 고 18 중

문제로 복습하기
복습책 085쪽~087쪽

01 ② 02 ③ 03 ③ 04 ③ 05 ③ 06 ④ 07 ⑤ 08 ⑤ 09 (1) A – ㉠, B – ㉡, C – ㉢ (2) 해설 참조 10 ③ 11 ① 12 ① 13 ④ 14 ⑤ 15 ⑤ 16 ⑤ 17 해설 참조 18 ① 19 ② 20 해설 참조

01 ② 육지의 물 중에서는 빙하가 가장 많은 양을 차지한다.

02 ③ 육수 중 가장 많은 양을 차지하는 A는 빙하로, 극지방이나 고산 지대에 분포한다.
오답 분석
① 빙하는 고체 상태로 존재한다.
② 여러 가지 염류가 포함되어 있는 것은 해수이다.
④ 수자원으로 가장 많이 이용하고 있는 것은 강과 호수이다.
⑤ 기상 현상을 일으키는 것은 대기 중의 수증기이다.

03 그래프에서 강수량은 7월~8월에 집중되어 있으며, 계절에 따라 강수량이 달라 이용 가능한 물의 양이 다르다. 또한, 강수량은 지역에 따라 다르게 나타난다.

04 지하수는 하천수나 호수보다 많은 양이 분포하며, 빗물이 지층으로 스며들어 채워지므로 지속적으로 활용할 수 있어 수자원으로서 가치가 높다.

05 표층 수온의 분포는 해수면에 도달하는 태양 복사 에너지양에 따라 달라진다. 따라서 태양 복사 에너지를 많이 흡수하는 저위도에서 고위도로 갈수록 표층 수온은 낮아지며, 표층 수온의 분포는 대체로 위도와 나란하다.

06 (가)는 심해층, (나)는 혼합층, (다)는 수온 약층에 해당한다.

07 수온 약층은 수심이 깊어질수록 수온이 낮아지므로 대류가 일어나지 않는 안정된 층이다. 따라서 혼합층과 심해층 사이의 열과 물질의 전달을 막아 주는 역할을 한다.

08 바람이 강하게 부는 계절에는 혼합층이 두꺼워지며, 여름철에는 태양 복사 에너지를 많이 받아 표층 수온이 높으므로 수온 약층이 두껍게 발달한다.

09 ⑴ 작은 선풍기를 틀었을 때 표층의 물이 섞여 온도가 일정한 층이 만들어진다.
⑵ **모범 답안** 심해층은 태양 복사 에너지가 거의 도달하지 않아서 수온이 매우 낮고, 연중 수온이 거의 일정하다.

채점 기준	배점
태양 복사 에너지와 수온을 연관지어 서술한 경우	100 %
수온에 대해서만 서술한 경우	50 %

10 ③ 바람이 강한 중위도 지역에서 혼합층이 두껍게 발달한다.
오답 분석
① 저위도에서도 수심이 깊은 곳에서 심해층이 나타난다.
② 수온 약층은 깊이에 따라 수온이 급격히 내려가기 때문에 안정하여 혼합 작용이 일어나지 않는다.
④ 혼합층과 수온 약층은 저위도와 중위도 지역의 바다에서 나타난다.
⑤ 고위도에서는 표층과 심해의 수온 차이가 거의 없어 층상 구조가 나타나지 않는다.

11 A는 염화 나트륨, B는 염화 마그네슘, C는 황산 마그네슘, D는 황산 칼슘, E는 기타이다. 소금의 주성분이 되는 염류는 염화 나트륨(A)이다.

12 염분은 해수 1 kg에 포함된 염류의 양을 g 수로 나타낸 것이다. 따라서 35 psu라는 것은 해수 1000 g에 염류가 35 g 포함되어 있다는 의미이므로 물의 양은 965 g이다.

13 염분의 변화에 직접적인 영향을 주는 요인에는 강수량, 증발량, 강물의 유입량, 결빙과 해빙이 있다.

14 ⑤ 대륙의 주변부는 육지에서 유입되는 강물의 양이 많아 대양의 중앙부보다 염분이 낮다.
오답 분석
① 태평양은 대서양에 비해 염분이 낮다.
② 중위도 지방은 증발량이 많아 염분이 높다.
③ 적도 지방은 강수량이 많아 염분이 낮다.
④ 극지방은 바닷물이 어는 양이 많아 염분이 높다.

15 해수의 표층 염분 분포는 중위도 지방(위도 30° 부근)이 높고, 적도 지방과 극지방은 낮게 나타난다.

16 동해는 황해보다 염분이 높고, 겨울철은 여름철보다 염분이 높다. 또한, 해안에서 멀리 떨어질수록 강물의 유입량이 적어 염분이 높다.

17 **모범 답안** 염분$=\dfrac{\text{염류의 총 질량}}{\text{해수의 총 질량}}\times 1000$이므로,

$$\frac{2000\times\frac{30}{1000}+3000\times\frac{40}{1000}}{5000}\times 1000=36\text{ psu}$$이다.

채점 기준	배점
혼합한 해수의 염분과 염분을 구하는 식을 모두 옳게 서술한 경우	100 %
혼합한 해수의 염분만 맞은 경우	40 %

18 염분이 달라도 염류를 구성하는 각 성분의 질량비는 일정하므로 32 psu : 24 g$=$40 psu : x, ∴ $x=30$ g이다.

19 (가)는 염화 나트륨으로 짠맛이 나고, (나)는 염화 마그네슘으로 쓴맛이 난다. 염분비는 일정하므로 어느 해수나 염류 (가) : (나)의 비율은 문제의 표에서의 비율과 같다.
오답 분석
이 해수의 염분은 35 psu로 세계 평균과 같으며, 바다에 따라 염분이 다르므로 포함된 염류의 양도 차이가 난다.

20 **모범 답안** 바다에 따라 포함된 염류의 양이 달라 염분은 다르지만, 염류가 바닷물의 운동에 의해 섞이기 때문에 염류 사이의 질량비는 일정하다.

채점 기준	배점
바다에 따라 염분은 다르고 염류 사이의 질량비는 같다는 설명과 함께 그 까닭을 옳게 서술한 경우	100 %
바다에 따라 염분은 다르고 염류 사이의 질량비는 같다고만 서술한 경우	50 %

02 해수의 순환

개념으로 복습하기 복습책 088쪽

❶ 해류 ❷ 난류 ❸ 한류 ❹ 쿠로시오 해류 ❺ 북한 한류 ❻ 조경 수역 ❼ 동한 ❽ 북한 ❾ 조석 ❿ 밀물 ⓫ 썰물 ⓬ 인력 ⓭ 조류 ⓮ 만조 ⓯ 간조 ⓰ 조차

헷갈리는 내용 공략하기 복습책 089쪽

01 한 02 난 03 난 04 한 05 난 06 쿠로시오 해류 07 황해 난류 08 동한 난류 09 동한 난류, 북한 한류 10 밀물 11 썰물 12 만조 13 간조 14 A, C 15 B 16 A에서 C까지

문제로 복습하기 복습책 090쪽~092쪽

01 ③ 02 ④ 03 ③ 04 ② 05 ③ 06 ④ 07 ④ 08 ① 09 해설 참조 10 ④ 11 ③ 12 ② 13 ③ 14 ② 15 썰물 16 ① 17 ③ 18 해설 참조

01 저위도의 따뜻한 바닷물이 고위도로 흐르는 것이 난류이다.

02 해수면 부근에서 흐르는 해류는 바람의 영향을 크게 받는다.

03 해류는 기후에 영향을 주며, 저위도의 남는 열을 고위도로 이동시키는 역할을 한다.

04 저위도의 따뜻한 바닷물이 고위도로 흐르는 것이 난류이다. 난류는 수온과 염분이 높고, 산소와 영양 염류의 양이 적으며, 검푸른색을 띤다.

05 C는 북한 한류로 연해주 한류에서 갈라져 나와 동해로 흐르는 한류이다.

06 A(쿠로시오 해류), B(동한 난류), D(황해 난류)는 난류이고, C(북한 한류)는 한류이다. 동한 난류와 북한 한류가 만나는 지역에 조경 수역이 형성된다.

07 A(쿠로시오 해류), B(동한 난류), D(황해 난류)는 난류이고, C(북한 한류)는 한류이다. 쿠로시오 해류는 우리나라 주변을 흐르는 난류의 근원이다. 동한 난류는 육지 가까이에서 흐르므로 그 영향으로 겨울철 동해안은 같은 위도의 서해안보다 따뜻하다.

08 해류가 흐르지 않는다면 저위도의 남는 열이 고위도로 이동하지 못하므로 현재보다 적도 지방의 기온은 높아질 것이다.

09 **모범 답안** 동한 난류와 북한 한류, 여름철에는 동한 난류의 세력이 강해져 조경 수역의 위치가 북쪽으로 올라가고, 겨울철에는 북한 한류의 세력이 강해져 조경 수역의 위치가 남쪽으로 내려온다.

채점 기준	배점
해류의 명칭과 변화를 옳게 서술한 경우	100 %
해류의 명칭과 변화 중 1가지만 옳게 서술한 경우	50 %

10 조류는 일정한 주기를 가지고 있다. 만조는 하루 중 해수면이 가장 높아진 때이고, 간조는 하루 중 해수면이 가장 낮아진 때이다.

11 만조일 때와 간조일 때 해수면의 높이 차이는 약 4 m이며, 만조와 간조는 하루에 대략 2번씩 나타난다.

12 만조와 간조 때의 해수면의 높이 차이를 조차라고 하며, 한 달 중 조차가 가장 크게 나타나는 시기를 사리, 가장 작게 나타나는 시기를 조금이라고 한다.

13 갯벌에서 조개를 캐는 것은 썰물로 인해 갯벌이 많이 드러나는 간조일 때가 좋다. 만조와 간조 때 해수면의 높이 차이를 조차라고 하는데 서해안과 같이 수심이 얕은 곳일수록 조차가 크게 나타난다.

14 밀물과 썰물에 의해 해수면이 주기적으로 높아졌다 낮아졌다 하는 현상을 조석이라고 하며, 주로 달의 인력에 의해 생긴다. 조석 주기는 A에서 C까지 걸리는 시간으로, 약 12시간 25분이다.

15 오전 9시경은 만조와 간조 사이이므로 썰물일 때이다.

16 서해안은 조차가 최대 11 m나 되므로, 이를 이용하여 조력 발전소를 건설하기에 적당하다.

17 조석 현상에 가장 큰 영향을 주는 것은 달의 인력이다. 즉, 달을 향한 쪽과 그 반대쪽이 해수면이 가장 높아지는 만조가 된다.

18 **모범 답안** 조류는 일정한 주기를 가지고 변하는 해수의 흐름이고 해류는 지속적으로 일정한 방향으로 흐르는 해수의 흐름이다.

채점 기준	배점
모범 답안과 같이 서술한 경우	100 %
조류와 해류의 흐름 방향 중 1가지만 옳게 서술한 경우	50 %

Ⅷ 열과 우리 생활

01 온도와 열

개념으로 복습하기

복습책 093쪽

❶ 온도 ❷ 온도계 ❸ 활발하다 ❹ 둔하다 ❺ 올라간다
❻ 열 ❼ 열평형 ❽ 잃어 ❾ 얻어 ❿ 전도
⓫ 직접 ⓬ 복사 ⓭ 대류 ⓮ 이동 ⓯ 전도
⓰ 대류 ⓱ 복사

헷갈리는 내용 공략하기

복습책 094쪽

01 가, 나, 다, 라 **02** 가, 다, 마 **03** 뜨거운 물 **04** (1) 뜨거운 물 (2) 찬물 **05** 나, 사 **06** 바, 아 **07** 다

문제로 복습하기

복습책 095쪽~097쪽

01 ⑤ **02** ④ **03** ⑤ **04** (나) **05** ① **06** 해설 참조
07 ④ **08** ④ **09** J, cal, kcal **10** ③ **11** ② **12** ④
13 ① **14** ④ **15** ② **16** ③ **17** ⑤ **18** 해설 참조

01 절대 온도=섭씨온도+273이므로 절대 온도로 나타내 보면 ① 0 K ② 0 K ③ 273 K ④ 273 K ⑤ 373 K이다.

02 모든 물체는 온도가 높을수록 입자의 운동이 활발하다. 온도는 입자 운동이 멈춘 상태인 −273 ℃까지만 존재하며, 25 ℃와 같은 절대 온도는 298 K이다. 절대 온도는 섭씨온도와 같은 눈금 간격으로 나타낸다. 고체, 액체, 기체 모두 온도가 높을 때 입자 운동이 활발하다.

03 사람의 감각만으로는 물체의 온도를 정확히 알 수 없다. 따라서 물체의 온도를 정확하게 알기 위해 온도계를 이용하여 물체의 온도를 측정한다.

04 알코올 온도계는 물체에 직접 접촉하여 열평형의 원리를 이용하여 온도를 측정하는 온도계이다.

05 냉장고 속은 온도가 낮으므로 물을 넣으면 물의 온도가 낮아져 입자의 운동이 둔해진다. 물체를 가열하거나 두드리거나 튕기면 입자의 운동이 활발해진다.

06 **모범 답안** 고무줄의 입자 운동이 활발해지기 때문이다.

채점 기준	배점
입자 운동과 관련하여 옳게 서술한 경우	100 %
입자 운동과 관련하지 않고 서술한 경우	0 %

07 온도가 다른 두 물체가 접촉해 있을 때 이동하는 에너지가 열인데, 열은 항상 온도가 높은 곳에서 낮은 곳으로 이동한다.

08 물 1 g의 온도를 1 ℃ 높이는 데 필요한 열량은 1 cal이므로, 물 100 g의 온도를 1 ℃ 높이는 데 필요한 열량은 100 cal이다. 1 kcal는 1000 cal이다.

09 열량의 단위는 cal(칼로리), kcal(킬로칼로리)가 있으며, 에너지의 국제 표준 단위로 사용되는 J(줄)도 열량의 단위로 사용된다.

10 열평형은 온도가 다른 두 물체가 접촉해 있을 때 두 물체의 온도가 더는 변하지 않고 일정해지는 상태이다. 그래프에서 11분 이후 뜨거운 물과 찬물의 온도가 더는 변하지 않고 일정하므로 11분에 열평형이 이루어졌다. 열평형이 이루어진 11분에서의 온도는 34 ℃이다.

11 열은 항상 온도가 높은 물체에서 낮은 물체로 이동한다. 따라서 처음에는 온도가 높은 물체 A에서 온도가 낮은 물체 B로 열이 이동하였다.

12 온도계를 바깥 그늘에 한참 두어 열평형이 이루어지게 해야 한다. 햇빛을 받으면 복사 에너지에 의해 온도가 올라간다.

13 열의 이동을 막는 것을 단열이라고 한다. 입자가 직접 이동하여 열을 전달하는 방법은 대류, 열이 다른 물질의 도움 없이 직접 이동하는 방법은 복사, 입자의 운동이 이웃한 입자에 전달되어 열이 이동하는 방법은 전도이다. 열은 전도, 대류, 복사 중 한 가지 방법으로만 이동하는 것보다 한 번에 2~3가지 방법으로 이동하는 경우가 많다.

오답 분석

② 입자가 직접 이동하여 열을 전달하는 방법은 대류이다.
③ 열은 한번에 2~3가지 방법으로 이동하기도 한다.
④ 열이 다른 물질의 도움 없이 직접 이동하는 방법은 복사이다.
⑤ 입자의 운동이 이웃한 입자에 전달되어 열이 이동하는 방법은 전도이다.

14 물질마다 열을 전도하는 정도에는 차이가 있다. 금속은 열을 잘 전도하는 물질로 대부분의 프라이팬은 금속으로 되어 있지만 손잡이는 열을 잘 전도하지 않는 물질인 플라스틱으로 만들어 잘 뜨거워지지 않는다.

15 가열하는 지점의 물은 온도가 높아져 위로 올라가고 그 자리를 주변의 물이 흘러들어오므로 톱밥의 흐름은 ②와 같다.

16 숯불에서는 복사에 의한 열의 이동으로 고기를 굽고, 프라이팬은 전도에 의한 열의 이동으로 음식을 익힌다. 냄비에서 끓이고 있는 라면은 대류에 의한 열의 이동의 예이다.

17 진공 상태는 전도뿐만 아니라 대류에 의한 열의 이동을 막을 수 있다. 마개는 전도에 의한 열의 이동을 막는 역할을 하고, 금속판은 복사에 의한 열의 이동을 막는다.

18 **모범 답안** 이중창 사이에 있는 공기가 열을 잘 전도하지 않기 때문에

채점 기준	배점
공기의 열 전도에 대하여 옳게 서술한 경우	100 %
이중창 사이의 공기만 언급하여 서술한 경우	50 %

02 비열과 열팽창

개념으로 복습하기 복습책 098쪽

❶ 많이 ❷ 작을(클) ❸ 많이(적게) ❹ 1 kg ❺ 종류
❻ 열량 ❼ 해풍 ❽ 육풍 ❾ 큰 ❿ 열팽창

헷갈리는 내용 공략하기 복습책 099쪽

01 가, 다, 라, 사, 자 02 나, 마, 바, 아 03 마
04 바 05 가 06 다 07 라 08 나
09 여름 10 겨울 11 겨울 12 여름 13 겨울
14 여름 15 여름 16 겨울

문제로 복습하기 복습책 100쪽~102쪽

01 ② 02 ④ 03 ③ 04 ② 05 ① 06 ⑤ 07 ③
08 해설 참조 09 ① 10 ③ 11 ④ 12 ③ 13 ④
14 ② 15 ② 16 ②, ④ 17 B>C>A 18 해설 참조

01 식용유의 비열이 물의 비열보다 작으므로 같은 열량을 가하였을 때 식용유가 물보다 온도 변화가 더 크다. 따라서 ②의 모습으로 온도가 변할 것이다.

오답 분석

① 물은 끓는점인 100 ℃가 될 때까지 계속 온도가 올라간다.
③ 물의 비열이 식용유의 비열보다 크므로 그래프는 반대가 되어야 한다.
④, ⑤ 물과 식용유 모두에 열을 가하였으므로 두 물체는 모두 온도가 올라가야 한다.

02 질량×비열이 작을수록 온도 변화가 크다. A~C의 질량×비열의 값은 A=2, B=3, C=0.5이므로 값이 가장 작은 C의 온도 변화가 가장 크고, B의 온도 변화가 가장 작다.

03 비열은 물질의 고유한 값으로 물질의 특성이기 때문에 질량에 영향을 받지 않는다. 따라서 비열이 0.3 kcal/(kg·℃)로 같은 B와 D가 같은 물질이다.

04 동일하게 가열하였을 때 물체 A~C의 온도 변화가 모두 다르므로 A~C는 모두 다른 물질이다.

오답 분석

① A의 온도 변화가 C보다 크므로 A의 비열이 더 작다.
③, ⑤ 문제에서 A~C를 동일하게 가열하였으므로 같은 열량을 얻는다.
④ 그래프를 보면 10분이라는 시간 동안 A는 40 ℃, B는 20 ℃, C는 10 ℃만큼 온도가 변하였으므로 A의 온도 변화가 가장 크다.

05 뜨거운 밥과 차가운 그릇이 열평형을 이룰 때 그릇의 비열이 클수록 온도 변화가 작다. 따라서 온도 변화가 27 ℃로 가장 작은 유리의 비열이 가장 크고, 온도 변화가 49 ℃로 가장 큰 은의 비열이 가장 작다.

06 질량이 같은 물과 모래를 가열하였을 때 모래의 온도 변화가 더 크므로 모래가 물보다 비열이 작음을 알 수 있다. 그러므로 식을 때도 모래가 물보다 더 빨리 식기 때문에 바닷가에서 밤에는 바닷물보다 모래가 더 시원하게 느껴진다.

07 컨테이너의 금속은 나무나 흙보다 비열이 작으므로 컨테이너 하우스는 낮에는 온도가 빨리 올라가고 밤에는 온도가 빨리 내려간다. 따라서 낮에는 한옥보다 온도가 높고, 밤에는 한옥보다 온도가 낮다.

08 **모범 답안** (나), 금속은 흙보다 비열이 작아서 더 빠르게 뜨거워지므로 금속 냄비 속 물이 뚝배기 속 물보다 더 빨리 끓게 된다. 따라서 금속 냄비 속 달걀이 더 빨리 삶아진다.

채점 기준	배점
달걀을 더 빠르게 삶을 수 있는 것을 맞게 고르고, 그 까닭을 옳게 서술한 경우	100 %
달걀을 더 빠르게 삶을 수 있는 것은 맞았지만 그 까닭은 틀린 경우	50 %

09 핫플레이트로 액체가 담긴 삼각 플라스크를 가열하면 액체의 온도는 증가한다. 플라스크 역시 온도가 올라가 부피가 증가하고, 액체도 온도가 증가하므로 부피가 증가하여 유리관 속 액체의 높이가 증가한다.

10 물체의 온도가 높아지면 물체를 이루는 입자 운동이 활발해져 입자들 사이의 거리가 멀어지고, 입자가 차지하는 공간이 늘어나 부피나 길이가 팽창한다.

오답 분석

ㄱ. 열팽창은 고체와 액체뿐만 아니라 기체에서도 일어나는 현상이다. ㄴ. 물질을 이루는 입자의 크기나 입자끼리 연결되어 있는 상태가 물질마다 다르기 때문에 물질의 종류에 따라 열팽창 정도가 다르지만 일반적으로 고체보다 액체의 열팽창 정도가 더 크다.

11 온도가 낮을 때는 입자 운동이 활발하지 않아 (다)와 같이 입자 사이의 거리가 가깝고, 가열할 때는 입자 운동이 활발해져 (가)와 같이 입자들 사이의 거리가 멀어진다. 온도가 높아지면 (나)와 같이 입자들이 차지하는 공간이 늘어나 부피가 팽창한다.

12 철근과 시멘트, 치아와 충전재는 각각 서로 열팽창 정도가 비슷하여 서로 떨어지지 않도록 한다. 내열유리는 열팽창 정도가 작아 실험 시 비교적 안전하게 사용이 가능하다.

13 유리병에 어느 한 부분만 온도가 올라가면 그 부분의 입자들만 활발해져 차지하는 공간이 커지게 되므로 열팽창을 하게 된다. 따라서 다른 부분과 팽창한 정도가 달라 깨지게 된다. 유리병을 가열할 때 전체가 동일하게 가열된다면 고르게 열팽창하여 깨지지 않는다.

14 쇠고리를 가열하면 전체적으로 부피가 늘어나므로, 바깥쪽 원과 안쪽 원이 모두 늘어난다.

15 나무는 열팽창 정도가 작기 때문에 나무 손잡이를 냉각시켜 금속 날을 끼우는 데는 한계가 있다. 따라서 금속 날을 가열하여 부피를 늘인 뒤 나무 손잡이를 끼우고 냉각시키는 방법으로 도끼를 만든다.

16 A~D의 가열 전과 가열 후의 높이 변화는 A=0.2 cm, B=0.2 cm, C=0.7 cm, D=0.2 cm이므로 A, B, D는 열팽창 정도가 같으므로 서로 같은 물질이고, C만 다른 물질이다. 따라서 A, B, D는 바이메탈을 만들기 위하여 서로 사용할 수는 없고, 모두 C와 함께 바이메탈을 만드는 데 사용할 수 있다.

17 바이메탈은 금속의 열팽창 정도가 다른 금속을 이용하여 만든 것이다. (가)는 A쪽으로 휘어졌으므로 열팽창 정도는 A<C이고, (나)는 C쪽으로 휘어졌으므로 열팽창 정도는 B>C이다. 따라서 A~C의 열팽창 정도는 B>C>A이다.

18 **모범 답안** 기차 선로의 틈이 좁아진다, 알코올 온도계의 액체 높이가 높아진다, 전신주 사이의 전깃줄이 늘어진다, 에펠탑의 높이가 높아진다.

채점 기준	배점
여름철 열팽창에 의한 현상을 3가지 모두 옳게 서술한 경우	100 %
여름철 열팽창에 의한 현상을 2가지만 옳게 서술한 경우	70 %
여름철 열팽창에 의한 현상을 1가지만 옳게 서술한 경우	30 %